Der kleine Duden Deutsches Wörterbuch

Der kleine Duden
Bearbeitet von der Dudenredaktion

1. **Deutsches Wörterbuch**
   Das handliche Nachschlagewerk zur deutschen Rechtschreibung

2. **Sprachtipps**
   Hilfen im sprachlichen Alltag

3. **Der passende Ausdruck**
   Ein Synonymwörterbuch für die Wortwahl

4. **Deutsche Grammatik**
   Eine Sprachlehre für Beruf, Studium, Fortbildung und Alltag

5. **Fremdwörterbuch**
   Ein Nachschlagewerk für den täglichen Gebrauch

Der kleine Duden

Deutsches Wörterbuch

**8., vollständig überarbeitete und
aktualisierte Auflage**
Auf der Grundlage der amtlichen
Rechtschreibregeln
Bearbeitet von der Dudenredaktion

Dudenverlag
Berlin

Redaktion Ilka Pescheck,
Dr. Christine Tauchmann
unter Mitwirkung von Hannah Schickl
Abschnitt zu Kommaregeln von
Christian Stang
Herstellung Monique Markus-Ullrich

Die Duden-Sprachberatung beant-
wortet Ihre Fragen zu Rechtschreibung, Zeichensetzung, Grammatik
u. Ä. montags bis freitags zwischen
09:00 und 17:00 Uhr.
Aus Deutschland: 09001 870098
(1,99 € pro Minute aus dem Festnetz)
Aus Österreich: 0900 844144 (1,80 €
pro Minute aus dem Festnetz)
Aus der Schweiz: 0900 383360
(3,13 CHF pro Minute aus dem Festnetz)
Die Tarife für Anrufe aus den Mobil-
funknetzen können davon abweichen.
Den kostenlosen Newsletter der
Duden-Sprachberatung können Sie
unter www.duden.de/newsletter
abonnieren.

**Bibliografische Information der
Deutschen Nationalbibliothek**
Die Deutsche Nationalbibliothek verzeichnet diese Publikation in der Deutschen Nationalbibliografie; detaillierte
bibliografische Daten sind im Internet
über http://dnb.d-nb.de abrufbar.

© Duden 2014
Bibliographisches Institut GmbH
Mecklenburgische Str. 53, 14197 Berlin
D C B
Typografie Iris Farnschläder, Hamburg
Umschlaggestaltung sauerhöfer
design, Neustadt an der Weinstraße
Satz Dörr + Schiller GmbH, Stuttgart
Druck und Bindung
Friedrich Pustet GmbH & Co. KG
Gutenbergstr. 8, 93051 Regensburg
Printed in Germany
ISBN 978-3-411-04668-3
www.duden.de

Vorwort

Auch in der digitalen Zeit, in der viele Informationen auf kleinstem Raum elektronisch gespeichert sind, hat ein kleines, handliches Nachschlagewerk seine Berechtigung nicht verloren. Denn viel besser als auf den meisten elektronischen Speichermedien können in einem gedruckten Wörterbuch gleich mehrere Artikel auf einen Blick und so in ihrem Zusammenhang betrachtet werden. Das erleichtert in vielen Fällen die Entscheidung für die richtige Schreibung. Durch sein handliches Format lässt es sich bequem überallhin mitnehmen.

Mit 50 000 Wörtern und Beispielen enthält das „Deutsche Wörterbuch" den Grundstock des deutschen Wortschatzes einschließlich der wichtigsten Fach- und Fremdwörter. Für die vorliegende 8. Auflage wurde der gesamte verzeichnete Wortschatz aktualisiert und erweitert. Dabei wurde der fortschreitenden Entwicklung des deutschen Wortschatzes durch die Aufnahme zahlreicher neuer Wörter entsprochen. Neu hinzugekommen sind zum Beispiel *Flashmob*, *Latte macchiato*, *Tablet* und *Vätermonat*.

Das „Deutsche Wörterbuch" präsentiert den zentralen deutschen Wortschatz besonders benutzerfreundlich aufbereitet: Viele Wörter sind zusätzlich in Beispiele eingebettet, damit jeder möglichst „seinen" Fall finden kann. Zahlreiche Informationskästen zeigen auf übersichtliche Art rechtschreiblich besonders schwierige Wörter. Von Wörtern, die häufig unter einer falschen Schreibung gesucht werden, wird von dieser Stelle aus auf die richtige Form verwiesen (zum Beispiel findet man *Akquise* auch unter *Aq...*, nicht nur unter *Akq...*). Wo die Rechtschreibregeln mehrere Schreibungen zulassen, stehen beide Formen durch Komma abgetrennt nebeneinander. Für alle, die sich nicht selbst zwischen den Schreibvarianten entscheiden möchten, sind die Varianten, die im Dudenverlag selbst bevorzugt verwendet werden, hellgelb hinterlegt.

Das „Deutsche Wörterbuch" ist alles in allem ein handliches, übersichtliches und zuverlässiges Nachschlagewerk zur Lösung rechtschreiblicher Schwierigkeiten im Alltag.

Berlin, im August 2014 Die Dudenredaktion

Inhalt

Im Wörterverzeichnis verwendete Abkürzungen
auf der Innenseite des hinteren Buchdeckels

Zur Wörterbuchbenutzung

I. Zeichen von besonderer Bedeutung

.   Ein untergesetzter Punkt kennzeichnet die kurze betonte Silbe, z. B. Referent.

_   Ein untergesetzter Strich kennzeichnet die lange betonte Silbe, z. B. Fassade.

| Der senkrechte Strich dient zur Angabe der möglichen Worttrennungen am Zeilenende, z. B. Mor|ta|del|la, mü|he|voll.

®   Das Zeichen ® macht als Marken geschützte Wörter (Bezeichnungen, Namen) kenntlich. Sollte dieses Zeichen einmal fehlen, so ist das keine Gewähr dafür, dass das Wort als Handelsname frei verwendet werden darf.

-   Der waagerechte Strich vertritt das unveränderte Stichwort bei den Beugungsangaben des Stichworts, z. B. Insel, die; -, -n (die/eine Insel, der/einer Insel, die/viele Inseln).

...   Drei Punkte stehen bei Auslassung von Teilen eines Wortes, z. B. Eindruck, der; -[e]s, ...drücke; oder: Anabolikum, das; -s, ...ka.

[]   Die eckigen Klammern schließen Aussprachebezeichnungen, Zusätze zu Erklärungen in runden Klammern und beliebige Auslassungen (Buchstaben und Silben, wie z. B. in anteil[s]mäßig) ein.

()   Die runden Klammern schließen Erklärungen und Hinweise zum heutigen Sprachgebrauch ein, z. B. orakeln (in dunklen Andeutungen sprechen).
Sie enthalten außerdem stilistische Bewertungen, fachsprachliche Zuordnungen und Angaben zur räumlichen und zeitlichen Verbreitung des Stichwortes.

II. Auswahl der Stichwörter

Das „Deutsche Wörterbuch" erfasst den für die Allgemeinheit bedeutsamen Kernwortschatz der deutschen Sprache.
Es enthält Erbwörter, Lehnwörter und Fremdwörter der Hochsprache, auch umgangssprachliche Ausdrücke und landschaftlich verbreitetes Wortgut, ferner einige Wörter aus Fachsprachen sowie aus Gruppen- und Sondersprachen, z. B. aus

der Medizin, der Jagd oder aus dem Sport. Es verzeichnet darüber hinaus eine begrenzte Anzahl von geografischen Namen sowie allgemein gebräuchliche Abkürzungen.

Die Grundlage für die Wortschatzerfassung bilden eine traditionelle Sprachdatensammlung (Duden-Sprachkartei) und eine umfassende, elektronisch aufbereitete Textzusammenstellung aus Zeitungsjahrgängen, Zeitschriften und Büchern (Dudenkorpus) im Umfang von derzeit rund 2,7 Milliarden laufenden Wortformen.

Für die Auswahl waren neben der allgemeinen Gebräuchlichkeit hauptsächlich rechtschreibliche und grammatische Gründe maßgebend. Aus dem Fehlen eines Wortes darf also nicht geschlossen werden, dass es vollkommen ungebräuchlich oder nicht korrekt ist. Besonders im Bereich der zusammengesetzten Wörter können aus Platzgründen oft nur ausgewählte Beispiele gezeigt werden.

III. Anordnung und Behandlung der Stichwörter

1. Allgemeines

a) Die Stichwörter sind **halbfett** gedruckt.

b) Wo die Rechtschreibregeln mehrere Schreibungen zulassen, stehen beide Formen durch Komma getrennt nebeneinander. Das bedeutet, dass nach geltender Rechtschreibung beide Schreibungen gleichberechtigt sind (vgl. auch Abschnitt c).

   Beispiel: Geograf, Geograph

   Eine Ausnahme bilden stilistische, regionale oder als fachsprachlich markierte Schreibungen. Diese werden mit der entsprechenden Angabe versehen an die Hauptform angeschlossen.

   Beispiel: Zellulose, *fachspr.* Cellulose

   Bei der Anordnung der gleichberechtigten Schreibungen werden [im Haupteintrag] die von der Dudenredaktion empfohlenen Schreibungen in der Regel zuerst angeführt (s. dazu Abschnitt c).

   Beispiel: Frottee, Frotté

c) Für alle, die sich nicht selbst zwischen den erlaubten Schreibvarianten entscheiden möchten, sind die Varianten, die im Dudenverlag selbst bevorzugt verwendet werden, hellgelb unterlegt.

d) Die geltenden Regeln zur Worttrennung lassen – besonders bei Fremdwörtern – häufig mehrere unterschiedliche Trennmöglichkeiten zu. Das „Deutsche Wörterbuch" kennzeichnet bei jedem Stichwort alle Trennmöglichkeiten durch senkrechte Striche.

Beispiel: Chi|r|ur|gie

e) Die Anordnung der Stichwörter ist alphabetisch. Die Umlaute ä, ö, ü, äu werden wie die nicht umgelauteten Vokale (Selbstlaute) a, o, u, au behandelt. Kleinbuchstaben werden vor Großbuchstaben eingeordnet, Ziffern folgen nach dem letzten Buchstaben des Alphabets. Einträge aus mehreren Wörtern werden wie einfache Einträge behandelt.
Abweichend von der alphabetischen Ordnung gibt es an manchen Stellen Infokästen mit Wörtern, die wegen ihrer ungewöhnlichen Schreibung häufig nicht am richtigen Ort gesucht werden.

f) Stichwörter, die sprachlich (etymologisch) verwandt sind, werden aus Platzgründen gelegentlich zu kurzen, überschaubaren Wortgruppen zusammengefasst, soweit die alphabetische Ordnung das zulässt.

g) Gleich geschriebene Stichwörter werden durch hochgestellte Zahlen (Indizes) unterschieden.

Beispiel: [1]Elf (Naturgeist)
[2]Elf (Zahl)

2. Substantive (Hauptwörter)

a) Bei einfachen Substantiven sind mit Ausnahme der Fälle unter c der Artikel (das Geschlechtswort), der Genitiv Singular (Wesfall der Einzahl) und, soweit gebräuchlich, der Nominativ Plural (Werfall der Mehrzahl) angeführt.

Beispiel: Knabe, der; -n, -n (das bedeutet: der Knabe, des Knaben, die Knaben)

Substantive, die nur im Plural (Mehrzahl) vorkommen, werden durch ein nachgestelltes *Plur.* gekennzeichnet.

Beispiel: Ferien *Plur.*

b) Bei zusammengesetzten Substantiven und bei Substantiven, die zu zusammengesetzten Verben oder zu solchen mit Vorsilbe gebildet sind, fehlen im Allgemeinen Artikel und Beugungsendungen. In diesen Fällen ist beim Grundwort oder bei dem zum einfachen Verb gebildeten Substantiv nachzusehen.

Beispiele: Eisenbahn bei Bahn, Fruchtsaft bei Saft.

c) Die Angabe des Artikels und der Beugung fehlt gewöhnlich bei abgeleiteten Substantiven, die mit folgenden Silben gebildet sind:

-chen:	Mädchen	das; -s, -
-lein:	Brüderlein	das; -s, -
-ei:	Bäckerei	die; -, -en
-er:	Lehrer	der; -s, -
-heit:	Keckheit	die; -, -en
-in:	Lehrerin	die; -, -nen
-keit:	Ähnlichkeit	die; -, -en
-ling:	Jüngling	der; -s, -e
-schaft:	Landschaft	die; -, -en
-tum:	Besitztum	das; -s, ...tümer
-ung:	Prüfung	die; -, -en

3. Verben (Tätigkeitswörter)

a) Bei den schwachen Verben werden im Allgemeinen keine Beugungsformen angegeben, da sie regelmäßig im Präteritum (erste Vergangenheit) auf -te und im Partizip II (2. Mittelwort) auf -t ausgehen, z. B. wandern, wanderte, gewandert.

b) Bei den starken und unregelmäßigen Verben werden in der Regel die 3. Person Singular (Einzahl) im Indikativ des Präteritums (Wirklichkeitsform der ersten Vergangenheit) und das Partizip II angegeben.

Beispiel: bringen, brachte, gebracht

Bei einigen schwierigen Fällen werden die 2. Person Singular im Indikativ des Präsens (Wirklichkeitsform der Gegenwart), die 2. Person Singular im Indikativ des Präteritums, die (umgelautete) 2. Person Singular im Konjunktiv des Präteritums (Möglichkeitsform der ersten Vergangenheit), das Partizip II sowie der Singular des Imperativs (Befehlsform) angegeben.

Beispiel: bergen, du birgst, du bargst, du bärgest (Konjunktiv des Präteritums), geborgen, birg! (Imperativ)

c) Gelegentlich werden weitere Besonderheiten angegeben. Für zusammengesetzte oder mit einer Vorsilbe gebildete Verben sind die grammatischen Hinweise beim einfachen Verb nachzuschlagen, z. B. vorziehen bei ziehen, dranbleiben bei bleiben.

4. Adjektive (Eigenschaftswörter)

Bei Adjektiven sind vor allem Besonderheiten und Schwankungen in der Bildung der Steigerungsformen vermerkt, z. B. glatt, glatter (auch glätter), glatteste (auch glätteste).

IV. Bedeutungserklärungen

Das „Deutsche Wörterbuch" ist kein Bedeutungswörterbuch, sondern ein Rechtschreibwörterbuch. Es enthält daher keine ausführlichen Bedeutungsangaben. Nur wo es für das Verständnis eines Wortes erforderlich ist, werden kurze Hinweise zur Bedeutung gegeben, etwa bei schwierigen Fremdwörtern, Fachtermini, umgangssprachlichen, landschaftlichen und veralteten Ausdrücken. Solche Erklärungen stehen in runden Klammern. Zusätze, die nicht notwendig zu den Erklärungen gehören, stehen innerhalb der runden Klammern in eckigen Klammern.

> **Beispiele:** Akteur (Handelnder; Spieler; Schauspieler), Amortisation ([allmähliche] Tilgung), Melange (Mischung; *österr. für* Milchkaffee)

V. Aussprache

Aussprachebezeichnungen stehen in eckigen Klammern hinter Fremdwörtern und einigen deutschen Wörtern, deren Aussprache von der sonst üblichen abweicht. Die verwendete Lautschrift folgt dem Zeichensystem der International Phonetic Association (IPA).
Die übliche Aussprache wurde nicht angegeben bei

c	[k]	vor a, o, u (*wie in* Café)
c	[ts]	vor e, i, ä, ae [ɛ(ː)], ö, ü, y (*wie in* Celsius)
i	[i̯]	vor Vokal in Fremdwörtern (*wie in* Union)
sp	[ʃp]	im Stammsilbenanlaut deutscher und im Wortanlaut eingedeutschter Wörter (*wie in* Spiel, Spedition)
sp	[sp]	im Wortinlaut (*wie in* Knospe, Prospekt)
st	[ʃt]	im Stammsilbenanlaut deutscher und im Wortanlaut eingedeutschter Wörter (*wie in* Bestand, Strapaze)
st	[st]	im Wortin- und -auslaut (*wie in* Fenster, Existenz, Ast)
ti	[tsi̯]	vor Vokal in Fremdwörtern (*wie in* Aktion, Patient)
v	[f]	vor Vokal im Anlaut (*wie in* Vater)

Zeichen der Lautschrift, Beispiele und Umschreibung

[a]	Butler ['bat...]		[õ:]	Chanson [ʃãˈsõ:]
[a:]	H-Milch ['ha:...]		[ø]	Pasteurisation [...tø...]
[ɐ]	Bulldozer [...doːzɐ]		[ø:]	Friseuse [...ˈzøːzə]
[ɐ̯]	Friseur [...ˈzøːɐ̯]		[œ]	Portefeuille [...ˈfœj]
[ã]	Centime [sãˈtiːm]		[œ̃]	Dunkerque [dœ̃ˈkɛrk]
[ã:]	Franc [frã:]		[œ̃:]	Verdun [...ˈdœ̃:]
[ai̯]	live [lai̯f]		[o̯a]	chamois [ʃaˈmo̯a]
[au̯]	Browning [ˈbrau̯...]		[ou̯]	Soap [sou̯p]
[ç]	Bronchie [...çi̯ə]		[ɔy]	Boykott [bɔy...]
[dʒ]	Gin [dʒɪn]		[s]	City [ˈsɪti]
[e]	Descartes [deˈkart]		[ʃ]	Charme [ʃarm]
[e:]	Attaché [...ˈʃe:]		[ts]	Peanuts [ˈpiːnats]
[ɛ]	Handicap [ˈhɛndikɛp]		[tʃ]	Match [mɛtʃ]
[ɛ:]	fair [fɛːɐ̯]		[u]	Routine [ru...]
[ɛ̃]	Impromptu [ɛ̃prõˈty:]		[u:]	Route [ˈruː...]
[ɛ̃:]	Timbre [ˈtɛ̃ːbrə]		[u̯]	Louis-quatorze
[eɪ]	Rating [ˈreɪtɪŋ]			[lu̯iˈka'tɔrs]
[ə]	Bulgarien [...i̯ən]		[ʊ]	Mouche [muʃ]
[i]	Citoyen [sito̯aˈjɛ̃:]		[v]	Cover [ˈkavɐ]
[i:]	Creek [kri:k]		[w]	Walking [ˈwɔːkɪŋ]
[i̯]	Linie [...i̯ə]		[x]	Chuzpe [x...]
[ɪ]	City [ˈsɪti]		[y]	Budget [byˈdʒe:]
[l̩]	Shuttle [ˈʃatl̩]		[y:]	Avenue [avəˈny:]
[ŋ]	Action [ˈɛkʃn̩]		[ỹ]	Habitué [(h)abiˈtỹe:]
[n]	Dubbing [ˈdabɪŋ]		[ɣ]	de luxe [- ˈlʏks]
[o]	Logis [loˈʒi:]		[z]	Bulldozer [...doːzɐ]
[o:]	Plateau [...ˈto:]		[ʒ]	Genie [ʒe...]
[ɔ]	Cognac [kɔnˈjak]		[θ]	Thrill [θrɪl]
[ɔ:]	Firewall [ˈfai̯ewɔːl]		[ð]	on the rocks [- ðə -]
[õ]	Bonmot [bõˈmo:]		[l]	Disagio [...ˈlaːdʒo]

Ein Doppelpunkt nach dem Vokal bezeichnet dessen Länge, z. B. Plateau [...ˈto:].
Der Hauptakzent ['] steht vor der betonten Silbe, z. B. Azubi [aˈtsu...].
Die beim ersten Stichwort stehende Ausspracheangabe ist im Allgemeinen für alle nachfolgenden Wortformen eines Stichwortartikels oder einer Wortgruppe gültig, sofern diese nicht eine neue Angabe erfordern.

VI. Infokästen

In den Infokästen werden zum einen orthografisch besonders schwierige Stichwörter behandelt, oft mit ausführlichen und übersichtlich gegliederten Beispielen. Zum anderen gibt es Kästen mit grammatischen Besonderheiten oder mit Warnhinweisen, wenn Wörter als diskriminierend empfunden werden können.

VII. Variantenempfehlungen

Die Empfehlungen der Dudenredaktion sollen all denen eine richtige und einheitliche Rechtschreibung ermöglichen, die dies wünschen und keine eigenen Entscheidungen bei der Variantenauswahl treffen möchten. Es geht dabei ausschließlich um Schreibungen. Wo unterschiedliche Wortformen wie »gern« und »gerne« oder »Verdopplung« und »Verdoppelung« nebeneinander gebräuchlich sind, geben wir keine Empfehlungen. Auch wenn fachsprachliche oder regionale Schreibvarianten angeführt werden, wird keine Bevorzugung angezeigt, da man sich hier in der Schreibung am besten nach dem jeweiligen Textzusammenhang richtet.

Bei der Auswahl der Varianten hat sich die Dudenredaktion an folgenden drei Kriterien orientiert:

Erstens soll nach Möglichkeit der tatsächliche Schreibgebrauch, wie ihn die Dudenredaktion beobachtet, berücksichtigt werden.

Zweitens wollen wir den Bedürfnissen der Lesenden nach optimaler Erfassbarkeit der Texte möglichst umfassend gerecht werden.

Und drittens sollen auch die Bedürfnisse der Schreibenden nach einfacher Handhabbarkeit der Rechtschreibung weitgehend befriedigt werden.

Die wichtigsten Regeln zur Kommasetzung

Das Komma bei der Aufzählung	
Das Komma trennt die Teile einer **Aufzählung**.	Das Jahr hat vier Jahreszeiten: Frühling, Sommer, Herbst, Winter.
Kein Komma steht, wenn die Teile einer Aufzählung durch ■ **und,** ■ **oder,** ■ **sowie,** ■ **entweder – oder,** ■ **sowohl – als auch,** ■ **weder – noch** verbunden sind.	Sie hat Fleisch *und* Wurst eingekauft. Es wurde darüber verhandelt, ob Bonn *oder* Berlin die Hauptstadt werden sollte. An der Veranstaltung nahmen Kinder *sowie* Jugendliche teil. Heute gehe ich *entweder* in die Stadt *oder* in das Schwimmbad. Wir verbrachten den Urlaub *sowohl* in Frankreich *als auch* in Spanien. Er wird *weder* heute *noch* morgen kommen.
Das Komma bei Infinitivgruppen	
Bei **Infinitivgruppen** (Wortgruppen mit einer Grundform) **muss** in drei Fällen ein Komma stehen: ■ Die Infinitivgruppe wird mit **als, [an]statt, außer, ohne, um** eingeleitet. ■ Die Infinitivgruppe hängt von einem **Substantiv** (Hauptwort) ab. ■ Die Infinitivgruppe wird durch ein **hinweisendes Wort angekündigt** oder **wieder aufgenommen.**	Er konnte nichts Besseres tun, *als* zu reiten. Sie spielte, *[an]statt* zu arbeiten. Wir tun alles, *um* euch zu helfen. Er fasste den *Gedanken,* den Arbeitsplatz zu wechseln. Sie hat den *Wunsch,* ihre kreativen Talente besser zu nutzen. Hier bin ich *dafür,* nicht abzustimmen. Wichtig ist *es,* sich mit den Regeln auseinanderzusetzen.
Neben den dargestellten Fällen **kann** bei **Infinitivgruppen** (Wortgruppen mit einer Grundform) ein Komma stehen, um die **Gliederung** des Satzes zu verdeutlichen oder etwaigen **Missverständnissen** vorzubeugen.	Wir empfehlen(,) ihm zu folgen. Wir empfehlen ihm(,) zu folgen.

Das Komma zwischen Hauptsätzen

Das Komma steht zwischen **Hauptsätzen**.	Andrea liest Zeitung, Johannes spielt Gitarre. Thomas spielt im Garten, sein Vater repariert das Auto.
Werden Hauptsätze mit **und** oder **oder** verbunden, kann man ein Komma setzen, um die Gliederung des Satzes deutlich zu machen.	Er bezahlte die Rechnung(,) und sie bestellte das Taxi. Passen dir die Schuhe noch(,) oder sind sie dir bereits zu klein?

Das Komma zwischen Haupt- und Gliedsatz

Das Komma steht zwischen **Haupt-** und **Gliedsatz** (Nebensatz). Der Gliedsatz kann dabei ■ zu **Beginn**, ■ in der **Mitte**, ■ am **Ende** stehen.	Dass das Auto seinen Zweck erfüllen wird, glaube ich. Das Buch, das ich mir heute gekauft habe, wurde erst kürzlich veröffentlicht. Ich glaube, dass das Auto seinen Zweck erfüllen wird.

Das Komma zwischen Gliedsätzen

Das Komma steht zwischen **Gliedsätzen** (Nebensätzen).	Der Lehrer erwartet, dass der Schüler die Aufgabe erledigt, die er bekommen hat.

Das Komma in Briefen

Das Komma steht nach der **Briefanrede**. Anstelle des Kommas kann auch ein Ausrufezeichen gesetzt werden.	Sehr geehrte Damen und Herren, herzlichen Dank für Ihren Brief …

Das Komma bei Appositionen

Die **Apposition** (der Beisatz) wird in Kommas eingeschlossen.	Konrad Duden, der Vater der deutschen Einheitsorthografie, wurde am 3. 1.1829 auf Gut Bossigt bei Wesel geboren.

Das Komma bei Konjunktionen

Das Komma steht zwischen **Satzteilen**, die durch **Konjunktionen** (Bindewörter) miteinander verbunden sind.	Er möchte gerne eine Fremdsprache lernen, *aber* nicht seine Zeit dafür opfern. Sie geht heute in die Stadt, *jedoch* erst am Abend. Der Schüler macht seine Hausaufgaben *teils* selbst, *teils* mithilfe seines Vaters.

A*a*

a, A, das; -, - (Tonbezeichnung)

à [a] (*bes. Kaufmannsspr.* zu [je]); 3 Stück à 20 Euro, *dafür besser* ... zu [je] 20 Euro

A (Buchstabe); das A; des A, die A, *aber* das a in Land; der Buchstabe A, a; von A bis Z (*ugs. für* alles, von Anfang bis Ende); das A und [das] O (das Wesentliche)

Aa, das; -[s] (*Kinderspr.* Kot); Aa machen

Aal, der; -[e]s, -e; *vgl. aber* Älchen; aallen, sich (*ugs. für* behaglich ausgestreckt sich ausruhen); aalglatt

Aas, das; -es, *Plur.* -e u. (*nur als* Schimpfwort:) Äser; aalsen (*ugs. für* verschwenderisch umgehen); Aaslgeiler

ab; *Adverb:* ab und an (von Zeit zu Zeit); ab und zu (gelegentlich); *Präp. mit Dat.:* ab Bremen; ab [unserem] Werk; *bei Zeitangaben, Mengenangaben o. Ä. auch mit Akk.:* ab erstem, *auch* ersten März; Jugendliche ab vierzehn Jahren, *auch* Jahre

AB, der; -[s], -s = Anrufbeantworter

abländern; Ablänlderung

ablarlbeilten

Ablart; ablarltig

Ablbau, der; -[e]s, *Plur.* (*Bergmannsspr. für* Abbaustellen:) Abbaue u. (*landsch. für* abseits gelegene Anwesen, einzelne Gehöfte:) Abbauten; ablbaulen

ablbeilßen; ablbelkomlmen

ablbelrulfen; Ablbelrulfung

ablbelstelllen; Ablbelstelllung

ablbielgen; Ablbielgung

Ablbild; ablbillden; Ablbilldung (*Abk.* Abb.)

ablbinlden

Ablbitlte; Abbitte leisten, tun

ablblalsen

ablblenlden; Ablblendllicht *Plur.* ...lichter

ablblitlzen (*ugs. für* abgewiesen werden)

ablbloicken (*Sport* abwehren)

ablbrelchen

ablbremlsen; Ablbremlsung

ablbrenlnen

ablbrinlgen

ablbröickeln

Ablbruch, der; -[e]s, ...brüche; der Sache [keinen] Abbruch tun; ablbruchlreif

Ablbulchung

Abc, Abelce, das; -[s], -[s]

ablchelcken (*ugs. für* überprüfen)

Abc-Schütlze, Abelcelschütlze; Abc-Schütlzin, Abelcelschütlzin

abldanlken; Abldanlkung

abldelcken; Abldelckung

abldichlten; Abldichltung

abldränlgen; jmdn. abdrängen

abldrelhen

abldriflten

Abldruck, der; -[e]s, *Plur.* (in Gips u. a.:) ...drücke u. (*für* Drucksachen:) ...drucke

abldrulcken; ein Buch abdrucken

abldrülcken

Abelce usw. *vgl.* Abc usw.

Abend, der; -s, -e; am, gegen Abend; [zu] Abend essen; wir wollen nur Guten, *auch:* guten Abend sagen; gestern, heute Abend

Ablendlbrot; Ablendlesslsen; abendlfüllend; Ablendlkaslse; Ablendlkleid; Ablendlland, das; -[e]s; abendllänldisch; abendllich; Ablendlmahl *Plur.* ...mahle; Ablendlrot, das; -s, Ablendlröte

abends; von morgens bis abends; abends spät, *aber* spätabends; [um] 8 Uhr abends; dienstagabends *od.* dienstags abends

Ablendlstunlde; Ablendlzeiltung

Ablenlteuler, das; -s, -; Ablenlteulerlfilm; Ablenlteulelrin, die; -, -nen; ablenlteulerllich; Ablenlteulerllusltig; Ablenlteulerlspiellplatz; Ablenlteulrer; Ablenlteulelrelrin, die; -, -nen

aber; *Konj.:* sie ist streng, aber gerecht; *Adverb in veralteten Fügungen wie* aber und abermals (wieder und wiederum); tausend und aber[mals] tausend; Aber, das; -[s], -[s]; viele Wenn und Aber

Ablerlglaulbe, *seltener* Aberglauben

aberlgläulbisch

A

aber|hun|dert; aberhundert od. Aberhundert Sterne; aberhunderte od. Aberhunderte kleiner Vögel

ab|er|ken|nen; ich erkenne ab, *selten* ich aberkenne; ich erkannte ab, *selten* ich aberkannte; Ab|er|ken|nung

aber|mals

aber|tau|send *vgl.* aberhundert

aber|wit|zig

ab|fah|ren; Ab|fahrt; Ab|fahrts|lauf

Ab|fall, der; Ab|fall|ei|mer

ab|fal|len

ab|fäl|lig

Ab|fall|pro|dukt; Ab|fall|wirt|schaft

ab|fäl|schen *(Ballspiele, Eishockey)*

ab|fan|gen

ab|fas|sen (verfassen; *ugs. für* abfangen)

ab|fe|dern; Ab|fe|de|rung

ab|fer|ti|gen; Ab|fer|ti|gung; Ab|fer|ti-gungs|schal|ter

ab|feu|ern

ab|fin|den; Ab|fin|dung

ab|flau|en (schwächer werden)

ab|flie|gen

ab|flie|ßen

Ab|flug; Ab|flug|zeit

Ab|fluss; Ab|fluss|rohr

Ab|fol|ge

Ab|fra|ge *(bes. EDV)*; ab|fra|gen

Ab|fuhr, die; -, -en

ab|füh|ren; Ab|führ|mit|tel, das

ab|fül|len; Ab|fül|lung

Ab|ga|be; Ab|ga|ben|last

Ab|gang, der; Ab|gangs|zeug|nis

Ab|gas; ab|gas|arm; Ab|gas|un|ter|su-chung *(Abk.* AU)

ab|ge|ar|bei|tet

ab|ge|ben

ab|ge|brannt (*ugs. auch für* ohne Geld)

ab|ge|brüht (*ugs. für* [sittlich] abgestumpft, unempfindlich); Ab|ge|brüht|heit

ab|ge|dro|schen; abgedroschene Sprüche

ab|ge|fah|ren (*ugs. auch für* begeisternd)

ab|ge|hackt

ab|ge|hen

ab|ge|hetzt

ab|ge|kämpft

ab|ge|kar|tet *(ugs.)*; eine abgekartete Sache

ab|ge|klärt

ab|ge|lau|fen; abgelaufene Schuhe; ein abgelaufenes Verfallsdatum

ab|ge|le|gen

ab|ge|l|ten; Ab|gel|tung *(österr., schweiz. auch für* Vergütung)

ab|ge|macht *(ugs.)*

ab|ge|neigt

ab|ge|nutzt

ab|ge|ord|net; Ab|ge|ord|ne|te, der u. die; -n, -n *(Abk.* Abg.); Ab|ge|ord|ne|ten|haus

ab|ge|ris|sen; abgerissene Kleider

Ab|ge|sand|te, der u. die; -n, -n

Ab|ge|sang

ab|ge|schie|den (*geh. für* einsam [gelegen]; verstorben); Ab|ge|schie|den|heit, die; -

ab|ge|schlos|sen

ab|ge|schmackt (geistlos, platt)

ab|ge|schnit|ten

ab|ge|se|hen; abgesehen von …; abgesehen davon, dass …

ab|ge|stan|den

ab|ge|stor|ben

ab|ge|stumpft

ab|ge|tö|tet

ab|ge|tra|gen

ab|ge|win|nen

ab|ge|wöh|nen

ab|gie|ßen

Ab|gleich, der; -[e]s, -e; ab|glei|chen

ab|glei|ten

Ab|gott, der; -[e]s, Abgötter; ab|göt|tisch

ab|gra|ben; jmdm. das Wasser abgraben

ab|gren|zen; Ab|gren|zung

Ab|grund; ab|grün|dig; ab|grund|tief

ab|gu|cken, ab|ku|cken *(ugs.)*; [von od. bei] jmdm. etwas abgucken od. abkucken

Ab|guss

ab|ha|cken

ab|ha|ken

ab|hal|ten

ab|han|deln

ab|han|den|kom|men; das Buch kam uns abhanden, ist uns abhandengekommen

Ab|hand|lung
Ab|hang
¹ab|hän|gen; das hing von ihm ab, hat von ihm abgehangen; *vgl.* ¹hängen
²ab|hän|gen (*ugs. auch für* abschütteln); er hängte das Bild ab; sie hat alle Konkurrenten abgehängt; *vgl.* ²hängen
ab|hän|gig; Ab|hän|gig|keit
ab|här|ten; Ab|här|tung
ab|hau|en (*ugs. auch für* davonlaufen); ich hieb den Ast ab; wir hauten ab
ab|he|ben
ab|hef|ten
ab|hel|fen; Ab|hil|fe
ab|hol|len; Ab|ho|lung
ab|hol|zen; Ab|hol|zung
ab|hö|ren; jmdn. *od.* jmdm. etwas abhören
Abi, das; -s, -s (*ugs.; kurz für* Abitur)
Ab|i|tur das; -s, -e *Plur. selten* (Reifeprüfung)
Ab|i|tu|ri|ent, der; -en, -en (Reifeprüfling); Ab|i|tu|ri|en|tin
ab|ja|gen
ab|kan|zeln (*ugs. für* scharf tadeln)
ab|kap|seln; ich kaps[e]le ab
ab|kas|sie|ren
Ab|kauf; ab|kau|fen
Ab|kehr, die; -; ab|keh|ren
ab|klä|ren; Ab|klä|rung
Ab|klatsch
ab|klin|gen
ab|klop|fen
ab|knut|schen (*ugs.*)
ab|ko|chen
ab|kom|men; Ab|kom|men, das; -s, -
ab|kömm|lich; Ab|kömm|ling
ab|kop|peln
ab|ku|cken (*nordd. für* abgucken [*vgl. d.*])
ab|küh|len; Ab|küh|lung
ab|kür|zen; Ab|kür|zung (*Abk.* Abk.)
ab|la|den; *vgl.* ¹laden
Ab|la|ge; ab|la|gern; Ab|la|ge|rung
Ab|lass, der; -es, Ablässe (*kath. Kirche*)
ab|las|sen
Ab|lauf; ab|lau|fen
ab|le|ben (*geh. für* sterben)
ab|le|cken

ab|le|gen; Ab|le|ger (Pflanzentrieb)
ab|leh|nen; Ab|leh|nung
ab|leis|ten
ab|lei|ten; Ab|lei|tung
ab|len|ken; Ab|len|kungs|ma|nö|ver
ab|le|sen; Ab|le|ser; Ab|le|se|rin
ab|lich|ten; Ab|lich|tung
ab|lie|fern; Ab|lie|fe|rung
Ab|lö|se, die; -, -n (*kurz für* Ablösesumme)
ab|lö|sen; Ab|lö|se|sum|me; Ab|lö|sung
ab|luch|sen (*ugs. für* ablisten)
ABM, die; -, -[s] = Arbeitsbeschaffungsmaßnahme
ab|ma|chen; Ab|ma|chung
ab|ma|gern; ich magere ab; Ab|ma|ge|rung; Ab|ma|ge|rungs|kur
ab|mah|nen; Ab|mah|nung
ab|ma|len; ein Bild abmalen
ab|mel|den; Ab|mel|dung
ab|mes|sen; Ab|mes|sung
ab|mil|dern
ab|mon|tie|ren
ABM-Stel|le *vgl.* ABM
ab|mü|hen, sich
Ab|nah|me die; -, -n *Plur. selten*
ab|neh|men; Ab|neh|mer; Ab|neh|me|rin
Ab|nei|gung
ab|ni|cken (*ugs. für* genehmigen); ich nicke ab
ab|norm (von der Norm abweichend, regelwidrig; krankhaft); Ab|nor|mi|tät
ab|nut|zen, *bes. südd., österr.* ab|nüt|zen
Ab|nut|zung, *bes. südd., österr.* Abnützung
Abo, das; -s, -s (*kurz für* Abonnement)
Abon|ne|ment [...'mã:, *schweiz.* ...ə'mɛnt, *auch* abɔn'mã:], das; -s, *Plur.* -s u. (bei deutscher Aussprache:) -e (Dauerbezug von Zeitungen u. Ä.; Dauermiete für Theater u. Ä.); Abon|nent, der; -en, -en (Inhaber eines Abonnements); Abon|nen|tin; abon|nie|ren; auf etwas abonniert sein
ab|ord|nen; Ab|ord|nung
¹Ab|ort, der; -[e]s, -e (Toilette)
²Ab|ort, der; -s, -e (*Med.* Fehlgeburt)
ab|pfei|fen (*Sport*); Ab|pfiff
ab|pral|len; von etwas abprallen

A

ab|ra|ten
ab|räu|men
ab|re|agie|ren; sich abreagieren
ab|rech|nen; Ab|rech|nung
Ab|re|de; etwas in Abrede stellen
ab|rei|ben; Ab|rei|bung
Ab|rei|se Plur. selten; ab|rei|sen
ab|rei|ßen vgl. abgerissen
Ab|reiß|ka|len|der
ab|rich|ten
ab|rie|geln
ab|rin|gen; jmdm. etwas abringen
Ab|riss, der; -es, -e
ab|rü|cken
Ab|ruf Plur. selten; auf Abruf; ab|ruf|bar;
    ab|ru|fen
ab|run|den; eine Zahl [nach unten] abrunden
ab|rupt (zusammenhanglos, plötzlich)
ab|rüs|ten; Ab|rüs|tung
ab|rut|schen
ABS, das; - = Antiblockiersystem
ab|sa|cken (ugs. für [ab]sinken)
Ab|sa|ge, die; -, -n; ab|sa|gen
Ab|satz, der; -es, Absätze (Abk. Abs. [für
    Textabschnitt]); Ab|satz|markt
ab|sau|gen
ab|schaf|fen; Ab|schaf|fung
ab|schal|ten; Ab|schal|tung
ab|schät|zen; ab|schät|zig
ab|schau|en (bes. südd., österr., schweiz.)
Ab|scheu, der; -s u. die; -; eine abscheuerre-
    gende, auch Abscheu erregende Tat; aber
    nur eine großen Abscheu erregende Tat,
    eine äußerst abscheuerregende, noch
    abscheuerregendere Tat; ab|scheu|lich;
    Ab|scheu|lich|keit
ab|schi|cken
Ab|schie|be|haft, die; -; ab|schie|ben; Ab-
    schie|bung
Ab|schied, der; -[e]s, -e; Ab|schieds|brief;
    Ab|schieds|fei|er
ab|schie|ßen
ab|schir|men; Ab|schir|mung
ab|schlach|ten
Ab|schlag; auf Abschlag kaufen; ab|schla-
    gen

ab|schlä|gig; jmdn. od. etwas abschlägig
    bescheiden (etwas nicht genehmigen)
Ab|schlepp|dienst; ab|schlep|pen; Ab-
    schlepp|wa|gen
ab|schlie|ßen; ab|schlie|ßend
Ab|schluss; Ab|schluss|be|richt; Ab-
    schluss|prü|fung; Ab|schluss|zeug|nis
ab|schme|cken
ab|schmet|tern (ugs.)
ab|schnei|den
Ab|schnitt (Abk. Abschn.)
ab|schnitts|wei|se, abschnittweise
ab|schöp|fen
ab|schot|ten; Ab|schot|tung
ab|schre|cken vgl. schrecken; ab|schre-
    ckend; Ab|schre|ckung
ab|schrei|ben; Ab|schrei|bung; Ab|schrift
ab|schrub|ben (ugs.)
Ab|schuss; ab|schüs|sig; Ab|schuss|lis|te
ab|schüt|teln
ab|schwä|chen; Ab|schwä|chung
ab|schwei|fen; Ab|schwei|fung
ab|schwö|ren
Ab|schwung
ab|seg|nen (ugs. für genehmigen)
ab|seh|bar; in absehbarer Zeit; ab|se|hen
ab|sei|tig
ab|seits; Präp. mit Gen.: abseits des Weges;
    Adverb: der Stürmer war abseits (Sport
    stand im Abseits); Ab|seits, das; -, -
    (Sport); Abseits pfeifen, im Abseits stehen
ab|seits|ste|hen; aber im Abseits stehen;
    die abseitsstehenden Kinder, aber die ein
    Stück abseits [der Straße] stehenden Kin-
    der; eine abseitsstehende Stürmerin
ab|sen|den; Ab|sen|der (Abk. Abs.); Ab-
    sen|de|rin
ab|sen|ken; Ab|sen|kung
ab|setz|bar; ab|set|zen; sich absetzen
ab|si|chern; Ab|si|che|rung
Ab|sicht, die; -, -en; ab|sicht|lich [auch
    ...'zɪçt...]; Ab|sichts|er|klä|rung
ab|sin|ken
ab|sit|zen
ab|so|lut (völlig; ganz u. gar; uneinge-
    schränkt); Ab|so|lut|heit, die; -

Ab|so|lu|ti|on, die; -, -en (Los-, Freisprechung, bes. Sündenvergebung)

Ab|so|lu|tis|mus, der; - (uneingeschränkte Herrschaft eines Monarchen, Willkürherrschaft); **ab|so|lu|tis|tisch**

Ab|sol|vent, der; -en, -en (Schulabgänger mit Abschlussprüfung); **Ab|sol|ven|tin**

ab|sol|vie|ren (ableisten)

ab|son|der|lich; Ab|son|der|lich|keit

ab|son|dern; Ab|son|de|rung

ab|sor|bie|ren (aufsaugen; [gänzlich] beanspruchen); **Ab|sorp|ti|on,** die; -, -en

ab|spal|ten; Ab|spal|tung

ab|spe|cken (ugs. für [gezielt] abnehmen)

ab|spei|chern (EDV)

ab|spei|sen; Ab|spei|sung

ab|spens|tig; jmdm. jmdn. od. etwas abspenstig machen

ab|sper|ren; Ab|sper|rung

ab|spie|len

Ab|spra|che; ab|spre|chen

ab|sprin|gen; Ab|sprung

ab|spü|len; Geschirr abspülen

ab|stam|men; Ab|stam|mung

Ab|stand; von etwas Abstand nehmen

ab|stat|ten; jmdm. einen Besuch abstatten (geh.)

ab|stau|ben (ugs. auch für unbemerkt mitnehmen; Sport ein Tor mühelos erzielen)

Ab|ste|cher; einen Abstecher machen

ab|ste|cken vgl. ²stecken

ab|ste|hend

ab|stei|gen; Ab|stei|ger (Sport); **Ab|steige|rin**

ab|stel|len; Ab|stell|gleis; Ab|stell|raum

ab|stem|peln

ab|ster|ben

Ab|stieg, der; -[e]s, -e; **Ab|stiegs|kampf** (Sport); **Ab|stiegs|kan|di|dat** (Sport); **Abstiegs|kan|di|da|tin**

ab|stim|men; Ab|stim|mung; Ab|stimmungs|er|geb|nis

ab|s|ti|nent (enthaltsam, alkoholische Getränke meidend); **Ab|s|ti|nenz,** die; -

Ab|stoß; ab|sto|ßen; ab|sto|ßend

ab|stra|fen; Ab|stra|fung

ab|s|tra|hie|ren (verallgemeinern); **ab|strakt** (begrifflich, nur gedacht); abstrakte Kunst; **Ab|s|trak|ti|on,** die; -, -en

ab|strei|fen

ab|strei|ten

Ab|strich

ab|s|t|rus (verworren, schwer verständlich)

ab|stu|fen; Ab|stu|fung

ab|stump|fen

Ab|sturz; ab|stür|zen

ab|stüt|zen; sich abstützen

ab|su|chen

ab|surd (sinnwidrig, sinnlos); **Ab|sur|di|tät,** die; -, -en

Ab|s|zess, der, österr. auch das; -es, -e (Med. eitrige Geschwulst)

Ab|s|zis|se, die; -, -n (Math. auf der Abszissenachse abgetragene erste Koordinate eines Punktes)

Abt, der; -[e]s, Äbte (Klostervorsteher)

ab|tas|ten

ab|tau|chen

Ab|tei (Kloster)

Ab|teil [schweiz. 'a...], das; -[e]s, -e

¹Ab|tei|lung, die; - (Abtrennung)

²Ab|tei|lung [schweiz. 'a...] (abgeteilter Raum; Teil eines Unternehmens, einer Behörde o. Ä.; Abk. Abt.); **Ab|tei|lungslei|ter; Ab|tei|lungs|lei|te|rin**

Äb|tis|sin (Kloster-, Stiftsvorsteherin)

ab|tö|ten; Ab|tö|tung

ab|tra|gen; ab|träg|lich (schädlich); jmdm. od. einer Sache abträglich sein (geh.)

Ab|trans|port; ab|trans|por|tie|ren

ab|trei|ben; Ab|trei|bung

ab|tren|nen; Ab|tren|nung

ab|tre|ten; Ab|tre|tung

ab|trock|nen

ab|trop|fen

ab|trot|zen; jmdm. etwas abtrotzen

ab|trün|nig

ab|tun; etwas als Scherz abtun

ab|ver|kau|fen; ab|ver|lan|gen

ab|wä|gen; wägte od. wog ab; abgewogen od. abgewägt; **Ab|wä|gung**

Ab|wahl; ab|wäh|len

A

ạcht

– die Zahlen von acht bis zwölf; acht Millionen; im Jahre acht; die Linie acht	– wir sind zu acht
– er ist über acht [Jahre]; Kinder von acht [bis zehn] Jahren; mit acht [Jahren]	– diese acht [Leute]; die ersten, letzten acht
– es ist acht [Uhr]; um acht [Uhr]; es schlägt eben acht; [ein] Viertel auf, vor acht; halb acht; drei viertel acht; Punkt, Schlag acht	– das macht acht fünfzig (ugs. für 8,50 €)
	– acht und eins macht, ist (nicht: machen, sind) neun; acht mal zwei (8 mal 2); acht zu vier (8 : 4), acht Komma fünf (8,5)
	Vgl. ¹Acht, ²Acht

ạb|wäl|zen
ạb|wan|deln
ạb|wan|dern; Ạb|wan|de|rung
Ạb|wand|lung
ạb|war|ten
ạb|wärts; sich abwärts entwickeln; wir wollen abwärts gehen, nicht fahren
ạb|wärts|ge|hen; wir sind zwei Stunden
lang nur abwärtsgegangen
Ạb|wärts|trend
ạb|wasch|bar; ạb|wa|schen
Ạb|was|ser Plur. Abwässer, auch Abwasser
ạb|wech|seln; sich abwechseln; ạb|wechselnd; Ạb|wech|se|lung, Ạb|wechs|lung;
ạb|wechs|lungs|reich
Ạb|weg meist Plur.; ạb|we|gig
Ạb|wehr, die; -; ạb|weh|ren; Ạb|wehr|spieler (Sport); Ạb|wehr|spie|le|rin
¹ạb|wei|chen; ein Etikett abweichen; vgl.
¹weichen
²ạb|wei|chen; vom Kurs abweichen; vgl.
²weichen; Ạb|weich|ler (jmd., der von der
politischen Linie einer Partei abweicht);
Ạb|weich|le|rin; Ạb|wei|chung
ạb|wei|sen; Ạb|wei|sung
ạb|wen|den; Ạb|wen|dung
ạb|wer|ben; Ạb|wer|bung
ạb|wer|fen
ạb|wer|ten; Ạb|wer|tung
ạb|we|send; Ạb|we|sen|de, der u. die; -n,
-n; Ạb|we|sen|heit
ạb|wi|ckeln; Ạb|wi|cke|lung, Ạb|wick|lung
ạb|wie|geln
ạb|wie|gen vgl. ¹wiegen
ạb|wim|meln (ugs. für abweisen)

ạb|win|ken; er hat abgewinkt (häufig
auch abgewunken); bis zum Abwinken
(ugs.)
ạb|wi|schen
ạb|wra|cken (verschrotten)
Ạb|wurf
ạb|wür|gen
ạb|zah|len
ạb|zäh|len; Ạb|zähl|reim
Ạb|zah|lung
Ạb|zei|chen
ạb|zeich|nen; sich abzeichnen
Ạb|zieh|bild; ạb|zie|hen vgl. abgezogen
ạb|zie|len; auf etw. abzielen
ạb|zo|cken (ugs. für jmdn. [auf betrügerische Art] um sein Geld bringen)
Ạb|zug; ạb|züg|lich (Kaufmannsspr.); Präp.
mit Gen.: abzüglich des gewährten
Rabatts; aber abzüglich Rabatt
ạb|zwei|gen; Ạb|zwei|gung
Ac|ces|soire [aksɛ'soa:ɐ̯] das; -s, -s meist
Plur. (modisches Zubehör, z. B. Schmuck)
Ac|count [ə'kaʊnt], der od. das; -s, -s
(Zugangsberechtigung z. B. zum Internet)
ạch!; ach so!; ach ja!; ach je!; Ạch, das; -s,
-[s]; mit Ach und Krach; mit Ach und Weh;
Ach und Weh od. ach und weh schreien
Achạt, der; -[e]s, -e (ein Schmuckstein)
Achịl|les|fer|se (verwundbare Stelle)
Ạch|se, die; -, -n
Ạch|sel, die; -, -n; Ạch|sel|zu|cken, das; -s;
ạch|sel|zu|ckend
ạcht s. Kasten
¹Ạcht, die; -, -en (Ziffer, Zahl); die Zahl Acht,
die Ziffer Acht; eine arabische, römische

Acht; eine Acht schreiben; mit den Rollschuhen eine Acht fahren; mit der Acht (*ugs. für* [Straßenbahn]linie 8) fahren
²**Acht,** die; - (*veraltet für* Aufmerksamkeit; Fürsorge); [auf jmdn., etwas] achtgeben *od.* Acht geben; gib acht! *od.* gib Acht!; *aber nur* sehr, gut, genau achtgeben; gib gut acht!; große, allergrößte Acht geben; auf etwas achthaben *od.* Acht haben; habt acht! *od.* habt Acht!; *aber nur* habt gut acht!; sich in Acht nehmen; etwas [ganz] außer Acht lassen; etwas außer aller Acht lassen; das Außerachtlassen
³**Acht,** die; - (*früher für* Ächtung)
acht|bar
ach|te; das achte Gebot; das achte Weltwunder; der achte Mai, am achten Januar; *aber der* Achte, den ich treffe; sie wurde Achte im Weitsprung; jeder Achte; am Achten [des Monats]; am achten Achten (8. August); Heinrich der Achte
Acht|eck; acht|eckig
ach|tel; ein achtel Zentner, drei achtel Liter, *aber* (Maß): ein Achtelliter
Ach|tel, das, *schweiz. auch* der; -s, -; ein Achtel Rotwein; drei Achtel des Ganzen, *aber* im Dreiachteltakt; *mit Ziffern* im ³/₈-Takt; **Ach|tel|fi|na|le; Ach|tel|li|ter** (*vgl.* achtel); **Ach|tel|no|te**
ach|ten
äch|ten
ach|tens
Ach|ter (Ziffer 8; Form einer 8; ein Boot für acht Ruderer); **Ach|ter|bahn**
acht|fach (*mit Ziffer* 8-fach *od.* 8fach); die achtfache Menge; **Acht|fa|che** (*mit Ziffer* 8-Fache *od.* 8fache), das; -n; [um] ein Achtfaches; um das Achtfache
acht|ge|ben, acht|ha|ben *vgl.* ²Acht
acht|hun|dert
acht|jäh|rig (*mit Ziffer* 8-jährig)
Acht|jäh|ri|ge, der u. die; -n, -n (*mit Ziffer* 8-Jährige); die unter Achtjährigen
acht|köp|fig (*mit Ziffer* 8-köpfig)
acht|los; Acht|lo|sig|keit

acht|mal (*mit Ziffer* 8-mal); *bei besonderer Betonung auch* acht Mal (8 Mal); *aber* acht mal zwei (*mit Ziffern* 8 mal 2) ist (*nicht: sind*) sechzehn; achtmal so groß wie (*seltener* als) …; acht- bis neunmal
acht|tau|send; acht|und|zwan|zig
Ach|tung, die; -; **Äch|tung**
acht|zehn; im Jahre achtzehn; *vgl.* acht

acht|zig

- er ist, wird achtzig, achtzig Jahre alt
- die achtzig erreichen; mit achtzig ist sie immer noch sehr rüstig; der Mensch über achtzig [Jahre]; er ist schon um die achtzig; die beiden sind Mitte achtzig
- Tempo achtzig; mit achtzig [Sachen] (*ugs. für mit achtzig Stundenkilometern*) fahren

Acht|zig, die; -, -en (Zahl); *vgl.* ¹Acht
acht|zi|ger (*mit Ziffern* 80er); die Achtzigerjahre *od.* achtziger Jahre [des vorigen Jahrhunderts] (*mit Ziffern* 80er-Jahre *od.* 80er Jahre); in den Achtzigern (über achtzig Jahre alt) sein); Mitte der Achtziger
Acht|zi|ger (jmd., der [über] 80 Jahre ist; *österr. auch für* 80. Geburtstag); **Acht|zi|ge|rin** (Frau, die über 80 Jahre alt ist)
äch|zen; du ächzt
Acker, der; -s, Äcker; 30 Acker Land; **Acker|bau,** der; -[e]s; **Acker|land,** das; -[e]s
ackern; ich ackere
Ac|ryl, das; -s (eine Chemiefaser); **Ac|ryl|amid,** das; -[e]s, -e (krebserregende Substanz)
Act [ɛkt], der; -s, -s (*ugs. für* Popgruppe; Auftritt; *auch für* großer Aufwand)
Ac|tion [ˈɛkʃn̩], die; - (spannende [Film]handlung; lebhafter Betrieb); *vgl. aber* Aktion; **Ac|tion|film**
ada|gio […dʒo] (*Musik* langsam, ruhig)
Ad|ap|ter, der; -s, - (*Technik* Verbindungsstück)
ad|äquat (angemessen)

A

ad|die|ren (zusammenzählen); Ad|di|ti|on, die; -, -en; ad|di|tiv *(fachspr. für* hinzufügend)

Adresse
Wie im Französischen, aus dem das Wort entlehnt wurde, schreibt man *Adresse* nur mit einem *d*.

Ade, das; -s, -s; Ade *od.* ade sagen
Adel, der; -s; ade|lig, ad|lig; adeln
Ader, die; -, -n; Ader|lass, der; -es, ...lässe
Ad|hä|si|on, die; -, -en *(fachspr. für* Aneinanderhaften von Stoffen od. Körpern)
adi|eu! [a'diø:] *(landsch., sonst veraltend für* lebe [lebt] wohl!); Adi|eu, das; -s, -s (Lebewohl); jmdm. Adieu *od.* adieu sagen
Ad|jek|tiv, das; -s, -e *(Sprachwiss.* Eigenschaftswort, z. B. »schön«); ad|jek|ti|visch
Ad|ju|tant, der; -en, -en (beigeordneter Offizier); Ad|ju|tan|tin
Ad|ler, der; -s, -
ad|lig, ade|lig; Ad|li|ge, der *u.* die; -n, -n
Ad|mi|nis|t|ra|ti|on, die; -, -en (das Verwalten; Verwaltung; verwaltende Behörde); ad|mi|nis|t|ra|tiv (zur Verwaltung gehörend); Ad|mi|nis|t|ra|tor, der; -s, ...oren (Verwalter); Ad|mi|nis|t|ra|to|rin
Ad|mi|ral, der; -s, *Plur.* -e, *seltener* ...räle (Marineoffizier im Generalsrang; ein Schmetterling); Ad|mi|ra|lin
ad|op|tie|ren; ein Kind adoptieren; Ad|op|ti|on, die; -, -en; Ad|op|tiv|el|tern; Ad|op|tiv|kind
Ad|re|na|lin, das; -s *(Med.* ein Hormon des Nebennierenmarks); Ad|re|na|lin|spie|gel
Ad|res|sat, der; -en, -en (Empfänger; [bei Wechseln:] Bezogener); Ad|res|sa|tin
Ad|ress|buch; Ad|res|se, die; -, -n *(Abk.* Adr.); ad|res|sie|ren
ad|rett (nett, hübsch, ordentlich, sauber)
ADS, das; - = Aufmerksamkeitsdefizitsyndrom *(Med., Psychol.)*
A-Dur [*auch* 'a:'du:ɐ], das; -[s] (Tonart; Zeichen A); A-Dur-Ton|lei|ter
Ad|van|tage [ɛt'va:ntɪtʃ], der; -s, -s *(Sport*
der erste gewonnene Punkt nach dem Einstand beim Tennis)
Ad|vent [at'vɛnt] der; -[e]s, -e *Plur. selten* (Zeit vor Weihnachten); Ad|vents|ka|len|der; Ad|vents|kranz; Ad|vents|zeit
Ad|verb, das; -s, -ien (Umstandswort); ad|ver|bi|al; adverbiale Bestimmung
Ad|ver|ti|sing ['ɛtvetaɪzɪŋ], das; -s, -s *(fachspr. für* Werbung)
Ad|vo|kat, der; -en, -en *(geh. für* [Rechts]anwalt); Ad|vo|ka|tin
Ae|ro|bic [ɛ'ro:bɪk], das; -s, *auch* die; - *meist ohne Artikel* (Fitnesstraining mit tänzerischen u. gymnast. Übungen)
Ae|ro|dy|na|mik *(Physik* Lehre von der Bewegung gasförmiger Körper)
Af|fä|re, die; -, -n (Angelegenheit; [unangenehmer] Vorfall; Liebschaft)
Äff|chen; Af|fe, der; -n, -n
Af|fekt, der; -[e]s, -e ([heftige] Gemütsbewegung); af|fek|tiert (geziert, gekünstelt)
Af|fen|the|a|ter *(ugs.);* af|fig *(ugs.* abwertend für eitel); Äf|fin, die; -, -nen
Af|fi|ni|tät, die; -, -en (Verwandtschaft; Ähnlichkeit)
Af|front [a'frõ:, *auch* a'frɔnt], der; -s, *Plur.* -s [a'frõ:s] *u.* -e [a'frɔntə] (Beleidigung)
Af|gha|ne [...'ga:...], der; -n, -n (Angehöriger eines vorderasiat. Volkes; *auch* eine Hunderasse); Af|gha|nin; af|gha|nisch
Af|ro|ame|ri|ka|ner ['a(:)f...] (Amerikaner schwarzafrikanischer Abstammung); Af|ro|ame|ri|ka|ne|rin; af|ro|ame|ri|ka|nisch
Af|ter, der; -s, -
Af|ter|shave [...ʃe:f], das; -[s], -s *(kurz für* Aftershave-Lotion); Af|ter|shave-Lo|ti|on, Af|ter|shave|lo|ti|on (Rasierwasser zum Gebrauch nach der Rasur)
Af|ter-Work-Par|ty, Af|ter|work|par|ty ['a:ftɐ(')vø:ɐk...] (Party, die [unmittelbar] nach Arbeitsende beginnt)
Aga|ve, die; -, -n ([sub]trop. Pflanze)
Agen|da, die; -, ...den (Merkbuch; Liste von Gesprächspunkten)
Agent, der; -en, -en (Spion; Vermittler von Engagements); Agen|tin; Agen|tur, die; -,

-en (Geschäftsstelle; Nachrichten-, Vermittlungsbüro); **Agen|tur|mel|dung**

Ag|glo|me|ra|ti|on, die; -, -en (*fachspr. für* Zusammenballung; Ballungsraum)

Ag|gre|gat, das; -[e]s, -e (Maschinensatz); **Ag|gre|gat|zu|stand** (*Chemie, Physik* Erscheinungsform eines Stoffes)

Ag|gres|si|on, die; -, -en (Angriff[sverhalten], Überfall); **ag|gres|siv** (angriffslustig); **Ag|gres|si|vi|tät**, die; -, -en

Ägi|de, die; - (Schutz, Obhut); unter der Ägide von ...

agie|ren (handeln)

agil (flink, wendig, beweglich)

Agi|ta|ti|on, die; -, -en (politische Hetze; intensive politische Aufklärungstätigkeit); **Agi|ta|tor**, der; -s, ...oren (jmd., der Agitation betreibt); **Agi|ta|to|rin**; **agi|tie|ren**

Ago|nie, die; -, ...ien (Todeskampf)

Ag|ra|ri|er (Großgrundbesitzer, Landwirt); **Ag|ra|ri|e|rin**; **ag|ra|risch**; **Ag|rar|po|litik**; **Ag|rar|pro|dukt**; **Ag|rar|wirt|schaft**

Ag|ree|ment [ɛˈgriːmɛnt], das; -s, -s (Abmachung; *Politik* formlose Übereinkunft im zwischenstaatlichen Verkehr)

Ägyp|ten (Staat in Nordostafrika)

ah!; ah so!; ah was!; ah ja!

aha! [*od.* aˈhaː]

Ah|le, die; -, -n (nadelartiges Werkzeug)

Ahn, der; *Gen.* -[e]s *u.* -en, *Plur.* -en (Stammvater, Vorfahr)

ahn|den (*geh. für* strafen; rächen); **Ahn|dung**

äh|neln; ich ähn[e]le

ah|nen

Ah|nen|kult; **Ah|nin**

ähn|lich; einander, sich, jmdm. ähnlich sehen (*vgl. aber* ähnlichsehen); Ähnliches und Verschiedenes; ich habe Ähnliches erlebt; etwas, viel, nichts Ähnliches; oder Ähnliche[s] (*Abk.* o. Ä.); und Ähnliche[s] (*Abk.* u. Ä.); **Ähn|lich|keit**; **ähnlich|se|hen** (von jmdm. nicht anders zu erwarten sein); es sieht ihm ähnlich, hat ihm ähnlichgesehen, uns nicht zu informieren; *aber* einander ähnlich sehen; *vgl.* ähnlich

Ah|nung; **ah|nungs|los**; **Ah|nungs|lo|sigkeit**, die; -

Ahorn, der; -s, -e (ein Laubbaum)

Äh|re, die; -, -n

Aids [eːts], das; - *meist ohne Artikel* (erworbenes Immunschwächesyndrom, eine gefährliche Infektionskrankheit); **aidskrank**; **Aids|kran|ke**; **Aids|test**

Air [ɛːɐ̯] das; -s, -s *Plur. selten* (Aussehen, Haltung; Fluidum)

Air|bag [ˈɛːɐ̯pbɛk], der; -s, -s (Luftkissen im Auto, das sich bei einem Aufprall automatisch aufbläst)

Air|bus® [ˈɛːɐ̯...], der; -ses (*auch* -), -se (ein Großraumflugzeug)

Air|con|di|tion, **Air-Con|di|tion** [...kɔndɪʃn̩], die; -, -s (Klimaanlage)

Air|line [ˈɛːɐ̯laɪn], die; -, -s (*engl. Bez. für* Fluggesellschaft); **Air|port** [ˈɛːɐ̯...], der; -s, -s (*engl. Bez. für* Flughafen)

Aja|tol|lah, Aya|tol|lah, der; -[s], -s (schiitischer Ehrentitel)

Aka|de|mie, die; -, ...ien (wissenschaftliche Gesellschaft; [Fach]hochschule); **Aka|demi|ker** (Person mit Hochschulausbildung); **Aka|de|mi|ke|rin**; **aka|de|misch**; das akademische Viertel

Aka|zie, die; -, -n (ein tropischer Laubbaum od. Strauch)

Ake|lei, die; -, -en (eine Zier- u. Wiesenpflanze)

ak|kli|ma|ti|sie|ren, sich

Ak|kord, der; -[e]s, -e (*Musik* Zusammenklang; *Wirtsch.* Bezahlung nach Stückzahl); **Ak|kord|ar|beit**; **Ak|kor|de|on**, das; -s, -s

ak|kre|di|tie|ren (*Politik* beglaubigen; bevollmächtigen); **Ak|kre|di|tie|rung**

Ak|ku, der; -s, -s (*Kurzw. für* Akkumulator)

Ak|ku|mu|la|tor, der; -s, ...oren (ein Stromspeicher; *Kurzw.* Akku); **ak|ku|mu|lie|ren** (anhäufen; sammeln; speichern)

ak|ku|rat (sorgfältig; ordentlich)

Ak|ku|sa|tiv, der; -s, -e (*Sprachwiss.* Wenfall, 4. Fall; *Abk.* Akk.)

Ak|ne, die; -, -n (*Med.* Hautausschlag)

ak|qui|rie|ren [akvi...] (anschaffen; *Wirtsch.*

A

Kunden werben); **Ak|qui|se**, die; -, -n
(Akquisition); **Ak|qui|si|ti|on**, die; -, -en
(Anschaffung; *Wirtsch.* Kundenwerbung)
Ak|ri|bie, die; - (höchste Genauigkeit); **ak|ri|bisch**
Ak|ro|bat, der; -en, -en; **Ak|ro|ba|tik**, die; -
(große körperliche Gewandtheit, Körperbeherrschung); **Ak|ro|ba|tin**; **ak|ro|ba|tisch**
Ak|ro|po|lis, die; -, ...polen (altgriech.
Stadtburg [von Athen])
Akt, der; -[e]s, -e (Aufzug eines Theaterstückes; Handlung, Vorgang; künstler. Darstellung des nackten Körpers); *vgl.* Akte
Ak|te, die; -, -n, *bes. österr. auch* Akt, der;
-[e]s, *Plur.* -e, *österr.* -en; zu den Akten
(erledigt; *Abk.* z. d. A.); **ak|ten|kun|dig**;
Ak|ten|ord|ner; **Ak|ten|ta|sche**; **Ak|ten|zei|chen** (*Abk.* AZ *od.* Az.)
Ak|teur [...'tø:ɐ], der; -s, -e (Handelnder;
Spieler; Schauspieler); **Ak|teu|rin**
Ak|tie, die; -, -n (Anteil[schein]); **Ak|ti|en|ge|sell|schaft** (AG); **Ak|ti|en|in|dex**
(*Finanzw.* Kennziffer für die Kursentwicklung am Aktienmarkt); **Ak|ti|en|kurs**; **Ak|ti|en|markt**; **Ak|ti|en|pa|ket**
Ak|ti|on, die; -, -en (Handlung, Unternehmung; *schweiz. auch für* Sonderangebot)
Ak|ti|o|när, der; -s, -e (Aktienbesitzer); **Ak|ti|o|nä|rin**; **Ak|ti|o|närs|ver|samm|lung**
Ak|ti|o|nis|mus, der; - (Bestreben, durch
[provozierende, künstlerische] Aktionen
die Gesellschaft zu verändern; übertriebener Tätigkeitsdrang); **Ak|ti|ons|bünd|nis**;
Ak|ti|ons|pro|gramm; **Ak|ti|ons|tag**
ak|tiv [*auch* 'a...] (tätig; wirksam; im
Dienst); aktives Wahlrecht; aktiv werden
Ak|tiv das; -s, -e *Plur. selten* (*Sprachwiss.*
Tatform, Tätigkeitsform); **ak|ti|vie|ren** (in
Tätigkeit setzen; Vermögensteile in die
Bilanz einsetzen); **Ak|ti|vie|rung**
Ak|ti|vist, der; -en, -en (zielbewusst Handelnder; *in der DDR* jmd., der für vorbildliche Leistungen ausgezeichnet wurde); **Ak|ti|vis|tin**; **Ak|ti|vi|tät**, die; -, -en (Tätigkeit[sdrang]; Wirksamkeit)
ak|tu|a|li|sie|ren; **Ak|tu|a|li|sie|rung**; **Ak-**

tu|a|li|tät, die; -, -en (Gegenwartsbezogenheit, Zeitnähe); **ak|tu|ell** (gegenwartsnah, zeitgemäß); die Aktuelle *od.* aktuelle
Stunde (im Parlament)
Aku|punk|tur, die; -, -en (Heilbehandlung
durch Einstiche von feinen Nadeln)
Akus|tik, die; -, -en (Lehre vom Schall, von
den Tönen; Klangwirkung); **akus|tisch**
akut; akutes (dringendes) Problem; akute
(unvermittelt auftretende, heftig verlaufende) Krankheit; akut werden
AKW, das; -[s], -[s] = Atomkraftwerk;
AKW-Geg|ner; **AKW-Geg|ne|rin**
Ak|zent, der; -[e]s, -e (Betonung[szeichen];
Tonfall, Aussprache; Nachdruck); **ak|zent|frei**; **ak|zen|tu|ie|ren** (betonen)
ak|zep|ta|bel (annehmbar); ...a|b|le Bedingungen; **Ak|zep|tanz**, die; -, -en (Bereitschaft, etwas zu akzeptieren); **ak|zep|tie|ren** (annehmen; hinnehmen)
à la [a la] (im Stil, nach Art von)
alaaf! (Karnevalsruf); Kölle alaaf!
Ala|bas|ter der; -s, - *Plur. selten* (eine Gipsart)
à la carte [- - 'kart] (nach der Speisekarte); à
la carte essen
Alarm, der; -[e]s, -e; **Alarm|an|la|ge**;
Alarm|be|reit|schaft; **Alarm|glo|cke**
alar|mie|ren; **Alarm|si|g|nal**; **Alarm|stu|fe**;
Alarmstufe Rot
¹**Alb**, der; -[e]s, -en (Naturgeist; *auch für*
gespenstisches Wesen; Albdrücken)
²**Alb**, die; - (Gebirge); Schwäbische Alb
Al|ba|t|ros, der; -, -se (ein Sturmvogel)
Alb|drü|cken, Alp|drü|cken, das; -s
¹**al|bern**; ich albere
²**al|bern** alberne Witze; **Al|bern|heit**
Al|bi|no, der; -s, -s (Mensch, Tier od. Pflanze
mit fehlender Farbstoffbildung)
Alb|traum, Alp|traum
Al|bum, das; -s, ...ben (Gedenk-, Sammelbuch; *auch für* Tonträger mit mehreren
Musikstücken)
Äl|chen (kleiner Aal; *Zool.* Fadenwurm)
Al|co|pop, Al|ko|pop, das *od.* der; -[s], -s
(alkoholhaltiges Limonadenmischgetränk)
al den|te (*Gastron.* bissfest)

Ale [e:l], das; -s, -s (engl. Bier)

Al|ge, die; -, -n

Al|ge|b|ra [*österr.* ...'ge:...], die; -, Plur. (für algebraische Strukturen:) ...e̲bren (Lehre von den mathematischen Gleichungen); **al|ge|b|ra|isch**; algebraische Gleichungen

Al|go|ri̲th|mus, der; -, ...men (Schema, nach dem ein Rechenvorgang abläuft)

ali|as (anders; sonst, auch ... genannt)

Ali|bi, das; -s, -s ([Nachweis der] Abwesenheit vom Tatort des Verbrechens)

Ali|en [ˈeːlɪən], der od. das; -s, -s (außerirdisches Lebewesen)

Ali|men̲|te Plur. (ugs. für Unterhaltsbeiträge, bes. für nicht eheliche Kinder)

Al|ka̲|li [*auch* 'a...] das; -s, ...alien *meist* Plur. (Chemie eine stark basische Verbindung); **al|ka̲|lisch** (basisch; laugenhaft)

Al|ko|hol [*auch* ...'hoːl], der; -s, -e; **al|ko|hol|ab|hän|gig**; **al|ko|hol|frei**; **Al|ko|ho|li|ker**; **Al|ko|ho|li|ke|rin**; **al|ko|ho|lisch**; **al|ko|ho|li|sie̲|ren** (mit Alkohol versetzen; scherzh. für unter Alkohol setzen); **al|ko|ho|li|si̲ert** (betrunken); **Al|ko|ho|lis̲|mus**, der; -; **Al|ko|hol|kon|sum** [*auch* ...'hoːl]; **Al|ko|hol|miss|brauch**, der; -[e]s; **Al|ko|hol|ver|gif|tung**

Al|ko|pop vgl. Alcopop

all; alle, alles; alle beide; sie kamen alle; in, vor, bei allem; nach, trotz allem; das, was, wer alles; all[es] das, dies[es]; für, um alles; diese alle; alle Anwesenden; alles Gute; all[e] die Mühe; alles und jedes; alles oder nichts; alles in allem; alles andere; mein Ein und [mein] Alles

All, das; -s (Weltall)

all|abend|lich

all|dem, al|le|dem; bei all[e]dem; aber sie sagte nichts von all dem, was sie wusste

al̲|le vgl. all; **al|le|dem** vgl. alldem

Al|lee, die; -, Alleen

Al|le|go|ri̲e, die; -, ...ien (Sinnbild; Gleichnis); **al|le|go̲|risch**

al|le̲g|ro (*Musik* lebhaft); **Al|le̲g|ro**, das; -s, Plur. -s u. ...gri

al|lei̲n; von allein[e] (ugs.); allein sein, bleiben; die Kinder allein erziehen; jmdn. allein lassen (ohne Gesellschaft), aber jmdn. alleinlassen (im Stich lassen); eine alleinerziehende od. allein erziehende Mutter; **al|lei̲|ne** (ugs. für allein)

al|lei̲n|er|zie|hend, **al|lei̲n er|zie|hend** vgl. allein; **Al|lei̲n|er|zie|hen|de**, der u. die; -n, -n, **al|lei̲n Er|zie|hen|de**, der u. die; - -n, - -n

Al|lei̲n|gang, der; **al|lei̲|nig**

al|lei̲n|las|sen (im Stich lassen); aber allein lassen (ohne Gesellschaft lassen)

Al|lei̲n|sein, das; -s

al|lei̲n|ste|hend; ein alleinstehender Mann; **Al|lei̲n|ste|hen|de**, der u. die; -n, -n

Al|lei̲n|un|ter|hal|ter; **Al|lei̲n|un|ter|hal|te|rin**

al|le|ma̲l (ugs. für natürlich, in jedem Fall); das kann sie allemal besser; aber ein für alle Mal, ein für alle Male

al|len|falls; **al|lent|hal|ben**

al|ler|be̲s|te; das kann sie am allerbesten; aber es ist das Allerbeste, dass ...; vgl. beste; **al|ler|di̲ngs**

Al|l|er|gie̲, die; -, ...ien (Überempfindlichkeit); **Al|l|e̲r|gi|ker**; **Al|l|e̲r|gi|ke|rin**; **al|l|e̲r|gisch** (überempfindlich)

al|ler|ha̲nd (ugs.); allerhand Neues; allerhand Streiche; das ist ja allerhand

Al|ler|hei̲|li|gen, das; -, österr. Plur. (kath. Fest zu Ehren aller Heiligen); **Al|ler|hei̲|ligs|te**, das; -n

al|ler|le̲i; allerlei Wichtiges; **Al|ler|le̲i**, das; -s, -s; Leipziger Allerlei (Mischgemüse)

al|ler|le̲tz|te; im allerletzten Moment; das ist ja das Allerletzte!; zuallerletzt; vgl. letzte

al|ler|me̲is|te; die allermeisten od. Allermeisten glauben ...

al|ler|o̲r|ten (geh.)

Al|ler|see̲|len, das; - (kath. Gedächtnistag für die Verstorbenen)

al|ler|se̲its, **al̲l|seits**

al|ler|we̲|nigs|te; das allerwenigste od. Allerwenigste, was ...; am allerwenigsten; allerwenigstens

A

Al|ler|wer|tes|te, der; -n, -n (ugs. scherzh. für Gesäß)

al|les vgl. all

al|le|samt (ugs.)

Al|les|fres|ser; Al|les|fres|se|rin

all|ge|gen|wär|tig

all|ge|mein; die allgemeine Schulpflicht; allgemeine Geschäftsbedingungen (Abk. AGB); im Allgemeinen (Abk. i. A.); die allgemeingültigen od. allgemein gültigen Bestimmungen; ein allgemein verständlicher od. allgemeinverständlicher Text

All|ge|mein|be|fin|den

all|ge|mein|bil|dend, all|ge|mein bildend; All|ge|mein|bil|dung, die; -

all|ge|mein|gül|tig, all|ge|mein gül|tig vgl. allgemein; All|ge|mein|gül|tig|keit

All|ge|mein|gut; All|ge|mein|heit

All|ge|mein|me|di|zin, die; -; All|ge|mein|me|di|zi|ner; All|ge|mein|me|di|zi|ne|rin

All|ge|mein|platz (abgegriffene Redensart)

all|ge|mein ver|ständ|lich, all|ge|mein-ver|ständ|lich vgl. allgemein

All|ge|mein|wis|sen; All|ge|mein|wohl

All|heil|mit|tel, das

Al|li|anz, die; -, -en ([Staaten]bündnis); die Heilige Allianz

Al|li|ga|tor, der; -s, ...oren (eine Panzerechse)

Al|li|ier|te, der u. die; -n, -n

all-in|clu|sive ['ɔ:l|ɪn'klu:sɪf] (alles [ist im Preis] enthalten); eine Woche all-inclusive; All-in|clu|sive-Ur|laub

all|jähr|lich

All|macht, die; - (geh.); all|mäch|tig; All-mäch|ti|ge, der; -n (Gott); Allmächtiger!

all|mäh|lich

all|mo|nat|lich; all|mor|gend|lich

Al|lo|t|ria Plur., heute meist das; -[s] (Unfug)

All|rad|an|trieb

All|roun|der ['ɔ:l'raʊndɐ], der; -s, - (jmd., der viele Bereiche beherrscht); All|roun-de|rin

all|seits, al|ler|seits

All|tag Plur. selten; all|täg|lich ['a... (= all-tags), al'tɛ:... (= üblich, gewöhnlich)]; all-

tags; aber des Alltags; alltags wie feiertags; all|tags|taug|lich; All|tags|trott

all|über|all (geh.); all|um|fas|send

Al|lü|re die; -, -n meist Plur. (meist abwertend für eigenwilliges Benehmen)

all|wis|send; Doktor Allwissend (Märchengestalt); All|wis|sen|heit, die; -

all|wö|chent|lich

all|zu; allzu bald, allzu oft, allzu sehr, allzu selten usw. immer getrennt, aber allzumal

All|zweck|waf|fe

Alm, die; -, -en (Bergweide)

Al|ma|nach, der; -s, -e (Kalender, Jahrbuch)

Al|mo|sen, das; -s, - (kleine Gabe, Spende)

Aloe [...loe], die; -, -n [...loən] (eine Zier- u. Heilpflanze)

Aloe ve|ra, die; - -, - -s (Pflanze, aus der Hautpflegemittel gewonnen werden)

Alp, die; -, -en (landsch., bes. schweiz. für Alm)

Al|pa|ka, das; -s, -s (südamerik. Lamaart)

Alp|drü|cken, Alb|drü|cken, das; -s

al|pen|län|disch; Al|pen|re|pu|b|lik (ugs. scherzh. für Österreich [im Plur. für Österreich u. die Schweiz]); Al|pen|ro|se; Al-pen|veil|chen; Al|pen|vor|land, das; -[e]s, Plur. ...lande od. ...länder

Al|pha, das; -[s], -s (griechischer Buchstabe: A, α); Al|pha|bet, das; -[e]s, -e (Abc); al-pha|be|tisch

Alp|horn Plur. ...hörner

al|pin (die Alpen, das Hochgebirge betreffend); alpine Kombination (Skisport); Al|pi-nis|mus, der; - (sportl. Bergsteigen); Al|pi-nist, der; -en, -en; Al|pi|nis|tin

Alp|traum, Alb|traum

al-Qai|da [...k...] vgl. El Kaida

als; als ob; sie ist klüger als ihr Freund, aber (bei Gleichheit): sie ist so klug wie ihre Freundin; als|bald; als|dann

als dass; es ist zu schön, als dass es wahr sein könnte

al|so

alt; äl|ter, äl|tes|te; alt aussehen; alt werden; alte Sprachen; etwas Altes; der Alte (Greis), die Alte (Greisin); er ist immer noch der Alte (derselbe); es bleibt alles beim Alten; aus Alt wird Neu od. aus alt wird neu; der Konflikt zwischen Alt und Jung; mein Ältester (ältester Sohn), *aber* er ist der älteste meiner Söhne; das Alte Testament (*Abk.* A. T.)

Alt, der; -s, -e (tiefe Frauen- od. Knabenstimme; Sängerin mit dieser Stimme)

Al|tar, der; -[e]s, ...täre; **Al|tar|bild; Altar[s]|sa|k|ra|ment,** das; -[e]s

alt|ba|cken (*auch für* altmodisch, überholt)

Alt|bau, der; -[e]s, -ten; **Alt|bau|woh|nung**

alt|be|kannt; alt|be|währt

Alt|bun|des|kanz|ler

Alt|bun|des|prä|si|dent

alt|deutsch

Al|te, der *u.* die; -n, -n

alt|ehr|wür|dig (*geh.*); **alt|ein|ge|ses|sen**

Alt|ei|sen, das; -s

Al|ten|heim; Al|ten|pfle|ge; Al|ten|pfle|ger; Al|ten|pfle|ge|rin; Al|ten|teil, das

Al|ter, das; -s, -; *aber* eine Frau mittleren Alters, *aber* seit alters (*geh.*), von alters her (*geh.*)

al|tern; ich altere; **Al|tern,** das; -s

al|ter|na|tiv (zwischen zwei Möglichkeiten die Wahl lassend; eine menschlichere u. umweltfreundlichere Lebensweise vertretend); alternative Energien

¹Al|ter|na|ti|ve, die; -, -n (eine von zwei od. mehr Möglichkeiten); **²Al|ter|na|ti|ve,** der *u.* die; -n, -n (jmd., der einer alternativen Bewegung angehört); **al|ter|na|tiv|los**

al|ters *vgl.* Alter

Al|ters|ar|mut; al|ters|be|dingt; Al|ters|di|a|be|tes; Al|ters|fleck; al|ters|ge|recht; Al|ters|gren|ze; Al|ters|grup|pe; Al|ters|heim; Al|ters|ren|te; al|ters|schwach; Al|ters|si|che|rung; Al|ters|teil|zeit; Al|ters|ver|sor|gung; Al|ters|vor|sor|ge

Al|ter|tum, das; -s; das klassische Altertum; **al|ter|tüm|lich**

Al|te|rung (*auch für* Reifung; Veränderung durch Altern)

Äl|tes|te, der *u.* die; -n, -n; **Äl|tes|ten|rat**

alt|ge|dient

Alt|glas, das; -es; **Alt|glas|con|tai|ner**

alt|her|ge|bracht

alt|hoch|deutsch

alt|jüng|fer|lich

Alt|kanz|ler; Alt|kanz|le|rin

alt|klug; alt|klu|ger, alt|klugs|te

Alt|last *meist Plur.*

ält|lich

alt ma|chen, alt|ma|chen; Kleider, die alt machen *od.* altmachen; **Alt|ma|te|ri|al**

Alt|meis|ter ([als Vorbild geltender] altbewährter Meister in einem Fachgebiet); **Alt|meis|te|rin; Alt|me|tall; alt|mo|disch;**

Alt|pa|pier, das; -s

alt|ro|sa

Al|tru|is|mus, der; - (Selbstlosigkeit); **al|tru|is|tisch**

Alt|stadt; Alt|stadt|sa|nie|rung

Alt|stim|me

alt|tes|ta|men|ta|risch

alt|über|lie|fert

alt|vä|te|risch (altmodisch); **alt|vä|ter|lich** (ehrwürdig)

Alt|wei|ber|som|mer (warme Nachsommertage; vom Wind getragene Spinnweben)

Alu, das; -s (*kurz für* Aluminium); **Alu|fo|lie**

Alu|mi|ni|um, das; -s (chemisches Element, Leichtmetall; *Zeichen* Al)

Alz|hei|mer|krank|heit, Alz|hei|mer-Krank|heit, die; - (mit Gedächtnisverlust verbundene Gehirnkrankheit)

am (an dem; *Abk.* a. [*bei Ortsnamen*]; *vgl.* an); am Sonntag, dem (*od.* den) 27. März

Amal|gam, das; -s, -e (Quecksilberlegierung); **Amal|gam|fül|lung**

Ama|ryl|lis, die; -, ...llen (eine Zierpflanze)

Ama|teur [...'tø:ɐ], der; -s, -e ([Kunst-, Sport]liebhaber; Nichtfachmann); **ama|teur|haft; Ama|teu|rin**

Ama|zo|ne, die; -, -n (Angehörige eines kriegerischen Frauenvolkes der griech. Sage; *auch für* Turnierreiterin)

Am|bi|en|te, das; - (Umwelt, Atmosphäre)

Am|bi|ti|on, die; -, -en (Ehrgeiz); **am|bi|ti|o|niert** (ehrgeizig, strebsam)

am|bi|va|lent (doppeldeutig)

Am|bi|va|lenz, die; -, -en (Doppelwertigkeit)

A

Ạm|boss, der; -es, -e

am|bu|lạnt (wandernd; *Med.* nicht stationär); ambulante Behandlung; Ạm|bu|lạnz, die; -, -en (Krankentransportwagen; Klinikabteilung für ambulante Behandlung)

Ạmei|se, die; -, -n; Ạmei|sen|hau|fen

amen; in Ewigkeit, amen!

Amen das; -s, - *Plur. selten* (feierliche Bekräftigung); zu allem Ja und Amen *od.* ja und amen sagen (*ugs.*)

Ame|ri|ka; ame|ri|ka|nisch; *vgl.* deutsch/ Deutsch

Ame|thyst, der; -[e]s, -e (ein Schmuckstein)

Ạmi, der; -s, -s (*ugs.*)

Ami|no|säu|re (Eiweißbaustein)

Ạm|mann, der; -[e]s, Ammänner (*schweiz.*)

Ạm|me, die; -, -n; Ạm|men|mär|chen

Ạm|mer, die; -, -n, *fachspr. auch* der; -s, -n (ein Singvogel)

Am|mo|ni|ak [*auch* 'a..., *österr.* a'mo:...], das; -s (*Chemie* stechend riechendes Gas aus Stickstoff u. Wasserstoff)

Am|ne|sie, die; -, ...ien (*Med.* Gedächtnisschwund)

Am|nes|tie, die; -, ...ien (Begnadigung, Straferlass); am|nes|tie|ren

Amö|be, die; -, -n (*Zool.* ein Einzeller)

Amok, der; -[s]; Amok laufen ([in einem Anfall von Paranoia] umherlaufen und blindwütig töten); Amok|lauf; Amok|läu|fer; Amok|läu|fe|rin

a-Moll ['a:mɔl], das; -[s] (Tonart; *Zeichen* a); a-Moll-Ton|lei|ter

amo|ra|lisch (sich über die Moral hinwegsetzend); Amo|ra|li|tät, die; -

amorph (gestaltlos)

Amor|ti|sa|ti|on, die; -, -en ([allmähliche] Tilgung; Abschreibung, Abtragung [einer Schuld]); amor|ti|sie|ren

Ạm|pel, die; -, -n; Ạm|pel|ko|a|li|ti|on (Koalition aus SPD, FDP u. Grünen)

Ạm|pere [...'pɛːɐ̯], das; -[s], - (Einheit der elektr. Stromstärke; *Zeichen* A)

Ạmp|fer, der; -s, - (eine Pflanze)

Am|phe|t|a|min, das; -s, -e (als Weckamin gebrauchte chemische Verbindung)

Am|phi|bie die; -, -n *meist Plur.* (sowohl im Wasser als auch auf dem Land lebendes Wirbeltier; Lurch); Am|phi|bi|en|fahr|zeug (Land-Wasser-Fahrzeug)

Am|phi|the|a|ter (meist dachloses Gebäude mit stufenweise aufsteigenden Sitzen)

Ạm|pho|ra, Ạm|pho|re, die; -, ...oren (zweihenkliges Gefäß der Antike)

Am|pli|tu|de, die; -, -n (*Physik* Schwingungsweite, Ausschlag)

Am|pụl|le, die; -, -n (Glasröhrchen)

Am|pu|ta|ti|on, die; -, -en (operative Abtrennung eines Körperteils); am|pu|tie|ren

Ạm|sel, die; -, -n

Ạmt, das; -[e]s, Ämter; von Amts wegen; ein Amt bekleiden; Ạmt|frau; am|tie|ren; ạmt|lich; Ạmt|mann *Plur.* ...männer u. ...leute

Ạmts|an|tritt; ạmts|ärzt|lich; Ạmts|ein|füh|rung; Ạmts|ent|he|bung; Ạmts|ge|richt (*Abk.* AG); Ạmts|hand|lung; Ạmts|in|ha|ber; Ạmts|in|ha|be|rin; Ạmts|miss|brauch; Ạmts|rich|ter; Ạmts|rich|te|rin; Ạmts|sitz; Ạmts|spra|che; Ạmts|stu|be; Ạmts|trä|ger; Ạmts|trä|ge|rin; Ạmts|über|nah|me; Ạmts|zeit

Amu|lẹtt, das; -[e]s, -e (Gegenstand, dem Unheil abwehrende Kraft zugeschrieben wird)

amü|sạnt (unterhaltend; vergnüglich); amü|sie|ren; sich amüsieren

ạn; *Adverb:* Gemeinden von an [die] 1 000 Einwohnern; an sein (*ugs.* für eingeschaltet sein); *Präp. mit Dat.* (zur Angabe einer Position) *od. Akk.* (zur Angabe einer Richtung): an dem Zaun stehen, *aber* an den Zaun stellen; an [und für] sich (eigentlich)

Ana|bo|li|kum, das; -s, ...ka (*Pharm.* muskelbildendes Präparat)

Ana|chro|nis|mus [...k...], der; -, ...men (falsche zeitliche Einordnung; veraltete, überholte Einrichtung); ana|chro|nis|tisch

Ana|kọn|da, die; -, -s (eine Riesenschlange)

anạl (*Med.* den After betreffend)

ana|log (entsprechend; *EDV* stufenlos, konti-

nuierlich); analoge Technik; analog [zu]
diesem Fall; Ana|lo|gie, die; -, ...ien

An|al|pha|bet [*auch* 'a...], der; -en, -en
(jmd., der nicht lesen u. schreiben gelernt
hat); An|al|pha|be|tin

Anal|ver|kehr (Variante des Geschlechtsver-
kehrs)

Ana|ly|se, die; -, -n (Zergliederung, Untersu-
chung); ana|ly|sie|ren; Ana|ly|sis, die; -
(Gebiet der Mathematik); Ana|lyst, der;
-en, -en (Fachmann, der das Geschehen an
der Börse, auf den Finanzmärkten u. a.
beobachtet u. analysiert); Ana|lys|tin

Ana|ly|ti|ker; Ana|ly|ti|ke|rin; ana|ly|tisch

An|ä|mie, die; -, ...ien (*Med.* Blutarmut); an-
ä|misch

Ana|nas, die; -, Plur. - u. -se

An|ar|chie, die; -, ...ien (Herrschafts-,
Gesetzlosigkeit; Chaos); an|ar|chisch; An-
ar|chist, der; -en, -en; An|ar|chis|tin; an-
ar|chis|tisch

An|äs|the|sie, die; -, ...ien (*Med.* Schmerz-
unempfindlichkeit; Schmerzbetäubung);
An|äs|the|sist, der; -en, -en (Narkosefach-
arzt); An|äs|the|sis|tin

Ana|to|mie, die; -, ...ien (Lehre von Form u.
Körperbau der [menschlichen] Lebewesen;
anatomisches Institut); ana|to|misch

an|bag|gern (ugs. für [herausfordernd]
ansprechen u. sein Interesse zeigen)

an|bah|nen; An|bah|nung

an|bän|deln (ugs.)

An|bau, der; -[e]s, -ten; an|bau|en; An|bau-
flä|che; An|bau|ge|biet

An|be|ginn, der; -[e]s (geh.); seit Anbeginn,
von Anbeginn [an]

an|be|hal|ten (ugs.)

an|bei [auch 'a...] (Amtsspr.)

an|bei|ßen; zum Anbeißen sein (ugs. für rei-
zend anzusehen sein)

an|[be]lan|gen; was mich an[be]langt, ...

an|be|rau|men; ich beraum[t]e an, selten
ich anberaum[t]e; anberaumt; anzuberau-
men

an|be|ten

An|be|tracht; in Anbetracht dessen, dass ...

an|be|tref|fen; nur in was jmdn., etw. anbe-
trifft

An|be|tung

an|bie|dern, sich (abwertend); ich biedere
mich an; An|bie|de|rung

an|bie|ten; An|bie|ter; An|bie|te|rin

an|bin|den; An|bin|dung

An|blick; an|bli|cken

an|bra|ten; das Fleisch anbraten

an|bre|chen; der Tag bricht an (geh.)

an|bren|nen

an|brin|gen; etwas am Haus[e] anbringen

An|bruch, der; -[e]s (geh. für Beginn)

an|brül|len

An|cho|vis, An|scho|vis [...'ʃo:...], die; -, -
([gesalzene] kleine Sardelle)

An|dacht, die; -, Plur. (für Gebetsstunden:)
-en; an|däch|tig; an|dachts|voll (geh.)

an|dan|te (Musik mäßig langsam); An|dan-
te, das; -[s], -s; Musikstück

an|dau|ern; an|dau|ernd

an|den|ken; es ist angedacht, aufzustocken

An|den|ken, das; -s, -

an|de|re, and|re s. Kasten Seite 32

an|de|ren|falls, an|dern|falls; an|de|ren-
orts, an|der[n]|orts; an|de|ren|tags, an-
dern|tags; an|de|ren|teils, an|dern|teils;
einesteils ..., ander[e]nteils

an|de|rer|seits, an|der|seits, and|rer|seits;
einerseits macht es Spaß, andererseits
Angst

an|der|mal; ein andermal, aber ein
and[e]res Mal

än|dern; ich ändere

an|dern|falls usw. vgl. anderenfalls usw.

an|der[n]|orts, an|de|ren|orts

an|ders; jemand, niemand, wer anders (bes.
südd., österr. auch and[e]rer); mit jemand,
niemand anders (bes. südd., österr. auch
and[e]rem, anderm) reden; ich sehe
jemand, niemand anders (bes. südd.,
österr. auch and[e]ren, andern); irgendwo
anders (irgendwo sonst), wo anders? (wo
sonst?; woanders); anders als ... (nicht:
anders wie ...); anders sein, denken

an|ders|ar|tig

A

an|de|re, and|re

Im Allgemeinen wird »andere, andre« kleingeschrieben:

- *der, die, das and[e]re*
- *die, keine, alle and[e]ren, andern*
- *ein, kein, etwas, allerlei, nichts and[e]res*
- *der eine, der and[e]re*
- *die einen und die and[e]ren*
- *einer, eins nach dem and[e]ren*
- *und and[e]re, und and[e]res (Abk. u. a.)*
- *und and[e]re mehr, und and[e]res mehr (Abk. u. a. m.)*
- *von etwas and[e]rem, anderm sprechen*
- *unter and[e]rem, anderm (Abk. u. a.)*

- *zum einen ..., zum and[e]ren*
- *sich eines and[e]ren, andern besinnen*

Bei Substantivierung ist auch Großschreibung möglich, beispielsweise:

- *der, die, das and[e]re* od. *And[e]re*
- *eine, keine, alles and[e]re* od. *And[e]re*
- *ein, etwas, nichts and[e]res* od. *And[e]res*
- *die einen und die anderen* od. *die Einen und die And[e]ren*
- *die Suche nach dem and[e]ren* od. *And[e]ren (nach einer neuen Welt)*

an|ders|den|kend, an|ders den|kend; An|ders|den|ken|de, der u. die; -n, -n, an|ders Den|ken|de, der u. die; - -n, - -n
an|der|seits, an|de|rer|seits, and|rer|seits
an|ders|ge|ar|tet, an|ders ge|ar|tet
an|ders ge|sinnt
an|ders|gläu|big; An|ders|gläu|bi|ge, der u. die; -n, -n
an|ders|he|r|um
an|ders|lau|tend, an|ders lau|tend; An|ders|lau|ten|de, das; -n, an|ders Lau|ten|de, das; - -n
an|ders|rum (ugs.)
An|ders|sein
an|ders|wo; an|ders|wo|her; an|ders|wo|hin
an|dert|halb; in anderthalb Stunden; anderthalb Pfund; an|dert|halb|fach; an|dert|halb|mal; anderthalbmal so groß wie (seltener als) sie; vgl. Mal
Än|de|rung; Än|de|rungs|an|trag
an|der|wär|tig; an|der|wärts
an|der|weit, an|der|wei|tig
an|deu|ten; An|deu|tung; an|deu|tungs|wei|se
an|die|nen (Kaufmannsspr. anbieten)
an|do|cken (ein Raumfahrzeug ankoppeln)
An|drang, der; -[e]s
and|re s. Kasten

an|dre|hen; jmdm. etwas andrehen (ugs. für aufschwatzen)
and|rer|seits, an|de|rer|seits, an|der|seits
an|dro|hen; An|dro|hung
an|ecken (an etwas anstoßen; ugs. auch für Anstoß erregen)
an|eig|nen, sich; ich eigne mir Kenntnisse an; An|eig|nung

an|ei|n|an|der

Man schreibt »aneinander« mit dem folgenden Verb in der Regel zusammen, wenn es den gemeinsamen Hauptakzent trägt:

- *aneinanderfügen, aneinandergeraten, aneinanderlegen usw.*

Aber:

- *aneinander denken, sich aneinander freuen, aneinander vorbeigehen usw.*

an|ei|n|an|der|fü|gen; er hat die Teile aneinandergefügt; an|ei|n|an|der|ge|ra|ten; sie waren heftig aneinandergeraten; an|ei|n|an|der|rei|hen; an|ei|n|an|der|sto|ßen
An|ek|do|te, die; -, -n (kurze, jmdn. od. etwas [humorvoll] charakterisierende Geschichte); an|ek|do|ten|haft; an|ek|do|tisch
Ane|mo|ne, die; -, -n (Windröschen)

an|er|kannt; an|er|kann|ter|ma̲ßen
an|er|ken|nen; ich erkenne (erkannte) an, *seltener* ich anerkenne (anerkannte) an; anerkannt; anzuerkennen; an|er|ken|nens|wert; An|er|ken|nung
an|fa|chen; er facht die Glut an
an|fah|ren (*auch für* heftig anreden); An|fahrt; An|fahrts|skiz|ze; An|fahrts|weg
An|fall, der; an|fal|len
an|fäl|lig; An|fäl|lig|keit
An|fang, der; -[e]s, ...fänge; *vgl.* anfangs; im Anfang; von Anfang an; zu Anfang
an|fan|gen; sie fing an; An|fän|ger; An|fän|ge|rin; an|fäng|lich; an|fangs
An|fangs|buch|sta|be; An|fangs|pha|se; An|fangs|ver|dacht
an|fas|sen *vgl.* fassen
an|fecht|bar; an|fech|ten; das ficht mich nicht an; An|fech|tung
an|fein|den; An|fein|dung
an|fer|ti|gen; An|fer|ti|gung
an|feu|ern; An|feu|e|rung
an|fle|hen
an|flie|gen; An|flug
an|for|dern; An|for|de|rung; An|for|de|rungs|pro|fil (Eigenschaften, Fähigkeiten, die ein Stellenbewerber haben soll)
An|fra|ge; die Kleine *od.* kleine Anfrage, die Große *od.* große Anfrage [im Parlament]; an|fra|gen; bei jmdm. anfragen
an|freun|den, sich
an|fü|gen
an|füh|len; der Stoff fühlt sich weich an
an|füh|ren; An|füh|rer; An|füh|re|rin; An|füh|rung; An|füh|rungs|zei|chen
An|ga|be (*auch [nur Sing.] ugs. für* Prahlerei, Übertreibung); an|ge|ben; An|ge|ber (*ugs.*); An|ge|be|rin; an|ge|be|risch
an|geb|lich
an|ge|bo|ren
An|ge|bot; An|ge|bots|pa|let|te (*Werbespr.*); An|ge|bots|preis (*Wirtsch.*)
an|ge|bracht; an|ge|bun|den; kurz angebunden (*ugs. für* abweisend) sein
an|ge|dei|hen; *nur in* jmdm. etwas angedeihen lassen

an|ge|führt; am angeführten Ort (*Abk.* a. a. O.)
an|ge|ge|ben; am angegebenen Ort (*Abk.* a. a. O.)
an|ge|gos|sen; wie angegossen sitzen (*ugs. für* genau passen)
an|ge|grif|fen (*auch für* geschwächt)
an|ge|hei|ra|tet
an|ge|hen; das geht nicht an (ist nicht vertretbar, erlaubt); es geht mich [nichts] an
an|ge|hend (künftig)
an|ge|hö|ren; einem Volk[e] angehören; an|ge|hö|rig; An|ge|hö|ri|ge, der *u.* die; -n, -n
An|ge|klag|te, der *u.* die; -n, -n
an|ge|kün|digt
An|gel, die; -, -n
an|ge|le|gen; ich lasse mir etwas angelegen sein (*geh. für* ich kümmere mich darum)
An|ge|le|gen|heit
an|ge|legt; gut angelegtes Geld
An|gel|ha|ken; an|ge|ln; ich ang[e]le; An|gel|punkt (Hauptsache)
an|ge|mes|sen; An|ge|mes|sen|heit, die; -
an|ge|nehm; etwas Angenehmes erleben
an|ge|nom|men; angenommen[,] dass ...
an|ge|passt
an|ge|regt
an|ge|sagt (*ugs. für* in Mode, sehr gefragt); ein angesagtes Lokal
an|ge|säu|selt (*ugs. für* leicht betrunken)
an|ge|schla|gen (*ugs. für* erschöpft; beschädigt)
an|ge|se|hen (geachtet)
An|ge|sicht *Plur.* Angesichter *u.* Angesichte (*geh.*); an|ge|sichts; *Präp. mit Gen.:* angesichts des Todes
an|ge|spannt
an|ge|stammt; angestammte Rechte
an|ge|staubt
An|ge|stell|te, der *u.* die; -n, -n
an|ge|stie|felt (*ugs.*); angestiefelt kommen
an|ge|strebt; die angestrebte Position
an|ge|strengt
an|ge|tan; sie war sehr angetan (begeistert) von der Reise
an|ge|trun|ken (leicht betrunken)

an|ge|wandt; angewandte Kunst; ange-
wandte Mathematik; *vgl.* anwenden

an|ge|wie|sen; auf eine Person oder eine
Sache angewiesen sein

an|ge|wöh|nen; ich gewöhne mir etwas an;
An|ge|wohn|heit; An|ge|wöh|nung

an|ge|wur|zelt; wie angewurzelt stehen
bleiben

An|gi|na, die; -, ...nen (*Med.* Mandelentzün-
dung); An|gi|na Pec|to|ris, die; - - (*Med.*
Herzkrampf)

an|glei|chen; An|glei|chung

Ang|ler; Ang|le|rin

an|glie|dern; An|glie|de|rung

an|gli|ka|nisch; anglikanische Kirche (engl.
Staatskirche)

An|glis|tik, die; - (engl. Sprach- u. Literatur-
wissenschaft); An|gli|zis|mus, der; -,
...men (engl. Spracheigentümlichkeit in
einer anderen Sprache)

An|glo|ame|ri|ka|ner (aus England stam-
mender Amerikaner; *auch* Sammelname
für Engländer u. Amerikaner); An|glo|lo-
ame|ri|ka|ne|rin

An|go|ra|kat|ze; An|go|ra|wol|le

an|greif|bar; an|grei|fen *vgl.* angegriffen;
An|grei|fer; An|grei|fe|rin

an|gren|zen

An|griff, der; -[e]s, -e; etwas in Angriff neh-
men; An|griffs|krieg; an|griffs|lus|tig

Angst, die; -, Ängste; in Angst, in [tausend]
Ängsten sein; Angst haben; jmdm. Angst
[und Bange] machen; *aber* mir ist, wird
angst [und bange]

angst|er|füllt; *aber* von Angst erfüllt

angst|er|re|gend, Angst er|re|gend; ein
angsterregender *od.* Angst erregender
Vorfall; *aber nur* ein große Angst erregender Vorfall; ein besonders angsterregender,
noch angsterregenderer Vorfall

Angst|ha|se (*ugs.*)

ängs|ti|gen; ängst|lich; Ängst|lich|keit

Angst|schweiß

an|gu|cken (*ugs.*); an|gur|ten; sich angurten

an|ha|ben; ..., dass er nichts anhat, ange-
habt hat (*ugs.*); er kann mir nichts anhaben

an|haf|ten

An|halt (Anhaltspunkt); an|hal|ten; an|hal-
tend; An|hal|ter (*ugs.*); per Anhalter fah-
ren; An|hal|te|rin; An|halts|punkt

an|hand; *Präp. mit Gen.:* anhand des
Buches; anhand von Unterlagen; *vgl.* Hand

An|hang, der; -[e]s, Anhänge

¹an|hän|gen; er hing einer Sekte an; *vgl.*
¹hängen

²an|hän|gen; sie hängte den Zettel [an die
Tür] an; *vgl.* ²hängen

An|hän|ger; An|hän|ge|rin; An|hän|ger-
schaft

an|hän|gig (*Rechtsspr.* beim Gericht zur Ent-
scheidung liegend); eine Klage anhängig
machen (Klage erheben)

an|häng|lich (treu); An|häng|lich|keit, die;
-; An|häng|sel, das; -s, -

an|hau|en (*ugs. auch für* formlos anspre-
chen, um etwas bitten)

an|häu|fen; An|häu|fung

an|he|ben (*auch geh. für* anfangen); sie hob
(*veraltet* hub) an[,] zu singen; An|he|bung

an|hef|ten

an|heim|fal|len (*geh. für* zufallen, zum
Opfer fallen); an|heim|ge|ben (*geh. für*
anvertrauen, übergeben); an|heim|stel|len
(*geh. für* überlassen); ich stelle Ihnen das
anheim

an|hei|schig; *nur in* sich anheischig machen
(*geh. für* sich verpflichten, sich anbieten)

an|hei|zen

an|heu|ern; auf einem Schiff anheuern

An|hieb; *nur in* auf Anhieb (sofort)

an|him|meln (*ugs.*)

an|hin; bis anhin (*schweiz.* bis jetzt)

An|hö|he

an|hö|ren; An|hö|rung (*für* Hearing)

ani|ma|lisch (tierisch; tierhaft; triebhaft)

Ani|ma|teur [...'tø:ɐ̯], der; -s, -e (jmd., der
beruflich in einem Freizeitzentrum, auf
einer Reise o. Ä. die Gäste unterhält); Ani-
ma|teu|rin; Ani|ma|ti|on, die; -, -en
(organisierte Sport- u. Freizeitaktivitäten
für Urlauber; Belebung, Bewegung der
Figuren im Trickfilm); Ani|ma|ti|ons|film

ani|mie|ren (beleben, anregen, ermuntern)
Ani|mo|si|tät, die; -, -en (Feindseligkeit)
An|ion, das; -s, -en (*Physik* negativ gelade-
    nes elektrisches Teilchen)
Anis [*auch* 'a:...], der; -[es], -e (eine Gewürz-
    u. Heilpflanze)
an|kämp|fen
An|kauf; an|kau|fen
An|ker, der; -s, -; vor Anker gehen, liegen;
    an|kern; An|ker|platz
an|ket|ten
An|kla|ge; An|kla|ge|bank *Plur.* ...bänke
an|kla|gen; An|kla|ge|punkt; An|klä|ger;
    An|klä|ge|rin; An|kla|ge|schrift
an|klam|mern; sich anklammern
An|klang; Anklang finden
an|kle|ben
An|klei|de|ka|bi|ne; an|klei|den; sich
    ankleiden
an|kli|cken
an|klin|gen
an|klop|fen
an|knip|sen (*ugs.*)
an|knüp|fen; An|knüp|fungs|punkt
an|knur|ren
an|kom|men; es kommt mir nicht darauf an;
    An|kömm|ling
an|kot|zen (*derb für* anwidern)
an|krei|den; jmdm. etwas ankreiden (*ugs.*
    für zur Last legen)
an|kreu|zen
an|kün|di|gen; An|kün|di|gung
An|kunft die; -, Ankünfte *Plur. selten;* An-
    kunfts|zeit
an|kur|beln; An|kur|be|lung
An|la|ge; etwas als *od.* in der Anlage über-
    senden; An|la|ge|be|ra|ter (*Wirtsch.*); An-
    la|ge|be|ra|te|rin; An|la|ge|ver|mö|gen
an|lan|gen; wir waren am Ziel angelangt;
    vgl. an|be]langen
An|lass, der; -es, Anlässe; Anlass geben,
    haben; an|las|sen; An|las|ser (*Technik*)
an|läss|lich (*Amtsspr.*); Präp. mit Gen.:
    anlässlich des Festes
an|las|ten (zur Last legen)
An|lauf; an|lau|fen; An|lauf|stel|le

An|laut (erster Laut eines Wortes, einer
    Silbe)
an|le|gen; An|le|ge|platz; An|le|ger (jmd.,
    der Kapital anlegt); An|le|ge|rin
an|leh|nen; ich lehne mich an die Wand an;
    An|leh|nung; an|leh|nungs|be|dürf|tig
An|lei|he
an|lei|nen; den Hund anleinen
an|lei|ten; An|lei|tung
an|ler|nen
an|lie|fern; An|lie|fe|rung
an|lie|gen; eng am Körper anliegen; *vgl.*
    angelegen; An|lie|gen, das; -s, -
    (Wunsch); an|lie|gend (*Kaufmannsspr.*);
    anliegend (anbei) der Bericht
An|lie|ger (Anwohner); An|lie|ge|rin
an|lo|cken
an|lü|gen
an|ma|chen (*ugs. auch für* belästigen)
an|mah|nen
an|ma|len
An|marsch, der
an|ma|ßen, sich; du maßt dir etwas an; an-
    ma|ßend; An|ma|ßung
An|mel|de|for|mu|lar; an|mel|den; An|mel-
    de|schluss; An|mel|dung
an|mer|ken; ich ließ mir nichts anmerken;
    An|mer|kung (*Abk.* Anm.)
an|mes|sen; jmdm. einen Anzug anmessen
an|mie|ten; An|mie|tung
An|mut, die; -; an|mu|ten; es mutet mich
    seltsam an (wirkt seltsam auf mich); an-
    mu|tig; An|mu|tung (Eindruck)
an|nä|hen
an|nä|hern; sich annähern; an|nä|hernd;
    annähernd gleich groß; An|nä|he|rung;
    an|nä|he|rungs|wei|se
An|nah|me, die; -, -n; An|nah|me|stel|le
An|na|len *Plur.* ([geschichtliche] Jahrbücher)
an|neh|men|bar; an|neh|men *vgl.* angenom-
    men; An|nehm|lich|keit *meist Plur.*
an|nek|tie|ren (sich [gewaltsam] aneignen);
    An|ne|xi|on, die; -, -en (Aneignung)
an|no (*geh. für* im Jahre; *Abk.* a.); anno elf;
    anno 1648; anno dazumal; An|no Do|mi-
    ni (im Jahre des Herrn; *Abk.* A. D.)

An|non|ce [a'nõ:sə, *österr.* a'nõ:s], die; -, -n (Zeitungsanzeige); an|non|cie|ren

an|nul|lie|ren (für ungültig erklären); An|nul|lie|rung

An|o|de, die; -, -n (*Physik* positive Elektrode)

an|öden (*ugs. für* langweilen)

an|o|mal [*od.* …'ma:l] (unregelmäßig, regelwidrig); An|o|ma|lie, die; -, …ien

an|o|nym (ohne Nennung des Namens, ungenannt); ein anonymer Anrufer

An|o|ny|mi|tät, die; -

Ano|rak, der; -s, -s (Windbluse mit Kapuze)

an|ord|nen; An|ord|nung

an|or|ga|nisch (unbelebt); anorganische Chemie

anor|mal (regelwidrig, krankhaft)

an|pa|cken

an|pas|sen; An|pas|sung; an|pas|sungs|fä|hig

an|pei|len

an|pfei|fen (*ugs. auch für* tadeln); An|pfiff

an|pflan|zen; An|pflan|zung

an|pflau|men (*ugs. für* necken, verspotten; heftig zurechtweisen)

an|pö|beln (*ugs. abwertend für* in grober Weise belästigen)

An|prall, der; -[e]s; an|pral|len

an|pran|gern; An|pran|ge|rung

an|prei|sen; An|prei|sung

An|pro|be; an|pro|bie|ren

an|pum|pen (*ugs.*)

an|quat|schen (*ugs. für* ungeniert ansprechen)

An|rai|ner (*Rechtsspr., bes. österr. für* Anlieger, Grenznachbar); An|rai|ner|staat

an|ra|ten; An|ra|ten, das; -s; auf Anraten des Arztes

an|rau|en; angeraut

an|rech|nen; das rechne ich dir hoch an

An|recht

An|re|de; an|re|den; jmdn. mit Sie, Du anreden

an|re|gen; an|re|gend; An|re|gung; An|re|gungs|mit|tel

an|rei|chern; An|rei|che|rung

An|rei|se; an|rei|sen; An|rei|se|tag

An|reiz

an|rem|peln (*ugs.*)

An|rich|te, die; -, -n; an|rich|ten

an|rol|len; angerollt kommen

an|rü|chig; An|rü|chig|keit

an|rü|cken ([in einer Formation] näher kommen)

An|ruf; An|ruf|be|ant|wor|ter; an|ru|fen; An|ru|fer; An|ru|fe|rin; An|ru|fung

an|rüh|ren

ans (an das); bis ans Ende

An|sa|ge, die; -, -n; an|sa|gen

An|sa|ger (*kurz für* Rundfunk-, Fernsehansager); An|sa|ge|rin

an|sam|meln; An|samm|lung

an|säs|sig

An|satz; An|satz|punkt; an|satz|wei|se

an|schaf|fen; schaffte an, hat angeschafft; An|schaf|fung; An|schaf|fungs|kos|ten *Plur.*

an|schal|ten

an|schau|en; an|schau|lich; An|schau|lich|keit; An|schau|ung

An|schein, der; -[e]s; allem, dem Anschein nach; an|schei|nend

an|schei|ßen (*derb für* heftig tadeln)

an|schi|cken, sich

an|schie|len

an|schie|ßen

An|schiss, der; -es, -e (*derb für* heftiger Tadel)

An|schlag; An|schlag|brett; an|schla|gen

¹an|schlei|fen; sie hat das Messer angeschliffen (ein wenig scharf geschliffen); *vgl.* ¹schleifen

²an|schlei|fen (*ugs.*); er hat den Sack angeschleift (*ugs. für* schleifend herangezogen); *vgl.* ²schleifen

an|schlie|ßen; an|schlie|ßend

An|schluss; An|schluss|stel|le, An|schluss-Stel|le; An|schluss|tref|fer; An|schluss|zug

an|schmie|gen; sich an jmdn. anschmiegen; an|schmieg|sam

an|schmie|ren (*ugs. auch für* betrügen)

an|schnal|len; sich anschnallen; An|schnall|pflicht, die; -

an|schnau|zen (*ugs. für* grob tadeln)
an|schnei|den; An|schnitt
An|scho|vis […ˈ]oː…] *vgl.* Anchovis
an|schrei|ben; An|schrei|ben
an|schrei|en
An|schrift
an|schul|di|gen; An|schul|di|gung
an|schwär|zen (*ugs. auch für* verleumden)
¹an|schwel|len; der Strom schwillt an, war
   angeschwollen; *vgl.* ¹schwellen
²an|schwel|len; der Regen hat die Flüsse
   angeschwellt; *vgl.* ²schwellen
An|schwel|lung
an|schwem|men; An|schwem|mung
an|schwin|deln (*ugs.*)
an|se|hen; ich sehe mir das an; *vgl.* angese-
   hen; An|se|hen, das; -s; ohne Ansehen der
   Person (ganz gleich, um wen es sich han-
   delt); an|sehn|lich
an sein *vgl.* an
an|set|zen
¹an sich (eigentlich)
²an sich; etw. an sich haben, bringen
An|sicht, die; -, -en; meiner Ansicht nach
   (*Abk.* m. A. n.); An|sichts|kar|te; An-
   sichts|sa|che
an|sie|deln; An|sie|de|lung, An|sied|lung
An|sin|nen, das; -s, -; ein Ansinnen an jmdn.
   stellen
an|sons|ten (*ugs. für* im Übrigen, anderen-
   falls)
an|span|nen; An|span|nung
an|spa|ren
An|spiel, das; -[e]s, -e (*Ballspiele, Eisho-
   ckey*); an|spie|len
An|spie|lung (versteckter Hinweis)
An|sporn, der; -[e]s; an|spor|nen
An|spra|che; an|sprech|bar; an|spre|chen;
   auf etw. ansprechen (reagieren); an|spre-
   chend; am ansprechendsten
An|sprech|part|ner; An|sprech|part|ne|rin
an|sprin|gen
An|spruch; etwas in Anspruch nehmen; an-
   spruchs|los; An|spruchs|lo|sig|keit; an-
   spruchs|voll
an|sta|cheln

An|stalt, die; -, -en; keine Anstalten zu etw.
   machen (nicht beginnen [wollen])
An|stand, der; -[e]s; …stände; keinen
   Anstand an dem Vorhaben nehmen (*geh.*
   für keine Bedenken haben)
an|stän|dig; An|stän|dig|keit
an|stands|hal|ber; an|stands|los
an|star|ren
an|statt; anstatt dass; *vgl.* statt
an|ste|chen; ein Fass anstechen (anzapfen)
an|ste|cken *vgl.* ²stecken; an|ste|ckend
An|ste|ckung; An|ste|ckungs|ge|fahr
an|ste|hen; ich stehe nicht an (habe keine
   Bedenken); an|ste|hend; die anstehenden
   (bevorstehenden) Wahlen
an|stei|gen
an|stel|le, an Stel|le; *Präp. mit Gen.:*
   anstelle *od.* an Stelle des Vaters, *aber* an
   die Stelle des Vaters ist der Vormund getreten
an|stel|len; sich anstellen; an|stel|lig
   (geschickt); An|stel|lung
an|steu|ern
An|stich (eines Fasses [Bier])
An|stieg, der; -[e]s, -e
an|stif|ten; An|stif|ter; An|stif|te|rin; An-
   stif|tung
an|stim|men; ein Lied anstimmen
An|stoß; an etwas Anstoß nehmen; an|sto-
   ßen; an|stö|ßig; An|stö|ßig|keit
an|strah|len; An|strah|lung
an|stre|ben; an|stre|bens|wert
an|strei|chen; An|strei|cher; An|strei|che-
   rin
an|stren|gen; sich anstrengen; an|stren-
   gend; An|stren|gung
An|strich
An|sturm, der; -[e]s; …stürme
an|su|chen; um etwas ansuchen (*Amtsspr.*
   um etwas bitten); An|su|chen, das; -s, -
   (förmliche Bitte; Gesuch); auf Ansuchen
An|t|a|go|nis|mus, der; -, …men (Wider-
   streit; Gegensatz)
An|t|a|go|nist, der; -en, -en (Gegner); An|t-
   a|go|nis|tin; an|t|a|go|nis|tisch
an|tas|ten

An|teil, der; -[e]s, -e; an|tei|lig; An|teil-
nah|me, die; -, -n; an|teil[s]|mä|ßig
An|ten|ne, die; -, -n
An|tho|lo|gie, die; -, ...ien ([Gedicht]samm-
lung; Auswahl)
an|th|ra|zit (schwarzgrau); An|th|ra|zit
der; -s, -e *Plur. selten* (hochwertige Stein-
kohle)
An|th|ro|po|lo|ge, der; -n, -n; An|th|ro|po-
lo|gie, die; -, ...ien (Wissenschaft vom
Menschen u. seiner Entwicklung); An|th-
ro|po|lo|gin; an|th|ro|po|lo|gisch
An|th|ro|po|so|phie, die; - (von R. Steiner
begründete Weltanschauungslehre); an|th-
ro|po|so|phisch
An|ti|al|ko|ho|li|ker [*auch* 'an...] (Alkohol-
gegner); An|ti|al|ko|ho|li|ke|rin
an|ti|ame|ri|ka|nisch [*auch* 'an...] (gegen
die USA gerichtet); An|ti|ame|ri|ka|nis-
mus, der; -
an|ti|au|to|ri|tär [*auch* 'an...] (autoritäre
Normen ablehnend)
An|ti|ba|by|pil|le [...'be:...] *(ugs.)*
An|ti|bio|ti|kum, das; -s, ...ka (*Pharm.* Wirk-
stoff gegen Krankheitserreger)
An|ti|blo|ckier|sys|tem (*Abk.* ABS)
An|ti|christ, der; -[s] (*Rel.* der Widerchrist,
Teufel) *u. der;* -en, -en (Gegner des Chris-
tentums); an|ti|christ|lich
An|ti|de|pres|si|vum das; -s, ...va *meist
Plur.* (*Pharm.* Mittel gegen Depressionen)
An|ti|fa|schis|mus [*auch* 'an...] (Gegner-
schaft gegen Faschismus u. Nationalsozia-
lismus); an|ti|fa|schis|tisch [*auch* 'an...]
An|ti|gen, das; -s, -e (*Med., Biol.* artfremder
Eiweißstoff, der im Körper die Bildung von
Abwehrstoffen bewirkt)
an|tik (altertümlich; dem klass. Altertum
angehörend); ¹An|ti|ke, die; - (das klass.
Altertum u. seine Kultur); ²An|ti|ke die; -,
-n *meist Plur.* (antikes Kunstwerk)
An|ti|kör|per *meist Plur.* (*Med.* Abwehrstoff
im Blut gegen artfremde Eiweiße)
An|ti|lo|pe, die; -, -n (ein Huftier)
An|ti|ma|te|rie [*auch* ...'te:...] (*Kernphysik*
Materie aus Antiteilchen)

An|ti|pa|thie [*auch* 'an...], die; -, ...ien
(Abneigung; Widerwille)
An|ti|po|de, der; -n, -n (*Geogr.* auf dem
gegenüberliegenden Punkt der Erde woh-
nender Mensch; *übertr. für* Gegner); An|ti-
po|din
An|ti|quar, der; -s, -e (jmd., der mit alten
Büchern handelt); An|ti|qua|ri|at, das;
-[e]s, -e (Geschäft, in dem alte Bücher ge-
u. verkauft werden; *nur Sing.:* Handel mit
alten Büchern); An|ti|qua|rin; an|ti|qua-
risch; an|ti|quiert (veraltet; altertümlich)
An|ti|qui|tät die; -, -en *meist Plur.* (altertüm-
liches Kunstwerk, Möbel u. a.); An|ti|qui-
tä|ten|händ|ler; An|ti|qui|tä|ten|händ|le-
rin
An|ti|se|mit, der; -en, -en; An|ti|se|mi|tin;
an|ti|se|mi|tisch; An|ti|se|mi|tis|mus,
der; -, ...men (Abneigung od. Feindschaft
gegenüber Juden)
an|ti|sep|tisch (*Med.* keimtötend)
An|ti|ter|ror|krieg
An|ti|the|se [*auch* 'an...] (entgegengesetzte
Behauptung); an|ti|the|tisch
an|ti|zy|k|lisch [*auch* 'an...] (*Wirtsch.* einem
Konjunkturzustand entgegenwirkend)
Ant|litz, das; -es, -e *(geh.)*
an|tör|nen *(ugs. für* in gute Stimmung brin-
gen; berauschen)
An|trag, der; -[e]s, ...träge; einen Antrag
auf etwas stellen; an|tra|gen *(geh.);*
jmdm. ein Amt antragen
An|trags|for|mu|lar; an|trags|ge|mäß; An-
trag|stel|ler; An|trag|stel|le|rin
an|tref|fen
an|trei|ben
an|tre|ten; er tritt eine Reise an
An|trieb; An|triebs|kraft
An|tritt der; -[e]s, -e *Plur. selten;* An|tritts-
be|such; An|tritts|re|de
an|trock|nen
an|tun; sich, jmdm. etwas antun
an|tur|nen [...tœ:ę...]; *vgl.* antörnen
Ant|wort, die; -, -en (*Abk.* Antw.); um
[*od.* Um] Antwort wird gebeten (*Abk.* u.
[*od.* U.] A. w. g.); ant|wor|ten

an|ver|trau|en; jmdm. einen Brief anvertrauen; sich jmdm. anvertrauen; ich vertrau[te] an, *seltener* ich anvertrau[te]; anvertraut; anzuvertrauen

An|ver|wand|te, der u. die; -n, -n *(geh.)*

an|vi|sie|ren

an|wach|sen

an|wäh|len

An|walt, der; -[e]s, ...wälte; An|wäl|tin; an|walt|lich; An|walts|kanz|lei

an|wan|deln; An|wand|lung

An|wär|ter; An|wär|te|rin; An|wart|schaft, die; -, -en

an|wei|sen *vgl.* angewiesen; An|wei|sung

an|wend|bar; An|wend|bar|keit

an|wen|den; ich wandte *od.* wendete die Regel an, habe angewandt *od.* angewendet; die angewandte *od.* angewendete Regel; *vgl.* angewandt; An|wen|der; an|wen|der|freund|lich; An|wen|de|rin; An|wen|dung; An|wen|dungs|be|reich

an|wer|ben; An|wer|bung

an|wer|fen

An|we|sen (Grundstück)

an|we|send; An|we|sen|de, der u. die; -n, -n; An|we|sen|heit, die; -

an|wi|dern; es widert mich an

an|win|keln; ich wink[e]le an

An|woh|ner; An|woh|ne|rin

An|wurf; An|zahl, die; -

an|zah|len; An|zah|lung

an|zap|fen

An|zei|chen; an|zeich|nen

An|zei|ge, die; -, -n; an|zei|gen; An|zei|gen|teil; an|zei|ge|pflich|tig; anzeigepflichtige Krankheit; An|zei|ger; An|zei|ge|ta|fel

an|zet|teln *(abwertend);* ich zett[e]le an

an|zie|hen; sich anziehen

an|zie|hend (reizvoll); An|zie|hung; An|zie|hungs|kraft; An|zie|hungs|punkt

An|zug, der; -[e]s, ...züge *(schweiz. auch für* [Bett]bezug); es ist Gefahr im Anzug

an|züg|lich (zweideutig; anstößig); An|züg|lich|keit

an|zün|den; An|zün|der

an|zwei|feln; An|zwei|fe|lung, An|zweif|lung

Aor|ta, die; -, ...ten *(Med. Hauptschlagader)*

Apa|che [...tʃə, *auch* ...xə], der; -n, -n (Angehöriger eines Indianerstammes); Apa|chin

apart (geschmackvoll, reizvoll)

Apart|heid, die; - *(früher* Trennung zwischen Weißen u. Farbigen in der Republik Südafrika)

Apart|ment, das; -s, -s (kleinere Wohnung); *vgl.* Appartement

Apa|thie die; -, ...ien *Plur. selten* (Teilnahmslosigkeit); apa|thisch

Ape|ri|tif, der; -s, *Plur.* -s, *auch* -e (appetitanregendes alkohol. Getränk)

Ap|fel, der; -s, Äpfel; Ap|fel|baum

Äp|fel|chen

Ap|fel|saft; Ap|fel|saft|schor|le

Ap|fel|si|ne, die; -, -n

Apho|ris|mus, der; -, ...men (geistreicher, knapp formulierter Gedanke); apho|ris|tisch

Aph|ro|di|si|a|kum, das; -s, ...ka *(Pharm.* den Geschlechtstrieb anregendes Mittel); aph|ro|di|sisch

APO, Apo, die; - = außerparlamentarische Opposition [in den 1960er-Jahren]

apo|dik|tisch (sicher; keinen Widerspruch duldend)

Apo|ka|lyp|se, die; -, -n *(Rel.* Schrift über das Weltende; Unheil, Grauen); apo|ka|lyp|tisch; die apokalyptischen Reiter

apo|li|tisch (unpolitisch)

Apol|lo, der; -s, -s (schöner [junger] Mann)

Apo|s|tel, der; -s, -; Apo|s|tel|ge|schich|te

apo|s|to|lisch (nach Art der Apostel); die apostolischen Väter; *aber* das Apostolische Glaubensbekenntnis

Apo|s|t|roph [*schweiz.* 'apo...], der; -s, -e (Auslassungszeichen, z. B. in »wen'ge«)

Apo|the|ke, die; -, -n; Apo|the|ker; Apo|the|ke|rin

App [ɛp], die; -, -s, *auch* das; -s, -s (zusätzliches Anwendungsprogramm, das auf bestimmte Mobiltelefone heruntergeladen werden kann)

A

Ap|pa|rat, der; -[e]s, -e; Ap|pa|ra|tur, die; -, -en (Gesamtanlage von Apparaten)

Ap|par|te|ment [...'mã:, *schweiz. auch* ...'mɛnt], das; -s, Plur. -s u. (bei schweiz. Aussprache:) -e (Zimmerflucht in einem Hotel); *vgl.* Apartment

Ap|peal [ɛ'pi:l], der; -s (Anziehungskraft)

Ap|pell, der; -s, -e (Aufruf, Mahnruf)

ap|pel|lie|ren (sich mahnend, beschwörend an jmdn. wenden)

¹Ap|pen|dix, der; -, Gen. auch -es, Plur. ...dizes, auch -e (Anhängsel; fachspr. auch Anhang); ²Ap|pen|dix, die; -, ...dices [...tse:s], alltagssprachlich auch der; -, ...dizes [...tse:s] (Med. Wurmfortsatz)

Ap|pe|tit der; -[e]s, -e Plur. selten; ap|pe|tit-an|re|gend; ap|pe|tit|lich; ap|pe|tit|los; Ap|pe|tit|lo|sig|keit, die; -; Ap|pe|tit|züg|ler

ap|plau|die|ren (Beifall klatschen); jmdm. applaudieren

Ap|plaus der; -es, -e Plur. selten (Beifall)

Ap|pli|ka|ti|on, die; -, -en (Anwendung; auf-genähte Verzierung)

Ap|po|si|ti|on, die; -, -en (Sprachwiss. substantivische Beifügung, z. B. Adenauer, der erste deutsche Bundeskanzler, ...)

Ap|pre|tur, die; -, -en ([Gewebe]zurichtung, -veredelung)

Ap|pro|ba|ti|on, die; -, -en (staatl. Zulassung als Arzt/Ärztin od. Apotheker[in]); ap|pro|bie|ren; approbierter Arzt

Ap|rès-Ski [aprɛ'ʃi:], das; - (Vergnügen nach dem Skilaufen); Ap|rès-Ski-Klei-dung

Ap|ri|ko|se, die; -, -n; Ap|ri|ko|sen|mar|me-la|de

Ap|ril, der; -[s], -e; Ap|ril|scherz; Ap|ril-wet|ter

ap|ro|pos [...'po:] (nebenbei bemerkt; übrigens)

Ap|sis, die; -, ...siden (Archit. halbrunde Nische als Abschluss eines Kirchenraums)

Aquä|dukt, der, auch das; -[e]s, -e (über eine Brücke geführte antike Wasserleitung)

Aqua|jog|ging (Wassergymnastik)

Aqua|pla|ning, das; -[s] (das Rutschen der Reifen bei regennasser Straße)

Aqua|rell, das; -s, -e (mit Wasserfarben gemaltes Bild); in Aquarell (Wasserfarben) malen; Aqua|rell|far|be; aqua|rel|lie|ren

Aqua|ri|um, das; -s, ...ien (Behälter zur Pflege u. Züchtung von Wassertieren u. -pflanzen; Gebäude für diese Zwecke)

Äqua|tor, der; -s (größter Breitenkreis)

Akquise

Das aus dem Lateinischen stammende Wort weist die im Deutschen ungewöhnliche Schreibweise -kqu- auf. Ebenso *akquirieren, Akquisiteur, Akquisiteurin, Akquisition, Akquisitor, akquisitorisch.*

äqui|va|lent (gleichwertig); Äqui|va|lent, das; -[e]s, -e (Gegenwert; Ausgleich)

Ar, das, österr. nur so, auch der; -s, -e (ein Flächenmaß; Zeichen a); drei Ar

Ära die; -, Ären Plur. selten (Zeitalter, Epoche)

Ara|ber [auch 'a..., österr. u. schweiz. auch a'ra:...], der; -s, -; Ara|be|rin

Ara|bes|ke, die; -, -n (Pflanzenornament)

ara|bisch; arabische Ziffern; aber Arabische Liga; der Arabische Frühling

Ara|lie, die; -, -n (Zierpflanze)

Ar|beit, die; -, -en; Arbeit suchende od. arbeitsuchende Menschen; die Arbeitsuchenden od. Arbeit Suchenden

ar|bei|ten

Ar|bei|ter; Ar|bei|ter|be|we|gung; Ar|bei-te|rin; Ar|bei|ter|kam|mer (gesetzliche Interessenvertretung der Arbeitnehmer in Österreich); Ar|bei|ter|klas|se; Ar|bei|ter-par|tei; Ar|bei|ter|wohl|fahrt

Ar|beit|ge|ber; Ar|beit|ge|be|rin; Ar|beit-ge|ber|sei|te, die; -; Ar|beit|ge|ber|ver-band; Ar|beit|neh|mer; Ar|beit|neh|me-rin; Ar|beit|neh|mer|sei|te, die; -; Ar-beits|agen|tur; Ar|beits|all|tag; ar|beit-sam; Ar|beits|amt (jetzt Arbeitsagentur)

Ar|beits|auf|wand; Ar|beits|be|las|tung; Ar|beits|be|reich; Ar|beits|be|schaf-

fungs|maß|nah|me (*Abk.* ABM); Ạr|beits-
ent|gelt; Ạr|beits|er|laub|nis
ạr|beits|fä|hig; Ạr|beits|fä|hig|keit, die; -
Ạr|beits|feld; Ạr|beits|ge|biet; Ạr|beits-
ge|mein|schaft; Ạr|beits|ge|richt; Ạr-
beits|grup|pe; ạr|beits|in|ten|siv
Ạr|beits|kampf; Ạr|beits|kol|le|ge; Ạr-
beits|kol|le|gin; Ạr|beits|kos|ten *Plur.;*
Ạr|beits|kraft; Ạr|beits|kreis; Ạr|beits-
la|ger; Ạr|beits|le|ben; Ạr|beits|lohn
ạr|beits|los; Ạr|beits|lo|se, der *u.* die; -n,
-n; Ạr|beits|lo|sen|geld; Ạr|beits|lo|sen-
hil|fe; Ạr|beits|lo|sen|quo|te; Ạr|beits-
lo|sen|ver|si|che|rung; Ạr|beits|lo|sig-
keit, die; -
Ạr|beits|markt; Ạr|beits|markt|po|li|tik;
Ạr|beits|markt|ser|vice (*österr. für* Agen-
tur für Arbeit); Ạr|beits|mi|nis|ter; Ạr-
beits|mi|nis|te|rin; Ạr|beits|mi|nis|te|ri-
um; Ạr|beits|nie|der|le|gung; Ạr|beits-
or|ga|ni|sa|ti|on; Ạr|beits|platz; Ạr-
beits|platz|ver|lust; Ạr|beits|pro|zess
Ạr|beits|recht; Ạr|beits|recht|lich
Ạr|beits|schritt; Ạr|beits|schutz, der; -es
Ạr|beits|spei|cher (*EDV*); Ạr|beits|stät|te;
Ạr|beits|stel|le; ạr|beits|su|chend; Ạr-
beits|su|chen|de, der *u.* die; -n, -n
Ạr|beits|tag; Ạr|beits|teil|lung
Ạr|beits|ti|tel (vorläufiger Titel eines
geplanten Buchs, Theaterstücks o. Ä.)
**Ạr|beit su|chend, ạr|beit|su|chend; Ạr-
beit|su|chen|de, der *u.* die; -n, -n, Ạr|beit
Su|chen|de, der *u.* die; - -n, - -n**
ạr|beits|un|fä|hig; Ạr|beits|un|fä|hig|keit;
Ạr|beits|un|fall; Ạr|beits|ver|hält|nis; Ạr-
beits|ver|trag; Ạr|beits|wei|se; Ạr|beits-
welt; Ạr|beits|zeit; Ạr|beits|zim|mer
ạr|cha|isch (aus sehr früher Zeit [stam-
mend], altertümlich); ạr|cha|i|sie|ren
Ạr|chäo|lo|ge, der; -n, -n; Ạr|chäo|lo|gie,
die; - (Altertumskunde, -wissenschaft); Ạr-
chäo|lo|gin; ạr|chäo|lo|gisch
Ạr|chä|o|p|te|ryx, der; -, *Plur.* -e *u.* ...te|ry-
ges (Urvogel)
Ạr|che, die; -, -n (schiffähnlicher Kasten);
Arche Noah

Ạr|chi|pel, der; -s, -e (Inselmeer, -gruppe)
Ạr|chi|tekt, der; -en, -en; Ạr|chi|tek|tin; ar-
chi|tek|to|nisch (baulich; baukünstle-
risch); Ạr|chi|tek|tur, die; -, -en (Bau-
kunst; Baustil); Ạr|chi|tek|tur|bü|ro
Ạr|chiv, das; -s, -e (Akten-, Urkunden-
sammlung); ạr|chi|va|lisch (urkundlich);
Ạr|chi|var, der; -s, -e (Archivbeamter);
Ạr|chi|va|rin; ạr|chi|vie|ren (in ein
Archiv aufnehmen); Ạr|chi|vie|rung; Ar-
chiv|ma|te|ri|al
Ạre, die; -, -n (*schweiz. für* Ar)
Are|al, das; -s, -e ([Boden]fläche, Gelände)
Are|na, die; -, ...nen ([sandbestreuter]
Kampfplatz; Sportplatz; Manege im Zirkus)
ạrg; är|ger, ärgs|te; ein arger Bösewicht,
aber im Argen liegen; zum Ärgsten kommen; das Ärgste befürchten
Ạrg, das; -s (geh.); ohne Arg; kein Arg an
einer Sache finden; es ist kein Arg an ihm
Är|ger, der; -s; är|ger|lich; är|gern; ich
ärgere; sich über etwas ärgern; Är|ger|nis,
das; -ses, -se
Ạrg|list, die; -; ạrg|lis|tig
ạrg|los; Ạrg|lo|sig|keit
Ạr|gu|ment, das; -[e]s, -e (Beweis[mittel,
-grund]); Ạr|gu|men|ta|ti|on, die; -, -en
(Beweisführung); ạr|gu|men|ta|tiv (mit
Argumenten); ạr|gu|men|tie|ren
Ạr|gus|au|gen *Plur.* (wachsame Augen)
Ạrg|wohn, der; -[e]s (geh.)
ạrg|wöh|nen; ich argwöhne; geargwöhnt;
zu argwöhnen; ạrg|wöh|nisch
Arie, die; -, -n (Sologesangsstück mit Instru-
mentalbegleitung)
Ari|er, der; -s, - (Angehöriger eines der früh-
geschichtl. Völker mit idg. Sprache; *nationalsoz.* Angehöriger der sogenannten »nor-
dischen Rasse«); Ari|e|rin; ạrisch; ari|sie-
ren (*nationalsoz.* jüdisches Eigentum in
den Besitz sogenannter Arier überführen)
Aris|to|krat, der; -en, -en (Angehöriger des
Adels; vornehmer Mensch); Aris|to|kra-
tie, die; -, ...i|en; Aris|to|kra|tin; aris|to-
kra|tisch
Arith|me|tik, die; -, -en (Zahlenlehre, -rech-

A

nen); arith|me|tisch (auf die Arithmetik bezogen); arithmetisches Mittel

Ar|ka|de, die; -, -n (Archit. Bogen auf zwei Pfeilern od. Säulen; meist Plur. Bogenreihe)

Ark|tis, die; - (Gebiet um den Nordpol); ark|tisch; arktische Kälte

arm; är|mer, ärms|te; arme Ritter (eine Süßspeise); Arm und Reich (veraltet für jedermann); ein Konflikt zwischen Arm und Reich (armen u. reichen Menschen); Arme und Reiche; der Arme und der Reiche

Arm, der; -[e]s, -e; ein Armvoll od. Arm voll Reisig

Ar|ma|da, die; -, Plur. ...den u. -s ([mächtige] Kriegsflotte)

Ar|ma|tur, die; -, -en; Ar|ma|tu|ren|brett

Arm|band, das; Plur. ...bänder; Arm|band|uhr; Arm|bin|de; Arm|brust, die; -, Plur. ...brüste, auch -e

Ärm|chen

Ar|me, der u. die; -n, -n; vgl. arm

Ar|mee, die; -, ...meen (Heer); Ar|mee-Ein|heit, Ar|mee|ein|heit; Ar|mee-füh|rung

Är|mel, der; -s, -; är|mel|los

Ar|men|haus; Ar|men|vier|tel

arm|lang; ein armlanger Stiel, aber einen Arm lang; Arm|län|ge; Arm|leh|ne

ärm|lich; Ärm|lich|keit; arm ma|chen, arm|ma|chen; ihre Spielleidenschaft hat sie arm gemacht od. armgemacht

Arm|reif, der; -[e]s, -e

arm|se|lig; Arm|se|lig|keit

Ar|mut, die; -

Ar|muts|gren|ze; Ar|muts|zeug|nis

Arm|voll, Arm voll; vgl. Arm

Ar|ni|ka, die; -, -s (eine Heilpflanze)

Arom, das; -s, -e (geh. für Aroma)

Aro|ma, das; -s, Plur. ...men, -s u. älter -ta; aro|ma|tisch; aro|ma|ti|sie|ren

Ar|rak, der; -s, Plur. -e u. -s (Branntwein aus Reis od. Melasse)

Ar|ran|ge|ment [arãʒə'mãː], das; -s, -s (Anordnung; Übereinkunft; Einrichtung eines Musikstücks); ar|ran|gie|ren

Ar|rest, der; -[e]s, -e (Beschlagnahme; Haft); Ar|rest|zel|le; ar|re|tie|ren (Technik anhalten; sperren; veraltet für verhaften)

ar|ri|vie|ren (in der Karriere vorwärtskommen); ar|ri|viert (anerkannt, erfolgreich); Ar|ri|vier|te, der u. die; -n, -n

ar|ro|gant (anmaßend); Ar|ro|ganz, die; -

Arsch, der; -[e]s, Ärsche (derb); Arsch|krie|cher (derb für Schmeichler); Arsch|krie|che|rin; Arsch|loch (derb)

Ar|sen, das; -s (chem. Element; Zeichen As)

Ar|se|nal, das; -s, -e (Geräte-, Waffenlager)

Art, die; -, -en; ein Mann [von] der Art (solcher Art); aber dieser Mann hat mich derart (so) beleidigt, dass ...

Ar|te|fakt, das; -[e]s, -e (Archäol. von Menschen geformter vorgeschichtlicher Gegenstand; geh. für Kunstwerk)

ar|ten; nach jmdm. arten

Ar|ten|reich|tum, der; -s; Ar|ten|schutz, der; -es; Ar|ten|viel|falt

Ar|te|rie, die; -, -n (Med. Schlagader); ar|te|ri|ell; Ar|te|ri|en|ver|kal|kung; Ar|te|rio-skle|ro|se (Arterienverkalkung)

art|fremd (bes. Biol.); artfremdes Gewebe

Art|ge|nos|se; Art|ge|nos|sin

art|ge|recht; artgerechte Tierhaltung

Ar|th|ri|tis, die; -, ...iti|den (Gelenkentzündung); ar|th|ri|tisch; Ar|th|ro|se, die; -, -n (Med. chronische Gelenkerkrankung)

ar|ti|fi|zi|ell (künstlich)

ar|tig (gesittet; folgsam); Ar|tig|keit

Ar|ti|kel [auch ...'tɪ...], der; -s, - (Geschlechtswort; Abschnitt eines Gesetzes u. Ä. [Abk. Art.]; Ware; Aufsatz)

Ar|ti|ku|la|ti|on, die; -, -en (Sprachwiss. Lautbildung; [deutliche] Aussprache); ar|ti|ku|lie|ren ([deutlich] aussprechen)

Ar|til|le|rie [auch 'ar...], die; -, ...ien

Ar|ti|scho|cke, die; -, -n (eine Zier- u. Gemüsepflanze)

Ar|tist, der; -en, -en; Ar|tis|tin; ar|tis|tisch

art|ver|wandt

Arz|nei; Arz|nei|mit|tel, das

Arzt, der; -es, Ärzte; Ärz|te|kam|mer; Ärz|te|man|gel, der; -s; Ärz|te|schaft, die; -

Arzt|hel|fer; Arzt|hel|fe|rin

Ärz|tin; ärzt|lich

Arzt|pra|xis; Arzt|ter|min

A-Sai|te (z. B. bei der Geige)

As|best, der, *auch* das; -[e]s, -e (feuerfeste mineralische Faser)

asch|blond; Asche, die; -, -n

Äsche, die; -, -n (ein Fisch); *vgl. aber* Esche

Aschen|bahn; Aschen|be|cher; Aschen|brö|del, das; -s, - (eine Märchengestalt); Aschen|put|tel, das; -s, -; *vgl.* Aschenbrödel; Ascher (*ugs. für* Aschenbecher); Ascher|mitt|woch (Mittwoch nach Fastnacht); asch|fahl; asch|grau

As|cor|bin|säu|re, *veraltend* As|kor|bin|säure (Vitamin C)

äsen; das Rotwild äst (weidet)

Asep|sis, die; - (Keimfreiheit); asep|tisch

Äser *vgl.* Aas

asi|a|tisch; die asiatische Grippe; Asi|en

As|ke|se, die; - (enthaltsame Lebensweise); As|ket, der; -en, -en; As|ke|tin; as|ke|tisch

As|kor|bin|säu|re *vgl.* Ascorbinsäure

Äs|ku|lap|stab [*auch* 'ɛ...]

aso|zi|al (unfähig zum Leben in der Gemeinschaft; am Rand der Gesellschaft lebend); Aso|zi|a|le, der *u.* die

As|pekt, der; -[e]s, -e (Gesichtspunkt)

As|phalt [*auch* 'as...], der; -[e]s, -e; as|phal|tie|ren; As|phalt|stra|ße

As|pik [*auch* ...'pɪk, 'as...], der, *auch* das; -s, -e (Gallert aus Gelatine od. Kalbsknochen)

As|pi|rant, der; -en, -en (Bewerber; Anwärter; *schweiz. auch für* Offiziersschüler); As|pi|ran|tin

As|pi|rin®, das; -s, Plur. -, *selten* -e (ein Schmerzmittel)

Ass, das; -es, -e (Eins [auf Karten]; das od. der Beste [z. B. im Sport]; *Tennis* für den Gegner unerreichbarer Aufschlagball)

As|se|ku|ranz, die; -, -en (*fachspr. für* Versicherung, Versicherungsgesellschaft)

As|sel, die; -, -n (ein Krebstier)

As|sess|ment-Cen|ter, As|sess|ment|cen|ter [əˈsɛsməntsɛntɐ], das; -s, - (ein psycholog. Eignungstest; *Abk.* AC)

As|ses|sor, der; -s, ...oren (Anwärter der höheren Beamtenlaufbahn; *Abk.* Ass.); As|ses|so|rin

As|set ['ɛsɛt], das; -s, -s (*Wirtsch.* Vermögenswert eines Unternehmens; *EDV* Ergänzung zu einem Multimediaprogramm)

As|si|mi|la|ti|on, die; -, -en (Angleichung); as|si|mi|lie|ren; As|si|mi|lie|rung

As|sist [ɛˈsɪst], der; -s, -s (*Eishockey, Basketball* Zuspiel, das zum Tor od. Korb führt)

As|sis|tent, der; -en, -en (Gehilfe, Mitarbeiter [an Hochschulen]); As|sis|ten|tin

As|sis|tenz, die; -, -en (Beistand)

As|sis|tenz|arzt; As|sis|tenz|ärz|tin

as|sis|tie|ren (helfen, mitwirken)

As|so|zi|a|ti|on, die; -, -en (Vereinigung; *Psychol.* Vorstellungsverknüpfung); as|so|zi|a|tiv (durch Vorstellungsverknüpfung bewirkt); as|so|zi|ie|ren (verknüpfen); sich assoziieren (sich zusammenschließen)

Ast, der; -[e]s, Äste; Äst|chen

As|ter, die; -, -n (eine Gartenblume)

As|te|ro|id, der; -en, -en (Planetoid)

As|the|ni|ker (schmaler, schmächtiger Mensch); As|the|ni|ke|rin; as|the|nisch

Äs|thet, der; -en, -en (Mensch mit ausgeprägtem Schönheitssinn); Äs|the|tik die; -, -en *Plur. selten* (Wissenschaft von den Gesetzen der Kunst, bes. vom Schönen; das Schöne, Schönheit); Äs|the|tin; äs|the|tisch (*auch für* überfeinert)

Asth|ma, das; -s (anfallsweise auftretende Atemnot); Asth|ma|an|fall; Asth|ma|ti|ker; Asth|ma|ti|ke|rin; asth|ma|tisch

ast|rein (*ugs. auch für* völlig in Ordnung, sehr schön)

As|t|ro|lo|ge, der; -n, -n (Sterndeuter); As|t|ro|lo|gie, die; - (Sterndeutung); As|t|ro|lo|gin; as|t|ro|lo|gisch

As|t|ro|naut, der; -en, -en (Weltraumfahrer); As|t|ro|nau|tin; as|t|ro|nau|tisch

As|t|ro|nom, der; -en, -en (Stern-, Himmelsforscher); As|t|ro|no|mie, die; - (wissenschaftliche Stern-, Himmelskunde); As|t|ro|no|min; as|t|ro|no|misch

Asyl, das; -s, -e (Zufluchtsort); Asyl|lant,

der; -en, -en (*gelegentlich als diskriminie-*
rend empfunden Bewerber um Asylrecht);
Asy|lan|tin; Asyl|an|trag; Asyl|be|wer-
ber; Asyl|be|wer|be|rin; Asyl|recht;
Asyl su|chend, asyl|su|chend; **Asyl|su-
chen|de,** der u. die; -n, -n, Asyl Su|chen-
de, der u. die; --n, --n; Asyl|ver|fah|ren
Asym|me|t|rie [*auch* …'tri:], die; -, …ien
(Mangel an Symmetrie); asym|me|t|risch
[*auch* …'me:…]
Asym|p|to|te, die; -, -n (*Math.* Gerade, der
sich eine ins Unendliche verlaufende Kurve
beliebig nähert, ohne sie zu erreichen)
asyn|chron [*auch* …'kro:n] (ungleichzeitig)
As|zen|dent, der; -en, -en (Vorfahr; *Astron.*
Aufgangspunkt eines Gestirns)
Ate|li|er [atə'lje:], das; -s, -s (Werkstatt
eines Künstlers, Fotografen o. Ä.)
Atem, der; -s; Atem holen; außer Atem sein;
atem|be|rau|bend; atem|los; Atem|not,
die; -; Atem|pau|se; Atem|zug
Ätha|nol (*veraltend für* Ethanol)
Athe|is|mus, der; - (Weltanschauung, die
die Existenz eines Gottes verneint);
Athe|ist, der; -en, -en; Athe|is|tin; athe-
is|tisch
¹Äther, der; -s (feiner Urstoff in der griech.
Philosophie; *geh. für* Himmel)
²Äther, Ether, der; -s, - (chem. Verbindung;
Betäubungs-, Lösungsmittel)
¹äthe|risch (vergeistigt, zart)
²äthe|risch (ätherartig); ätherische od. ethe-
rische Öle
Ath|let, der; -en, -en (muskulöser Mann;
Wettkämpfer im Sport); Ath|le|tin; ath|le-
tisch
At|lan|tik, der; -s; at|lan|tisch; ein atlanti-
sches Tief; der Atlantische Ozean; die
Atlantische od. atlantische Allianz
¹At|las, der; *Gen.* - u. …lasses, *Plur.* …lasse
u. …lanten (Sammlung geografischer Karten [als Buch]; Bildtafelwerk)
²At|las, der; *Gen.* - u. …lasses, *Plur.* …lasse
(ein Seidengewebe)
at|men
At|mo|sphä|re, die; -, -n (Lufthülle; *als*

Druckeinheit früher für Pascal; Stimmung,
Milieu, Umwelt); at|mo|sphä|risch
At|mung, die; -; at|mungs|ak|tiv
Atoll, das; -s, -e (ringförmige Koralleninsel)
Atom, das; -s, -e (kleinste Einheit eines
chem. Elements); ato|mar (das Atom, die
Kernenergie betreffend; mit Atomwaffen
[versehen])
Atom|aus|stieg; Atom|bom|be (*kurz*
A-Bombe); Atom|ener|gie, die; -; Ato|mi-
seur […'zø:ɐ̯], der; -s, -e (Zerstäuber);
Atom|kern; Atom|kraft, die; -; Atom-
kraft|geg|ner; Atom|kraft|geg|ne|rin;
Atom|kraft|werk (AKW); Atom|krieg;
Atom|macht (Staat, der über Atomwaffen
verfügt); Atom|mei|ler; Atom|müll;
Atom|re|ak|tor; Atom|strom; Atom|test;
Atom-U-Boot; Atom|waf|fe *meist Plur.;*
atom|waf|fen|frei; atomwaffenfreie Zone
ato|nal (*Musik* an keine Tonart gebunden)
At|ri|um, das; -s, …ien (*Archit.* nach oben
offener [Haupt]raum des altrömischen
Hauses; Innenhof)
At|ta|ché […'ʃe:], der; -s, -s (Anwärter
des diplomatischen Dienstes; einer Aus-
landsvertretung zugeteilter Berater);
At|ta|chée, die; -, -n […'ʃe:ən])
At|ta|cke, die; -, -n; at|ta|ckie|ren (angrei-
fen)
At|ten|tat [*auch* …'ta:t], das; -[e]s, -e
([Mord]anschlag)
At|ten|tä|ter; At|ten|tä|te|rin
At|test, das; -[e]s, -e (ärztliche Bescheini-
gung); at|tes|tie|ren (bescheinigen)
At|ti|tü|de, die; -, -n ([innere] Einstellung;
[leere] Pose; *Ballett* eine [Schluss]figur)
At|trak|ti|on, die; -, -en (etwas, was große
Anziehungskraft hat); at|trak|tiv (anzie-
hend); At|trak|ti|vi|tät, die; -
At|trap|pe, die; -, -n ([täuschend ähnliche]
Nachbildung; Schau-, Blindpackung)
At|tri|but, das; -[e]s, -e (charakteristische
Eigenschaft; *Sprachwiss.* Beifügung); at-
tri|bu|tiv [*auch* 'a…] (beifügend)
aty|pisch (nicht typisch)
At-Zei|chen ['ɛt…] (das Zeichen @)

ät|zen (mit Säure, Lauge o. Ä. bearbeiten);
du ätzt; **ät|zend** (*ugs. auch für* schlecht)

Au (*südd., österr. nur so*), **Aue**, die; -, Auen
(*landsch. od. geh. für* flaches Wiesengelände)

AU, die; - = Abgasuntersuchung

Au|ber|gi|ne [...nə], die; -, -n (eine Gemüsepflanze)

auch; wenn auch; auch wenn

Au|di|enz, die; -, -en (feierlicher Empfang;
Zulassung zu einer Unterredung)

Au|di|max, das; - (*stud. Kurzw. für* Auditorium maximum)

Au|dio, das; -s, -s *meist ohne Artikel* (*ugs.
kurz für* akustisches Element, Programm
usw.); **Au|dio|book** [...bʊk], das; -s, -s
(gesprochener Text auf Kassette od. CD;
Hörbuch); **Au|dio|da|tei** (*EDV* Datei zur
Speicherung von Musik, gesprochenem
Text, Geräuschen u. Ä.); **au|dio|vi|su|ell**
(zugleich hör- u. sichtbar, Hören u. Sehen
ansprechend); audiovisueller Unterricht

Au|dit [*auch* ˈɔːdɪt], das, auch: der; -s, -s
(Prüfung betrieblicher Qualitätsmerkmale)

Au|di|to|ri|um, das; -s, ...ien (ein Hörsaal
[der Hochschule]; Zuhörerschaft)

Au|er|hahn; Au|er|och|se

auf; *Präp. mit Akk. od. Dat.:* auf den Tisch
legen *aber* auf dem Tisch liegen; auf einmal; aufs; aufs, auf das Beste *od.* beste
(sehr gut) informiert sein; aufgrund *od.*
auf Grund; aufseiten *od.* auf Seiten;
Adverb: auf und ab; auf und nieder; auf
und davon; auf sein (*ugs. für* geöffnet
sein; nicht mehr im Bett sein); das Auf und
Ab; das Auf und Nieder

auf|ar|bei|ten; Auf|ar|bei|tung

auf|at|men

auf|ba|cken

auf|bah|ren; Auf|bah|rung

Auf|bau, der; -[e]s, *Plur.* (*für* Gebäude-,
Schiffsteil:) -ten; **Auf|bau|ar|beit**

auf|bau|en; eine Theorie auf einer Annahme
aufbauen

auf|bäu|men, sich

auf|bau|schen (*auch für* übertreiben)

Auf|bau|stu|di|um

auf|be|geh|ren

auf|be|hal|ten; den Hut aufbehalten

auf|be|kom|men

auf|be|rei|ten; Auf|be|rei|tung

auf|bes|sern; Auf|bes|se|rung

auf|be|wah|ren; Auf|be|wah|rung

auf|bie|ten; Auf|bie|tung; unter Aufbietung
aller Kräfte

auf|bin|den; jmdm. etwas aufbinden (*ugs.
für* weismachen)

auf|blä|hen *vgl.* aufgebläht; **Auf|blä|hung**

auf|blas|bar; auf|bla|sen

auf|blei|ben (*ugs.*)

auf|bli|cken

auf|blit|zen

auf|blü|hen

auf|brau|chen (verbrauchen)

auf|brau|sen; auf|brau|send

auf|bre|chen

auf|bre|zeln, sich (*ugs. für* sich auffällig
schminken u. kleiden)

auf|brin|gen (*auch für* kapern)

Auf|bruch, der; -[e]s, ...brüche;
Auf|bruch[s]|stim|mung

auf|brum|men (*ugs. für* auferlegen); eine
Strafe aufbrummen

auf|bür|den (*geh.*)

auf dass (*veraltend für* damit)

auf|de|cken; Auf|de|ckung

auf|don|nern, sich (*ugs. für* sich auffällig
schminken u. kleiden)

auf|drän|gen; jmdm. etwas aufdrängen;
sich jmdm. aufdrängen

auf|dre|hen

auf|dring|lich; Auf|dring|lich|keit

Auf|druck, der; -[e]s, -e; **auf|dru|cken**

auf|drü|cken

auf|ei|n|an|der; aufeinander achten; aufeinander aufpassen; sich aufeinander beziehen; aufeinander hören

auf|ei|n|an|der|fol|gen, **auf|ei|n|an|der
fol|gen;** an mehreren aufeinanderfolgenden *od.* aufeinander folgenden Tagen

auf|ei|n|an|der|le|gen; zwei aufeinandergelegte Kissen; **auf|ei|n|an|der|pral|len;**

A

auf|ei|n|an|der|sto|ßen; auf|ei|n|an|der|tref|fen

Auf|ent|halt, der; -[e]s, -e; Auf|ent|halts|er|laub|nis; Auf|ent|halts|ge|neh|mi|gung; Auf|ent|halts|ort, der; -[e]s, -e

auf|er|le|gen; ich erlege ihm etwas auf, *seltener* ich auferlege; auferlegt; aufzuerlegen

auf|er|ste|hen; er ersteht auf *od.* er aufersteht; wenn er auferstünde; er ist auferstanden; Auf|er|ste|hung

auf|es|sen

auf|fah|ren; Auf|fahrt, die; -, -en; Auf|fahr|un|fall

auf|fal|len; damit es nicht auffällt; *aber* auf fällt, dass ...; auf|fal|lend; auf|fäl|lig; Auf|fäl|lig|keit

auf|fan|gen

auf|fas|sen; Auf|fas|sung; Auf|fas|sungs|ga|be

auf|find|bar; auf|fin|den

auf|flam|men

auf|flie|gen (*ugs. auch für* entdeckt werden)

auf|for|dern; Auf|for|de|rung

auf|fres|sen

auf|fri|schen; der Wind frischt auf; Auf|fri|schung

auf|füh|ren; Auf|füh|rung

auf|fül|len; Auf|fül|lung

Auf|ga|be; Auf|ga|ben|be|reich; Auf|ga|ben|ge|biet; Auf|ga|ben|stel|lung

Auf|gang, der

auf|ge|ben

auf|ge|bläht

auf|ge|bla|sen; ein aufgeblasener Kerl

Auf|ge|bot

auf|ge|bracht (*auch für* erzürnt)

auf|ge|don|nert *vgl.* aufdonnern

auf|ge|dreht (*ugs. für* angeregt)

auf|ge|dun|sen

auf|ge|hen

auf|ge|klärt

auf|ge|kratzt; in aufgekratzter (*ugs. für* froher) Stimmung sein

Auf|geld

auf|ge|legt (*auch für* zu etwas bereit,

gelaunt; *österr. ugs. auch für* offensichtlich); zum Spazierengehen aufgelegt sein

auf|ge|löst (*auch für* außer Fassung)

auf|ge|passt!

auf|ge|räumt (*auch für* heiter)

auf|ge|raut; ein aufgerauter Stoff

auf|ge|regt; Auf|ge|regt|heit

auf|ge|schlos|sen; Auf|ge|schlos|sen|heit

auf|ge|schmis|sen; aufgeschmissen (*ugs. für* hilflos) sein

auf|ge|setzt (unnatürlich, übertrieben)

auf|ge|ta|kelt (*ugs. für* auffällig, geschmacklos gekleidet)

auf|ge|weckt; ein aufgeweckter (kluger) Junge; Auf|ge|weckt|heit, die; -

auf|gie|ßen

auf|glie|dern; Auf|glie|de|rung

auf|grei|fen

auf|grund, auf Grund; *Präp. mit Gen.:* aufgrund *od.* auf Grund des Wetters; aufgrund *od.* auf Grund dessen

Auf|guss; Auf|guss|beu|tel

auf|ha|ben (*ugs.*); es ist schön, einen Hut aufzuhaben; für die Schule viel aufhaben; ein Laden, der mittags aufhat

auf|hal|sen (*ugs. für* aufbürden)

auf|hal|ten

auf|hän|gen; *vgl.* ²hängen; Auf|hän|ger

auf|häu|fen

auf|he|beln; ich heb[e]le auf

auf|he|ben; Auf|he|ben, das; -s; [ein] großes Aufheben, viel Aufheben[s] von dem Buch machen; Auf|he|bung

auf|hei|tern; Auf|hei|te|rung

auf|hei|zen

auf|hel|len; Auf|hel|lung

auf|het|zen; Auf|het|zung

auf|ho|len; Auf|hol|jagd

auf|hor|chen

auf|hö|ren

Auf|kauf; auf|kau|fen

auf|kla|ren (klar werden [vom Wetter])

auf|klä|ren (Klarheit in etwas Ungeklärtes bringen; belehren; sich aufhellen); der Himmel klärt sich auf; Auf|klä|rer; Auf-

klä|re|rin; auf|klä|re|risch; Auf|klä|rung;
Auf|klä|rungs|ar|beit
auf|kle|ben; Auf|kle|ber
auf|kna|cken
auf|knöp|fen
auf|ko|chen
auf|kom|men; Auf|kom|men, das; -s, -
(Summe der [Steuer]einnahmen)
auf|kreu|zen (ugs.)
auf|kün|di|gen; Auf|kün|di|gung
auf|la|den; vgl. ¹laden
Auf|la|ge (Abk. Aufl.); Auf|la|ge[n]|hö|he;
auf|la|gen|stark
auf|las|sen (aufsteigen lassen; ugs. für
geöffnet lassen)
auf|lau|ern; jmdm. auflauern
Auf|lauf (Ansammlung; Überbackenes)
auf|lau|fen (anwachsen [von Schulden];
Sport zum Spielbeginn aufs Feld laufen)
auf|le|ben
auf|le|gen vgl. aufgelegt
auf|leh|nen, sich; Auf|leh|nung
auf|leuch|ten; auf|lie|gen
auf|lis|ten; Auf|lis|tung
auf|lo|ckern; Auf|lo|cke|rung
auf|lo|dern
auf|lö|sen; Auf|lö|sung
aufm, auf'm (ugs. für auf dem, auf einem)
auf|ma|chen; auf- und zumachen; sich auf-
machen (sich auf den Weg machen); Auf-
ma|cher (wirkungsvoller Titel; eingängige
Schlagzeile); Auf|ma|chung
Auf|marsch, der; auf|mar|schie|ren
auf|mer|ken
auf|merk|sam; jmdn. auf etwas aufmerksam
machen; Auf|merk|sam|keit
auf|mi|schen (ugs. auch für verprügeln)
auf|mö|beln (ugs. für aufmuntern; erneu-
ern); ich möb[e]le auf
auf|mu|cken (ugs.)
auf|mun|tern; Auf|mun|te|rung
auf|müp|fig (landsch. für aufsässig, trotzig)
aufn, auf'n (ugs. für auf den, auf einen)
Auf|nah|me, die; -, -n; auf|nah|me|fä|hig;
Auf|nah|me|prü|fung; auf|neh|men
auf|ok|t|ro|y|ie|ren (aufzwingen)

auf|op|fern; sich [für jmdn.] aufopfern; Auf-
op|fe|rung; auf|op|fe|rungs|voll
auf|päp|peln (ugs.)
auf|pas|sen; Auf|pas|ser; Auf|pas|se|rin
auf|pep|pen (ugs.)
auf|plus|tern; sich aufplustern
auf|po|lie|ren
Auf|prall der; -[e]s, -e Plur. selten; auf|pral-
len
Auf|preis (Mehrpreis)
auf|put|schen; Auf|putsch|mit|tel
auf|raf|fen; sich aufraffen; auf|rap|peln
(ugs. für sich aufraffen)
auf|rau|en; du raust den Stoff auf
Auf|räum|ar|beit; auf|räu|men vgl. aufge-
räumt
auf|rech|nen; Auf|rech|nung
auf|recht; aufrecht halten, stehen, stel-
len; er kann sich nicht aufrecht halten
auf|recht|er|hal|ten (weiterhin bestehen
lassen, nicht aufgeben); um einen
Anspruch aufrechtzuerhalten; Auf|recht-
er|hal|tung
auf|re|gen; auf|re|gend; Auf|re|gung
auf|rei|ben; auf|rei|bend
auf|rei|hen; sich aufreihen
auf|rei|ßen (auch für im Überblick darstel-
len; ugs. auch für mit jmdm. eine [sexu-
elle] Beziehung anzuknüpfen versuchen)
auf|rei|zen; auf|rei|zend
auf|rich|ten; sich aufrichten
auf|rich|tig; Auf|rich|tig|keit
Auf|riss (Bauzeichnung)
auf|rol|len
auf|rü|cken
Auf|ruf; auf|ru|fen
Auf|ruhr der; -[e]s, -e Plur. selten; auf|rüh-
ren; Auf|rüh|rer; Auf|rüh|re|rin; auf|rüh-
re|risch
auf|run|den; Auf|run|dung
auf|rüs|ten; Auf|rüs|tung
auf|rüt|teln
aufs (auf das)
auf|sa|gen
auf|säs|sig; Auf|säs|sig|keit, die; -
Auf|satz; Auf|satz|the|ma

A

auf|sau|gen
auf|schei|nen (österr. für erscheinen)
auf|scheu|chen
auf|schie|ben; Auf|schie|bung
Auf|schlag; auf|schla|gen
auf|schlie|ßen vgl. aufgeschlossen
Auf|schluss; auf|schlüs|seln; Auf|schlüs-
se|lung, Auf|schlüss|lung
auf|schluss|reich
auf|schnap|pen
auf|schnei|den (ugs. auch für prahlen); Auf-
schnei|der; Auf|schnei|de|rin
Auf|schnitt, der; -[e]s
[1]auf|schre|cken; sie schrak od. schreckte auf;
sie war aufgeschreckt; vgl. [2]schrecken
[2]auf|schre|cken; ich schreckte ihn auf; sie
hatte ihn aufgeschreckt; vgl. [1]schrecken
Auf|schrei
auf|schrei|ben; ich schreibe mir etwas auf
auf|schrei|en
Auf|schrift
Auf|schub
auf|schwat|zen, auf|schwät|zen (ugs.)
[1]auf|schwel|len; der Leib schwoll auf, ist auf-
geschwollen; vgl. [1]schwellen
[2]auf|schwel|len; der Exkurs schwellte das
Buch auf, hat das Buch aufgeschwellt; vgl.
[2]schwellen
auf|schwem|men
auf|schwin|gen; Auf|schwung
auf|se|hen; zu jmdm. aufsehen
Auf|se|hen, das; -s; Aufsehen erregen
auf|se|hen|er|re|gend, Auf|se|hen er|re-
gend; ein aufsehenerregender od. Aufsehen erregender Fall; aber nur ein großes
Aufsehen erregender Fall, ein äußerst aufsehenerregender Fall, ein noch aufsehen-
erregenderer Fall; etwas Aufsehenerregen-
des od. Aufsehen Erregendes
Auf|se|her; Auf|se|he|rin
auf sein vgl. auf
auf|sei|ten, auf Sei|ten; Präp. mit Gen.:
aufseiten od. auf Seiten der Regierung
auf|set|zen; Auf|set|zer (Sport)
Auf|sicht, die; -, -en
Auf|sicht füh|rend, auf|sicht|füh|rend;

Auf|sicht|füh|ren|de, der u. die; -n, -n,
Auf|sicht Füh|ren|de, der u. die; - -n, - -n
Auf|sichts|be|am|te; Auf|sichts|be|am|tin;
Auf|sichts|pflicht; Auf|sichts|rat Plur.
...räte; Auf|sichts|rats|sit|zung
auf|sit|zen; jmdm. aufsitzen (auf jmdn.
hereinfallen)
auf|spal|ten; Auf|spal|tung
auf|spie|len; sich aufspielen
auf|spie|ßen
auf|split|tern; Auf|split|te|rung
auf|spren|gen; auf|sprin|gen
auf|spü|ren; Auf|spü|rung
auf|sta|cheln
Auf|stand; auf|stän|disch; Auf|stän|di-
sche, der u. die; -n, -n; auf|ste|hen
auf|stei|gen; Auf|stei|ger; Auf|stei|ge|rin
auf|stel|len; Auf|stel|lung
Auf|stieg, der; -[e]s, -e; Auf|stiegs|chan-
ce; Auf|stiegs|mög|lich|keit
auf|stö|bern
auf|sto|cken (erhöhen); Auf|sto|ckung
auf|sto|ßen; mir stößt etwas auf
auf|stre|ben; auf|stre|bend
auf|strei|chen; Auf|strich
auf|su|chen
Auf|takt, der; -[e]s, -e
auf|tan|ken
auf|tau|chen
auf|tau|en
auf|tei|len; Auf|tei|lung
auf|ti|schen ([Speisen] auftragen; ugs. für
vorbringen)
Auf|trag, der; -[e]s, ...träge; im -[e] (Abk.
i. A. od. I. A. [vgl. d.]); auf|tra|gen; Auf-
trag|ge|ber; Auf|trag|ge|be|rin
Auf|trags|ar|beit; Auf|trags|buch; Auf-
trags|ein|gang; auf|trags|ge|mäß; Auf-
trags|la|ge (Wirtsch.); Auf|trags|mord
auf|trei|ben
auf|tre|ten; Auf|tre|ten, das; -s
Auf|trieb; Auf|triebs|kraft
Auf|tritt; Auf|tritts|ver|bot
auf|trump|fen
auf|tun; sich auftun
auf|tür|men; sich auftürmen

auf und ab; auf und ab gehen (ohne
bestimmtes Ziel), *aber in Zus.:* auf- und
absteigen (aufsteigen und absteigen); **Auf
und Ab,** das; - - -[s]
auf und da|von; sich auf und davon machen
(ugs.)
auf|wa|chen
auf|wach|sen
Auf|wand, der; -[e]s, Aufwände
auf|wän|dig *vgl.* aufwendig
Auf|wands|ent|schä|di|gung
auf|wär|men
auf|war|ten (anbieten, zu bieten haben)

auf|wärts

– *auf- und abwärts*

Man schreibt »aufwärts« als Verbzusatz mit
dem folgenden Verb zusammen:

– *aufwärtsfahren, aufwärtsschieben, auf-
wärtssteigen*
– *wir sind zwei Stunden lang nur aufwärtsgegangen; mit ihrer Gesundheit ist es ste-
tig aufwärtsgegangen*

Aber:

– *aufwärts davonfliegen*
– *aufwärts ging es langsamer als abwärts*
– *wir wollten aufwärts gehen, nicht fahren*

Auf|wärts|be|we|gung; Auf|wärts|ent-
wick|lung; auf|wärts|ge|hen *vgl.* auf-
wärts; Auf|wärts|trend
Auf|war|tung
Auf|wasch, der; -[e]s
auf|we|cken; *vgl. auch* aufgeweckt
auf|wei|chen *vgl.* ¹weichen; Auf|wei|chung
auf|wei|sen
auf|wen|den; ich wandte *od.* wendete viel
Zeit auf, habe aufgewandt *od.* aufgewen-
det; aufgewandte *od.* aufgewendete Zeit
auf|wen|dig, auf|wän|dig; Auf|wen|dung
auf|wer|fen
auf|wer|ten; Auf|wer|tung
auf|wi|ckeln
auf|wie|geln

auf|wie|gen
Auf|wieg|ler; Auf|wieg|le|rin; auf|wieg|le-
risch
auf|wir|beln
auf|wi|schen; Auf|wisch|lap|pen
auf|wüh|len
auf|zäh|len; Auf|zäh|lung
auf|zäu|men; das Pferd am *od.* beim
Schwanz aufzäumen (*ugs. für* etwas verkehrt beginnen)
auf|zeh|ren
auf|zeich|nen; Auf|zeich|nung
auf|zei|gen (dartun, darlegen)
auf Zeit (*Abk.* a. Z.)
auf|zie|hen; Auf|zucht
Auf|zug; Auf|zug[s]|schacht
auf|zwin|gen
Aug|ap|fel; Au|ge, das; -s, -n; Auge um
Auge; Äu|gel|chen; äu|gen ([angespannt]
blicken); Au|gen|arzt; Au|gen|ärz|tin
Au|gen|blick [*auch* ...'blɪk]; au|gen|blick-
lich [*auch* ...'blɪk...]; Au|gen|braue; au-
gen|fäl|lig; Au|gen|far|be
Au|gen|hö|he; auf [gleicher] Augenhöhe
(*übertr. für* gleichberechtigt); Au|gen|lid
Au|gen|maß, das; Au|gen|merk, das; -[e]s
Au|gen|schein, der; -[e]s; au|gen|schein-
lich [*auch* ...'ʃai...]; Au|gen|wei|de, die; -;
Au|gen|win|kel; Au|gen|wi|sche|rei; Au-
gen|zeu|ge; Au|gen|zeu|gen|be|richt;
Au|gen|zeu|gin; Au|gen|zwin|kern, das;
-s; au|gen|zwin|kernd
Au|gi|as|stall [ˈau...] (*übertr. auch für* kor-
rupte Verhältnisse)
Äug|lein
Au|gust, der; *Gen.* -[e]s *u.* -, *Plur.* -e (achter
Monat im Jahr, Erntemonat; *Abk.* Aug.)
Auk|ti|on, die; -, -en (Versteigerung); Auk-
ti|o|na|tor, der; -s, ...oren (Versteigerer);
Auk|ti|o|na|to|rin; Auk|ti|ons|haus
Au|la, die; -, *Plur.* ...len *u.* -s (Fest-, Ver-
sammlungssaal in [Hoch]schulen)
au pair [o ˈpɛːɐ̯] (ohne Bezahlung, nur
gegen Unterkunft u. Verpflegung);
Au-pair-Mäd|chen
Au|ra, die; -, Auren (Ausstrahlung)

A

Au|re|o|le, die; -, -n (Heiligenschein; Hof [um Sonne u. Mond])

aus; *Präp. mit Dat.:* aus dem Haus[e]; aus aller Herren Länder[n]; *Adverb:* aus sein (*ugs. für* zu Ende, erloschen, ausgeschaltet sein); auf etwas aus sein (*ugs. für* etw. haben, erreichen wollen); weder aus noch ein wissen; aus und ein gehen (verkehren)

Aus, das; -, -; der Ball ist im Aus

aus|ar|bei|ten; Aus|ar|bei|tung

aus|ar|ten

aus|at|men; Aus|at|mung

aus|ba|den; etwas ausbaden müssen (*ugs.*)

aus|ba|lan|cie|ren

aus|bal|do|wern (*ugs. für* auskundschaften)

Aus|bau, der; -[e]s, Plur. (*für* Gebäudeteile:) ...bauten; aus|bau|en; aus|bau|fä|hig

aus|bes|sern; Aus|bes|se|rung

Aus|beu|te, die; -, -n; aus|beu|ten; Aus-beu|ter; Aus|beu|te|rin; Aus|beu|tung

aus|be|zah|len

aus|bil|den; Aus|bil|den|de, der u. die; -n, -n; Aus|bil|der; Aus|bil|de|rin; Aus|bil-dung; Aus|bil|dungs|be|ruf; Aus|bil-dungs|gang; Aus|bil|dungs|platz; Aus-bil|dungs|stät|te; Aus|bil|dungs|ver|trag

aus|bit|ten; ich bitte mir Ruhe aus

aus|bla|sen; aus|blei|ben

¹aus|blei|chen (bleich machen); du bleichtest aus; ausgebleicht; *vgl.* ¹bleichen

²aus|blei|chen (bleich werden); es blich aus; ausgeblichen (*auch* ausgebleicht); *vgl.* ²bleichen

aus|blen|den

Aus|blick; aus|bli|cken

aus|blu|ten

aus|bor|gen; ich borge mir ein Buch aus

aus|bre|chen; Aus|bre|cher; Aus|bre|che-rin

aus|brei|ten; Aus|brei|tung

aus|brem|sen

aus|bren|nen

aus|brin|gen; einen Trinkspruch ausbringen

Aus|bruch, der; -[e]s, ...brüche; Aus-bruchs|ver|such

aus|bu|chen (*Kaufmannsspr.* aus dem Rech-nungsbuch streichen); *vgl.* ausgebucht

aus|bud|deln (*ugs.*)

aus|bü|geln (*ugs. auch für* bereinigen)

aus|bu|hen (*ugs.*)

Aus|bund, der; -[e]s

aus|bür|gern; Aus|bür|ge|rung

aus|che|cken

aus|dau|ern; aus|dau|ernd

aus|deh|nen; sich ausdehnen; Aus|deh|nung

aus|den|ken; denke dir etwas aus

aus|die|nen *vgl.* ausgedient

Aus|druck, der; -[e]s, Plur. ...drücke u. (Druckw.) ...drucke; aus|dru|cken

aus|drü|cken; sich ausdrücken; aus|drück-lich [*auch* ...'drʏk...]

aus|drucks|los; aus|drucks|stark

Aus|drucks|wei|se

aus|dün|nen

aus|duns|ten, *häufiger* aus|düns|ten

aus|ei|n|an|der; auseinander sein (sich getrennt haben); auseinander hervorge-hen, sich auseinander ergeben

aus|ei|n|an|der|bre|chen; aus|ei|n|an|der-di|vi|die|ren; aus|ei|n|an|der|fal|len; aus|ei|n|an|der|ge|hen; aus|ei|n|an|der-hal|ten; aus|ei|n|an|der|le|ben, sich

aus|ei|n|an|der|set|zen; wir setzten uns mit dem Problem auseinander; Aus|ei|n|an-der|set|zung

aus|er|ko|ren (*geh.*)

aus|er|le|sen

aus|er|wäh|len; aus|er|wählt; Aus|er-wähl|te, der u. die; -n, -n

aus|fahr|bar; aus|fah|ren; Aus|fahrt

Aus|fall, der; aus|fal|len

aus|fal|lend, aus|fäl|lig (beleidigend)

aus|fech|ten

aus|fer|ti|gen; Aus|fer|ti|gung

aus|fin|dig; ausfindig machen

aus|flie|gen; jmdn. aus der Gefahrenzone ausfliegen

aus|flip|pen (*ugs. für* außer sich geraten)

Aus|flucht die; -, ...flüchte *meist Plur.*

Aus|flug; Aus|flüg|ler; Aus|flüg|le|rin; Aus|flugs|ziel

Aus|fluss
aus|fra|gen; Aus|fra|ge|rei (ugs. abwertend)
aus|fran|sen vgl. ausgefranst
aus|fres|sen; etwas ausgefressen (ugs. für verbrochen) haben
Aus|fuhr, die; -, -en
aus|führ|bar; aus|füh|ren
aus|führ|lich [auch ...'fy:ę...]; **Aus|führ|lich|keit**
Aus|füh|rung
Aus|fuhr|ver|bot
aus|fül|len; Aus|fül|lung
Aus|ga|be; Aus|ga|be|kurs (Bankw. Kurs, zu dem ein Wertpapier erstmals in den Handel gebracht wird); **Aus|ga|ben|po|li|tik**
Aus|gang; Aus|gangs|ba|sis; Aus|gangs|la|ge; Aus|gangs|po|si|ti|on; Aus|gangs|punkt; Aus|gangs|si|tu|a|ti|on
aus|ge|ben; Geld ausgeben
aus|ge|bil|det
aus|ge|bleicht vgl. ¹ausbleichen; **aus|ge|bli|chen** vgl. ²ausbleichen
aus|ge|brannt
aus|ge|bucht; ein ausgebuchtes Hotel
Aus|ge|burt (geh. abwertend)
aus|ge|dehnt
aus|ge|dient; ausgedient haben
aus|ge|fal|len
aus|ge|feilt
aus|ge|flippt vgl. ausflippen
aus|ge|franst; ausgefranste Jeans
aus|ge|fuchst (ugs. für durchtrieben)
aus|ge|gli|chen; Aus|ge|gli|chen|heit, die; -
aus|ge|hen; Aus|geh|ver|bot
aus|ge|klü|gelt
aus|ge|kocht (ugs. auch für durchtrieben)
aus|ge|las|sen (auch für übermütig); **Aus|ge|las|sen|heit,** die; -
aus|ge|laugt; aus|ge|lei|ert
aus|ge|lernt; ein ausgelernter Schlosser; **Aus|ge|lern|te,** der u. die; -n, -n
aus|ge|macht (feststehend); ein ausgemachter (ugs. für großer) Schwindel
aus|ge|mer|gelt
aus|ge|nom|men; alle waren zugegen, er

ausgenommen (od. ausgenommen er); der Tadel galt allen, ausgenommen ihm (od. ihn ausgenommen)
aus|ge|po|w|ert vgl. auspowern
aus|ge|prägt
aus|ge|rech|net (eben, gerade)
aus|ge|reift; aus|ge|reif|ter; am aus|ge|reif|tes|ten
aus|ge|schla|fen (ugs. auch für gewitzt)
aus|ge|schlos|sen
aus|ge|spro|chen (entschieden, sehr groß); eine ausgesprochene Abneigung
aus|ge|stal|ten; Aus|ge|stal|tung
aus|ge|stellt; ein ausgestellter (nach unten erweiterter) Rock
aus|ge|stor|ben
aus|ge|sucht; ausgesuchte Früchte
aus|ge|tre|ten; ausgetretene Pfade
aus|ge|wach|sen (voll ausgereift)
aus|ge|wählt
aus|ge|wie|sen; ein ausgewiesener Fachmann
aus|ge|wo|gen; Aus|ge|wo|gen|heit, die; -
aus|ge|zeich|net
aus|gie|big (reichlich)
aus|gie|ßen
Aus|gleich, der; -[e]s, -e; **aus|glei|chen**
Aus|gleichs|sport; Aus|gleichs|tref|fer
aus|glie|dern; Aus|glie|de|rung
aus|gra|ben; Aus|gra|bung
aus|gren|zen; Aus|gren|zung
aus|grün|den (Wirtsch. einen Teil eines Betriebes getrennt als selbstständiges Unternehmen weiterführen)
Aus|guck, der; -[e]s, -e; **Aus|guss**
aus|ha|ben (ugs.); Schule aushaben
aus|hal|ten; es ist nicht zum Aushalten
aus|han|deln
aus|hän|di|gen; Aus|hän|di|gung
Aus|hang
¹aus|hän|gen; die Verordnung hat ausgehangen; vgl. ¹hängen
²aus|hän|gen; ich habe die Tür ausgehängt; vgl. ²hängen; **Aus|hän|ge|schild,** das
aus|har|ren
aus|he|beln; ich heb[e]le aus

A

aus|he|ben (herausheben; zum Heeresdienst einberufen)

aus|he|cken (ugs. für mit List ersinnen)

aus|hel|fen; Aus|hil|fe; Aus|hilfs|kraft; aus|hilfs|wei|se

aus|höh|len; Aus|höh|lung

aus|ho|len

aus|hor|chen

aus|hun|gern vgl. ausgehungert

aus|ixen (ugs. für ungültig machen; mit dem Buchstaben x übertippen); du ixt aus

aus|käm|men

aus|ken|nen, sich

aus|kip|pen

aus|klam|mern; Aus|klam|me|rung

Aus|klang

aus|klei|den; Aus|klei|dung

aus|klin|gen

aus|klop|fen

aus|kom|men; Aus|kom|men, das; -s

aus|kömm|lich

aus|kos|ten

aus|kot|zen (derb); sich auskotzen

aus|kund|schaf|ten

Aus|kunft, die; -, ...künfte

aus|ku|rie|ren

aus|la|chen

¹aus|la|den; Waren ausladen; vgl. ¹laden

²aus|la|den (eine Einladung zurücknehmen); vgl. ²laden

aus|la|dend (weit ausgreifend)

Aus|la|dung

Aus|la|ge

aus|la|gern; Aus|la|ge|rung

Aus|land, das; -[e]s

Aus|län|der; Aus|län|der|be|auf|trag|te; aus|län|der|feind|lich; Aus|län|der|feind|lich|keit; Aus|län|de|rin; Aus|län|der|po|li|tik; aus|län|disch

Aus|lands|auf|ent|halt; Aus|lands|ein|satz; Aus|lands|ge|spräch; Aus|lands|in|ves|ti|ti|on (Wirtsch.); Aus|lands|rei|se

aus|las|sen; sich [über jmdn. od. etw.] auslassen; vgl. ausgelassen; Aus|las|sung; Aus|las|sungs|zei|chen (für Apostroph)

aus|las|ten; Aus|las|tung

Aus|lauf; aus|lau|fen

Aus|läu|fer; der Ausläufer eines Tiefs

Aus|lauf|mo|dell

aus|laut; aus|lau|ten

aus|le|ben; sich ausleben

aus|lee|ren; Aus|lee|rung

aus|le|gen; Aus|le|gung

Aus|lei|he; aus|lei|hen; ich leihe mir bei ihm ein Buch aus; Aus|lei|hung

aus|ler|nen vgl. ausgelernt

Aus|le|se; aus|le|sen; Aus|le|se|pro|zess

aus|leuch|ten

aus|lie|fern; Aus|lie|fe|rung

aus|lo|ben (Rechtsspr. als Belohnung aussetzen)

aus|log|gen; sich ausloggen

aus|lö|schen; er löschte das Licht aus, hat es ausgelöscht; vgl. ¹löschen; Aus|lö|schung

aus|lo|sen vgl. ¹losen

aus|lö|sen; Aus|lö|ser

Aus|lo|sung (durch das Los getroffene Wahl)

aus|lo|ten

ausm, aus'm (ugs. für aus dem, aus einem)

aus|ma|chen vgl. ausgemacht

aus|ma|len; ein Bild ausmalen

Aus|maß, das

aus|mer|zen (radikal beseitigen); du merzt aus; Aus|mer|zung

aus|mes|sen; Aus|mes|sung

aus|mis|ten

aus|mus|tern; Aus|mus|te|rung

Aus|nah|me, die; -, -n; Aus|nah|me|fall, der; Aus|nah|me|ge|neh|mi|gung; Ausnah|me|re|ge|lung; Aus|nah|me|si|tu|a|ti|on; Aus|nah|me|zu|stand

aus|nahms|los; aus|nahms|wei|se

aus|neh|men; sich gut ausnehmen (gut wirken); vgl. ausgenommen

aus|nüch|tern; Aus|nüch|te|rung; Aus|nüch|te|rungs|zel|le

aus|nut|zen, südd., österr. u. schweiz. meist aus|nüt|zen; Aus|nut|zung, südd., österr. u. schweiz. meist Aus|nüt|zung

aus|pa|cken

aus|pfei|fen; er wurde ausgepfiffen

aus|plün|dern; Aus|plün|de|rung

A

aus|po|sau|nen (*ugs. für* überall erzählen)
aus|po|w|ern […paɐ̯…] (*ugs. für* seine Kräfte vollständig aufbrauchen)
aus|prä|gen *vgl.* ausgeprägt; **Aus|prä|gung**
aus|pro|bie|ren
Aus|puff, der; -[e]s, -e; **Aus|puff|flam|me**, **Aus|puff-Flam|me**
aus|pum|pen
aus|quar|tie|ren; **Aus|quar|tie|rung**
aus|quat|schen (*ugs.*); sich ausquatschen
aus|quet|schen
aus|ra|die|ren
aus|ran|gie|ren (*ugs. für* aussondern)
aus|ras|ten (*ugs. auch für* zornig werden); sich ausrasten (*südd., österr. für* ausruhen)
aus|rau|ben
aus|räu|men
aus|rech|nen; **Aus|rech|nung**
Aus|re|de; **aus|re|den**; jmdm. etwas auszureden versuchen
aus|rei|chen; aus|rei|chend; er hat mit [der Note] »ausreichend« bestanden; er hat nur ein [knappes] Ausreichend bekommen
aus|rei|fen
Aus|rei|se; **Aus|rei|se|ge|neh|mi|gung**; aus|rei|sen; **Aus|rei|se|ver|bot**; **aus|rei|se|wil|lig**
aus|rei|ßen; **Aus|rei|ßer**; **Aus|rei|ße|rin**
aus|rei|zen; die Karten ausreizen
aus|ren|ken; **Aus|ren|kung**
aus|rich|ten; etwas ausrichten; **Aus|rich|ter**; **Aus|rich|te|rin**; **Aus|rich|tung**
aus|rol|len
aus|rot|ten; **Aus|rot|tung**
aus|rü|cken (*ugs. auch für* fliehen)
Aus|ruf, der; **aus|ru|fen**; **Aus|ru|fe|zei|chen**; **Aus|ru|fung**
aus|ru|hen; sich ausruhen
aus|rüs|ten; **Aus|rüs|ter**; **Aus|rüs|te|rin**; **Aus|rüs|tung**
aus|rut|schen; **Aus|rut|scher**
Aus|saat; **aus|sä|en**
Aus|sa|ge, die; -, -n; **Aus|sa|ge|kraft**, die; -; aus|sa|ge|kräf|tig; **aus|sa|gen**
Aus|satz, der; -es (eine Krankheit); aus|sät|zig; **Aus|sät|zi|ge**, der *u.* die; -n, -n

aus|scha|ben; **Aus|scha|bung**
aus|schal|ten; **Aus|schal|tung**
Aus|schank
Aus|schau, die; -; Ausschau halten
aus|schau|en (*südd., österr. auch für* aussehen)
aus|schei|den; **Aus|schei|dung**; **Aus|schei|dungs|kampf**
aus|schen|ken (Bier, Wein usw.)
aus|sche|ren (die Linie, Spur verlassen); der Wagen scherte aus, ist ausgeschert
aus|schil|dern; **Aus|schil|de|rung**
aus|schimp|fen; aus|schlach|ten
aus|schla|fen; sich ausschlafen
Aus|schlag; **aus|schla|gen**; **aus|schlag|ge|bend**; *aber* das Ausschlaggebende
aus|schlie|ßen; aus|schließ|lich [*auch* …ˈʃliː…]; ausschließlich der Verpackung; ausschließlich des genannten Betrages; ausschließlich Porto; ausschließlich Getränken; *vgl.* einschließlich; **Aus|schließ|lich|keit**, die; -; **Aus|schlie|ßung**; **Aus|schluss**
aus|schmü|cken; **Aus|schmü|ckung**
aus|schnei|den; **Aus|schnitt**
aus|schöp|fen
aus|schrei|ben; **Aus|schrei|bung**
aus|schrei|ten; **Aus|schrei|tung** *meist Plur.*
Aus|schuss; **Aus|schuss|mit|glied**; **Aus|schuss|sit|zung**, **Aus|schuss-Sit|zung**
aus|schüt|ten; **Aus|schüt|tung**
aus|schwei|fen; aus|schwei|fend
aus|se|hen; **Aus|se|hen**, das; -s
aus sein *vgl.* aus
au|ßen; von außen [her]; nach innen und außen; nach außen [hin]; Farbe für außen und innen; außen vor lassen (*nordd. für* unberücksichtigt lassen); er spielt außen (augenblickliche Position eines Spielers), *vgl. aber* Außen; die außen liegenden *od.* außenliegenden Kabinen; eine außen gelegene *od.* außenlegene Treppe; **Au|ßen**, der; -, - (*Sport* Außenspieler); er spielt Außen (als Außenspieler)
aus|sen|den
Au|ßen|dienst
au|ßen ge|le|gen, au|ßen|ge|le|gen

A

Au|ßen|han|del, der; -s
au|ßen lie|gend, au|ßen|lie|gend *vgl.*
  außen
Au|ßen|mi|nis|ter; Au|ßen|mi|nis|te|rin;
  Au|ßen|mi|nis|te|ri|um
Au|ßen|po|li|tik; au|ßen|po|li|tisch
Au|ßen|sei|te; Au|ßen|sei|ter; Au|ßen|sei|-
  te|rin
au|ßen|ste|hend, au|ßen ste|hend (unbe-
  teiligt); ein außenstehender *od.* außen ste-
  hender Beobachter; Au|ßen|ste|hen|de,
  der *u.* die; -n, -n, Au|ßen Ste|hen|de, der
  u. die; - -n, - -n
Au|ßen|stel|le; Au|ßen|tem|pe|ra|tur;
  Au|ßen|wand; Au|ßen|welt
au|ßer; *Präp. mit Dat.:* niemand kann es
  lesen außer ihm selbst; außer [dem]
  Haus[e]; außer allem Zweifel; außer Dienst
  (*Abk.* a. D.); ich bin außer mir (empört);
  außer Acht lassen; außerstande *od.* außer
  Stande sein; außerstand *od.* außer Stand
  setzen; *aber nur* außer Frage stehen; *Präp.
  mit Akk.:* außer allen Zweifel setzen; *Präp.
  mit Dat. oder Akk.:* ich gerate außer mir
  od. mich vor Freude; *Präp. mit Gen. nur in:*
  außer Landes gehen, sein; *Konj.:* außer
  dass/wenn/wo; wir fahren in die Ferien,
  außer [wenn] es regnet
Au|ßer|acht|las|sung
au|ßer|be|ruf|lich
au|ßer|dem [*auch* ...'de:m]
au|ßer|dienst|lich
äu|ße|re; Äu|ße|re, das; ...r[e]n; im
  Äußer[e]n; sein Äußeres; ein erschrecken-
  des Äußere[s]; Minister des Äußeren
au|ßer|ehe|lich; au|ßer|eu|ro|pä|isch; au|-
  ßer|ge|richt|lich; au|ßer|ge|wöhn|lich
au|ßer|halb; außerhalb von München; *als
  Präp. mit Gen.:* außerhalb Münchens
au|ßer|ir|disch
Au|ßer|kraft|set|zung
äu|ßer|lich; Äu|ßer|lich|keit
äu|ßern; ich äußere; sich äußern
au|ßer|or|dent|lich [*auch* 'au...]
au|ßer|par|la|men|ta|risch; die außerparla-
  mentarische Opposition (*Abk.* APO, *auch* Apo)

au|ßer|plan|mä|ßig (*Abk.* apl.)
au|ßer|schu|lisch
äu|ßerst; mit äußerster Konzentration,
  aber das Äußerste befürchten; 20 Euro
  sind *od.* ist das Äußerste; bis zum
  Äußersten gehen; auf das, aufs
  Äußerste *od.* auf das, aufs äußerste
  (sehr) erschrocken sein
au|ßer|stand [*auch* 'au...], au|ßer Stand
  vgl. außer
au|ßer|stan|de, au|ßer Stan|de *vgl.* außer
äu|ßers|ten|falls
Äu|ße|rung
au|ßer|uni|ver|si|tär
aus|set|zen; Aus|set|zer (*ugs. auch für*
  Geistesabwesenheit); Aus|set|zung
Aus|sicht, die; -, -en
aus|sichts|los; Aus|sichts|lo|sig|keit
aus|sichts|reich; Aus|sichts|turm
aus|sie|deln; Aus|sie|de|lung, Aus|sied-
  lung; Aus|sied|ler; Aus|sied|le|rin; Aus-
  sied|lung *vgl.* Aussiedelung
aus|sit|zen (*ugs. auch für* in der Hoffnung,
  dass sich etwas von allein erledigt, untätig
  bleiben)
aus|söh|nen; sich aussöhnen; Aus|söh|nung
aus|son|dern; Aus|son|de|rung
aus|sor|tie|ren
aus|spä|hen
aus|span|nen
aus|spa|ren; Aus|spa|rung
aus|sper|ren; Aus|sper|rung
aus|spie|len
aus|spi|o|nie|ren
Aus|spra|che; aus|spre|chen; sich ausspre-
  chen; Aus|spruch
aus|spu|cken
aus|staf|fie|ren (ausstatten)
Aus|stand; in den Ausstand treten (streiken)
aus|stat|ten; Aus|stat|tung
aus|ste|chen
aus|ste|hen; jmdn. nicht ausstehen können
aus|stei|gen; Aus|stei|ger; Aus|stei|ge|-
  rin
aus|stel|len; Aus|stel|ler; Aus|stel|le|rin;
  Aus|stel|lung; Aus|stel|lungs|er|öff-

nung; Aus|stel|lungs|flä|che; Aus|stel-
lungs|raum; Aus|stel|lungs|stück
aus|ster|ben
Aus|steu|er die; -, -n Plur. selten; aus|steu-
ern; Aus|steu|e|rung
Aus|stieg, der; -[e]s, -e
Aus|stoß der; -es, Ausstöße Plur. selten (z. B.
von Bier); aus|sto|ßen; Aus|sto|ßung
aus|strah|len; Aus|strah|lung
aus|stre|cken
aus|su|chen; ich suche es mir aus
Aus|tausch; aus|tausch|bar; aus|tau-
schen; Aus|tausch|mo|tor; Aus|tausch-
schü|ler; Aus|tausch|schü|le|rin
aus|tei|len; Aus|tei|lung
Aus|ter, die; -, -n (essbare Meeresmuschel)
aus|to|ben; sich austoben
aus|tra|gen; Aus|trä|ger; Aus|trä|ge|rin
Aus|tra|gung; Aus|tra|gungs|ort
aus|t|ra|lisch; aber die Australischen
Alpen
aus|trei|ben; Aus|trei|bung
aus|tre|ten
aus|trick|sen (auch Sport)
aus|trin|ken
Aus|tritt; Aus|tritts|er|klä|rung
aus|trock|nen; Aus|trock|nung
aus|tüf|teln
aus|üben; Aus|übung
aus|ufern (über die Ufer treten; das Maß
überschreiten)
Aus|ver|kauf; aus|ver|kau|fen; aus|ver-
kauft
aus|wach|sen; es ist zum Auswachsen
(ugs.); vgl. ausgewachsen
Aus|wahl; aus|wäh|len; Aus|wahl|ver|fah-
ren
Aus|wan|de|rer; Aus|wan|de|rin
aus|wan|dern; Aus|wan|de|rung
aus|wär|tig; auswärtiger Dienst, aber das
Auswärtige Amt (Abk. AA); Minister des
Auswärtigen
aus|wärts; von auswärts kommen; aus-
wärts (im Restaurant) essen;
aus|wärts|ge|hen (mit auswärtsgerich-
teten Füßen gehen)

Aus|wärts|spiel (Sport)
aus|wa|schen; Aus|wa|schung
aus|wech|seln; Aus|wech|se|lung, Aus-
wechs|lung
Aus|weg; aus|weg|los; Aus|weg|lo|sig-
keit, die; -
aus|wei|chen vgl. ²weichen; aus|wei-
chend; Aus|weich|mög|lich|keit
Aus|weis, der; -es, -e; aus|wei|sen; sich
ausweisen; Aus|weis|kon|t|rol|le
Aus|wei|sung
aus|wei|ten; Aus|wei|tung
aus|wen|dig; etwas auswendig lernen, wis-
sen; auswendig gelernte od. auswendig-
gelernte Formeln; Aus|wen|dig|ler|nen,
das; -s
aus|wer|ten; Aus|wer|tung
aus|wie|gen vgl. ausgewogen
aus|wir|ken, sich; Aus|wir|kung
aus|wi|schen; jmdm. eins auswischen (ugs.
für schaden)
aus|wrin|gen
Aus|wuchs, der; -es, ...wüchse
aus|zah|len; das zahlt sich nicht aus (ugs.
für lohnt sich nicht)
aus|zäh|len
Aus|zah|lung; Aus|zäh|lung
aus|zeich|nen; sich auszeichnen; Aus|zeich-
nung
Aus|zeit (Sport Spielunterbrechung)
aus|zie|hen; sich ausziehen
Aus|zu|bil|den|de, der u. die; -n, -n; Kurzw.
Azubi
Aus|zug (südd., österr. auch für Altenteil);
aus|zugs|wei|se
au|t|ark ([wirtschaftlich] unabhängig, selbst-
ständig); Au|t|ar|kie, die; -, ...ien (wirt-
schaftl. Unabhängigkeit vom Ausland)
au|then|tisch (im Wortlaut verbürgt; echt);
Au|then|ti|zi|tät, die; - (Echtheit; Rechts-
gültigkeit)
Au|tis|mus, der; - (Med. psych. Störung, die
sich in Kontaktunfähigkeit u. Ä. ausdrückt);
Au|tist, der; -en, -en; Au|tis|tin; au|tis-
tisch
Au|to, das; -s, -s (kurz für Automobil); Auto

A

fahren; ich bin Auto gefahren; Au|to|bahn (*Zeichen* A, z. B. A 14); Au|to|bahn|kreuz; Au|to|bahn|rast|stät|te; Au|to|bau|er (*ugs. für* Firma, die Autos herstellt)

Au|to|bio|gra|fie, Au|to|bio|gra|phie, die; -, ...ien (literarische Darstellung des eigenen Lebens); au|to|bio|gra|fisch, au|to|bio|gra|phisch

Au|to|bom|be; Au|to|bus

Au|to|di|dakt, der; -en, -en (jmd., der sich sein Wissen durch Selbstunterricht angeeignet hat); Au|to|di|dak|tin; au|to|di|dak|tisch

Au|to|fäh|re; Au|to|fah|ren, das; -s; Au|to|fah|rer; Au|to|fah|re|rin; Au|to|fahrt; au|to|frei; autofreier Sonntag

au|to|gen (ursprünglich; selbsttätig); autogenes Training (*Med.* eine Methode der Selbstentspannung)

Au|to|gramm, das; -s, -e (eigenhändig geschriebener Name)

Au|to|händ|ler; Au|to|händ|le|rin; Au|to|in|dus|t|rie; Au|to|ki|no; Au|to|kon|zern (*kurz für* Automobilkonzern)

Au|to|krat, der; -en, -en; Au|to|kra|tie, die; -, ...ien (unumschränkte [Allein]herrschaft); Au|to|kra|tin; au|to|kra|tisch

Au|to|mar|ke

Au|to|mat, der; -en, -en; Au|to|ma|tik, die; -, -en (Vorrichtung, die einen techn. Vorgang steuert u. regelt); Au|to|ma|ti|on, die; -, -en (vollautomatische Fabrikation); au|to|ma|tisch (selbsttätig; zwangsläufig); au|to|ma|ti|sie|ren (auf vollautomatische Fabrikation umstellen); Au|to|ma|ti|sie|rung; Au|to|ma|tis|mus, der; -, ...men (sich selbst steuernder, unbewusster Ablauf)

Au|to|mo|bil, das; -s, -e; Au|to|mo|bil|in|dus|t|rie; Au|to|mo|bi|list, der; -en, -en (*bes. schweiz. für* Autofahrer); Au|to|mo|bi|lis|tin; Au|to|mo|bil|kon|zern

au|to|nom (selbstständig, unabhängig; Au|to|no|me, der *u.* die; -n, -n; Au|to|no|mie, die; -, ...ien

Au|to|pi|lot (automatische Steuerung von Flugzeugen u. Ä.)

Au|t|op|sie, die; -, ...ien (*Med.* Leichenöffnung)

Au|tor, der; -s, ...oren (Verfasser)

Au|to|ra|dio; Au|to|rei|fen; Au|to|ren|nen

Au|to|rin, die; -, -nen

au|to|ri|sie|ren; au|to|ri|siert ([einzig] berechtigt; ermächtigt)

au|to|ri|tär (unbedingten Gehorsam fordernd; diktatorisch); Au|to|ri|tät, die; -, -en (Einfluss u. Ansehen; bedeutende[r] Vertreter[in] eines Faches)

Au|to|schlüs|sel; Au|to|skoo|ter; Au|to|strich (*ugs. für* Prostitution an Autostraßen); Au|to|un|fall; Au|to|werk|statt

au|weh!; au|wei!; au|weia!

Avan|ce [a'vãːsə], die; -, -n (*veraltet für* Vorteil; Vorschuss); jmdm. Avancen machen (jmdm. entgegenkommen, um ihn für sich zu gewinnen); avan|cie|ren (befördert werden)

Avant|gar|de [avã...], die; -, -n (die Vorkämpfer für eine Idee); avant|gar|dis|tisch avan|ti! (*ugs. für* vorwärts!)

Ave, das; -[s], -[s] (*kurz für* Ave-Maria); Ave-Ma|ria, das; -[s], -[s] (kath. Gebet)

Ave|nue [avəˈnyː], die; -, ...uen [...ˈnyːən] (Prachtstraße)

Aver|si|on, die; -, -en (Abneigung, Widerwille)

Avo|ca|do, die; -, -s (eine Frucht)

Axi|om, das; -s, -e (keines Beweises bedürfender Grundsatz)

Axt, die; -, Äxte

Ayur|ve|da, Ayur|we|da [ajʊr...], der; -[s] (Sammlung der wichtigsten Lehrbücher der altindischen Medizin); ayur|ve|disch, ayur|we|disch

Aza|lee, *seltener* Aza|lie, die; -, -n (eine Zierpflanze)

Az|te|ke, der; -n, -n (Angehöriger eines Indianerstammes in Mexiko); Az|te|kin

Azu|bi [*auch* aˈtsu:...], der; -s, -s *u.* die; -, -s (*ugs. für* Auszubildende[r])

Azur, der; -s (*geh. für* Himmelsblau)

Az|zur|ri, Az|zur|ris *Plur.* (*Bez. für* ital. Sportmannschaften)

B b

b, B, das; -, - (Tonbezeichnung)

B (Buchstabe); das B; des B, die B, *aber* das b in Abend; der Buchstabe B, b

bab|beln (*landsch. für* schwatzen)

Ba|by ['beːbi], das; -s, -s (Säugling, Kleinkind); Ba|by|bauch; Ba|by|boom (Anstieg der Geburtenzahlen); Ba|by|fon®, Ba|by-phon, das; -s, -e (telefonähnliches Gerät, das Geräusche aus dem Kinderzimmer überträgt); Ba|by|klap|pe (anonyme Abgabestelle für Säuglinge)

ba|by|lo|nisch; babylonische Kunst; *aber* die Babylonische Gefangenschaft

Ba|by|nah|rung ['beːbi...]; Ba|by|pau|se (Unterbrechung der Erwerbstätigkeit durch die Geburt eines Kindes); Ba|by|phon *vgl.* Babyfon; ba|by|sit|ten (*ugs.*); sie babysittet, hat babygesittet *od.* gebabysittet; Ba-by|sit|ter, der; -s, - (jmd., der Kleinkinder bei Abwesenheit der Eltern beaufsichtigt); Ba|by|sit|te|rin; Ba|by|speck

Bach, der; -[e]s, Bäche

Bach-Blü|ten®, Bach|blü|ten; Bach-Blü-ten-The|ra|pie, Bach|blü|ten|the|ra|pie

Ba|che|lor ['betʃələ], der; -[s], -s (akadem. Grad, bes. in englischsprachigen Ländern; *Abk.* B.; *vgl.* Bakkalaureus)

Back|bord, das; -[e]s, -e (linke Schiffsseite [von hinten gesehen])

Bäck|chen; Ba|cke, die; -, -n, *landsch.* Backen, der; -s, -

ba|cken; du bäckst *od.* backst; er/sie bäckt *od.* backt; du backtest (*älter* buk[e]st); du backtest (*älter* bükest); gebacken; back[e]!; *in der Bedeutung »kleben« wird nur regelmäßig gebeugt:* der Schnee backt, backte, hat gebackt

Ba|cken *vgl.* Backe; Ba|cken|zahn

Bä|cker; Bä|cke|rei; Bä|cke|rin

Back|gam|mon [bɛk'gɛmən], das; -[s] (ein Würfelspiel)

Back|ground ['bɛkgraʊnt], der; -s, -s (Hintergrund; *übertr. für* [Lebens]erfahrung)

Back|obst; Back|ofen

Back|pa|cker ['bɛkpɛkɐ], der; -s, - (Rucksacktourist); Back|pa|cke|rin

Back|pfei|fe (*landsch. für* Ohrfeige)

Back|pflau|me; Back|pul|ver

back|stage ['bɛksteːdʒ] (hinter der Bühne, den Kulissen)

Back|stein; Back|stein|bau Plur. ...bauten

Back|stu|be

Back-up, Back|up ['bɛkap], das *od.* der; -s, -s (*EDV* Sicherungskopie)

Back|wa|re *meist Plur.*

Bad, das; -[e]s, Bäder; Ba|de|an|zug; Ba-de|gast; Ba|de|ho|se; Ba|de|man|tel; Ba|de|meis|ter; Ba|de|meis|te|rin; Ba|de|müt|ze

ba|den; baden gehen (*ugs. auch für* scheitern); Ba|de|ort, der; -[e]s, -e; Ba|de-strand; Ba|de|tuch Plur. ...tücher; Ba|de-wan|ne; Ba|de|zim|mer

Bad|min|ton ['bɛtmɪntn], das; - (Federballspiel)

baff (*ugs. für* verblüfft); baff sein

BAföG, Ba|fög, das; -[s] = Bundesausbildungsförderungsgesetz (auch für Geldzahlungen nach diesem Gesetz)

Ba|ga|ge [...ʒə, *österr.* ...ʒ] die; -, -n Plur. *selten* (*veraltet für* Gepäck; *ugs. für* Gesindel)

Ba|ga|tel|le, die; -, -n (unbedeutende Kleinigkeit); ba|ga|tel|li|sie|ren (als unbedeutende Kleinigkeit behandeln)

Bag|ger, der; -s, -; Bag|ger|füh|rer; Bag-ger|füh|re|rin; bag|gern; ich baggere; Bag|ger|see

Ba|guette [...'gɛt], das; -s, -s, *auch* die; -, -s (franz. Stangenweißbrot)

Bahn, die; -, -en; Bahn fahren; ich breche mir Bahn; eine sich Bahn brechende Entwicklung; bahn|bre|chend; eine bahnbrechende Erfindung; *vgl. aber* Bahn

Bahn|card® [...kaːɐt] (Kundenkarte der Deutschen Bahn AG)

bah|nen; ich bahne mir einen Weg

Bahn|hof (Abk. Bf., Bhf.); Bahn|li|nie; Bahn|rei|sen|de; Bahn|steig; Bahn|steig|kan|te; Bahn|stre|cke; Bahn|über|gang; Bahn|ver|bin|dung

Bah|re, die; -, -n

Bai, die; -, -en (Bucht)

Bai|ser [bɛˈze:], das; -s, -s (Schaumgebäck)

Bais|se [ˈbɛːs(ə)], die; -, -n ([starkes] Fallen der Börsenkurse od. Preise)

Ba|jo|nett, das; -[e]s, -e (Seitengewehr)

Ba|ke, die; -, -n (festes Orientierungszeichen für Seefahrt, Luftfahrt, Straßenverkehr; Vorsignal auf Bahnstrecken)

Bak|schisch, das; -[(e)s], -e (Almosen)

Bak|te|rie die; -, -n meist Plur. (einzelliges Kleinstlebewesen); bak|te|ri|ell; Bak|te|ri|en|kul|tur; Bak|te|rio|lo|ge, der; -n, -n; Bak|te|rio|lo|gie, die; - (Lehre von den Bakterien); Bak|te|rio|lo|gin

Ba|la|lai|ka, die; -, Plur. -s u. ...ken (russ. Saiteninstrument)

Ba|lan|ce [...ˈlãːs(ə)], die; -, -n (Gleichgewicht); Ba|lan|ce|akt

ba|lan|cie|ren (das Gleichgewicht halten); Ba|lan|cier|stan|ge

bald; Steigerung eher, am ehesten; möglichst bald; so bald wie, auch als möglich

Bal|da|chin, der; -s, -e (Trag-, Betthimmel)

Bäl|de; nur in in Bälde (Amtsspr. für bald); bal|dig; bal|digst (schnellstens)

Bal|d|ri|an, der; -s, -e (eine Heilpflanze); Bal|d|ri|an|tee; Bal|d|ri|an|trop|fen Plur.

¹Balg, der; -[e]s, Bälge (Tierhaut; Luftsack; ausgestopfter Körper einer Puppe)

²Balg, der od. das; -[e]s, Bälger (ugs. für unartiges Kind)

bal|gen, sich (ugs. für raufen)

Bal|kan|halb|in|sel, Bal|kan-Halb|in|sel

Bal|ken, der; -s, -

Bal|kon [...ˈkõ:, auch, südd., österr. u. schweiz. nur ...ˈko:n], der; -s, u. -[e]s, -e [...ˈko:nə]; Bal|kon|mö|bel

¹Ball, der; -[e]s, Bälle; Ball spielen, aber das Ballspielen

²Ball, der; -[e]s, Bälle (Tanzfest)

Bal|la|de, die; -, -n (episch-dramatisches Gedicht); bal|la|den|haft; bal|la|desk

Bal|last [auch, österr. u. schweiz. nur ...la...] der; -[e]s, -e Plur. selten (tote Last; Bürde); Bal|last|stoff meist Plur. (Nahrungsbestandteil, den der Körper nicht verwertet); bal|last|stoff|reich

bal|len; sich ballen; Bal|len, der; -s, -

Bal|le|rei (ugs. für lautes Schießen)

Bal|le|ri|na, die; -, ...nen (Balletttänzerin)

bal|lern (ugs. für knallen, schießen)

Bal|lett, das; -[e]s, -e (Bühnentanz[gruppe]; Ballettmusik); Bal|lett|schu|le; **Bal|lett-tän|zer**, Bal|lett-Tän|zer; **Bal|lett|tän|ze-rin**, Bal|lett-Tän|ze|rin

Bal|lis|tik, die; - (Lehre von der Bewegung geschleuderter od. geschossener Körper); bal|lis|tisch; ballistische Kurve (Flugbahn)

Bal|lon [...ˈlõ:, auch, südd., österr. u. schweiz. nur ...ˈlo:n], der; -s, Plur. -s u. -e [...ˈlo:nə] (auch für Korbflasche)

Bal|lsaal

ball|si|cher (Sport); Ball|spiel

Bal|lung; Bal|lungs|ge|biet; Bal|lungs-raum; Bal|lungs|zen|t|rum

Bal|sa|holz (sehr leichtes Nutzholz)

Bal|sam der; -s, ...same Plur. selten ([lindernde] Salbe); Bal|sam|es|sig (eine dunkle, süße Essigsorte)

Bal|sa|mi|co, der; -s (svw. Balsamessig)

bal|sa|mie|ren (einsalben); Bal|sa|mie|rung

bal|sa|misch (würzig; lindernd)

Ba|lus|t|ra|de, die; -, -n (Geländer)

Balz, die; -, -en (Paarungsspiel u. -zeit bestimmter Vögel); bal|zen (werben [von bestimmten Vögeln]); Balz|zeit

Bam|bus, der; Gen. - u. -ses, Plur. -se (trop. baumartige Graspflanze); Bam|bus|spross meist Plur.

Bam|mel, der; -s (ugs. für Angst)

ba|nal (alltäglich, fade, flach); ba|na|li|sie-ren; Ba|na|li|tät, die; -, -en

Ba|na|ne, die; -, -n; Ba|na|nen|scha|le

Ba|nau|se, die; -n, -n (unkultivierter Mensch); Ba|nau|sen|tum, das; -s; Ba-nau|sin; ba|nau|sisch b**a**nd *vgl.* binden

¹B**a**nd, das; -[e]s, Bänder ([Gewebe]streifen; Gelenkband); auf Band spielen, sprechen; am laufenden Band

²B**a**nd, der; -[e]s, Bände (Buch; *Abk. Sing.:* Bd., *Plur.:* Bde.)

³Band [bɛnt, *engl.* bænd], die; -, -s (Gruppe von Musikern, bes. Jazz- u. Rockband)

⁴B**a**nd, das; -[e]s, -e *meist Plur.* (*geh. für* Bindung; Fessel); außer Rand und Band

Ban|d**a**|ge [...ʒə], die; -, -n (Stütz- od. Schutzverband); ban|da|gie|ren

B**a**nd|brei|te; B**ä**nd|chen

¹B**a**n|de, die; -, -n (Einfassung, z. B. Billardbande)

²B**a**n|de, die; -, -n (organisierte Gruppe von Verbrechern; *abwertend od. scherzh. für* Gruppe von Jugendlichen)

B**ä**n|del, der (*schweiz. nur so*) od. das; -s, - (*bes. südd., schweiz. für* [schmales] Band, Schnur)

B**a**n|den|chef; B**a**n|den|che|fin

Ban|de|r**o**|le, die; -, -n (Verschlussband [mit Steuervermerk])

B**ä**n|der|riss (*Med.* Riss in den ¹Bändern)

b**ä**n|di|gen; B**ä**n|di|gung

Ban|d**i**t, der; -en, -en ([Straßen]räuber); Ban|di|tin

Band|lea|der ['bɛntliːdɐ], der; -s, - (Leiter einer Jazz- od. Rockgruppe); Band|lea|de|rin

B**a**nd|nu|del; B**a**nd|schei|be (*Med.*); B**a**nd|schei|ben|vor|fall (*Med.*); B**a**nd|wurm

b**a**ng, ban|ge; ban|ger u. bän|ger; am bangsten u. am bängs|ten; mir ist angst und bang[e]; ihm wird ganz bang; *aber* er hat keine Bange; nur keine Bange!; jmdm. Angst und Bange machen; Bangemachen od. Bange machen gilt nicht

B**a**n|ge, die; - (*landsch. für* Angst); *vgl.* bang; ban|gen; B**a**n|gig|keit, die; -

B**a**n|jo [*auch* 'bɛndʒo], das; -s, -s (ein Musikinstrument)

¹B**a**nk, die; -, Bänke (Sitzgelegenheit)

²B**a**nk, die; -, -en (Geldinstitut); B**a**nk|au|to|mat

B**ä**n|kel|sän|ger; B**ä**n|kel|sän|ge|rin

B**a**n|ker [*auch* 'bɛŋke] (*ugs. für* Bankier, Bankfachmann); B**a**n|ke|rin

B**a**n|kett, das; -[e]s, -e, *selten* -s (Festmahl)

B**a**nk|ge|heim|nis; B**a**nk|ge|schäft; Bankgut|ha|ben; B**a**nk|haus

B**a**n|ki|er [...kie:], der; -s, -s (Inhaber einer ²Bank); B**a**n|ki|e|rin

B**a**nk|kauf|frau; B**a**nk|kauf|mann; B**a**nkkon|to; B**a**nk|kre|dit; B**a**nk|kun|de; B**a**nk|kun|din; B**a**nk|leit|zahl (*Abk.* BLZ)

B**a**nk|raub; B**a**nk|räu|ber; B**a**nk|räu|be|rin

ban|k|r**o**tt (zahlungsunfähig; *auch übertr. für* am Ende, erledigt); bankrott sein, werden; Ban|k|r**o**tt, der; -[e]s, -e; Bankrott machen; ban|k|r**o**tt|ge|hen (*ugs. für* Bankrott machen); die Firma ging bankrott

B**a**nk|über|fall; B**a**nk|ver|bin|dung

B**a**nn, der; -[e]s, -e (Ausschluss [aus einer Gemeinschaft]); B**a**nn|bul|le, die (*kath. Kirche*); b**a**n|nen

B**a**n|ner, das; -s, - (Fahne; *auch für* Werbung im Internet)

B**a**nn|kreis; B**a**nn|mei|le

Bap|t**i**s|mus, der; - (Lehre ev. Freikirchen, die als Bedingung für die Taufe ein persönliches Bekenntnis voraussetzt); Bap|t**i**st, der; -en, -en (Anhänger des Baptismus); Bap|tis|te|ri|um, das; -s, ...ien (Taufbecken; Taufkirche, -kapelle); Bap|t**i**s|tin

b**a**r; aller Ehre[n] bar; bares Geld; bar zahlen; in bar; gegen bar; barer Unsinn

¹B**a**r, das; -s, -s (veraltende Maßeinheit des [Luft]drucks; *Zeichen* bar); 5 Bar

²B**a**r, die; -, -s (kleines [Nacht]lokal; Theke)

B**ä**r, der; -en, -en (ein Raubtier)

Ba|r**a**|cke, die; -, -n (leichtes, meist eingeschossiges Behelfshaus)

B**a**r|bar, der; -en, -en (ungesitteter, wilder Mensch); Bar|ba|r**ei** (Rohheit); Bar|ba|rin; bar|ba|risch

B**a**r|be|cue [...bɪkjuː], das; -[s], -s (Gartenfest mit Spießbraten; Grill[fleisch])

b**ä**r|bei|ßig (grimmig; verdrießlich)

B**a**r|bie®, die; -, -s; B**a**r|bie|pup|pe, Barbie-Pup|pe

Bar|bier, der; -s, -e (*veraltet für* Herrenfriseur)

bar|bu|sig (mit nacktem Busen)

Bär|chen

Bar|da|me

Bar|de, der; -n, -n (Sänger u. Dichter)

Bä|ren|dienst (schlechter Dienst); Bä|ren|hun|ger (*ugs. für* großer Hunger); bä|ren|stark (*ugs. für* sehr stark; hervorragend)

Ba|rett, das; -[e]s, *Plur.* -e, *selten* -s (flache, randlose Kopfbedeckung, auch als Teil einer Amtstracht)

bar|fuß; barfuß gehen, laufen; bar|fü|ßig

Bar|geld, das; -[e]s; bar|geld|los; bargeldloser Zahlungsverkehr

Ba|ri|ton ['ba:(:)...], der; -s, -e (Männerstimme zwischen Tenor u. Bass; *auch* Sänger mit dieser Stimme)

Ba|ri|um, das; -s (chem. Element, Metall; *Zeichen* Ba)

Bar|ka|ro|le, die; -, -n (Gondellied)

Bar|kas|se, die; -, -n (Motorboot; größtes Beiboot auf Kriegsschiffen)

Bar|ke, die; -, -n (kleines Boot)

Bar|kee|per, der; -s, - (jmd., der in einer ²Bar Getränke mixt u. ausschenkt); Bar|kee|pe|rin

Bär|lauch (nach Knoblauch riechende Pflanze)

barm|her|zig; Barm|her|zig|keit, die; -

Bar|mit|tel *Plur.* (verfügbares Bargeld)

ba|rock (im Stil des Barocks; verschnörkelt, überladen); Ba|rock, das *od. der; Gen.* -s, *fachspr. auch* - ([Kunst]stil des 17. u. 18. Jh.s); Ba|rock|kir|che; Ba|rock|mu|sik

Ba|ro|me|ter, das, *österr. u. schweiz. auch* der; -s, - (Luftdruckmesser)

Ba|ron, der; -s, -e (*svw.* Freiherr); Ba|ro|ness, die; -, -en, Ba|ro|nes|se, die; -, -n (*svw.* Freifräulein); Ba|ro|nin (*svw.* Freifrau)

Bar|ras, der; - (*Soldatenspr.* Heerwesen; Militär)

Bar|rel ['bɛ...], das; -s, -s (in Großbritannien u. in den USA verwendetes Hohlmaß unterschiedl. Größe); drei Barrel[s] Weizen

Bar|ren, der; -s, - (Turngerät; Handelsform der Edelmetalle)

Bar|ri|e|re, die; -, -n (Schranke; Sperre)

Bar|ri|ka|de ([Straßen]sperre, Hindernis)

barsch (unfreundlich, rau)

Barsch, der; -[e]s, -e (ein Raubfisch)

Bar|schaft; Bar|scheck (in bar einzulösender Scheck)

Bart, der; -[e]s, Bärte; Bärt|chen; Barthaar; bär|tig; bart|los; Bart|wuchs

Bar|zah|lung

Ba|salt, der; -[e]s, -e (vulkanisches Gestein)

Ba|sar, Ba|zar [...'za:ɐ̯], der; -s, -e (orientalisches Händlerviertel; Verkauf von Waren für wohltätige Zwecke)

¹Ba|se, die; -, -n (*südd., sonst veraltet für* Cousine)

²Ba|se; die; -, -n (*Chemie* Verbindung, die mit Säuren Salze bildet)

Base|ball ['be:sbɔ:l], der; -s (amerik. Schlagballspiel); Base|ball|kap|pe; Base|ball|schlä|ger

ba|sie|ren (beruhen); etwas basiert auf der Tatsache (gründet sich auf die Tatsache)

Ba|si|li|ka, die; -, ...ken (Kirchenbauform mit überhöhtem Mittelschiff); Ba|si|li|kum, das; -s, *Plur.* -s u. ...ken (ein Kraut)

Ba|sis, die; -, Basen (Grundlage, Unterbau)

ba|sisch (sich wie eine ²Base verhaltend)

Ba|sis|de|mo|kra|tie; ba|sis|de|mo|kratisch; Ba|sis|ta|rif (Grundpreis, -prämie o. Ä.); Ba|sis|wis|sen (Grundwissen)

Bas|ken|müt|ze

Bas|ket|ball; Bas|ket|bal|ler; Bas|ket|bal|le|rin

bass (*veraltet, noch scherzh. für* sehr); er war bass erstaunt

Bass, der; Basses, Bässe (tiefe Männerstimme; Sänger; Bassgitarre); Bassgei|ge

Ba|sin [...'sɛ̃:], das; -s, -s (künstliches Wasserbecken)

Bas|sist, der; -en, -en (Basssänger; Kontrabassspieler); Bass|is|tin

Bass|schlüs|sel, Bass-Schlüs|sel

Bass|stim|me, Bass-Stim|me

Bast, der; -[e]s, -e (eine Pflanzenfaser)

bas|ta (*ugs. für* genug!); [und] damit basta!

Bas|tard, der; -[e]s, -e (*Biol.* Pflanze od. Tier als Ergebnis von Kreuzungen; *veraltet für* nicht eheliches Kind)

Bas|tel|ar|beit; bas|teln

bas|ten (aus Bast)

Bas|til|le [...'ti:jə], die; -, -n (befestigtes Schloss, bes. das 1789 erstürmte Staatsgefängnis in Paris)

Bas|ti|on, die; -, -en (Bollwerk)

Bast|ler; Bast|le|rin

Ba|tail|lon [...tal'jo:n], das; -s, -e (Truppenabteilung; *Abk.* Bat., Btl.)

Ba|tik, die; -, -en, *seltener* der; -s, -en (Textilfärbeverfahren unter Verwendung von Wachs [*nur Sing.*]; derart gemustertes Gewebe); ba|ti|ken; gebatikt

Ba|tist, der; -[e]s, -e (feines Gewebe)

Bat|te|rie, die; -, ...ien (*Militär* Einheit der Artillerie [*Abk.* Batt(r).]; *Technik* Stromspeicher); bat|te|rie|be|trie|ben

Bat|zen, der; -s, - (*ugs. für* Klumpen; frühere Münze)

Bau, der; -[e]s, *Plur.* (für »Bauwerk, Gebäude«) -ten *u.* (für »Höhle« *u.* »Stollen« [*Bergmannsspr.*]) -e; sich im od. in Bau befinden; Bau|ab|schnitt; Bau|amt; Bauan|trag; Bau|ar|bei|ter; Bau|ar|bei|te|rin; Bau|art; Bau|be|ginn; Bau|be|hör|de; Bau|boom

Bauch, der; -[e]s, Bäuche; Bauch|fell; Bauch|höh|le; bau|chig; Bauch|lan|dung; Bäuch|lein; bäuch|lings; Bauch|na|bel; bauch|re|den *meist nur im Infinitiv gebr.;* Bauch|red|ner; Bauch|red|ne|rin; Bauchschmerz; Bauch|spei|chel|drü|se; Bauchtanz; Bauch|tän|ze|rin; Bauch|weh, das; -s (*ugs.*)

Bau|denk|mal, das; -[e]s, *Plur.* ...mäler, *geh. auch* ...male; Bau|ele|ment; bau|en

¹Bau|er, der; -s, - (Be-, Erbauer)

²Bau|er, der; *Gen.* -n, *selten* -s, *Plur.* -n (Landwirt; eine Schachfigur; eine Spielkarte)

³Bau|er, das, *auch* der; -s, - (Vogelkäfig)

Bäu|er|chen; [ein] Bäuerchen machen (*ugs. für* aufstoßen)

Bäu|e|rin; bäu|er|lich; Bau|ern|fän|ger

(*abwertend*); Bau|ern|früh|stück (Bratkartoffeln mit Rührei u. Speck); Bau|ern|haus; Bau|ern|hof; Bau|ern|krieg; Bau|ern|opfer (*Schach* Preisgabe eines Bauern; *auch* Opfer, das dem Erhalt der eigenen Position dient); bau|ern|schlau; Bau|ern|schläue; Bau|ern|ver|band

bau|fäl|lig; Bau|fäl|lig|keit, die; -

Bau|fir|ma; Bau|form; Bau|ge|neh|migung; Bau|ge|wer|be; bau|gleich (von gleicher Bauart); Bau|herr, der; -[e]n, -[e]n; Bau|her|rin; Bau|in|dus|t|rie; Bau|in|geni|eur; Bau|in|ge|ni|eu|rin; Bau|jahr; Bau|kas|ten; Bau|kas|ten|sys|tem (*Technik*); Bau|kon|junk|tur; Bau|kon|zern; Bau|kos|ten; Bau|kunst; Bau|land, das; -[e]s; Bau|lei|ter; Bau|lei|te|rin; bau|lich

Baum, der; -[e]s, Bäume

Bau|markt; Bau|ma|schi|ne; Bau|maß|nahme; Bau|ma|te|ri|al

Baum|be|stand; Bäum|chen

Bau|meis|ter; Bau|meis|te|rin

bäu|meln; ich baum[e]le

Baum|gren|ze; Baum|schu|le; Baumstamm; Baum|wol|le; baum|wol|len

Bau|ord|nung; Bau|plan *vgl.* ²Plan; Baupro|jekt; Bau|recht; Bau|rei|he

bäu|risch, bäu|e|risch

Bausch, der; -[e]s, *Plur.* -e *u.* Bäusche; in Bausch und Bogen (ganz und gar)

bau|schen; du bauschst; sich bauschen; bauschig

bau|spa|ren; Bau|spa|rer; Bau|spa|re|rin; Bau|spar|kas|se; Bau|spar|ver|trag; Baustein; Bau|stel|le; Bau|stoff; Bau|stopp; Bau|subs|tanz; Bau|tä|tig|keit; Bau|teil, der (Gebäudeteil) *od.* das (Bauelement); Bau|trä|ger; Bau|trä|ge|rin; Bau|un|terneh|men; Bau|un|ter|neh|mer; Bau|unter|neh|me|rin; Bau|vor|ha|ben; Bau|wagen; Bau|wei|se; Bau|werk; Bau|we|sen, das; -s; Bau|wirt|schaft, die; -

Bau|xit, der; -s, -e (ein Mineral)

Bau|zaun; Bau|zeit

bay|e|risch, bay|risch

Ba|zar [...'za:ɐ] *vgl.* Basar

Ba|zil|len|trä|ger; Ba|zil|lus, der; -, ...llen
(*Biol.; Med.* Sporen bildender Spaltpilz)
be|ab|sich|ti|gen
be|ach|ten; be|ach|tens|wert; be|acht|lich;
Be|ach|tung
Beach|vol|ley|ball, Beach-Vol|ley|ball
['bi:tʃ...] (Strandvolleyball)
be|ackern ([den Acker] bestellen; *ugs. auch*
für gründlich bearbeiten)
bea|men ['bi:mən] (bis zur Unsichtbarkeit
auflösen u. an einem anderen Ort wieder
Gestalt annehmen lassen [in Filmen]; mit
einem Beamer wiedergeben); gebeamt;
Bea|mer, der; -s, - (Gerät zur Projektion
von Daten auf eine Leinwand)
Be|am|te, der; -n, -n; Be|am|ten|be|lei|di-
gung; be|am|tet; Be|am|tin
be|ängs|ti|gend
be|an|spru|chen; Be|an|spru|chung
be|an|stan|den; Be|an|stan|dung
be|an|tra|gen; beantragt; Be|an|tra|gung
be|ant|wor|ten; Be|ant|wor|tung
be|ar|bei|ten; Be|ar|bei|tung
Beat [bi:t], der; -[s], -s (*Musik* Schlagrhythmus; betonter Taktteil; *kurz für* Beatmu-
sik)
be|at|men (*Med.*); Be|at|mung
Beat|mu|sik ['bi:t...], die; - ([Tanz]musik mit
betontem Schlagrhythmus)
Beau [bo:], der; -[s], -s (*spöttisch für* schöner
Mann)
be|auf|sich|ti|gen; Be|auf|sich|ti|gung
be|auf|tra|gen; beauftragt; Be|auf|trag|te,
der *u.* die; -n, -n; Be|auf|tra|gung
be|äu|gen; beäugt
Beau|ty|farm, Beau|ty-Farm ['bju:ti...], die;
-, -en (Schönheitsfarm)
be|bau|en; Be|bau|ung; Be|bau|ungs|plan
be|ben; Be|ben, das; -s, -
be|bil|dern; Be|bil|de|rung
Bé|cha|mel|so|ße, Béchamelsauce [beʃa-
'mɛlzo:sə]
Be|cher, der; -s, -; be|chern (*ugs. scherzh.*
für tüchtig trinken)
be|cir|cen *vgl.* bezirzen
Be|cken, das; -s, -

Bec|que|rel [bɛkə...], das; -s, - (Maßeinheit
für die Aktivität ionisierender Strahlung;
Zeichen Bq)
be|da|chen (*Handwerk* mit einem Dach ver-
sehen); be|dacht; auf eine Sache bedacht
sein; Be|dacht, der; -[e]s; mit Bedacht; auf
etwas Bedacht nehmen (*Amtsspr.*)
be|däch|tig; Be|däch|tig|keit, die; -
be|dan|ken, sich
Be|darf, der; -[e]s, *Plur. (fachspr.)* -e; nach
Bedarf; der Bedarf an etwas; bei Bedarf;
Be|darfs|fall, der; im Bedarfsfall[e]; be-
darfs|ge|recht
be|dau|er|lich; be|dau|er|li|cher|wei|se
be|dau|ern; Be|dau|ern, das; -s; be|dau-
erns|wert
be|de|cken; be|deckt; bedeckter Himmel;
Be|de|ckung
be|den|ken; bedacht (*vgl. d.*); sich eines Bes-
ser[e]n bedenken; Be|den|ken, das; -s, -;
be|den|ken|los; be|denk|lich; Be|denk-
lich|keit; Be|denk|zeit, die; -
be|deu|ten; bedeutend; am bedeutends-
ten; *aber* das Bedeutendste
be|deut|sam; Be|deut|sam|keit
Be|deu|tung; be|deu|tungs|los; Be|deu-
tungs|lo|sig|keit; be|deu|tungs|voll
be|dien|bar; leicht bedienbare Armaturen
be|die|nen; sich eines Kompasses bedie-
nen (*geh.*); bedient sein (*ugs. für* genug
haben)
be|diens|tet (in Dienst stehend); Be|diens-
te|te, der *u.* die; -n, -n
Be|die|nung; Be|die|nungs|an|lei|tung
¹be|din|gen (voraussetzen; zur Folge haben);
sich gegenseitig bedingen; *vgl.* bedingt
²be|din|gen (*älter für* ausbedingen); du be-
dangst; bedungen; der bedungene Lohn
be|dingt (eingeschränkt, an Bedingungen
geknüpft); Be|din|gung; be|din|gungs-
los
be|drän|gen; Be|dräng|nis, die; -, -se; Be-
dräng|te, der *u.* die; -n, -n; Be|dräng-
gung
be|dro|hen; be|droh|lich; Be|dro|hung
be|dru|cken

be|drü|cken; be|drückt; Be|drückt|heit; Be|drü|ckung

Be|du|i|ne, der; -n, -n (arab. Nomade); **Be-du|i|nin**

be|dun|gen *vgl.* ²bedingen

be|dür|fen *(geh.); mit Gen.:* des Trostes bedürfen; **Be|dürf|nis,** das; -ses, -se; **be-dürf|nis|los; be|dürf|tig;** *mit Gen.:* der Hilfe bedürftig; **Be|dürf|tig|keit**

Beef|steak ['bi:fste:k], das; -s, -s (Rinds[len-den]stück); deutsches Beefsteak

be|ei|den (mit einem Eid bekräftigen)

be|ei|len, sich; **Be|ei|lung,** die; - *(meist als Aufforderung)*

be|ein|dru|cken; eine beeindruckende Tat

be|ein|fluss|bar; Be|ein|fluss|bar|keit, die; -; **be|ein|flus|sen;** du beeinflusst; **Be|ein-flus|sung**

be|ein|träch|ti|gen; Be|ein|träch|ti|gung

be|en|den; beendet; **be|en|di|gen; Be|en-di|gung; Be|en|dung**

be|er|ben; jmdn. beerben

be|er|di|gen; Be|er|di|gung; Be|er|di-gungs|in|s|ti|tut

Bee|re, die; -, -n; **Bee|ren|obst**

Beet, das; -[e]s, -e

Bee|te *vgl.* Bete

be|fä|hi|gen; ein befähigter Mensch; **Be|fä-hi|gung; Be|fä|hi|gungs|nach|weis**

be|fahr|bar; Be|fahr|bar|keit, die; -; **be|fah-ren;** eine Straße befahren

Be|fall, der; -[e]s; **be|fal|len**

be|fan|gen (schüchtern; voreingenommen); **Be|fan|gen|heit**

be|fas|sen; befasst; sich mit etwas befassen; jmdn. mit etwas befassen *(Amtsspr.)*

Be|fehl, der; -[e]s, -e; **be|feh|len;** du befiehlst; du befahlst; du befählest, *älter* beföhlest; befohlen; befiehl!; **be|feh|li-gen; Be|fehls|ha|ber; Be|fehls|ha|be|rin; Be|fehls|ver|wei|ge|rung**

be|fes|ti|gen; Be|fes|ti|gung

be|feuch|ten; Be|feuch|tung

be|feu|ern

Beff|chen (Halsbinde mit zwei Leinenstreifen vorn am Halsausschnitt von Amtstrachten)

be|fin|den; befunden; etwas für gut befin-den; sich befinden; **Be|fin|den,** das; -s

be|find|lich; der im Kasten befindliche Schmuck

Be|find|lich|keit (seel. Zustand)

be|flis|sen (eifrig bemüht); um Anerkennung beflissen; **Be|flis|sen|heit,** die; -

be|flü|geln *(geh.)*

be|fol|gen; Be|fol|gung

be|för|dern; Be|för|de|rung

be|fra|gen; auf Befragen; **Be|fra|gung**

be|frei|en; sich befreien; **Be|frei|er; Be|frei-e|rin; Be|frei|ung; Be|frei|ungs|be|we-gung; Be|frei|ungs|schlag**

be|frem|den; es befremdet [mich]; **Be|frem-den,** das; -s; **be|fremd|lich**

be|freun|den, sich; **be|freun|det**

be|frie|den (Frieden bringen; *geh. für* einhe-gen); befriedet

be|frie|di|gen (zufriedenstellen); **be|frie|di-gend** *vgl.* ausreichend; **Be|frie|di|gung**

Be|frie|dung

be|fris|ten; be|fris|tet; ein befristetes Arbeitsverhältnis; **Be|fris|tung**

be|fruch|ten; Be|fruch|tung

be|fu|gen; Be|fug|nis, die; -, -se; **be|fugt;** befugt sein

Be|fund, der; -[e]s, -e (Feststellung); nach Befund; ohne Befund *(Med.; Abk.* o. B.*)*

be|fürch|ten; Be|fürch|tung

be|für|wor|ten; Be|für|wor|ter; Be|für|wor-te|rin; Be|für|wor|tung

be|ga|ben *(geh. für* mit etw. ausstatten*)*

be|gabt; Be|gab|te, der *u.* die; -n, -n; **Be|ga-bung**

be|gat|ten; Be|gat|tung

be|ge|ben, sich (irgendwohin gehen; sich ereignen; verzichten); **Be|ge|ben|heit**

be|geg|nen; jmdm. begegnen; **Be|geg-nung; Be|geg|nungs|stät|te**

be|geh|bar; be|ge|hen; ein Unrecht bege-hen; die begangenen Straftaten

be|geh|ren; Be|geh|ren das; -s, - *Plur. sel-ten;* **be|geh|rens|wert; be|gehr|lich; Be-gehr|lich|keit; be|gehrt**

Be|ge|hung

be|geis|tern; ich begeistere; sich begeistern;
be|geis|tert; Be|geis|te|rung; be|geis|te-
rungs|fä|hig; Be|geis|te|rungs|sturm
Be|gier|de, die; -, -n; be|gie|rig
be|gie|ßen
Be|ginn der; -[e]s, -e Plur. selten; von Beginn
an; zu Beginn; be|gin|nen; begann; begon-
nen; Be|gin|nen, das; -s (Vorhaben)
be|glau|bi|gen; beglaubigte Abschrift; Be-
glau|bi|gung
be|glei|chen; eine Rechnung begleichen; Be-
glei|chung
be|glei|ten (mitgehen); begleitet; Be|glei-
ter; Be|glei|te|rin; Be|gleit|er|schei-
nung; Be|gleit|schrei|ben; Be|glei|tung
be|glü|cken
be|glück|wün|schen; beglückwünscht
be|gna|det (hochbegabt)
be|gna|di|gen (jmdm. seine Strafe erlassen);
Be|gna|di|gung
be|gnü|gen, sich
Be|go|nie, die; -, -n (eine Zierpflanze)
be|gon|nen vgl. beginnen
be|gra|ben; Be|gräb|nis, das; -ses, -se
be|gra|di|gen ([einen ungeraden Weg od.
Wasserlauf] gerade legen); Be|gra|di|gung
be|grei|fen vgl. begriffen; be|greif|lich; be-
greif|li|cher|wei|se
be|gren|zen; be|grenzt; Be|grenzt|heit;
Be|gren|zung
Be|griff, der; -[e]s, -e; im Begriff sein; be-
grif|fen; diese Tierart ist im Aussterben
begriffen; be|griff|lich; be|griffs|stut|zig
be|grün|den; Be|grün|der; Be|grün|de|rin
be|grün|det; Be|grün|dung
be|grü|nen; Be|grü|nung
be|grü|ßen; Be|grü|ßens|wert; Be|grü-
ßung; Be|grü|ßungs|an|spra|che
be|güns|ti|gen; Be|güns|ti|gung
be|gut|ach|ten; Be|gut|ach|tung
be|gü|tert
be|haart; Be|haa|rung
be|hä|big; Be|hä|big|keit
be|haf|tet; mit etwas behaftet sein
be|ha|gen; Be|ha|gen, das; -s
be|hag|lich; Be|hag|lich|keit

be|hal|ten
Be|häl|ter; Be|hält|nis, das; -ses, -se
be|hän|de; mit behänden Schritten
be|han|deln
Be|hän|dig|keit, die; -
Be|hand|lung; Be|hand|lungs|me|tho|de
be|han|gen; der Baum ist mit Äpfeln behan-
gen; be|hän|gen vgl. ²hängen
be|har|ren; be|harr|lich; Be|harr|lich|keit,
die; -; Be|har|rungs|ver|mö|gen
be|haup|ten; sich behaupten; Be|haup-
tung
Be|hau|sung
be|he|ben; Be|he|bung
be|hei|ma|tet
be|hei|zen; Be|hei|zung, die; -
Be|helf, der; -[e]s, -e; be|hel|fen, sich; ich
behelfe mich, auch mir; be|helfs|mä|ßig;
Be|helfs|un|ter|kunft
be|hel|li|gen (belästigen)
be|her|ber|gen; Be|her|ber|gung
be|herr|sch|bar; be|herr|schen; sich beherr-
schen; be|herrscht; Be|herrsch|te, der u.
die; -n, -n; Be|herrscht|heit; Be|herr-
schung, die; -
be|her|zi|gen; Be|her|zi|gung; be|herzt
(entschlossen); Be|herzt|heit, die; -
be|hilf|lich
be|hin|dern; be|hin|dert; geistig behindert;
Be|hin|der|te, der u. die; -n, -n; die körper-
lich Behinderten; be|hin|der|ten|ge|recht;
Be|hin|de|rung
Be|hör|de, die; -, -n; be|hörd|lich
be|hü|ten; behüt' dich Gott!
be|hut|sam; Be|hut|sam|keit
bei (Abk. b.); Präp. mit Dat.: beim (vgl. d.);
bei jmdm. stehen; bei Weitem od. weitem
bei|be|hal|ten; Bei|be|hal|tung
bei|brin|gen; jmdm. etwas beibringen (leh-
ren); jmdm. eine Wunde beibringen
Beich|te, die; -, -n; beich|ten; Beicht|ge-
heim|nis; Beicht|stuhl; Beicht|va|ter
bei|de; die beiden, diese beiden; dies beides,
[dieses] beides; alles beides; alle beide;
einer von beiden; wir beide, seltener wir
beiden; ihr beiden, auch ihr beide; wir, ihr

beiden jungen Leute; sie beide (*als Anrede* Sie beide); beide Mal, beide Male

bei|der|lei; Personen beiderlei Geschlecht[e]s; **bei|der|sei|tig**; in beiderseitigem Einverständnis; **bei|der|seits**; *Präp. mit Gen.:* beiderseits des Flusses

beid|sei|tig; beidseitig furniert

bei|ei|n|an|der; sich beieinander ausweinen; beieinander sein (zusammen sein); gut beieinander sein (gesund sein)

bei|ei|n|an|der|ha|ben; wir müssten alles beieinanderhaben; **bei|ei|n|an|der|sit|zen**; **bei|ei|n|an|der|ste|hen**

Bei|fah|rer; **Bei|fah|re|rin**; **Bei|fah|rer|sitz**

Bei|fall, der; -[e]s; **Bei|fall hei|schend**, **bei|fall|hei|schend**; ein Beifall heischender *od.* beifallheischender Blick

bei|fäl|lig; **Bei|fall[s]|klat|schen**, das; -s

bei|fü|gen; **Bei|fü|gung** (*auch für* Attribut)

Bei|fuß, der; -es (eine Gewürzpflanze)

Bei|ga|be (Zugabe)

beige [beːʃ, bɛːʃ] (sandfarben); ein beige[farbenes], beiges Kleid; *vgl.* blau; **Beige**, das; -, *Plur.* -, *ugs.* -s

bei|ge|ben (*auch für* sich fügen); klein beigeben

Bei|ge|schmack, der; -[e]s

bei|hef|ten

Bei|hil|fe; Beihilfe beantragen

bei|kom|men; ihm ist nicht beizukommen (er ist nicht zu fassen, zu besiegen)

Beil, das; -[e]s, -e

Bei|la|ge

bei|läu|fig; **Bei|läu|fig|keit**

bei|le|gen; **Bei|le|gung**

bei|lei|be; beileibe nicht (auf keinen Fall)

Bei|leid; **Bei|leids|be|zei|gung**, **Bei|leids|be|zeu|gung**

bei|lie|gen; **bei|lie|gend** (*Abk.* beil.)

beim (bei dem; *Abk.* b.); beim Singen

bei|mes|sen

bei|mi|schen; **Bei|mi|schung**

Bein, das; -[e]s, -e

bei|nah [*auch* ...'naː], **bei|na|he** [*auch* ...'naːə]

Bei|na|me

bein|am|pu|tiert

Bein|ar|beit (*Sport*); **Bein|bruch**, der

be|in|hal|ten (enthalten, bedeuten); es beinhaltete; beinhaltet

bein|hart (*ugs. für* sehr hart)

Bei|pack|zet|tel

bei|pflich|ten

Bei|rat *Plur.* ...räte

be|ir|ren; sich nicht beirren lassen

bei|sam|men; beisammen sein (einer bei dem andern sein; *auch für* in guter körperlicher u. geistiger Verfassung sein); wir sind lange beisammen gewesen; die damals noch alle beisammen gewesenen *od.* beisammengewesenen Familienmitglieder; **bei|sam|men|blei|ben**; **bei|sam|men|ha|ben**; **Bei|sam|men|sein**, das; -s; **bei|sam|men|sit|zen**; **bei|sam|men|ste|hen**

Bei|schlaf (*geh., Rechtsspr.* Geschlechtsverkehr)

Bei|sein, das; -s; in ihrem Beisein

bei|sei|te; Spaß, Scherz beiseite!

bei|sei|te|las|sen; **bei|sei|te|le|gen**; **bei|sei|te|neh|men**; jmdn. beiseitenehmen (mit jmdm. unter vier Augen sprechen); **bei|sei|te|schaf|fen**

bei|set|zen; **Bei|set|zung**

Bei|sit|zer; **Bei|sit|ze|rin**

Bei|spiel, das; -[e]s, -e; zum Beispiel (*Abk.* z. B.); **bei|spiel|haft**; **bei|spiel|los**; **bei|spiels|hal|ber**; **bei|spiels|wei|se**; (*Abk.* bspw.)

bei|ßen; du beißt; ich biss, du bissest; gebissen; beiß[e]; der Hund beißt ihn (*auch* ihm) ins Bein; sich beißen ([von Farben] nicht harmonieren)

beiß|wü|tig; **Beiß|zan|ge**

Bei|stand, der; -[e]s, Beistände; **Bei|stands|pakt**; **bei|ste|hen**

bei|steu|ern

Bei|strich (*bes. österr. für* Komma)

Bei|trag, der; -[e]s, ...träge; **bei|tra|gen**; er hat das Seine *od.* seine, sie hat das Ihre *od.* ihre dazu beigetragen; **Bei|trags|satz**; **Bei|trags|zah|ler**; **Bei|trags|zah|le|rin**

bei|tre|ten; **Bei|tritt**; **Bei|tritts|er|klä|rung**; **Bei|tritts|land** (*Politik*); **Bei|tritts|ver|hand|lung** *meist Plur.*

Bei|werk, das; -[e]s (Unwichtiges)

bei|woh|nen *(geh.);* einem Staatsakt beiwohnen; **Bei|woh|nung**

Bei|ze, die; -, -n (chem. Flüssigkeit zum Färben, Gerben u. Ä.)

bei|zei|ten

bei|zen; du beizt

be|ja|hen; Be|ja|hung

be|jam|mern; be|jam|merns|wert

be|ju|beln

be|kämp|fen; Be|kämp|fung

be|kannt; bekannt sein; eine Verfügung bekannt geben *od.* bekanntgeben; er soll mich mit ihm bekannt machen *od.* bekanntmachen; das Gesetz wurde bekannt gemacht *od.* bekanntgemacht (veröffentlicht); der Wortlaut ist bekannt geworden *od.* bekanntgeworden; ich bin bald mit ihm bekannt geworden *od.* bekanntgeworden; jmd., etw. Bekanntes

Be|kann|te, der u. die; -n, -n; liebe Bekannte; Be|kann|ten|kreis; be|kann|ter|ma|ßen; Be|kannt|ga|be; be|kannt ge|ben, bekannt|ge|ben *vgl.* bekannt; Be|kannt|heit; Be|kannt|heits|grad, der; -[e]s; be|kannt|lich; be|kannt ma|chen, be|kannt|machen *vgl.* bekannt; Be|kannt|ma|chung; Be|kannt|schaft; be|kannt wer|den, be|kannt|wer|den *vgl.* bekannt

be|keh|ren; sich bekehren; Be|kehr|te, der u. die; -n, -n; Be|keh|rung

be|ken|nen; sich bekennen; Be|ken|nerschrei|ben (Schreiben, in dem sich jmd. zu einem [politischen] Verbrechen bekennt); Be|kennt|nis, das; -ses, -se

be|kla|gen; sich beklagen; be|kla|genswert; Be|klag|te, der u. die; -n, -n (*Rechtsw.*) jmd., gegen den eine [Zivil]klage erhoben wird)

be|klat|schen

be|klau|en (*ugs. für* bestehlen)

be|kle|ben

be|kle|ckern (*ugs. für* beklecksen); sich bekleckern

be|klei|den; ein Amt bekleiden; Be|kleidung; Be|klei|dungs|in|dus|t|rie

be|klem|mend; Be|klem|mung

be|klom|men (bedrückt, ängstlich); Be|klom|men|heit, die; -

be|kloppt (*ugs. für* dumm; unerfreulich)

be|kni|en; jmdn. beknien (*ugs. für* jmdn. dringend bitten)

be|ko|chen; jmdn. bekochen (*ugs. für* für jmdn. kochen)

be|kom|men; ich habe es bekommen; es ist mir gut bekommen

be|kömm|lich; ein leicht bekömmliches *od.* leichtbekömmliches Essen; *aber nur* ein leichter bekömmliches, ein besonders leicht bekömmliches Essen

be|kräf|ti|gen; Be|kräf|ti|gung

be|krän|zen

be|kreu|zi|gen, sich

be|krie|gen

be|küm|mern; das bekümmert ihn; sich um jmdn. *od.* etwas bekümmern; Be|küm|mernis, die; -, -se; be|küm|mert

be|kun|den (*geh.);* Be|kun|dung

be|lä|cheln

be|la|den *vgl.* ¹laden; Be|la|dung

Be|lag, der; -[e]s, ...läge

be|la|ge|rer; Be|la|ge|rin; be|la|gern; Be|la|ge|rung; Be|la|ge|rungs|zustand

be|läm|mert (*ugs. für* betreten; übel)

Be|lang, der; -[e]s, -e; von Belang sein

be|lan|gen; jmdn. belangen (zur Rechenschaft ziehen; verklagen)

be|lang|los; Be|lang|lo|sig|keit

be|las|sen

be|last|bar; Be|last|bar|keit; be|las|ten; be|las|tend

be|läs|ti|gen; Be|läs|ti|gung

Be|las|tung; Be|las|tungs-EKG (*Med.);* Be|las|tungs|gren|ze

be|lau|fen; sich belaufen; die Kosten haben sich auf ... belaufen; be|lau|schen

be|le|ben; be|lebt; Be|le|bung

Be|leg, der; -[e]s, -e; be|le|gen; Be|leg|exem|p|lar; Be|leg|schaft

be|legt; belegte Brötchen

Be|le|gung *Plur. selten*

be|leh|ren; eines and[e]ren od. andern belehren, aber eines Besser[e]n od. Bessren belehren; Be|leh|rung
be|leibt; Be|leibt|heit
be|lei|di|gen; be|lei|digt; Be|lei|di|gung
be|leuch|ten; Be|leuch|tung; Be|leuch-tungs|tech|nik
be|leum|det, be|leu|mun|det; sie ist gut, übel beleumdet
be|lich|ten; Be|lich|tung
be|lie|ben (geh. für wünschen); es beliebt (gefällt) mir (oft iron.); Be|lie|ben, das; -s; nach Belieben; es steht in ihrem Belieben; be|lie|big; jeder Beliebige; alle Beliebigen
be|liebt; Be|liebt|heit, die; -
be|lie|fern; Be|lie|fe|rung
bel|len
Bel|le|t|ris|tik, die; - (Unterhaltungslitera-tur); bel|le|t|ris|tisch
Belle|vue, das; -[s], -s (Bez. für Schloss, Gaststätte mit schöner Aussicht)
be|lo|bi|gen; Be|lo|bi|gung
be|loh|nen; Be|loh|nung
be|lüf|ten; Be|lüf|tung
be|lü|gen
be|lus|ti|gen; sich belustigen; Be|lus|ti|gung
Bel|ve|de|re, das; -[s], -s (Aussichtspunkt; Bez. für Schloss mit schöner Aussicht)
be|mäch|ti|gen, sich; sich des Geldes bemächtigen; Be|mäch|ti|gung
be|ma|len; Be|ma|lung
be|män|geln; ich bemäng[e]le
be|mannt; die bemannte Raumfahrt
be|män|teln (beschönigen); ich bemänt[e]le
be|merk|bar; sich bemerkbar machen; be-mer|ken; Be|mer|ken, das; -s; mit dem Bemerken; be|mer|kens|wert; Be|mer-kung (Abk. Bem.)
be|mes|sen; sich bemessen; Be|mes|sung; Be|mes|sungs|grund|la|ge (Fachspr.)
be|mit|lei|den
be|mü|hen; sich bemühen; er ist um sie bemüht; be|müht (angestrengt, eifrig); Be-mü|hung
be|mü|ßigt; ich sehe mich bemüßigt (geh. für veranlasst, genötigt)

be|mut|tern; Be|mut|te|rung
be|nach|bart
be|nach|rich|ti|gen; Be|nach|rich|ti|gung
be|nach|tei|li|gen; Be|nach|tei|li|gung
be|nannt
Bench|mark ['bɛntʃmark], die; -, -s u. der; -s, -s (Wirtsch. Maßstab für Leistungsverglei-che)
be|ne|beln (verwirren, den Verstand trüben); be|ne|belt (ugs. für [durch Alkohol] geistig verwirrt)
Be|ne|dik|ti|ner (Mönch des Benediktineror-dens; auch Likörsorte); Be|ne|dik|ti|ne|rin
Be|ne|fiz|kon|zert (Wohltätigkeitskonzert)
be|neh|men vgl. benommen
Be|neh|men, das; -s; sich mit jmdm. ins Benehmen setzen
be|nei|den; be|nei|dens|wert
Be|ne|lux|staa|ten, Be|ne|lux-Staa|ten Plur.
be|nen|nen; Be|nen|nung
be|net|zen (geh.)
ben|ga|lisch; bengalisches Feuer (Buntfeuer)
Ben|ga|lo, der; -s, -s (bengalisches Feuer)
Ben|gel, der; -s, Plur. -, ugs. -s ([ungezoge-ner] Junge; veraltet für Stock, Prügelholz)
be|nom|men (fast betäubt); Be|nom|men-heit
be|no|ten
be|nö|ti|gen
Be|no|tung
be|nutz|bar, südd., österr. u. schweiz. meist be|nütz|bar; be|nut|zen, südd., österr. u. schweiz. meist be|nüt|zen; Be|nut|zer, südd., österr. u. schweiz. meist Be|nüt|zer
be|nut|zer|freund|lich; Be|nut|zer|freund-lich|keit; Be|nut|ze|rin, südd., österr. u. schweiz. meist Be|nüt|ze|rin; Be|nut|zer-na|me (bes. EDV); Be|nut|zer|ober|flä|che (EDV Darstellung eines Programms auf einem Computerbildschirm)
Be|nut|zung, südd., österr. u. schweiz. meist Be|nüt|zung; Be|nut|zungs|ge|bühr, südd., österr. u. schweiz. meist Be|nüt-zungs|ge|bühr
Ben|zin, das; -s, -e; Ben|zi|ner (ugs. für Auto

B

mit Benzinmotor); Ben|zin|ka|nis|ter; Ben-
zin|mo|tor; Ben|zin|preis
Ben|zol, das; -s, -e (Teerdestillat aus Stein-
kohle; Lösungsmittel)
be|ob|ach|ten; Be|ob|ach|ter; Be|ob|ach-
te|rin; Be|ob|ach|tung; Be|ob|ach|tungs-
ga|be
be|or|dern; ich beordere
be|pflan|zen; Be|pflan|zung
be|quat|schen (ugs. für bereden)
be|quem; be|que|men, sich; Be|quem|lich-
keit
be|rap|pen (ugs. für bezahlen)
be|ra|ten; beratende Ingenieurin; Be|ra|ter;
Be|ra|te|rin; Be|ra|ter|ver|trag (Wirtsch.)
be|rat|schla|gen; du beratschlagtest; berat-
schlagt; Be|rat|schla|gung
Be|ra|tung; Be|ra|tungs|aus|schuss; Be|ra-
tungs|ge|spräch; Be|ra|tungs|stel|le
be|rau|ben; Be|rau|bung
be|rau|schen; sich berauschen; be|rau-
schend
be|re|chen|bar; be|rech|nen; be|rech-
nend; Be|rech|nung
be|rech|ti|gen; be|rech|tigt; Be|rech|tig|te,
der u. die; -n, -n; be|rech|tig|ter|wei|se;
Be|rech|ti|gung
be|re|den; be|red|sam; Be|red|sam|keit,
die; -; be|redt; Be|redt|heit, die; -
be|reg|nen; Be|reg|nungs|an|la|ge
Be|reich, der, selten das; -[e]s, -e
be|rei|chern; ich bereichere mich; Be|rei-
che|rung
be|reichs|über|grei|fend
be|rei|fen (mit Reifen versehen); das Auto ist
neu bereift; be|reift (mit Reif bedeckt)
Be|rei|fung
be|rei|ni|gen; Be|rei|ni|gung
be|rei|sen; ein Land bereisen
be|reit; [zu allem] bereit sein; sich zu etw.
bereit machen od. bereitmachen; sich zu
etw. bereit erklären od. bereiterklären
be|rei|ten (zubereiten); bereitet
be|reit er|klä|ren, be|reit|er|klä|ren vgl.
bereit; be|reit|fin|den; ich habe mich zu
diesem Schritt bereitgefunden; be|reit|ha-

ben; wir werden alles rechtzeitig bereitha-
ben; be|reit|hal|ten; ich habe das Geld
bereitgehalten; wir werden uns bereithal-
ten; be|reit|le|gen; ich habe das Buch
bereitgelegt; be|reit|lie|gen; die Bücher
werden bereitliegen; **be|reit ma|chen**, be-
reit|ma|chen vgl. bereit; be|reits
Be|reit|schaft; Be|reit|schafts|dienst
be|reit|ste|hen; das Essen hat bereitgestan-
den; be|reit|stel|len; Be|reit|stel|lung
be|reit|wil|lig; Be|reit|wil|lig|keit
be|reu|en
Berg, der; -[e]s, -e; zu Berg[e] fahren
berg|ab; bergab gehen
Ber|ga|mot|te, die; -, -n (eine Birnensorte;
eine Zitrusfrucht); Ber|ga|mott|öl
berg|an; bergan gehen; Berg|ar|bei|ter;
Berg|ar|bei|te|rin; berg|auf; bergauf stei-
gen; Berg|bahn; Berg|bau, der; -[e]s
ber|gen; [etwas in sich] bergen; du birgst; du
bargst; du bärgest; geborgen; birg!
ber|ge|wei|se (ugs.); Berg|fahrt (Fahrt den
Strom, den Berg hinauf; Ggs. Talfahrt);
Berg|fried, der; -[e]s, -e (Hauptturm auf
Burgen; Wehrturm); Berg|füh|rer; Berg-
füh|re|rin; Berg|hang
ber|gig
Berg|kris|tall, der; -s, -e (ein Mineral); Berg-
mann Plur. ...leute, seltener ...männer;
Berg|pre|digt, die; - (N. T.)
berg|stei|gen meist im Infinitiv gebr.; selte-
ner ich bergsteige, bin berggestiegen;
Berg|stei|gen, das; -s; Berg|stei|ger;
Berg|stei|ge|rin
Berg-und-Tal-Fahrt
Ber|gung; Ber|gungs|mann|schaft
Berg|wacht; berg|wan|dern nur im Infinitiv
gebr.; oft als Substantivierung: das Berg-
wandern; Berg|wan|de|rung; Berg|werk
Be|richt, der; -[e]s, -e; Bericht erstatten
be|rich|ten; Be|richt|er|stat|ter; Be|richt-
er|stat|te|rin; Be|richt|er|stat|tung
be|rich|ti|gen; Be|rich|ti|gung
Be|richts|jahr; Be|richts|zeit|raum
be|rie|chen; sich beriechen (ugs. für vorsich-
tig Kontakte herstellen)

be|rie|seln; Be|rie|se|lung, Be|rie|se|lungs|an|la|ge

be|rit|ten; berittene Polizei

Ber|li|ner (*auch kurz für* Berliner Pfannkuchen); ein Berliner Kind; Berliner Republik; Ber|li|ne|rin; ber|li|ne|risch; ber|li|nisch

Ber|mu|da|shorts, Ber|mu|da-Shorts *Plur.* (fast knielange Shorts od. Badehose)

Bern|har|di|ner, der; -s, - (eine Hunderasse)

Bern|stein ([als Schmuckstein verarbeitetes] fossiles Harz); bern|stei|ne|r|n

Ber|ser|ker [*oder* ...'zer...], der; -s, - (wilder Krieger; *auch für* blindwütig tobender Mensch); Ber|ser|ke|rin

bers|ten; es birst; es barst; geborsten

be|rüch|tigt

be|rück|sich|ti|gen; Be|rück|sich|ti|gung

Be|ruf, der; -[e]s, -e

be|ru|fen; sich auf jmdn. od. etwas berufen

be|ruf|lich; Be|rufs|aka|de|mie

Be|rufs|an|fän|ger; Be|rufs|an|fän|ge|rin; Be|rufs|aus|bil|dung; Be|rufs|aus|sich|ten *Plur.*; be|rufs|be|glei|tend; berufsbegleitendes Studium; Be|rufs|be|ra|tung; Be|rufs|bild; be|rufs|bil|dend; berufsbildende Schulen; Be|rufs|ein|stei|ger; Be|rufs|ein|stei|ge|rin; Be|rufs|er|fah|rung; Be|rufs|feu|er|wehr; Be|rufs|ge|nos|sen|schaft; Be|rufs|grup|pe; Be|rufs|le|ben, das; -s; Be|rufs|schu|le; Be|rufs|sol|dat; Be|rufs|sol|da|tin; Be|rufs|stand; be|rufs|tä|tig; Be|rufs|tä|ti|ge, der u. die; -n, -n; Be|rufs|tä|tig|keit; Be|rufs|un|fä|hig|keit; Be|rufs|ver|bot; Be|rufs|ver|kehr, der; -[e]s; Be|rufs|wahl, die; -

Be|ru|fung; Be|ru|fungs|ge|richt; Be|ru|fungs|in|s|tanz; Be|ru|fungs|ver|fah|ren

be|ru|hen; auf einem Irrtum beruhen; die Sache auf sich beruhen lassen

be|ru|hi|gen; sich beruhigen; ein beruhigender Kräutertee; Be|ru|hi|gung; Be|ru|hi|gungs|mit|tel, das

be|rühmt; be|rühmt-be|rüch|tigt

Be|rühmt|heit

be|rüh|ren; Be|rüh|rung; Be|rüh|rungs|angst (*Psychol.*); Be|rüh|rungs|punkt

Be|ryll, der; -s, -e (ein Edelstein)

be|sa|gen; das besagt nichts; be|sagt (*Amtsspr.* erwähnt)

be|sai|ten; zart besaitet; *vgl.* zart

be|sa|men; Be|sa|mung

be|sänf|ti|gen; Be|sänf|ti|gung

Be|satz, der; -es, Besätze

Be|sat|zer, der; -s, - (*ugs. abwertend für* Angehöriger einer Besatzungsmacht); Be|sat|ze|rin; Be|sat|zung; Be|sat|zungs|macht; Be|sat|zungs|zo|ne

be|sau|fen, sich (*derb für* sich betrinken); besoffen; Be|säuf|nis, das; -ses, -se od. die; -, -se (*ugs. für* ausgiebiges Zechen)

be|schä|di|gen; Be|schä|di|gung

¹be|schaf|fen (besorgen); sie beschaffte, hat beschafft

²be|schaf|fen (geartet); mit etwas ist es gut, schlecht beschaffen; Be|schaf|fen|heit

Be|schaf|fung; Be|schaf|fungs|kri|mi|na|li|tät (kriminelle Handlungen zur Beschaffung von [Geld für] Drogen)

be|schäf|ti|gen; sich [mit etw.] beschäftigen; beschäftigt sein; Be|schäf|tig|te, der u. die; -n, -n

Be|schäf|ti|gung; Be|schäf|ti|gungs|po|li|tik; Be|schäf|ti|gungs|ver|hält|nis

be|schal|len (starken Schall eindringen lassen; *Technik u. Med.* mit Ultraschall behandeln, untersuchen); Be|schal|lung

be|schä|men; be|schä|mend

be|schat|ten; Be|schat|tung

be|schau|lich; Be|schau|lich|keit

Be|scheid, der; -[e]s, -e; Bescheid geben, sagen, tun, wissen

¹be|schei|den; eine bescheidene Frau

²be|schei|den; beschied; beschieden; ein Gesuch abschlägig bescheiden (*Amtsspr.* ablehnen); sich bescheiden (sich zufriedengeben); Be|schei|den|heit

be|schei|ni|gen; Be|schei|ni|gung

be|schei|ßen (*derb für* betrügen); beschissen

be|schen|ken

¹be|sche|ren (beschneiden); beschoren; *vgl.* ¹scheren

²be|sche|ren (schenken; zuteilwerden lassen; *auch für* beschenken); jmdm. [etwas] bescheren; die Kinder wurden [reich] beschert; Be|sche|rung

be|scheu|ert (*derb für* nicht bei Verstand; ärgerlich, lästig)

be|schich|ten; Be|schich|tung

be|schie|ßen; Be|schie|ßung

be|schil|dern; Be|schil|de|rung

be|schimp|fen; Be|schimp|fung

Be|schiss, der; -es (*derb für* Betrug); be|schis|sen (*derb für* sehr schlecht)

Be|schlag, der; -[e]s, Beschläge; in Beschlag nehmen, halten

¹be|schla|gen; gut beschlagen (bewandert; kenntnisreich) sein

²be|schla|gen; Pferde beschlagen; die Fenster sind beschlagen; die Glasscheibe beschlägt [sich] (läuft an)

Be|schlag|nah|me, die; -, -n; be|schlag|nah|men; beschlagnahmt; Be|schlag|nah|mung

be|schlei|chen

be|schleu|ni|gen; be|schleu|nigt (schnell); Be|schleu|ni|gung

be|schlie|ßen; be|schlos|sen

Be|schluss; be|schluss|fä|hig; Be|schluss|fä|hig|keit, die; -; Be|schluss|fas|sung

be|schmie|ren

be|schmut|zen; Be|schmut|zung

be|schnei|den; Be|schnei|dung

beschnuppern

be|schö|ni|gen; Be|schö|ni|gung

be|schrän|ken; sich beschränken; be|schränkt (beengt); Be|schränkt|heit; Be|schrän|kung

be|schrei|ben; Be|schrei|bung

be|schrei|ten (*geh.*)

be|schrif|ten; Be|schrif|tung

be|schul|di|gen; jmdn. eines Verbrechens beschuldigen; Be|schul|dig|te, der *u.* die; -n, -n; Be|schul|di|gung

be|schum|meln (*ugs.*)

Be|schuss, der; -es

be|schüt|zen; Be|schüt|zer; Be|schüt|ze|rin

be|schwat|zen (*ugs.*)

Be|schwer|de, die; -, -n; Beschwerde führen; be|schwer|de|frei; Be|schwer|de|füh|rer (*Rechtsswiss.*); Be|schwer|de|füh|re|rin

be|schwe|ren; sich beschweren

be|schwer|lich; Be|schwer|lich|keit

Be|schwe|rung

be|schwich|ti|gen; Be|schwich|ti|gung

be|schwin|gen (in Schwung bringen); be|schwingt; Be|schwingt|heit, die; -

be|schwipst (*ugs. für* leicht betrunken)

be|schwö|ren; beschwor, beschworen; Be|schwö|rung; Be|schwö|rungs|for|mel

be|see|len (*geh. für* beleben; mit Seele erfüllen); be|seelt

be|se|hen; bei Licht besehen

be|sei|ti|gen; Be|sei|ti|gung

Be|sen, der; -s, -; be|sen|rein; Be|sen|stiel

be|ses|sen; von einer Idee besessen; Be|ses|sen|heit, die; -

be|set|zen; Be|set|zer; Be|set|ze|rin

be|setzt; die Leitung ist besetzt; Be|setzt|zei|chen; Be|set|zung

be|sich|ti|gen; Be|sich|ti|gung

be|sie|deln; Be|sie|de|lung, Be|sied|lung

be|sie|geln

be|sie|gen; Be|sieg|te, der *u.* die; -n, -n

be|sin|gen

be|sin|nen, sich

be|sinn|lich; Be|sinn|lich|keit

Be|sin|nung; Be|sin|nungs|los

Be|sitz, der; -es, -e; Be|sitz|an|spruch

be|sit|zen; Be|sit|zer; be|sit|zer|grei|fend; er war ihr zu eifersüchtig und besitzergreifend; Be|sit|ze|rin; Be|sit|zer|stolz; Be|sit|zer|wech|sel; be|sitz|los; Be|sitz|lo|se, der *u.* die; -n, -n

Be|sitz|nah|me; Be|sitz|stand; Be|sitz|tum

be|sof|fen (*derb für* betrunken); Be|sof|fen|heit, die; -

be|soh|len; Be|soh|lung

Be|sol|dung; Be|sol|dungs|grup|pe

be|son|de|re; zur besonderen Verwendung (*Abk. z. b. V.*); das Besond[e]re; etwas, nichts Besond[e]res; im Besonder[e]n, im Besondren

be|son|ders (*Abk.* bes.); besonders[,] wenn

bes|te

Kleinschreibung:

- *das beste [Buch] ihrer Bücher*
- *dieser Wein ist der beste*
- *sie konnte am besten von allen rechnen*
- *wir fangen am besten gleich an*
- *es ist am besten, wenn ...*

Großschreibung der Substantivierung:

- *ich halte es für das Beste, wenn ...*
- *er ist der Beste in der Klasse; er ist unser Bester, aber er ist unser bester Schüler*
- *sie hat ihr Bestes getan*

- *aus etwas das Beste machen*
- *mit ihrer Gesundheit steht es nicht zum Besten (nicht gut)*
- *etwas zum Besten geben*
- *jmdn. zum Besten haben, halten*
- *es ist nur zu deinem Besten*
- *ich will nicht das erste Beste*

Groß- oder Kleinschreibung:

- *wir arbeiten auf das, aufs Beste od. beste zusammen; aber nur seine Wahl ist auf das, aufs Beste gefallen*

---

be|son|nen (überlegt, umsichtig); Be|son|nen|heit, die; -

be|sor|gen

Be|sorg|nis, die; -, -se; Besorgnis erregen **be|sorg|nis|er|re|gend**, Be|sorg|nis er|re|gend; ein besorgniserregender *od.* Besorgnis erregender Zustand, *aber nur ein* große Besorgnis erregender Zustand, ein äußerst besorgniserregender Zustand, ein noch besorgniserregenderer Zustand

be|sorgt; Be|sorgt|heit

Be|sor|gung

be|spie|len; eine DVD bespielen

be|spit|zeln; Be|spit|ze|lung, Be|spitz|lung

be|spre|chen; Be|spre|chung; Be|spre|chungs|zim|mer

be|sprin|gen (begatten [von Tieren])

be|sprit|zen; be|sprü|hen; be|spu|cken

bes|ser; es ist besser, wenn ..., *aber* es ist das Bess[e]re, wenn ...; jmdn. eines Besser[e]n *od.* Bessren belehren; eine Wendung zum Besser[e]n *od.* Bessren; du musst immer alles besser wissen!; mit den neuen Schuhen wirst du besser gehen können; dem Kranken wird es bald besser gehen *od.* bessergehen; besser verdienende *od.* besserverdienende Angestellte

bes|ser ge|hen, bes|ser|ge|hen *vgl.* besser

Bes|ser|ge|stell|te, der u. die; -n, -n, bes|ser Ge|stell|te, der u. die; - -n, - -n

bes|sern; ich bessere, *auch* bessre; sich bessern; Bes|se|rung, Bessrung

bes|ser ver|die|nend, bes|ser|ver|die|nend *vgl.* besser; **Bes|ser|ver|die|nen|de**, der u. die; -n, -n, bes|ser Ver|die|nen|de, der u. die; - -n, - -n; *vgl.* besser

Bes|ser|wis|ser *(abwertend)*; Bes|ser|wis|se|rei; Bes|ser|wis|se|rin; bes|ser|wis|se|risch

Bess|rung *vgl.* Besserung

Be|stand, der; -[e]s, Bestände; Bestand haben; von Bestand sein

be|stän|den (bewachsen)

be|stän|dig; Be|stän|dig|keit

Bestands|auf|nah|me; Be|stand|teil, der

be|stär|ken; Be|stär|kung

be|stä|ti|gen; Be|stä|ti|gung

be|stat|ten; Be|stat|tung; Be|stat|tungs|in|s|ti|tut

be|stäu|ben (Bot.); Be|stäu|bung

be|stau|nen

best|be|zahlt

bes|te s. Kasten

be|ste|chen; be|ste|chend

be|stech|lich; Be|stech|lich|keit Plur. selten

Be|ste|chung; Be|ste|chungs|geld

Be|steck, das; -[e]s, Plur. -e, ugs. -s

be|ste|hen; auf etwas bestehen; ich bestehe auf meiner (*heute selten* meine) Forderung; die Verbindung soll bestehen bleiben; Be|ste|hen, das; -s; seit Bestehen der Firma

be|steh|len
be|stei|gen; Be|stei|gung
be|stel|len; Be|stel|ler; Be|stel|le|rin; Be-
stell|lis|te, Be|stell-Lis|te; Be|stell|num-
mer; Be|stel|lung
bes|ten|falls
bes|tens
be|steu|ern; Be|steu|e|rung
Best|form, die; - *(Sport);* best|ge|hü|tet
bes|ti|a|lisch (unmenschlich, grausam); Bes-
ti|a|li|tät, die; -, -en (Unmenschlichkeit,
grausames Verhalten); Bes|tie, die; -, -n
(wildes Tier; Unmensch)
be|stim|men; be|stimmt; bestimmter Artikel
(Sprachwiss.); Be|stimmt|heit, die; -
Be|stim|mung; be|stim|mungs|ge|mäß; Be-
stim|mungs|ort
Best|leis|tung; Best|mar|ke *(Sport* Rekord)
best|mög|lich; *falsch:* bestmöglichst
be|stra|fen; Be|stra|fung
be|strah|len; Be|strah|lung
be|stre|ben, sich; Be|stre|ben, das; -s; be-
strebt; bestrebt sein; Be|stre|bung
be|strei|chen; Be|strei|chung
be|strei|ken; Be|strei|kung
be|strei|ten; Be|strei|tung
be|streu|en; Be|streu|ung
Best|sel|ler, der; -s, - (Ware [bes. Buch] mit
bes. hohen Verkaufszahlen); Best|sel|ler-
au|tor; Best|sel|ler|au|to|rin; Best|sel-
ler|lis|te
be|stü|cken (ausstatten, ausrüsten); Be|stü-
ckung
be|stuh|len; Be|stuh|lung
be|stür|men; Be|stür|mung
be|stür|zen; be|stür|zend; be|stürzt;
bestürzt sein; Be|stürzt|heit, die; -; Be-
stür|zung, die; -
Best|wert; Best|zeit *(Sport)*
Be|such, der; -[e]s, -e; auf, zu Besuch sein
be|su|chen; Be|su|cher; Be|su|che|rin; Be-
su|cher|strom; Be|su|cher|zahl; Be-
suchs|er|laub|nis
be|su|deln; Be|su|de|lung, Be|sud|lung
Be|ta, das; -[s], -s (griech. Buchstabe: Β, β)
be|tagt *(geh. für* alt); *vgl.* hochbetagt

be|tas|ten
be|tä|ti|gen; sich betätigen; Be|tä|ti|gung;
Be|tä|ti|gungs|feld
be|tat|schen *(ugs. für* betasten)
be|täu|ben; Be|täu|bung; Be|täu|bungs-
mit|tel; Be|täu|bungs|mit|tel|ge|setz
Be|te, Bee|te, die; -, -n (Wurzelgemüse; Fut-
terpflanze); Rote Bete *od.* Beete
be|tei|li|gen; sich an einem Vorhaben beteili-
gen; Be|tei|lig|te, der *u.* die; -n, -n; Be|tei-
ligt|sein, das; -s; Be|tei|li|gung
be|ten; Be|ter; Be|te|rin
be|teu|ern; ich beteuere; Be|teu|e|rung
be|ti|teln
Be|ton [be'tõ:, *auch, bes. südd., österr.*
be'to:n], der; -s, *Plur. (Sorten):* -s, *auch,
bes. südd., österr.* -e [...'to:nə] (Baustoff);
Be|ton|block *Plur.* ...blöcke
be|to|nen
be|to|nie|ren *(auch übertr. für* festlegen,
unveränderlich machen); Be|to|nie|rung
Be|ton|kopf *(abwertend für* uneinsichtiger
Mensch); Be|ton|misch|ma|schi|ne
be|tont; Be|to|nung
be|tö|ren *(geh.);* be|tö|rend; Be|tö|rung
Be|tracht, der; *nur noch in Fügungen wie* in
Betracht kommen, ziehen; außer Betracht
bleiben; be|trach|ten; sich betrachten;
Be|trach|ter; Be|trach|te|rin
be|trächt|lich; eine beträchtliche Summe,
aber um einen Beträchtliches höher
Be|trach|tung; Be|trach|tungs|wei|se, die
Be|trag, der; -[e]s, Beträge; be|tra|gen; sich
betragen; Be|tra|gen, das; -s
be|trau|en; mit etwas betraut sein
be|trau|ern
Be|trau|ung
Be|treff, der; -[e]s, -e *(Amtsspr.; Abk.* Betr.);
in Betreff, *aber* betreffs *(vgl. d.)* des Neu-
baus; be|tref|fen; was mich betrifft ...; be-
tref|fend (zuständig; sich auf jmdn., etwas
beziehend; *Abk.* betr.); die betreffende
Behörde; den Neubau betreffend; Be|tref-
fen|de, der *u.* die; -n, -n; be|treffs
(Amtsspr.; Abk. betr.); *Präp. mit Gen.:*
betreffs des Neubaus *(besser: wegen)*

be|trei|ben; Be|trei|ben, das; -s; auf mein Betreiben; Be|trei|ber; Be|trei|ber|ge|sell|schaft; Be|trei|be|rin; Be|trei|bung

¹be|tre|ten (verlegen)

²be|tre|ten; einen Raum betreten; Be|tre|ten, das; -s

be|treu|en; betreutes Wohnen; Be|treu|er; Be|treu|e|rin; Be|treu|ung

Be|trieb, der; -[e]s, -e; eine Maschine in Betrieb setzen; die Maschine ist in Betrieb (läuft); be|trieb|lich; betriebliche Altersvorsorge; be|trieb|sam; Be|trieb|sam|keit; Be|triebs|an|lei|tung; Be|triebs|aus|flug; be|triebs|be|dingt; betriebsbedingte Kündigungen; be|triebs|be|reit; be|triebs|ei|gen; Be|triebs|fe|ri|en Plur.; be|triebs|in|tern; Be|triebs|kli|ma, das; -s; Be|triebs|kos|ten Plur.; Be|triebs|lei|ter; Be|triebs|lei|te|rin; Be|triebs|rat Plur. ...räte; Be|triebs|rä|tin; Be|triebs|ren|te; Be|triebs|sys|tem (EDV); Be|triebs|un|fall; Be|triebs|ver|ein|ba|rung; Be|triebs|ver|samm|lung

Be|triebs|wirt; Be|triebs|wir|tin; Be|triebs-wirt|schaft; be|triebs|wirt|schaft|lich; Be|triebs|wirt|schafts|leh|re (Abk. BWL)

be|trin|ken, sich; betrunken

be|trof|fen; betroffen sein; Be|trof|fe|ne, der u. die; -n, -n; Be|trof|fen|heit

be|trü|ben; be|trübt

Be|trug, der; -[e]s; be|trü|gen; Be|trü|ger; Be|trü|ge|rin; be|trü|ge|risch

be|trun|ken; Be|trun|ke|ne, der u. die; -n, -n; Be|trun|ken|heit, die; -

Bett, das; -[e]s, -en; zu Bett gehen

Bet|tag vgl. Buß- und Bettag

Bett|de|cke

bet|tel|arm; bet|teln

bet|ten; sich betten; Bet|ten|ma|chen, das; -s; Bett|ge|stell; bett|lä|ge|rig

Bett|ler; Bett|le|rin

Bett|ru|he; Bett|tuch Plur. ...tücher, Bett-Tuch ...-Tücher (Bettlaken)

Bet|tuch Plur. ...tücher (beim jüdischen Gottesdienst)

Bett|vor|le|ger; Bett|wä|sche

be|tucht (ugs. für vermögend, wohlhabend)

be|tu|lich; Be|tu|lich|keit

beu|gen (auch für flektieren, deklinieren, konjugieren); sich beugen; Beu|gung

Beu|le, die; -, -n

be|un|ru|hi|gen; sich beunruhigen

be|un|ru|hi|gend; Be|un|ru|hi|gung

be|ur|kun|den; Be|ur|kun|dung

be|ur|lau|ben; Be|ur|lau|bung

be|ur|tei|len; Be|ur|tei|lung

Beu|te die; -, -n Plur. selten (Erbeutetes); Beu|te|gut

Beu|tel, der; -s, -; beu|teln; das Kleid beutelt [sich]; Beu|tel|tier

be|völ|kern; Be|völ|ke|rung; Be|völ|ke-rungs|dich|te; Be|völ|ke|rungs|grup|pe; Be|völ|ke|rungs|py|ra|mi|de (grafisch dargestellte Zusammensetzung der Bevölkerung nach Alter u. Geschlecht); be|völ|ke-rungs|reich; Be|völ|ke|rungs|schicht; Be|völ|ke|rungs|wachs|tum

be|voll|mäch|ti|gen; Be|voll|mäch|tig|te, der u. die; -n, -n

be|vor

be|vor|mun|den; Be|vor|mun|dung

be|vor|ste|hen; die bevorstehenden Wahlen

be|vor|zu|gen; Be|vor|zu|gung

be|wa|chen; Be|wa|cher; Be|wa|che|rin

be|wach|sen

Be|wa|chung

be|waff|nen; be|waff|net; bewaffneter Raubüberfall; Be|waff|nung

be|wah|ren ([be]hüten); Gott bewahre uns davor!, aber gottbewahre! (ugs.)

be|wäh|ren, sich

be|wahr|hei|ten, sich

be|währt

Be|wah|rung (Schutz; Aufbewahrung)

Be|wäh|rung (Erprobung); Be|wäh|rungs-frist; Be|wäh|rungs|hel|fer; Be|wäh-rungs|hel|fe|rin; Be|wäh|rungs|pro|be; Be|wäh|rungs|stra|fe

be|wal|den; be|wal|det

be|wäl|ti|gen; Be|wäl|ti|gung

be|wan|dert (erfahren; unterrichtet)

Be|wandt|nis, die; -, -se

be|wäs|sern; Be|wäs|se|rung

¹be|we|gen (Lage ändern); du bewegst; du bewegtest; bewegt; beweg[e]!; sich bewegen

²be|we|gen (veranlassen); du bewegst; du bewogst; du bewögest; bewogen; beweg[e]!

be|we|gend; Be|weg|grund; be|weg|lich; Be|weg|lich|keit; be|wegt

Be|we|gung; Be|we|gungs|ab|lauf; Be|we|gungs|ap|pa|rat (Anat.); Be|we|gungs-frei|heit; be|we|gungs|los; be|we|gungs-un|fä|hig

be|weih|räu|chern (auch abwertend für übertrieben loben)

be|wei|nen

Be|weis, der; -es, -e; etwas unter Beweis stellen (Amtsspr.); Be|weis|auf|nah|me; be|wei|sen; bewiesen; Be|weis|füh|rung; be|weis|kräf|tig; Be|weis|la|ge (bes. Rechtsspr.); Be|weis|last; Be|weis|ma|te|ri|al; Be|weis|mit|tel, das; Be|weis|stück

be|wen|den; nur in es bei etw. bewenden lassen; Be|wen|den, das; -s; es hat dabei sein Bewenden (es bleibt dabei)

be|wer|ben, sich; Be|wer|ber; Be|wer|be|rin; Be|wer|bung; Be|wer|bungs|ge-spräch; Be|wer|bungs|schrei|ben; Be-wer|bungs|un|ter|la|ge meist Plur.

be|wer|fen

be|werk|stel|li|gen

be|wer|ten; Be|wer|tung

be|wil|li|gen; Be|wil|li|gung

be|wir|ken

be|wir|ten

be|wirt|schaf|ten; Be|wirt|schaf|tung

Be|wir|tung

be|wohn|bar; be|woh|nen; Be|woh|ner; Be|woh|ne|rin

be|wöl|ken, sich; be|wölkt; Be|wöl|kung

Be|wun|de|rer; Be|wun|de|rin; be|wun-dern; be|wun|derns|wert; be|wun|derns-wür|dig; Be|wun|de|rung Plur. selten

be|wusst; mit Gen.: ich bin mir keines Verge-hens bewusst; sich eines Versäumnisses bewusst werden od. bewusstwerden; er

hat den Fehler bewusst (mit Absicht) gemacht; aber sie hat mir den Zusammen-hang bewusst gemacht od. bewusstge-macht; Be|wusst|heit, die; -

be|wusst|los; Be|wusst|lo|sig|keit, die; -

be|wusst ma|chen, be|wusst|ma|chen vgl. bewusst; Be|wusst|sein, das; -s

be|wusst wer|den, be|wusst|wer|den vgl. bewusst; Be|wusst|wer|dung, die; -

be|zahl|bar; be|zah|len; eine gut bezahlte od. gutbezahlte Stellung

be|zahlt (Abk. bez., bez, bz); sich bezahlt machen (lohnen); Be|zah|lung

be|zau|bern; be|zau|bernd

be|zeich|nen; be|zeich|nend; be|zeich|nen-der|wei|se; Be|zeich|nung (Abk. Bez.)

be|zeu|gen (Zeugnis ablegen; bekunden); Be|zeu|gung

be|zich|ti|gen; jmdn. eines Verbrechens bezichtigen; Be|zich|ti|gung

be|zie|hen; sich auf eine Sache beziehen

Be|zie|her; Be|zie|he|rin; Be|zie|hung; be-zie|hungs|wei|se (Abk. bzw.)

be|zif|fern; ich beziffere; sich beziffern auf

Be|zirk, der; -[e]s, -e (Abk. Bez. od. Bz.)

Be|zirks|amt; Be|zirks|aus|schuss; Be-zirks|lei|ter; Be|zirks|lei|te|rin; Be|zirks-li|ga (Sport); Be|zirks|ver|band

be|zir|zen, be|cir|cen (ugs. für verführen, verzaubern); du bezirzt od. becirct; er wurde bezirzt od. becirct

Be|zug, der; -[e]s, Bezüge (österr. auch für Gehalt); in Bezug auf; mit Bezug auf; auf etwas Bezug haben, nehmen (sich auf etwas beziehen)

Be|zü|ge Plur. (Einkünfte)

be|züg|lich; bezügliches Fürwort (für Relativ-pronomen); Präp. mit Gen. (Amtsspr.; Abk. bez.): bezüglich Ihres Briefes; mit Dat., wenn der Gen. nicht erkennbar ist: bezüg-lich Bewerbern

Be|zug|nah|me, die; -, -n

Be|zug neh|mend, be|zug|neh|mend

be|zugs|fer|tig; eine bezugsfertige Woh-nung; Be|zugs|per|son; Be|zugs|punkt; Be|zugs|quel|le; Be|zugs|recht be|zu|schus|sen *(Amtsspr.);* du bezuschusst; Be|zu|schus|sung

be|zwe|cken

be|zwei|feln

be|zwin|gen; Be|zwin|gung

BGB, das; - = Bürgerliches Gesetzbuch

BH [be:'ha:], der; -[s], -[s] *(ugs. für* Büstenhalter)

Bi|ath|let, der; -en, -en; Bi|ath|le|tin; Bi|ath|lon, der *u.* das; -s, -s (Kombination aus Skilanglauf u. Scheibenschießen)

bib|bern *(ugs. für* zittern); ich bibbere

Bi|bel, die; -, -n; bi|bel|fest; Bi|bel|stun|de

¹Bi|ber, der; -s, - (ein Nagetier)

²Bi|ber®, der *od.* das; -s (Rohflanell)

Bi|b|lio|gra|fie, Bi|b|lio|gra|phie, die; -, ...ien (Bücherkunde; Bücherverzeichnis); **bi|b|lio|gra|fie|ren**, bi|b|lio|gra|phie|ren (den Titel einer Schrift bibliografisch verzeichnen); **bi|b|lio|gra|fisch**, bi|b|lio|gra|phisch (bücherkundlich)

Bi|b|lio|gra|phie usw. *vgl.* Bibliografie usw.

bi|b|lio|phil (schöne *od.* seltene Bücher liebend); Bi|b|lio|phi|le, der *u.* die; -n, -n (Bücherliebhaber[in])

Bi|b|lio|thek, die; -, -en ([wissenschaftliche] Bücherei); Deutsche Bibliothek (in Frankfurt); Bi|b|lio|the|kar, der; -s, -e (Verwalter einer Bibliothek); Bi|b|lio|the|ka|rin

bi|b|lisch; eine biblische Geschichte

Bick|bee|re *(nordd. für* Heidelbeere)

Bi|det [...'de:], das; -s, -s (längliches Sitzbecken für Spülungen)

bie|der; Bie|der|keit; Bie|der|mann *Plur.* ...männer; Bie|der|mei|er, das; *Gen.* -s, *fachspr. auch* - ([Kunst]stil in der Zeit des Vormärz [1815 bis 1848])

bie|gen; bog; gebogen; auf Biegen oder Brechen *(ugs.);* bieg|sam; Bie|gung

Bie|ne, die; -, -n; Bie|nen|ho|nig; Bie|nen|kö|ni|gin; Bie|nen|korb; Bie|nen|stich; Bie|nen|stock *Plur.* ...stöcke; Bie|nen|volk; Bie|nen|wachs

Bi|en|na|le, die; -, -n (zweijährliche Veranstaltung, bes. in der bildenden Kunst u. im Film)

Bier, das; -[e]s, -e; 5 Liter helles Bier; 3 [Glas] Bier; Bier|de|ckel; Bier|do|se; Bier|fass; Bier|fla|sche; Bier|gar|ten; Bier|glas; Bier|zelt

Biest, das; -[e]s, -er (Schimpfwort)

bie|ten; bot; geboten; **bie|ten las|sen**, bie|ten|las|sen; sich etwas nicht bieten lassen *od.* bietenlassen; Bie|ter; Bie|te|rin

Bi|ga|mie, die; -, ...ien (Doppelehe); Bi|ga|mist, der; -en, -en; Bi|ga|mis|tin

Big Band, die; - -, - -s, **Big|band**, die; -, -s (großes Jazz- *od.* Tanzorchester)

Big Bro|ther [- 'braðe], der; - -s, - -s (Beobachter, Überwacher)

bi|gott (engherzig fromm; scheinheilig); Bi|got|te|rie, die; -, ...ien

Bike [baik], das; -s, -s (Motorrad; Fahrrad); Bi|ker ['baike], der; -s, -; Bi|ke|rin

Bi|ki|ni, der *(schweiz.:* das); -s, -s (knapper, zweiteiliger Badeanzug)

Bi|lanz, die; -, -en *(Wirtsch.* Gegenüberstellung von Vermögen und Schulden für ein Geschäftsjahr; Ergebnis); bi|lan|zi|ell *(Wirtsch.);* bi|lan|zie|ren *(Wirtsch.* sich ausgleichen; eine Bilanz abschließen); Bi|lan|zie|rung; Bi|lanz|sum|me

bi|la|te|ral *[auch* ...'ra:l] (zweiseitig); bilaterale Verträge

Bild, das; -[e]s, -er; im Bilde sein; Bild|band, der; Bild|be|schrei|bung; Bild|da|tei *(EDV)*

bil|den; sich bilden; die bildenden *od.* Bildenden Künste

Bil|der|bo|gen; Bil|der|buch; Bil|der|ge|schich|te; Bil|der|rah|men; Bil|der|rät|sel

Bild|flä|che; bild|haft; Bild|hau|er; Bild|hau|e|rei; Bild|hau|e|rin; bild|hübsch; bild|lich; Bild|ma|te|ri|al; bild|ne|risch; Bild|nis, das; -ses, -se; Bild|punkt; Bild|qua|li|tät; Bild|re|por|ta|ge; Bild|schirm; Bild|schirm|scho|ner *(EDV);* bild|schön

Bil|dung; Bil|dungs|an|ge|bot; Bil|dungs|ein|rich|tung; bil|dungs|fern; Bil|dungs|lü|cke; Bil|dungs|mi|nis|ter; Bil|dungs|mi|nis|te|rin; Bil|dungs|po|li|tik; bil|dungs|po|li|tisch; Bil|dungs|rei|se; Bil-

dungs|sys|tem; Bil|dungs|ur|laub; Bil-
dungs|weg; Bil|dungs|we|sen, das; -s
Bil|lard ['bɪljart, österr. auch bi'ja:ɐ̯, bɪl'ja:ɐ̯],
das; -s, Plur. -e, österr. -s (Kugelspiel)
Bil|lett [bɪl'jɛt, österr. meist bi'je:, auch
bɪ'lɛt], das; -[e]s, Plur. -s u. -e (veraltet für
Zettel, kurzes Briefchen; bes. österr. für
Briefkarte; schweiz. für Einlasskarte, Fahr-
karte)
Bil|li|ar|de, die; -, -n (10¹⁵; tausend Billionen)
bil|lig; das ist nur recht und billig; ein Pro-
dukt billig herstellen; ein Produkt billig
machen od. billigmachen (verbilligen); aber
nur ein Produkt billiger machen, zu billig
machen
Bil|lig|an|bie|ter
bil|li|gen (für gut halten)
Bil|lig|flie|ger (ugs. für Billigfluglinie); Bil-
lig|lohn|land Plur. …länder (Land, in dem
vergleichsweise niedrige Löhne gezahlt
werden); **bil|lig ma|chen**, **bil|lig|ma|chen**
vgl. billig
Bil|li|gung, die; -
Bil|li|on, die; -, -en (10¹²; eine Million Millio-
nen od. tausend Milliarden)
Bim|mel, die; -, -n (ugs. für Glocke); Bim-
mel|bahn (ugs. scherzh.); bim|meln (ugs.)
Bims|stein
bi|när, bi|när, bi|na|risch (fachspr. für aus
zwei Einheiten bestehend, Zweistoff…)
bi|na|ti|o|nal (zwei Nationen gemeinsam
betreffend)
Bin|de, die; -, -n; Bin|de|ge|we|be; Bin|de-
glied; Bin|de|haut; Bin|de|haut|ent|zün-
dung; Bin|de|mit|tel
bin|den; band; gebunden
Bin|de|strich; Bind|fa|den; Bin|dung
bin|nen; Präp. mit Dat.: binnen einem Jahr
(geh. auch mit Gen.: binnen eines Jahres);
binnen Kurzem vgl. kurzem
Bin|nen|ha|fen; Bin|nen|han|del; Bin|nen-
land Plur. …länder; Bin|nen|markt; Bin-
nen|meer; Bin|nen|nach|fra|ge (Wirtsch.);
Bin|nen|schif|fer; Bin|nen|schif|fe|rin;
Bin|nen|schiff|fahrt; Bin|nen|see
Bin|se, die; -, -n; in die Binsen gehen (ugs.

für verloren gehen); Bin|sen|weis|heit (all-
gemein bekannte Tatsache)
bio… (leben[s]…); Bio… (Leben[s]…)
Bio|bau|er; Bio|bäu|e|rin; Bio|che|mie
[auch 'bi:o…] (Lehre von den chemischen
Vorgängen in Lebewesen); Bio|che|mi|ker;
Bio|che|mi|ke|rin; bio|che|misch; Bio-
die|sel; Bio|gas
Bio|graf, Bio|graph, der; -en, -en (Verfasser
einer Biografie); **Bio|gra|fie**, Bio|gra|phie,
die; -, …ien (Lebensbeschreibung); **Bio-
gra|fin**, Bio|gra|phin; **bio|gra|fisch**, bio-
gra|phisch
Bio|kost; Bio|kraft|stoff (vorwiegend aus
nachwachsenden Rohstoffen erzeugter
Kraftstoff); Bio|la|den; Bio|lo|ge, der; -n,
-n; Bio|lo|gie, die; - (Lehre von der beleb-
ten Natur); Bio|lo|gin; bio|lo|gisch
Bio|mas|se (Gesamtheit aller Organismen
einschließlich der von ihnen produzierten
organischen Substanz an einem Ort)
Bio|me|t|rie, die; - ([Lehre von der] Zählung
u. [Körper]messung an Lebewesen); bio-
me|t|risch; Bio|müll (organische Abfälle);
Bio|sprit (ugs. für Biokraftstoff); Bio|tech-
no|lo|gie [auch …'gi:] (Wissenschaft von
den Verfahren zur Nutzbarmachung biologi-
scher Vorgänge); bio|tech|no|lo|gisch
[auch …'lo:…]; Bio|ton|ne
Bio|top, der u. das; -s, -e (Biol. durch
bestimmte Lebewesen od. eine bestimmte
Art gekennzeichneter Lebensraum)
BIP, das; -[s] = Bruttoinlandsprodukt
Bir|cher|mües|li
Bir|ke, die; -, -n (ein Laubbaum)
Birn|baum; Bir|ne, die; -, -n; bir|nen|för-
mig
bis; bis [nach] Berlin; bis hierher; bis nächsten Montag; bis auf wenige Ausnahmen;
bis zu 50 %; bis auf Weiteres od. weiteres;
vier- bis fünfmal, mit Ziffern 4- bis 5-mal;
Gemeinden bis zu 10 000 Einwohnern
Bi|sam, der; -s, Plur. -e u. -s (Moschus [nur
Sing.]; Pelz); Bi|sam|rat|te
Bi|schof, der; -s, Bischöfe (kirchl. Würdenträ-
ger); Bi|schö|fin, die; -, -nen; bi|schöf-

lich; Bi|schofs|kon|fe|renz; Bi|schofs-
sitz; Bi|schofs|stab

bi|se|xu|ell [*auch* ...'ksʏɛl] (sowohl hetero-
sexuell als auch homosexuell)

bis|her (bis jetzt); bis|he|rig; der bisherige
Außenminister; das Bisherige; Bisheriges

Bis|kuit [...'kviːt, *auch* ...'kvɪt], das, *auch*
der; -[e]s, *Plur.* -s, *auch* -e (feines Gebäck
aus Eierschaum); Bis|kuit|teig

bis|lang (bis jetzt)

Bis|marck|he|ring

Bi|son, der; -s, -s (nordamerik. Wildrind)

biss *vgl.* beißen; Biss, der; Bisses, Bisse

biss|chen; das bisschen; dieses kleine biss-
chen; ein bisschen (ein wenig); ein klein
bisschen; mit ein bisschen Geduld

Biss|chen (kleiner Bissen); Bis|sen, der; -s, -;
biss|fest

bis|sig; Bis|sig|keit

Bis|t|ro [*auch* ...'troː], das; -s, -s (Lokal)

Bis|tum, das; -s, ...tümer (Amtsbezirk eines
kath. Bischofs)

bis|wei|len (manchmal)

Bit, das; -[s], -s; *aber* eine Million Bits *od.* Bit
(*EDV* Informationseinheit; *Zeichen* bit)

bit|te; bitte schön!; bitte wenden! (*Abk.*
b. w.); du musst Bitte *od.* bitte sagen; Bit-
te, die; -, -n; bit|ten; bat; gebeten; Bit-
ten, das; -s

bit|ter; er hat es bitter nötig; bit|ter|bö|se

bit|ter|ernst; bit|ter|kalt; es ist bitterkalt;
ein bitterkalter Wintertag; Bit|ter|keit

Bit|ter Le|mon, das; - -[s], - -, Bit|ter|le-
mon, das; -[s], - [- 'lɛmən, *auch* ...lɛmən]
(ein Erfrischungsgetränk)

bit|ter|lich; bit|ter|süß

Bitt|ge|such; Bitt|stel|ler; Bitt|stel|le|rin

Bi|tu|men, das; -s, *Plur.* -, *auch* ...mina (teer-
artige [Abdichtungs- u. Isolier]masse)

Bi|wak, das; -s, *Plur.* -s u. -e (behelfsmäßiges
Nachtlager im Freien); bi|wa|kie|ren

bi|zarr (wunderlich; seltsam)

Bi|zeps, der; -[es], -e (Oberarmmuskel)

Black|box, die; -, -es, **Black Box**, die; - -,
- -es ['blɛk..., *auch* - 'bɔks] (Flugschreiber)

Black|out, **Black-out** [blɛk'|aʊt], der *u.* das;

-[s], -s (Erinnerungslücke; totaler Stromaus-
fall)

bla|den ['bleːdn̩] (mit Inlineskates fahren)

bläf|fen, bläf|fen (*ugs. für* bellen)

blä|hen; sich blähen; Blä|hung

bla|ma|bel (beschämend); ...a|b|le
Geschichte; Bla|ma|ge [...ʒə], die; -, -n
(Schande; Bloßstellung); bla|mie|ren

blank (rein, bloß); blan|ker, blanks|te; Kabel
sollten nicht blank liegen; blank liegende
od. blankliegende Kabel; die Drähte blank
legen *od.* blanklegen; etw. blank reiben
od. blankreiben; die Nerven haben blank
gelegen *od.* blankgelegen

Blank [blɛŋk], der *od.* das; -s, -s (*EDV*
[Wort]zwischenraum, Leerstelle)

blank le|gen, blank|le|gen *vgl.* blank

blank lie|gen, blank|lie|gen *vgl.* blank

blan|ko (leer, unausgefüllt); Blan|ko|voll-
macht (unbeschränkte Vollmacht)

blank po|lie|ren, blank|po|lie|ren); ein
blank polierter *od.* blankpolierter Stiefel

blank rei|ben, blank|rei|ben *vgl.* blank

Bla|se, die; -, -n

Bla|se|balg *Plur.* ...bälge

bla|sen; blies; geblasen; Blä|ser; Blä|se|rin

bla|siert (dünkelhaft-herablassend); Bla-
siert|heit

Blas|in|s|t|ru|ment; Blas|mu|sik

Blas|phe|mie, die; -, ...ien (Gotteslästerung);
blas|phe|misch

blass; blas|ser (*auch* bläs|ser), blas|ses|te
(*auch* bläs|ses|te); blass sein; blass werden;
blass|blau; Bläs|se, die; - (Blassheit)

Bläss|huhn, Bless|huhn

bläss|lich

Blatt, das; -[e]s, Blätter (*Abk.* Bl. [Papier]);
5 Blatt Papier; blät|te|rig *vgl.* blättrig;
blät|tern; Blät|ter|teig; Blatt|gold;
Blatt|grün, das; -s; Blatt|laus; blätt|rig,
blät|te|rig; Blatt|trieb, Blatt-Trieb

blau *s. Kasten Seite 78*

Blau, das; -[s], -[s] (blaue Farbe); in Blau
gekleidet; mit Blau bemalt; Stoffe in Blau;
das Blau des Himmels; blau|äu|gig

Blau|bee|re (Heidelbeere)

blau

B

blau|er, blau|es|te, blaus|te

Kleinschreibung:

- *blau sein (auch ugs. für betrunken sein)*
- *blau in blau*
- *blauer* od. *Blauer Brief (ugs. für Mahn-schreiben der Schule an die Eltern, auch Kündigungsschreiben)*
- *blauer Fleck (ugs. für Bluterguss)*
- *blauer Montag, sein blaues Wunder er-leben (ugs. für staunen)*
- *Aal blau*

Großschreibung der Substantivierung:

- *die Farbe Blau*
- *ins Blaue reden, Fahrt ins Blaue*
- *die Farbe der Fahne ist Blau* od. *blau*

In Namen und bestimmten namenähnlichen Fügungen:

- *das Blaue Wunder (Brücke in Dresden)*
- *die Blaue Grotte (von Capri)*
- *der Blaue Planet (die Erde)*

Vgl. auch *Blau, Blaue*

Zusammensetzungen von »blau« mit einer anderen Farbbezeichnung:

- *blaugrün, blaurot usw.*

Getrennt- und Zusammenschreibung:

- *ein blau gestreifter* od. *blaugestreifter Stoff*

Wenn »blau« das Ergebnis der mit einem fol-genden einfachen Verb bezeichneten Tätig-keit angibt, kann ebenfalls getrennt oder zu-sammengeschrieben werden:

- *etwas blau färben* od. *blaufärben*

Aber nur:

- *etwas hellblau färben, blau einfärben*

Vgl. auch *blaumachen, matt, metallic*

Blaue, das; -n; das Blaue vom Himmel [herunter]reden; Fahrt ins Blaue; **Bläue**, die; - (Himmel[sblau])

¹**bläu|en** (blau machen, färben)

²**bläu|en** (veraltend für schlagen)

blau fär|ben, blau|fär|ben; ein blau gefärbtes od. blaugefärbtes Kleid; *vgl.* blau; **blau ge|streift, blau|ge|streift** *vgl.* blau; **blau|grau**

Blau|helm (UN-Soldat); **Blau|kraut**, das; -[e]s (*landsch. u. österr. für* Rotkohl); **bläu|lich**; bläulich grün; **Blau|licht** Plur. ...lich-ter; **blau|ma|chen** (*ugs. für* nicht zur Arbeit o. Ä. gehen); **Blau|mei|se; Blau|pau|se** (Lichtpause auf bläulichem Papier); **Blau-säu|re**, die; -; **Blau|tan|ne; Blau|wal**

Bla|zer ['ble:ze], der; -s, - (sportl. Jackett)

Blech, das; -[e]s, -e; **Blech|do|se**

ble|chen (*ugs. für* zahlen)

ble|chern (aus Blech); **Blech|scha|den**

ble|cken; die Zähne blecken

Blei, das; -[e]s, -e (chemisches Element, Metall; *Zeichen* Pb)

Blei|be, die; -, -n Plur. selten (Unterkunft)

blei|ben; blieb; geblieben; sie hat es bleiben lassen (*seltener* bleiben gelassen) od. blei-benlassen (*seltener* bleibengelassen); *aber nur* du kannst die Kinder noch ein bisschen bei uns bleiben lassen; **blei|bend**; blei-bende Schäden davontragen; **blei|ben las-sen, blei|ben|las|sen** (unterlassen)

Blei|be|recht (Aufenthaltsrecht von Auslän-dern im Inland)

bleich

¹**blei|chen** (bleich machen); bleichte; gebleicht; die Sonne bleicht das Haar

²**blei|chen** (bleich werden); bleichte; gebleicht; der Teppich bleicht in der Sonne

Bleich|ge|sicht Plur. ...gesichter

blei|ern (aus Blei); **blei|frei**; bleifrei (mit

bleifreiem Benzin) fahren; **Blei|frei**, das; -s *meist ohne Artikel;* Bleifrei (bleifreies Benzin) tanken; **Blei|kris|tall; Blei|stift**, der
Blen|de, die; -, -n (*Fotogr.* Einrichtung zur Belichtungsregulierung); **blen|den**
blen|dend; ein blendend weißes Kleid
Bles|se, die; -, -n (weißer Stirnfleck od. -streifen; Tier mit weißem Stirnfleck)
Bless|huhn, Bläss|huhn
Bles|sur, die; -, -en (*geh. für* Verwundung)
bleu [blø:] (blassblau)
Blick, der; -[e]s, -e; **blick|dicht**; blickdichte Strumpfhosen; **bli|cken; Blick|fang; Blick|feld; Blick|kon|takt; Blick|win|kel**
blind; blinder Alarm; blind sein, werden; sich blind stellen; ein blind geborenes *od.* blindgeborenes Kind
Blind|darm; Blind|darm|ent|zün|dung
Blin|de, der *u.* die; -n, -n
Blin|de|kuh *ohne Artikel;* Blindekuh spielen
Blin|den|schrift
Blind|flug; Blind|gän|ger
blind ge|bo|ren, blind|ge|bo|ren *vgl.* blind
Blind|heit, die; -; **blind|lings; Blind|schleiche**, die; -, -n; **blind|schrei|ben** (ohne auf die Tastatur zu schauen); **blind|wü|tig**
blink; blink und blank
blin|ken; Blin|ker; Blink|feu|er (Seezeichen); **Blink|licht** *Plur.* ...lichter
blin|zeln; ich blinz[e]le
Blitz, der; -es, -e; **Blitz|ab|lei|ter; blitz|artig; blitz|blank**
blit|zen (*ugs. auch für* mit Blitzlicht fotografieren)
blitz|ge|scheit; Blitz|licht *Plur.* ...lichter; **Blitz|schlag; blitz|schnell**
Bliz|zard [...zet], der; -s, -s (Schneesturm)
Block, der; -[e]s, (für Beton-, Eis-, Felsblock usw.) *Plur.* Blö|cke, (für Abreiß-, Notiz-, Wohnblock usw.) *Plur.* Blocks oder Blö|cke, *österr. u. schweiz. nur* Blöcke, (für Macht-, Militärblock usw.) *Plur.* Blö|cke, *selten* Blocks
Blo|cka|de, die; -, -n ([See]sperre, Einschließung)
Block|bus|ter ['blɔkbaste], der; -s, - (sehr erfolgreiches Produkt, bes. ein Kinofilm)

blo|cken (*südd. auch für* bohnern)
Block|flö|te; Block|haus
blo|ckie|ren
Block|scho|ko|la|de; Block|schrift
blöd, blö|de (*ugs. für* dumm); sich blöd stellen; *aber:* so etwas Blödes!; **blö|deln** (*ugs.*); **Blöd|heit; Blö|di|an**, der; -[e]s, -e (*ugs. abwertend für* Dummkopf); **Blödsinn**, der; -[e]s (*ugs.*); **blöd|sin|nig** (*ugs.*)
Blog, das, *auch* der; -s, -s (*kurz für* Weblog); **blog|gen** (an einem Blog schreiben); sie bloggt; er hat gebloggt; **Blog|ger** (jmd., der an einem Blog schreibt); **Blog|ge|rin**
blö|ken; das Schaf blökte
blond; blond gefärbtes *od.* blondgefärbtes Haar; **blond ge|färbt, blond|ge|färbt** *vgl.* blond; **blon|die|ren** (blond färben); **Blon|di|ne**, die; -, -n (blonde Frau)
¹**bloß** (nur)
²**bloß** (entblößt); wenn die Nerven **bloß** liegen *od.* bloßliegen; Mauern **bloß** legen *od.* bloßlegen; *aber nur* sich bloß strampeln; das Kind hat sich bloß gestrampelt
Blö|ße, die; -, -n
bloß le|gen, ²**bloß|le|gen** *vgl.* ²bloß
¹**bloß|le|gen** (enthüllen); Hintergründe bloßlegen; **bloß lie|gen**, bloß|lie|gen *vgl.* ²bloß; **bloß|stel|len** (blamieren)
Blou|son [blu'zõ:], das, *auch* der; -[s], -s (an den Hüften eng anliegende Jacke mit Bund)
Blue|jeans ['blu:dʒi:ns] (blaue [Arbeits]hose aus geköpertem Baumwollgewebe)
Blues [blu:s], der; -, - (Volkslied der nordamerik. Schwarzen; langsamer Tanz)
Bluff [*auch* blœf], der; -s, -s (Täuschung); **bluf|fen**
blü|hen
Blüm|chen; Blu|me, die; -, -n; **Blu|men|kohl; Blu|men|strauß** *Plur.* ...sträuße; **Blu|men|topf; Blu|men|va|se**
blü|me|rant (*ugs. für* übel, flau)
blu|mig
Blu|se, die; -, -n; **blu|sig**
Blut, das; -[e]s, *Plur. (Med. fachspr.)* -e
blut|arm (arm an Blut); **Blut|ar|mut**
Blut|bad; Blut|bahn; Blut|bank *Plur.* ...ban-

ken (Sammelstelle für Blutkonserven); **blutbe|schmiert**; **Blut|bild**; **blut|bil|dend**, **Blut bil|dend**; ein blutbildendes od. Blut bildendes Medikament; **Blut|druck** Plur. ...drücke u. ...drucke; **blut|druck|sen|kend**
Blü|te, die; -, -n
blu|ten
Blü|ten|stand; **Blü|ten|staub**; **blü|tenweiß**; blütenweiße Wäsche
Blu|ter (jmd., der an der Bluterkrankheit leidet); **Blut|er|guss**; **Blu|te|rin**
Blü|te|zeit
Blut|ge|fäß; **Blut|ge|rinn|sel**; **Blut|grup|pe**; **Blut|hoch|druck,** der; -[e]s
blu|tig
blut|jung (ugs. für sehr jung); **Blut|kon|serve** (konserviertes Blut); **Blut|kör|per|chen**; **Blut|kreis|lauf**; **Blut|plas|ma**; **Blut|plättchen** (Med.); **Blut|pro|be**; **Blut|ra|che**; **blut|rei|ni|gend**, **Blut rei|ni|gend**; blutreinigender od. Blut reinigender Tee
blut|rot; **blut|rüns|tig**
blut|sau|gend, **Blut sau|gend**; ein blutsaugender od. Blut saugender Vampir
Blut|spen|de; **Blut|spen|der**; **Blut|spen|derin**; **Blut|spur**; **blut|stil|lend**, **Blut stillend**; blutstillende od. Blut stillende Watte
bluts|ver|wandt
Blut|tat; **Blut|trans|fu|si|on**; **Blu|tung**; **Blut|ver|gie|ßen,** das; -s; **Blut|ver|giftung**; **Blut|wä|sche**; **Blut|wurst**
BLZ, die; - = Bankleitzahl
BMI, der; - = Body-Mass-Index
Bö, Böe, die; -, Böen (heftiger Windstoß)
Boa, die; -, -s (eine Riesenschlange; langer, schmaler Schal aus Pelz od. Federn)
¹**Board** [boːɐ̯t], das; -s, -s (kurz für Kickboard, Skateboard, Snowboard u. Ä.)
²**Board** [boːɐ̯t], das auch der; -s, -s (Wirtsch. für die Leitung u. Kontrolle eines Unternehmens zuständiges Gremium)
Bob, der; -s, -s (Rennschlitten); **Bob|bahn**
Boc|cia [...tʃa], das od. die; -, -s (ital. Kugelspiel)
Bock, der; -[e]s, Böcke; **bock|bei|nig** (ugs. für widerspenstig); **Bock|bier**

bo|ckig
Bocks|horn Plur. ...hörner
Bock|sprin|gen, das; -s; **Bock|wurst**
Bod|den, der; -s, - (Strandsee, [Ostsee]bucht)
Bo|de|ga, die; -, -s (span. Weinkeller)
Bo|den, der; -s, Böden; **Bo|den|be|lag**; **Boden|frost**; **Bo|den|haf|tung**; **bo|den|los**; ins Bodenlose fallen; **Bo|den|per|so|nal**; **Bo|den|schät|ze** Plur.; **bo|den|stän|dig**
Bo|dy [...di], der; -s, -s (engl. Bez. für Körper; kurz für Bodysuit); **Bo|dy|buil|der** [...bɪlde], der; -s, - (jmd., der Bodybuilding betreibt); **Bo|dy|buil|de|rin**; **Bo|dy|building,** das; -s (gezieltes Muskeltraining mit besonderen Geräten); **Bo|dy|guard** [...gaːɐ̯t], der; -s, -s (Leibwächter); **Bo|dylo|ti|on** (Körperlotion)
Bo|dy-Mass-In|dex [...mɛs...] (Med. Verhältnis von Körpergröße u. -gewicht; Abk. BMI)
Böe vgl. Bö
Boe|ing® [ˈboːɪŋ], die; -, -s (Flugzeugtyp)
Bo|fist [auch boˈfɪst], **Bo|vist** [ˈboːvɪst, auch boˈvɪst], der; -[e]s, -e (ein Pilz)
Bo|gen, der; -s, Plur. - u. (bes. südd., österr. u. schweiz.) Bögen
Bo|gen|schie|ßen, das; -s
Bo|heme [boˈɛːm, auch boˈhɛːm], die; - (unkonventionelles Künstlermilieu); **Bo|hemi|en** [boeˈmjɛ̃ː, auch bohe...], der; -s, -s (Angehöriger der Boheme)
Boh|le, die; -, -n (starkes Brett)
böh|misch (auch ugs. für unverständlich); das sind für mich böhmische Dörfer
Boh|ne, die; -, -n; **Boh|nen|kaf|fee**; **Bohnen|kraut**; **Boh|nen|stan|ge**
boh|nern; **Boh|ner|wachs**
boh|ren; **Boh|rer**; **Bohr|in|sel**; **Bohr|loch**; **Boh|rung**
bö|ig; böiger Wind
Boi|ler, der; -s, - (Warmwasserbereiter)
Bo|je, die; -, -n (Seemannsspr. schwimmendes Seezeichen)
Bo|le|ro, der; -s, -s (Tanz; kurze Jacke)
Böl|ler (Feuerwerkskörper); **böl|lern**
Boll|werk
Bol|sche|wik, der; -en, Plur. -i u. (abwer-

tend) -en (*hist. Bez. für* Mitglied der kommunistischen Partei Russlands bzw. der Sowjetunion); **Bol|sche|wi|kin**

Bol|sche|wis|mus, der; -; **Bol|sche|wist**, der; -en, -en; **Bol|sche|wis|tin**

bol|zen (*Fußball* derb, systemlos spielen); du bolzt; **Bol|zen**, der; -s, -; **Bolz|platz**

Bom|bar|de|ment [...'mã:, *österr.* ...bard'mã:, *schweiz.* bɔmbardə'mɛnt], das; -s, *Plur.* -s u. (bei schweiz. Aussprache:) -e (Beschießung; Abwurf von Bomben); **bom|bar|die|ren; Bom|bar|die|rung**

bom|bas|tisch

Bom|be, die; -, -n (mit Sprengstoff angefüllter Hohlkörper; *ugs.* wuchtiger Schuss aufs [Fußball]tor); **bom|ben; Bom|ben|an|griff; Bom|ben|an|schlag; Bom|ben|at|ten|tat; Bom|ben|dro|hung**

Bom|ben|er|folg (*ugs. für* großer Erfolg)

¹**bom|ben|si|cher**; ein bombensicherer Keller

²**bom|ben|si|cher** (*ugs.*); sie weiß es bombensicher

Bom|ber

Bom|mel, die; -, -n u. der; -s, - (*landsch. für* Quaste); **Bom|mel|müt|ze**

Bon [bɔŋ, *auch* bõ:], der; -s, -s (Gutschein; Kassenzettel)

Bon|bon [bõ'bõ:], der *od.* (*österr. nur*) das; -s, -s (Süßigkeit zum Lutschen); **Bon|bon|ni|e|re, Bon|bo|ni|e|re**, die; -, -n (gut ausgestattete Pralinenpackung)

Bond, der; -s, -s (*Bankw.* Schuldverschreibung mit fester Verzinsung)

Bo|ni|tät, die; -, -en (*Kaufmannsspr.* guter Ruf einer Person oder Firma in Bezug auf ihre Zahlungsfähigkeit)

Bon|mot [bõ'mo:], das; -s, -s (geistreiche Wendung)

Bon|sai, der; -[s], -[s] (jap. Zwergbaum)

Bo|nus, der; *Gen.* - u. Bonusses, *Plur.* - u. Boni, *auch* Bonusse (Vergütung; Rabatt); **Bo|nus|zah|lung**

Bon|ze, der; -n, -n (*abwertend für* dem Volk entfremdeter höherer Funktionär)

Boo|gie-Woo|gie [ˈbʊgiˈvʊgi], der; -[s], -s (Jazzart; ein Tanz)

Book|let [ˈbʊklɪt], das; -s, -s (kleines Beiheft)

Boom [bu:m], der; -s, -s ([plötzlicher] Wirtschaftsaufschwung); **boo|men** (*ugs. für* einen Boom erleben)

¹**Boot**, das; -[e]s, *Plur.* -e, *landsch. auch* Böte; Boot fahren

²**Boot** [bu:t] der; -s, -s *meist Plur.* (bis über den Knöchel reichender [Wildleder]schuh)

boo|ten [ˈbu:tn̩] (*EDV* einen Computer neu starten); ich boote, ich habe gebootet

Bor, das; -s (chemisches Element, Nichtmetall; *Zeichen* B)

¹**Bord**, das; -[e]s, -e ([Bücher-, Wand]brett)

²**Bord**, der; -[e]s, -e ([Schiffs]rand, -deck, -seite; *übertr. auch für* Schiff, Luftfahrzeug); an Bord gehen; Mann über Bord!

Bord|com|pu|ter

Bör|de, die; -, -n (fruchtbare Ebene); Magdeburger Börde

Bor|dell, das; -s, -e

Bord|stein

Bor|dü|re, die; -, -n (Einfassung, Besatz)

bor|gen

Bor|ke, die; -, -n (Rinde); **Bor|ken|kä|fer**

bor|niert (engstirnig); **Bor|niert|heit**

Bor|retsch, der; -[e]s (ein Küchenkraut)

Bör|se, die; -, -n (*Wirtsch.* Markt für Wertpapiere; *veraltend für* Portemonnaie); **Bör|sen|auf|sicht** (staatliche Überwachung der Börse auf Einhaltung der gesetzlichen Vorschriften); **Bör|sen|be|richt; Bör|sen|gang; Bör|sen|kurs; Bör|sen|mak|ler; Bör|sen|mak|le|rin; Bör|sen|no|tiert** (*Wirtsch.*); ein börse[n]notiertes Unternehmen; **Bör|sen|schluss; Bör|sen|wert** (*Wirtsch.* an der Börse gehandeltes Wertpapier); **Bör|si|a|ner** (*ugs. für* Börsenmakler, -spekulant); **Bör|si|a|ne|rin**

Bors|te, die; -, -n; **bors|tig**

Bor|te, die; -, -n (gemustertes Band als Besatz)

bös *vgl.* böse; **bös|ar|tig**

Bö|schung

bö|se, bös; böser Blick; jenseits von Gut und Böse; im Bösen auseinandergehen; sich zum Bösen wenden; im Guten wie im Bösen; **Bö|se**, der; -n, -n (*auch für* Teufel

[nur Sing.]); Bö|se|wicht, der; -[e]s, -e[r];
bos|haft; Bos|haf|tig|keit; Bos|heit

Bos|kop, Bos|koop, der; -s, - (eine Apfel-
sorte)

Boss, der; -es, -e (Chef; Vorgesetzter); Bos-
sin

bös|wil|lig

Bo|ta|nik, die; - (Pflanzenkunde); Bo|ta|ni-
ker; Bo|ta|ni|ke|rin; bo|ta|nisch

Böt|chen (kleines Boot)

Bo|te, der; -n, -n; Bo|ten|stoff *(Med., Phy-
siol.* Überträgerstoff); Bo|tin

Bot|schaft (diplomatische Vertretung); Bot-
schaf|ter; Bot|schaf|te|rin

Bött|cher (Bottichmacher); Bött|che|rin;
Bot|tich, der; -[e]s, -e

Bou|c|lé , Bu|k|lee [bu'kle:], das; -s, -s (Garn
mit Knoten u. Schlingen)

Bouil|lon [bʊl'jõ:, *österr.* bu'jõ:], die; -, -s
(Kraft-, Fleischbrühe)

Boule [bu:l], das; -[s], *auch* die; - (franz.
Kugelspiel)

Bou|le|vard [bulǝ'va:ɐ̯, *österr.* bʊl'va:ɐ̯], der;
-s, -s (breite [Ring]straße); Bou|le|vard-
pres|se, die; - *(oft abwertend)*

Bou|quet [bu'ke:], das; -s, -s, Bu|kett, das;
-[e]s, *Plur.* -s u. -e ([Blumen]strauß; Duft
[des Weines])

bour|geois [bʊr'ʒoa] (der Bourgeoisie ange-
hörend, entsprechend); bourgeoises
[...'ʒoa:zǝs] Verhalten; Bour|geois, der;
-, - *(abwertend für* wohlhabender, selbstzu-
friedener Bürger); Bour|geoi|sie
[...ʒoa'zi:], die; -, ...ien (Bürgerstand;
marx. herrschende Klasse im Kapitalismus)

Bou|tique [bu'ti:k, *österr.* bu'tık], die; -, -n
(kleiner Laden für meist modische Artikel)

Bo|vist ['bo:vıst, *auch* bo'vıst] *vgl.* Bofist

Bow|le ['bo:...], die; -, -n (Getränk aus Wein,
Zucker u. Früchten; Gefäß dafür)

Bow|ling ['bo:...], das; -s, -s (amerik. Art des
Kegelspiels; engl. Kugelspiel)

Box, die; -, -en (Pferdestand; Unterstellraum;
Montageplatz bei Autorennen; *kurz für*
Lautsprecherbox)

bo|xen; du boxt; er boxte ihn *(auch* ihm) in
den Magen; Bo|xer, der; -s, - *(bes. südd.,
österr. auch* Faustschlag; eine Hunderasse);
Bo|xe|rin; Box|hand|schuh; Box|kampf

Boy [bɔy], der; -s, -s ([Hotel]diener, Bote)

Boy|group [...gru:p], die; -, -s (Popgruppe
aus jungen attraktiven Männern)

Boy|kott [bɔy...], der; -[e]s, *Plur.* -s, *auch* -e
(politische, wirtschaftliche od. soziale Äch-
tung; Nichtbeachten); boy|kot|tie|ren

brab|beln *(ugs. für* undeutlich vor sich hin
reden); ich brabb[e]le

¹brach *vgl.* brechen

²brach (unbestellt; unbebaut); brach liegen;
brachliegende *od.* brach liegende Felder;
vgl. brachliegen

Bra|che, die; -, -n (Brachfeld)

Bra|chi|al|ge|walt, die; - (rohe Gewalt)

brach|lie|gen (nicht genutzt werden); Fähig-
keiten, die brachliegen; *aber* Äcker, die
brach liegen; *vgl.* ²brach

bra|ckig (schwach salzig u. daher ungenieß-
bar); Brack|was|ser, das; -s, ...wasser
(Gemisch aus Salz- u. Süßwasser)

Brain|stor|ming ['bre:nstɔ:mıŋ], das; -s, -s
(Verfahren, durch Sammeln spontaner
Einfälle eine Lösung für ein Problem zu fin-
den)

Bran|che ['brã:ʃǝ, *österr.* brã:ʃ], die; -, -n
(Wirtschafts-, Geschäftszweig; *ugs. für*
Fachgebiet); Bran|chen|füh|rer; Bran-
chen|füh|re|rin; Bran|chen|pri|mus *(ugs.
für* größtes, erfolgreichstes Unternehmen in
einer Branche); bran|chen|über|grei|fend;
bran|chen|üb|lich; Bran|chen|ver|zeich-
nis

¹Brand, der; -[e]s, Brände *(fachspr. auch kurz
für* Wein-, Obstbrand); in Brand stecken

²Brand [brænd], der, *auch* das; -[s], -s, *selten*
die; -, -s *(Wirtsch.* Marke, Markenartikel,
Markenfirma)

brand|ak|tu|ell; Brand|an|schlag; Brand-
bla|se; brand|ei|lig *(ugs. für* sehr eilig)

bran|den; das Meer brandet gegen die Felsen

Brand|herd; Brand|ka|ta|s|t|ro|phe; brand-
mar|ken; gebrandmarkt; Brand|mau|er;
brand|neu; Brand|sal|be; Brand|satz

(leicht entzündliches Gemisch [bes. als Füllung von Brandbomben]); **Brand|schutz**
Brand|stif|ter; **Brand|stif|te|rin**; **Brand|stif|tung**
Bran|dung
Brand|ur|sa|che; **Brand|wun|de**
Brannt|wein
Bra|sil, die; -, -[s] (Zigarre)
Brät, das; -s (fein gehacktes [Bratwurst]fleisch)
bra|ten; du brätst, er brät; du brietest; du brietest; gebraten; brat[e]!; **Bra|ten**, der; -s, -; **Bra|ten|so|ße**, **Bra|ten|sau|ce**
Brat|hendl, das; -s, -n (südd., österr. für Brathähnchen); **Brat|he|ring**; **Brat|kar|tof|fel** meist Plur.; **Brät|ling** (gebratener Kloß aus Gemüse, Getreide); **Brat|pfan|ne**
Brat|sche, die; -, -n (ein Streichinstrument); **Brat|schist**, der; -en, -en; **Brat|schis|tin**
Brat|wurst
Brauch, der; -[e]s, Bräuche
brauch|bar; **brau|chen**
Brauch|tum das; -s, ...tümer Plur. selten
Braue, die; -, -n
brau|en; **Brau|er**; **Brau|e|rei**; **Brau|e|rin**; **Brau|haus**
braun; eine braun gebrannte od. braungebrannte Frau; die Sonne hat uns braun gebrannt od. braungebrannt; vgl. blau; **Braun**, das; -[s], -[s] (braune Farbe); vgl. Blau; **Braun|bär**; **Bräu|ne**, die; - (braune Färbung); **bräu|nen**; **braun ge|brannt**, **braun|ge|brannt** vgl. braun; **Braun|koh|le**; **bräun|lich**; bräunlich gelb
Brau|se, die; -, -n
brau|sen; **Brau|sen**, das; -s
Brau|se|ta|b|let|te
Braut, die; -, Bräute; **Bräu|ti|gam**, der; -s, -e; **Braut|jung|fer**; **Braut|kleid**; **bräut|lich**; **Braut|paar**; **Braut|strauß**
brav (tüchtig; artig, ordentlich)
bra|vo! (gut!); vgl. Bravo; **Bra|vo**, das; -s, -s (Beifallsruf); Bravo od. bravo rufen
Bra|vour [...'vuːɐ̯], **Bra|vur**, die; - (Tapferkeit; meisterhafte Technik)

bra|vou|rös, **bra|vu|rös** (meisterhaft)
Break [breɪk], der od. das; -s, -s (Sport unerwarteter Durchbruch; Tennis Durchbrechen des gegnerischen Aufschlags); **Break-dance** [...daːns], der; - (tänzerisch-akrobatische Darbietung zu moderner Popmusik); **Break|dan|cer**, der; -s, -; **Break|dan|ce|rin**
Brech|ei|sen; **bre|chen**; brach; gebrochen; auf Biegen oder Brechen (ugs.)
Brech|mit|tel; **Brech|reiz**
Brech|stan|ge
Bre|douil|le [...'dʊljə], die; -, -n (ugs. für Verlegenheit, Bedrängnis); in der Bredouille sein; in die Bredouille kommen
Brei, der; -[e]s, -e; **brei|ig**
breit s. Kasten Seite 84
breit|ban|dig (Fachspr.)
Brei|te, die; -, -n; nördliche Breite (Abk. n. Br.); südliche Breite (Abk. s. Br.); in die Breite gehen (ugs. für dick werden)
brei|ten; ein Tuch über den Tisch breiten
Brei|ten|grad (Geogr.); **Brei|ten|kreis** (Geogr.); **Brei|ten|sport**, der; -[e]s
breit ge|fä|chert, **breit|ge|fä|chert** vgl. breit; **breit|ma|chen**, sich (viel Platz beanspruchen; sich ausbreiten); vgl. breit; **breit|schla|gen** (ugs. für überreden); sich breitschlagen lassen; vgl. breit; **breit|tre|ten** (ugs. für weitschweifig darlegen); ein Thema breittreten; vgl. breit
¹**Brem|se**, die; -, -n (Hemmvorrichtung)
²**Brem|se**, die; -, -n (ein Insekt)
brem|sen; **Brem|ser**; **Brem|se|rin**; **Brems|pe|dal**; **Brems|spur**; **Brems|weg**
brenn|bar; **Brenn|bar|keit**, die; -
Brenn|ele|ment (Kernphysik)
bren|nen; brannte; gebrannt; **Bren|ne|rei**
Brenn|holz, das; -es; **Brenn|ma|te|ri|al**; **Brenn|nes|sel**, **Brenn-Nes|sel**, die; **Brenn|punkt**; **Brenn|stab** (Kernphysik); **Brenn|stoff|zel|le** (Chemie, Technik); **Brenn|wei|te** (Optik)
brenz|lig; eine brenzlige Situation
Bre|sche, die; -, -n (veraltend für große Lücke)
Brett, das; -[e]s, -er; **Bret|ter|bu|de**; **bret|tern** (aus Brettern bestehend); **Brett|spiel**

breit

B

– ein 3 cm breiter Saum, ein breites Lachen
– die breite Masse (die meisten)
– weit und breit

Großschreibung der Substantivierung:

– des Langen und Breiten (umständlich) darlegen, des Breiter[e]n darlegen
– ins Breite fließen

Getrennt- und Zusammenschreibung:
Wenn »breit« das Ergebnis der mit dem folgenden einfachen Verb bezeichneten Tätigkeit angibt, kann getrennt oder zusammengeschrieben werden:

– die Schuhe breit treten od. breittreten
– einen Nagel breit schlagen od. breitschlagen

Schreibung mit Partizipien:

– ein breit gefächertes od. breitgefächertes Warenangebot

Wenn Adjektiv und Verb eine neue Gesamtbedeutung bilden, schreibt man zusammen:

– das Gerücht wurde in der Presse breitgetreten (weiterverbreitet)
– sie ließ sich breitschlagen (überreden), uns zu treffen
– es hatte sich eine allgemeine Müdigkeit breitgemacht (ausgebreitet)

Bre|vier, das; -s, -e (Gebetbuch der kath. Geistlichen; Stundengebet)
Bre|zel, die; -, -n, österr. auch das; -s, - (salziges od. süßes Gebäck)
Bridge [brɪtʃ], das; - (ein Kartenspiel)
Brief, der; -[e]s, -e; **Brief|bo|gen; Brief|bom|be; Brief|freund; Brief|freun|din; Brief|ge|heim|nis**, das; -ses; **Brief|kas|ten; brief|lich; Brief|mar|ke; Brief|pa|pier; Brief|ta|sche; Brief|tau|be; Brief|trä|ger; Brief|trä|ge|rin; Brief|um|schlag; Brief|wahl; Brief|wech|sel**
Bri|ga|de, die; -, -n (größere Truppenabteilung); **Bri|ga|di|er** [...'dịe:], der; -s, -s (Befehlshaber einer Brigade)
Bri|kett, das; -s, Plur. -s, selten -e (in Form gepresste Braun- od. Steinkohle)
bril|lant [brɪl'jant] (glänzend; fein); **Bril|lant**, der; -en, -en (geschliffener Diamant)
Bril|lanz, die; - (Glanz; Virtuosität)
Bril|le, die; -, -n; **Bril|len|ge|stell; Bril|len|glas** Plur. ...gläser; **Bril|len|schlan|ge** (ugs. scherzh. auch für Brillenträger[in])
bril|lie|ren [brɪl'ji:..., auch, bes. österr. brɪ'li:...] (glänzen; sich hervortun)
brin|gen; brachte; gebracht
bri|sant (hochexplosiv; sehr aktuell); **Bri-**

sanz, die; -, -en (Sprengkraft; nur Sing.: brennende Aktualität)
Bri|se, die; -, -n
Broc|co|li vgl. **Brokkoli**
brö|cke|lig, bröck|lig; **brö|ckeln**
Bro|cken, der; -s, -
bro|deln (dampfend aufsteigen, aufwallen)
Broi|ler, der; -s, - (regional für Hähnchen zum Grillen)
Bro|kat, der; -[e]s, -e (kostbares [Seiden]gewebe); **bro|ka|ten** (geh.)
Bro|ker ['broʊkɐ], der; -s, - (engl. Bez. für Börsenmakler); **Bro|ke|rin**
Brok|ko|li, **Broc|co|li**, der; -[s], -[s] (Spargelkohl)
Brom|bee|re; Brom|beer|strauch
bron|chi|al; Bron|chie [...çiə] die; -, -n meist Plur. (Med. Luftröhrenast); **Bron|chi|tis**, die; -, ...iti̯den (Bronchialkatarrh)
Bron|ze ['brõːsə, österr. brõːs], die; -, -n (Metallmischung; Kunstgegenstand aus Bronze; nur Sing.: Farbe); **Bron|ze|me|dail|le; bron|zen** (aus Bronze); **Bron|ze|zeit**, die; - (vorgeschichtliche Kulturzeit)
Bro|sa|me, die; -, -n meist Plur.
Bro|sche, die; -, -n
Bro|schü|re, die; -, -n (leicht geheftetes Druckwerk)

Brö|sel der, *bayr., österr.* das; -s, - *meist Plur.*
(Bröckchen); brö|seln (bröckeln)
Brot, das; -[e]s, -e; Brot|auf|strich
Bröt|chen; Bröt|chen|ge|ber *(scherzh. für*
Arbeitgeber)
Brot|korb; Brot|krus|te; Brot|laib; brot-
los; brotlose Kunst; Brot|mes|ser; Brot|
zeit *(landsch. für* Zwischenmahlzeit)
Brow|nie ['braʊni], der; -s, -s (ein Schokola-
dengebäck)
Brow|ser ['braʊze], der; -s, - (Software zum
Verwalten, Finden u. Ansehen von Dateien)
¹Bruch, der; -[e]s, Brüche *(ugs. auch für* Ein-
bruch); zu Bruch, in die Brüche gehen
²Bruch *[auch* bru:x], *der u.* das; -[e]s, *Plur.*
Brüche, *landsch.* Brücher (Sumpfland)
Bruch|bu|de *(ugs. abwertend für* schlechtes,
baufälliges Haus); brü|chig; Brü|chig|keit,
die; -; Bruch|lan|dung
bruch|rech|nen *nur im Infinitiv üblich;*
Bruch|rech|nung
Bruch|stück; Bruch|teil, der; Bruch|zahl
Brü|cke, die; -, -n; Brü|cken|bau *Plur.* ...bau-
ten; Brü|cken|bo|gen; Brü|cken|kopf
(Militär); Brü|cken|schlag (Herstellung
einer Verbindung)
Bru|der, der; -s, Brüder; brü|der|lich; Brü-
der|lich|keit, die; -; Bru|der|schaft ([rel.]
Vereinigung); Brü|der|schaft (brüderliches
Verhältnis); Brüderschaft trinken
Brü|he, die; -, -n; brü|hen
brüh|warm *(ugs.)*
brül|len
brum|me|lig; brum|meln *(ugs.)*
brum|men; Brum|mer *(ugs.);* brum|mig
Brunch [brantʃ], der; -[e]s, *Plur.* -[e]s *u.* -e
(ausgedehntes u. reichhaltiges, das Mittagessen ersetzendes Frühstück)
brü|nett (braunhaarig, -häutig)
Brunft, die; -, Brünfte *(Jägerspr.* Brunst beim
Wild)
Brun|nen, der; -s, -; Brun|nen|kres|se (Salat-
pflanze)
Brunst, die; -, Brünste (Periode der
geschlechtl. Erregung u. Paarungsbereit-
schaft bei einigen Tieren); bründs|tig

Brus|chet|ta [brʊsˈkɛta, bruˈskɛta], die; -, -s
u. ...tte [...ˈkɛte] (geröstetes Weißbrot mit
Tomaten)
brüsk; brüskes|te (schroff); brüs|kie|ren
(schroff behandeln); Brüs|kie|rung
Brust, die; -, Brüste; Brust|bein; brüs|ten,
sich; Brust|korb; Brust|krebs
brust|schwim|men, Brust schwim|men;
aber nur: er schwimmt Brust; Brust-
schwim|men, das; -s
Brüs|tung
Brust|war|ze
brut [brʏt] *(von Schaumweinen* sehr trocken)
Brut die; -, -en *Plur. selten;* bru|tal (roh;
gewalttätig); Bru|ta|li|tät, die; -, -en
brü|ten; brü|tend; brütende Hitze; ein brü-
tend heißer Tag; Brü|ter *(Kernphysik* Brut-
reaktor); schneller Brüter
Brut|kas|ten; Brut|stät|te
brut|to (mit Verpackung; ohne Abzug der
[Un]kosten; *Abk.* btto.); brutto für netto
(Abk. bfn.); Brut|to|ein|kom|men; Brut-
to|ge|wicht; Brut|to|in|lands|pro|dukt
(Wirtsch. Abk. BIP); Brut|to|lohn; Brut|to-
so|zi|al|pro|dukt *(Wirtsch.* älter für Brut-
tonationaleinkommen; *Abk.* BSP)
brut|zeln *(ugs.);* ich brutz[e]le
Bub, der; -en, -en *(südd., österr., schweiz. für*
Junge); Büb|chen; Bu|be, der; -n, -n *(veral-
tend für* niederträchtiger Mensch; Spielkar-
tenbezeichnung); Bu|bi, der; -s, -s *(Kose-
form von* Bub); Bu|bi|kopf (Damenfrisur;
Topfpflanze); bü|bisch
Buch, das; -[e]s, Bücher; Buch führen; die
Buch führende *od.* buchführende
Geschäftsstelle; zu Buche schlagen
Buch|bin|der; Buch|bin|de|rei; Buch|bin-
de|rin
Bu|che, die; -, -n; Buch|ecker
¹bu|chen (aus Buchenholz)
²bu|chen (in ein Rechnungsbuch eintragen;
reservieren lassen)
Bu|chen|wald
Bü|che|rei; Bü|cher|re|gal; Bü|cher-
schrank; Bü|cher|wurm, der *(scherzh.);*

Buch|fink; Buch füh|rend , buch|füh|rend
vgl. Buch; Buch|füh|rung; Buch|hal|ter;
Buch|hal|te|rin; Buch|hal|tung
Buch|han|del vgl. Handel; Buch|händ|ler;
Buch|händ|le|rin; Buch|hand|lung; Buch-
la|den; Büch|lein; Buch|ma|cher; Buch-
ma|che|rin; Buch|markt; Buch|mes|se
Buchs|baum
Büch|se, die; -, -n (zylindrisches Gefäß mit
Deckel; Feuerwaffe); Büch|sen|öff|ner
Buch|sta|be, der; Gen. -ns, selten -n, Plur. -n
buch|sta|bie|ren; buch|stäb|lich (genau
nach dem Wortlaut)
Bucht, die; -, -en
Buch|ti|tel
Bu|chung
Buch|wei|zen (eine Nutzpflanze)
Bu|ckel, der; -s, -; bu|cke||lig, buck|lig; bu-
ckeln (ugs. für einen Buckel machen; auf
dem Buckel tragen; abwertend für sich
unterwürfig verhalten)
bü|cken, sich
buck|lig vgl. buckelig; Bück|ling (scherzh.,
auch abwertend für Verbeugung)
bud|deln (ugs. für [im Sand] graben); ich
budd[e]le
Bud|dha, der; -s, -s (Abbild, Statue Buddhas);
Bud|dhis|mus, der; - (Lehre Buddhas);
Bud|dhist, der; -en, -en; Bud|dhis|tin;
bud|dhis|tisch
Bu|de, die; -, -n
Bud|get [by'dʒe:], das; -s, -s ([Staats]haus-
haltsplan, Voranschlag); bud|ge|tie|ren
(ein Budget aufstellen); Bud|ge|tie|rung
Bu|do, das; -[s] (Sammelbegriff für Kampf-
sportarten)
Bü|fett, das; -[e]s, Plur. -s u. -e, auch, bes.
österr. u. schweiz. Buf|fet [by'fe:, bes.
schweiz. 'byfe], das; -s, -s (Anrichte;
Geschirrschrank; zur Selbstbedienung
angerichtete Speisen)
Büf|fel, der; -s, - (wild lebende Rinderart);
Büf|fel|le|der
büf|feln (ugs. für angestrengt lernen)
Buf|fet [by'fe:, bes. schweiz. 'byfe] vgl.
Büfett

Buf|fo, der; -s, Plur. -s u. Buffi (Sänger komi-
scher Rollen)
¹Bug, der; -[e]s, Plur. (für Schiffsvorderteil:) -e
u. (für Schulterstück [des Pferdes u. des
Rindes]:) Büge
²Bug [bak], der; -s, -s (EDV Fehler in Hard- od.
Software)
Bü|gel, der; -s, -; Bü|gel|ei|sen; Bü|gel|fal-
te; bü|gel|frei; bü|geln
Bug|gy ['bagi], der; -s, -s (zusammenklapp-
barer Kinderwagen)
bug|sie|ren ([ein Schiff] schleppen; ugs. für
mühsam an einen Ort befördern)
Buh, das; -s, -s (ugs.); es gab viele Buhs; bu-
hen (ugs. für durch Buhrufe sein Missfallen
ausdrücken)
buh|len (veraltet); um jmds. Gunst buhlen
(geh.)
Buh|mann Plur. ...männer (ugs. für Schreck-
gespenst, Prügelknabe)
Buh|ne, die; -, -n (künstlicher Damm zum
Uferschutz)
Büh|ne, die; -, -n (südd., schweiz. auch für
Dachboden); Büh|nen|bild; Büh|nen|bild-
ner; Büh|nen|bild|ne|rin
Buh|ruf; Buh|ru|fer; Buh|ru|fe|rin
Bu|kett, das; -[e]s, Plur. -s u. -e ([Blu-
men]strauß; Duft [des Weines])
Bu|k|lee vgl. Bouclé
Bu|let|te, die; -, -n (landsch. für Frikadelle)
Bu|li|mie, die; - (Med. Ess-Brech-Sucht)
Bull|au|ge (rundes Schiffsfenster)
Bull|dog|ge (eine Hunderasse)
Bull|do|zer [...do:ze], der; -s, - (Planier-
raupe)
¹Bul|le, der; -n, -n (Stier, männliches Zucht-
rind; ugs. oft abwertend für Polizist)
²Bul|le, die; -, -n (mittelalterliche Urkunde;
päpstlicher Erlass); die Goldene Bulle
Bul|le|tin [byl'tɛ̃:], das; -s, -s (amtliche
Bekanntmachung; Krankenbericht)
bul|lig (gedrungen; [unerträglich] heiß)
Bu|me|rang [auch 'bu...], der; -s, Plur. -s od.
-e (gekrümmtes Wurfholz)
Bum|mel, der; -s, - (ugs. für Spaziergang);
Bum|me|lant, der; -en, -en (ugs.); Bum-

me|lan|tin; bum|meln (ugs.); Bum|mel-
streik; Bum|mel|zug (ugs.)

bums!; bum|sen (ugs. für dröhnend auf-
schlagen; koitieren); du bumst

¹Bund, der; -[e]s, Bünde (Vereinigung; oberer
Rand an Rock od. Hose)

²Bund, das; -[e]s, -e, österr. der; -[e]s, -e od.
Bünde (Gebinde); vier Bund Stroh

Bün|del, das; -s, -; bün|deln; Bün|de|lung

Bun|des|agen|tur für Ar|beit (Abk. BA);
Bun|des|amt; Bun|des|ar|beits|mi|nis-
ter; Bun|des|ar|beits|mi|nis|te|rin; Bun-
des|ar|beits|mi|nis|te|ri|um; Bun|des-
aus|bil|dungs|för|de|rungs|ge|setz, das;
-es (Abk. BAföG); Bun|des|au|ßen|mi|nis-
ter; Bun|des|au|ßen|mi|nis|te|rin; Bun-
des|bank, die; -; Bun|des|be|hör|de

Bun|des|bür|ger; Bun|des|bür|ge|rin

bun|des|deutsch; Bun|des|ebe|ne, die; -;
auf Bundesebene; bun|des|ei|gen; Bun-
des|fi|nanz|mi|nis|ter; Bun|des|fi|nanz-
mi|nis|te|rin; Bun|des|fi|nanz|mi|nis|te-
ri|um; Bun|des|ge|biet, das; -[e]s; Bun-
des|ge|richt; Bun|des|ge|richts|hof, der;
-[e]s; Bun|des|haupt|stadt; Bun|des-
haus|halt; Bun|des|heer (österr.); Bun-
des|in|nen|mi|nis|ter; Bun|des|in|nen-
mi|nis|te|rin; Bun|des|in|nen|mi|nis|te-
ri|um; Bun|des|ka|bi|nett; Bun|des-
kanz|ler; Bun|des|kanz|ler|amt; Bun-
des|kanz|le|rin

Bun|des|la|de (jüd. Rel.); Bun|des|land Plur.
...länder; Bun|des|li|ga (höchste deutsche
Spielklasse in verschiedenen Sportarten);
die Erste, Zweite Bundesliga; Bun|des|li-
ga|spiel; Bun|des|li|gist, der; -en, -en;
Bun|des|mi|nis|ter; Bun|des|mi|nis|te|rin;
Bun|des|mi|nis|te|ri|um

Bun|des|nach|rich|ten|dienst (Abk. BND);
Bun|des|par|tei|tag; Bun|des|po|li|tik;
bun|des|po|li|tisch; Bun|des|po|li|zei
(Abk. BPOL); Bun|des|prä|si|dent; Bun-
des|prä|si|den|tin

Bun|des|rat; Bun|des|rä|tin (in Österreich u.
der Schweiz); Bun|des|re|gie|rung

Bun|des|re|pu|b|lik; bun|des|re|pu|b|li|ka-

nisch; Bun|des|staat Plur. ...staaten; Bun-
des|stra|ße (Zeichen B, z. B. B 38)

Bun|des|tag; Bun|des|tags|man|dat; Bun-
des|tags|prä|si|dent; Bun|des|tags|prä-
si|den|tin; Bun|des|tags|wahl

Bun|des|trai|ner; Bun|des|trai|ne|rin

Bun|des|ver|band; Bun|des|ver|dienst-
kreuz; Bun|des|ver|ei|ni|gung; Bun-
des|ver|fas|sungs|ge|richt, das; -[e]s;
Bun|des|ver|samm|lung; Bun|des-
ver|wal|tungs|ge|richt; Bun|des|wehr,
die; -; Bun|des|wehr|ein|satz

bun|des|weit; Bun|des|wirt|schafts|mi|nis-
ter; Bun|des|wirt|schafts|mi|nis|te|rin;
Bun|des|wirt|schafts|mi|nis|te|ri|um

bün|dig (bindend; Bauw. in gleicher Fläche
liegend); kurz und bündig

Bünd|nis, das; -ses, -se; Bündnis 90/Die Grü-
nen (Kurzform die Grünen, auch Bündnis-
grünen); bünd|nis|grün; Bünd|nis|part-
ner; Bünd|nis|part|ne|rin

Bun|ga|low [...lo], der; -s, -s

Bun|gee-Jum|ping, Bun|gee|jum|ping
['bandʒidʒa...], das; -s (Springen aus großer Höhe mit Sicherung durch ein starkes
Gummiseil)

Bun|ker, der; -s, - (Behälter für Massengut
[Kohle, Erz]; Betonunterstand; Golf Sand-
loch); bun|kern (in den Bunker füllen; ugs.
für horten)

Bun|sen|bren|ner

bunt; die buntes|ten Farben; ein bunter
Abend; bekannt wie ein bunter Hund; ein
Kleid bunt färben od. buntfärben; Oster-
eier bunt bemalen; ein bunt gestreifter od.
buntgestreifter Pullover

bunt fär|ben, bunt|fär|ben vgl. bunt

bunt ge|fie|dert, bunt|ge|fie|dert

bunt ge|mischt, bunt|ge|mischt

bunt ge|streift, bunt|ge|streift vgl. bunt

Bunt|pa|pier; Bunt|sand|stein (Gestein; nur
Sing.: Geol. unterste Stufe der Trias)

bunt|sche|ckig; Bunt|specht; Bunt|stift

Bür|de, die; -, -n

Burg, die; -, -en

Bür|ge, der; -n, -n; bür|gen

Bur|ger ['bø:ɐɡɐ], der; -s, - (ugs. kurz für Hamburger)

Bür|ger; Bür|ger|be|geh|ren, das; -s, -; **Bür-ger|be|we|gung; Bür|ger|ent|scheid; Bür|ger|fo|rum; Bür|ge|rin; Bür|ger|in|i-ti|a|ti|ve** (Abk. BI); **Bür|ger|krieg**

bür|ger|lich; bürgerliche (einfache) Küche, aber das Bürgerliche Gesetzbuch (Abk. BGB)

Bür|ger|meis|ter [auch ...'mai...]; **Bür-ger-meis|te|rin; Bür|ger|nä|he; Bür|ger-recht|ler; Bür|ger|recht|le|rin; Bür|ger-rechts|be|we|gung; Bür|ger|schaft; bür-ger|schaft|lich; Bür|ger|sprech|stun|de; Bür|ger|steig; Bür|ger|tum**, das; -s

Bür|gin; Bürg|schaft

bur|lesk (possenhaft); **Bur|les|ke**, die; -, -n (Posse, Schwank)

Burn-out, Burn|out [bə:n'laut], das; -[s], -s (kurz für Burn-out-Syndrom); **Burn-out-Syn|drom, Burn|out-Syn|drom, Burn-out|syn|drom** (Med. Syndrom der völligen seelischen u. körperlichen Erschöpfung)

Bü|ro, das; -s, -s; **Bü|ro|flä|che; Bü|ro|ge-bäu|de; Bü|ro|haus; Bü|ro|krat**, der; -en, -en; **Bü|ro|kra|tie**, die; -, ...ien; **Bü|ro|kra-tin; bü|ro|kra|tisch; Bü|ro|raum**

Bürsch|chen; Bur|sche, der; -n, -n; **bur|schi-kos** ([betont] ungezwungen; formlos)

Bürs|te, die; -, -n; **bürs|ten**

Bür|zel, der; -s, - (Schwanz[wurzel], bes. von Vögeln)

Bus, der; Busses, Busse (kurz für Autobus, Omnibus); **Bus|bahn|hof**

Busch, der; -[e]s, Büsche

Bü|schel, das; -s, -; **bu|schig**

Bu|sen, der; -s, -; **bu|sen|frei; Bu|sen-freund; Bu|sen|freun|din**

Bus|fah|rer; Bus|fah|re|rin

Bus|hal|te|stel|le

Busi|ness ['bɪsnɛs, auch 'bɪznɪs], das; - (Geschäft[sleben]); **Busi|ness|class,** Busi-ness-Class [...kla:s], die; - (bes. für Geschäftsreisende eingerichtete Reiseklasse im Flugverkehr); **Busi|ness|plan** (Geschäfts-, Unternehmensplan)

Bus|li|nie

Buß|an|dacht (kath. Kirche)

Bus|sard, der; -s, -e (ein Greifvogel)

Bu|ße, die; -, -n (auch für Geldstrafe); **bü-ßen** (schweiz. auch für jmdn. mit einer Geldstrafe belegen); **Buß|geld; Buß|geld-be|scheid; Buß|tag; Buß- und Bet|tag**

Büs|te [auch 'by:...], die; -, -n; **Büs|ten|hal-ter** (Abk. BH)

But|ler ['bat...], der; -s, - (Diener in vornehmen [engl.] Häusern)

Butt, der; -[e]s, -e (Flunder)

Bütt, die; -, -en (landsch. für fassförmiges Vortragspult für Karnevalsredner); in die Bütt steigen; **Büt|ten|re|de**

But|ter, die; -; **But|ter|blu|me; But|ter|brot; But|ter|creme, But|ter|crème**

But|ter|fly ['batɐflai], der; -[s] (Schwimmsport Schmetterlingsstil)

But|ter|milch; but|tern; but|ter|weich

But|ton ['batn̩], der; -s, -s (Ansteckplakette)

bye! [bai] (auf Wiedersehen!)

By|pass ['bai...], der; -es, ...pässe (Med. Überbrückung eines krankhaft veränderten Abschnittes der Blutgefäße)

By|pass|ope|ra|ti|on

Byte [bait], das; -[s], -s ⟨aber: eine Million Bytes od. Byte⟩ (EDV Einheit von acht Bits)

C c

c, C, das; -, - (Tonbezeichnung); das hohe C

C (Buchstabe); das C; des C, die C, aber das c in Tacitus

Ca|ba|ret [...'re:, auch 'kabare] vgl. Kabarett

Ca|b|rio, das; -[s], -s (kurz für Cabriolet)

Ca|b|ri|o|let [auch, österr. nur, ...'le:], das; -s, -s (Auto mit aufklappbarem Verdeck)

Cad|mi|um vgl. Kadmium

Ca|fé, das; -s, -s (Kaffeehaus, -stube); **Café au Lait** [kafeo'lɛ], der; ---, -s- - (Milchkaffee)

Ca|fe|te|ria, die; -, Plur. -s u. ...ien

Caf|fè La̱t|te ['kafe -], der; - -, - - (Milchkaffee)

Cai|pi̱|rin|ha [kaipi'rinja], der; -s, -s u. die; -, -s (ein Mixgetränk)

Ca̱l|ci̱|um vgl. Kalzium

Ca̱l|la, Ka̱l|la, die; -, -s (eine Zierpflanze)

Ca̱l|la|ne̱|tics® [kɛlə'nɛ...], das; - meist o. Art. (ein Fitnesstraining)

Call|boy ['kɔ:l...], der; -s, -s (vgl. Callgirl)

Call-by-Call ['kɔ:lba̱i'kɔ:l], das; -s meist ohne Artikel (Auswahl einer bestimmten Telefongesellschaft per Vorwahl)

Call|ce̱n|ter, Call-Cen|ter ['kɔ:lsɛnte], das; -s, - (Büro für telefonische Dienstleistungen); **Call|girl** ['kɔ:lgœ:l], das; -s, -s (Prostituierte, die auf telefonischen Anruf hin kommt od. jmdn. empfängt)

Call-in [kɔ:l'l̩ın], das; -[s], -s (Anrufsendung)

Ca̱m|cor|der vgl. Kamerarekorder

Ca̱mem|bert [...be:ɐ̯, auch ...mä'bɛ:ɐ̯], der; -s, -s (ein Weichkäse)

Camp [kɛmp], das; -s, -s ([Feld-, Gefangenen]lager)

Cam|pa̱|g|ne [...'panjə] vgl. Kampagne

cam|pen ['kɛ...]; **Ca̱m|per**; **Ca̱m|pe|rin**

Ca̱m|ping ['kɛ...], das; -s (Leben auf Zeltplätzen im Zelt od. Wohnwagen); **Cam̱ping|aus|rüs|tung; Ca̱m|ping|platz**

Ca̱m|pus, der; -, Plur. - u. -se (Universitätsgelände)

Ca̱|na̱s|ta, das; -s (ein Kartenspiel)

Ca̱n|can [kã'kã:], der; -[s], -s (ein Tanz)

Ca̱n|na|bis, der u. das; - (Hanf; auch für Haschisch)

Cap [kɛp], die; -, -s, auch der od. das; -s, -s (Baseballmütze)

Cape [ke:p], das; -s, -s (ärmelloser Umhang)

Cap|puc̱|ci̱|no [...'tʃi:...], der; -[s], -[s] u. ...ccini (Kaffeegetränk)

Cap|tain ['kɛptn̩], der; -s, -s (schweiz. für Mannschaftsführer, -sprecher)

Ca̱|ra|bi̱|ni̱|e̱|re, Ka̱|ra|bi̱|ni̱|e̱|re, der; -[s], ...ri (Angehöriger einer italienischen Polizeitruppe)

Ca̱|ra|van ['ka(:)..., auch ...'va:n, 'kɛrəvɛn], der; -s, -s (Wohnwagen)

Car|bi̱d, das; -[e]s, -e

Car|bo̱|na̱t vgl. Karbonat

care of ['kɛ:ɐ̯ ɔf] (in Briefanschriften usw. wohnhaft bei ...; per Adresse; Abk. c/o)

Ca̱r|go, Ka̱r|go, der; -s, -s (Verkehrsw. Fracht)

Ca̱|ro|ti̱n vgl. Karotin

Car|port, der; -s, -s (überdachter Abstellplatz für Autos)

Car|toon [...'tu:n], der od. das; -[s], -s (Karikatur, Witzzeichnung; kurzer Comicstrip)

Car|too|nist, der; -en, -en; **Car|too|ni̱s|tin**

car|ven (mit Skiern od. Snowboard auf der Kante fahren, ohne zu rutschen); wir sind ohne Stöcke gecarvt; Ca̱r|ving, das; -[s]; **Ca̱r|ving|ski, Ca̱r|ving-Ski**

Ca̱|sa|no̱|va, der; -[s], -s (ugs. für Frauenheld, -verführer)

cash [kɛʃ] (bar), Cash, das; - (Wirtsch. Kasse, Bargeld, Barzahlung)

Cash|flow [...flo:], der; -s, -s (Wirtsch. Überschuss nach Abzug aller Unkosten)

Ca̱|si̱|no (österr. neben Kasino [vgl. d.])

ca̱s|ten (Film [von jmdm.] Probeaufnahmen machen); gecastet

Ca̱s|ting, das; -s, -s (Rollenbesetzung); **Ca̱s|ting|show, Ca̱s|ting-Show**

Catch-as-catch-can ['kɛtʃ|ɛs'kɛtʃ'kɛn], das; - (Freistilringkampf); **cat|chen; Ca̱t|cher; Ca̱t|che|rin**

Ca̱|te|rer ['ke:təre], der; -s, - (auf Catering spezialisiertes Unternehmen); **Ca̱|te|ring** ['ke:tərıŋ], das; -[s] (Verpflegung)

Ca̱|yenne|pfef|fer [ka'jɛn...], der; -s (ein scharfes Gewürz)

CD, die; -, -s (Datenträger in Form einer runden, silbrigen Scheibe); **CD-Bren|ner** (Gerät zum Beschreiben von CDs); **CD-Lauf|werk; CD-Play|er** (CD-Spieler)

CD-RO̱M, die; -, -[s] (CD, deren Inhalt nicht gelöscht od. überschrieben werden kann)

C-Dur ['tse:du:ɐ̯, auch 'tse:'du:ɐ̯] (Tonart; Zeichen C); **C-Dur-Ton|lei|ter**

Cel|li̱st [tʃ...], der; -en, -en (Cellospieler)

Cel|li̱s|tin; Ce̱l|lo, das; -s, Plur. -s u. ...lli (kurz für Violoncello)

Cel|lo|phan®, das; -s; *vgl.* Zellophan

Cel|lu|li|te, die; -, -n (Degeneration des Zellgewebes); **Cel|lu|li|tis**, Zel|lu|li|tis, die; -, ...iti|den; *vgl.* Cellulite

Cel|lu|lo|id *vgl.* Zelluloid

Cel|si|us (Gradeinheit auf der Celsiusskala; *Zeichen* C; *fachspr.* °C); 5° C (*fachspr.* 5 °C)

Cem|ba|lo [tʃ...], das; -s, *Plur.* -s u. ...li (ein Tasteninstrument)

Cent [s..., ts...], der; -[s], -[s] (Untereinheit von Euro, Dollar u. anderen Währungen [*Abk.* c, ct]); 5 Cent

Cen|ter [s...], das; -s, - (Geschäftszentrum; Großeinkaufsanlage)

Cen|tre-Court, **Cen|tre|court** ['sɛntə...], der; -s, -s (Hauptplatz großer Tennisanlagen)

Cer|be|rus *vgl.* Zerberus

Ce|vap|ci|ci, **Če|vap|či|ći** [tʃe'vaptʃitʃi] *Plur.* (gegrillte Hackfleischröllchen)

Cha-Cha-Cha ['tʃa'tʃa'tʃa], der; -[s], -s (ein Tanz)

Cha|mä|le|on [ka...], das; -s, -s (eine Echse)

Cham|pa|g|ner [ʃam'panje], der; -s, - (ein Schaumwein)

Cham|pi|g|non ['ʃampɪnjɔn], der; -s, -s (ein Edelpilz)

Cham|pi|on ['tʃɛmpiən, *auch* ʃã'pjõ:], der; -s, -s (Meister in einer Sportart); **Cham|pi|o|nat** [ʃa...], das; -[e]s, -e (Meisterschaft)

Cham|pi|ons League, **Cham|pi|ons-league** ['tʃɛmpiəns 'li:k], die; - - (*Sport* Wettbewerb für europ. Spitzenmannschaften)

Chan|ce ['ʃã:s(ə), *auch* 'ʃãsə], die; -, -n; **Chan|cen|gleich|heit**, die; -; **chan|cen-los**; **Chan|cen|lo|sig|keit**, die; -

Change [tʃeɪndʒ], der; - (*engl. Bez. für* [Geld]wechsel)

chan|gie|ren [ʃã'ʒi:...] (schillern)

Chan|nel ['tʃɛn], der; -s, -s (*EDV* Gesprächsgruppe beim Chat im Internet)

Chan|son [ʃã'sõ:], das; -s, -s ([Kabarett]lied); **Chan|son|ni|er**, **Chan|so|ni|er** [...'nje:], der; -s, -s (Chansonsänger, -dichter); **Chan|son|ni|è|re**, **Chan|so|ni|e|re**

[...'nje:rə], die; -, -n (Chansonsängerin, -dichterin)

Cha|os [k...], das; -; **Cha|ot**, der; -en, -en (jmd., der die bestehende Gesellschaftsordnung durch Gewaltaktionen zu zerstören versucht; *ugs. für* sprunghafter Mensch, Wirrkopf); **Cha|o|tin**; **cha|o|tisch**

Cha|rak|ter [k...], der; -s, ...ere; **Cha|rak-ter|ei|gen|schaft**; **Cha|rak|ter|feh|ler**; **cha|rak|ter|fest**; **cha|rak|te|ri|sie|ren**; **Cha|rak|te|ri|sie|rung**; **Cha|rak|te|ris-tik**, die; -, -en; **cha|rak|te|ris|tisch**; **cha-rak|ter|lich**; **cha|rak|ter|los**; **Cha|rak-ter|zug**

Char|ge ['ʃarʒə], die; -, -n (Amt; Rang; *Pharm.* eine bestimmte Serie von Arzneimitteln; *Technik* Ladung, Beschickung)

Cha|ris|ma ['ça(:)... *od.* 'ka(:)..., *auch* ...'rɪs...], das; -s, *Plur.* ...rismen u. ...rismata (Ausstrahlung); **cha|ris|ma|tisch**

Cha|ri|té [ʃ...], die; -, -s (Name von Krankenhäusern)

Charles|ton ['tʃaːəlstn], der; -, -s (ein Tanz)

char|mant [ʃ...] (liebenswürdig); **Charme** [ʃarm], der; -s (liebenswürdig-gewinnende Wesensart); **Char|meur** [...'møːe], der; -s, *Plur.* -s *od.* -e (charmanter Plauderer); **Char|meu|rin** (*seltener*)

Chart [tʃ...], der *od.* das; -s, -s (grafische Darstellung von Zahlenreihen); *vgl.* Charts

Char|ta [k...], die; -, -s ([Verfassungs]urkunde)

Char|ter|flug ['tʃarte...]; **Char|ter|ge|sell-schaft**; **Char|ter|ma|schi|ne**

char|tern (ein Schiff od. Flugzeug mieten); ich chartere; gechartert

Charts [tʃ...] *Plur.* (svw. Hitliste[n])

Chas|sis [ʃa'siː], das; -, - (Fahrgestell von Kraftfahrzeugen; Montagerahmen)

Chat [tʃɛt], der; -s, -s ([zwanglose] Kommunikation im Internet); **Chat|group**, **Chat-Group** ['tʃɛtgruːp], die; -, -s (Gruppe, die miteinander chattet); **Chat|room**, **Chat-Room** ['tʃɛtruːm], der; -s, -s (Internetdienst, der das Chatten ermöglicht)

chat|ten ['tʃɛtn] (sich [meist unter einem

Decknamen] im Internet mit anderen aus-
tauschen); gechattet
Chauf|feur [ʃɔ'føːɐ̯], der; -s, -e (Fahrer);
Chauf|feu|rin; chauf|fie|ren
Chaus|see [ʃo…], die; -, …sseen (veraltend
für Landstraße)
Chau|vi|nis|mus [ʃovi…], der; - (übersteigertes Nationalbewusstsein; übertriebenes männliches Selbstwertgefühl); **Chau-**
vi|nist, der; -en, -en; ugs. auch kurz
Chauvi, der; -s, -s; **Chau|vi|nis|tin**
¹**Check** [ʃɛk] vgl. ¹Scheck
²**Check** [tʃ…], der; -s, -s (Prüfung, Kontrolle;
Eishockey Behinderung, Rempeln)
che|cken (Eishockey behindern, [an]rempeln; bes. Technik kontrollieren; ugs.
auch für begreifen)
Check|lis|te (Kontrollliste); **Check|point**,
der; -s, -s (Kontrollpunkt an Grenzübergängen); **Check-up** ['tʃɛkʌap, auch …'-
ʌap], der od. das; -[s], -s (medizinische
Vorsorgeuntersuchung; Überprüfung)
Cheese|bur|ger ['tʃiːsbøːɐ̯…], der; -s, -
(Hamburger mit Käse)
Chef [ʃ…, österr. ʃeːf], der; -s, -s; **Chef|arzt;**
Chef|ärz|tin; Chef|coach; Chef|eta|ge;
Che|fin; Chef|re|dak|teur; Chef|re|dak-
teu|rin; Chef|re|dak|ti|on; Chef|sa|che
Che|mie [çe'miː, südd., österr. k…]; **Che-**
mie|kon|zern; Che|mi|ka|lie, die; -, -n;
Che|mi|ker; Che|mi|ke|rin
che|misch; chemische Reinigung; chemisches Element
Che|mo|the|ra|pie (Heilbehandlung mit
chemischen Mitteln)
Cheque [ʃɛk] vgl. ¹Scheck
Chi [tʃi:] vgl. Qi
Chi|an|ti [k…], der; -[s], -s (ein ital. Rotwein)
chic [ʃik], schick; das Abendkleid ist chic
od. schick; in den gebeugten Formen nur
sie trägt ein schickes Abendkleid; **Chic**,
der; -s, Schick, der; -[e]s ([modische] Feinheit); die Dame hat Chic od. Schick
Chi|co|rée [ʃ…re, auch …'reː], der; -s, auch
die; - (ein Gemüse)

Chif|fon ['ʃɪfõ, österr. ʃi'foːn], der; -s, Plur.
-s, österr. -e (feines Gewebe)
Chif|f|re ['ʃɪfrə, auch 'ʃifə], die; -, -n (Ziffer;
Geheimzeichen; Kennwort); **chif|f|rie|ren**
(in Geheimschrift abfassen)
Chi|li [tʃ…], der; -s, -s (ein scharfes
Gewürz); **Chi|li con Car|ne**, das; -[s] - -
(mex. Rinderragout mit Bohnen)
chil|len [tʃ…] (ugs. für sich entspannen)
Chi|mä|re usw. vgl. Schimäre usw.
Chi|na|kohl, der; -[e]s
Chi|nin [ç…, südd., österr. k…], das; -s (ein
Fiebermittel)
Chip [tʃ…], der; -s, -s (Spielmarke; Plättchen
mit elektronischen Schaltelementen);
Chip|kar|te (Plastikkarte mit einem elektronischen Chip)
Chip|pen|dale ['tʃɪpn̩deːl, 'ʃ…], das; -[s]
([Möbel]stil)
Chi|ro|prak|tik, die; - (manuelle Behandlung von Funktionsstörungen am menschlichen Bewegungsapparat)
Chi|r|urg [ç…], der; -en, -en; **Chi|r|ur|gie**,
die; -, …ien; **Chi|r|ur|gin; chi|r|ur|gisch**
Chi|tin|pan|zer (stabile Körperhülle von
Insekten, Krebsen u. a.)
Chlor [k…], das; -s (chemisches Element;
Zeichen Cl); **chlo|ren** (mit Chlor behandeln); **Chlo|ro|form**, das; -s (Betäubungs-,
Lösungsmittel); **chlo|ro|for|mie|ren** (mit
Chloroform betäuben)
Chlo|ro|phyll, das; -s (Bot. Blattgrün)
Cho|le|ra [k…], die; - (Med. eine Infektionskrankheit)
Cho|le|ri|ker (leicht erregbarer, jähzorniger
Mensch); **Cho|le|ri|ke|rin; cho|le|risch**
Cho|les|te|rin [k…, auch ç…], das; -s, -e
(fettähnlicher Stoff im menschlichen und
tierischen Körper); **Cho|les|te|rin|spie|gel**
Chor [k…], der; -[e]s, Chöre (Singgruppe;
Kirchenraum mit Altar); gemischter Chor;
Cho|ral, der; -s, …räle (Kirchengesang,
-lied)
Cho|reo|graf, Cho|reo|graph [k…], der;
-en, -en; **Cho|reo|gra|fie, Cho|reo|gra-**
phie, die; -, …ien (Gestaltung, Einstudie-

rung eines Balletts); **cho|reo|gra|fie|ren**, cho|reo|gra|phie|ren; **Cho|reo|gra|fin**, Cho|reo|gra|phin; **cho|reo|gra|fisch**, cho|reo|gra|phisch

Chor|lei|ter, der; **Chor|lei|te|rin**; **Chor|pro|be**

Cho|se [ʃ...] die; -, -n *Plur. selten* (ugs. für Sache, Angelegenheit)

Christ, der; -en, -en (Anhänger des Christentums); **Christ|baum** (*landsch. für* Weihnachtsbaum); **Chris|ten|heit**, die; -; **Chris|ten|tum**, das; -s; **Chris|ten|ver|fol|gung**; **Chris|tin**; **Christ|kind**; **christ|lich**; christliche Seefahrt, *aber* die Christlich Demokratische Union [Deutschlands] (*Abk.* CDU); **christ|so|zi|al** (christlich-sozial)

Chrom [k...], das; -s (chemisches Element, Metall; *Zeichen* Cr)

Chro|mo|som das; -s, -en *meist Plur.* (*Biol.* das Erbgut tragendes Gebilde im Zellkern); **Chro|mo|so|men|zahl**

Chro|nik [k...], die; -, -en (Aufzeichnung geschichtl. Ereignisse nach ihrer Zeitfolge); **chro|nisch** (*Med.* langwierig; *ugs. für* dauernd); **Chro|nist**, der; -en, -en (Verfasser einer Chronik); **Chro|nis|tin**; **Chro|no|lo|gie**, die; -, -n (*nur Sing.:* Wissenschaft von der Zeit[messung]; Zeitrechnung; zeitliche Folge); **chro|no|lo|gisch**

Chry|s|an|the|me [k...], die; -, -n (Zierpflanze mit großen strahligen Blüten)

Chuz|pe [x...], die; - (ugs. für Dreistigkeit)

Cia|bat|ta [tʃa...], die; -, ...te, *auch* das; -s, -s (ital. Weißbrot)

ciao! *vgl.* tschau!

Ci|d|re [s..., *auch* ...də], der; -[s], -s (franz. Apfelwein)

Ci|ne|ast [s...], der; -en, -en (Filmfachmann; Filmfan); **Ci|ne|as|tin**; **ci|ne|as|tisch**

cir|ca, zir|ka (ungefähr, etwa; *Abk.* ca.)

Cir|cus usw. *vgl.* Zirkus usw.

Ci|ty [ˈsɪti], die; -, -s (Innenstadt); **Ci|ty-maut** (beim Befahren des Innenstadtbereichs zu entrichtende Maut)

Claim [kle:m], der *u.* das; -s, -s (Anspruch; Werbeslogan)

Clan [kla:n, *engl.* klɛn], Klan, der; -s, *Plur.* -e, *bei engl. Ausspr.* -s ([schott.] Lehns-, Stammesverband)

clean [kli:n] (ugs. für nicht mehr [drogen]abhängig)

Cle|ma|tis (*fachspr. für* Klematis)

Cle|men|ti|ne, Kle|men|ti|ne, die; -, -n (kernlose Sorte der Mandarine)

cle|ver (klug, gewitzt); **Cle|ver|ness**, die; -

Cli|ent [ˈklaɪənt], der; -s, -s (*EDV* Rechner, der vom Server Dienste abruft)

Clinch [...ntʃ], der; -[e]s (Umklammerung des Gegners im Boxkampf); mit jmdm. im Clinch liegen (ugs. für Streit haben)

Clip, Klipp, der; -s, -s (Klemme; Schmuckstück [am Ohr]); *vgl.* Videoclip

Clips *vgl.* Klips

Cli|que [ˈklɪkə, *auch* ˈkli:...], die; -, -n (Freundeskreis [junger Leute]; Klüngel)

Clo|chard [...ˈʃaːɐ̯], der; -[s], -s (*franz. Bez. für* Stadt- od. Landstreicher)

Clog der; -s, -s *meist Plur.* (Holzpantoffel mit dicker Sohle)

Clou [klu:], der; -s, -s (Glanzpunkt)

Clown [klaʊn, *seltener auch* klo:n], der; -s, -s (Spaßmacher)

Club usw. *vgl.* Klub usw.

Coach [ko:tʃ], der; -[e]s, -[e]s (Trainer; beratender Betreuer); **coa|chen** (trainieren, betreuen); sie coacht die Mannschaft; sie hat ihn gecoacht; **Coa|chin**; **Coa|ching**, das; -[s], -s

Co|balt *vgl.* Kobalt

Co|ca, das; -[s], -s *od.* die; -, -s (ugs. kurz für Coca-Cola); **Co|ca-Co|la**®, das; -[s] *od.* die; - (Erfrischungsgetränk); 5 [Flaschen] Coca-Cola

Co|cker|spa|ni|el, der; -s, -s (engl. Jagdhundeart)

Cock|pit, das; -s, -s (Pilotenkabine in Flugzeugen; Fahrersitz in einem Rennwagen; vertiefter Sitzraum für die Besatzung von Jachten u. Ä.)

Cock|tail [...te:l], der; -s, -s (alkohol. Mischgetränk); **Cock|tail|par|ty**

Code, Kode [ko:t], der; -s, -s (System verabredeter Zeichen; Schlüssel zum Dechiffrieren); **Code|num|mer**, Kode|num|mer

Co|dex vgl. Kodex

co|die|ren, ko|die|ren (durch einen Code verschlüsseln); **Co|die|rung**, Ko|die|rung

Cœur [køːɐ̯], das; -[s], -[s] (Herz im Kartenspiel)

Cof|fe|in vgl. Koffein

co|g|nac [ˈkɔnjak] (goldbraun); ein cognac Hemd; in Cognac; **Co|g|nac®** [ˈkɔnjak], der; -s, -s (Weinbrand); vgl. aber Kognak

Coif|feur [koaˈføːɐ̯] (schweiz., sonst geh. für Friseur); **Coif|feu|se** [koaˈføː...], die; -, -n

Co|i|tus vgl. Koitus

Co|la, das; -[s], -s od. die; -, -s (ugs. kurz für koffeinhaltiges Erfrischungsgetränk)

Col|la|ge [...ʒə, österr. ...ʃ], die; -, -n (aus Papier od. anderem Material geklebtes Bild)

Col|lege [...lɪtʃ], das; -[s], -s

Col|lie [...li], der; -s, -s (schottischer Schäferhund)

Col|li|er, Kol|li|er [...ˈli̯eː], das; -s, -s (ein Halsschmuck)

Co|lo|nel [...ˈnɛl, ˈkøːɐ̯n̩], der; -s, -s (Oberst)

Colt®, der; -s, -s (Revolver)

Com|bo, die; -, -s (kleines Jazz- od. Tanzmusikensemble)

Come|back, Come-back [kamˈbɛk], das; -[s], -s (erfolgreiches Wiederauftreten eines bekannten Künstlers, Sportlers, Politikers nach längerer Pause)

Co|me|di|an [kɔˈmiːdi̯ən], der; -s, -s (humoristischer Unterhaltungskünstler)

Co|me|dy [ˈkɔmədi], die; -, -s ([oft als Serie produzierte] humoristische Sendung)

Co|mic [...mɪk], der, auch das; -[s], -s (kurz für Comicstrip); **Co|mic|heft**; **Co|micstrip**, der; -s, -s (Bildgeschichte [mit Sprechblasen])

Com|mu|ni|ty [kɔˈmjuːniti], die; -, -s (Gruppe von Menschen mit gleichen Interessen o. Ä.; bes. die Nutzer des Internets)

Com|pact Disc, Com|pact Disk [ˈkɔmpɛkt ˈdɪsk], die; - -, - -s (Abk. CD [vgl. d.])

Com|pa|g|nie [...panˈjiː] vgl. Kompanie

Com|pu|ter [...ˈpjuː...], der; -s, - ; Com|puter|ani|ma|ti|on (durch Computer erzeugte bewegte Bilder); com|pu|ter|gesteu|ert; com|pu|ter|ge|stützt; Com|puter|pro|gramm; Com|pu|ter|si|mu|la|tion; Com|pu|ter|spiel; Com|pu|ter|vi|rus, der, auch das; -, ...ren

Con|nec|tion [kɔˈnɛkʃn̩], die; -, -s (ugs. für Beziehung, Verbindung)

Con|sul|tant [kənˈsaltənt], der; -s, -s (Wirtsch. [Unternehmens]berater); **Consul|ting** [kənˈsal...], das; -s (Wirtsch. Beratung; Beratertätigkeit)

Con|tai|ner [...ˈteː...], der; -s, - ([genormter] Großbehälter); **Con|tai|ner|schiff**

Con|tent, der; -s, -s (EDV Informationsgehalt)

Con|test, der; -[s], -s (Jargon Wettbewerb)

con|t|ra vgl. kontra

Con|t|rol|ler [kɔnˈtroːle], der; -s, - (Wirtsch. Fachmann für Kostenrechnung u. -planung in einem Betrieb); **Con|t|rol|le|rin**; **Con|trol|ling**, das; -s

cool [kuːl] (ugs. für überlegen, gelassen; hervorragend); **Cool|ness**, die; -

Co|pi|lot usw. vgl. Kopilot usw.

Co|py|right [...pirait], das; -s, -s (Urheberrecht; Zeichen ©)

Cord, Kord, der; -[e]s, Plur. -e u. -s (gerippptes Gewebe); **Cord|ho|se**, Kord|ho|se

Cor|don bleu [...ˈdõːˈbløː], das; - -, -s -s [- -] (mit Käse u. gekochtem Schinken gefülltes [Kalbs]schnitzel)

Cor|ned Beef, das; - -, **Cor|ned|beef**, das; - [ˈkɔrn(ə)t ˈbiːf, ˈkɔːɐ̯n(ə)t ˈbiːf, auch ˈk...] (gepökeltes [Büchsen]rindfleisch)

Corn|flakes [...fleːks, auch ˈkoːɐ̯...] Plur. (geröstete Maisflocken)

Corps [koːɐ̯] vgl. Korps

Cor|pus vgl. Korpus; **Cor|pus De|lic|ti**, das; - -, ...pora - (Gegenstand od. Werkzeug eines Verbrechens; Beweisstück)

Cor|ti|son vgl. Kortison

Co|si|nus vgl. Kosinus

Co|tan|gens vgl. Kotangens

Cọt|ton [...tn̩], der od. das; -s (engl. Bez. für Baumwolle, Kattun); *vgl.* Koton usw.

Couch [kauʧ], die; -, *Plur.* -[e]s, *auch* -en, *schweiz. auch* der; -s, -[e]s (Liegesofa)

Cou|leur [ku'løː̯ɐ̯], die; -, -s (*nur Sing.:* bestimmte Eigenart, Prägung; *Verbindungsw.* Band u. Mütze einer Verbindung)

Cou|lomb [ku'lõː, *auch* ...'lɔmp] (Maßeinheit für die Elektrizitätsmenge; *Zeichen* C)

Count|down, Count-down ['kau̯ntˌdau̯n], der, *selten* das; -[s], -s (bis zum [Start]zeitpunkt null rückwärts schreitende Zeitzählung)

Coun|t|ry|mu|sic ['kantrimjuːzɪk], die; - (Volksmusik [der Südstaaten in den USA])

Coup [kuː], der; -s, -s (Schlag; [Hand]streich)

Cou|pé, das; -s, -s (Auto mit sportlicher Karosserie; *veraltet für* [Wagen]abteil)

Cou|pon [ku'põː, *österr.* ...'poːn], Ku|pon, der; -s, -s (abtrennbarer Zettel; [Stoff]abschnitt; Zinsschein)

Cou|ra|ge [ku...ʒə], die; - (Mut); cou|ra|giert (beherzt)

Court [koːɐ̯t], der; -s, -s (Tennisplatz)

Cou|sin [ku'zɛ̃ː], der; -s, -s (Vetter); **Cou|si|ne** [ku...], Ku|si|ne, die; -, -n (¹Base)

Co|ver ['kavɐ], das; -s, -[s] (Titelbild; Hülle von Tonträgern u. Büchern); **Co|ver|girl**, das; -s, -s (auf der Titelseite einer Illustrierten abgebildete junge Frau)

Cow|boy ['kau̯...], der; -s, -s (berittener amerik. Rinderhirt); **Cow|girl**

Co|yo|te *vgl.* Kojote

CO₂-Aus|stoß

¹**Crack** [krɛk], der; -s, -s (*Sport* aussichtsreicher Spitzensportler)

²**Crack** [krɛk], das; -s (Kokain enthaltendes synthetisches Rauschgift)

Cra|cker ['krɛkɐ], der; -s, -[s], Krä|cker, der; -s, - (sprödes Kleingebäck)

Cran|ber|ry ['krɛnbɛri], die; -, -s (der Preiselbeere ähnliche Beere)

Crash [krɛʃ], der; -s, -s (Zusammenstoß; Zusammenbruch); **Crash|kurs** (Lehrgang, in dem der Unterrichtsstoff besonders komprimiert vermittelt wird); **Crash|test** (Test, mit dem das Unfallverhalten von Kraftfahrzeugen ermittelt wird)

Crawl [kroːl], **craw|len** usw. *vgl.* Kraul, ¹kraulen usw.

Cre|do, Kre|do, das; -s, -s (Glaubensbekenntnis)

creme [kreːm, *auch* krɛːm] (mattgelb); ein creme Kleid; in Creme; **Creme**, **Crème**, die; -, *Plur.* -s, *schweiz. u. österr. auch* -n ['krɛːmən] (Salbe zur Hautpflege; Süßspeise); **creme|far|ben**, **crème|far|ben**; **creme|far|big**, **crème|far|big**

cre|men; die Haut cremen; cre|mig

¹**Crêpe** [krɛp] *vgl.* ¹Krepp

²**Crêpe** [krɛp], ²Krɛpp, die; -, -s *u.* der; -[s], -s (dünner Eierkuchen)

Cre|vet|te *vgl.* Krevette

Crew [kruː], die; -, -s (Mannschaft)

Crois|sant [krɔa'sãː], das; -s, -s (Blätterteighörnchen)

Cro|m|ar|gan®, das; -s (rostfreier Chrom-Nickel-Stahl)

Crou|pi|er [kru'pi̯eː], der; -s, -s (Angestellter einer Spielbank); **Crou|pi|è|re** [...'pi̯eːrə], die; -, -n

Crux *vgl.* Krux

Csar|das, Csár|dás ['tʃardaʃ], der; -, - (ungarischer Nationaltanz)

Cup [kap], der; -s, -s (Pokal; Pokalwettbewerb; Schale des Büstenhalters)

Cur|ling ['køːɐ̯...], das; -s (schott. Eisspiel)

Cur|ri|cu|lum, das; -s, ...la (*Päd.* Theorie des Lehr- u. Lernablaufs; Lehrplan)

Cur|ry ['kœri, 'ka...], der, *auch* das; -s (Gewürzpulver; indisches Gericht); **Cur|ry|wurst**

Cur|sor ['køːɐ̯zɐ], der; -s, -[s] (*EDV* Bildschirmzeiger)

Cut [kœt, *auch* kat], der; -s, -s (Filmschnitt); **Cut|ter**, der; -s, - (*Film, Rundfunk, Fernsehen* Schnittmeister; sehr scharfes Messer); **Cut|te|rin**

Cy|ber|space [...spe:s], der; -, -s (*EDV* virtueller Raum)

cy|c|lisch *vgl.* zyklisch

D d

d, D, das; -, - (Tonbezeichnung)

D (Buchstabe); das D; des D, die D, *aber* das d
in Bude; der Buchstabe D, d

da; hier und da; da und dort; da sein; es ist
alles schon da gewesen; noch nie da
gewesene *od.* dagewesene Ereignisse;
etwas noch nie Dagewesenes *od.* da
Gewesenes

da|bei [*hinweisend* 'da:baɪ]; sie ist sehr
schön und dabei (trotzdem) nicht eitel;
wenn er dabei (bei der Behauptung)
bleibt; falls es dabei (bei den Gegeben-
heiten) bleibt; du solltest dabei (bei dieser Tätigkeit) stehen; dabei sein; wir sind
dabei gewesen

da|bei|blei|ben (bei einer Tätigkeit bleiben);
da|bei|ha|ben (*ugs. für* bei sich haben;
teilnehmen lassen); …, weil er nichts dabei-
hatte; sie wollten ihn gern dabeihaben; da-
bei sein *vgl.* dabei; da|bei|sit|zen (sitzend
zugegen sein); er hat nur schweigend
dabeigesessen; da|bei|ste|hen (stehend
zugegen sein); *vgl. aber* dabei

da|blei|ben (nicht fortgehen); er ist den gan-
zen Tag dageblieben; *aber* er ist da geblieben, wo er war

da ca|po (*Musik* noch einmal von Anfang an;
Abk. d. c.)

Dach, das; -[e]s, Dächer; Dach|bo|den;
Dach|de|cker; Dach|de|cke|rin; Dach|ge-
schoss (*Abk.* DG); Dach|kam|mer; Dach-
or|ga|ni|sa|ti|on; Dach|rin|ne

Dachs, der; -es, -e

Dach|stuhl; Dach|ter|ras|se; Dach|ver-
band; Dach|zie|gel

Da|ckel, der; -s, - (Dachshund, Teckel)

Dad [dɛd], der; -[s], -s (*svw.* Daddy); Dad|dy
['dɛdi], der; -s, -s (*engl. ugs. Bez. für* Vater)

da|durch [*auch* 'da:…]; dadurch, dass sie zu
spät kam

da|für [*auch* 'da:…]; das Auto ist gebraucht,
dafür aber billig; ich kann nicht dafür sein
(kann nicht zustimmen)

da|für|kön|nen, da|für kön|nen; sie
behauptet, dass sie nichts dafürkann *od.*
dafür kann; *aber nur* dafür kann sie nichts

da|für sein *vgl.* dafür

da|für|spre|chen, da|für spre|chen; weil
viel dafürspricht *od.* dafür spricht, *aber nur*
dafür spricht die Zeugenaussage

da|ge|gen [*auch* 'da:…]; eure Arbeit war gut,
seine dagegen schlecht; dagegen sein;
etwas, nichts dagegen haben

da|ge|gen ha|ben *vgl.* dagegen; da|ge|gen-
hal|ten (*auch für* einwenden, erwidern);
da|ge|gen sein *vgl.* dagegen; da|ge|gen-
spre|chen, da|ge|gen spre|chen; weil
nichts dagegenspricht *od.* dagegen spricht,
aber nur dagegen spricht wirklich nichts

da|heim; daheim sein; von daheim kommen;
Da|heim, das; -s; da|heim|blei|ben; er ist
daheimgeblieben; Da|heim|ge|blie|be|ne,
der u. die; -n, -n; da|heim|sit|zen; sie hatte
lange genug daheimgesessen

da|her [*auch* 'da:…]; daher (von da) bin ich;
daher, dass u. daher, weil; von daher (aus
diesem Grund) geht das nicht

da|her|ge|lau|fen; ein dahergelaufener
Kerl

da|her|kom|men; man sah ihn daherkom-
men; *aber* es wird daher kommen, dass …;
da|her|re|den; dumm daherreden

da|hin [*hinweisend* 'da:…]; wie weit ist es
[bis] dahin?; dann wird das Geld dahin sein
(*ugs. für* verloren, aufgebraucht sein);
dahin (an das bezeichnete Ziel) fahren,
gehen, kommen; er äußerte sich dahin
gehend *od.* dahingehend

da|hi|n|aus [*auch* 'da:…]

da|hin|däm|mern; ich dämmere dahin

da|hi|n|ein [*auch* 'da:…]

da|hin|ge|hen (*geh.*); wie schnell sind die
Tage dahingegangen

da|hin ge|hend, da|hin|ge|hend *vgl.* dahin

da|hin|ge|stellt; dahingestellt bleiben, sein;
dahingestellt sein lassen; da|hin|le|ben;
da|hin|plät|schern; da|hin|raf|fen; da-

hin|sie|chen; elend dahinsiechen; da|hin|
ste|hen (nicht sicher, noch fraglich sein)
da|hin|ten [*auch* 'da:...]; dahinten auf der
Bank
da|hin|ter [*auch* 'da:...]; ein Haus mit einem
Garten dahinter; was mag wohl dahinter
sein?; da|hin|ter|kni|en, sich (*ugs. für sich*
anstrengen); da|hin|ter|kom|men (*ugs. für*
herausfinden); wir werden schon noch
dahinterkommen; da|hin|ter|ste|cken; du
kannst einen Zettel dahinterstecken; ich
möchte wissen, was dahintersteckt (*ugs.*
für was es zu bedeuten hat); da|hin|ter|
ste|hen (*ugs. für* unterstützen)
Dah|lie, die; -, -n (Zierpflanze)
da|las|sen; sie hat uns etwas Geld dagelas-
sen; *aber* wenn man das Bild genau da
(dort) lässt, wo es sich befindet ...
da|lie|gen; er hat wie tot dagelegen; *aber*
lass es da (dort) liegen, wo es liegt
da|ma|lig; da|mals
Da|mast, der; -[e]s, -e (ein Gewebe)
Da|me, die; -, -n (*ohne Artikel kurz für*
Damespiel); da|men|haft; Da|men|ober|
be|klei|dung; Da|men|wahl (beim Tanz)
Dam|hirsch
¹da|mit [*auch* 'da:...]; was soll ich damit tun?
²da|mit; sie sprach langsam, damit es alle ver-
standen
däm|lich (*ugs. für* dumm, albern)
Damm, der; -[e]s, Dämme; Damm|bruch,
der; -[e]s, ...brüche
däm|men (*auch für* isolieren)
däm|me|rig, dämm|rig; Däm|mer|licht, das;
-[e]s; däm|mern; es dämmert; Däm|me-
rung; dämm|rig, däm|me|rig
Damm|riss (*Med.*)
Däm|mung
Dä|mon, der; -s, ...onen; dä|mo|nisch
Dampf, der; -[e]s, Dämpfe; Dampf|bad;
damp|fen
dämp|fen; ich dämpfe das Gemüse, den Ton
usw., gedämpft
Damp|fer
Dämp|fer; einen Dämpfer bekommen (*ugs.*
für eine Rüge einstecken müssen)

Dampf|koch|topf; Dampf|lo|ko|mo|ti|ve;
Dampf|ma|schi|ne; Dampf|nu|del
Dämp|fung
Dampf|wal|ze
Dam|wild
da|nach [*auch* 'da:...]; sich danach richten
Dan|cing [...sɪŋ], das; -s, -s (Tanz[veranstal-
tung])
Dan|dy ['dɛndi], der; -s, -s (sich übertrieben
modisch kleidender Mann)
da|ne|ben [*auch* 'da:...]; das Haus ist direkt
daneben; sein Aufzug war total daneben
(*ugs. für* unpassend)
da|ne|ben|be|neh|men, sich (*ugs. für sich*
unpassend benehmen); da|ne|ben|ge|hen
(*auch ugs. für* misslingen); da|ne|ben|grei-
fen (*auch für* einen Fehlgriff tun); da|ne-
ben|hau|en (*auch ugs. für* sich irren); da-
ne|ben|lie|gen (*ugs. auch für* sich irren);
da|ne|ben|stel|len
da|nie|der (*geh.*); da|nie|der|lie|gen
dank; *Präp. mit Gen. od. Dat., im Plur. meist*
mit Gen.: dank meinem Fleiße; dank eures
guten Willens; dank raffinierter Verfahren
Dank, der; -[e]s; Gott sei Dank!; vielen, tausend Dank!; hab[t] Dank!; jmdm. Dank
sagen (*vgl.* danksagen), schulden; mit Dank
[zurück]
dank|bar; Dank|bar|keit, die; -
dan|ke!; du musst Danke sagen; danke sagen;
danke schön!; ich möchte ihr Danke schön
od. danke schön sagen; er sagte: »Danke
schön!«, *vgl. aber* Dankeschön; dan|ken;
dan|kens|wert; Dan|ke|schön, das; -s; sie
sagte ein herzliches Dankeschön; Dan|kes-
wor|te *Plur.*; Dank|ge|bet
dank|sa|gen, Dank sa|gen; du danksagtest
u. du sagtest Dank; dankgesagt *u.* Dank
gesagt; dankzusagen *u.* Dank zu sagen;
aber ich sage vielen Dank; Dank|sa|gung
Dank|schrei|ben
dann; dann und wann
da|r|an [*auch* 'da:...], *ugs.* dran; daran den-
ken, glauben; es könnte etwas daran sein
(*ugs. für* es könnte teilweise zutreffen); sie
ist nahe daran gewesen, alles aufzugeben

da|r|an|ge|hen; er ist endlich darangegan-
gen, die Garage aufzuräumen; **da|r|an|ma-
chen;** wir werden uns daranmachen[,] die
Kartoffeln zu schälen; *aber* was kann ich
denn daran machen (ändern)?; **da|r|an|set-
zen;** sie hat alles darangesetzt, um ihr Ziel
zu erreichen

da|r|auf [*auch* 'da:...], *ugs.* drauf; darauf ver-
trauen, dass ...; was darauf folgen
wird; am darauf folgenden *od.* darauffol-
genden Tag; **da|r|auf fol|gend, da|r|auf-
fol|gend** *vgl.* darauf; **da|r|auf|hin** [*auch*
'da:...] (demzufolge, danach, darauf, unter
diesem Gesichtspunkt); wir haben alles
daraufhin überprüft, ob ...

da|r|auf|le|gen; ein Tuch daraueflegen

da|r|auf|los *vgl.* drauflos

da|r|auf|set|zen; sich vorsichtig daraufset-
zen; **da|r|auf|stel|len;** du kannst dich ruhig
daraufstellen

da|r|aus [*auch* 'da:...], *ugs.* draus; sich nichts
daraus machen; es wird nichts daraus werden

dar|ben (*geh. für* Not, Hunger leiden)

dar|bie|ten (*geh.*); **Dar|bie|tung**

dar|brin|gen; **Dar|brin|gung**

da|r|ein [*auch* 'da:...], (*ugs.:*) drein; **da|r|ein-
fin|den,** drein|fin|den, sich; sie hat sich dar-
eingefunden

da|r|in [*auch* 'da:...], *ugs.* drin; wir können
alle darin (im Wagen) sitzen; der Schlüssel
bleibt darin (im Schloss) stecken; **da|r|in-
nen** [*auch* 'da:...] (*geh. für* drinnen)

dar|le|gen; **Dar|le|gung**

Dar|le|hen, Dar|lehn, das; -s, -; **Dar|le|hens-
ver|trag,** Dar|lehns|ver|trag; **Dar|lehns-
ver|trag** *vgl.* Darlehensvertrag

Dar|ling, der; -s, -s (*svw.* Liebling)

Darm, der; -[e]s, Därme; **Darm|flo|ra** *Plur.
selten* (*Med.* Gesamtheit der im Darm
lebenden Bakterien); **Darm|ka|tarrh;
Darm|krebs; Darm|ver|schluss**

dar|rei|chen (*geh.*); **Dar|rei|chung**

dar|stel|len; **Dar|stel|ler; Dar|stel|le|rin;
dar|stel|le|risch; Dar|stel|lung**

Darts, das; - (ein Wurfpfeilspiel)

da|r|ü|ber [*auch* 'da:...], *ugs.* drü|ber; sie ist
darüber sehr böse; darüber hinaus habe ich
keine Fragen; wir müssen darüber reden

da|r|ü|ber|fah|ren; mit der Hand darüberfah-
ren; **da|r|ü|ber|le|gen;** eine Decke darüber-
legen; **da|r|ü|ber|ste|hen** (darüber erhaben
sein); die Vorwürfe stören uns nicht, weil
wir darüberstehen

da|r|um [*auch* 'da:...], *ugs.* drum; darum
herum; nicht darum herumkommen; er hat
nur darum herumgeredet

da|r|um|kom|men (nicht bekommen); er ist
darumgekommen; *aber* weil sie nur darum
(aus diesem Grunde) kommt; **da|r|um|le-
gen** (um etwas legen)

da|r|un|ter [*auch* 'da:...], *ugs.* drun|ter; es
sollen auch kleine Kinder darunter sein

da|r|un|ter|fal|len (dazugehören, betroffen
sein); **da|r|un|ter|le|gen;** du kannst eine
Decke darunterlegen; **da|r|un|ter|lie|gen;**
die Schätzungen haben daruntergelegen
(waren niedriger)

das / dass s. *Kasten Seite 98*

da sein *vgl.* da; **Da|sein,** das; -s

Da|seins|be|rech|ti|gung; Da|seins|kampf,
der; -[e]s; **Da|seins|vor|sor|ge**

das heißt (*Abk.* d. h.)

da|sit|zen; wenn ihr so dasitzt ...; *aber* er
soll da (dort) sitzen

das|je|ni|ge; *Gen.* desjenigen, *Plur.* diejeni-
gen

dass; sodass *od.* so dass

das|sel|be; *Gen.* desselben, *Plur.* dieselben;
es ist alles ein und dasselbe

dass-Satz, Dass|satz

da|ste|hen; fassungslos, steif dastehen; die
Firma hat glänzend dagestanden (war wirtschaftlich gesund)

Date [de:t], das; -s, -s (*ugs. für* Verabredung)

Da|tei (Beleg- u. Dokumentensammlung,
bes. in der EDV); **Da|tei|na|me**

Da|ten (*Plur. von* Datum; Zahlenwerte; Anga-
ben); **Da|ten|au|to|bahn** (*EDV* Telekommu-
nikationsnetz zur schnellen Übertragung
großer Datenmengen); **Da|ten|bank** *Plur.
...banken;* **Da|ten|men|ge; Da|ten|schutz,**

das / dass

Mit nur einem s schreibt man das bezügliche Fürwort (Relativpronomen) »das«:

– *Er betrachtete ein Bild, das an der Wand hing.*

»Das« bezieht sich auf ein Substantiv im vorangegangenen (Haupt)satz und lässt sich meist durch »welches« ersetzen.

Ebenfalls mit nur einem s schreibt man das Demonstrativpronomen »das«:

– *Das habe ich nicht gewollt.*

Hier lässt sich »das« meist durch »dieses« ersetzen.

Schließlich wird auch der sächliche Artikel mit nur einem s geschrieben:

– *Sie hoffte, das Auto kaufen zu können.*

Auch hier lässt sich »das« meist durch »dieses« ersetzen.

In allen anderen Fällen handelt es sich um die mit zwei s zu schreibende Konjunktion (das Bindewort) »dass«:

– *Ich weiß, dass es schon ziemlich spät ist.*
– *Dass es schon ziemlich spät ist, weiß ich.*

Die Konjunktion »dass« verbindet Nebensätze meist mit Hauptsätzen, in denen Verben wie »behaupten, bestätigen, denken, glauben, hoffen, meinen, sagen, versprechen, wissen« usw. vorkommen. Sie kann nicht durch »dieses« oder »welches« ersetzt werden.

---

der; -es; Da|ten|schüt|zer; Da|ten|schüt|ze|rin; Da|ten|si|cher|heit; Da|ten|trä|ger; Da|ten|über|tra|gung

Da|ten ver|ar|bei|tend, da|ten|ver|ar|bei|tend; Da|ten|ver|ar|bei|tung (*Abk.* DV); elektronische Datenverarbeitung (*Abk.* EDV)

da|tie|ren ([Briefe usw.] mit einer Zeitangabe versehen); einen Brief datieren; der Brief datiert (trägt das Datum) vom 1. Oktober

Da|tiv, der; -s, -e (*Sprachwiss.* Wemfall, 3. Fall; *Abk.* Dat.); das Dativ-e; Da|tiv|ob|jekt

Dat|scha, die; -, *Plur.* -s *od.* ...schen (russ. Holzhaus, Wochenendhaus); Dat|sche, die; -, -n (*regional für* bebautes Wochenendgrundstück)

Dat|tel, die; -, -n; Dat|tel|pal|me

Da|tum, das; -s, ...ten; *vgl.* Daten; Da|tums|an|ga|be

Dau|er, die; -, *Plur.* fachspr. gelegentlich -n; Dau|er|auf|trag; Dau|er|aus|stel|lung; Dau|er|be|schäf|ti|gung; Dau|er|bren|ner; Dau|er|frost; dau|er|haft; Dau|er|kar|te; Dau|er|lauf

¹dau|ern; es dauert nicht lange

²dau|ern (*geh. für* leidtun); es dauert mich

dau|ernd

Dau|er|re|gen; Dau|er|wel|le; Dau|er|zu|stand

Dau|men, der; -s, -; Dau|men|ab|druck; dau|men|breit; ein daumenbreiter Abstand, *aber* der Abstand ist zwei Daumen breit

Dau|ne, die; -, -n (Flaumfeder); Dau|nen|bett; Dau|nen|de|cke; Dau|nen|fe|der

da|von [*auch* 'da:...]; er will etwas, viel, nichts davon haben; es ist davon gekommen, dass ...; da|von|blei|ben (sich entfernt halten); da|von|ge|hen (weggehen); da|von|kom|men (glücklich entrinnen); er ist noch einmal davongekommen; da|von|lau|fen (weglaufen); wenn sie davonläuft; es ist zum Davonlaufen; *aber* auf und davon laufen; da|von|ma|chen, sich (*ugs. für* davonlaufen); da|von|tra|gen (wegtragen); weil er den Sack davontrug; er hat den Sieg davongetragen (errungen)

da|vor [*auch* 'da:...]; ich fürchte mich davor; davor war alles gut; da|vor|schie|ben;

einen Riegel davorschieben; da|vor|ste-
hen; sie haben davorgestanden
DAX®, Dax, der; - (Kennzahl für die Wertent-
wicklung der 30 wichtigsten deutschen
Aktien)
da|zu [auch 'da:...]; er war nicht dazu
gekommen, zu antworten; weil viel Mut
dazu gehört
da|zu|ge|ben (hinzutun); du musst noch
etwas Mehl dazugeben; da|zu|ge|hö|ren
(zu jmdm. od. etw. gehören); er wünscht
sich[,] dazuzugehören; da|zu|ge|hö|rig;
da|zu|kom|men (hinzukommen); es sind
noch Gäste dazugekommen; aber dazu
kommt, dass ...; da|zu|ler|nen (neu lernen)
da|zu|mal; anno dazumal
da|zu|tun (hinzutun); er hat einen Apfel
dazugetan; aber was kann ich noch dazu
tun?; Da|zu|tun, das (Hilfe, Unterstützung);
ohne mein Dazutun
da|zu|ver|die|nen (zusätzlich verdienen)
da|zwi|schen [auch 'da:...]; genau dazwi-
schen sein; da|zwi|schen|fah|ren (sich in
etwas einmischen, Ordnung schaffen); da-
zwi|schen|kom|men (auch übertr. für sich
in etwas einmischen); da|zwi|schen|ru-
fen; da|zwi|schen|tre|ten (auch übertr.
für schlichten)
DDR, die; - = Deutsche Demokratische Republik (1949–1990)
de|ak|ti|vie|ren (in einen nicht aktiven
Zustand versetzen)
Deal [di:l], der; -s, -s (ugs. für Handel,
Geschäft); dea|len (illegal mit Rauschgift
handeln); Dea|ler, der; -s, - (Rauschgift-
händler); Dea|le|rin
De|ba|kel, das; -s, - (Zusammenbruch)
De|bat|te, die; -, -n (Erörterung [im Parla-
ment]); de|bat|tie|ren
de|bil (Med. an Debilität leidend); De|bi|li-
tät, die; - (Med. veraltet für leichte geistige
Behinderung)
De|bi|tor, der; -s, ...oren meist Plur. (Schuld-
ner, der Waren auf Kredit bezogen hat); De-
bi|to|rin
De|büt [...'by:], das; -s, -s (erstes Auftreten);

De|bü|tant, der; -en, -en (erstmalig Auftre-
tender); De|bü|tan|tin; de|bü|tie|ren
de|chif|f|rie|ren [def...] (entziffern; ent-
schlüsseln); De|chif|f|rie|rung
Deck, das; -[e]s, Plur. -s, selten -e; Deck-
bett; Deck|blatt
De|cke, die; -, -n
De|ckel, der; -s, -; de|ckeln (ugs. auch für
rügen; [Ausgaben] begrenzen)
de|cken; De|cken|ge|mäl|de; De|cken|ma-
le|rei
Deck|far|be; Deck|man|tel; Deck|na|me
De|ckung; de|ckungs|gleich (kongruent)
Deck|weiß
De|co|der (Elektronik Datenentschlüssler);
de|co|die|ren, de|ko|die|ren (eine Nach-
richt entschlüsseln); De|co|die|rung, De-
ko|die|rung
De|di|ka|ti|on, die; -, -en (Widmung;
Geschenk); de|di|zie|ren
de fac|to (tatsächlich [bestehend]); De-fac-
to-An|er|ken|nung
De|fä|tis|mus, schweiz. auch De|fai|tis|mus
[...fɛ...], der; - (Schwarzseherei); de|fä|tis-
tisch, schweiz. auch de|fai|tis|tisch
[...fɛ...]
De|fault [dɪ'fɔ:lt], das od. der; -s, -s (EDV
Voreinstellung, Standardeinstellung)
de|fekt (schadhaft); De|fekt, der; -[e]s, -e
de|fen|siv [auch 'de:...] (verteidigend); De-
fen|si|ve die; -, -n Plur. selten (Verteidi-
gung); De|fen|siv|spiel (Sport)
De|fi|lee ['de...], das; -s, Plur. -s, schweiz.
nur so, sonst auch ...leen ([parademäßiger]
Vorbeimarsch); de|fi|lie|ren (parademäßig
od. feierlich vorbeiziehen)
de|fi|nier|bar; de|fi|nie|ren (einen Begriff
bestimmen); De|fi|ni|ti|on, die; -, -en; de-
fi|ni|tiv [auch 'de:...] (endgültig)
De|fi|zit, das; -s, -e (Fehlbetrag; Mangel);
de|fi|zi|tär
De|fla|ti|on, die; -, -en (Wirtsch. allgemeiner
Rückgang des Preisniveaus); de|fla|ti|o|när
(eine Deflation betreffend, bewirkend)
De|flo|ra|ti|on, die; -, -en (Zerstörung des
Hymens beim ersten Geschlechtsverkehr)

De|for|ma|ti|on, die; -, -en (Formänderung; Verunstaltung); de|for|mie|ren

def|tig (derb, saftig; tüchtig, sehr)

De|gen, der; -s, - (eine Stichwaffe)

De|ge|ne|ra|ti|on, die; -, -en (Entartung; Rückbildung); de|ge|ne|rie|ren

De|gen|fech|ten, das; -s

de|gra|die|ren; De|gra|die|rung

de|gres|siv (abnehmend)

dehn|bar; Dehn|bar|keit

deh|nen; Dehn|übung; Deh|nung

Deich, der; -[e]s, -e (Damm)

Deich|sel, die; -, -n (Wagenteil); deich|seln (ugs. für geschickt bewerkstelligen)

dein; dein Buch; Mein und Dein verwechseln; in Briefen kann »dein« groß- od. kleingeschrieben werden: Liebe Leni, vielen Dank für Deinen od. deinen Brief

dei|ner|seits

dei|nes|glei|chen

dei|net|we|gen; dei|net|wil|len; um deinetwillen

De|ka, das; -[s], - (österr.; kurz für Dekagramm; Abk. dag); De|ka|de, die; -, -n (zehn Stück; Zeitraum von zehn Tagen, Wochen, Monaten od. Jahren)

de|ka|dent (im Verfall begriffen); De|ka|denz, die; - (Verfall, Niedergang)

De|ka|gramm [auch 'dɛ...] (10 g; Zeichen dag); vgl. Deka

De|kan, der; -s, -e (Vorsteher einer Fakultät; Amtsbezeichnung für Geistliche); De|ka|nat, das; -[e]s, -e (Amt, Bezirk eines Dekans); De|ka|nin

De|kla|ma|ti|on, die; -, -en (der kunstgerechte Vortrag); de|kla|mie|ren

De|kla|ra|ti|on, die; -, -en ([öffentl.] Erklärung; Steuer-, Zollerklärung; Inhalts-, Wertangabe); de|kla|rie|ren; De|kla|rie|rung

de|klas|sie|ren (herabsetzen); De|klas|sie|rung

De|kli|na|ti|on, die; -, -en (Sprachwiss. Beugung der Substantive, Adjektive, Pronomen u. Numeralien); de|kli|nier|bar; de|kli|nie|ren (Sprachwiss. beugen)

de|ko|die|ren usw. vgl. decodieren usw.

De|kol|le|té, De|kol|le|tee [...kɔl'te:], das; -s, -s (tiefer [Kleid]ausschnitt); de|kol|le|tiert

De|kor, der od. das; -s, Plur. -s u. -e ([farbige] Verzierung, Vergoldung; Muster)

De|ko|ra|teur [...'tø:ɐ̯], der; -s, -e; De|ko|ra|teu|rin; De|ko|ra|ti|on, die; -, -en; de|ko|ra|tiv; de|ko|rie|ren (ausschmücken); De|ko|rie|rung

De|kret, das; -[e]s, -e (Beschluss; Verfügung); de|kre|tie|ren

De|le|ga|ti|on, die; -, -en (Abordnung); De|le|ga|ti|ons|mit|glied; de|le|gie|ren; De|le|gier|te, der u. die; -n, -n (Abgesandte, Mitglied einer Delegation); De|le|gier|ten|ver|samm|lung; De|le|gie|rung

Del|fin, Del|phin, der; -s, -e (ein Zahnwal)

del|fin|schwim|men, del|phin|schwim|men, Del|fin schwim|men, Del|phin schwim|men; aber nur: sie schwimmt Delfin od. Delphin; Del|fin|schwim|men, Del|phin|schwim|men, das; -s

de|li|kat (lecker; auch für heikel); De|li|ka|tes|se, die; -, -n (Leckerbissen; Feinkost; nur Sing.: Zartgefühl); De|li|ka|tes|sen|ge|schäft, De|li|ka|tess|ge|schäft; De|li|ka|tess|senf, De|li|ka|tess-Senf

De|likt, das; -[e]s, -e (Vergehen; Straftat)

de|lin|quent (straffällig); De|lin|quent, der; -en, -en (Übeltäter); De|lin|quen|tin

De|li|ri|um, das; -s, ...ien (Form der Psychose mit Bewusstseinsstörungen)

de|li|zi|ös (geh. für köstlich)

Del|le, die; -, -n (landsch. für [leichte] Vertiefung; Beule)

de|lo|gie|ren [...'ʒi:...] (bes. österr. für jmdn. zum Auszug aus einer Wohnung veranlassen od. zwingen)

Del|phin usw. vgl. Delfin usw.

¹Del|ta, das; -[s], -s (griech. Buchstabe: Δ, δ)

²Del|ta, das; -s, Plur. -s u. ...ten (fächerförmiges Gebiet im Bereich einer mehrarmigen Flussmündung)

de luxe [də'lʏks] (aufs Beste ausgestattet, mit allem Luxus); De-luxe-Aus|stat|tung

dem vgl. der

De|ma|go|ge, der; -n, -n (Volksverführer,
-aufwiegler); De|ma|a|go|gin; de|m|a|go|
gisch
De|mar|ka|ti|on, die; -, -en (Abgrenzung)
de|mas|kie|ren (entlarven); sich demaskieren
(die Maske abnehmen)
De|men|ti, das; -s, -s (offizieller Widerruf;
Berichtigung); de|men|tie|ren (widerrufen;
für unwahr erklären)
dem|ent|spre|chend; er war müde und dem-
entsprechend ungehalten; *aber* eine dem
[Gesagten] entsprechende Antwort
De|menz, die; -, -en (*Med.* krankheitsbeding-
ter Abbau der Leistungsfähigkeit des
Gehirns)
dem|ge|gen|über (andererseits); *aber* dem
[Mann] gegenüber saß ...; dem|ge|mäß
de|mi-sec [...'sɛk] (halbtrocken [von
Schaumweinen])
De|mis|si|on (Rücktritt eines Ministers od.
einer Regierung); de|mis|si|o|nie|ren
dem|nach; dem|nächst [*auch* ...'nɛ:...]
De|mo [*auch* 'dɛ...], die; -, -s (*ugs.; kurz für*
Demonstration)
De|mo|graf, De|mo|graph, der; -en, -en
(jmd., der berufsmäßig Demografie
betreibt); De|mo|gra|fie, De|mo|gra-
phie, die; -, ...ien (Bevölkerungsstatistik,
-wissenschaft); De|mo|gra|fin, De|mo-
gra|phin; de|mo|gra|fisch, de|mo|gra-
phisch; demografische *od.* demographi-
sche Entwicklung
De|mo|krat, der; -en, -en; De|mo|kra|tie,
die; -, ...ien (Staatsform; Herrschaft durch
vom Volk gewählte Vertreter); De|mo|kra-
tin; de|mo|kra|tisch; de|mo|kra|ti|sie-
ren; De|mo|kra|ti|sie|rung
de|mo|lie|ren (gewaltsam beschädigen)
De|mons|t|rant, der; -en, -en; De|mons-
t|ran|tin; De|mons|t|ra|ti|on, die; -, -en
(Protestkundgebung; Veranschauli-
chung); De|mons|t|ra|ti|ons|recht; De-
mons|t|ra|ti|ons|ver|bot; De|mons|t|ra-
ti|ons|zug
de|mons|t|ra|tiv; De|mons|t|ra|tiv|pro-
no|men (*Sprachwiss.* hinweisendes Für-

wort, z. B. »dieser, diese, dieses«); de-
mons|t|rie|ren (beweisen, eine Demons-
tration veranstalten, daran teilnehmen)
De|mon|ta|ge [...ʒə, *auch* ...mõ...], die; -, -n
(Abbau, Abbruch); de|mon|tie|ren
de|mo|ra|li|sie|ren (jmds. Moral schwächen;
entmutigen); De|mo|ra|li|sie|rung
De|mo|s|kop, der; -en, -en (Meinungsfor-
scher); De|mo|s|ko|pie, die; -, ...ien (Mei-
nungsumfrage, Meinungsforschung); De-
mo|s|ko|pin; de|mo|s|ko|pisch
De|mut, die; -; de|mü|tig; de|mü|ti|gen;
De|mü|ti|gung; de|mut[s]|voll
dem|zu|fol|ge (demnach); demzufolge ist die
Angelegenheit geklärt, *aber* das Vertrags-
werk, dem zufolge die Staaten sich verpflichten ...
den *vgl.* der
De|ni|er [dəˈnie:], das; -[s], - (Einheit für die
Fadenstärke bei Seide u. Chemiefasern;
Abk. den)
Denk|an|stoß; Denk|auf|ga|be; denk|bar;
die denkbar günstigsten Bedingungen;
den|ken; dachte; gedacht; Den|ken, das;
-s; Den|ker; Den|ke|rin; denk|faul
Denk|mal *Plur.* ...mäler, *auch* ...male; denk-
mal|ge|schützt; Denk|mal[s]|pfle|ge;
Denk|mal[s]|schutz, der; -es
Denk|mus|ter; Denk|pau|se; Denk|schrift;
Denk|sport; Denk|wei|se; denk|wür|dig;
Denk|zet|tel
denn; es sei denn, dass ...; mehr denn je
den|noch
den|tal (*Med.* die Zähne betreffend; *Sprach-
wiss.* mithilfe der Zähne gebildet)
De|nun|zi|ant, der; -en, -en (jmd., der
einen anderen denunziert); De|nun|zi|an-
tin; De|nun|zi|a|ti|on, die; -, -en; de-
nun|zie|ren (aus persönlichen, niedrigen
Beweggründen anzeigen)
Deo, das; -s, -s (*kurz für* Deodorant); De|o-
do|rant, das; -s, *Plur.* -s, *auch* -e (Mittel
gegen Körpergeruch); de|o|do|rie|ren
([Körper]geruch hemmen); De|o|rol|ler;
Deo|spray
De|par|te|ment [...təˈmã:, *österr.*

D

...part|mã:, *schweiz.* ...tə'mɛnt], das; -s, -s
u. (bei schweiz. Aussprache:) -[e]s, -e (Ver-
waltungsbezirk in Frankreich; Ministerium
beim Bund u. in einigen Kantonen der
Schweiz)

De|part|ment [di...], das; -s, -s *(engl. Form
von Departement)*

De|pen|dance [depã'dã:s], Dé|pen|dance
['depãdã:s], die; -, -n (Zweigstelle; Nebengebäude [eines Hotels])

De|pe|sche, die; -, -n (Telegramm)

de|pla|ciert [...'si:ɛt] *(veraltet für deplat-
ziert);* de|plat|ziert (fehl am Platz)

De|po|nie, die; -, ...ien (zentraler Müllabla-
deplatz); de|po|nie|ren

De|por|ta|ti|on, die; -, -en (zwangsweise
Verschickung); de|por|tie|ren

De|pot [...'po:], das; -s, -s (Aufbewahrungs-
ort; Hinterlegtes; Sammelstelle, Lager;
schweiz. auch für Pfand)

Depp, der; *Gen.* -en, *auch* -s, *Plur.* -en, *auch*
-e *(bes. südd., österr. ugs. für* ungeschick-
ter, einfältiger Mensch)

De|pres|si|on, die; -, -en (Niedergeschla-
genheit; Senkung; wirtschaftlicher Rück-
gang; *Meteorol.* Tief); de|pres|siv (nieder-
geschlagen); de|pri|mie|ren (niederdrü-
cken; entmutigen); de|pri|miert (entmu-
tigt, niedergeschlagen, schwermütig)

De|pu|tat, das; -[e]s, -e (Anzahl der Pflicht-
stunden, die eine Lehrkraft zu geben hat);
De|pu|ta|ti|on, die; -, -en (Abordnung);
de|pu|tie|ren (abordnen); De|pu|tier|te,
der u. die; -n, -n

der, die *(vgl. d.),* das *(vgl. d.);* des u. dessen
(vgl. d.), dem, den; Plur. die, der, deren u.
derer *(vgl. d.),* den u. denen, die

de|ran|giert [derã'ʒi:ɛt] (verwirrt, zerzaust)

der|art (so); *vgl.* Art; der|ar|tig; derartige
Überlegungen; etwas derartig Schönes; wir
haben Derartiges noch nie erlebt

derb; Derb|heit

Der|by [...bi], das; -s, -s (Pferderennen;
Spiel zwischen Mannschaften aus der gleichen Region)

De|re|gu|lie|rung (Abbau von Vorschriften)

der|einst

de|ren; de|rent|we|gen; de|rent|wil|len;
um derentwillen; de|rer

der|ge|stalt (so)

der|glei|chen *(Abk.* dgl.); und dergleichen
[mehr] *(Abk.* u. dgl. [m.])

De|ri|vat, das; -[e]s, -e *(Chemie* chem. Ver-
bindung, die aus einer anderen entstanden
ist; *Wirtsch. [meist Plur.]* von Aktien,
Anleihen u. Ä. abgeleitete Finanzprodukte)

der|je|ni|ge *Gen.* desjenigen, *Plur.* diejeni-
gen

der|lei (dergleichen)

der|ma|ßen (so)

Der|ma|to|lo|ge, der; -n, -n (Hautarzt); Der-
ma|to|lo|gie, die; - (Lehre von den Haut-
krankheiten); Der|ma|to|lo|gin

der|sel|be *Gen.* desselben, *Plur.* dieselben;
ein und derselbe; mit ein[em] und demsel-
ben; es war derselbe Hund

der|weil, der|wei|le[n]

Der|wisch, der; -[e]s, -e (Mitglied eines isla-
mischen religiösen Ordens)

der|zeit (augenblicklich, gegenwärtig; *Abk.*
dz.); der|zei|tig

des; *auch ältere Form für* dessen *(vgl. d.);*
des (dessen) bin ich sicher; des ungeachtet

De|sas|ter, das; -s, - (schweres Missge-
schick; Zusammenbruch); de|sas|t|rös

de|s|a|vou|ie|ren [...vu...] (bloßstellen)

De|ser|teur [...'tø:ɐ], der; -s, -e (Fahnen-
flüchtiger, Überläufer); De|ser|teu|rin;
de|ser|tie|ren; De|ser|ti|on, die; -, -en
(Fahnenflucht)

des|glei|chen *(Abk.* desgl.)

des|halb

De|sign [di'zain], das; -s, -s (Gestalt, Mus-
ter)

de|si|g|nen [di'zainən] (das Design von
Gebrauchs- u. Verbrauchsgütern entwer-
fen); designt; De|si|g|ner [di'zainɐ], der;
-s, -; De|si|g|ner|dro|ge; De|si|g|ne|rin;
De|si|g|ner|mö|bel; De|si|g|ner|mo|de;
De|si|g|ner-Out|let, De|si|g|ner|out|let
[...autlet], das; -s, -s (Direktverkaufsstelle
einer od. mehrerer Designerfirmen)

de|si|g|nie|ren (für ein Amt vorsehen)

Des|il|lu|si|on [auch 'dɛs...], die; -, -en (Enttäuschung; Ernüchterung); des|il|lu|si|o|nie|ren

Des|in|fek|ti|on, die; -, -en (Vernichtung von Krankheitserregern; Entkeimung); des|in|fi|zie|ren; Des|in|fi|zie|rung

Des|in|te|r|es|se, das; -s (Uninteressiertheit, Gleichgültigkeit); des|in|te|r|es|siert

de|skrip|tiv (beschreibend)

Desk|top, der; -s, -s (EDV sichtbarer Hintergrund des Fenster- u. Symbolsystems bei Betriebssystemen mit grafischer Benutzeroberfläche; kurz für Desktop-PC)

de|so|lat (trostlos, traurig)

des|ori|en|tiert (verwirrt)

de|s|pek|tier|lich (geh. für geringschätzig; respektlos)

De|s|pe|ra|do, der; -s, -s (zu jeder Verzweiflungstat entschlossener [politischer] Abenteurer; Bandit); de|s|pe|rat (verzweifelt)

Des|pot, der; -en, -en (Gewaltherrscher; herrische Person); Des|po|tie, die; -, ...ien; Des|po|tin; des|po|tisch

des|sel|ben

des|sen; dessen ungeachtet; des|sent|we|gen; des|sent|wil|len; um des[sent]willen

Des|sert [dɛ'se:ɐ̯, auch dɛ'sɛrt, dɛ'se:ɐ̯, 'dɛsɛ:r], das; -s, -s (Nachtisch)

Des|sin [...'sɛ̃:], das; -s, -s (Zeichnung; Muster)

Des|sous [...'su:] das; -, - meist Plur. (Damenunterwäsche)

de|sta|bi|li|sie|ren (aus dem Gleichgewicht bringen); De|sta|bi|li|sie|rung

de|s|til|lie|ren; destilliertes (chemisch reines) Wasser

De|s|ti|na|ti|on, die; -, -en (Reiseziel; veraltet für Bestimmung, Endzweck)

des|to; desto besser, größer, mehr, weniger; aber nichtsdestoweniger

de|s|t|ruk|tiv [auch 'de:...] (zerstörend)

des un|ge|ach|tet [auch - ...'a...]; des|we|gen; des Wei|te|ren vgl. weiter

De|tail [de'taɪ̯], das; -s, -s (Einzelheit, Einzelteil); vgl. en détail; De|tail|fra|ge; de|tail|ge|treu; De|tail|kennt|nis; de|tail|liert (in allen Einzelheiten); de|tail|reich

De|tek|tei (Detektivbüro); De|tek|tiv, der; -s, -e; dem, den Detektiv; De|tek|tiv|ge|schich|te; De|tek|ti|vin

De|to|na|ti|on, die; -, -en (Knall, Explosion); de|to|nie|ren (explodieren)

Deut, der (veraltet für kleine Münze); keinen Deut (ugs. für gar nicht[s])

deu|ten; deut|lich; auf das, aufs Deutlichste od. auf das, aufs deutlichste; etwas deutlich machen; Deut|lich|keit

deutsch / Deutsch s. Kasten Seite 104

¹Deut|sche, der u. die; -n, -n; wir Deutschen (auch wir Deutsche); drei Deutsche; alle Deutschen

²Deut|sche, das; des -n, dem -n (die deutsche Sprache allgemein); das Deutsche (z. B. im Ggs. zum Französischen); im Deutschen (z. B. im Ggs. zum Italienischen); aus dem Deutschen, ins Deutsche übersetzen

deutsch|feind|lich; Deutsch|land; des vereinigten Deutschland[s]; Deutsch|land|lied, das; -[e]s; deutsch|land|weit

Deutsch|schwei|zer (Schweizer deutscher Muttersprache); Deutsch|schwei|ze|rin

deutsch|spra|chig (die deutsche Sprache sprechend, in ihr abgefasst, vorgetragen); deutschsprachige Bevölkerung; deutsch|sprach|lich (die deutsche Sprache betreffend); deutschsprachlicher Unterricht

deutsch spre|chend, deutsch|spre|chend vgl. deutsch/Deutsch; Deutsch spre|chend, deutsch|spre|chend

deutsch|stäm|mig; Deutsch|tür|ke (Deutscher mit türkischer Abstammung; in Deutschland lebender Türke); Deutsch|tür|kin; Deutsch|un|ter|richt

Deu|tung; Deu|tungs|ver|such

De|vi|se, die; -, -n (Wahlspruch); De|vi|sen Plur. (Zahlungsmittel in ausländischer Währung); De|vi|sen|han|del vgl. Handel; De|vi|sen|markt; De|vi|sen|re|ser|ve

de|vot (unterwürfig)

De|zem|ber, der; -[s], - (Abk. Dez.)

deutsch / Deutsch

deutsch (*Abk.* dt.)

I. Kleinschreibung

a) Da das Adjektiv »deutsch« nur in echten Namen und Nominalisierungen großgeschrieben wird, gilt z. B. in den folgenden Fällen Kleinschreibung:

– *das deutsche Volk*

– *die deutsche Einheit*

b) Klein schreibt man das Wort »deutsch« auch, wenn es in Verbindung mit Verben mit »wie?« erfragt werden kann:

– *der Redner hat deutsch (nicht englisch) gesprochen; sich deutsch unterhalten*

– *deutsch mit jmdm. reden* (umgangssprachlich auch für: *jmdm. unverblümt die Wahrheit sagen*)

II. Großschreibung

a) Großgeschrieben wird das Wort »deutsch«, wenn ihm eine Präposition vorangeht oder wenn es im Sinne von »deutsche Sprache« verwendet wird:

– *etwas auf Deutsch sagen*

– *das heißt auf gut Deutsch ...*

b) Auch in Namen und Titeln wird »deutsch« großgeschrieben:

– *die Deutsche Bundesbank*

– *der Deutsche Fußball-Bund (Abkürzung: DFB)*

– *Deutsche Demokratische Republik (1949–1990)*

– *die Deutsche Mark (frühere Währung)*

– *der Deutsche Schäferhund*

– *der Tag der Deutschen Einheit (3. Oktober)*

– *Anita Müller, Deutsche Meisterin (als Titel);* aber: *sie ist deutsche Meisterin [im Eiskunstlauf]*

Deutsch, das

(die deutsche Sprache, besonders als Sprache eines Einzelnen oder einer Gruppe)

– *des Deutschs od. Deutsch, dem Deutsch*

– *mein, dein, sein Deutsch ist gut*

– *sie kann, lernt, schreibt, spricht, versteht (kein, nicht, gut, schlecht) Deutsch*

– *das ist gutes Deutsch*

– *eine Deutsch sprechende oder deutschsprechende Ausländerin*

– *sie kann kein Wort Deutsch*

– *sie hat eine Eins in Deutsch*

---

de|zent (taktvoll; unaufdringlich)
de|zen|t|ral [*auch* 'de:...] (vom Mittelpunkt entfernt)
De|zen|t|ra|li|sie|rung, die; -, -en (Auseinanderlegung von Verwaltungen usw.)
De|zer|nat, das; -[e]s, -e (Geschäftsbereich eines Dezernenten; Sachgebiet); **De|zer|nent,** der; -en, -en (Sachbearbeiter mit Entscheidungsbefugnis [bei Behörden]; Leiter eines Dezernats); **De|zer|nen|tin**
De|zi... (Zehntel...; ein Zehntel einer Einheit [z. B. Dezimeter = $^1/_{10}$ Meter]; *Zeichen* d)
De|zi|bel, das; -s, - ($^{(1)}/_{10}$ Bel; bes. Maß der relativen Lautstärke; *Zeichen* dB)
de|zi|diert (entschieden, energisch)
de|zi|mal (auf die Grundzahl 10 bezogen);

De|zi|mal|bruch, der (Bruch, dessen Nenner mit [einer Potenz von] 10 gebildet wird); **De|zi|mal|sys|tem,** das; -s; **De|zi|mal|zahl**
De|zi|me|ter, der; -s, - ($^1/_{10}$ m; *Zeichen* dm)
de|zi|mie|ren (stark vermindern)
Dia, das; -s, -s (*kurz für* Diapositiv)
Di|a|be|tes, der; - (*Med.* Harnruhr); Diabetes mellitus (*Med.* Zuckerkrankheit); **Di|a|be|ti|ker;** **Di|a|be|ti|ke|rin;** di|a|be|tisch
di|a|bo|lisch (teuflisch)
Di|a|dem, das; -s, -e (kostbarer [Stirn]reif)
Di|a|g|no|se, die; -, -n ([Krankheits]erkennung); **Di|a|g|nos|tik,** die; -, -en (*Med.* Fähigkeit u. Lehre, Krankheiten usw. zu erkennen); **di|a|g|nos|ti|zie|ren**

dia|go|nal (schräg laufend); **Dia|go|na|le,** die; -, -n (Gerade, die zwei nicht benachbarte Ecken eines Vielecks miteinander verbindet); drei Diagonale[n]
Dia|gramm, das; -s, -e (zeichnerische Darstellung errechneter Zahlenwerte)
Di|a|kon [*österr.* 'di:...], der; *Gen.* -s *u.* -en, *Plur.* -e[n] (kath., anglikan. od. orthodoxer Geistlicher; karitativ od. seelsorgerisch tätiger Angestellter in ev. Kirchen); **Di|a|ko|nie®,** die; -, ...ien ([berufsmäßige] Sozialtätigkeit [Krankenpflege, Gemeindedienst] in der ev. Kirche); **Di|a|ko|nin; di|a|ko|nisch; Di|a|ko|nis|se,** die; -, -n, **Di|a|ko|nis|sin,** die; -, -nen (ev. Kranken- u. Gemeindeschwester)
Di|a|lekt, der; -[e]s, -e (Mundart)
Di|a|lek|tik, die; -, -en (Erforschung der Wahrheit durch Aufweisung u. Überwindung von Widersprüchen); **di|a|lek|tisch** (die Dialektik betreffend)
Di|a|ler ['daiəle], der; -s, - (*EDV* Computerprogramm, das eine Telefonverbindung [zum Internet] herstellt)
Di|a|log, der; -[e]s, -e (Zwiegespräch; Wechselrede); **di|a|lo|gisch**
Dia|ly|se, die; -, -n (chem. Trennungsmethode; *Med.* Blutwäsche)
Di|a|mant, der; -en, -en (ein Edelstein); **di|a|man|ten;** diamantene Hochzeit (60. Jahrestag der Hochzeit)
dia|me|t|ral (entgegengesetzt)
Dia|po|si|tiv [*auch* ...'ti:f], das; -s, -e (durchscheinendes fotografisches Bild)
Di|ar|rhö, die; -, -en (*Med.* Durchfall)
Di|a|s|po|ra, die; - (*Rel.* Gebiet, in dem die Anhänger einer Konfession in der Minderheit sind; religiöse od. nationale Minderheit)
Di|ät, die; -, *Plur. (Arten:)* -en (Schonkost; spezielle Ernährungsweise); Diät leben; Diät halten, kochen; jmdn. auf Diät setzen; **Di|ät|as|sis|tent; Di|ät|as|sis|ten|tin**
Di|ä|ten *Plur.* (Tagegelder; Aufwandsentschädigung u. a. [bes. von Parlamentariern])

Di|ät|kost; Di|ät|plan
Di|a|vor|trag
dich *(kann in Briefen groß- oder kleingeschrieben werden); vgl.* du

dicht

– *dicht an dicht*
– *dicht neben dem Haus*

Wenn »dicht« das Ergebnis der mit einem folgenden einfachen Verb bezeichneten Tätigkeit angibt, kann getrennt oder zusammengeschrieben werden:

– *ein Fass dicht machen* od. *dichtmachen*
– Aber: *das Gelände wurde zu dicht bebaut; das Glas muss dicht schließen*

Bei übertragener Bedeutung gilt Zusammenschreibung; vgl. dichthalten, dichtmachen
In Verbindung mit adjektivisch gebrauchten Partizipien kann bei nicht übertragener Bedeutung getrennt oder zusammengeschrieben werden:

– *eine dicht behaarte* od. *dichtbehaarte Brust; eine dicht bevölkerte* od. *dichtbevölkerte Region*

dicht be|baut, dicht|be|baut
dicht be|haart, dicht|be|haart *vgl.* dicht
dicht be|völ|kert, dicht|be|völ|kert *vgl.* dicht
Dich|te die; -, -n *Plur. selten*
¹dich|ten (dicht machen)
²dich|ten (Verse schreiben)
Dich|ter; Dich|te|rin; dich|te|risch
dicht|hal|ten (*ugs. für* nichts verraten); sie hat [absolut] dichtgehalten, *aber* der Verschluss hat dicht gehalten
Dicht|kunst, die; -
dicht|ma|chen (*ugs. für* schließen); sie haben die Fabrik dichtgemacht; *aber* das Fass wurde dicht gemacht od. dichtgemacht; *vgl.* dicht
¹Dich|tung (Gedicht)
²Dich|tung (Vorrichtung zum Dichtmachen); **Dich|tungs|ring**

d**ick**; durch dick und dünn; dick auftragen; dick machen *od.* dickmachen; D**ick|darm**

d**i|cke**; *nur in* jmdn., eine Sache dicke haben (*ugs. für* jmds., einer Sache überdrüssig sein)

¹D**i|cke**, die; -, -n (*nur Sing.*: Dicksein; *[in Verbindung mit Maßangaben]* Abstand von einer Seite zur anderen); Bretter von 2 mm Dicke, von verschiedenen Dicken

²D**i|cke**, der *u.* die; -n, -n

d**i|cken** (zähflüssig machen, werden)

d**i|cke|tun** (*ugs. für* sich wichtigmachen); ich tue mich dick[e]; dick[e]getan; dick[e]zutun

d**ick|fel|lig** (*ugs. abwertend*); d**ick|flüs|sig**; D**ick|häu|ter**; D**i|ckicht**, das; -s, -e; D**ick|kopf** (*ugs.*); d**ick|köp|fig** (*ugs.*); d**ick|lich**; D**ick|schä|del** (*ugs.*); d**ick|tun** vgl. dicketun; D**ick|wanst** (*ugs. abwertend*)

Di|d**ak|tik**, die; -, -en (Unterrichtslehre); di|d**ak|tisch** (unterrichtskundlich; lehrhaft)

d**ie**; der *u.* deren (*vgl. d.*); *Plur.* vgl. der

D**ieb**, der; -[e]s, -e; D**ie|bes|gut**; D**ie|bin**; d**ie|bisch**; D**ieb|stahl**, der; -[e]s, ...stähle

d**ie|je|ni|ge**; *Gen.* derjenigen, *Plur.* diejenigen

D**ie|le**, die; -, -n

d**ie|nen**; D**ie|ner**; D**ie|ne|rin**; d**ie|nern**; d**ien|lich**; sein Verhalten war der Sache [wenig] dienlich

D**ienst**, der; -[e]s, -e; *auch* zu Diensten stehen; außer Dienst (*Abk.* a. D.); die diensttuende *od.* Dienst tuende Ärztin; dienstleistende *od.* Dienst leistende Tätigkeiten; im öffentlichen *od.* Öffentlichen Dienst

D**iens|tag**, der; -[e]s, -e; ich werde euch [am] Dienstag besuchen; alle Dienstage

D**iens|tag|abend** [*auch* 'di:...'|a:...]; meine Dienstagabende sind schon alle belegt; er ist für diesen Dienstagabend bestellt; am, jeden Dienstagabend; *aber* sie kommt Dienstag [am] Abend; eines schönen Dienstagabends; *aber* dienstagabends *od.* dienstags abends spielen wir Skat; D**iens|tag|mor|gen** [*auch* 'di:...'mɔr...] vgl. Dienstagabend; D**iens|tag|nach|mit|tag** [*auch* 'di:...'na:...] vgl. Dienstagabend

d**iens|tags**; dienstags (jeden Dienstag) um fünf; immer dienstags; dienstags abends

D**ienst|al|ter**; D**ienst|äl|tes|te**; D**ienst|an|tritt**; d**ienst|be|reit**; d**ienst|eif|rig**; D**ienst|ge|heim|nis**; D**ienst|grad**; d**ienst|ha|bend**, D**ienst** ha|bend; D**ienst|ha|ben|de**, der *u.* die; -n, -n

D**ienst|herr**; D**ienst|her|rin**; D**ienst|jahr**

d**ienst|leis|tend**, D**ienst** leis|tend vgl. Dienst; D**ienst|leis|ter**; D**ienst|leis|te|rin**; D**ienst|leis|tung**; D**ienst|leis|tungs|ge|sell|schaft**; D**ienst|leis|tungs|sek|tor**; D**ienst|leis|tungs|un|ter|neh|men**

d**ienst|lich**; D**ienst|plan**; D**ienst|rei|se**; D**ienst|schluss**, der; ...schlusses; D**ienst|stel|le**; D**ienst|ver|hält|nis**; D**ienst|waf|fe**; D**ienst|wa|gen**; D**ienst|zeit**

d**ies**; *Gen.* dieses

d**ies|be|züg|lich** (zu diesem Punkt)

D**ie|sel**, der; -[s], - (*kurz für* Dieselkraftstoff; [Auto mit] Dieselmotor)

d**ie|sel|be**; *Gen.* derselben; *Plur.* dieselben; ein[e] und dieselbe

D**ie|sel|fahr|zeug**; D**ie|sel|mo|tor**

d**ie|ser**, diese, dieses (dies); *Gen.* dieses, dieser, dieses; *Plur.* diese; d**ie|ses** vgl. dies

d**ie|sig** (dunstig, trübe u. feucht)

d**ies|jäh|rig**

d**ies|mal**; *aber* dieses Mal

d**ies|seits**; *Präp. mit Gen.*: diesseits des Flusses; D**ies|seits**, das; -; im Diesseits

D**iet|rich**, der; -s, -e (Nachschlüssel)

d**if|fa|mie|ren** ([übel] verleumden); D**if|fa|mie|rung**

d**if|fe|rent** (verschieden); D**if|fe|ren|ti|al** vgl. Differenzial; D**if|fe|renz**, die; -, -en (Unterschied); D**if|fe|ren|zi|al**, D**if|fe|ren|ti|al**, das; -s, -e (*Math.* unendlich kleine Differenz); d**if|fe|ren|zie|ren** (unterscheiden); D**if|fe|ren|zie|rung**

d**if|fe|rie|ren** (voneinander abweichen)

d**if|fi|zil** (schwierig, kompliziert)

d**if|fus** (zerstreut; verschwommen)

d**i|gi|tal** (digi...) (*Med.* mit dem Finger; *Technik* ziffernmäßig; *EDV* in Stufen erfolgend)

D**i|gi|tal|fern|se|hen**; D**i|gi|tal|fo|to**

di|gi|ta|li|sie|ren (*Technik* mit Ziffern darstellen; in ein digitales Signal umwandeln); Di|gi|ta|li|sie|rung
Di|gi|tal|ka|me|ra; Di|gi|tal|uhr
Dik|tat, das; -[e]s, -e
Dik|ta|tor, der; -s, ...oren; Dik|ta|to|rin; dik|ta|to|risch; Dik|ta|tur, die; -, -en
dik|tie|ren; Dik|tier|ge|rät; Dik|ti|on, die; -, -en (Schreibart; Ausdrucksweise)
Di|lem|ma, das; -s, *Plur.* -s, *auch* -ta (Zwangslage)
Di|let|tant, der; -en, -en (*geh. für* [Kunst]liebhaber; Nichtfachmann; Stümper); di|let|tan|ten|haft; Di|let|tan|tin; di|let|tan|tisch; Di|let|tan|tis|mus, der; -
Dill, der; -s, -e (eine Gewürzpflanze)
Di|men|si|on, die; -, -en (Ausdehnung; [Aus]maß; Bereich)
Dim|mer, der; -s, - (stufenloser Helligkeitsregler)
Di|ner [...'ne:], das; -s, -s (*geh. für* [festliches] Abend- od. Mittagessen mit mehreren Gängen)
Ding, das; -[e]s, *Plur.* -e, *ugs.* -er (Sache)
ding|fest; *nur in* jmdn. dingfest machen (verhaften)
di|nie|ren (*geh. für* [in festlichem Rahmen] essen, speisen); Din|ner, das; -s, -[s]; Hauptmahlzeit [am Abend] in England
Di|no|sau|ri|er, der; -s, - (ausgestorbene Riesenechse; *ugs.* Kurzform Dino, der; -s, -s)
Di|op|t|rie, die; -, ...ien (*Optik* Maßeinheit für den Brechwert von Linsen; *Abk.* dpt, dptr., Dptr.)
Di|oxin, das; -s, -e (hochgiftige Verbindung von Chlor u. Kohlenwasserstoff)
Di|ö|ze|se, die; -, -n (Amtsgebiet eines kath. Bischofs)
Diph|the|rie, die; -, ...ien (*Med.* eine Infektionskrankheit)
Di|ph|thong, der; -[e]s, -e (*Sprachwiss.* Doppellaut, z. B. ei, au; *Ggs.* Monophthong)
Di|p|lom; Di|p|lom|ar|beit
Di|p|lo|mat, der; -en, -en (beglaubigter Vertreter eines Landes bei einem fremden Staat); Di|p|lo|ma|ten|kof|fer; Di|p|lo-

ma|tie, die; - (Regeln u. Methoden für die Führung außenpolit. Verhandlungen; Gesamtheit der Diplomaten; Geschicktheit im Umgang); Di|p|lo|ma|tin; di|p|lo|ma|tisch (die Diplomatie betreffend; klug u. geschickt im Umgang)
dir (kann in Briefen groß- oder kleingeschrieben werden); *vgl.* du
di|rekt; Di|rekt|bank *Plur.* ...banken (Kreditinstitut ohne Filialen); Di|rekt|flug; Di|rekt|heit; Di|rek|ti|on, die; -, -en; Di|rek|ti|ve, die; -, -n (Weisung; Verhaltensregel); Di|rekt|man|dat
Di|rek|tor, der; -s, ...oren (*Abk.* Dir.); Di|rek|to|rin; Di|rek|to|ri|um, das; -s, ...ien; Di|rek|t|ri|ce [...sə, *österr., schweiz.* ...s], die; -, -n (leitende Angestellte)
Di|rekt|spiel; Di|rekt|über|tra|gung; Di|rekt|wahl
Di|rex, der; -, -e (*Schülerspr.* Direktor)
Di|ri|gent, der; -en, -en; Di|ri|gen|ten|pult; Di|ri|gen|tin; di|ri|gie|ren ([ein Orchester] leiten; lenken); Di|ri|gis|mus (staatl. Lenkung der Wirtschaft); di|ri|gis|tisch
Dirndl, das; -s, -[n] (*bayr., österr. für* junges Mädchen; Dirndlkleid)
Dir|ne (Prostituierte; *mundartl. für* junges Mädchen)
Disc , Disk, die; -, -s (*EDV; kurz für* Diskette; *auch für* CD *od.* DVD); Disc|jo|ckey , Diskjo|ckey, der; -s, -s (jmd., der Musiktitel präsentiert)
Dis|co , Dis|ko, die; -, -s (Tanzlokal u. -veranstaltung mit CD- od. Schallplattenmusik); Dis|co|fox , Dis|ko|fox (moderne Form des Foxtrotts)
Dis|count [dɪs'kaʊnt], der; -s, -s (Preisnachlass; Discounter); Dis|coun|ter [...'kaʊn...], der; -s, - (Geschäft, in dem Waren besonders preisgünstig verkauft werden); Dis|count|ge|schäft
Disk *vgl.* Disc; Dis|ket|te, die; -, -n (als Datenspeicher dienende Magnetplatte)
Disk|jo|ckey *vgl.* Discjockey
Dis|ko *vgl.* Disco; Dis|ko|fox *vgl.* Discofox
Dis|kont, der; -s, -e (*Bankw.* Zinsvergütung

bei noch nicht fälligen Zahlungen); **Dis|kont|satz** (*Bankw.* Zinssatz)

Dis|ko|thek, die; -, -en (Schallplattensammlung; *auch svw.* Disco)

dis|kre|di|tie|ren (in Verruf bringen)

Dis|kre|panz, die; -, -en (Missverhältnis)

dis|kret (taktvoll; unauffällig; vertraulich); **Dis|kre|ti|on**, die; -, -en

dis|kri|mi|nie|ren; **dis|kri|mi|nie|rend**; **Dis|kri|mi|nie|rung** (unterschiedliche Behandlung; Herabsetzung)

Dis|kurs, der; -es, -e ([eifrige] Erörterung; methodisch aufgebaute Abhandlung)

Dis|kus, der; *Gen.* - u. -ses, *Plur.* ...ken u. -se (Wurfscheibe)

Dis|kus|si|on, die; -, -en (Erörterung; Meinungsaustausch); **Dis|kus|si|ons|bei|trag**; **dis|kus|si|ons|freu|dig**; **Dis|kus|si|ons|stoff**; **dis|kus|si|ons|wür|dig**

dis|ku|ta|bel (erwägenswert; strittig); **dis|ku|tie|ren**

dis|pa|rat (ungleichartig; unvereinbar)

Dis|pens, der; -es, -e u. (*österr. u. im kath. Kirchenrecht nur*) die; -, -en (Ausnahme[bewilligung]); **dis|pen|sie|ren**

Dis|play [*auch* ...ple:], das; -s, -s (*EDV* optische Datenanzeige)

Dis|po, der; -s, -s (*ugs.; kurz für* Dispositionskredit); **dis|po|nie|ren** (verfügen, planen); **dis|po|niert**; **Dis|po|si|ti|on**, die; -, -en (Anordnung, Gliederung; Verfügung; Anlage; Empfänglichkeit [für Krankheiten]); **Dis|po|si|ti|ons|kre|dit** (*Bankw.* Überziehungskredit)

Dis|put, der; -[e]s, -e (Wortwechsel; Streitgespräch); **dis|pu|tie|ren**

Dis|qua|li|fi|ka|ti|on, die; -, -en; **dis|qua|li|fi|zie|ren** (vom sportl. Wettbewerb ausschließen; für untauglich erklären)

dis|sen (*Jugendspr.* verächtlich machen, schmähen); du disst; **Dis|sens**, der; -es, -e (Meinungsverschiedenheit)

Dis|ser|ta|ti|on, die; -, -en (wissenschaftl. Abhandlung zur Erlangung der Doktorwürde; *Abk.* Diss.)

Dis|si|dent, der; -en, -en (jmd., der von einer offiziellen [politischen, religiösen] Ideologie abweicht); **Dis|si|den|tin**

Dis|so|nanz, die; -, -en (Missklang)

Di|s|tanz, die; -, -en (Entfernung; Abstand)

di|s|tan|zie|ren ([im Wettkampf] überbieten, hinter sich lassen); sich distanzieren (von jmdm. od. etwas abrücken)

di|s|tan|ziert; **Di|s|tan|zie|rung**

Dis|tel, die; -, -n; **Dis|tel|fink** (ein Vogel)

di|s|tin|guiert [...'gi:ɐt] (*geh. für* betont vornehm)

Dis|tri|bu|ti|on, die; -, -en (Verteilung)

Di|s|t|rikt, der; -[e]s, -e (Bezirk, Bereich)

Dis|zi|p|lin, die; -, -en (*nur Sing.:* Zucht, Ordnung; Fach einer Wissenschaft; Teilbereich des Sports); **dis|zi|p|li|na|risch** (die Disziplin, Dienstordnung betreffend; mit gebotener Strenge); **Dis|zi|p|li|nar|ver|fah|ren**; **dis|zi|p|li|nie|ren** (zur Ordnung erziehen); **dis|zi|p|li|niert**; **dis|zi|p|lin|los**

di|to (dasselbe, ebenso; *Abk.* do. *od.* dto.)

Di|va, die; -, *Plur.* -s u. ...ven (erste Sängerin, gefeierte Schauspielerin)

Di|ver|genz, die; -, -en (das Auseinandergehen); **di|ver|gie|ren**

di|vers (verschieden; *im Plur. auch* mehrere)

Di|ver|si|fi|ka|ti|on, die; -, -en (Abwechslung, Mannigfaltigkeit); **di|ver|si|fi|zie|ren**; **Di|ver|si|fi|zie|rung** (*svw.* Diversifikation)

Di|ver|ti|men|to, das; -s, *Plur.* -s u. ...ti (*Musik* heiteres Instrumentalstück)

Di|vi|dend, der; -en, -en (*Math.* zu teilende Zahl; Zähler eines Bruchs)

Di|vi|den|de, die; -, -n (*Wirtsch.* der auf eine Aktie entfallende Gewinnanteil); **Di|vi|den|den|ren|di|te**

di|vi|die|ren (*Math.* teilen)

Di|vi|si|on, die; -, -en (*Math.* Teilung; Heeresabteilung); **Di|vi|sor**, der; -s, ...oren (*Math.* teilende Zahl; Nenner)

Di|wan, der; -s, -e (*veraltend für* niedriges Liegesofa)

DJ ['di:dʒe:], der; -[s], -s = Discjockey; **DJane** [di'dʒe:n], die; -, -s

Do|ber|mann, der; -s, ...männer (eine Hunderasse)

doch; ja doch!; nicht doch!

Docht, der; -[e]s, -e

Dock, das; -s, *Plur.* -s, *selten* -e (Anlage zum Ausbessern von Schiffen)

Do|ge [...ʒə, *auch* ...dʒə], der; -n, -n *(früher für* Titel des Staatsoberhauptes in Venedig u. Genua); **Do|gen|pa|last**

Dog|ge, die; -, -n (eine Hunderasse)

Dog|ma, das; -s, ...men (Kirchenlehre; [Glaubens]satz; Lehrmeinung); **dog|ma|tisch** (die [Glaubens]lehre betreffend; lehrhaft; streng [an Lehrsätze] gebunden)

Dog|ma|tis|mus, der; - *(oft abwertend für* starres Festhalten an Lehrmeinungen)

Doh|le, die; -, -n (ein Rabenvogel)

Dok|tor, der; -s, ...oren (höchster akademischer Grad; *ugs. auch für* Arzt; *Abk.* Dr. *[im Plur.* Dres., *wenn mehrere Personen, nicht mehrere Titel einer Person gemeint sind]);* **Dok|to|rand,** der; -en, -en (Student, der sich auf die Doktorprüfung vorbereitet; *Abk.* Dd.); **Dok|to|ran|din; Dok|tor|ar|beit; Dok|tor|grad; Dok|to|rin** *[auch* 'dɔ...]; **Dok|tor|mut|ter; Dok|tor|ti|tel; Dok|tor|va|ter; Dok|tor|wür|de**

Dok|t|rin, die; -, -en (Grundsatz; Lehrmeinung); **dok|t|ri|när** *(abwertend für* an einer Lehrmeinung starr festhaltend)

Do|ku, die; -, -s *(ugs.; kurz für* Dokumentation, Dokumentarfilm o. Ä.); **Do|ku|ment,** das; -[e]s, -e (amtl. Schriftstück; Beweis)

Do|ku|men|tar|film; do|ku|men|ta|risch

Do|ku|men|ta|ti|on, die; -, -en (Zusammenstellung u. Nutzbarmachung von Dokumenten u. Materialien jeder Art); **Do|ku|men|ta|ti|ons|zen|t|rum**

do|ku|men|tie|ren (zeigen; beweisen)

Do|ku|soap , Do|ku-Soap, die; -, -s *(Fernsehen* Dokumentarserie mit teilweise inszeniertem Ablauf)

dol|ce [...tʃə] *(Musik* sanft, lieblich, weich)

Dolch, der; -[e]s, -e

Dol|de, die; -, -n (schirmähnlicher Blütenstand); **Dol|den|ge|wächs**

doll *(ugs. für* toll)

Dol|lar, der; -[s], -s (Währungseinheit in den USA [*Währungscode* USD], in Kanada [CAD], Australien [AUD], Neuseeland [NZD] u. anderen Staaten; *Zeichen* $); 30 Dollar

dol|met|schen; Dol|met|scher, der; -s, - (jmd., der [berufsmäßig] mündlich übersetzt); **Dol|met|sche|rin**

Dom, der; -[e]s, -e (Bischofs-, Hauptkirche)

Do|main [doʼmeːn], die; -, -s (Internetadresse)

Do|mä|ne, die; -, -n (Staatsgut, -besitz; Spezialgebiet)

Do|mes|ti|ka|ti|on, die; -, -en (Umzüchtung wilder Tiere zu Haustieren); **do|mes|ti|zie|ren**

do|mi|nant (vorherrschend; bestimmend; überdeckend); **Do|mi|nanz,** die; -, -en; **do|mi|nie|ren** ([vor]herrschen; beherrschen)

Do|mi|ni|ka|ner, der; -s, - (Angehöriger des vom hl. Dominikus gegründeten Ordens); **Do|mi|ni|ka|ne|rin**

¹**Do|mi|no,** der; -s, -s (Maskenkostüm)

²**Do|mi|no,** das; -s, -s (Spiel); **Do|mi|no|stein**

Do|mi|zil, das; -s, -e (Wohnsitz, Wohnung)

Domp|teur [...ʼtøːɐ̯], der; -s, -e (Tierbändiger); **Domp|teu|rin; Domp|teu|se** [...ʼtøː...], die; -, -n

Dö|ner, der; -s, - *(kurz für* Döner Kebab)

Dö|ner Ke|bab, Dö|ner Ke|bap *[auch* - ʼkeː...], der; - -[s], - -s, **Dö|ner|ke|bab, Dö|ner|ke|bap,** der; -[s], -s (Kebab aus an einem Drehspieß gebratenem Fleisch)

Don Ju|an [- ʼxu̯an], der; - -s, - -s (span. Sagengestalt; Verführer; Frauenheld)

Don|ner, der; -s, -; **don|nern**

Don|ners|tag, der; -[e]s, -e *(Abk.* Do.); *vgl.* Dienstag; **Don|ners|tag|abend** usw. *vgl.* Dienstagabend usw.; **don|ners|tags;** *vgl.* Dienstag

Don|ner|wet|ter; Donnerwetter!

Do|nut , **Dough|nut** [ʼdoːnat], der; -s, -s (ringförmiges Hefegebäck)

doof *(ugs.);* **Doof|heit**

Dope [doːp], das; -s *(ugs. für* Rauschgift)

do|pen *(Sport* durch [verbotene] Substanzen

D

zu Höchstleistungen zu bringen versuchen); gedopt; **Do|ping,** das; -s, -s; **Do|ping|kont|rol|le**

Dop|pel, das; -s, - (zweite Ausfertigung; *Tennis, Tischtennis* Zwei-gegen-zwei-Spiel); **Dop|pel|axel** *(Eiskunstlauf);* **Dop|pel|belas|tung; Dop|pel|bett; dop|pel|bö|dig** (hintergründig); **Dop|pel|de|cker** (ein Flugzeugtyp; *ugs. für* Omnibus mit Oberdeck); **dop|pel|deu|tig; Dop|pel|gän|ger; Dop|pel|gän|ge|rin; Dop|pel|kinn; Doppel|klick** *(EDV* zweimaliges Betätigen der Maustaste); **Dop|pel|kopf** (Kartenspiel); **Dop|pel|le|ben,** das; -s; **Dop|pel|mo|ral; Dop|pel|mord; Dop|pel|pack,** der; -s, -s; **Dop|pel|pass; Dop|pel|punkt; Dop|pel|sieg** *(bes. Sport);* **Dop|pel|stun|de**

dop|pelt; doppelte Buchführung; doppelt gemoppelt *od.* doppeltgemoppelt *(ugs. für* unnötigerweise zweimal*);* er ist doppelt so reich wie *(selten* als*)* ich; um das, ums Doppelte größer

Dop|pel|ver|die|ner; Dop|pel|ver|die|nerin; Dop|pel|zent|ner (100 kg; *Zeichen* dz; *österr. u. schweiz.* q); **Dop|pel|zim|mer; dop|pel|zün|gig** *(abwertend)*

Do|ra|do *vgl.* Eldorado

Dorf, das; -[e]s, Dörfer; **Dorf|be|woh|ner; Dorf|be|woh|ne|rin; Dörf|chen; dörf|lich; Dorf|schen|ke, Dorf|schän|ke**

Dorn, der; -[e]s, *Plur.* -en, *ugs. auch* Dörner, *in der Technik* -e; **Dor|nen|kro|ne; dor|nen|reich; dor|nig; Dorn|rös|chen|schlaf**

dör|ren (dürr machen); **Dörr|fleisch; Dörr-obst**

Dorsch, der; -[e]s, -e (junger Kabeljau)

dort; dort drüben; von dort aus; sich dort auskennen; **dort|be|hal|ten;** man hat ihn einige Zeit dortbehalten; **dort|blei|ben;** sie sind gleich dortgeblieben

dort|her *[auch* 'dɔ...*];* von dorther

dort|hin *[auch* 'dɔ...*]*

dor|tig; die dortigen Verhältnisse

Do|se, die; -, -n (kleine Büchse; *selten für* Dosis); **Do|sen** *(Plur. von* Dose *u.* Dosis)

dö|sen *(ugs.)*

Do|sen|bier; do|sen|fer|tig; Do|sen-fleisch; Do|sen|milch; Do|sen|öff|ner; Do|sen|pfand, das; -[e]s

do|sie|ren (ab-, zumessen); **Do|sie|rung**

Do|sis, die; -, Dosen (zugemessene [Arznei]gabe, kleine Menge)

Dos|si|er *[...'sje:],* das; -s, -s (Akte od. ähnliche Zusammenstellung von Dokumenten u. Texten zu einem Thema, einem Vorgang)

do|tie|ren (mit einer bestimmten Geldsumme ausstatten; bezahlen); **Do|tie|rung**

Dot|ter, der *u.* das; -s, - (Eigelb); **dot|ter-gelb**

dou|beln ['du:...] *(Film* als Double spielen); **Dou|b|le** ['du:bl], das; -s, -s *(Film* Ersatzspieler[in] ähnlichen Aussehens)

Dough|nut ['doːnat] *vgl.* Donut

down [daun]; down sein *(ugs. für* bedrückt, abgespannt sein)

Down|load ['daunloud, 'daunlout], der *u.* das; -s, -s *(EDV* das Herunterladen); **down-loa|den** ['daunloudn] *(EDV* Daten von einem Computer, aus dem Internet herunterladen); ich downloade, ich habe downgeloadet

Down|town ['dauntaun], die; -, -s *(amerik. Bez. für* Innenstadt)

Do|zent, der; -en, -en (Lehrer [an einer Universität od. Hochschule]; *Abk.* Doz.); **Do-zen|tin; Do|zen|tur,** die; -, -en; **do|zie|ren**

Dra|che, der; -n, -n (ein Fabeltier)

Dra|chen, der; -s, - (Fluggerät; Segelboot); **Dra|chen|flie|gen,** das; -s *(Sport)*

Dra|gee, Dra|gée *[...'ʒe:],* das; -s, -s (mit Zucker od. Schokolade überzogene Süßigkeit; Arzneipille)

Dra|go|ner, der; -s, - *(früher für* leichter Reiter; *ugs. für* resolute Frau)

Draht, der; -[e]s, Drähte; **Draht|esel** *(ugs. scherzh. für* Fahrrad); **Draht|ge|flecht; drah|tig; draht|los; Draht|seil|bahn; Draht|zaun; Draht|zie|her** *(auch für* jmd., der im Verborgenen andere für seine [polit.] Ziele einsetzt); **Draht|zie|he|rin**

Drai|na|ge *[...ʒə, ...ʃ] vgl.* Dränage

Drai|si|ne [drai..., drɛ...], die; -, -n (Vorläufer des Fahrrades; Eisenbahnfahrzeug zur Streckenkontrolle)

dra|ko|nisch (sehr streng)

drall (derb, stramm)

Drall, der; -[e]s, -e ([Geschoss]drehung; Drehung bei Garn u. Zwirn)

Dra|ma, das; -s, ...men (Schauspiel; erregendes od. trauriges Geschehen); Dra|ma|tik, die; - (dramatische Dichtkunst; erregende Spannung); Dra|ma|ti|ker (Dramendichter); Dra|ma|ti|ke|rin; dra|ma|tisch (in Dramenform; auf das Drama bezüglich; aufregend u. spannend; drastisch)

dra|ma|ti|sie|ren (als Schauspiel für die Bühne bearbeiten; als besonders aufregend, schlimm darstellen); Dra|ma|ti|sie|rung

Dra|ma|turg, der; -en, -en (literarisch-künstlerischer Berater bei Theater, Film u. Fernsehen); Dra|ma|tur|gie, die; -, ...ien (Gestaltung, Bearbeitung eines Dramas; Lehre vom Drama); Dra|ma|tur|gin; dra|ma|tur|gisch

dran (ugs. für daran); dran sein (ugs. für an der Reihe sein); dran glauben müssen (ugs. für vom Schicksal ereilt werden); das Drum und Dran

Drä|na|ge, Drai|na|ge [...ʒə, ...ʃ], die; -, -n (Med. Ableitung von Wundabsonderungen)

dran|blei|ben (ugs. für an jmdm., etwas bleiben); am Gegner dranbleiben

drang vgl. dringen

Drang der; -[e]s, Dränge Plur. selten

dran|ge|hen (ugs. für darangehen [vgl. d.])

Drän|ge|lei; drän|geln; ich dräng[e]le

drän|gen

Drang|sal, die; -, -e, veraltet das; -[e]s, -e (geh.); drang|sa|lie|ren (quälen, peinigen)

dran|kom|men (ugs. für an die Reihe kommen); dran|krie|gen (ugs.); jmdn. drankriegen; dran|ma|chen (ugs. für vgl. daranmachen); dran|neh|men (ugs. für abfertigen; aufrufen)

dra|pie|ren ([mit Stoff] behängen, [aus]schmücken; raffen; in Falten legen)

dras|tisch (sehr deutlich; derb)

drauf (ugs. für darauf); drauf und dran (ugs. für nahe daran) sein, etwas zu tun; [gut/schlecht] drauf sein (ugs. für [gut/schlecht] gelaunt sein)

Drauf|ga|be (Handgeld beim Vertrags- od. Kaufabschluss; österr. auch für Zugabe des Künstlers)

Drauf|gän|ger; Drauf|gän|ge|rin; drauf|gän|ge|risch; drauf|ge|hen (ugs. auch für verbraucht werden; sterben)

drauf|le|gen (ugs. für zusätzlich bezahlen)

drauf|los, da|r|auf|los; immer drauflos!; drauf|los|re|den

drauf sein vgl. drauf

drauf|set|zen; eins, einen draufsetzen (ugs. für eine Situation durch eine Äußerung od. Handlung weiter verschärfen)

drauf|zah|len (svw. drauflegen)

draus (ugs. für daraus)

drau|ßen; Hunde müssen draußen bleiben

Dream-Team, Dream|team ['dri:mti:m], das; -s, -s (bes. Sport ideal besetzte Mannschaft)

drech|seln; Drechs|ler; Drechs|ler|ar|beit; Drechs|le|rin

Dreck, der; -[e]s (ugs.); Dreck|ar|beit (ugs.); Dreck|fink, der; Gen. -en, auch -s, Plur. -en (ugs.); dre|ckig; Drecks|ar|beit (ugs. abwertend); Dreck|sau (derb abwertend); Dreck|spatz (ugs.)

Dreh, der; -[e]s, Plur. -s od. -e (ugs. für Einfall, Kunstgriff); Dreh|ar|beit die; -, -en meist Plur. (Film); Dreh|bank Plur. ...bänke; dreh|bar

Dreh|buch|au|tor; Dreh|buch|au|to|rin

Dreh|büh|ne

dre|hen

Dreh|kreuz; Dreh|mo|ment, das (Physik); Dreh|or|gel; Dreh|ort (Film); Dreh|schei|be; Dreh|stuhl; Dre|hung

drei; Gen. dreier, Dat. dreien, drei; wir sind zu dreien od. zu dritt; herzliche Grüße von uns dreien; alle drei; der Junge ist schon drei [Jahre]; sie kommt um drei [Uhr]; der Saal war erst drei viertel voll; es ist drei viertel acht, aber drei Viertel der Bevölke-

rung; *vgl.* acht *u.* Viertel; **Drei**, die; -, -en;
eine Drei würfeln; er schrieb in Latein eine
Drei; die Note »Drei«; *vgl.* [1]Acht *u.* Eins

**drei|ar|mig; drei|bän|dig; drei|di|men|si|o-
nal**

Drei|eck; drei|eckig

drei|ein|halb, drei|und|ein|halb; **Drei|ei|nig-
keit,** die; - *(christl. Rel.);* **Drei|er** *vgl.* Ach-
ter; **drei|er|lei; drei|fach; Drei|fal|tig-
keit,** die; - *(svw.* Dreieinigkeit); **drei|far-
big**

drei|hun|dert; drei|jäh|rig *vgl.* achtjährig

Drei|kä|se|hoch, der; -s, -[s]; **Drei|klang;
Drei|kö|ni|ge** *ohne Artikel* (Dreikönigs-
fest); an, auf, nach, vor, zu Dreikönige;
Drei|kö|nigs|fest (6. Jan.); **drei|köp|fig;
drei|mal; drei|ma|lig; Drei|mas|ter; drei-
mas|tig; Drei|me|ter|brett; drei|mo|na-
tig** *vgl.* achtmonatig

drein *(ugs. für* darein)

drein|bli|cken (in bestimmter Weise bli-
cken); finster dreinblicken; **drein|fin|den,**
sich *(ugs. für* dareinfinden, sich)

Drei|rad; Drei|satz; Drei|sprung

drei|ßig *vgl.* achtzig; **drei|ßi|ger** *vgl.* achtzi-
ger; **Drei|ßi|ger** *vgl.* Achtziger; **drei|ßig-
jäh|rig;** der Dreißigjährige Krieg

dreist

drei|stel|lig; dreistellige Zahl

Dreis|tig|keit

drei|stö|ckig; drei|stün|dig (drei Stunden
dauernd); **drei|tä|gig** *mit Ziffer:* 3-tägig
(drei Tage dauernd); **drei|tau|send**

drei|tei|len; drei|tei|lig

drei|und|ein|halb, drei|ein|halb

drei vier|tel *vgl.* drei, Viertel; **Drei|vier|tel-
stun|de; Drei|vier|tel|takt** [...'fı...] *(mit
Ziffern* $^3/_4$-Takt)

drei|wö|chig *(mit Ziffer* 3-wöchig; drei
Wochen dauernd); **drei|zehn;** *vgl.* acht

Drei|zim|mer|woh|nung *(mit Ziffer* 3-Zim-
mer-Wohnung)

Dre|sche, die; - *(ugs. für* Prügel); **dre|schen;**
drosch, gedroschen; **Dresch|ma|schi|ne**

Dress der; *Gen.* - *u.* Dresses, *Plur.* Dresse,
österr. *auch* die; -, Dressen *Plur. selten*

([Sport]kleidung); **Dress|code** *(engl. für*
Kleidervorschrift)

Dres|seur [...'søː ̞ɐ], der; -s, -e (jmd., der
Tiere abrichtet); **Dres|seu|rin** [...'sø:...];
dres|sie|ren

Dres|sing, das; -s, -s (Salatsoße)

Dress|man [...mɛn], der; -s, ...men [...mɛn]
(männliches Mannequin)

Dres|sur, die; -, -en

Dres|sur|rei|ten, das; -s

drib|beln *(Sport* den Ball durch kurze Stöße
vortreiben); **Drib|bling,** das; -s, -s

Drift, die; -, -en (Strömung an der Meeres-
oberfläche); **drif|ten** *(Seemannsspr.* trei-
ben)

Drill, der; -[e]s (harte [militär.] Ausbildung);
dril|len ([militär.] hart ausbilden)

Dril|lich, der; -s, -e (ein festes Gewebe)

drin *(ugs. für* darin); drin sein *(ugs. auch für*
möglich sein); **drin|blei|ben** *(ugs.)*

drin|gen; drang, gedrungen

drin|gend; auf das, aufs Dringendste *od.*
auf das, aufs dringendste

**dring|lich; Dring|lich|keit; Dring|lich-
keits|an|trag**

Drink, der; -s, -s (meist alkohol. Getränk)

drin|nen; ich möchte lieber drinnen arbeiten

drin sein *vgl.* drin; **drin|sit|zen** *(ugs. für* in
der Patsche sitzen); **drin|ste|cken** *(ugs. für*
viel Arbeit, Schwierigkeiten haben)

drit|te; der dritte Stand (Bürgerstand); er ist
der Dritte im Bunde; ein Dritter (Unbetei-
ligter); sie wurde Dritte; jeder Dritte; zum
Dritten wäre noch dies zu erwähnen; die
Dritten *(ugs. für* die dritten Zähne); Fried-
rich der Dritte; der Dritte Oktober (Tag der
Deutschen Einheit); die Dritte Welt (die
Entwicklungsländer)

drit|tel *vgl.* achtel; **Drit|tel,** das, *schweiz.
meist* der; -s, -; zwei Drittel; *vgl.* Achtel;
drit|teln (in drei Teile teilen)

drit|tens

Drit|te-Welt-La|den (Laden mit Erzeugnis-
sen aus Entwicklungsländern); *vgl.* dritte

dritt|klas|sig; Dritt|land *Plur.* ...länder;
dritt|letz|te *vgl.* letzte; **Dritt|mit|tel** *Plur.*

Drive [dra͟if], der; -s, -s (Schwung; Tendenz, Neigung; Treibschlag beim Golf u. Tennis)

Drive-in-Re|s|tau|rant [dra͟if'ın...] (Schnellgaststätte für Autofahrer mit Bedienung am Fahrzeug)

dro|ben *(geh.; südd. u. österr. für da oben)*

dro|ben|blei|ben *(südd., österr.)*

Dro|ge, die; -, -n (Rauschgift)

drö|ge *(nordd. für trocken; langweilig)*

dro|gen|ab|hän|gig; Dro|gen|be|ra|tungs- stel|le; Dro|gen|dea|ler (Rauschgifthändler); **Dro|gen|dea|le|rin; Dro|gen|han- del; Dro|gen|händ|ler; Dro|gen|händ|le- rin; Dro|gen|kon|sum; Dro|gen|miss- brauch; Dro|gen|sucht; dro|gen|süch|tig**

Dro|ge|rie, die; -, ...ien; **Dro|ge|rie|markt; Dro|gist,** der; -en, -en; **Dro|gis|tin**

Droh|brief; dro|hen; Droh|ge|bär|de

Droh|ne, die; -, -n (Bienenmännchen; *Militär* unbemanntes Aufklärungs- und Kampfflugzeug)

dröh|nen *(ugs. auch für Rauschgift nehmen)*

Dro|hung

drol|lig; Drol|lig|keit

Dro|me|dar *[auch* 'dro:...], das; -s, -e (einhöckeriges Kamel)

Drops der, *auch, österr., bayr. nur* das; -, - *meist Plur.* (Fruchtbonbon)

Drosch|ke, die; -, -n

Dros|sel, die; -, -n (ein Singvogel)

dros|seln; Dros|se|lung, Dross|lung

drü|ben (auf der anderen Seite); **drü|ben- blei|ben**

drü|ber *(ugs. für darüber [vgl. d.]);* es geht drunter und drüber

¹Druck, der; -[e]s, *Plur. (Technik:)* Drücke, *seltener* -e

²Druck, der; -[e]s, *Plur. (Druckw.:)* Drucke u. *(Textilind.* bedruckte Stoffe:) -s

Druck|buch|sta|be

Drü|cke|ber|ger; Drü|cke|ber|ge|rin

druck|emp|find|lich; dru|cken

drü|cken; drü|ckend; es war drückend heiß

Dru|cker; Dru|cke|rei; Dru|cke|rin

Dru|cker|schwär|ze

Druck-Er|zeug|nis, Druck|er|zeug|nis;

Druck|feh|ler; druck|frisch; Druck|gra- fik, Druck|gra|phik; Druck|mit|tel, das; **druck|reif; Druck|schrift**

druck|sen *(ugs. für zögerlich antworten)*

druck|voll (kraftvoll)

drum *(ugs. für darum);* drum herum

Drum [dram], die; -, -s *(engl. Bez. für* Trommel)

Drum|he|r|um, das; -s *(ugs.)*

Drum|mer ['dra...], der; -s, - (Schlagzeuger in einer ³Band); **Drum|me|rin**

Drum und Dran

drun|ten (da unten)

drun|ter *(ugs. für darunter [vgl. d.]);* es geht drunter und drüber; **drun|ter|stel|len**

Drü|se, die; -, -n; **Drü|sen|schwel|lung**

dry [drai] ([von alkohol. Getränken] herb)

Dschi|had, der; - (heiliger Krieg der Muslime zur Verteidigung u. Ausbreitung des Islams)

Dschun|gel, der, *selten* das; -s, -

Dschun|ke, die; -, -n (chin. Segelschiff)

DSL = digital subscriber line *(EDV Technik,* mit der Daten in hoher Bandbreite digital übertragbar sind)

du *s. Kasten Seite 114*

du|al (eine Zweiheit bildend); **Du|al|sys- tem,** das; -s *(Math.)*

Dü|bel, der; -s, - (Zapfen zum Verankern von Schrauben u. a.); **dü|beln**

du|bi|os (zweifelhaft; unsicher)

Du|b|let|te, die; -, -n (doppelt vorhandenes Stück)

du|cken; sich ducken

Duck|mäu|ser *(ugs. für* verängstigter, feiger Mensch); **duck|mäu|se|risch**

du|deln; ich dud[e]le; **Du|del|sack**

Du|ell, das; -s, -e (Zweikampf); **Du|el|lant,** der; -en, -en; **Du|el|lan|tin; du|el|lie|ren,** sich

Du|ett, das; -[e]s, -e (Zweigesang)

Duf|f|le|coat ['daf|...], der; -s, -s (kurzer, sportl. Mantel)

Duft, der; -[e]s, Düfte

duf|te *(ugs. veraltend für* gut, fein)

duf|ten; duf|tig; Duft|stoff; Duft|was|ser *Plur.* ...wässer; **Duft|wol|ke**

du

Kleinschreibung:
- *du Glücklicher!*
- *Leute wie du und ich*
- *jmdn. du nennen*

In Briefen kann »du« groß- oder kleingeschrieben werden:
- *Liebe Maria, wie Du* od. *du bestimmt
schon gemerkt hast ...*

Großschreibung:
- *das vertraute Du*
- *jmdm. das Du anbieten*
- *jmdn. mit Du anreden*
- *mit jmdm. auf Du und Du stehen*
- *Du* od. *du zueinander sagen*
- *mit jmdm. per Du* od. *per du sein*

Du|ka|ten, der; -s, - (frühere Goldmünze);
Du|ka|ten|esel *(ugs. für unerschöpfliche
Geldquelle)*
Duk|tus, der; - (charakteristische Art, Linien-
führung)
dul|den; Dul|der; Dul|de|rin; duld|sam;
Dul|dung
dumm; düm|mer, dümms|te; sich dumm stel-
len; dumm|dreist; **Dum|me|jun|gen-
streich**, der; des Dumme[n]jungen-
streich[e]s, die Dumme[n]jungenstreiche,
Dum|me-Jun|gen-Streich; *aber* ein Dum-
mer-Jungen-Streich; Dum|mer|chen *(ugs.)*;
Dum|mer|jan, der; -s, -e *(ugs. für dummer
Kerl)*; dum|mer|wei|se; Dumm|heit;
Dumm|kopf *(abwertend)*; dümm|lich
Dum|my ['dami], der; -s, -s (Puppe für
Unfalltests)
düm|peln *(Seemannsspr. leicht schlingern)*
dumpf; Dumpf|ba|cke *(ugs. abwertend für
einfältiger Mensch)*; Dumpf|heit, die; -
Dum|ping ['da...], das; -s, -s *(Wirtsch.
Unterbieten der Preise)*; Dum|ping|preis
(Preis einer Ware, der deutlich unter ihrem
Wert liegt)
Dü|ne, die; -, -n; Dü|nen|sand
Dung, der; -[e]s; Dün|ge|mit|tel, das; dün-
gen; Dün|ger, der; -s, -; Dün|gung
dun|kel; seine Spuren verloren sich im Dun-
keln; sie hat uns über ihre Absichten im
Dunkeln gelassen; im Dunkeln tappen;
Dun|kel, das; -s
Dün|kel, der; -s *(geh. abwertend für Einge-
bildetheit, Hochmut)*

dun|kel|äu|gig; dun|kel|blau; dun|kel-
blond; **dun|kel fär|ben**, dun|kel|fär-
ben; dun|kel|grün; dun|kel|haa|rig
dun|kel|haft *(geh. abwertend)*
dun|kel|häu|tig; Dun|kel|heit; Dun|kel-
mann *Plur.* ...männer
dun|keln
dun|kel|rot; Dun|kel|zif|fer (unbekannte
Anzahl)
dün|ken; mich od. mir dünkt
dünn; durch dick und dünn; eine **dünn
besiedelte** od. dünnbesiedelte, **dünn
bevölkerte** od. dünnbevölkerte Gegend;
sich ganz dünn machen *(ugs. für wenig
Platz einnehmen)*; *vgl. aber* dünnmachen
Dünn|darm; dünn|flüs|sig; **dünn ge|sät**,
dünn|ge|sät (selten vorhanden); dünn-
häu|tig
dünn|ma|chen, sich *(ugs. für weglaufen)*; er
hat sich dünngemacht; *vgl. aber* dünn
Dunst, der; -[e]s, Dünste; düns|ten (durch
Dampf gar machen); Dunst|glo|cke; duns-
tig; Dunst|kreis; Dunst|schlei|er
Dü|nung (Seegang)
Duo, das; -s, -s (Musikstück für zwei Instrumente; *auch* für die zwei Ausführenden)
dü|pie|ren (täuschen, überlisten)
Du|pli|kat, das; -[e]s, -e (Ab-, Zweitschrift);
du|pli|zie|ren (verdoppeln)
Dur, das; -[s] *(Musik Tongeschlecht mit großer Terz)*; in A-Dur
durch; *Präp. mit Akk.:* durch mich, sie, ihn;
durch und durch; die ganze Nacht
[hin]durch; es muss bald elf Uhr durch sein

(ugs. für nach elf Uhr sein); bei jmdm. unten durch sein *(ugs. für* jmds. Wohlwollen verscherzt haben)

durch|ar|bei|ten; eine durcharbeitete Nacht; **durch|ar|bei|ten;** der Teig ist gut durchgearbeitet; er hat die Nacht durchgearbeitet

durch|at|men; sie hat tief durchgeatmet

durch|aus *[auch* 'dʊ...]

durch|bei|ßen; sie hat den Faden durchgebissen; sich durchbeißen *(ugs.)*

durch|blät|tern, durch|blät|tern; sie hat das Buch durchgeblättert *od.* durchblättert

Durch|blick; durch|bli|cken; sie hat [durch das Glas] durchgeblickt

Durch|blu|tung; Durch|blu|tungs|stö|rung

durch|boh|ren; er hat ein Loch durchgebohrt; der Wurm hat sich durchgebohrt; **durch|boh|ren;** eine Kugel hat die Tür durchbohrt; von Blicken durchbohrt

durch|bo|xen *(ugs. für* durchsetzen)

durch|bra|ten; das Fleisch war gut durchgebraten

durch|bre|chen; er ist [durch das Eis] durchgebrochen; er hat den Stock durchgebrochen; **durch|bre|chen;** er hat die Schranken, die Schallmauer durchbrochen

durch|bren|nen *(ugs. auch für* sich heimlich davonmachen); der Faden ist durchgebrannt

durch|brin|gen; er hat die ganze Erbschaft durchgebracht (verschwendet)

Durch|bruch, der; -[e]s, ...brüche

durch|den|ken; ein fein durchdachter Plan; **durch|den|ken;** ich habe die Sache noch einmal durchgedacht

durch|dre|hen; das Fleisch [durch den Wolf] durchdrehen; ich bin völlig durchgedreht *(ugs. für* verwirrt)

durch|drin|gen; sie hat das Urwaldgebiet durchdrungen; sie war von der Idee ganz durchdrungen; **durch|drin|gen;** die Sonne ist kaum durchgedrungen

durch|drin|gend; Durch|drin|gung

durch|drü|cken; er hat die Änderung doch noch durchgedrückt *(ugs. für* durchgesetzt)

durch|ei|n|an|der; durcheinander (verwirrt)

sein; **Durch|ei|n|an|der** *[auch* 'dʊ...], das; -s; **durch|ei|n|an|der|brin|gen; durch|ei|n|an|der|es|sen;** alles durcheinanderessen und -trinken; **durch|ei|n|an|der|re|den; durch|ei|n|an|der|wer|fen**

durch|fah|ren; er hat das ganze Land durchfahren; ein Schreck durchfuhr sie; **durch|fah|ren;** ich bin die ganze Nacht durchgefahren; **Durch|fahrt; Durch|fahrts|stra|ße, Durch|fahrt|stra|ße**

Durch|fall, der; -[e]s, ...fälle; **durch|fal|len;** die kleinen Steine sind [durch den Rost] durchgefallen; er ist durchgefallen *(ugs. für* hat nicht bestanden)

durch|fei|ern; manche Nacht wurde durchgefeiert; **durch|fei|ern;** sie haben die Nacht durchgefeiert

durch|fors|ten (den Wald ausholzen; etw. [kritisch] durchsehen); durchforstet

durch|führ|bar; durch|füh|ren; Durch|füh|rung; Durch|gang; durch|gän|gig; Durch|gangs|ver|kehr

durch|ge|hen; ich bin [durch alle Räume] durchgegangen; das Pferd ist durchgegangen; wir sind den Plan durchgegangen; **durch|ge|hend**

durch|ge|knallt *(ugs. für* überspannt)

durch|grei|fen; sie greift energisch durch

durch|hal|ten; er hat bis zuletzt durchgehalten; **Durch|hal|te|ver|mö|gen,** das; -s

durch|hau|en; er hat den Knoten mit einem Schlag durchhauen; **durch|hau|en;** er hieb den Ast mit der Axt durch, hat ihn durchgehauen; er haute den Jungen durch, hat ihn durchgehauen

durch|käm|men; das Haar wurde durchgekämmt; **durch|käm|men;** die Polizei hat den Wald durchkämmt

durch|knal|len *(ugs.);* die Sicherung ist durchgeknallt; *vgl.* durchgeknallt

durch|kom|men; er ist noch einmal durchgekommen

durch|kreu|zen (kreuzweise durchstreichen); sie hat den Brief durchgekreuzt; **durch|kreu|zen** *(auch für* vereiteln); man hat ihren Plan durchkreuzt durch|las|sen; sie wurde durchgelassen; durch|läs|sig; Durch|läs|sig|keit

Durch|laucht [*auch* ...'lau...], die; -, -en

durch|lau|fen; er ist die ganze Nacht durchgelaufen; das Wasser ist durchgelaufen; durch|lau|fen; das Projekt hat viele Stadien durchlaufen; Durch|lauf|er|hit|zer (ein Gas- od. Elektrogerät)

durch|le|sen; er hat den Brief durchgelesen

durch|leuch|ten; das Licht hat [durch die Vorhänge] durchgeleuchtet; durch|leuch|ten (mit Licht, mit Röntgenstrahlen durchdringen); die Brust des Kranken wurde durchleuchtet; Durch|leuch|tung

durch|ma|chen (ugs.); die Familie hat viel durchgemacht

Durch|marsch, der; durch|mar|schie|ren

Durch|mes|ser, der (Zeichen d od. ⌀)

durch|näs|sen; sie war völlig durchnässt

durch|neh|men; die Klasse hat den Stoff durchgenommen

durch|num|me|rie|ren; Durch|num|me|rie|rung

durch|que|ren; sie hat das Land zu Fuß durchquert

durch|rech|nen; er hat die Aufgabe zweimal durchgerechnet

Durch|rei|che, die; -, -n (Öffnung zum Durchreichen von Speisen)

Durch|rei|se; durch|rei|sen; er hat das Land durchreist; durch|rei|sen; ich bin oft durchgereist

Durch|rei|sen|de, der u. die; -n, -n

durch|rin|gen, sich; sie hat sich zu dieser Überzeugung durchgerungen

durchs (durch das)

Durch|sa|ge, die; -, -n

durch|schau|bar; durch|schau|en; ich habe ihn durchschaut; durch|schau|en; er hat [durch das Fernrohr] durchgeschaut

durch|schei|nen; vom Tageslicht durchschienen; durch|schei|nen; die Sonne hat durchgeschienen

durch|schla|gen; sie hat die Suppe [durch das Sieb] durchgeschlagen; durch|schla|gen; die Kugel hat den Panzer durchschlagen; durch|schla|gend; ein durchschlagender Erfolg; Durch|schlag|pa|pier; Durch|schlags|kraft, die; -

durch|schnei|den; er hat das Tuch durchgeschnitten; durch|schnei|den; die Landschaft ist von Kanälen durchschnitten

Durch|schnitt; im Durchschnitt; durch|schnitt|lich; Durch|schnitts|al|ter; Durch|schnitts|ein|kom|men; Durch|schnitts|wert

durch|schrei|ten; sie haben den Fluss durchschritten

durch sein vgl. durch

durch|set|zen; das Gestein ist mit Erzen durchsetzt; durch|set|zen (erreichen); ich habe es durchgesetzt

Durch|set|zung, die; -; Durch|set|zungs|ver|mö|gen, das; -s

Durch|sicht; durch|sich|tig

durch|si|ckern; die Nachricht ist durchgesickert; durch|spie|len; sie hat alle Möglichkeiten durchgespielt; durch|star|ten; der Pilot hat die Maschine durchgestartet; durch|ste|hen; sie hat viel durchgestanden; er hat den Skisprung durchgestanden; durch|strei|chen; das Wort ist durchgestrichen

durch|strei|fen; sie haben das Land durchstreift

durch|su|chen; alle Koffer wurden durchsucht; durch|su|chen; sie hat schon das ganze Adressbuch durchgesucht; Durch|su|chung; Durch|su|chungs|be|fehl (ugs.)

durch|trai|nie|ren; mein Körper ist durchtrainiert

durch|tren|nen, durch|tren|nen; er hat das Kabel durchgetrennt od. durchtrennt

durch|trie|ben (gerissen, verschlagen)

durch|wach|sen; [mit Speck, Fett] durchwachsenes Fleisch; die Stimmung, das Wetter ist durchwachsen (ugs. für nicht besonders gut)

Durch|wahl; durch|wäh|len

durch|weg [auch ...'vɛk]; durch|wegs [auch ...'ve:...] (österr. u. schweiz. nur so, sonst ugs. neben durchweg)

durch|wüh|len; die Maus hat sich durchge-
wühlt; **durch|wüh|len**; die Diebe haben
alles durchwühlt

durch|zäh|len; sie hat durchgezählt

durch|ze|chen; er hat ganze Nächte durch-
zecht; **durch|ze|chen**; er hat die Nacht
durchgezecht

durch|zie|hen; ich habe den Faden durchge-
zogen; **durch|zie|hen**; wir haben das Land
durchzogen; **Durch|zug**

durch|zwän|gen; durchgezwängt

dür|fen; du darfst, sie darf; du durftest; du
dürftest; du hast [es] nicht gedurft, *aber*
das hättest du nicht tun dürfen

dürf|tig

dürr; Dür|re, die; -, -n

Durst, der; -[e]s; dürs|ten; mich dürstet, ich
dürste; durs|tig

Durst|stre|cke (Zeit der Entbehrung)

Du|sche [*auch* 'du:...], die; -, -n; du|schen;
Dusch|gel

Dü|se, die; -, -n

Du|sel, der; -s (*ugs. für* unverdientes Glück);
du|seln (*ugs. für* im Halbschlaf sein); ich
dus[e]le

dü|sen (*ugs. für* sausen); Dü|sen|an|trieb;
Dü|sen|flug|zeug; Dü|sen|jä|ger

Dus|sel, der; -s, - (*ugs. für* Dummkopf); dus-
se|lig, duss|lig; Duss|lig|keit

düs|ter; düs|t[er]rer, düs|ters|te

Dutt, der; -[e]s, *Plur.* -s *od.* -e (*landsch. für*
Haarknoten)

Du|ty-free-Shop ['dju:ti'fri:...] (Laden, in
dem zollfreie Waren verkauft werden)

Dut|zend, das; -s, -e; ein halbes, zwei Dut-
zend Mal[e]; es gab Dutzende *od.* dutzende von Reklamationen; [einige, viele]
Dutzend[e] *od.* dutzend[e] Mal[e];
dut|zend|fach; dut|zend|wei|se

du|zen; du duzt; Duz|freund; Duz|freun|din

DVD [de:fau'de:], die; -, -s (einer CD ähnli-
cher Datenträger mit mehr Speicherplatz);
DVD-Lauf|werk; DVD-Play|er (Gerät zum
Abspielen von DVDs); **DVD-Re|kor|der**,
DVD-Re|cor|der

Dy|na|mik, die; -, -en (Lehre von den Kräf-

ten; Schwung, Triebkraft); **dy|na|misch**
(voll innerer Kraft); dy|na|mi|sie|ren;
Dy|na|mi|sie|rung

Dy|na|mit, das; -s (Sprengstoff)

Dy|na|mo|ma|schi|ne [*auch* 'dy:...] (Strom-
erzeuger; *Kurzform* Dynamo, der, -s, -s)

Dy|nas|tie, die; -, ...ien (Herrscherge-
schlecht); dy|nas|tisch

D-Zug® ['de:...] (Schnellzug)

Ee

e, E, das; -, - (Tonbezeichnung)

E, das; -, - (Buchstabe); das E; des E, die E,
aber das e in Berg; der Buchstabe E, e

ea|sy ['i:zi] (*ugs. für* leicht)

Eau de Co|lo|g|ne ['o: də ...'bnjə, *österr.*
...'bn], das, *seltener* die; - - -, Eaux - - [- -
-] (Kölnischwasser)

Eb|be, die; -, -n

eben (flach); Eben|bild; eben|bür|tig;
eben|da [*auch* ...'da:] (*Abk.* ebd.); Ebe-
ne, die; -, -n; eben|falls; Eben|holz

Eben|maß, das; -es; eben|mä|ßig

eben|so; wir können ihn ebenso gut auch
schnell anrufen; wir können ihn ebenso gut
leiden wie ihr; ich habe den Film ebenso
oft gesehen wie du; wir freuen uns ebenso
sehr wie die anderen; ebenso viel sonnige
Tage; sie aß ebenso wenig wie ich

Eber, der; -s, - (m. Schwein)

Eber|esche (ein Laubbaum)

E-Bike ['i:...], das; -s, -s (Elektrofahrrad)

eb|nen; sie ebnet den Weg

E-Book ['i:buk], das; -[s], -s (digitalisierter
Inhalt eines Buches, der mithilfe eines
E-Book-Readers gelesen werden kann);
E-Book-Rea|der [...ri:de], der; -s, - (digi-
tales Lesegerät [in Buchformat], mit dem
E-Books gelesen werden können)

echauf|fie|ren [eʃ...], sich (*geh. für* sich
erhitzen; sich aufregen)

Echo, das; -s, -s (Widerhall)

Ech|se, die; -, -n (ein Kriechtier)

echt; echt|gol|den, echt gol|den; ein echtgoldener *od.* echt goldener Ring

Echt|heit, die; -

echt|sil|bern, echt sil|bern

EC-Kar|te, ec-Kar|te [eːˈʦeː...] (Eurochequekarte)

Eck|ball *(Sport);* **Eck|da|ten** Plur. (Richtwerte); **Ecke,** die; -, -n; **Eck|haus; eckig; Eck|pfei|ler; Eck|punkt; Eck|stein; Eck|stoß** *(Fußball);* **Eck|wert; Eck|zahn**

Ec|lair [eˈklɛːɐ̯], das; -s, -s (ein Gebäck)

E-Com|merce [ˈiːkɔmøːɐ̯s], der; - *; kurz für* Electronic Commerce

Eco|no|my [iˈkɔnəmi], die; - *(Kurzw. für* Economyclass); Economy fliegen; **Eco|no|myclass, Eco|no|my-Class, Eco|no|my|klas|se,** die; - (Tarifklasse im Flugverkehr)

Ec|s|ta|sy [ˈɛkstəzi], die; -, -s *od.* das; -[s], -s (eine Droge)

edel; ein ed|les Pferd; **Edel|me|tall; Edel|mut,** der; **Edel|stahl; Edel|stein; Edel|weiß,** das; -[es], -[e] (eine Gebirgspflanze)

Eden, das; -s (Paradies im A. T.); der Garten Eden

Edikt, das; -[e]s, -e (Verordnung)

edi|tie|ren *(EDV* Daten in ein Terminal eingeben, löschen, verändern)

Edi|ti|on, die; -, -en (Ausgabe; *Abk.* Ed.)

EDV, die; - = elektronische Datenverarbeitung; **EDV-Pro|gramm**

Efeu, der, *auch* das; -s

Eff|eff; etwas aus dem Effeff *(ugs. für* gründlich) verstehen

Ef|fekt, der; -[e]s, -e (Wirkung, Erfolg; Ergebnis); **ef|fek|tiv** (tatsächlich; wirksam; greifbar); **Ef|fek|ti|vi|tät,** die; - (Wirkungskraft); **ef|fekt|voll** (wirkungsvoll)

Ef|fet [ɛˈfeː], der, *selten* das; -s, -s (Drall einer [Billard]kugel, eines Balles)

ef|fi|zi|ent (wirksam; wirtschaftlich); **Ef|fi|zi|enz,** die; -, -en; **Ef|fi|zi|enz|stei|ge|rung**

egal *(ugs. für* gleichgültig); egal[,] wer kommt

ega|li|sie|ren (gleichmachen, ausgleichen)

ega|li|tär (auf Gleichheit gerichtet)

Egel, der; -s, - (ein Wurm)

Eg|ge, die; -, -n (ein Ackergerät); **eg|gen**

Ego, das; -[s], -s *(Philos., Psychol.* das Ich); **Ego|is|mus,** der; -, ...men (Selbstsucht; *Ggs.* Altruismus); **Ego|ist,** der; -en, -en; **Ego|is|tin; ego|is|tisch; Ego|zen|t|rik,** die; - (Ichbezogenheit); **ego|zen|t|risch**

[1]eh (sowieso)

[2]eh, ehe, ehe (eh) ich das nicht weiß, ...; seit eh und je

Ehe, die; -, -n; **Ehe|be|ra|tung; Ehe|bett**

ehe|bre|chen nur im Infinitiv u. Partizip I gebr.; muss man gleich ehebrechen?; der ehebrechende Partner; **Ehe|bre|cher; Ehe|bre|che|rin; Ehe|bruch**

ehe|dem *(geh. für* vormals)

Ehe|frau; Ehe|gat|te *(bes. Amtsspr.);* **Ehe|gat|ten|split|ting** *vgl.* Splitting; **Ehe|krach** *(ugs.);* **Ehe|leu|te** Plur.; **ehe|lich; ehe|li|chen** (veraltend, noch scherzh.)

ehe|ma|lig; ehe|mals

Ehe|mann Plur. ...männer; **Ehe|paar; Ehe|part|ner; Ehe|part|ne|rin**

eher; je eher (früher), je lieber; je eher (früher), desto besser; er wird es umso eher (lieber) tun, als ...

Ehe|ring

ehern; ehernes (unveränderliches) Gesetz

Ehe|schlie|ßung; Ehe|stand; Ehe|streit; Ehe|ver|spre|chen; Ehe|ver|trag

ehr|bar *(geh.);* **Eh|re,** die; -, -n; **eh|ren; Eh|ren|amt; eh|ren|amt|lich; Eh|ren|bür|ger; Eh|ren|bür|ge|rin; Eh|ren|dok|tor; Eh|ren|gast; eh|ren|haft; Eh|ren|ko|dex,** Eh|ren|co|dex; **Eh|ren|mal** Plur. ...male u. ...mäler; **Eh|ren|mann** Plur. ...männer; **Eh|ren|mit|glied; Eh|ren|na|del; Eh|ren|ret|tung; eh|ren|rüh|rig; Eh|ren|sa|che; Eh|ren|ti|tel; Eh|ren|ur|kun|de; eh|ren|voll; eh|ren|wert; Eh|ren|wort** Plur. ...worte

ehr|er|bie|tig *(geh.);* **Ehr|er|bie|tung**

Ehr|furcht; Ehrfurcht gebieten; **Ehr|furcht ge|bie|tend,** ehr|furcht|ge|bie|tend; ein Ehrfurcht gebietendes *od.* ehrfurchtgebietendes Schauspiel, *aber nur* ein große Ehrfurcht gebietendes Schauspiel, ein äußerst ehrfurchtgebietendes Schauspiel; **ehr|fürch|tig**; **Ehr|ge|fühl**

Ehr|geiz; **ehr|gei|zig**

ehr|lich; **Ehr|lich|keit**, die; -

ehr|los; **Ehr|lo|sig|keit**

Eh|rung; **ehr|wür|dig**

Ei, das; -[e]s, -er

Ei|be, die; -, -n (ein Nadelbaum)

Ei|che, die; -, -n (ein Baum)

Ei|chel, die; -, -n; **Ei|chel|hä|her** (ein Vogel)

¹ei|chen (aus Eichenholz)

²ei|chen (das gesetzliche Maß geben; prüfen)

Ei|chen|holz; **Eich|hörn|chen**

Eid, der; -[e]s, -e; an Eides statt erklären

Ei|dech|se, die; -, -n

ei|des|statt|lich

Eid|ge|nos|se; **Eid|ge|nos|sin**, **Eid|ge|nös|sin**; **eid|ge|nös|sisch** (Abk. eidg.)

Ei|dot|ter (das Gelbe im Ei); **Ei|er|be|cher**; **Ei|er|li|kör**; **Ei|er|löf|fel**; **ei|ern** (ugs. für ungleichmäßig rotieren; wackelnd gehen); das Rad eiert; ich eiere; **Ei|er|scha|le**; **Ei|er|schnee**, **Ei|schnee**; **Ei|er|stock** Plur. ...stöcke (Med.); **Ei|er|uhr**

Ei|fer, der; -s; **Ei|fe|rer**; **Ei|fe|rin**; **ei|fern**

Ei|fer|sucht die; -, ...süchte Plur. selten; **ei|fer|süch|tig**

eif|rig

Ei|gelb, das; -s, -e; 3 Eigelb

ei|gen (eig[e]ne; das ist ihr eigen (für sie charakteristisch); sich etwas zu eigen machen; etwas Eigenes besitzen

Ei|gen, das; -s; etwas sein Eigen nennen

Ei|gen|art; **ei|gen|ar|tig**; **Ei|gen|be|darf**; **Ei|gen|bröt|ler** (Sonderling); **Ei|gen|bröt|le|rin**; **ei|gen|bröt|le|risch**; **Ei|gen|dy|na|mik**; **ei|gen|hän|dig** (Abk. österr. e. h.); **Ei|gen|heim**; **Ei|gen|heim|zu|la|ge**; **Ei|gen|heit**; **Ei|gen|in|i|ti|a|ti|ve**; **Ei|gen|in|te|r|es|se**; **Ei|gen|ka|pi|tal**; **Ei|gen|le|ben**; **Ei|gen|leis|tung**; **Ei|gen|lob**; **ei|gen|mäch|tig**; **Ei|gen|mit|tel** Plur.; **Ei|gen|na|me**; **Ei|gen|nutz**, der; -es; **ei|gen|nüt|zig**; **Ei|gen|re|gie**; etwas in Eigenregie organisieren

ei|gens (geh.); ich habe es eigens erwähnt

Ei|gen|schaft; **Ei|gen|schafts|wort** Plur. ...wörter (für Adjektiv)

Ei|gen|sinn, der; -[e]s; **ei|gen|sin|nig**

ei|gen|stän|dig; **Ei|gen|stän|dig|keit**, die; -

ei|gent|lich (Abk. eigtl.)

Ei|gen|tor, das; -[e]s; **Ei|gen|tum**, das; -s, Plur. (für Wohnungseigentum u. Ä.:) ...tume; **Ei|gen|tü|mer**; **Ei|gen|tü|me|rin**; **ei|gen|tüm|lich**; **Ei|gen|tums|ver|hält|nis** meist Plur.; **Ei|gen|tums|woh|nung**

ei|gen|ver|ant|wort|lich; **Ei|gen|ver|ant|wor|tung**

Ei|gen|wil|le; **ei|gen|wil|lig**

eig|nen; etwas eignet ihm (geh. für ist ihm eigen); sich eignen (geeignet sein)

Eig|ner ([Schiffs]eigentümer); **Eig|ne|rin**

Eig|nung (Befähigung); **Eig|nungs|test**

Ei|land, das; -[e]s, -e (geh. für Insel)

Eil|bo|te; **Eil|bo|tin**; **Eil|brief**; **Ei|le**, die; -

Eil|lei|ter, der (Med.)

ei|len; **ei|lends**; **eil|fer|tig**; **ei|lig**; **Eil|tem|po**; **Eil|ver|fah|ren** (Rechtsspr.)

Ei|mer, der; -s, -; im Eimer sein (ugs. für entzwei, verdorben sein); **ei|mer|wei|se**

¹ein; es war ein Mann, nicht eine Frau; der/die/das eine; ein[e]s fehlt ihm: Geduld; sie ist eine von uns; einer für alle und alle für einen; einer nach dem anderen; zum einen ..., zum anderen ...; der ein[e] oder andere; ein und dieselbe Sache; sie ist sein Ein und [sein] Alles; die einen od. Einen sagen dies, die anderen od. Anderen das

²ein; nicht ein noch aus wissen (ratlos sein); wer bei dir ein und aus geht (verkehrt); aber (in Zus.): ein- und aussteigen (einsteigen und aussteigen)

ei|n|an|der (meist geh.); vgl. aneinander, auseinander usw.

ein|ar|bei|ten; **Ein|ar|bei|tung**

ein|ar|mig

ein|äschern; eingeäschert (Zeichen ⬚)

ein|at|men

ein|äu|gig; **Ein|äu|gi|ge**, der u. die; -n, -n

Ein|bahn|stra|ße

ein|bal|sa|mie|ren

Ein|band, der; -[e]s, ...bände
ein|bän|dig
Ein|bau, der; -[e]s, Plur. (für eingebauter Teil:) -ten; ein|bau|en; Ein|bau|kü|che
Ein|baum (Boot aus einem ausgehöhlten Baumstamm)
ein|be|grif|fen, in|be|grif|fen (österr. u. schweiz. nur so); in dem od. den Preis [mit] einbegriffen
ein|be|hal|ten
ein|be|ru|fen; Ein|be|ru|fung
ein|bet|ten; Ein|bet|tung
ein|be|zie|hen; Ein|be|zie|hung; Ein|be|zug, der; -[e]s (bes. schweiz. für Einbeziehung)
ein|bie|gen; Ein|bie|gung
ein|bil|den, sich; Ein|bil|dung; Ein|bil|dungs|kraft, die; -
ein|bläu|en (blau machen; auch ugs. für mit Nachdruck einprägen, einschärfen)
ein|blen|den (Rundfunk, Fernsehen)
Ein|blick; Einblick bekommen
ein|bre|chen; in ein[em] Haus einbrechen; Ein|bre|cher; Ein|bre|che|rin
ein|bren|nen
ein|brin|gen; sich einbringen
ein|bro|cken; sich jmdm. etw. einbrocken (ugs.)
Ein|bruch, der; -[e]s, ...brüche; ein|bruch[s]|si|cher
ein|bür|gern; Ein|bür|ge|rung; Ein|bür|ge|rungs|test (Prüfung, die bestehen muss, wer eingebürgert werden möchte)
Ein|bu|ße; ein|bü|ßen
Ein|cent|stück, Ein-Cent-Stück
ein|che|cken (sich [am Flughafen] abfertigen lassen)
ein|cre|men
ein|däm|men; Ein|däm|mung
ein|de|cken; sich mit Obst eindecken
ein|deu|tig; Ein|deu|tig|keit
ein|deut|schen
ein|di|men|si|o|nal
ein|dö|sen (ugs.)
ein|drin|gen; ein|dring|lich; auf das, aufs Eindringlichste od. eindringlichste

Ein|dring|ling
Ein|druck, der; -[e]s, ...drücke
ein|drü|cken
ein|drück|lich (bes. schweiz. für eindrucksvoll); ein|drucks|voll
ei|ne vgl. ¹ein
Ei|ner (einsitziges Sportboot)
ei|ner|lei; Ei|ner|lei, das; -s
ei|ner|seits; einerseits ..., ander[er]seits, andrerseits
ei|nes vgl. ¹ein
ei|nes|teils; einesteils ... ander[e]nteils
Ein-Eu|ro-Job, Ein|eu|ro|job (mit Ziffer 1-Euro-Job; Beschäftigung für einen geringen Stundenlohn zusätzlich zum Arbeitslosengeld); Ein|eu|ro|stück, Ein-Eu|ro-Stück (mit Ziffer 1-Euro-Stück)
ein|fach; einfache Fahrt; am einfachs|ten; aber das Einfachs|te ist, wenn ...
Ein|fach|heit, die; -; der Einfachheit halber; ein|fach|heits|hal|ber
ein|fä|deln (Verkehrsw.)
ein|fah|ren; Ein|fahrt
Ein|fall, der; ein|fal|len; ein|falls|los; ein|falls|reich; Ein|fall|win|kel
Ein|falt, die; -; ein|fäl|tig; Ein|falts|pin|sel (ugs. abwertend)
Ein|fa|mi|li|en|haus
ein|fan|gen
ein|fär|ben
ein|fas|sen; Ein|fas|sung
ein|fin|den, sich
ein|flie|gen
ein|flie|ßen
ein|flö|ßen
Ein|flug|schnei|se (Flugw.)
Ein|fluss; Ein|fluss|be|reich, der; Ein|fluss|nah|me die; -, -n Plur. selten; ein|fluss|reich

ein|for|dern
ein|för|mig; Ein|för|mig|keit
ein|frie|ren; Ein|frie|rung
ein|fü|gen; Ein|fü|gung
ein|füh|len, sich; ein|fühl|sam; Ein|füh-
   lungs|ver|mö|gen, das; -s
Ein|fuhr, die; -, -en; ein|füh|ren; Ein|füh-
   rung; Ein|fuhr|zoll
Ein|ga|be *(auch EDV)*
Ein|gang; ein|gän|gig
ein|gangs *(Amtsspr.)*; mit *Gen.*: eingangs
   des Briefes; Ein|gangs|da|tum; Ein-
   gangs|hal|le; Ein|gangs|tür
ein|ge|ben
ein|ge|bet|tet; eingebettet in die *od.* in der
   Landschaft
ein|ge|bil|det; eingebildet sein
Ein|ge|bo|re|ne, Ein|ge|bor|ne, der *u.* die;
   -n, -n *(veraltend)*
Ein|ge|bung
ein|ge|denk *(geh.)*; Präp. mit *Gen.*: einge-
   denk des Verdienstes
ein|ge|fleischt; eingefleischter Junggeselle
ein|ge|hen; ein|ge|hend; auf das, aufs
   Eingehendste *od.* eingehendste
Ein|ge|mach|te, das; -n
ein|ge|mein|den
ein|ge|sandt
ein|ge|schlos|sen; eingeschlossen im, *auch*
   in den Preis
ein|ge|schnappt
ein|ge|schränkt; eingeschränktes Haltever-
   bot
ein|ge|ses|sen (einheimisch)
ein|ge|spielt; sie sind aufeinander einge-
   spielt
Ein|ge|ständ|nis; ein|ge|ste|hen
Ein|ge|wei|de das; -s, - *meist Plur.*
Ein|ge|weih|te, der *u.* die; -n, -n
ein|ge|wöh|nen; sich eingewöhnen
ein|glie|dern; Ein|glie|de|rung
ein|gra|ben
ein|grei|fen; Ein|greif|trup|pe (Sonderein-
   satztruppe in militärischen Krisengebieten)
ein|gren|zen; Ein|gren|zung
Ein|griff

Ein|halt, der; -[e]s; Einhalt gebieten; ein-
   hal|ten; Ein|hal|tung
ein|han|deln
ein|hau|chen *(geh.)*
ein|hef|ten
ein|hei|misch; Ein|hei|mi|sche, der *u.* die;
   -n, -n
ein|heim|sen *(ugs.)*; du heimst ein
Ein|hei|rat; ein|hei|ra|ten
Ein|heit; die deutsche Einheit; der Tag der
   Deutschen Einheit (3. Oktober)
ein|heit|lich; Ein|heit|lich|keit, die; -
Ein|heits|preis; Ein|heits|wäh|rung
ein|hel|lig
ein|her|ge|hen; die Grippe war mit Fieber
   einhergegangen
ein|ho|len
Ein|horn *Plur.* ...hörner (Fabeltier)
ein|hun|dert
ei|nig; [sich] einig sein, werden
ei|ni|ge; einige Mal, einige Male; von eini-
   gen wird behauptet ...; sie wusste einiges
ein|i|geln, sich; ich ig[e]le mich ein
ei|ni|gen
ei|ni|ger|ma|ßen
ei|ni|ges *vgl.* einige
ei|nig|ge|hen (sich einig sein); wir gehen
   darin einig, dass ...; Ei|nig|keit, die; -
Ei|ni|gung; Ei|ni|gungs|ver|trag
ein|imp|fen
ein|ja|gen; jmdm. einen Schreck einjagen
ein|jäh|rig *vgl.* achtjährig; Ein|jäh|ri|ge, der
   od. die; -n, -n
ein|kal|ku|lie|ren (einplanen)
Ein|kauf; ein|kau|fen; Ein|käu|fer; Ein-
   käu|fe|rin; Ein|kaufs|bum|mel; Ein-
   kaufs|mei|le; Ein|kaufs|mög|lich|keit;
   Ein|kaufs|preis; Ein|kaufs|zen|t|rum
Ein|kehr, die; -; ein|keh|ren
ein|kes|seln *(bes. Militär)*
ein|kla|gen; einen Rechnungsbetrag einkla-
   gen
ein|klam|mern; Ein|klam|me|rung
Ein|klang; mit etwas im *od.* in Einklang ste-
   hen
ein|kle|ben

E

ein|klei|den; Ein|klei|dung
ein|klem|men; du hast dir die Finger einge-
klemmt
ein|klin|ken
ein|kni|cken
ein|ko|chen
Ein|kom|men, das; -s, -; Ein|kom|mens-
gren|ze; ein|kom|mens|schwach; Ein-
kom|men[s]|steu|er
ein|krei|sen; Ein|krei|sung
Ein|künf|te Plur.
¹ein|la|den; Waren einladen; vgl. ¹laden
²ein|la|den; zum Essen einladen; vgl. ²laden;
ein|la|dend; Ein|la|dung
Ein|la|ge; ein|la|gern; Ein|la|ge|rung
Ein|lass, der; -es, Einlässe; ein|las|sen; Ein-
las|sung (bes. Rechtsspr.)
Ein|lauf; ein|lau|fen; sich einlaufen
ein|läu|ten; den Sonntag einläuten
ein|le|ben, sich
ein|le|gen; eine Pause einlegen
ein|lei|ten; Ein|lei|tung; Ein|lei|tungs|ka-
pi|tel
ein|len|ken
ein|le|sen; sich einlesen
ein|leuch|ten; ein|leuch|tend
ein|lie|fern; Ein|lie|fe|rung
Ein|lie|ger|woh|nung
ein|log|gen (EDV); ich habe mich eingeloggt
ein|lö|sen; Ein|lö|sung
ein|ma|chen
ein|mal; auf einmal; noch einmal; nicht ein-
mal; ein- bis zweimal (mit Ziffern 1- bis
2-mal); Ein|mal|eins, das; -; ein|ma|lig
Ein|mal|zah|lung; Ein|mann|be|trieb
Ein|marsch, der; ein|mar|schie|ren
Ein|mas|ter
ein|mei|ßeln
ein|mi|schen, sich; Ein|mi|schung
ein|mot|ten
ein|mün|den; Ein|mün|dung
ein|mü|tig; Ein|mü|tig|keit, die; -
Ein|nah|me, die; -, -n; Ein|nah|me|aus|fall;
Ein|nah|me|quel|le; ein|neh|men
ein|ni|cken (ugs. für [für kurze Zeit] ein-
schlafen)

ein|nis|ten, sich
Ein|öde; Ein|öd|hof
ein|ölen; sich einölen
ein|ord|nen; sich links, rechts einordnen;
Ein|ord|nung
ein|pa|cken
ein|par|ken
ein|pas|sen; Ein|pas|sung
ein|pen|deln, sich
ein|pflan|zen; Ein|pflan|zung
ein|pla|nen; Ein|pla|nung
ein|prä|gen; sich einprägen; ein|präg|sam
ein|quar|tie|ren; Ein|quar|tie|rung
ein|rah|men; ein Bild einrahmen
ein|ram|men; Pfähle einrammen
ein|räu|men; Ein|räu|mung
ein|rech|nen
ein|re|den
ein|rei|ben; Ein|rei|bung
ein|rei|chen; Ein|rei|chung
ein|rei|hen; sich einreihen; Ein|rei|her (Tex-
tilind.); ein|rei|hig
Ein|rei|se; Ein|rei|se|er|laub|nis; ein|rei|sen
ein|rei|ßen
ein|ren|nen (ugs.)
ein|rich|ten; sich einrichten; Ein|rich|tung;
Ein|rich|tungs|ge|gen|stand
ein|rol|len
ein|ros|ten
ein|rü|cken
eins; eins und zwei macht, ist drei; eins
Komma fünf; sie ist eins achtzig groß
(ugs.); es ist, schlägt eins (ein Uhr); halb
eins; gegen eins; ein Viertel vor eins; Nummer, Absatz eins; eins (einig) sein, werden;
es ist mir alles eins (gleichgültig); Eins,
die; -, -en; sie hat mit der Note »Eins«
bestanden; er würfelt drei Einsen; er hat in
Latein eine Eins geschrieben; vgl. ¹Acht
ein|sam; Ein|sam|keit Plur. selten
ein|sam|meln
Ein|satz, der; -es, Einsätze; Ein|satz|be-
fehl; ein|satz|be|reit; Ein|satz|be|reit-
schaft, die; -; ein|satz|fä|hig; Ein|satz-
ge|biet; Ein|satz|kraft meist Plur.
ein|sau|gen

ein|schal|ten; sich einschalten; <u>Ein</u>|schalt-
   quo|te; <u>Ein</u>|schal|tung
ein|schär|fen
ein|schät|zen; <u>Ein</u>|schät|zung
ein|schen|ken; Wein einschenken
ein|sche|ren *(Verkehrsw.);* scherte ein; ein-
   geschert; <u>ein</u>|schi|cken
ein|schie|ben; <u>Ein</u>|schie|bung
ein|schie|ßen; sich einschießen
ein|schif|fen; sich einschiffen
ein|schla|fen
ein|schlä|fern; <u>Ein</u>|schlä|fe|rung
<u>Ein</u>|schlag; <u>ein</u>|schla|gen
ein|schlä|gig (zu etwas gehörend)
ein|schlei|chen, sich
ein|schlep|pen
ein|schleu|sen
ein|schlie|ßen; <u>ein</u>|schließ|lich; *Präp.*
   mit Gen.: einschließlich des Kaufpreises;
   aber einschließlich Porto; einschließlich
   Getränken; <u>Ein</u>|schlie|ßung; <u>Ein</u>-
   schluss
ein|schmei|cheln, sich; <u>ein</u>|schmel|zen
ein|schmie|ren; sich einschmieren; <u>ein</u>-
   schnap|pen (*ugs. auch für* gekränkt sein)
ein|schnei|den; <u>ein</u>|schnei|dend
<u>Ein</u>|schnitt
ein|schnü|ren; <u>Ein</u>|schnü|rung
ein|schrän|ken; <u>Ein</u>|schrän|kung
<u>Ein</u>|schreib|brief, <u>Ein</u>|schrei|be|brief; <u>ein</u>-
   schrei|ben; <u>Ein</u>|schrei|ben, das; -s, - (ein-
   geschriebene Postsendung)
<u>Ein</u>|schrei|bung
ein|schrei|ten
<u>Ein</u>|schub, der; -[e]s, Einschübe
ein|schüch|tern; <u>Ein</u>|schüch|te|rung
ein|schu|len; <u>Ein</u>|schu|lung
Ein|schuss|stel|le, <u>Ein</u>|schuss-Stel|le
ein|schwei|ßen
ein|schwen|ken (einen Richtungswechsel
   vollziehen); <u>ein</u>|schwö|ren
ein|seg|nen; <u>Ein</u>|seg|nung
ein|seh|bar; <u>ein</u>|se|hen; <u>Ein</u>|se|hen, das;
   -s; ein Einsehen haben
ein|sei|fen
ein|sei|tig; <u>Ein</u>|sei|tig|keit

ein|sen|den; <u>Ein</u>|sen|de|schluss; <u>Ein</u>|sen-
   dung
ein|setz|bar; <u>ein</u>|set|zen; <u>Ein</u>|set|zung
<u>Ein</u>|sicht, die; -, -en; <u>ein</u>|sich|tig; <u>Ein</u>|sich-
   tig|keit, die; -; <u>Ein</u>|sicht|nah|me, die; -, -n
   (Amtsspr.)
Ein|sie|de|<u>lei</u>; <u>Ein</u>|sied|ler; <u>Ein</u>|sied|le|rin;
   <u>ein</u>|sied|le|risch
ein|sil|big; <u>Ein</u>|sil|big|keit, die; -
ein|sin|ken
ein|sit|zen (*Rechtsspr.* im Gefängnis sit-
   zen)
<u>Ein</u>|sit|zer; <u>ein</u>|sit|zig
ein|sor|tie|ren
ein|span|nen (arbeiten lassen)
ein|spa|ren; **Ein|spar|po|ten|zi|al**, <u>Ein</u>-
   spar|po|ten|ti|al; <u>Ein</u>|spa|rung
ein|spei|sen (*Technik* zuführen, eingeben)
ein|sper|ren
ein|spie|len; <u>Ein</u>|spie|lung
ein|spra|chig
ein|sprin|gen
<u>Ein</u>|spruch; Einspruch erheben
ein|spu|rig
einst (*geh. für* vor langer Zeit; später einmal)
ein|stamp|fen
<u>Ein</u>|stand, der; -[e]s, Einstände
ein|ste|chen
ein|ste|cken *vgl.* ²stecken
ein|ste|hen (bürgen)
ein|stei|gen; <u>Ein</u>|stei|ger (*ugs.*); <u>Ein</u>|stei-
   ge|rin
ein|stell|bar; <u>ein</u>|stel|len; sich einstellen
ein|stel|lig; eine einstellige Zahl
<u>Ein</u>|stel|lung; <u>Ein</u>|stel|lungs|stopp
<u>Ein</u>|stich; <u>Ein</u>|stich|stel|le
<u>Ein</u>|stieg, der; -[e]s, -e; <u>Ein</u>|stiegs|dro|ge
eins|tig (ehemalig, früher)
ein|stim|men; sich einstimmen
ein|stim|mig; <u>Ein</u>|stim|mig|keit, die; -
<u>Ein</u>|stim|mung
ein|stö|ckig
ein|strei|chen; er strich das Geld ein (*ugs.*
   für nahm es an sich)
ein|stu|die|ren
ein|stu|fen; <u>Ein</u>|stu|fung

E

ein|stün|dig (eine Stunde dauernd)
Ein|sturz Plur. ...stürze; ein|stür|zen; Ein-
sturz|ge|fahr, die; -
einst|wei|len; einst|wei|lig (Amtsspr.);
einstweilige Verfügung
ein|tä|gig (einen Tag dauernd); Ein|tags-
flie|ge
ein|tau|chen
ein|tau|schen
ein|tau|send; eintausend Jahre
ein|tei|len; Ein|tei|lung
ein|tip|pen; den Betrag eintippen
ein|tö|nig; Ein|tö|nig|keit, die; -
Ein|topf; Ein|topf|ge|richt
Ein|tracht, die; -; ein|träch|tig
Ein|trag, der; -[e]s, ...träge; ein|tra|gen
ein|träg|lich (lohnend)
Ein|tra|gung
ein|träu|feln
ein|tref|fen
ein|trei|ben; Ein|trei|bung
ein|tre|ten; in ein Zimmer, eine Verhandlung
eintreten
ein|trich|tern (ugs. für einprägen)
Ein|tritt; Ein|tritts|kar|te; Ein|tritts|preis
ein|trock|nen
ein|trü|ben; sich eintrüben; Ein|trü|bung
ein|tru|deln (ugs. für langsam eintreffen)
ein|üben; Ein|übung
ein|und|ein|halb, ein|ein|halb; ein[und]ein-
halbmal so viel
ein|ver|lei|ben; Ein|ver|lei|bung
Ein|ver|nah|me, die; -, -n (bes. österr.,
schweiz. für Verhör); ein|ver|neh|men
Ein|ver|neh|men, das; -s (geh.); mit jmdm.
in gutem Einvernehmen stehen; sich ins
Einvernehmen setzen; ein|ver|nehm|lich
ein|ver|stan|den; Ein|ver|ständ|nis
Ein|waa|ge Plur. selten (Gewicht des Inhalts
einer Konservendose, Packung usw.)
ein|wach|sen; ein eingewachsener Fuß-
nagel
ein|wäh|len, sich (über eine Telefonleitung
Zugang zum Internet herstellen)
Ein|wand, der; -[e]s, ...wände
Ein|wan|de|rer; Ein|wan|de|rin; ein|wan-

dern; Ein|wan|de|rung; Ein|wan|de-
rungs|land
ein|wand|frei
ein|wärts; ein|wärts|ge|hen (mit einwärts-
gerichteten Füßen gehen)
ein|wech|seln; Ein|wechs|lung
Ein|weg|fla|sche (Flasche zum einmaligen
Gebrauch)
ein|wei|chen; Ein|wei|chung
ein|wei|hen; Ein|wei|hung
ein|wei|sen; Ein|wei|sung
ein|wen|den; ich wandte od. wendete ein,
habe eingewandt od. eingewendet
ein|wer|ben; Gelder, Spenden einwerben
ein|wer|fen
ein|wi|ckeln
ein|wil|li|gen; Ein|wil|li|gung
ein|wir|ken; Ein|wir|kung
ein|wö|chig (eine Woche dauernd)
Ein|woh|ner; Ein|woh|ne|rin; Ein|woh|ner-
mel|de|amt; Ein|woh|ner|zahl
Ein|wurf
Ein|zahl die; -, -en Plur. selten (für Singular)
ein|zah|len; Ein|zah|lung
ein|zäu|nen; Ein|zäu|nung
ein|zei|lig (mit Ziffer 1-zei|lig)
Ein|zel, das; -s, - (Sport); Ein|zel|fall; Ein-
zel|gän|ger; Ein|zel|gän|ge|rin; Ein|zel-
ge|spräch; Ein|zel|haft; Ein|zel|han|del
vgl. Handel; Ein|zel|händ|ler; Ein|zel-
händ|le|rin; Ein|zel|heit; Ein|zel|kämp-
fer; Ein|zel|kämp|fe|rin; Ein|zel|kind
Ein|zel|ler (Biol. einzelliges Lebewesen);
ein|zel|lig
ein|zeln; ein einzeln stehendes od. ein-
zelnstehendes Haus; der, die, das Einzelne;
ich als Einzelner; jeder Einzelne ist verantwortlich; Einzelne werden sich fragen, ob
...; bis ins Einzelne geregelt sein; Einzelnes
blieb ungeklärt; im Einzelnen
Ein|zel|per|son; Ein|zel|schick|sal; Ein|zel-
stück; Ein|zel|zim|mer
ein|zie|hen; Ein|zie|hung
ein|zig; der, die, das Einzige; sie als Einzige
ein|zig|ar|tig; das Einzigartige ist, dass ...
Ein|zim|mer|woh|nung

Ein|zug; Ein|zugs|be|reich; Ein|zugs|ge|biet
ei|rund

Eis, das; -es; [drei] Eis essen; Eis|bär; Eis-
be|cher; Eis|bein (eine Speise); Eis|berg
Eis|schnee, Ei|er|schnee

Eis|creme, Eis|crème; Eis|die|le

Ei|sen, das; -s, - (nur Sing.: chemisches Ele-
ment, Metall; Zeichen Fe)

Ei|sen|bahn; Ei|sen|bah|ner (ugs.); Ei|sen-
bah|ne|rin; Ei|sen|stan|ge; Ei|sen ver|ar-
bei|tend, ei|sen|ver|ar|bei|tend; Ei|sen-
zeit, die; - (frühgeschichtl. Kulturzeit)

ei|sern; die eiserne Ration; eiserne Hochzeit
(65. Jahrestag der Hochzeit)

Ei|ses|käl|te

Eis|flä|che; eis|ge|kühlt; Eis|hei|li|gen Plur.
(Maifröste); Eis|ho|ckey; ei|sig; eisig kalte
Tage; es war eisig kalt; eis|kalt; Eis-
kunst|lauf, der; -[e]s; Eis|lauf, der; -[e]s;
eis|lau|fen; ich laufe eis, bin eisgelaufen

Ei|sprung (Med. Follikelsprung)

Eis|schnell|lauf, der; -[e]s; Eis|schol|le; Eis-
schrank; Eis|sta|di|on; Eis|tanz; Eis|tee;
Eis|vo|gel; Eis|wür|fel; Eis|zap|fen; Eis-
zeit; eis|zeit|lich

ei|tel; ein eitler Mensch; Ei|tel|keit

Ei|ter, der; -s; ei|tern; eit|rig, ei|te|rig

Ei|weiß, das; -es, -e; 2 Eiweiß; ei|weiß|arm

Ei|zel|le

Eja|ku|la|ti|on, die; -, -en (Samenerguss);
eja|ku|lie|ren

¹Ekel, der; -s

²Ekel, das; -s, - (ugs. für widerlicher Mensch)
ekel|er|re|gend, Ekel er|re|gend; eine
ekelerregende od. Ekel erregende Brühe,
aber nur eine große den Ekel erregende
Brühe, eine äußerst ekelerregende Brühe,
eine noch ekelerregendere Brühe

ekel|haft; eke|lig, ek|lig
ekeln; es ekelt mich od. mir; sich ekeln

EKG, das; -s, -s = Elektrokardiogramm

Ek|lat [e'kla(:)], der; -s, -s (Skandal)

ek|la|tant (offensichtlich, auffällig)

ek|lig, eke|lig

Ek|s|ta|se, die; -, -n ([religiöse] Verzückung;
höchste Begeisterung); ek|s|ta|tisch

Ek|zem, das; -s, -e (Med. eine Entzündung
der Haut)

Elan, der; -s (Schwung; Begeisterung)

elas|tisch (biegsam, dehnbar); Elas|ti|zi|tät,
die; - (Federkraft; Spannkraft)

Elch, der; -[e]s, -e (Hirschart); Elch|test
(Test, mit dem die Sicherheit eines Autos
bei Ausweichmanövern erprobt wird)

El|do|ra|do, Do|ra|do, das; -[s], -s (sagenhaf-
tes Goldland in Südamerika; übertr. für
Paradies)

E-Lear|ning ['i:lə:nɪŋ], das; -[s] (computer-
gestütztes Lernen)

Ele|fant, der; -en, -en

ele|gant; Ele|ganz, die; -

Ele|gie, die; -, ...ien (eine Gedichtform; Kla-
gelied); ele|gisch

elek|t|ri|fi|zie|ren (auf elektrischen Betrieb
umstellen); Elek|t|ri|fi|zie|rung

Elek|t|ri|ker; Elek|t|ri|ke|rin; elek|t|risch;
elektrische Lokomotive (Abk. E-Lok); elek-
t|ri|sie|ren; Elek|t|ri|zi|tät, die; -

Elek|t|ro|de, die; -, -n (den Stromübergang
vermittelnder Leiter)

Elek|t|ro|ge|rät; Elek|t|ro|gi|tar|re; Elek-
t|ro|herd; Elek|t|ro|in|ge|ni|eur; Elek-
t|ro|in|ge|ni|eu|rin; Elek|t|ro|kar|dio-
gramm (Med. Aufzeichnung der Akti-
onsströme des Herzens; Abk. EKG);
Elek|t|ro|ma|g|net [auch e'lɛk...];
elek|t|ro|ma|g|ne|tisch [auch e'lɛk...];
Elek|t|ro|mo|tor

Elek|t|ron [auch e'lɛ..., ...'tro:n], das; -s,
...onen (Kernphysik negativ geladenes Elementarteilchen)

Elek|t|ro|nen|mi|k|ro|s|kop

Elek|t|ro|nik, die; -, -en (Gesamtheit der
elektronischen Bauteile einer Anlage);
elek|t|ro|nisch; elektronische Datenverar-
beitung (Abk. EDV)

Elek|t|ro|smog (von elektrischen Geräten
o. Ä. ausgehende elektromagnetische
Strahlung); Elek|t|ro|tech|nik; Elek|t|ro-
tech|ni|ker; Elek|t|ro|tech|ni|ke|rin

Ele|ment, das; -[e]s, -e ([chem.] Grundstoff;
Naturgewalt); er ist, fühlt sich in seinem

Element; ele|men|tar; elementare
Begriffe; Ele|men|tar|teil|chen

elend; ihm war elend [zumute]; Elend, das;
-[e]s; elen|dig [bayr., österr. e'lɛ...]
(österr., sonst landsch.); Elends|vier|tel

Ele|ve, der; -n, -n (Schauspiel-, Ballettschü-
ler; Land- u. Forstwirt während der prakt.
Ausbildung); Ele|vin

elf; wir sind zu elfen od. zu elft; vgl. acht

¹Elf, der; -en, -en (m. Naturgeist)

²Elf, die; -, -en (Zahl; [Fußball]mannschaft);
vgl. ¹Acht

Elfe, die; -, -n (w. Naturgeist)

El|fen|bein das; -[e]s, -e Plur. selten; el-
fen|bei|nern (aus Elfenbein); El|fen-
bein|turm

El|fer (ugs. für Elfmeter); elf|jäh|rig vgl.
achtjährig; elf|mal vgl. achtmal

Elf|me|ter, der; -s, - (Strafstoß beim Fuß-
ball); Elf|me|ter|schie|ßen

elft vgl. elf; elf|tau|send; elf|te; elf|tel vgl.
achtel; Elf|tel, das, schweiz. meist der; -s,
-; vgl. Achtel; elf|tens

eli|mi|nie|ren (beseitigen); Eli|mi|nie|rung

eli|tär (auserlesen); Eli|te, die; -, -n (Auslese
der Besten); Eli|te|uni|ver|si|tät

Eli|xier, das; -s, -e (Heil-, Zaubertrank)

El Kai|da [auch - 'ka:ida] (eine Terrororgani-
sation)

Ell|bo|gen, El|len|bo|gen, der; -s, ...bogen;
El|le, die; -, -n (ein Unterarmknochen; alte
Längeneinheit); drei Ellen Tuch

el|len|lang (ugs. für übermäßig lang)

El|lip|se, die; -, -n (Math. Kegelschnitt); el-
lip|tisch (in Form einer Ellipse; unvollstän-
dig); elliptische Sätze

elo|quent (beredt)

Els|ter, die; -, -n (ein Vogel)

El|ter, das u. der; -s, -n (fachspr. für ein
Elternteil); el|ter|lich; elterliche Gewalt;
El|tern Plur.; El|tern|abend; El|tern|geld
(svw. Erziehungsgeld); El|tern|haus; El-
tern|teil, der; El|tern|zeit (berufliche Frei-
stellung nach der Geburt eines Kindes)

EM, die; -, -[s] = Europameisterschaft

Email [e'mai, e'maɪl], das; -s, -s, Email|le

[e'maljə, auch e'maɪl], die; -, -n (Schmelz-
überzug)

E-Mail ['iːmeːl], die; -, -s, auch (bes. südd.,
österr., schweiz.) das; -s, -s; E-Mail-Ad-
res|se, e-mai|len, emai|len; geemailt

Emaille [e'maljə, auch e'maɪl] vgl. Email;
email|lie|ren [ema(l)'jiː:..., emaɪ'liː...]

E-Mail-Pro|gramm

Eman|ze, die; -, -n (ugs. abwertend für
emanzipierte Frau); Eman|zi|pa|ti|on, die;
-, -en (Befreiung von Abhängigkeit; Gleich-
stellung); eman|zi|pa|to|risch; eman|zi-
pie|ren; sich emanzipieren; eman|zi|piert

Em|bar|go, das; -s, -s (Ausfuhrverbot)

Em|b|lem [auch ã...], das; -s, -e (Kennzei-
chen, Hoheitszeichen; Sinnbild)

Em|bo|lie, die; -, ...ien (Med. Verstopfung
eines Blutgefäßes)

Em|b|ryo, der, österr. auch das; -s, Plur. -s u.
...onen (noch nicht geborenes Lebewesen);
em|b|ry|o|nal (im Anfangsstadium der Ent-
wicklung)

eme|ri|tie|ren (in den Ruhestand versetzen);
eme|ri|tiert (Abk. em.); Eme|ri|tie|rung

Emig|rant, der; -en, -en (Auswanderer);
Emig|ran|tin; Emig|ra|ti|on, die; -, -en;
emig|rie|ren

emi|nent (hervorragend; außerordentlich);
Emi|nenz, die; -, -en (früherer Titel der
Kardinäle)

Emir [auch e'miːɐ̯], der; -s, -e (arab. Fürst)

Emi|rat, das; -[e]s, -e (arab. Fürstentum)

Emis|si|on, die; -, -en (Physik Ausstrahlung);
Emis|si|ons|han|del (Handel mit
CO_2-Emissionsrechten)

Emit|tent, der; -en, -en (Bankw. Ausgeber
von Wertpapieren); Emit|ten|tin; emit-
tie|ren; Wertpapiere emittieren (ausge-
ben); Schadstoffe emittieren (aussenden)

Em|men|ta|ler, der; -s, - (ein Käse)

Emo|ti|con, das; -s, -s (Zeichenkombination,
mit der in einer E-Mail eine Gefühlsäuße-
rung wiedergegeben werden kann)

Emo|ti|on, die; -, -en (Gemütsbewegung);
emo|ti|o|nal (gefühlsmäßig); Emo|ti|o|na-
li|tät, die; -; emo|ti|ons|los

Em|pa|thie die; -, ...ien Plur. selten (Psychol. Fähigkeit, sich in andere hineinzuversetzen); em|pa|thisch

Emp|fang, der; -[e]s, ...fänge; emp|fangen; Emp|fän|ger; Emp|fän|ge|rin; emp|fäng|lich; Emp|fäng|nis, die; -, -se; emp|fäng|nis|ver|hü|tend; ein empfängnisverhütendes Mittel; Emp|fäng|nis|ver|hü|tung; emp|fangs|be|rech|tigt

emp|feh|len; empfahl, empfohlen; emp|feh|lens|wert; Emp|feh|lung; Emp|feh|lungs|schrei|ben

emp|fin|den; empfand, empfunden; Emp|fin|den, das; -s; emp|find|lich; Emp|find|lich|keit; emp|find|sam; Emp|fin|dung

emp|foh|len vgl. empfehlen

Em|pha|se, die; -, -n (Nachdruck [im Reden]); em|pha|tisch (mit Nachdruck)

¹Em|pire [ã'pi:ɐ̯], das; Gen. -s, fachspr. auch - (Kunststil der Zeit Napoleons I.)

²Em|pi|re [...pai̯ɐ], das; -[s] (das frühere britische Weltreich)

Empirie, die; - (Erfahrung, Erfahrungswissen[schaft]); em|pi|risch

em|por

Em|po|re, die; -, -n (erhöhter Sitzraum)

em|pö|ren; sich empören; em|pö|rend (unerhört)

em|por|kom|men; Em|por|kömm|ling (abwertend); em|por|stei|gen

em|pört; Em|pö|rung

em|sig; Em|sig|keit, die; -

Emu, der; -s, -s (ein Laufvogel)

Emul|si|on, die; -, -en (feinste Verteilung einer Flüssigkeit in einer anderen)

E-Mu|sik, die; - (kurz für ernste Musik)

En|de, das; -s, -n; am Ende; zu Ende sein, bringen, führen, gehen, kommen; Ende Januar; letzten Endes

End|ef|fekt; im Endeffekt

en|den; nicht enden wollender Beifall

End|er|geb|nis

en dé|tail [ã de'tai̯] (im Kleinen; einzeln; im Einzelverkauf; Ggs. en gros); vgl. Detail

End|ge|rät (EDV Eingabe- od. Ausgabegerät)

end|gül|tig; End|gül|tig|keit

En|di|vie, die; -, -n (Salatpflanze)

End|kampf; End|kun|de, der; End|kun|din; End|la|ger; end|la|gern meist im Inf. u. Partizip II gebr.; End|la|ge|rung; End|lauf

end|lich; end|los; End|los|schlei|fe (EDV)

End|pha|se; End|pro|dukt; End|punkt; End|spiel; End|spurt; End|stand; End|sta|ti|on; En|dung; End|ver|brau|cher; End|ver|brau|che|rin; End|zif|fer

ener|ge|tisch (die Energie betreffend)

Ener|gie, die; -, ...ien; Ener|gie|be|darf; ener|gie|ef|fi|zi|ent; Ener|gie|ein|spa|rung; Ener|gie|er|zeu|gung; Ener|gie|ge|win|nung; ener|gie|in|ten|siv; Ener|gie|kos|ten; Ener|gie|pass (Dokumentation über den Energieverbrauch eines Gebäudes); Ener|gie|po|li|tik; Ener|gie|quel|le

ener|gie|spa|rend, Ener|gie spa|rend

Ener|gie|spar|lam|pe; Ener|gie|ver|brauch; Ener|gie|ver|sor|gung

ener|gisch; ener|gi|scher, am ener|gischs|ten

Ener|gy|drink, Ener|gy-Drink ['ɛnədʒi...] (Energie spendendes Getränk)

En|fant ter|ri|b|le [ã'fã ...b|l], das; - -, -s -s [- -] (jmd., der seine Umgebung durch sein Verhalten schockiert)

eng; ein eng anliegendes od. enganliegendes Kleid; sie saßen eng umschlungen od. engumschlungen auf dem Sofa; aufs Engste oder auf das, aufs engste

En|ga|ge|ment [ãgaʒ(ə)'mã:], das; -s, -s ([An]stellung, bes. eines Künstlers; persönlicher Einsatz); en|ga|gie|ren [ãga'ʒ...] (verpflichten, binden); sich engagieren (sich einsetzen); en|ga|giert

eng an|lie|gend, eng|an|lie|gend vgl. eng

eng be|freun|det, eng|be|freun|det

En|ge, die; -, -n

En|gel, der; -s, -; En|gel|chen; en|gel|haft; En|gels|ge|duld; En|gels|zun|gen; nur in mit [Menschen- und mit] Engelszungen (sehr eindringlich) reden

En|ger|ling (Maikäferlarve)

eng|her|zig

eng|lisch vgl. deutsch/Deutsch; Eng|lisch, das; -[s] (Sprache); vgl. deutsch/Deutsch;

Eng|li|sche, das; -n; *vgl.* [2]Deutsche; **englisch|spra|chig**

eng|ma|schig; Eng|pass

en gros [ã 'gro:] (im Großen; *Ggs.* en détail)

eng|stir|nig *(abwertend)*

En|kel, der; -s, - (Kindeskind); En|ke|lin; Enkel|kind

En|kla|ve, die; -, -n (ein fremdstaatl. Gebiet im eigenen Staatsgebiet)

en masse [ã 'mas] *(ugs. für massenhaft)*

en mi|ni|a|ture [ã ...'ty:ə] (im Kleinen)

enorm (außerordentlich; sehr)

en pas|sant [ã ...'sã:] (beiläufig)

En|sem|b|le [ã'sã:b|], das; -s, -s (ein zusammengehörendes Ganzes; Künstlergruppe)

ent|ar|ten; ent|ar|tet; entartete Kunst *(Nationalsoz.);* Ent|ar|tung

ent|beh|ren; ein Buch entbehren; des Trostes entbehren; **ent|behr|lich; Ent|behrung; ent|beh|rungs|reich**

ent|bie|ten *(geh.);* Grüße entbieten

ent|bin|den; Ent|bin|dung; Ent|bin|dungssta|ti|on

ent|blö|ßen; sich entblößen; Ent|blö|ßung

ent|bren|nen *(geh.)*

ent|de|cken; Ent|de|cker; Ent|de|cke|rin Ent|de|ckung; Ent|de|ckungs|rei|se

En|te, die; -, -n; kalte *od.* Kalte Ente (ein Getränk)

ent|eh|ren; Ent|eh|rung

ent|eig|nen; Ent|eig|nung

ent|ei|sen (von Eis befreien)

ent|ei|se|nen (von Eisen befreien); enteisentes Mineralwasser

En|tente [ã'tã:t], die; -, -n (Bündnis zwischen Staaten)

ent|er|ben; Ent|er|bung

En|te|rich, der; -s, -e (m. Ente)

en|tern; ein Schiff entern (erobern)

En|ter|tai|ner [...te:...], der; -s, - ([berufsmäßiger] Unterhalter); En|ter|tai|ne|rin; En|ter|tain|ment [...'te:...], das; -s

ent|fa|chen *(geh.);* Ent|fa|chung

ent|fah|ren; ein Fluch entfuhr ihm

ent|fal|len

ent|fal|ten; sich entfalten; Ent|fal|tung

ent|fer|nen; sich entfernen; **ent|fernt;** entfernt verwandt; nicht im Entferntesten

Ent|fer|nung; Ent|fer|nungs|pau|scha|le

ent|fes|seln; Ent|fes|se|lung

ent|flamm|bar; ent|flam|men *(geh.)*

ent|flie|hen

ent|frem|den; sich entfremden; Ent|fremdung

ent|füh|ren; Ent|füh|rer; Ent|füh|re|rin; Ent|füh|rung

ent|ge|gen; entgegen meinem Vorschlag *od. seltener* meinem Vorschlag entgegen

ent|ge|gen|brin|gen; das entgegengebrachte Vertrauen; **ent|ge|gen|ge|hen;** ent|ge|gen|ge|setzt; die entgegengesetzte Richtung; **ent|ge|gen|hal|ten; entge|gen|kom|men; Ent|ge|gen|kom|men,** das; -s; ent|ge|gen|kom|mend; Ent|gegen|nah|me, die; -, -n; ent|ge|gen|nehmen; ent|ge|gen|se|hen; ent|ge|gen|setzen; ent|ge|gen|stel|len; ent|ge|gen|treten

ent|geg|nen (erwidern); Ent|geg|nung

ent|ge|hen; ich lasse mir nichts entgehen

Entgelt

Das Wort bezeichnet eine als Gegenleistung für geleistete Arbeit gewährte Bezahlung. Es ist vom Verb *entgelten* abgeleitet und wird deshalb auch am Ende mit *t* geschrieben.

Ent|gelt, das; -[e]s, -e; gegen, ohne Entgelt; ent|gel|ten *(geh.)*

ent|glei|sen; Ent|glei|sung

ent|glei|ten

ent|grä|ten; entgräteter Fisch

ent|haa|ren; Ent|haa|rung

ent|hal|ten; sich enthalten; **ent|halt|sam; Ent|halt|sam|keit,** die; -; Ent|hal|tung

ent|haup|ten; Ent|haup|tung

ent|he|ben *(geh.);* jmdn. seines Amtes entheben; Ent|he|bung

ent|hül|len; Ent|hül|lung

En|thu|si|as|mus, der; - (Begeisterung; Leidenschaftlichkeit); en|thu|si|as|tisch

ent|jung|fern
ent|kal|ken; Ent|kal|kung
ent|ker|nen; Ent|ker|nung
ent|klei|den
ent|kof|fe|i|nie|ren; entkoffeinierter Kaffee
ent|kom|men; Ent|kom|men, das; -s
ent|kor|ken
ent|kräf|ten; Ent|kräf|tung
ent|la|den; sich entladen; vgl. ¹laden; Ent-
    la|dung
ent|lang; den Wald, selten dem Wald ent-
    lang; entlang des Flusses, seltener dem
    Fluss; ent|lang|lau|fen
ent|lar|ven [...f...]; Ent|lar|vung
ent|las|sen; Ent|las|sung
ent|las|ten; Ent|las|tung; Ent|las|tungs-
    zeu|ge; Ent|las|tungs|zeu|gin
ent|lau|fen
ent|lau|sen; Ent|lau|sung
ent|le|di|gen; sich der Aufgabe entledigen
ent|lee|ren; Ent|lee|rung
ent|le|gen; die entlegenen Gebirgsdörfer
ent|leh|nen
ent|lei|hen (für sich leihen)
ent|lo|ben, sich; Ent|lo|bung
ent|lo|cken
ent|loh|nen, schweiz. ent|löh|nen; Ent|loh-
    nung, schweiz. Ent|löh|nung
ent|lüf|ten; Ent|lüf|ter; Ent|lüf|tung
ent|mach|ten; Ent|mach|tung
ent|man|nen; Ent|man|nung
ent|mi|li|ta|ri|sie|ren
ent|mün|di|gen; Ent|mün|di|gung
ent|mu|ti|gen; Ent|mu|ti|gung
Ent|nah|me, die; -, -n
ent|neh|men; [aus] den Worten entnehmen
ent|ner|ven; ent|nervt
En|tou|ra|ge [ãtu'ra:ʒə], die; -, -n (persönli-
    ches Umfeld, Gefolge)
ent|pup|pen, sich
ent|rah|men; entrahmte Milch
En|t|re|cote [ãtrə'ko:t], das; -[s], -s (Rippen-
    stück vom Rind)
En|t|ree, schweizerisch häufig En|t|rée
    [ã'tre:], das; -s, -s (Eingang; Vorspeise)
ent|rei|ßen

En|t|re|pre|neur [ãtrəprə'nø:ɐ̯], der; -s, -e
    (Wirtsch. Unternehmer, Firmengründer);
    En|t|re|pre|neu|rin
ent|rich|ten; Ent|rich|tung
ent|rin|nen (geh.); Ent|rin|nen, das; -s
ent|rüm|peln; Ent|rüm|pe|lung, Ent|rümp-
    lung
ent|rüs|ten; sich entrüsten; Ent|rüs|tung
ent|saf|ten; Ent|saf|ter
ent|sa|gen (geh.); dem Vorhaben entsagen
ent|schä|di|gen; Ent|schä|di|gung
ent|schär|fen; Ent|schär|fung
Ent|scheid, der; -[e]s, -e; ent|schei|den;
    sich für od. gegen etwas entscheiden; ent-
    schei|dend; Ent|schei|der; Ent|schei|de-
    rin; Ent|schei|dung; Ent|schei|dungs|fin-
    dung; Ent|schei|dungs|pro|zess
ent|schie|den; auf das, aufs Entschiedens-
    te od. auf das, aufs entschiedens|te
ent|schla|cken; Ent|schla|ckung
ent|schla|fen (geh., verhüllend für sterben)
ent|schlie|ßen, sich; Ent|schlie|ßung
ent|schlos|sen; Ent|schlos|sen|heit, die; -
ent|schlüp|fen
Ent|schluss
ent|schlüs|seln; Ent|schlüs|se|lung
ent|schuld|bar
ent|schul|di|gen; sich wegen od. für etwas
    entschuldigen; Ent|schul|di|gung
ent|schwin|den (geh.)
ent|sen|den; Ent|sen|dung
ent|set|zen; sich entsetzen; Ent|set|zen,
    das; -s; Entsetzen erregen; ent|set|zen|er-
    re|gend, Ent|set|zen er|re|gend; ein ent-
    setzenerregender od. Entsetzen erregender
    Anblick, aber nur ein äußerstes Entsetzen
    erregender Anblick, ein äußerst entsetzen-
    erregender Anblick
ent|setz|lich; ent|setzt
ent|si|chern; das Gewehr entsichern
ent|sin|nen, sich; ich habe mich deiner ent-
    sonnen
ent|sor|gen; Ent|sor|gung (Beseitigung von
    Müll u. Ä.)
ent|span|nen, sich entspannen; ent|spannt;
    Ent|span|nung

ent|spie|geln; Ent|spie|ge||lung, Ent|spieg-
lung

ent|spin|nen, sich

ent|spre|chen; ent|spre|chend; entspre-
chend seinem Vorschlag od. seinem Vorschlag entsprechend; Entsprechendes, das
Entsprechende gilt für ...; Ent|spre|chung

ent|sprin|gen

ent|stam|men

ent|ste|hen; Ent|ste|hung; Ent|ste|hungs-
ge|schich|te

ent|stei|gen *(geh.)*

ent|stei|nen; Kirschen entsteinen

ent|stel|len; Ent|stel|lung

ent|tar|nen; Ent|tar|nung

ent|täu|schen; ent|täu|schend; ent-
täuscht; Ent|täu|schung

ent|thro|nen; Ent|thro|nung

ent|wach|sen

ent|waff|nen; Ent|waff|nung

ent|war|nen; Ent|war|nung

ent|wäs|sern; Ent|wäs|se|rung

ent|we|der [*auch* ...'ve:...] (*Abk.* entw.)

Ent|we|der-o|der, das; -, -

ent|wei|chen *vgl.* ²weichen

ent|wei|hen; Ent|wei|hung

ent|wen|den; Ent|wen|dung

ent|wer|fen; Pläne entwerfen

ent|wer|ten; Ent|wer|tung

ent|wi|ckeln; sich entwickeln; Ent|wick|ler;
Ent|wick|le|rin; Ent|wick|lung; Ent|wick-
lungs|hel|fer; Ent|wick|lungs|hel|fe|rin;
Ent|wick|lungs|hil|fe; Ent|wick|lungs-
kos|ten *Plur.;* Ent|wick|lungs|land *Plur.*
...länder

ent|wir|ren; Ent|wir|rung

ent|wi|schen (*ugs. für* entkommen)

ent|wöh|nen; Ent|wöh|nung

ent|wür|di|gen; ent|wür|di|gend

Ent|wurf

ent|wur|zeln; Ent|wur|ze|lung, Ent|wurz-
lung

ent|zau|bern; Ent|zau|be|rung

ent|zer|ren; Ent|zer|rung

ent|zie|hen; sich entziehen

Ent|zie|hung; Ent|zie|hungs|kur

ent|zif|fer|bar; ent|zif|fern

Ent|zü|cken, das; -s *(geh.);* ent|zü|ckend

Ent|zug, der; -[e]s, ...züge; Ent|zugs|er-
schei|nung

ent|zünd|bar; ent|zün|den; sich entzünden;
ent|zünd|lich; ein leicht entzündliches od.
leichtentzündliches Gemisch

Ent|zün|dung; ent|zün|dungs|hem|mend

ent|zwei; entzwei sein; ent|zwei|bre|chen;
ent|zwei|en; sich entzweien; ent|zwei-
ge|hen; Ent|zwei|ung

en vogue [ã 'vo:k] (beliebt; modisch)

En|zi|an, der; -s, -e (eine Alpenpflanze; ein
alkohol. Getränk); en|zi|an|blau

En|zy|k|li|ka, die; -, ...ken (päpstl. Rund-
schreiben)

En|zy|k|lo|pä|die, die; -, ...ien (Nachschlage-
werk); en|zy|k|lo|pä|disch (umfassend)

En|zym, das; -s, -e (*Biochemie* den Stoff-
wechsel regulierende Verbindung)

Epau|let|te [epo...], die; -, -n (Schulterstück
auf Uniformen)

Epi|de|mie, die; -, ...ien (Seuche, Massen-
erkrankung); epi|de|misch

Epi|go|ne, der; -n, -n (Nachahmer ohne
Schöpferkraft); Epi|go|nin

Epik, die; - (erzählende Dichtkunst)

Epi|lep|sie, die; -, ...ien (Erkrankung mit
plötzlich eintretenden Krämpfen u. kurzer
Bewusstlosigkeit); Epi|lep|ti|ker; Epi|lep-
ti|ke|rin; epi|lep|tisch

Epi|log, der; -s, -e (Nachwort; Nachspiel)

Epi|pha|ni|as, das; - (Dreikönigsfest)

episch (erzählend; das Epos betreffend); epi-
sches Theater

epi|s|ko|pal (bischöflich); Epi|s|ko|pat, das,
Theol. der; -[e]s, -e (Gesamtheit der
Bischöfe [eines Landes]; Bischofswürde)

Epi|so|de, die; -, -n (vorübergehendes Ereig-
nis; einzelne Folge einer Fernsehserie)

Epi|s|tel, die; -, -n (Apostelbrief; gottes-
dienstl. Lesung; *ugs. für* Brief, Strafpredigt)

Epi|zen|t|rum (senkrecht über dem Erd-
bebenherd liegender Erdoberflächenpunkt)

epo|chal (für einen Zeitabschnitt geltend;
bedeutend)

Epo|che, die; -, -n (Zeitabschnitt); Epoche machen; epo|che|ma|chend, Epo|che ma|chend

Epos, das; -, Epen (erzählende Verdichtung)

Equi|pe [e'ki:p, auch e'kıp, e'ki:pə], die; -, -n ([Reiter]mannschaft)

Equip|ment [ı...], das; -s, -s (Ausrüstung)

er; er kommt; er trägt in diesem Sommer gedeckte Farben; Er, der; -, -[s] (ugs. für Mensch od. Tier m. Geschlechts); es ist ein Er; ein Er und eine Sie

er|ach|ten; jmdn. als od. für geeignet erachten; Er|ach|ten, das; -s; meinem Erachten nach, meines Erachtens (Abk. m. E.); (nicht: meines Erachtens nach)

er|ah|nen

er|ar|bei|ten; Er|ar|bei|tung

Erb|an|la|ge; Erb|an|spruch

er|bar|men, sich erbarmen; Er|bar|men, das; -s; er|bärm|lich; Er|bärm|lich|keit, die; -; er|bar|mungs|los

er|bau|en; sich erbauen (geh. für sich erfreuen); Er|bau|er; Er|bau|e|rin; er|bau|lich; Er|bau|ung

erb|be|rech|tigt

¹Er|be, der; -n, -n; gesetzlicher Erbe

²Er|be, das; -s; kulturelles Erbe

er|be|ben

er|ben; Er|ben|ge|mein|schaft

er|be|ten; ein erbetener Gast

er|beu|ten; Er|beu|tung

Erb|fall (Rechtsspr. Todesfall, der jmdn. zum Erben macht); Erb|fol|ge, die; -; Erb|gut

er|bie|ten, sich (geh.)

Er|bin

er|bit|ten; jmds. Rat erbitten

er|bit|tern; es erbittert mich; erbitterter Widerstand; er|bit|tert; ein erbitterter Streit; Er|bit|te|rung, die; -

Erb|krank|heit

er|bla|s|sen (geh. für bleich werden)

er|blei|chen (bleich werden)

erb|lich; Erb|lich|keit, die; -

er|bli|cken; er|blin|den; Er|blin|dung

er|blü|hen

Erb|mas|se

er|bo|sen (erzürnen)

er|bre|chen, sich erbrechen; Er|bre|chen, das; -s; bis zum Erbrechen (ugs. für bis zum Überdruss)

Erb|recht

er|brin|gen; den Nachweis erbringen

Erb|schaft; Erb|schafts|steu|er, fachspr. auch Erb|schaft|steu|er, die

Erb|se, die; -, -n; Erb|sen|sup|pe

Erb|stück; Erb|sün|de

Erb|teil, das; im BGB der

Erd|ach|se, die; -; Erd|an|zie|hung, die; -; Erd|ball, der; -[e]s; Erd|be|ben

Erd|bee|re

Erd|bo|den; Er|de die; -, -n Plur. selten

er|den (Elektrot. Verbindung zwischen einem elektr. Gerät u. der Erde herstellen)

er|den|ken; er|denk|lich

Erd|er|wär|mung; Erd|gas; Erd|geist; Erd|ge|schoss (Abk. EG, Erdg.)

er|dich|ten ([als Ausrede] erfinden)

er|dig; Erd|kreis; Erd|ku|gel; Erd|kun|de, die; -; Erd|nuss; Erd|ober|flä|che, die; -

Erd|öl; Erdöl fördernde od. erdölfördernde, Erdöl exportierende od. erdölexportie-rende Länder

er|dol|chen (geh.)

Erd|reich

er|dreis|ten, sich (geh.)

er|dros|seln

er|drü|cken; er|drü|ckend

Erd|rutsch; Erd|stoß; Erd|teil, der

er|dul|den

Erd|um|krei|sung; Er|dung; Erd|zeit|al|ter

er|ei|fern, sich; Er|ei|fe|rung

er|eig|nen, sich; Er|eig|nis, das; -ses, -se; er|eig|nis|los; er|eig|nis|reich

er|ei|len (geh.); das Schicksal ereilte ihn

Erek|ti|on, die; -, -en (Aufrichtung, Anschwellung [des Penis])

Ere|mit, der; -en, -en (Einsiedler); Ere|mi|tin

er|fahr|bar

¹er|fah|ren; etwas Wichtiges erfahren

²er|fah|ren; erfahrene Fachkräfte

Er|fah|rung; Er|fah|rungs|aus|tausch;

Er|fah|rungs|be|richt; er|fah|rungs|ge-
mäß; Er|fah|rungs|wert
er|fas|sen; erfasst; Er|fas|sung
er|fin|den; Er|fin|der; Er|fin|de|rin; er|fin-
de|risch; Er|fin|dung
Er|folg, der; -[e]s, -e; Maßnahmen, die
Erfolg versprechen
er|fol|gen
er|folg|los; Er|folg|lo|sig|keit; er|folg|reich
Er|folgs|aus|sicht *meist Plur.*; Er|folgs|chan-
ce; Er|folgs|er|leb|nis; Er|folgs|ge|schich-
te; Er|folgs|kurs; Er|folgs|mo|dell; Er-
folgs|re|zept; Er|folgs|se|rie; Er|folgs-
sto|ry; er|folgs|ver|wöhnt
Er|folg ver|spre|chend, er|folg|ver|spre-
chend; Erfolg versprechende *od.* erfolg-
versprechende Maßnahmen; *aber nur* großen Erfolg versprechende Maßnahmen,
noch erfolgversprechendere Maßnahmen
er|for|der|lich; er|for|dern; Er|for|der|nis,
das; -ses, -se
er|for|schen; Er|for|schung
er|fra|gen; Er|fra|gung
er|freu|en, sich erfreuen
er|freu|lich; er|freu|li|cher|wei|se
er|frie|ren; Er|frie|rung
er|fri|schen, sich erfrischen; er|fri|schend;
Er|fri|schung
er|füll|bar; er|fül|len, sich erfüllen; Er|fül-
lung
er|gän|zen; Er|gän|zung
er|gat|tern (*ugs. für* sich verschaffen)
er|gau|nern (*ugs. für* sich durch Betrug ver-
schaffen); ich ergaunere
¹er|ge|ben; die Zählung hat ergeben, dass
...; sich ins Unvermeidliche ergeben
²er|ge|ben; ergebener Diener; jmdm. treu
ergeben sein; Er|ge|ben|heit
Er|geb|nis, das; -ses, -se; er|geb|nis|los
er|ge|hen; wie ist es dir ergangen?; er hat
es über sich ergehen lassen
er|gie|big; Er|gie|big|keit, die; -
er|gie|ßen; sich ergießen
er|go (folglich, also)
Er|go|no|mie, Er|go|no|mik, die; - (Erfor-
schung der Leistungsmöglichkeiten u. opti-

malen Arbeitsbedingungen des Menschen);
er|go|no|misch
er|göt|zen (*geh.*); sich ergötzen
er|grau|en; ergraut
er|grei|fen; er|grei|fend; Er|grei|fung *Plur.
selten;* er|grif|fen; Er|grif|fen|heit, die; -
er|grün|den; Er|grün|dung
Er|guss; Er|guss|ge|stein
er|ha|ben; Er|ha|ben|heit
Er|halt, der; -[e]s (*Amtsspr.*); er|hal|ten;
erhalten bleiben; er|hält|lich;
Er|hal|tung, die; -
er|hän|gen; sich erhängen; *vgl.* ²hängen
er|här|ten; Er|här|tung
er|ha|schen
er|he|ben, sich erheben; er|he|bend
er|heb|lich
Er|he|bung
er|hei|tern; Er|hei|te|rung
¹er|hel|len; sich erhellen (hell, heiter werden)
²er|hel|len; daraus erhellt (wird klar), dass ...
Er|hel|lung
er|hit|zen; du erhitzt; sich erhitzen
er|hof|fen
er|hö|hen; erhöhter Blutdruck; Er|hö|hung
er|ho|len, sich; er|hol|sam
Er|ho|lung, die; -; Erholung suchen; er|ho-
lungs|be|dürf|tig; **Er|ho|lung su|chend**,
er|ho|lung|su|chend
er|hö|ren
eri|gie|ren (*Med.* sich aufrichten)
er|in|ner|lich; er|in|nern; Er|in|ne|rung; Er-
in|ne|rungs|lü|cke; Er|in|ne|rungs|stück
er|kal|ten; erkaltet
er|käl|ten, sich; erkältet; Er|käl|tung
er|kämp|fen
er|kau|fen
er|kenn|bar; Er|kenn|bar|keit; er|ken|nen;
sich zu erkennen geben
er|kennt|lich; sich erkenntlich zeigen
Er|kennt|nis, die; -, -se
Er|ken|nung, die; -; Er|ken|nungs|zei|chen
Er|ker, der; -s, -; Er|ker|fens|ter
er|klär|bar; er|klä|ren; sich erklären
er|klärt (entschieden); ein erklärter Nicht-
raucher, der erklärte Publikumsliebling

er|klär|ter|ma|ßen; Er|klä|rung
er|kleck|lich *(geh. für* beträchtlich)
er|klim|men *(geh.)*
er|klin|gen
er|kran|ken; Er|kran|kung
er|kun|den; er|kun|di|gen, sich; Er|kun|di-
   gung; Er|kun|dung
er|lah|men; Er|lah|mung, die; -
er|lan|gen; Er|lan|gung, die; - *(Amtsspr.)*
Er|lass, der; -es, *Plur.* Erlasse, österr. Erlässe;
   er|las|sen
er|lau|ben; Er|laub|nis die; -, -se *Plur. selten*
er|läu|tern; Er|läu|te|rung
Er|le, die; -, -n (ein Laubbaum)
er|leb|bar; er|le|ben; Er|leb|nis, das; -ses,
   -se; er|lebt; erlebte Rede *(Sprachwiss.)*
er|le|di|gen; er|le|digt *(ugs. für* völlig
   erschöpft); Er|le|di|gung
er|le|gen; Er|le|gung
er|leich|tern; ich erleichtere [mich]; er-
   leich|tert; Er|leich|te|rung
er|lei|den
er|lern|bar; er|ler|nen; Er|ler|nung
er|le|sen; erlesene Weine
er|leuch|ten; Er|leuch|tung
er|lie|gen; zum Erliegen kommen
Er|lös, der; -es, -e
er|lö|schen *vgl.* ²löschen
er|lö|sen; erlöst; Er|lö|ser; Er|lö|se|rin; Er-
   lö|sung *Plur. selten*
er|mäch|ti|gen; Er|mäch|ti|gung
er|mah|nen; Er|mah|nung
Er|man|ge|lung, die; -; in Ermangelung,
   Ermanglung eines Besser[e]n *(geh.)*
er|mä|ßi|gen; Er|mä|ßi|gung
er|mat|ten; Er|mat|tung, die; -
er|mes|sen; Er|mes|sen, das; -s; nach mei-
   nem Ermessen; Er|mes|sens|spiel|raum
er|mit|teln; Er|mitt|ler; Er|mitt|le|rin;
   Er|mitt|lung; Er|mitt|lungs|be|hör|de;
   Er|mitt|lungs|ver|fah|ren
er|mög|li|chen; Er|mög|li|chung
er|mor|den; Er|mor|dung
er|mü|den; Er|mü|dung *Plur. selten;* Er|mü-
   dungs|er|schei|nung
er|mun|tern; Er|mun|te|rung

er|mu|ti|gen; Er|mu|ti|gung
er|näh|ren; Er|näh|rer; Er|näh|re|rin;
   Er|näh|rung
er|nen|nen; Er|nen|nung
er|neu|en *(seltener für* erneuern); er|neu|er-
   bar; erneuerbare Energien; er|neu|ern;
   sich erneuern; Er|neu|e|rung; er|neut
er|nied|ri|gen; sich erniedrigen; er|nied|ri-
   gend; Er|nied|ri|gung
ernst; ernst sein, werden; die Lage wird
   ernst; jmdn., eine Sache [sehr] ernst nehmen; um ihn soll es sehr ernst stehen; ein
   ernst gemeinter *od.* ernstgemeinter Rat
Ernst, der; -es; im Ernst; Ernst machen; es
   ist mir Ernst damit; es wurde Ernst [aus
   dem Spiel]; allen Ernstes
Ernst|fall, der; ernst ge|meint, ernst|ge-
   meint *vgl.* ernst; ernst|haft; Ernst|haf-
   tig|keit, die; -; ernst|lich; ernst zu neh-
   mend, ernst|zu|neh|mend
Ern|te, die; -, -n; Ern|te|dank|fest; ern|ten
er|nüch|tern; Er|nüch|te|rung
Er|obe|rer; Er|obe|rin; er|obern
Er|obe|rung; Er|obe|rungs|krieg
er|öff|nen; Er|öff|nung; Er|öff|nungs|fei-
   er; Er|öff|nungs|spiel *(Sport)*
er|ör|tern; Er|ör|te|rung
Eros [*auch* 'erɔs], der; - (sinnliche Liebe);
   Eros|cen|ter *(verhüllend für* Bordell)
Ero|si|on, die; -, -en *(Geol.* Erdabtragung
   durch Wasser, Eis *od.* Wind)
Ero|tik, die; - (sinnliche Liebe; Sexualität);
   ero|tisch (sinnlich, sexuell)
Er|pel, der; -s, - (Enterich)
er|picht (begierig)
er|pres|sen; Er|pres|ser; Er|pres|ser|brief;
   Er|pres|se|rin; er|pres|se|risch; Er|pres-
   sung
er|pro|ben; er|probt; Er|pro|bung
er|quick|lich *(geh.);* Er|qui|ckung *(geh.)*
er|ra|ten
er|rech|nen
er|reg|bar; er|re|gen; Er|re|ger; Er|re|gung
er|reich|bar; Er|reich|bar|keit; er|rei|chen
er|ret|ten *(geh.);* jmdn. von *od.* vor etwas
   erretten

E

er|rich|ten; Er|rich|tung
er|rin|gen; Er|rin|gung, die; -
er|rö|ten; Er|rö|ten, das; -s
Er|run|gen|schaft
Er|satz, der; -es; Er|satz|bank *Plur.* ...bänke
(Sport); er|satz|los; Er|satz|spie|ler
(Sport); Er|satz|spie|le|rin; Er|satz|teil,
das, *seltener der;* er|satz|wei|se
er|sau|fen *(ugs. für* ertrinken); ersoffen
er|säu|fen (ertränken); ersäuft
er|schaf|fen *vgl.* schaffen; Er|schaf|fung,
die; -
er|schal|len; es erscholl *od.* erschallte;
erschollen *od.* erschallt
er|schei|nen; Er|schei|nung; Er|schei-
nungs|bild; Er|schei|nungs|form
er|schie|ßen; Er|schie|ßung
er|schlaf|fen; Er|schlaf|fung
er|schla|gen
er|schlei|chen (durch List erringen)
er|schlie|ßen; Er|schlie|ßung
er|schöp|fen; sich erschöpfen; er|schöpft;
Er|schöp|fung
[1]er|schre|cken; er erschrickt; ich erschrak; ich
bin darüber erschrocken; *vgl.* [1]schrecken
[2]er|schre|cken; sein Aussehen hat mich
erschreckt; *vgl.* [2]schrecken
[3]er|schre|cken, sich *(ugs.);* ich habe mich
erschreckt, erschrocken; *vgl.* er|schre|ckend
er|schüt|tern; er|schüt|ternd; Er|schüt|te-
rung
er|schwe|ren
Er|schwer|nis, die; -, -se; Er|schwe|rung
er|schwin|deln
er|schwing|lich (finanziell zu bewältigen)
er|setz|bar; er|set|zen
er|sicht|lich
er|sin|nen
er|spä|hen *(geh.)*
er|spa|ren; Er|spar|nis, die; -, -se
erst; erst recht; erst mal *od.* erstmal *(ugs.
für* erst einmal)
er|star|ken; Er|star|kung
er|star|ren; Er|star|rung
er|stat|ten; Er|stat|tung
Erst|auf|füh|rung

er|stau|nen; Er|stau|nen, das; -s; er|staun-
lich; er|staun|li|cher|wei|se; er|staunt
Erst|aus|ga|be; Erst|aus|strah|lung
erst|bes|te; die erstbeste Gelegenheit, *aber*
wir nehmen nicht gleich den Erstbesten,
den ersten Besten
Erst|be|stei|gung
ers|te s. *Kasten Seite 135*
er|ste|chen
er|ste|hen
Ers|te-Hil|fe-Kurs
er|stei|gen
er|stei|gern; Er|stei|ge|rung
Er|stei|gung
er|stel|len; Er|stel|lung
ers|te Mal *vgl.* erste; ers|tens; ers|ter *vgl.*
erste; ers|te|re; Erstere *od.* die Erstere
kommt nicht in Betracht; Ersteres muss
noch geprüft werden
Ers|te[r]-Klas|se-Ab|teil; Erst|ge|bo|re|ne,
Erst|ge|bor|ne, der, die, das; -n, -n
Erst|hel|fer (jmd., der einem Unfallopfer als
Erster Hilfe leistet); Erst|hel|fe|rin
er|sti|cken; Er|sti|ckungs|ge|fahr
erst|in|s|tanz|lich *(Rechtsspr.);* erst|klas-
sig; Erst|kläss|ler *(ugs.);* Erst|kläss|le-
rin; Erst|kom|mu|ni|kant; Erst|kom|mu-
ni|kan|tin; Erst|kom|mu|ni|on; Erst|li-
gist, der; -en, -en *(Sport* Verein in der ersten Liga)
Erst|ling; Erst|lings|werk
erst mal, erst|mal *vgl.* erst
erst|ma|lig; erst|mals
er|strah|len
er|stre|ben *(geh.);* er|stre|bens|wert
er|stre|cken, sich; Er|stre|ckung
er|strei|ten *(geh.)*
Erst|se|mes|ter; Erst|tags|stem|pel
er|stun|ken *(derb für* erdichtet)
er|stür|men; Er|stür|mung
er|su|chen; Er|su|chen, das; -s, -; auf Ersuchen
er|tap|pen; sich dabei ertappen
er|tei|len; Er|tei|lung
er|tö|nen
Er|trag, der; -[e]s, Erträge; er|trag|bar; er-
tra|gen; er|träg|lich; er|trag|reich

ers|te

Kleinschreibung:
- *der erste (1.) April*
- *das erste Mal; beim, zum ersten Mal*
- *der erste Rang; die erste Geige*
- *das erste Staatsexamen*
- *erster Klasse fahren*

Großschreibung der Substantivierung:
- *der Erste, der kam*
- *als Erster, Erste durchs Ziel gehen*
- *als Erstes; fürs Erste; zum Ersten*
- *mein Erstes war, ein Heft zu kaufen (zuerst kaufte ich ...)*
- *die Ersten werden die Letzten sein*
- *der Erste des Monats*
- *vom nächsten Ersten an*

Großschreibung in Namen und bestimmten namenähnlichen Fügungen:
- *Otto der Erste (Otto I.)*
- *der Erste Weltkrieg*
- *der Erste Vorsitzende (Dienstbezeichnung)*
- *der Erste Mai (Feiertag)*
- *Verdienstkreuz Erster Klasse*
- *die Erste Bundesliga (oberste Spielklasse)*
- *das Erste Deutsche Fernsehen (für ARD)*
- *die Erste od. erste Hilfe (bei Unfällen)*

Man sollte unterscheiden:
- *die ersten beiden (das erste und das zweite Glied, das erste Paar einer Gruppe)*
- *die beiden Ersten (von zwei Gruppen das jeweils erste Glied)*

Vgl. auch *achte, erstbeste, erstere*

---

er|trän|ken; Er|trän|kung
er|träu|men; ich erträume es mir
er|trin|ken; ertrunken; Er|trin|ken, das; -s; Er|trin|ken|de, der u. die; -n, -n; Er|trun|ke|ne, der u. die; -n, -n
er|tüch|ti|gen; Er|tüch|ti|gung
er|üb|ri|gen; es erübrigt sich
eru|ie|ren (herausbringen; ermitteln)
Erup|ti|on, die; -, -en ([vulkan.] Ausbruch)
er|wa|chen; Er|wa|chen, das; -s
er|wach|sen; Er|wach|se|ne, der u. die; -n, -n; Er|wach|se|nen|bil|dung
er|wä|gen; Er|wä|gung; in Erwägung ziehen
er|wäh|nen; er|wäh|nens|wert; Er|wäh|nung
er|wär|men (warm machen); sich für etwas erwärmen (begeistern); Er|wär|mung
er|war|ten; Er|war|ten, das; -s; wider Erwarten
Er|war|tung; er|war|tungs|ge|mäß; Er|war|tungs|hal|tung; er|war|tungs|voll
er|we|cken; Er|we|ckung
er|weh|ren, sich
er|wei|chen; Er|wei|chung

er|wei|sen; sich erweisen
er|wei|ter|bar; er|wei|tern; Er|wei|te|rung; Er|wei|te|rungs|bau Plur. ...bauten
Er|werb, der; -[e]s, -e; er|wer|ben; Er|wer|ber; er|wer|be|rin; er|werbs|fä|hig; Er|werbs|fä|hig|keit, die; -; Er|werbs|le|ben; im Erwerbsleben stehen; er|werbs|los; er|werbs|tä|tig; Er|werbs|tä|ti|ge, der u. die; -n, -n; Er|werbs|tä|tig|keit; er|werbs|un|fä|hig; Er|wer|bung
er|wi|dern; Er|wi|de|rung
er|wie|sen; er|wie|se|ner|ma|ßen
er|wir|ken; Er|wir|kung
er|wirt|schaf|ten; Gewinn erwirtschaften
er|wi|schen (ugs. für ertappen; fassen)
er|wor|ben; erworbene Rechte
er|wünscht
er|wür|gen; Er|wür|gung
Erz [auch erts], das; -es, -e
er|zäh|len; Er|zäh|ler; Er|zäh|le|rin; er|zäh|le|risch; Er|zäh|lung
Erz|bi|schof; erz|bi|schöf|lich
Erz|bis|tum; Erz|di|ö|ze|se; Erz|en|gel
er|zeu|gen; Er|zeu|ger; Er|zeu|ge|rin; Er|zeug|nis, das; -ses, -se; Er|zeu|gung

Erz|feind; Erz|fein|din; Erz|her|zog; Erz-
her|zo|gin; Erz|her|zog|tum
er|zie|hen; Er|zie|her; Er|zie|he|rin; er|zie-
he|risch; Er|zie|hung, die; -; Er|zie-
hungs|be|rech|tig|te; Er|zie|hungs|geld;
Er|zie|hungs|ur|laub *(ugs., sonst veral-
tend)*
er|zie|len
er|zit|tern
erz|kon|ser|va|tiv; Erz|ri|va|le; Erz|ri|va|lin
er|zür|nen; Er|zür|nung
er|zwin|gen; Er|zwin|gung, die; -
er|zwun|ge|ner|ma|ßen
¹es; es sei denn, dass; er ists *od.* ist's; er
sprachs *od.* sprach's; 's war einmal
²es; ich habe *od.* ich bin es satt
Esche, die; -, -n (ein Laubbaum)
Esel, der; -s, -; Ese|lei; Ese|lin; Esels|brü-
cke *(ugs.);* Esels|ohr
Es|ka|la|ti|on, die; -, -en (stufenweise Stei-
gerung, Verschärfung); es|ka|lie|ren
Es|ka|pa|de, die; -, -n *(Reiten* Sprung zur
Seite; *geh. für* mutwilliger Streich)
Es|ki|mo, der; -[s], -[s] (Angehöriger eines
arktischen Volkes); *vgl.* Inuk
Es|kor|te, die; -, -n (Geleit; Begleitmann-
schaft); es|kor|tie|ren
Eso|te|rik, die; - (Geheimlehre; Grenzwis-
senschaft); eso|te|risch
Es|pe, die; -, -n (Zitterpappel); Es|pen|laub
Es|pe|ran|to, das; -[s] (eine künstl. Welt-
sprache)
Es|pres|so, der; -[s], *Plur.* -s *od.* ...ssi (star-
kes Kaffeegetränk); Es|pres|so|ma|schi-
ne; Es|pres|so|pad [...ped] (mit Espresso-
pulver gefüllter Beutel)
Es|p|rit [...'pri:], der; -s (Geist, Witz)
Es|say ['ɛse, *auch* ɛ'se:], der *od.* das; -s, -s
(kürzere Abhandlung); Es|say|ist, der; -en,
-en (Verfasser von Essays); Es|say|is|tin
ess|bar; Ess|bar|keit; Ess|be|steck
Es|se, die; -, -n (Schmiedeherd; *bes. ostmd.
für* Schornstein)
es|sen; aß, gegessen; zu Mittag essen; [grie-
chisch] essen gehen; Es|sen, das; -s, -; Es-
sen|mar|ke, Es|sens|mar|ke; Es|sens|zeit

Es|sen|ti|al [ɪ'sɛnʃəl] das; -s, -s *meist Plur.*
(wesentlicher Punkt, unentbehrliche Sache)
es|sen|ti|ell *vgl.* essenziell
Es|senz, die; -, -en *(nur Sing.:* Wesen, Kern)
es|sen|zi|ell, es|sen|ti|ell *(Philos.* wesent-
lich; *Biol., Chemie* lebensnotwendig)
Es|ser; Es|se|rin
Es|sig, der; -s, -e; Es|sig|es|senz; Es|sig-
gur|ke; es|sig|sau|er; essigsaure Tonerde
Ess|löf|fel; Ess|stö|rung, Ess-Stö|rung;
Ess|tisch; Ess|zim|mer
Es|ta|b|lish|ment [ɪs'tɛblɪʃmənt], das; -s, -s
(Schicht der Einflussreichen u. Etablierten)
Es|t|ra|gon, der; -s (eine Gewürzpflanze)
Est|rich, der; -s, -e (fugenloser Fußboden;
schweiz. für Dachboden, -raum)
Es|zett, das; -, - (Buchstabe: »ß«)
eta|b|lie|ren (festsetzen); sich etablieren
(sich niederlassen; festen Bestand erlan-
gen); eta|b|liert (fest gegründet); Eta|b-
lie|rung
Eta|b|lis|se|ment [...'mã:, *schweiz. auch*
...blisə'mɛnt], das; -s, -s *u.* (bei schweiz.
Aussprache:) -e (Betrieb; *auch für*
[Nacht]lokal, Bordell)
Eta|ge [...ʒə], die; -, -n (Stock[werk],
[Ober]geschoss); Eta|gen|woh|nung
Etap|pe, die; -, -n ([Teil]strecke, Abschnitt;
Stufe); Etap|pen|sieg
Etat [e'ta:], der; -s, -s ([Staats]haushalt)
et ce|te|ra (und so weiter; *Abk.* etc.)
ete|pe|te|te *(ugs. für* geziert; zimperlich)
Ethan, das; -s *(Chemie* gasförmiger Kohlen-
wasserstoff); Etha|nol, das; -s *(Chemie*
eine organische Verbindung; Weingeist)
Ether *vgl.* ²Äther
Ethik die; -, -en *Plur. selten* (Sittenlehre;
Gesamtheit der sittlichen u. moralischen
Grundsätze); ethisch (sittlich)
Eth|nie, die; -, ...ien (*Völkerkunde* Volk,
Stamm); eth|nisch (die [einheitliche]
Kultur- u. Lebensgemeinschaft einer
Volksgruppe betreffend)
Eth|no|lo|ge, der; -n, -n; Eth|no|lo|gie,
die; -, ...ien (Völkerkunde); Eth|no|lo-
gin; eth|no|lo|gisch

Ethos, das; - (die sittlich-moralische Gesamthaltung)

Eti|kett, das; -[e]s, Plur. -e[n], auch -s (Zettel mit [Preis]aufschrift); [1]**Eti|ket|te,** die; -, -n (österr., schweiz. für Etikett)

[2]**Eti|ket|te,** die; -, -n (Gesamtheit der gesellschaftlichen Umgangsformen)

Eti|ket|ten|schwin|del (ugs. für irreführende Benennung)

eti|ket|tie|ren (mit einem Etikett versehen)

et|li|che; etliche Tage sind vergangen; ich weiß etliches darüber zu erzählen

Etü|de, die; -, -n (Musik Übungsstück)

Etui [ɛtˈviː], das; -s, -s ([Schutz]hülle)

et|wa, in etwa (ungefähr); **et|wa|ig;** etwaige weitere Kosten; **et|was;** etwas Auffälliges, Derartiges, Passendes usw., aber etwas anderes od. Anderes

Et|was, das; -, -; ein gewisses Etwas

Ety|mo|lo|gie, die; -, ...ien (Sprachwiss. [Lehre von] Ursprung u. Geschichte der Wörter); **ety|mo|lo|gisch**

EU, die; - = Europäische Union

euch; kann in Briefen klein- od. großgeschrieben werden; vgl. du

Eu|cha|ris|tie, die; -, ...ien (kath. Kirche Abendmahl, Altarsakrament)

[1]**eu|er;** eu|e|re, eu|re; euer Tisch; kann in Briefen klein- od. großgeschrieben werden

[2]**eu|er** Gen. von »ihr«; euer (nicht eurer) sind drei, sind nur wenige; ich gedenke, ich erinnere mich euer (nicht eurer)

eu[|e]|re, eu|ri|ge; unser Bauplatz ist dicht bei dem eur[ig]en; aber grüße die Euern, Euren, Eurigen od. die euern, euren, eurigen; ihr müsst das Eu[e]re, Eurige od. eu[e]re, eurige tun

eu|er|seits, eu|rer|seits; **eu|ert|we|gen,** eu|ret|we|gen; **eu|ert|wil|len,** eu|ret|wil|len; um euertwillen, um euretwillen

EU-Gip|fel (europ. Gipfeltreffen)

Eu|ka|lyp|tus, der; -, Plur. ...ten u. - (ein Baum)

Eu|le, die; -, -n

Eu|nuch, der; -en, -en, **Eu|nu|che,** der; -n, -n (Kastrat [als Haremswächter])

Eu|pho|rie, die; - (Zustand gesteigerten Hochgefühls); **eu|pho|risch**

eu|rer|seits, eu|er|seits; **eu|ri|ge** vgl. eu[e]re

Eu|ro, der; -[s], -s (europ. Währungseinheit; Zeichen €; Währungscode EUR); 30 Euro; **Eu|ro|land,** -s, auch das; -[e]s (an der Europäischen Währungsunion teilnehmende Staatengruppe, auch einer dieser Staaten [Plur. ...länder])

Eu|ro|pa; Eu|ro|pa|cup

Eu|ro|pä|er, der; -s, -; **Eu|ro|pä|e|rin**

eu|ro|pä|isch; der europäische Binnenmarkt, aber die Europäische Union (Abk. EU); die Europäische Zentralbank (Abk. EZB)

Eu|ro|pa|li|ga (Sport); **Eu|ro|pa|meis|ter** (Sport); **Eu|ro|pa|meis|te|rin; Eu|ro|pa|meis|ter|schaft; Eu|ro|pa|par|la|ment,** das; -[e]s; **Eu|ro|pa|po|kal; Eu|ro|pa|rat,** der; -[e]s; **Eu|ro|pa|wahl; eu|ro|pa|weit; eu|ro|skep|tisch** (gegenüber der Europäischen Union eher zurückhaltend eingestellt); **Eu|ro|vi|si|on,** die; - (europäische Organisation zur gemeinsamen Veranstaltung von Fernsehsendungen); **Eu|ro|zo|ne,** die; - (Euroland)

Eu|ter, das, landsch. auch der; -s, -

Eu|tha|na|sie, die; - (Med. Erleichterung des Sterbens; Herbeiführung des Todes)

EU-weit

eva|ku|ie|ren (vorübergehend aussiedeln); **Eva|ku|ie|rung**

Eva|lu|a|ti|on, die; -, -en (Bewertung; Beurteilung); **eva|lu|ie|ren; Eva|lu|ie|rung**

evan|ge|lisch (das Evangelium betreffend; protestantisch); die evangelische Kirche, aber die Evangelische Kirche in Deutschland (Abk. EKD); **evan|ge|lisch-lu|the|risch** [auch ...ˈteː...] (Abk. ev.-luth.)

Evan|ge|list, der; -en, -en (Verfasser eines der vier Evangelien; Titel in evangelischen Freikirchen); **Evan|ge|li|um,** das; -s, Plur. (für die vier ersten Bücher im N. T.:) ...ien (Heilsbotschaft Christi; Abk. Ev.)

Event [ivˈ...], das od. der; -s, -s (Veranstaltung)

Even|tu|a|li|tät, die; -, -en (Möglichkeit,

möglicher Fall); **even|tu|ell** (möglicherweise eintretend; *Abk.* evtl.)

Ever|green [...gri:n], der, *auch* das; -s, -s (populär gebliebener Schlager usw.)

evi|dent (offenbar; einleuchtend); **Evi|denz,** die; - (Deutlichkeit, völlige Klarheit)

Evo|lu|ti|on, die; -, -en ([fortschreitende] Entwicklung); **evo|lu|ti|o|när; Evo|lu|ti|ons|the|o|rie**

evo|zie|ren (hervorrufen)

ewig; auf ewig; für immer und ewig; das ewige Leben; das ewige *od.* Ewige Licht; die Ewige Stadt (Rom); **Ewig|keit**

ex (*ugs. für* aus; tot); ex trinken

Ex... (ehemalig, z. B. Exfreundin, Exminister)

ex|akt (genau; pünktlich); **Ex|akt|heit,** die; -

Ex|a|men, das; -s, *Plur.* -, *seltener* ...mina ([Abschluss]prüfung); **Ex|a|mens|ar|beit; ex|a|mi|nie|ren**

Ex|change [ıks't∫e:nt∫], die; -, -n [...dʒn] (*Bankw.* Tausch, Kurs)

ex|e|ku|tie|ren (vollstrecken); **Ex|e|ku|ti|on,** die; -, -en (Vollstreckung [eines Urteils]; Hinrichtung; *österr. auch für* Pfändung)

ex|e|ku|tiv (ausführend); **Ex|e|ku|ti|ve,** die; -, -n (vollziehende Gewalt [im Staat])

Ex|em|pel, das; -s, - ([warnendes] Beispiel; Aufgabe); **Ex|em|p|lar,** das; -s, -e ([einzelnes] Stück; *Abk.* Expl.); **ex|em|p|la|risch** (beispielhaft; warnend)

ex|er|zie|ren ([von Truppen] üben)

Ex|frau

Ex|hi|bi|ti|on, die; -, -en (*Med.* Zurschaustellung); **Ex|hi|bi|ti|o|nist,** der; -en, -en; **Ex|hi|bi|ti|o|nis|tin**

ex|hu|mie|ren ([einen Leichnam] wieder ausgraben)

Exil, das; -s, -e (Verbannung[sort]); **Exi|lant,** der; -en, -en (im Exil Lebender); **Exi|lan|tin; Exil|li|te|ra|tur; Exil|re|gie|rung**

exis|tent (wirklich, vorhanden); **exis|ten|ti|ell** *vgl.* existenziell; **Exis|tenz,** die; -, -en (Dasein; Lebensgrundlage); **exis|tenz|be|dro|hend; Exis|tenz|be|rech|ti|gung,** die; -; **Exis|tenz|grün|der; Exis|tenz|grün|de|rin; Exis|tenz|grün|dung; exis|ten|zi|ell,**

exis|ten|ti|ell (das Dasein wesentlich betreffend; lebenswichtig); **Exis|tenz|mi|ni|mum; exis|tie|ren** (vorhanden sein)

Ex|i|tus, der; - (*Med.* Tod)

Ex|kla|ve, die; -, -n (ein eigenstaatl. Gebiet in fremdem Staatsgebiet)

ex|klu|siv (ausschließlich einem bestimmten Personenkreis vorbehalten); **ex|klu|si|ve;** *Präp. mit Gen.:* exklusive Porto; **Ex|klu|si|vi|tät,** die; - (Ausschließlichkeit)

Ex|kom|mu|ni|ka|ti|on, die; -, -en (*kath. Kirche* Ausschluss aus der Kirchengemeinschaft); **ex|kom|mu|ni|zie|ren**

Ex|kre|ment das; -[e]s, -e *meist Plur.* (Ausscheidungsprodukt, z. B. Kot)

Ex|kurs, der; -es, -e (Erörterung in Form einer Abschweifung); **Ex|kur|si|on,** die; -, -en (Lehrfahrt; Streifzug)

Ex|mann *Plur.* ...männer

Ex|o|dus, der; - (das 2. Buch Mosis; *auch für* Auszug aus einem Gebiet)

ex|or|bi|tant (übertrieben; gewaltig)

Ex|or|zis|mus, der; -, ...men (Beschwörung böser Geister); **Ex|or|zist,** der; -en, -en; **Ex|or|zis|tin**

Exo|tik, die; - (Anziehungskraft, die vom Fremdländischen ausgeht); **exo|tisch**

ex|pan|die|ren ([sich] ausdehnen); **Ex|pan|si|on,** die; -, -en (Ausdehnung)

ex|pan|siv ([sich] ausdehnend)

Ex|pe|di|ti|on, die; -, -en (Forschungsreise; Versandabteilung, Abfertigungsabteilung)

Ex|pe|ri|ment, das; -[e]s, -e ([wissenschaftlicher] Versuch); **ex|pe|ri|men|tell** (auf Experimenten beruhend); **ex|pe|ri|men|tie|ren; ex|pe|ri|men|tier|freu|dig**

Ex|per|te, der; -n, -n (Sachverständiger, Gutachter); **Ex|per|ten|kom|mis|si|on; Ex|per|tin; Ex|per|ti|se,** die; -, -n (Gutachten)

ex|pli|zit (deutlich; ausführlich dargestellt)

ex|plo|die|ren (krachend [zer]bersten)

Ex|plo|ra|ti|on, die; -, -en (Erforschung)

Ex|plo|si|on, die; -, -en; **ex|plo|si|ons|ar|tig; Ex|plo|si|ons|ge|fahr; ex|plo|siv** (leicht explodierend, explosionsartig)

Ex|po|nat, das; -[e]s, -e (Ausstellungs-,

Museumsstück); **Ex|po|nẹnt,** der; -en, -en (Hochzahl, bes. in der Wurzel- u. Potenzrechnung; herausgehobener Vertreter)
ex|po|niert (gefährdet; [Angriffen] ausgesetzt; herausgehoben)
Ex|pọrt, der; -[e]s, -e (Ausfuhr); **Ex|pọrt|ar|ti|kel; Ex|por|teur** [...'tø:ɐ̯], der; -s, -e (Ausfuhrhändler od. -firma); **Ex|por|teu|rin; Ex|pọrt|ge|schäft; ex|por|tie|ren; Ex|pọrt|schla|ger; Ex|pọrt|wirt|schaft**
Ex|po|sé, Ex|po|see, das; -s, -s (Denkschrift, Bericht, Zusammenfassung; Skizze)
Ex|po|si|ti|on, die; -, -en (Ausstellung)
ex|prẹss (veraltet, noch ugs. für eilig, Eil...)
Ex|pres|si|o|nịs|mus, der; - (Kunstrichtung im frühen 20. Jh., Ausdruckskunst); **ex|pres|si|o|nịs|tisch**
ex|prẹs|siv (ausdrucksvoll)
ex|qui|sịt (ausgesucht, erlesen)

Ekstase
Das aus dem Griechischen stammende Wort wird nicht mit Ex-, sondern mit Eks- geschrieben, obwohl die erste Silbe ebenso wie z. B. bei Export, extra, extrem gesprochen wird.

Ex|tẹn|si|on, die; -, -en (Ausdehnung); **ex|tẹn|siv** (der Ausdehnung nach); extensive Landwirtschaft
ex|tẹrn (draußen befindlich; auswärtig)
ẹx|t|ra (außerdem, besonders, eigens); **Ẹx|t|ra,** das; -s, -s (Sonderleistung, zusätzliches Zubehör)
ex|tra|hie|ren (einen Auszug machen)
Ex|trạkt, der, auch das; -[e]s, -e (Auszug [aus Büchern, Stoffen]; Hauptinhalt, Kern)
ex|t|ra|va|gạnt [auch 'ɛ...] (verstiegen, überspannt); **Ex|t|ra|va|gạnz,** die; -, -en
Ẹx|t|ra|wurst (ugs.; österr. auch für eine Wurstsorte); jmdm. eine Extrawurst braten
ex|t|rẹm (bis an die äußerste Grenze gehend); **Ex|t|rẹm,** das; -s, -e (höchster Grad; äußerster Standpunkt)
Ex|t|rẹm|fall, der; im Extremfall
Ex|t|re|mịs|mus, der; -, ...men (übersteigerter

radikale Haltung); **Ex|t|re|mịst,** der; -en, -en; **Ex|t|re|mịs|tin; ex|t|re|mịs|tisch**
Ex|t|re|mi|tät, die; -, -en (äußerstes Ende; nur Plur.: Gliedmaßen)
Ex|t|rẹm|sport (mit höchster körperlicher Beanspruchung od. mit bes. Gefahren verbundener Sport)
ex|zel|lẹnt (hervorragend); **Ex|zel|lẹnz,** die; -, -en (ein Titel; Abk. Exz.; herausragende Qualität)
ex|zẹn|t|risch (Math., Astron. außerhalb des Mittelpunktes; geh. für überspannt)
Ex|zẹss, der; -es, -e (Ausschreitung; Ausschweifung); **ex|zes|sịv** (ausschweifend)
Eye|li|ner ['aɪlaɪ...], der; -s, - (flüssiges Kosmetikum zum Ziehen des Lidstriches)

F f

f, F, das; -, - (Tonbezeichnung)
F, das; -, - (Buchstabe); das F des F, die F, aber das f in Haft; der Buchstabe F, f
Fạ|bel, die; -, -n (erdichtete [lehrhafte] Erzählung; Handlung einer Dichtung); **fạ|bel|haft; Fạ|bel|tier; Fạ|bel|we|sen**
Fa|b|rịk [auch ...'brı...], die; -, -en; **Fa|b|ri|kạnt,** der; -en, -en (Fabrikbesitzer; Hersteller); **Fa|b|ri|kạn|tin; Fa|b|rịk|ar|bei|ter; Fa|b|rịk|ar|bei|te|rin; Fa|b|ri|kạt,** das; -[e]s, -e (Industrieerzeugnis); **Fa|b|ri|ka|ti|on,** die; -, -en (fabrikmäßige Herstellung); **fa|b|rịk|mä|ßig; fa|b|rịk|neu; fa|b|ri|zie|ren** ([fabrikmäßig] herstellen)
fa|bu|lie|ren (fantasievoll erzählen)
Face|book® ['feɪsbʊk], das; -[s] meist ohne Artikel (Website eines internationalen sozialen Netzwerks)
Fa|cet|te [...'sɛ...], die; -, -n (eckig geschliffene Fläche von Edelsteinen u. Glaswaren; Teilaspekt); **fa|cẹt|ten|reich** (vielfältig)
Fạch, das; -[e]s, Fächer

...fach; z. B. vierfach [*mit Ziffer* 4-fach *od.* 4fach]; *mit Einzelbuchstabe* n-fach

Fach|ab|i|tur (Fachhochschulreife); Fach|arbei|ter; Fach|ar|bei|te|rin; Fach|arzt; Fach|ärz|tin; Fach|aus|druck *Plur.* ...drücke; Fach|be|griff; Fach|be|reich

fä|cheln

Fä|cher, der; -s, -; fä|chern

fä|cher|über|grei|fend

Fach|frau; Fach|ge|biet; fach|ge|recht; Fach|han|del *vgl.* Handel; Fach|hochschu|le (*Abk.* FH); Fach|jar|gon; Fachkom|pe|tenz; Fach|kraft; Fach|kreis; in Fachkreisen; fach|kun|dig (Fachkenntnisse habend); Fach|leh|rer; Fach|leh|re|rin; Fach|leu|te; fach|lich; Fach|li|te|ra|tur *Plur. selten*; Fach|mann *Plur.* ...leute, *selten* ...männer; fach|män|nisch

Fach|mes|se; Fach|pu|b|li|kum; Fach|richtung; Fach|schu|le; fach|sim|peln (*ugs. für* [ausgiebige] Fachgespräche führen); ich fachsimp[e]le; gefachsimpelt; zu fachsimpeln; Fach|spra|che; Fach|ver|band; Fachwelt; Fach|werk|haus; Fach|wis|sen; Fach|wort *Plur.* ...wörter; Fach|zeit|schrift

Fa|ci|li|ty [fə'sɪlɪti], die; -, -s (*Wirtsch.* [technische] Ausstattung, Infrastruktur eines Unternehmens od. Gebäudes)

Fa|ckel, die; -, -n; fa|ckeln; Fa|ckel|zug

Fact [fɛkt] der; -s, -s *meist Plur.* (Tatsache)

Fac|to|ry-Out|let, Fac|to|ry|out|let ['fɛktəri|a͜utlɛt], das; -s, -s (Direktverkaufsstelle einer Firma)

fad, fa|de (schlecht gewürzt; langweilig)

Fa|den, der; -s, *Plur.* Fäden u. (*als Längenmaß:*) - (*Seemannsspr.*); 4 Faden tief

Fa|den|kreuz; fa|den|schei|nig (*auch für* nicht sehr glaubhaft)

Fa|gott, das; -[e]s, -e (Holzblasinstrument)

fä|hig; *mit Gen.:* eines Betruges fähig; *od. mit »zu«:* zu allem fähig; Fä|hig|keit

fahl; fahl|gelb

Fähn|chen (*ugs. auch für* leichtes Kleid)

fahn|den; Fahn|der; Fahn|de|rin; Fahndung; Fahn|dungs|fo|to

Fah|ne, die; -, -n; Fah|nen|flucht, die; -, -en; *vgl.* ²Flucht; fah|nen|flüch|tig; Fah|nen|stan|ge

Fähn|rich, der; -s, -e

Fahr|aus|weis (Fahrkarte, -schein; *schweiz. auch für* Führerschein); Fahr|bahn; fahrbar; fahr|be|reit; Fahr|dienst

Fäh|re, die; -, -n

fah|ren; fuhr, gefahren; Auto fahren; Rad fahren; spazieren fahren; sie hat ihn fahren lassen (ihm erlaubt zu fahren); wir hatten alle Hoffnung fahren lassen *od.* fahrenlassen (*seltener* fahren gelassen *od.* fahrengelassen) (aufgegeben); fah|rend; fahrende Leute

Fah|ren|heit (Einheit der Grade beim 180-teiligen Thermometer; *Zeichen* F, *fachspr.* °F); 5 °F

fah|ren las|sen, fah|ren|las|sen *vgl.* fahren

Fah|rer; Fah|rer|flucht, die; -; Fah|re|rin; Fah|rer|laub|nis; Fah|rer|sitz

Fahr|gast *Plur.* ...gäste; Fahr|geld; Fahrge|stell; fah|rig (zerstreut); Fahr|kar|te; Fahr|kar|ten|au|to|mat; Fahr|kos|ten; fahr|läs|sig; fahrlässige Tötung; Fahr|lässig|keit; Fahr|leh|rer; Fahr|leh|re|rin

Fähr|mann *Plur.* ...männer u. ...leute

Fahr|plan *vgl.* ²Plan; fahr|plan|mä|ßig; Fahr|preis; Fahr|prü|fung

Fahr|rad; Fahrrad fahren; Fahr|rad|fah|rer; Fahr|rad|fah|re|rin; Fahr|rad|helm; Fahrrad|weg

Fahr|schein; Fahr|schu|le; Fahr|spur; Fahrstrei|fen; Fahr|stuhl; Fahr|stun|de; Fahrt, die; -, -en; Fahrt ins Blaue

Fähr|te, die; -, -n (Spur)

Fahr|ten|buch

Fahrt|kos|ten; Fahrt|rich|tung

Fahr|tüch|tig|keit; Fahr|ver|bot; Fahr|verhal|ten; Fahr|was|ser; Fahr|wei|se; Fahr|werk; Fahr|zeit; Fahr|zeug

Fai|b|le ['fɛ:bḷ], das; -s, -s (Schwäche; Neigung, Vorliebe); ein Faible für etwas haben

fair [fɛ:ɐ̯] (einwandfrei; anständig); Fairness ['fɛ:ɐ̯...], die; -; Fair Play, das; - -[s], Fair|play, das; -[s] ['fɛ:ɐ̯ ple:, *auch* 'f...] (anständiges Spiel [im Sport])

fä|k<u>a</u>l (*Med.* kotig); Fä|k<u>a</u>|li|en *Plur.* (*Med.* Kot)
Fa|kir [*österr.* fa'ki:ɐ̯], der; -s, -e ([indischer] Büßer, Asket; Zauberkünstler)
Fak|si|mi|le [...le], das; -s, -s (originalgetreue Nachbildung [einer Handschrift])
F<u>a</u>kt, der, *auch* das; -[e]s, *Plur.* -en, *auch* -s (*svw.* Faktum); das ist [der] Fakt; f<u>a</u>k|tisch (tatsächlich)
F<u>a</u>k|tor, der; -s, ...oren (Grund, Umstand; *Math.* Vervielfältigungszahl)
Fak|t<u>o</u>|tum, das; -s, *Plur.* -s u. ...ten (jmd., der alle anfallenden Arbeiten erledigt)
F<u>a</u>k|tum, das; -s, *Plur.* ...ten, *veraltend auch* ...ta ([nachweisbare] Tatsache)
Fak|t<u>u</u>r, die; -, -en ([Waren]rechnung); fak|tu|r<u>ie</u>|ren ([Waren] berechnen)
Fa|kul|t<u>ä</u>t, die; -, -en (Abteilung einer Hochschule)
F<u>a</u>l|ke, der; -n, -n; F<u>a</u>lk|ner (Falkenabrichter); F<u>a</u>lk|ne|rin
F<u>a</u>ll, der; -[e]s, Fälle; für den Fall, dass ...; gesetzt den Fall, dass ...; im Fall[e], dass ...; von Fall zu Fall; zu Fall bringen; erster (1.) Fall (Nominativ); F<u>a</u>ll|beil; F<u>a</u>ll|bei|spiel; F<u>a</u>l|le, die; -, -n
f<u>a</u>l|len; fiel, gefallen; ich habe den Teller fallen lassen (losgelassen); er hat eine Bemerkung fallen lassen *od.* fallenlassen (*seltener* fallen gelassen *od.* fallengelassen)
f<u>ä</u>l|len; f<u>a</u>l|len las|sen, f<u>a</u>l|len|las|sen *vgl.* fallen; F<u>a</u>ll|gru|be (*Jägerspr.*)
f<u>ä</u>l|lig; ein fällig gewordener *od.* fälliggewordener Wechsel; F<u>ä</u>l|lig|keit
F<u>a</u>ll|obst; F<u>a</u>ll|rück|zie|her (*Fußball*)
f<u>a</u>lls; komme doch[,] falls möglich[,] schon um 17 Uhr
F<u>a</u>ll|schirm; F<u>a</u>ll|strick; F<u>a</u>ll|stu|die
f<u>a</u>lsch; falsch sein; ein Wort falsch schreiben; eine Melodie falsch spielen, *vgl. aber* falschspielen; falsch (an der falschen Seite) liegen, *vgl. aber* falschliegen; Falsch und Richtig nicht unterscheiden können
F<u>a</u>lsch|aus|sa|ge
f<u>ä</u>l|schen; F<u>ä</u>l|scher; F<u>ä</u>l|sche|rin
F<u>a</u>lsch|geld; F<u>a</u>lsch|heit
f<u>ä</u>lsch|lich; f<u>ä</u>lsch|li|cher|w<u>ei</u>|se

f<u>a</u>lsch|l<u>ie</u>|gen (*ugs. für* sich irren); mit einer Schätzung [ganz] falschliegen; *vgl. aber* falsch; F<u>a</u>lsch|mel|dung; f<u>a</u>lsch|sp<u>ie</u>|len (beim Spiel betrügen); beim Skat falschspielen; *vgl. aber* falsch
F<u>ä</u>l|schung; f<u>ä</u>l|schungs|si|cher
F<u>a</u>lt|blatt; F<u>a</u>lt|boot; F<u>a</u>l|te, die; -, -n; f<u>a</u>l|ten; gefaltet; f<u>a</u>l|ten|los; F<u>a</u>l|ten|rock
F<u>a</u>l|ter, der; -s, - (Schmetterling)
f<u>a</u>l|tig (Falten habend)
...f<u>ä</u>l|tig (z. B. vielfältig)
F<u>a</u>lz, der; -es, -e u. Fälze; f<u>a</u>l|zen
fa|mi|li|<u>ä</u>r (die Familie betreffend; vertraut)
Fa|mi|lie, die; -, -n; Fa|mi|li|en|be|trieb; Fa|mi|li|en|fest; fa|mi|li|en|freund|lich; Fa|mi|li|en|kreis; Fa|mi|li|en|mit|glied; Fa|mi|li|en|na|me; Fa|mi|li|en|pla|nung; Fa|mi|li|en|stand, der; -[e]s; Fa|mi|li|en|un|ter|neh|men; Fa|mi|li|en|va|ter
fa|m<u>o</u>s (*ugs. für* großartig)
Fan [fɛn], der; -s, -s (begeisterter Anhänger)
F<u>a</u>|nal, das; -s, -e (Zeichen, das Veränderungen ankündigt)
Fan|ar|ti|kel ['fɛn...]
Fa|n<u>a</u>|ti|ker (blinder, rücksichtsloser Eiferer); Fa|n<u>a</u>|ti|ke|rin; fa|n<u>a</u>|tisch; Fa|na|t<u>i</u>s|mus, der; -, ...men
Fan|club ['fɛn...] *vgl.* Fanklub
Fan|f<u>a</u>|re, die; -, -n (Trompetensignal)
F<u>a</u>ng, der; -[e]s, Fänge; F<u>a</u>ng|arm (*Zool.*)
Fan|ge|m<u>ein</u>|de ['fɛn...]
f<u>a</u>n|gen; fing, gefangen; F<u>a</u>n|gen, das; -s; Fangen spielen; F<u>a</u>ng|fra|ge; F<u>a</u>ng|netz
Fan|go ['faŋɡo], der; -s (heilkräftiger Mineralschlamm); F<u>a</u>n|go|pa|ckung
Fan|klub, Fan|club ['fɛn...]; Fan|mei|le (breite Straße, auf die viele Sportfans zusammenkommen, bes. um Liveübertragungen von Sportereignissen auf Großleinwänden anzusehen); Fan|post
Fan|ta|s<u>ie</u>, Phan|ta|sie, die; -, ...ien (Vorstellung[skraft]; Trugbild); fan|ta|s<u>ie</u>|ren, phan|ta|s<u>ie</u>|ren (sich in der Fantasie ausmalen; wirr reden); fan|ta|s<u>ie</u>|voll, phan|ta|sie|voll; F<u>a</u>n|tast, Phan|t<u>a</u>st, der; -en, -en (Träumer, Schwärmer); F<u>a</u>n|t<u>a</u>s|tin, Phan-

tas|tin; **fan|tas|tisch**, phan|tas|tisch (schwärmerisch; überspannt; unwirklich; *ugs. für* großartig)

Fan|ta|sy ['fɛntəzi], die; - (Roman-, Filmgattung, die märchen- u. mythenhafte Traumwelten darstellt); **Fan|ta|sy|ro|man**

FAQ [*auch* fak, ɛfleɪ'kju:], die; -, -[s] (*EDV* Informationen zu häufig gestellten Fragen)

Far|be, die; -, -n; eine blaue Farbe; die Farbe Blau; **farb|echt; ...far|ben,** ...far|big (z. B. cremefarben, cremefarbig)

fär|ben

far|ben|blind; far|ben|froh; far|ben|prächtig; Fär|ber; Fär|be|rin

Farb|fern|se|hen; Farb|fern|se|her; Farb-fo|to; Farb|ge|bung, die; -, -en (*für* Kolorit); **far|big; Far|bi|ge,** der *u.* die; -n, -n (Angehörige[r] einer nicht weißen Bevölkerungsgruppe); **Far|big|keit; farb|lich; farb|los; Farb|lo|sig|keit,** die; -; **Farb-stoff; Farb|ton** *Plur.* ...töne; **Fär|bung**

Far|ce [...sə, *österr.* ...s], die; -, -n (Posse; Verhöhnung, Karikatur eines Geschehens)

Farm, die; -, -en; **Far|mer,** der; -s, -; **Far-me|rin**

Farn, der; -[e]s, -e (eine Sporenpflanze)

Fa|san, der; -[e]s, -e[n]

fa|schie|ren (*österr. für* Fleisch durch den Fleischwolf drehen); **Fa|schier|te,** das; -n (*österr. für* Hackfleisch)

Fa|sching, der; -s, *Plur.* -e *u.* -s; **Fa|schings-kos|tüm**

Fa|schis|mus, der; - (antidemokratische, nationalistische Staatsauffassung od. Herrschaftsform); **Fa|schist,** der; -en, -en; **Fa-schis|tin; fa|schis|tisch**

Fa|se|lei; fa|seln (törichtes Zeug reden)

Fa|ser, die; -, -n; **fa|se|rig** *vgl.* fasrig; **fa-sern;** er meint, das Papier fasere

Fa|shion ['fɛʃn], die; - (Mode)

Fas|nacht, die; -, -en (*landsch. u. schweiz. für* Fastnacht)

fas|rig, fa|se|rig

Fass, das; -es, Fässer; zwei Fass Bier

Fas|sa|de, die; -, -n (Vorderseite; Ansicht)

fass|bar; Fass|bar|keit, die; -

Fass|bier; Fäss|chen

fas|sen; fasste, gefasst; **Fass|lich|keit,** die; -

Fas|son [...'sõ:, *südd., österr. u. schweiz. meist* ...'so:n], die; -, *Plur.* -s, *südd., österr., schweiz. meist* -en [...'so:nən] (Form; Muster; Art; Zuschnitt)

Fas|sung; fas|sungs|los

Fas|sungs|ver|mö|gen, das; -s

fast (beinahe)

fas|ten; ¹Fas|ten, das; -s

²Fas|ten *Plur.* (Fasttage); **Fas|ten|zeit**

Fast Food, das; - -[s], **Fast|food,** das; -[s] [...fu:t] (schnell verzehrbare Gerichte)

Fast|nacht, die; -, -en

Fas|zi|na|ti|on, die; -, -en (fesselnde Wirkung); **fas|zi|nie|ren; fas|zi|nie|rend**

fa|tal (verhängnisvoll; peinlich); **Fa|ta|lis-mus,** der; - (Glaube an Vorherbestimmung)

Fa|ta Mor|ga|na, die; - -, *Plur.* - ...nen *u.* - -s (durch Luftspiegelung verursachte Sinnestäuschung)

fau|chen

faul; Fäu|le, die; -; **fau|len**

fau|len|zen; Fau|len|zer; Fau|len|ze|rin

Faul|heit, die; -; **fau|lig; Fäul|nis,** die; -

Faul|pelz (*ugs. für* fauler Mensch); **Faul|tier**

Faun, der; -[e]s, -e (Waldgeist; lüsterner Mensch)

Fau|na, die; -, ...nen (Tierwelt)

Faust, die; -, Fäuste; **Faust|ball; Fäust-chen; faust|dick;** er hat es faustdick hinter den Ohren; **Faust|hand|schuh; Fäust-ling** (Fausthandschuh); **Faust|pfand; Faust|recht,** das; -[e]s ([gewaltsame] Selbsthilfe); **Faust|re|gel; Faust|schlag**

Faux|pas [fo'pa], der; -, - (Taktlosigkeit; Verstoß gegen die Umgangsformen)

fa|vo|ri|sie|ren (begünstigen; *Sport* als Sieger erwarten); **Fa|vo|rit,** der; -en, -en (Günstling; *Sport* voraussichtlicher Sieger); **Fa|vo|ri|ten|rol|le; Fa|vo|ri|tin**

Fax, das, *schweiz. meist* der; -, -e (*kurz für* Telefax); **Fax|an|schluss**

Fa|xe die; -, -n *meist Plur.* (Grimasse)

fa|xen (ein Fax, als Fax schicken); **Fax|ge|rät**

Fa|zit, das; -s, Plur. -e u. -s (Ergebnis;
Schlussfolgerung)

Fea|ture ['fi:tʃe], das; -s, -s, auch die; -, -s
(Dokumentarbericht bes. für Funk od. Fernsehen; Besonderheit, typ. Merkmal)

Fe|b|ru|ar, der; -[s], -e (Abk. Febr.)

fech|ten; focht, gefochten; Fech|ter; Fech-
te|rin; Fecht|mas|ke; Fecht|sport

Fe|der, die; -, -n; Fe|der|ball; Fe|der|ball-
spiel; Fe|der|bett

fe|der|füh|rend; Fe|der|füh|rung

Fe|der|ge|wicht (Körpergewichtsklasse in
der Schwerathletik); Fe|der|hal|ter; fe-
der|leicht; Fe|der|le|sen, das; -s; nicht
viel Federlesen[s] (Umstände) machen; fe-
dern; Fe|de|rung; Fe|der|vieh (ugs. für
Geflügel); Fe|der|wei|ße, der; -n, -n
(gärender Weinmost); Fe|der|zeich|nung

Fee, die; -, Fe|en (eine w. Märchengestalt)

Feed|back, Feed-back ['fi:tbɛk], das; -s, -s
(bes. fachspr. für Rückmeldung; Reaktion)

Fee|ling ['fi:...], das; -s, -s (Gefühl)

fe|en|haft

Fe|ge|feu|er Plur. selten

fe|gen; feg od. fege den Hof!

Feh|de, die; -, -n (Streit; kriegerische Ausei-
nandersetzung); Feh|de|hand|schuh

fehl; fehl am Platz; Fehl, der; nur noch in
ohne Fehl [und Tadel]; Fehl|an|zei|ge

fehl|bar (schweiz. für [einer Übertretung]
schuldig); fehl|be|set|zen; Fehl|be|trag;
Fehl|bil|dung; Fehl|ein|schät|zung; feh-
len; Fehl|ent|schei|dung

Feh|ler; feh|ler|frei; feh|ler|haft; feh|ler-
los; Feh|ler|mel|dung; Feh|ler|quel|le;
Feh|ler|quo|te

Fehl|ge|burt; fehl|ge|hen; Fehl|leis|tung;
Fehl|pass (Sport); Fehl|schlag, der; -[e]s,
...schläge; fehl|schla|gen; Fehl|start
(Sport); Fehl|tritt; Fehl|ver|hal|ten

fei|en (geh. für [durch vermeintliche Zauber-
mittel] schützen); gefeit (geschützt)

Fei|er, die; -, -n; Fei|er|abend; fei|er|lich;
Fei|er|lich|keit; fei|ern; Fei|er|stun|de;
Fei|er|tag; des Feiertags, aber feiertags,
sonn- u. feiertags; fei|er|tags vgl. Feiertag

feig, fei|ge

Fei|ge, die; -, -n; Fei|gen|blatt; Fei|gen-
kak|tus

Feig|heit, die; -; Feig|ling

feil|bie|ten; er bietet feil; feilzubieten

Fei|le, die; -, -n; fei|len

feil|schen

fein; das hast du fein (sehr gut) gemacht;
fein säuberlich; sich fein machen od. fein-
machen (sich schön anziehen); fein
gemahlenes od. feingemahlenes Mehl; das
Feinste vom Feinen; vom Feinsten

feind (veraltend); jmdm., einer Sache feind
(feindlich gesinnt) sein, werden, bleiben

Feind, der; -[e]s, -e; jmds. Feind sein, wer-
den, bleiben; Feind|bild; Fein|din; feind-
lich; feindlich gesinnte Menschen; Feind-
schaft; feind|se|lig; Feind|se|lig|keit

fein|füh|lig; Fein|ge|fühl, das; -[e]s

fein ge|mah|len, fein|ge|mah|len vgl. fein;
Fein|heit; fein|kör|nig; Fein|kost; fein
ma|chen, fein|ma|chen vgl. fein; Fein-
me|cha|ni|ker; Fein|me|cha|ni|ke|rin

Fein|schme|cker; Fein|schme|cke|rin; fein-
sin|nig; Fein|staub; Fein|staub|be|las-
tung; Fein|staub|pla|ket|te (Aufkleber,
der ein Kfz mit einem bestimmten [gerin-
gen] Ausstoß von Feinstaub kennzeichnet)

feist (wohlgenährt, fett)

fei|xen (ugs.)

Feld, das; -[e]s, -er; elektrisches Feld; Feld-
u. Gartenfrüchte; Feld|ar|beit; Feld-
frucht meist Plur.; Feld|herr; Feld|jä|ger
(Militär); Feld|mar|schall (früher); Feld-
maus; Feld|sa|lat; Feld|spie|ler (Sport);
Feld|spie|le|rin; Feld|ste|cher (Fernglas);
Feld|ver|such (Versuch unter realen Bedin-
gungen); Feld|ver|weis (Sport); Feld|we-
bel, der; -s, -; Feld|weg; Feld|zug

Felg|auf|schwung (Reckübung); Fel|ge, die;
-, -n (Radkranz; eine Reckübung)

Fell, das; -[e]s, -e

¹Fels, der; -es (hartes Gestein); auf Fels stoßen

²Fels, der; Gen. -ens, älter -en, Plur. -en (geh.
für Felsen, Felsblock); ein Fels in der Bran-
dung

Fels|block *Plur.* ...blöcke; **Fels|bro|cken;
Fel|sen,** der; -s, - (Gesteinsmasse, Fels-
block); **fel|sen|fest; fel|sig; Fels|wand
Fe|me,** die; -, -n (Freigericht); **Fe|me|mord
fe|mi|nin** [*auch* ...'ni:n] (weiblich; weibisch);
Fe|mi|ni|num, das; -s, ...na (*Sprachwiss.*
weibliches Substantiv, z. B. »die Erde«)
Fe|mi|nis|mus, der; -, ...men (Bewegung, die
für die Gleichberechtigung der Frau kämpft);
**Fe|mi|nist; Fe|mi|nis|tin; fe|mi|nis|tisch
Fen|chel,** der; -s (eine Heil- u. Gemüse-
pflanze); **Fen|chel|tee
Feng-Shui, Feng|shui,** das; - (chinesische
Kunst der Lebens- u. Wohnraumgestaltung)
Fens|ter, das; -s, -; **Fens|ter|bank** *Plur.*
...bänke; **Fens|ter|la|den** *Plur.:*...läden,
selten ...laden; **fens|ter|ln** (*südd., österr.,
schweiz.* für die Geliebte nachts [am od.
durchs Fenster] besuchen); **fens|ter|los;
Fens|ter|put|zer; Fens|ter|put|ze|rin;
Fens|ter|rah|men; Fens|ter|schei|be
Fe|ri|en** *Plur.;* die großen Ferien; **Fe|ri|en-
haus; Fe|ri|en|la|ger; Fe|ri|en|ort,** der;
-[e]s, -e; **Fe|ri|en|woh|nung; Fe|ri|en|zeit
Fer|kel,** das; -s, -; **Fer|ke|lei; fer|keln
Fer|ment,** das; -s, -e (*veraltet für* Enzym);
fer|men|tie|ren (durch Fermentation ver-
edeln)
fern; von nah und fern; von fern [her]; der
Ferne Osten (Ostasien); **fern|ab** (*geh.*)
Fern|be|die|nung; Fern|be|zie|hung (Lie-
besbeziehung zwischen Menschen, die an
verschiedenen Orten wohnen); **fern|blei-
ben;** er bleibt fern, ist ferngeblieben
fer|ne (*geh.*); von ferne [her]; **Fer|ne,** die; -,
-n; in weiter Ferne
fer|ner; er rangiert unter »ferner liefen«;
aber des Ferner[e]n darlegen (*Amtsspr.*)
**Fern|fah|rer; Fern|fah|re|rin; fern|ge-
lenkt; Fern|ge|spräch; Fern|ge|steu|ert;
Fern|glas** *Plur.* ...gläser; **fern|hal|ten;** wir
hielten uns fern, haben uns ferngehalten;
**Fern|hei|zung; Fern|kurs; Fern|licht
fern|lie|gen;** das sind Gedanken, die uns
[völlig] fernliegen; **Fern|mel|de|amt;
fern|öst|lich; Fern|rei|se; Fern|rohr**

**Fern|seh|an|stalt; Fern|seh|an|ten|ne;
Fern|seh|ap|pa|rat; Fern|seh|bild; fern-
se|hen; Fern|se|hen,** das; -s; **Fern|se|her**
(*ugs.*); **Fern|seh|film; Fern|seh|ge|rät;
Fern|seh|in|ter|view; Fern|seh|ka|me|ra;
Fern|seh|pro|gramm; Fern|seh|sen|der;
Fern|seh|se|rie; Fern|seh|show; Fern-
seh|stu|dio; Fern|seh|turm; Fern|seh|zu-
schau|er; Fern|seh|zu|schau|e|rin
Fern|spre|cher** (*Amtsspr. veraltend für* Tele-
fon); **fern|ste|hen** (*geh.* für keine innere
Beziehung haben); der Kirche fernstehende
Personen; **fern|steu|ern; Fern|stu|di|um;
Fern|ver|kehr** *Plur. selten;* **Fern|wär|me;
Fern|weh,** das; -s; **Fern|ziel**
Fer|se, die; -, -n (*vgl.* [^1]Hacke); **Fer|sen|geld;**
Fersengeld geben (*scherzh.* für fliehen)

fer|tig

– fertig sein; etwas fertig abliefern

Wenn »fertig« das Ergebnis der mit einem
folgenden einfachen Verb bezeichneten Tätigkeit angibt, kann getrennt oder zusammengeschrieben werden:

– eine Arbeit **fertigbringen** od. **fertig bringen**
– eine Arbeit **fertigstellen** od. **fertig stellen**
– mit der Arbeit **fertig werden** od. **fertigwerden**
– eine Arbeit **fertig machen** od. **fertigmachen**
– die Suppe **fertig kochen** od. **fertigkochen**

Bei übertragener Bedeutung gilt Zusammenschreibung; vgl. *fertigbekommen, fertigbringen, fertigmachen, fertigwerden*

Fer|tig|bau *Plur.* ...bauten; **Fer|tig|bau|wei-
se; fer|tig|be|kom|men;** sie hat es fertig-
bekommen, sich mit allen zu überwerfen;
vgl. auch fertig; **fer|tig|brin|gen** (vollbrin-
gen); ich habe das nicht fertiggebracht;
fertigzubringen; *vgl. auch fertig*
**fer|ti|gen; Fer|tig|ge|richt; Fer|tig|haus;
Fer|tig|keit; fer|tig|ma|chen** (*ugs.* für zer-
mürben, besiegen); *vgl. auch fertig;* **fer-
tig|stel|len, fer|tig stel|len** *vgl. fertig;*
Fer|tig|stel|lung; Fer|ti|gung; fer|tig-

[^1]: Hacke

wer|den; mit einem Problem fertigwerden (es lösen können); *vgl. auch* fertig

fesch [*österr.* fe:ʃ] (*ugs. für* flott, schneidig)

¹**Fes|sel**, die; -, -n (Teil des Beines)

²**Fes|sel**, die; -, -n (Band, Kette); **fes|seln; fes|selnd**

fest; feste Kosten; fester Wohnsitz; jmdn. fest anstellen; fest angestellte *od.* festangestellte Mitarbeiter; fest stehen (festen Stand haben); ein fest stehendes *od.* feststehendes Rednerpult

Fest, das; -[e]s, -e; **Fest|akt**

fest an|ge|stellt, fest|an|ge|stellt *vgl.* fest; **fest|bei|ßen,** sich; wir haben uns an dem Problem festgebissen

Fest|be|leuch|tung

fest be|sol|det, fest|be|sol|det; Fest|be|trag (feststehender Betrag); **fest|bin|den** (anbinden); die Kuh ist festgebunden, *aber* die Schuhe [ganz] fest binden; **fest|blei|ben** (nicht nachgeben); **fest|dre|hen;** eine Schraube festdrehen, *aber* fest [an der Schraube] drehen

Fest|es|sen

fest|fah|ren; sich festfahren; **Fest|geld** (*Bankw.* Einlage mit fester Laufzeit); **fest|ge|legt;** auf etwas festgelegt sein (gebunden, verpflichtet sein); *vgl. auch* festlegen

Fest|got|tes|dienst; Fest|hal|le

fest|hal|ten; die Aussage wurde [schriftlich] festgehalten; man hat sie zwei Stunden auf der Wache festgehalten; sich [am Geländer] festhalten; *aber* das Kind [ganz] fest [in den Armen] halten

fes|ti|gen; Fes|tig|keit, die; -; **Fes|ti|gung**

Fes|ti|val [...v|, *auch* ...val], das; -s, -s (Musikfest, Festspiel)

fest|klam|mern; sich festklammern; **fest|kle|ben; fest|ko|chend;** festkochende Kartoffeln; **Fest|land** *Plur. selten;* **fest|län|disch; fest|le|gen** (*auch für* anordnen); sie hat die Hausordnung festgelegt; sich festlegen (sich binden); sie hat sich mit dieser Äußerung festgelegt; **Fest|le|gung**

fest|lich; Fest|lich|keit

fest|ma|chen (*auch für* vereinbaren); um die Taue festzumachen

Fest|mahl

fest|na|geln (*ugs. auch für* jmdn. auf etwas festlegen); **Fest|nä|hen; Fest|nah|me,** die; -, -n; **fest|neh|men** (verhaften); **Fest|netz** (fest verlegte Telefonleitungen); **Fest|plat|te** (*EDV*); **Fest|preis**

Fest|re|de; Fest|red|ner; Fest|red|ne|rin; Fest|saal

fest|sau|gen, sich; **fest|schrau|ben; fest|schrei|ben;** dieser Punkt wurde im Vertrag festgeschrieben; **fest|set|zen** (*auch für* gefangen setzen); **Fest|set|zung; fest|sit|zen** (*ugs. für* nicht weiterkommen)

Fest|spiel; Fest|spiel|haus

fest|ste|hen; fest steht, dass ...; *vgl.* fest; **fest|ste|hend** (festgelegt; sicher, gewiss)

fest|stel|len (ermitteln, [be]merken, nachdrücklich aussprechen); **Fest|stel|lung**

Fest|tag; des Festtags, *aber* festtags, sonn- und festtags; **fest|täg|lich; fest|tags** *vgl.* Festtag; **Fest|tags|klei|dung**

Fes|tung

fest|ver|zins|lich; festverzinsliche Anlagen

Fest|wo|che; Fest|zelt

fest|zie|hen

Fe|te [*auch* 'fe:...], die; -, -n (*ugs. für* Fest)

Fe|tisch, der; -[e]s, -e (magischer Gegenstand; Götzenbild); **Fe|ti|schist,** der; -en, -en; **Fe|ti|schis|tin**

fett; fetter Boden; eine Schlagzeile fett drucken; eine fett gedruckte *od.* fettgedruckte Schlagzeile; **Fett,** das; -[e]s, -e; **fett|arm; Fett|au|ge; Fett|creme, Fett-crème; fet|ten; Fett|fleck; fett ge-druckt,** fett|ge|druckt *vgl.* fett; **fet|tig; Fett|lei|big|keit,** die; -; **Fett|näpf|chen;** bei jmdm. ins Fettnäpfchen treten (jmds. Unwillen erregen); **Fett|säu|re; Fett|schicht; Fett|sucht,** die; -; **fett|trie|fend**

Fe|tus, Fö|tus, der; *Gen.* - *u.* -ses, *Plur.* -se *u.* ...ten (*Med.* Leibesfrucht ab dem vierten Monat)

fet|zen; Fet|zen, der; -s, -

fet|zig (*ugs. für* toll, mitreißend)

feucht; feucht werden; Feucht|bio|top; feucht|fröh|lich (fröhlich beim Zechen); Feuch|tig|keit, die; -; feucht|kalt; feucht|warm

feu|dal (das Lehnswesen betreffend; vornehm; *abwertend für* reaktionär); Feu|dal|herr|schaft; Feu|da|lis|mus, der; - (den Adel privilegierende Gesellschafts- u. Wirtschaftsordnung [im MA.])

Feu|er, das; -s, -; feu|er|be|stän|dig; Feu|er|be|stat|tung; feu|er|fest; Feu|er|ge|fecht; Feu|er|herd; Feu|er|lei|ter, die; Feu|er|lö|scher; Feu|er|mel|der

feu|ern; Feu|er|pau|se *(Militär);* feu|er|rot; Feu|ers|brunst; Feu|er spei|end, feu|er|spei|end; ein Feuer speiend *od.* feuerspeiender Vulkan; Feu|er|stuhl *(ugs. für* Motorrad); Feu|er|waf|fe; Feu|er|wehr; Feu|er|wehr|frau; Feu|er|wehr|mann *Plur.* ...männer u. ...leute; Feu|er|werk; Feu|er|werks|kör|per; Feu|er|zeug

Feuil|le|ton [fœjə'tõ:, *auch* 'fœjətõ], das; -s, -s (Kulturteil einer Zeitung; Aufsatz im Plauderton); feuil|le|to|nis|tisch

feu|rig; ein feuriger (anregender) Wein

Fez, der; -es *(ugs. für* Spaß, Unsinn)

Fi|a|ker, der; -s, - *(österr. für* Pferdedroschke; Kutscher)

Fi|as|ko, das; -s, -s (Misserfolg)

Fi|bel, die; -, -n (Elementarlehrbuch)

Fi|ber, die; -, -n (Faser)

Fich|te, die; -, -n (ein Nadelbaum)

fi|cken *(derb für* koitieren)

fi|del *(ugs. für* lustig, heiter)

Fi|del, die; -, -n (der Geige ähnliches Streichinstrument [des Mittelalters]); *vgl.* Fiedel

Fi|di|bus, der; *Gen.* - u. -ses, *Plur.* - u. -se (Papierstreifen als [Pfeifen]anzünder)

Fie|ber das; -s, - *Plur. selten;* Fie|ber|an|fall; fie|ber|frei; fie|ber|haft; fie|be|rig *vgl.* fiebrig; fie|bern; fie|ber|sen|kend; Fie|ber|ther|mo|me|ter; fieb|rig, fie|be|rig

Fie|del, die; -, -n *(scherzh., sonst veraltet für* Geige); fie|deln; Fied|ler; Fied|le|rin

fie|pen (einen hohen Ton von sich geben)

fies *(ugs. für* ekelhaft, widerwärtig)

Fi|es|ta, die; -, -s ([span.] Volksfest)

FIFA, Fi|fa, die; - (Internationaler Fußballverband)

fif|ty-fif|ty [...ti...ti] (zu gleichen Teilen)

Fi|ga|ro, der; -[s], -s (Lustspiel- u. Opernfigur; *auch scherzhaft für* Friseur)

Fight [fait], der; -s, -s (Kampf); figh|ten (verbissen kämpfen); fightete, gefightet

Fi|gur, die; -, -en; Fi|gür|chen; fi|gür|lich

Fik|ti|on, die; -, -en (Erdachtes; falsche Annahme); fik|ti|o|nal (auf einer Fiktion beruhend); fik|tiv (nur angenommen)

File [fail], das, *auch* der; -s, -s *(EDV* Datei)

Fi|let [...'le:], das; -s, -s (Netzstoff; Lendenstück); fi|le|tie|ren (Filets herausschneiden); Fi|let|stück

Fi|li|a|le, die; -, -n (Zweiggeschäft, -stelle); Fi|li|al|lei|ter, der; Fi|li|al|lei|te|rin

fi|li|g|ran (sehr feingliedrig)

Film, der; -[e]s, -e; Film|ar|chiv; Film|bran|che; Fil|me|ma|cher; Fil|me|ma|che|rin; fil|men; Film|fes|ti|val; Film|fest|spie|le; fil|misch; Film|ka|me|ra; Film|mu|sik; Film|pro|duk|ti|on; Film|pro|du|zent; Film|pro|du|zen|tin; Film|re|gis|seur; Film|re|gis|seu|rin; Film|schau|spie|ler; Film|schau|spie|le|rin; Film|star *Plur.* ...stars; Film|stu|dio; Film|sze|ne

Fil|ter, der, *Technik meist* das; -s, -; fil|tern; Fil|ter|pa|pier; Fil|ter|zi|ga|ret|te

Filz, der; -es, -e; fil|zen *(ugs. auch für* nach [verbotenen] Gegenständen durchsuchen); Filz|hut; fil|zig; Filz|laus; Filz|stift

Fim|mel, der; -s, - *(ugs. für* Tick)

fi|nal (den Schluss bildend); Fi|nal, der; -s, -s *(schweiz. für* Finale *[Sport]);* Fi|na|le, das; -s, *Plur.* -, *im Sport auch* Finals (Schlussteil; *Musik* Schlussstück, -satz; *Sport* Endrunde, Endspiel); Fi|na|list, der; -en, -en (Endrundenteilnehmer); Fi|na|lis|tin

Fi|nanz, die; - (Geldwesen; Gesamtheit der Geld- u. Bankfachleute); Fi|nanz|amt; Fi|nanz|be|am|te; Fi|nanz|be|am|tin; Fi|nanz|be|hör|de; Fi|nan|zen *Plur.;* Geldmittel; Fi|nanz|ge|schäft

fi|nan|zi|ell; Fi|nan|zi|er [...'tsie:], der; -s, -s

(kapitalkräftiger Geldgeber); **fi|nan|zier-bar**; **fi|nan|zie|ren**; **Fi|nan|zie|rung**; **Fi-nan|zie|rungs|kos|ten** *Plur.;* **Fi|nan|zie-rungs|lü|cke**

Fi|nanz|kraft; **fi|nanz|kräf|tig**; **Fi|nanz|kri-se**; **Fi|nanz|la|ge**; **Fi|nanz|markt**; **Fi|nanz-mi|nis|te|ri|um**; **Fi|nanz|platz** (Ort od. Region mit bedeutendem Finanzmarkt, vielen Banken o. Ä.); **Fi|nanz|po|li|tik**; **fi|nanz|po|li|tisch**; **fi|nanz|schwach**; **fi|nanz|stark**; **Fi|nanz|sys|tem**

Fin|del|kind

fin|den; fand, gefunden

Fin|der; **Fin|de|rin**; **Fin|der|lohn**

fin|dig; ein findiger Kopf (einfallsreicher Mensch)

Find|ling

Fi|nes|se, die; -, -n (Feinheit; Kniff)

Fin|ger, der; -s, -; der kleine Finger; jmdn. um den kleinen Finger wickeln *(ugs.);* **Fin-ger|ab|druck** *Plur.* ...drücke

fin|ger|breit; ein fingerbreiter Spalt, *aber* der Spalt ist keinen Finger breit, 3 Finger breit *(vgl. aber* Fingerbreit); **Fin|ger|breit**, der; -, -, **Fin|ger breit**, der; - -, - -; keinen **Fingerbreit** *od.* Finger breit nachgeben

fin|ger|dick; **Fin|ger|fer|tig|keit**; **Fin|ger-food**, **Fin|ger-Food**, das; -[s] [...fu:t] (ohne Besteck zu essende Speisen); **Fin-ger|hut**; **Fin|ger|kup|pe** (Fingerspitze); **fin|gern**; **Fin|ger|na|gel**; **Fin|ger|ring**; **Fin|ger|spit|ze**; **Fin|ger|spit|zen|ge|fühl**, das; -[e]s; **Fin|ger|zeig**, der; -[e]s, -e

fin|gie|ren (vortäuschen, erdichten)

Fi|nish [...ɪʃ], das; -s, -s (letzter Schliff; Vollendung; *Sport* Endspurt, Endkampf)

Fink, der; -en, -en (ein Singvogel)

Fin|ne, die; -, -n (Rückenflosse von Hai u. Wal; zugespitzte Seite des Hammers)

fins|ter; es wurde immer finst[e]rer; im Finstern tappen; **Fins|ter|nis**, die; -, -se

Fin|te, die; -, -n ([Täuschungs]manöver)

Fire|wall [ˈfaɪ̯wɔːl], die; -, -s *u.* der; -s, -s (*EDV* Programmsystem, das [Computer]netzwerke vor ungewolltem Zugriff schützt)

Fir|le|fanz, der; -es (*ugs. für* Unsinn)

firm; in etw. firm (erfahren, beschlagen) sein

Fir|ma, die; -, ...men (*Abk.* Fa.)

Fir|ma|ment, das; -[e]s (*geh.*)

fir|men (jmdm. die Firmung erteilen)

Fir|men|ei|gen; **Fir|men|grün|der**; **Fir|men-grün|de|rin**; **fir|men|in|tern**; **Fir|men-kun|de**; **Fir|men|kun|din**; **Fir|men|na|me**; **Fir|men|sitz**; **Fir|men|wert**

fir|mie|ren (einen bestimmten Namen führen)

Firm|ling (der *od.* die zu Firmende); **Fir-mung** (kath. Sakrament)

Firn, der; -[e]s, *Plur.* -e, *auch* -en (Altschnee)

Fir|nis, der; -ses, -se (schnell trocknender Schutzanstrich); **fir|nis|sen**

First, der; -[e]s, -e

first class [ˈføː‿st -] (erstklassig, von gehobenem Standard); **First-Class-Ho|tel**

Fisch, der; -[e]s, -e; faule Fische (*ugs. für* Ausreden); kleine Fische (*ugs. für* Kleinigkeiten); **fi|schen**; **Fi|scher**; **Fi|scher|boot**; **Fi|scher|dorf**; **Fi|sche|rei**; **Fi|sche|rin**; **Fisch|fang**; **Fisch|ge|richt**; **Fisch|grä|ten-mus|ter**; **fi|schig**; **Fisch|kut|ter**; **Fisch-markt**; **Fisch|ot|ter**, der; **Fisch ver|ar-bei|tend**, **fisch|ver|ar|bei|tend**

Fi|si|ma|ten|ten *Plur.* (*ugs. für* leere Ausflüchte); mach keine Fisimatenten!

fis|ka|lisch (dem Fiskus gehörend; staatlich); **Fis|kus** der; -, *Plur.* ...ken *u.* -se *Plur. selten* (der Staat als Eigentümer des Staatsvermögens; Staatskasse)

Fis|tel, die; -, -n (*Med.* krankhafter od. operativ angelegter Kanal, der ein Organ mit der Körperoberfläche od. einem anderen Organ verbindet)

fit (leistungsfähig); fit sein; sich fit halten; ein fitter Bursche; **Fit|ness**, die; - (gute körperliche Verfassung); **Fit|ness|cen|ter**; **Fit|ness|stu|dio**, **Fit|ness-Stu|dio**

Fit|tich, der; -[e]s, -e (*geh. für* Flügel)

Fitz|chen (Kleinigkeit)

fix (sicher, fest; *ugs. für* schnell); fixe Idee (Zwangsvorstellung); fixer (fester) Preis; fixe Kosten; fix und fertig

fi|xen (*ugs. für* sich Drogen spritzen); **Fi|xer**; **Fi|xe|rin**

fi|xie|ren; Fi|xie|rung

Fix|kos|ten *Plur.;* Fix|punkt (Festpunkt); Fix|stern (scheinbar unbeweglicher Stern)

Fjord, der; -[e]s, -e (schmale Meeresbucht)

FKK, die *od.* das; - = Freikörperkultur; FKK-Strand

flach; auf dem flachen Land[e] (außerhalb) wohnen; flach atmen; einen Hut flach drücken *od.* flachdrücken; ein Schnitzel flach klopfen *od.* flachklopfen; den Ball flach halten *od.* flachhalten (*ugs. auch für* sich zurückhalten); flach auf dem Boden liegen; *vgl.* flachlegen, flachliegen; Flach|bildschirm; Flach|dach; Flä|che, die; -, -n; Flä|chen|brand; flä|chen|de|ckend

flach|fal|len (*ugs. für* nicht stattfinden)

flä|chig

Flach|land *Plur.* ...länder

flach|le|gen (*ugs. für* sich schlafen legen; jmdn. niederschlagen; mit jmdm. koitieren); flach|lie|gen (*ugs. für* krank sein)

Flachs, der; -es (Faserpflanze); flachs|blond

flach|sen (*ugs. für* spotten, scherzen)

flä|ckern

Fla|den, der; -s, - (flacher Kuchen; breiige Masse; *kurz für* Kuhfladen); Fla|den|brot

Flag|ge, die; -, -n; flag|gen; Flagg|schiff

Flair [flɛːɐ̯], das; -s (Atmosphäre, Stimmung)

Flak, der; -, *Plur.* -, *auch* -s (*Kurzw. für* Flugzeugabwehrkanone)

Fla|kon [...'kõ:], der *od.* das; -s, -s (Fläschchen)

flam|bie|ren ([Speisen] mit Alkohol übergießen u. anzünden)

Fla|men|co, der; -[s], -s (andalus. [Tanz]lied)

Fla|min|go, der; -s, -s (ein Wasservogel)

Flämm|chen; Flam|me, die; -, -n; flam|men; flam|mend (*auch für* leidenschaftlich); Flam|men|meer; Flam|men|tod

Flam|me|ri, der; -[s], -s (kalte Süßspeise)

Flamm|ku|chen (Kuchen aus Hefeteig mit Rahm u. Speck)

Fla|nell, der; -s, -e (gerautes Gewebe); Fla|nell|an|zug

Fla|neur [...'nøːɐ̯], der; -s, -e (müßig Umherschlendernder); Fla|neu|rin; fla|nie|ren

Flan|ke, die; -, -n; flan|ken (*Sport*); flan|kie|ren (begleiten)

Flansch, der; -[e]s, -e (Verbindungsansatz an Rohren, Maschinenteilen usw.)

flap|sig (*ugs.*)

Fläsch|chen; Fla|sche, die; -, -n (*ugs. auch für* Versager); Fla|schen|bier; Fla|schen|bürs|te; fla|schen|grün; Fla|schen|hals (*ugs. auch für* Engpass); Fla|schen|öff|ner; Fla|schen|post; Fla|schen|zug

Flash|mob ['flɛʃmɔp], der; -s, -s ([spontane] Aktion vieler Menschen, die sich mithilfe des Internets dazu verabredet haben)

Flat|rate, die; -, -s, Flat Rate, die; - -, - -s ['flɛtreɪt] ([günstiger] Pauschalpreis für die Nutzung von Internet und/oder Telefon)

flat|ter|haft; Flat|ter|haf|tig|keit; flat|te|rig, flatt|rig; flat|tern; flatt|rig, flat|te|rig

flau (*ugs. für* schlecht, übel)

Flaum, der; -[e]s (weiche Bauchfedern; erster Bartwuchs); flau|mig; flaum|weich

Flausch, der; -[e]s, -e (weiches Wollgewebe); flau|schig

Flau|se die; -, -n *meist Plur.* (*ugs. für* Ausflucht; törichter Einfall)

Flau|te, die; -, -n (Windstille; *übertr. für* Unbelebtheit [z. B. im Geschäftsleben])

flä|zen, sich (*ugs. für* nachlässig sitzen)

Flech|te, die; -, -n (Pflanze; Hautausschlag); flech|ten; flocht, geflochten; Flecht|werk

Fleck, der; -[e]s, -e; der blinde Fleck (im Auge); Fle|cken, der; -s, - (*svw.* Fleck; größeres Dorf); fle|cken|los; Fle|ckerl, das; -s, -[n] (*österr. für* quadratisch geschnittenes Nudelteigstück als Suppeneinlage); Fleck|fie|ber, das; -s; fle|ckig

Fle|der|maus

Fleece [fliːs], das; - ([synthetischer] Flausch); Fleece|pul|l|o|ver

Fleet, das; -[e]s, -e (Kanal in Küstenstädten)

Fle|gel, der; -s, -; Fle|ge|lei; fle|gel|haft; Fle|gel|jah|re *Plur.;* fle|geln, sich

fle|hen; fle|hent|lich

Fleisch, das; -[e]s

Fleisch|brü|he; Flei|scher; Flei|sche|rei; Flei|sche|rin; Flei|scher|meis|ter; Flei-

scher|meis|te|rin; Flei|sches|lust;
fleisch|far|ben, fleisch|far|big; **fleisch-
fres|send**, Fleisch fres|send; Fleisch|ge-
richt; flei|schig; Fleisch|klöß|chen;
fleisch|lich; fleisch|los; Fleisch|sa|lat;
Fleisch|wa|ren *Plur.;* Fleisch|wolf;
Fleisch|wun|de; Fleisch|wurst
Fleiß, der; -es; **Fleiß|ar|beit; flei|ßig;** *aber*
das Fleißige Lieschen (eine Zierpflanze)
flen|nen (*ugs. abwertend für* weinen)
flet|schen (die Zähne zeigen)
Flex®, die; -, - (elektr. Winkelschleifer)
fle|xi|bel (biegsam, elastisch; sehr anpas-
sungsfähig; *Sprachwiss.* beugbar);
fle|xi|b|le Wörter; **Fle|xi|bi|li|sie|rung;**
Fle|xi|bi|li|tät, die; - (Biegsamkeit;
Anpassungsfähigkeit); **Fle|xi|on,** die; -,
-en (*Med.* Beugung; *Sprachwiss.* Deklina-
tion od. Konjugation)
fli|cken, Fli|cken, der; -s, -
Flick|werk, das; -[e]s
Flie|der, der; -s, - (Zierstrauch; *landsch. für*
Holunder); flie|der|far|ben, flie|der|far-
big; Flie|der|strauch
Flie|ge, die; -, -n; flie|gen; flog, geflogen;
fliegende Blätter; Fliegende Fische (*Zool.*)
Flie|gen|fän|ger; Flie|gen|ge|wicht (Kör-
pergewichtsklasse im Sport); Flie|gen|pilz
Flie|ger (*auch ugs. für* Flugzeug); Flie|ger-
alarm; Flie|ge|rin; flie|ge|risch
flie|hen; floh, geflohen; flie|hend (schräg
nach hinten verlaufend)
Flieh|kraft (*für* Zentrifugalkraft)
Flie|se, die; -, -n; flie|sen (mit Fliesen ver-
sehen); Flie|sen|le|ger; Flie|sen|le|ge|rin
Fließ|band, das; *Plur.* ...bänder; flie|ßen;
floss, geflossen; flie|ßend (ohne Stocken)
Flim|mer|kis|te (*ugs. für* Fernsehgerät);
flim|mern
flink; Flink|heit, die; -
Flin|te, die; -, -n (Schrotgewehr)
Flip|chart, Flip-Chart, das *od.* der; -s, -s
od. die; -, -s (Gestell mit einem darauf
befestigten großen Papierblock)
Flip|per, der; -s, - (Spielautomat)
flip|pern (am Flipper spielen); ich flippere

Flirt [flœrt, *auch* flɪrt], der; -s, -s (Liebelei);
flir|ten
Flitt|chen (*ugs. abwertend für* leichtlebige
junge Frau)
Flit|ter, der; -s, -; Flit|ter|wo|chen
flit|zen (*ugs. für* sausen, eilen); Flit|zer (*ugs.
für* kleines, schnelles Fahrzeug)
floa|ten ['floʊ...] (*Wirtsch.* den Wechselkurs
freigeben); Floa|ting, das; -s
Flo|cke, die; -, -n; flo|cken; flo|ckig
floh *vgl.* fliehen
Floh, der; -[e]s, Flöhe; Floh|markt (Trödel-
markt)
Floor, der; -s, -s (Discotanzboden)
Flop, der; -s, -s (Misserfolg); flop|pen (*ugs.*)
Flop|py Disk, Flop|py Disc, die; - -, - -s
(*EDV*)
Flor, der; -s, -e, *selten* Flöre (dünnes
Gewebe; samtartige Oberfläche eines
Gewebes)
Flo|ra, die; -, Floren (Pflanzenwelt)
Flo|rett, das; -s, -e
flo|rie|ren (blühen, gedeihen)
Flo|rist, der; -en, -en (Erforscher einer Flora;
Blumenbinder); Flo|ris|tin; flo|ris|tisch
Flos|kel, die; -, -n ([inhaltsarme] Redensart);
flos|kel|haft
Floß, das; -es, Flöße
Flos|se, die; -, -n
flö|ßen; Flö|ßer; Flö|ße|rin
Flö|te, die; -, -n; Flöte spielen, *aber* beim
Flötespielen; ¹flö|ten (Flöte spielen)
²flö|ten; *nur in* flöten gehen (*ugs. für* verlo-
ren gehen)
Flö|tist, der; -en, -en (Flötenbläser); Flö|tis-
tin
flott (rasch, flink); flott machen (*ugs. für
sich beeilen*); *vgl. aber* flottmachen
Flot|te, die; -, -n; flott|ma|chen (*See-
mannsspr.* zum Schwimmen bringen; *ugs.
für* fahrbereit machen; finanziell unterstüt-
zen); *vgl.* flott; flott|weg (*ugs. für* zügig)
Flöz, das, *auch* der; -es, -e (abbaubare [Koh-
le]schicht)
Fluch, der; -[e]s, Flüche; flu|chen
¹Flucht, die; -, -en (Fluchtlinie, Gerade)

²**Flucht,** die; -, -en (das Flüchten)
flucht|ar|tig; flüch|ten; sich flüchten
Flucht|ge|fahr; Flucht|hel|fer; Flucht|hel-
fe|rin; flüch|tig; Flüch|tig|keits|feh|ler
Flücht|ling; Flücht|lings|la|ger; Flücht-
lings|strom
Flucht|li|nie; Flucht|ver|such; Flucht|weg
Flug, der; -[e]s, Flüge; die Zeit vergeht im
Flug[e]; **Flug|ab|wehr; Flug|be|glei|ter**
(Steward); **Flug|be|glei|te|rin** (Stewar-
dess); **flug|be|reit; Flug|be|trieb; Flug-**
blatt
Flü|gel, der; -s, -; **Flü|gel|al|tar; flü|gel-**
lahm; Flü|gel|schlag; Flü|gel|tür
Flug|gast
flüg|ge; flügge werden
Flug|ge|rät; Flug|ge|sell|schaft; Flug|ha-
fen vgl. Hafen; **Flug|lärm; Flug|li|nie;**
Flug|lot|se; Flug|lot|sin; Flug|plan vgl.
²Plan; **Flug|platz; Flug|rei|se**
flugs (veraltend für schnell, sogleich)
Flug|schrei|ber (Gerät, das die technischen
Daten eines Fluges aufzeichnet); **Flug|ti-**
cket; Flug|ver|kehr; Flug|zeug, das;
-[e]s, -e; **Flug|zeug|ab|sturz; Flug|zeug-**
bau, der; -[e]s; **Flug|zeug|trä|ger**
Flu|i|dum, das; -s, ...da (geh. für von einer
Person od. Sache ausströmende Wirkung)
Fluk|tu|a|ti|on, die; -, -en (Schwanken,
Wechsel); **fluk|tu|ie|ren**
Flun|der, die; -, -n (ein Fisch)
Flun|ke|rei; flun|kern (ugs. für schwindeln)
Flunsch, der; -[e]s, -e u. die; -, -en (ugs. für
verzogener Mund)
Flu|or, das; -s (chem. Element; Zeichen F);
Flu|o|res|zenz, die; - (Aufleuchten unter
Strahleneinwirkung); **flu|o|res|zie|ren;**
fluoreszierender Stoff (Leuchtstoff)
¹**Flur,** die; -, -en (nutzbare Landfläche; Feld-
flur)
²**Flur,** der; -[e]s, -e (Gang, Hausflur)
Flur|be|rei|ni|gung; Flur|buch (Kataster);
Flur|scha|den
Fluss, der; -es, Flüsse; **fluss|ab|wärts;** fluss-
abwärts fahren; **fluss|auf|wärts; Fluss-**
bett

flüs|sig; flüssige (verfügbare) Gelder; flüssig
schreiben, sprechen; Wachs flüssig
machen; vgl. aber flüssigmachen
Flüs|sig|keit; flüs|sig|ma|chen ([Geld] ver-
fügbar machen); wir mussten 1 000 Euro
flüssigmachen; vgl. flüssig
Fluss|lauf; Fluss|pferd; Fluss|schiff|fahrt,
Fluss-Schiff|fahrt; Fluss|ufer
flüs|tern; Flüs|ter|pro|pa|gan|da
Flut, die; -, -en; **flu|ten; Flut|ka|ta|s|t|ro-**
phe; Flut|licht; Flut|op|fer
flut|schen (ugs. für gut vorankommen,
-gehen); es flutscht
Flut|war|nung; Flut|wel|le
Fly|er ['flai̯ɐ], der; -s, - (Informationszettel)
fö|de|ral (föderativ); **Fö|de|ra|lis|mus,** der;
- ([Streben nach] Selbstständigkeit der einzelnen Länder innerhalb eines Staatsgan-
zen); **fö|de|ra|lis|tisch; Fö|de|ra|ti|on,**
die; -, -en (loser [Staaten]bund); **fö|de|ra-**
tiv (bundesmäßig); **fö|de|riert** (verbündet)
foh|len (ein Fohlen zur Welt bringen); **Foh-**
len, das; -s, -
Föhn, der; -[e]s, -e (warmer, trockener Fall-
wind; auch für Haartrockner [als ®: Fön]);
föh|nen (mit dem Föhn trocknen)
Fo|kus, der; -, -se (Physik Brennpunkt; Med.
Krankheitsherd); **fo|kus|sie|ren** (scharf
stellen; konzentrieren); **Fo|kus|sie|rung**
Fol|ge, die; -, -n; Folge leisten; zur Folge
haben; in der Folge; aber demzufolge (vgl.
d.); infolge; zufolge; infolgedessen
Fol|ge|jahr; Fol|ge|kos|ten Plur.; **fol|gen;**
er ist mir gefolgt (nachgekommen); er hat
mir gefolgt (Gehorsam geleistet); der Text
wird wie folgt (folgendermaßen) geändert
fol|gend; folgende (Abk. f.); folgende
[Seiten] (Abk. ff.); wir möchten Ihnen Fol-
gendes mitteilen; das Folgende (das später
Erwähnte; dieses); im Folgenden (später
Erwähnten; diesem); mit Folgendem (hier-
mit) teilen wir Ihnen mit, …
fol|gen|der|ma|ßen
fol|gen|los; fol|gen|reich; fol|gen|schwer
fol|ge|rich|tig; fol|gern; Fol|ge|rung; Fol-
ge|zeit; folg|lich; folg|sam

Fo|lie, die; -, -n (dünnes [Metall]blatt)

Folk [fo:k], der; -[s] (an englischsprachige Volksmusik anknüpfende, populäre Musik)

Fol|k|lo|re, die; - (volkstüml. Überlieferung; Volksmusik); fol|k|lo|ris|tisch

Fol|ter, die; -, -n; Fol|ter|bank *Plur.* ...bänke; Fol|te|rer; Fol|te|rin; Fol|ter|in|s|t|ru|ment; Fol|ter|kam|mer; fol|tern; Fol|te|rung

Fon usw. *vgl.* Phon usw.

Fön® *vgl.* Föhn

Fond [fõ:], der; -s, -s (Hintergrund; Rücksitz im Wagen; Fleischsaft); *vgl. aber* Fonds

Fon|dant [fõ'dã:], der, *auch, österr. nur* das; -s, -s ([Konfekt aus] Zuckermasse)

Fonds [fõ:], der; -, - (Geldmittel, -vorrat, Bestand, *Plur. auch für* Anleihen); *vgl. aber* Fond; fonds|ge|bun|den; Fonds|ma|na|ger; Fonds|ma|na|ge|rin

Fon|due [fõ'dy:, *schweiz. auch* 'fõdy:], das; -s, -s *od.* die; -, -s (schweiz. Käsegericht; bei Tisch gegartes Fleischgericht)

Font, der; -s, -s (*EDV* Zeichensatz)

Fon|tä|ne, die; -, -n ([Spring]brunnen)

Fon|ta|nel|le, die; -, -n (*Med.* Knochenlücke am Schädel Neugeborener)

fop|pen; Fop|pe|rei

for|cie|ren (erzwingen); for|ciert

För|de, die; -, -n (*nordd. für* schmale, lange Meeresbucht)

För|der|band, das; *Plur.* ...bänder; För|de|rer; För|de|rin; För|der|kreis (eines Museums u. Ä.); För|der|kurs; för|der|lich; För|der|maß|nah|me; För|der|mit|tel *Plur.*

for|dern

för|dern; För|der|pro|gramm; För|der|schu|le; För|der|stu|fe

For|de|rung

För|de|rung

För|de|rungs|ka|ta|log

För|der|ver|ein

Fo|rel|le, die; -, -n (ein Fisch)

fo|ren|sisch (gerichtlich)

For|ke, die; -, -n (*nordd. für* Heugabel)

Form, die; -, -en; in Form sein; in Form von; for|mal ([nur] der Form nach)

For|mal|de|hyd [...'hy:t], der *od.* das; -s, -e (ein Gas als Desinfektionsmittel)

For|ma|lie die; -, -n *meist Plur.* (formale Einzelheit); For|ma|lis|mus, der; -, ...men (Überbetonung der Form, des rein Formalen); for|ma|lis|tisch; For|ma|li|tät, die; -, -en (Formsache; Vorschrift); for|ma|li|ter (förmlich); for|mal|ju|ris|tisch

For|mat, das; -[e]s, -e; for|ma|tie|ren (*EDV* Daten anordnen; [einen Datenträger] zur Datenaufnahme vorbereiten)

For|ma|ti|on, die; -, -en (Anordnung; Gruppe, Verband; *Geol.* Zeitabschnitt, Folge von Gesteinsschichten)

form|bar; Form|bar|keit, die; -; form|be|stän|dig; Form|blatt

For|mel, die; -, -n; for|mel|haft; for|mell (förmlich, äußerlich); For|mel-1-Wa|gen [...'lains...] (ein Rennwagen)

for|men; For|men|leh|re (Teil der Sprachlehre u. der Musiklehre); for|men|reich

Form|feh|ler; Form|fra|ge; Form|ge|bung

for|mi|da|bel (*veraltend für* furchtbar; *auch für* großartig); ...a|b|le Erscheinung

for|mie|ren; sich formieren

Form|kri|se (*Sport*); förm|lich; Förm|lich|keit; form|los; Form|sa|che; form|schön

For|mu|lar, das; -s, -e; for|mu|lie|ren; For|mu|lie|rung; For|mung; form|voll|en|det

forsch; for|scher; am for|sches|ten

for|schen; For|scher; For|sche|rin; For|scher|team; For|schung; For|schungs|ar|beit; For|schungs|be|richt; For|schungs|er|geb|nis; For|schungs|grup|pe; For|schungs|in|s|ti|tut; For|schungs|la|bor; For|schungs|pro|jekt; For|schungs|rei|se; For|schungs|zen|t|rum; For|schungs|zweck; zu Forschungszwecken

Forst, der; -[e]s, -e[n]; Forst|amt

Förs|ter; Förs|te|rin

Forst|haus; forst|lich; Forst|wirt|schaft

For|sy|thie [...tsiə, ...tiə, *österr. u. schweiz.* ...'zi:tsiə], die; -, -n (ein Zierstrauch)

fort; fort sein; in einem fort

Fort [fo:ɐ̯], das; -s, -s (Festungswerk)

fort|an

Fort|be|stand, der; -[e]s; fort|be|ste|hen

fort|be|we|gen; sich fortbewegen; vgl. ¹bewegen; Fort|be|we|gung

fort|bil|den; Fort|bil|dung

fort|blei|ben; fort|brin|gen

Fort|dau|er; fort|dau|ern; fort|dau|ernd

for|te (Musik stark, laut; Abk. f); For|te, das; -s, Plur. -s u. ...ti

fort|ent|wi|ckeln; sich fortentwickeln; Fort|ent|wick|lung

For|te|pi|a|no, das; -s, Plur. -s u. ...ni (alte Bez. für Pianoforte)

fort|fah|ren

Fort|fall, der; -[e]s; fort|fal|len

fort|flie|gen

fort|füh|ren; Fort|füh|rung

Fort|gang, der; -[e]s; fort|ge|hen

fort|ge|schrit|ten; Fort|ge|schrit|te|ne, der u. die; -n, -n; fort|ge|setzt

for|tis|si|mo (Musik sehr stark, laut; Abk. ff); For|tis|si|mo, das; -s, Plur. -s u. ...mi

fort|ja|gen

fort|kom|men; Fort|kom|men, das

fort|lau|fen; fort|lau|fend

fort|pflan|zen; sich fortpflanzen; Fort|pflan|zung, die; -

fort|rei|ßen; fort|ren|nen; fort|schaf|fen; fort|schi|cken

fort|schrei|ben ([eine Statistik] fortlaufend ergänzen); Fort|schrei|bung

fort|schrei|ten; fort|schrei|tend

Fort|schritt; fort|schritt|lich; Fort|schritt|lich|keit, die; -; fort|schritts|gläu|big

fort|set|zen; Fort|set|zung; Fort|set|zungs|ro|man

fort|steh|len, sich

For|tune [...'ty:n], die; - (Glück, Erfolg); keine Fortune haben

fort|wäh|rend (andauernd)

fort|wer|fen; fort|zie|hen

Fo|rum, das; -s, Plur. ...ren u. ...ra (altröm. Marktplatz; öffentliche Diskussion)

Fos|bu|ry|flop, Fos|bu|ry-Flop [...bəri...], der; -s, -s (ein Hochsprungstil [nur Sing.]; einzelner Sprung in diesem Stil)

fos|sil (versteinert; vorweltlich); fossile Brennstoffe (z. B. Kohle, Erdöl)

Fos|sil, das; -s, -ien ([versteinerter] Überrest von Tieren od. Pflanzen)

¹Fo|to, das; -s, -s, schweiz. auch die; -, -s (kurz für Fotografie); ²Fo|to, der; -s, -s (ugs.; kurz für Fotoapparat)

Fo|to|al|bum; Fo|to|ap|pa|rat; fo|to|gen, pho|to|gen (zum Fotografieren od. Filmen geeignet); Fo|to|graf, Pho|to|graph, der; -en, -en; Fo|to|gra|fie, Pho|to|gra|phie, die; -, ...ien; fo|to|gra|fie|ren; Fo|to|gra|fin, Pho|to|gra|phin; fo|to|gra|fisch, pho|to|gra|phisch; Fo|to|han|dy; Fo|to|ko|pie; fo|to|ko|pie|ren; Fo|to|mo|dell; Fo|to|mon|ta|ge (Zusammenstellung verschiedener Bildausschnitte zu einem Gesamtbild)

Fo|ton [auch fo'to:n] vgl. Photon

Fo|to|syn|the|se, Pho|to|syn|the|se [auch 'fo:...], die; -; Fo|to|vol|ta|ik, Pho|to|vol|ta|ik, die; - (Teilgebiet der Elektronik)

Fö|tus vgl. Fetus

foul [faul] (Sport regelwidrig); Foul, das; -s, -s (Regelverstoß); fou|len (Sport)

Fox, der; -[es], -e (kurz für Foxterrier, Foxtrott); Fox|ter|ri|er (eine Hunderasse)

Fox|trott, der; -[e]s, Plur. -e u. -s (ein Tanz)

Foy|er [foa'je:], das; -s, -s (Wandelhalle)

Fracht, die; -, -en; Fracht|brief; Frach|ter (Frachtschiff); Fracht|gut; Fracht|schiff

Frack, der; -[e]s, Plur. Fräcke, seltener -s

Fra|ge, die; -, -n; außer Frage stehen; etwas infrage od. in Frage stellen; Fra|ge|bo|gen; fra|gen; fragte, gefragt; Fra|ge|rei (abwertend); Fra|ge|satz; Fra|ge|stel|lung; Fra|ge|stun|de (im Parlament); Fra|ge-und-Ant|wort-Spiel; Fra|ge|zei|chen

fra|gil (zerbrechlich; zart)

frag|lich; frag|los

Frag|ment, das; -[e]s, -e (Bruchstück; unvollendetes Werk); frag|men|ta|risch

frag|wür|dig; Frag|wür|dig|keit

frais [frɛ:s], frai|se ['frɛ:zə] (erdbeerfarben)

Frak|ti|on, die; -, -en (organisatorischer

Zusammenschluss [im Parlament]); **Frak|ti|ons|chef; Frak|ti|ons|che|fin; Frak|ti|ons|sit|zung; Frak|ti|ons|zwang**

Frak|tur, die; -, -en (Med. Knochenbruch; nur Sing.: dt. Schrift, Bruchschrift)

Franc [frã:], der; -, -s [frã:] (Währungseinheit einiger afrikanischer Staaten; frühere Währungseinheit in Belgien, Frankreich u. Luxemburg; vgl. Franken)

Fran|chise ['frɛntʃais], das; - (Wirtsch. Vertrieb aufgrund von Lizenzverträgen)

frank (frei, offen); frank und frei

Fran|ken, der; -, -, - (schweiz. Währungseinheit [Währungscode CHF; Abk. Fr., sFr.; im dt. Bankwesen sfr, Plur. sfrs]); vgl. Franc

fran|kie|ren (Postw.); **Fran|kier|ma|schi|ne**

fran|ko|fon, fran|ko|phon (französischsprachig); **fran|ko|phil** (frankreichfreundlich)

Fran|se, die; -, -n; **fran|sen; fran|sig**

Franz|brannt|wein

Fran|zis|ka|ner, der; -, - (Angehöriger eines Mönchsordens); **Fran|zis|ka|ne|rin** (Angehörige des Ordens der Franziskanerinnen); **Fran|zis|ka|ner|or|den,** der; -s; **fran|zis|ka|nisch**

fran|zö|sisch; die französische Schweiz aber die Französische Revolution; vgl. deutsch/Deutsch; **fran|zö|sisch|spra|chig** vgl. deutschsprachig

frap|pant (auffallend); **frap|pie|ren** (überraschen; Wein u. Sekt in Eis kühlen)

Frä|se, die; -, -n; **frä|sen; Fräs|ma|schi|ne**

Fraß, der; -es, -e

Fra|ter, der; -s, Fra|t|res ([Ordens]bruder); **fra|ter|ni|sie|ren** (sich verbrüdern); **Fra|t|res** (Plur. von Frater)

Fratz, der; Gen. -es, österr. -en, Plur. -e, österr. -en (ungezogenes Kind; schelmisches Mädchen); **Frät|ze,** die; -, -n (verzerrtes Gesicht; Grimasse); **frat|zen|haft**

frau (bes. im feministischen Sprachgebrauch für ¹man); **Frau,** die; -, -en (Abk. Fr.)

Frau|chen; Frau|en|arzt; Frau|en|ärz|tin; Frau|en|be|auf|trag|te; Frau|en|be|we|gung; Frau|en|chor; frau|en|feind|lich; Frau|en|fuß|ball; Frau|en|haus (für Frauen, die von Männern misshandelt werden); **Frau|en|heil|kun|de,** die (für Gynäkologie); **Frau|en|held; Frau|en|lei|den; Frau|en|quo|te** (Anteil der Frauen [in Betrieben, Verwaltungen, Führungspositionen]); **Frau|en|recht|le|rin; Frau|en|schuh** (auch eine Orchideenart); **Frau|en|zeit|schrift**

Fräu|lein, das; -s, Plur. -, ugs. auch -s (Abk. Frl.)

Fräulein

Heute ist es üblich, erwachsene weibliche Personen mit Frau anzusprechen, und zwar unabhängig von Alter und Familienstand.

frau|lich

Freak [fri:k], der; -s, -s (jmd., der sich [übertriebener stark] für etwas begeistert)

frech; Frech|dachs (ugs. scherzh. für freches Kind); **Frech|heit**

Free|clim|bing, das; -s, Free Clim|bing, das; - -s ['fri:klaimiŋ] (Klettern ohne technische Hilfsmittel)

Free|sie, die; -, -n (eine Zierpflanze)

Free|style, der; -[s], -s, Free Style, der; - -[s], - -s ['fri:staiļ] (freier Stil, freie [im Ggs. zu vorgeschriebener] Ausführungsart)

Free-TV, das; -[s], Free TV, das; - -[s] ['fri:tivi:, auch ...'vi:] (gebührenfrei empfangbares Fernsehprogramm)

Fre|gat|te, die; -, -n (Kriegsschiff)

frei s. Kasten Seite 154

Frei|bad; frei|be|kom|men, frei be|kom|men vgl. frei; **Frei|be|ruf|ler; Frei|be|ruf|le|rin; frei|be|ruf|lich; Frei|be|trag; Frei|bier; frei blei|ben** vgl. frei; **Frei|den|ker; Frei|den|ke|rin; frei|den|ke|risch**

frei|en (veraltet für heiraten; um eine Frau werben); **Frei|er; Frei|ers|fü|ße** Plur.; nur in auf Freiersfüßen gehen (scherzh.)

Frei|ex|em|p|lar; Frei|flä|che; Frei|frau

Frei|ga|be; frei|ge|ben; es wurden neue Frequenzen für den Funk freigegeben od. frei gegeben; jmdm. den Nachmittag freigeben od. frei geben; vgl. frei

frei|ge|big; Frei|ge|big|keit, die; -

fr**ei**

- Bahn frei!; ich bin so frei!; frei nach Goethe

I. Kleinschreibung:

- der freie Fall; freie Wahlen; freier Eintritt; freier Journalist; freie Mitarbeiterin; die freie Liebe; die freie (nicht staatlich gelenkte) Marktwirtschaft; das Signal steht auf »frei«

II. Großschreibung
a) der Substantivierung:

- das Freie, im Freien, ins Freie; etwas Freies und Ungezwungenes

b) in Namen und namenähnlichen Verbindungen:

- Freie Deutsche Jugend (in der DDR; Abk. FDJ); Freie und Hansestadt Hamburg; die Freie Reichsstadt Nürnberg, aber Frankfurt war lange Zeit eine freie Reichsstadt
- Freier Architekt (im Titel, sonst [er ist ein] freier Architekt)

III. Schreibung in Verbindung mit Verben u. Partizipien
a) Getrennt- u. Zusammenschreibung:

- frei sein, frei werden, frei bleiben
- frei (für sich) stehen; ein frei stehendes od. freistehendes Haus

- frei (ohne Manuskript) sprechen (vgl. aber freisprechen)
- frei (ohne Stütze, ohne Leine) laufen; Eier von frei laufenden od. freilaufenden Hühnern (von Hühnern, die Auslauf haben)
- frei lebende od. freilebende Tiere
- die Ausfahrt frei halten, geben, lassen
- eine Rede frei halten (vgl. aber freihalten)
- den Oberkörper frei machen od. freimachen; sich von Vorurteilen frei machen od. freimachen; (vgl. aber freimachen)

b) Zusammenschreibung, wenn eine idiomatisierte Gesamtbedeutung vorliegt:

- freikaufen; freikommen; [jmdn.] freihalten; einen Brief freimachen; sich freischwimmen; jmdn. [von Schuld] freisprechen; [jmdm.] freistehen; jmdm. etwas [völlig] freistellen
- freischaffend, freitragend

c) Wenn nicht eindeutig ist, ob eine idiomatisierte Gesamtbedeutung vorliegt, dann gilt Getrennt- oder Zusammenschreibung:

- ein paar Tage freihaben od. frei haben
- den Tag freibekommen od. frei bekommen
- jmdm. freigeben od. frei geben
- Geiseln freibekommen od. frei bekommen
- jmdm. den Rücken freihalten od. frei halten

Frei|**geist** Plur. ...geister; **Frei**|**ge**|**län**|**de**
frei|**gie**|**big** (svw. freigebig)
frei|**ha**|**ben**, **frei ha**|**ben** (Urlaub, keinen Dienst haben); vgl. frei; **frei**|**hal**|**ten**; ich werde dich freihalten (für dich bezahlen); aber eine Rede frei (ohne Manuskript) halten; die Ausfahrt frei halten; **Frei**|**han**|**del**, der; -s; **Frei**|**han**|**dels**|**zo**|**ne**; **frei**|**hän**|**dig**
Frei|**heit**; **frei**|**heit**|**lich**; **Frei**|**heits**|**be**|**rau**|**bung**; **Frei**|**heits**|**kämp**|**fer**; **Frei**|**heits**|**kämp**|**fe**|**rin**; **Frei**|**heits**|**krieg**; **frei**|**heits**|**lie**|**bend**; **Frei**|**heits**|**stra**|**fe**
frei|**he**|**r**|**aus**; **Frei**|**herr** (Abk. Frhr.); **Frei**|**in**

(Freifräulein); **Frei**|**kar**|**te**; **frei**|**kau**|**fen** (durch Zahlung eines Lösegeldes befreien); **Frei**|**kir**|**che**; eine protestantische Freikirche; **frei**|**kom**|**men** (loskommen); **Frei**|**kör**|**per**|**kul**|**tur**, die; - (Abk. FKK)
frei|**las**|**sen**, **frei las**|**sen**; die Gefangenen wurden freigelassen od. frei gelassen; **Frei**|**las**|**sung**; **Frei**|**lauf** (Technik); **frei**|**lau**|**fen**, sich (Sport); aber frei (ohne Leine, ohne Stütze) laufen; **frei le**|**bend**, **frei**|**le**|**bend** vgl. frei; **frei**|**le**|**gen**, **frei le**|**gen** (eine deckende Schicht entfernen)
frei|**lich**

Frei|licht|büh|ne; Frei|licht|mu|se|um
frei|ma|chen; einen Brief freimachen
(Postw.); aber ein paar Tage freimachen
od. frei machen (Urlaub machen); den
Oberkörper frei machen od. freimachen;
sich von Vorurteilen frei machen od. freimachen; vgl. frei
Frei|mau|rer; frei|mü|tig; frei|neh|men,
frei neh|men; zwei Tage freinehmen od.
frei nehmen; frei|pres|sen (durch Erpres-
sung jmds. Freilassung erzwingen)
Frei|raum; frei|schaf|fend; ein freischaffen-
der Künstler; frei|schal|ten; die Leitung
wurde freigeschaltet; aber sie konnte ganz
frei schalten (nach Belieben verfahren)
frei|set|zen (aus einer Bindung lösen);
Kräfte freisetzen; Frei|set|zung; frei|sin|-
nig; Frei|sprech|an|la|ge (Einrichtung für
Handy od. Telefon, die freihändiges Telefo-
nieren ermöglicht); frei|spre|chen (für
nicht schuldig erklären; Handwerk zum
Gesellen erklären); aber frei (ohne Manu-
skript) sprechen; Frei|spruch
Frei|staat Plur. ...staaten; frei|ste|hen; das
soll dir freistehen (gestattet sein); aber die
Wohnung hat lange frei gestanden od.
freigestanden; ein frei stehendes od. frei-
stehendes Haus; frei|stel|len (jmdm.
etwas freistellen); Frei|stel|lung; Frei|stil,
der; -s (Sport); Frei|stoß (Fußball)
Frei|tag, der; -[e]s, -e (Abk. Fr.); vgl. Diens-
tag; frei|tags vgl. Dienstag
Frei|tod (Selbstmord); frei|tra|gend
(Bauw.); freitragende Treppen; Frei|trep|-
pe; Frei|wild; frei|wil|lig; die freiwillige
Feuerwehr; aber die Freiwillige Feuerwehr
Nassau; Frei|zei|chen
Frei|zeit; Frei|zeit|an|ge|bot; Frei|zeit|be|-
schäf|ti|gung; Frei|zeit|ge|stal|tung;
Frei|zeit|klei|dung; Frei|zeit|park
frei|zü|gig; Frei|zü|gig|keit, die; -
fremd; fremd|ar|tig
¹Frem|de, der u. die; -n, -n
²Frem|de, die; - (Ausland); in der Fremde
frem|den|feind|lich; Frem|den|feind|lich|-
keit; Frem|den|füh|rer; Frem|den|füh|re|-

rin; Frem|den|le|gi|on, die; -; Frem|den|-
ver|kehr, der; -[e]s; Frem|den|ver|kehrs|-
amt
fremd|ge|hen (ugs. für in einer Partner-
schaft untreu sein); Fremd|heit, die; - (das
Fremdsein); Fremd|herr|schaft Plur. sel-
ten; Fremd|ka|pi|tal; Fremd|kör|per;
fremd|län|disch; Fremd|ling (geh. od.
scherzh.); Fremd|spra|che; fremd|spra|-
chig (eine Fremdsprache sprechend; in
einer fremden Sprache geschrieben, gehal-
ten); fremd|sprach|lich (eine fremde Spra-
che betreffend); Fremd|wort Plur. ...wör-
ter; Fremd|wör|ter|buch
fre|ne|tisch (rasend)
fre|quen|tie|ren (geh. für häufig besuchen);
Fre|quenz, die; -, -en (Schwingungszahl)
Fres|ke, die; -, -n (Wandmalerei auf feuch-
tem Kalkputz); Fres|ko, das; -s, ...ken
Fress|al|li|en Plur. (ugs. scherzh. für Esswa-
ren); Fres|se, die; -, -n (derb für Mund);
fres|sen; fraß, gefressen; Fres|ser; Fres|-
se|rei; Fres|se|rin; Fress|sack, Fress-
Sack (ugs. für gefräßiger Mensch)
Frett|chen, das; -s, - (Iltisart)
Freu|de, die; -, -n; [in] Freud und Leid; Freu|-
den|fest; Freu|den|haus (verhüllend für
Bordell); Freu|den|tanz; Freu|den|trä|ne
freu|de|strah|lend; freu|dig; freud|los
freu|en; sich freuen
freund (veraltend); jmdm. freund (freundlich
gesinnt) sein, bleiben, werden; Freund,
der; -[e]s, -e; jmds. Freund bleiben, sein,
werden; gut Freund [mit jmdm.] sein;
Freund|chen (meist [scherzh.] drohend als
Anrede); Freun|des|kreis; Freun|din
freund|lich (Abk. frdl.); Freund|lich|keit
Freund|schaft; freund|schaft|lich; Freund-
schafts|spiel (Sport)
Fre|vel, der; -s, - (Verbrechen); fre|vel|haft;
Frev|ler; Frev|le|rin; frev|le|risch
Frie|de, der; -ns, -n (seltener für Frieden)
Frie|den, der; -s, -; Frie|dens|ab|kom|men;
Frie|dens|be|we|gung; Frie|dens|ge|-
spräch; Frie|dens|kon|fe|renz; Frie|dens|-
no|bel|preis; Frie|dens|pfei|fe;

Frie|dens|preis; Frie|dens|pro|zess;
Frie|dens|schluss; Frie|den[s]|stif|ter;
Frie|den[s]|stif|te|rin; Frie|dens|ver-
hand|lung *meist Plur.;* Frie|dens|ver|trag
fried|fer|tig; Fried|hof; Fried|hofs|ka|pel-
le; fried|lich; fried|lie|bend; fried|voll
frie|ren; fror, gefroren; ich friere an den
Füßen; mich friert an den Füßen
Fries, der; -es, -e (Gesimsstreifen)
fri|gid, fri|gi|de (*Med. veraltend od. abwer-
tend für* sexuell nicht erregbar, nicht zum
Orgasmus fähig); Fri|gi|di|tät, die; -
Fri|ka|del|le, die; -, -n
Fri|kas|see, das; -s, -s (Gericht aus klein
geschnittenem Fleisch)
Fris|bee® [...bi], das; -[s], -s (Wurfscheibe)
frisch; etw. frisch halten; sich frisch machen
od. frischmachen; die Tür wurde frisch
gestrichen; das frisch gebackene od.
frischgebackene Brot; *vgl. aber* frischgeba-
cken; frisch|auf! *(veraltend)*
Fri|sche, die; -; frisch-fröh|lich
frisch|ge|ba|cken; ein frischgebackenes
(gerade erst getrautes) Ehepaar; *vgl.*
frisch; **frisch ge|stri|chen**, frisch|ge|stri-
chen; Frisch|hal|te|pa|ckung
Frisch|ling (junges Wildschwein)
frisch|weg
Fri|seur [...'zø:ɐ], Fri|sör, der; -s, -e; **Fri-
seu|rin** [...'zø:...], Fri|sö|rin; **Fri|seur|sa-
lon**, Fri|sör|sa|lon; Fri|seu|se [...'zø:zə],
die; -, -n (*ugs., sonst veraltet für* Friseurin);
fri|sie|ren; Fri|sör usw. *vgl.* Friseur usw.
Frist, die; -, -en; fris|ten; frist|ge|mäß;
frist|ge|recht; frist|los
Fri|sur, die; -, -en
Frit|te, die; -, -n (Schmelzgemenge; *Plur.
ugs. auch für* Pommes frites); Frit|ten|bu-
de (*ugs. für* Imbissstube)
Frit|teu|se [...'tø:...], die; -, -n (elektr. Gerät
zum Frittieren); frit|tie|ren (in schwim-
mendem Fett braten)
fri|vol (schlüpfrig); Fri|vo|li|tät, die; -, -en
froh; froh gelaunt od. frohgelaunt; frohes
Ereignis, *aber* die Frohe Botschaft (Evange-
lium); froh|ge|mut

fröh|lich; Fröh|lich|keit, die; -
froh|lo|cken; sie hat frohlockt; Froh|na|tur;
Froh|sinn, der; -[e]s
fromm; fröm|mer *od.* from|mer, frömms|te
od. fromms|te; Fröm|me|lei; fröm|meln
(sich [übertrieben] fromm zeigen); Fröm-
mig|keit, die; -; frömm|le|risch
Fron, die; -, -en (dem Lehnsherrn zu leis-
tende Arbeit); Fron|ar|beit (*schweiz. auch
für* unbezahlte Gemeinschaftsarbeit für
Gemeinde, Verein o. Ä.); Fron|dienst
frö|nen (sich einer Neigung, Leidenschaft
o. Ä. hingeben)
Fron|leich|nam, der; -s (*meist ohne Artikel*)
(kath. Fest)
Front, die; -, -en; Front machen
fron|tal; Fron|tal|zu|sam|men|stoß
Front|an|trieb; Front|li|nie; Front|mann
Plur. ...männer, *seltener* ...leute (Musiker
im Vordergrund einer Gruppe)
Frosch, der; -[e]s, Frösche; Frosch|laich;
Frosch|per|s|pek|ti|ve; Frosch|schen|kel
Frost, der; -[e]s, Fröste; Frost|beu|le; frös-
teln; Fros|ter, der; -s, - (Tiefkühlteil einer
Kühlvorrichtung); frost|frei; fros|tig;
Frost|scha|den; Frost|schutz
Frot|tee ['frɔte, *österr.* ...te:], Frot|té
['frɔte, ...te:], das *od.* der; -[s], -s ([Klei-
der]stoff aus gekräuseltem Zwirn; *auch für*
Frottiergewebe); frot|tie|ren; Frot|tier-
tuch *Plur.* ...tücher
Frot|ze|lei; frot|zeln (*ugs. für* necken)
Frucht, die; -, Früchte; frucht|bar; Frucht-
bar|keit, die; -; Frucht|bla|se; **frucht-
brin|gend**, Frucht brin|gend; fruchtbrin-
gende *od.* Frucht bringende Gespräche
Früch|tchen (*ugs. auch für* kleiner Tauge-
nichts); Früch|te|brot; fruch|ten; es fruch-
tet nichts; Frucht|fleisch; fruch|tig (z. B.
vom Wein); **Frucht|jo|ghurt**, Frucht|jo-
gurt; Frucht|kno|ten (*Bot.);* frucht|los
(nutzlos); Frucht|pres|se; Frucht|saft;
Frucht|was|ser, das; -s; Frucht|zu|cker
fru|gal (mäßig; einfach; bescheiden)
früh; von früh bis spät; von morgens früh bis
abends spät; ich muss immer morgens früh

aufstehen (*aber* frühmorgens hat es noch geregnet); morgen früh, *bes. österr. auch* morgen Früh schlafe ich aus; von früh auf

Früh, die; - (*südd., österr. für* Frühe)

Früh|auf|ste|her; Früh|auf|ste|he|rin

Früh|chen (Frühgeborenes); **Frü|he,** die; -; in der Frühe; in aller Frühe; bis in die Früh; **frü|her; Früh|er|ken|nung,** die; - (*bes. Med.*); **frü|hes|tens,** frühs|tens; **frü|hest|mög|lich; Früh|ge|burt**

Früh|jahr; Früh|jahrs|mü|dig|keit

früh|kind|lich

Früh|ling, der; -s, -e; **Früh|lings|an|fang; früh|ling[s]|haft**

früh|mor|gens; früh|reif; Früh|rent|ner; Früh|rent|ne|rin; Früh|schop|pen; Frühsom|mer; Früh|sport, der; -[e]s; **frühstens,** frü|hes|tens

Früh|stück; früh|stü|cken; Früh|stückspau|se; Früh|stücks|tisch

früh ver|stor|ben, früh|ver|stor|ben

Früh|warn|sys|tem (*Militär*); **Früh|werk; Früh|zeit; früh|zei|tig**

Frust, der; -[e]s (*ugs. für* Frustration); **Frus|tra|ti|on,** die; -, -en (*Psychol.* Enttäuschung durch Verzicht auf od. Versagung von Befriedigung); **frus|t|rie|ren; frus|t|riert**

Fuchs, der; -es, Füchse; **Fuchs|bau** *Plur.* ...baue; **füch|sen** (*ugs. für* [sich] ärgern)

Fuch|sie, die; -, -n (eine Zierpflanze)

fuch|sig (fuchsrot; fuchswild); **Füch|sin,** die; -, -nen; **Fuchs|jagd; Fuchs|pelz; fuchs|rot; Fuchs|schwanz; fuchs|[teu|fels]|wild**

Fuch|tel (*früher für* breiter Degen; strenge Zucht); unter jmds. Fuchtel stehen; **fuchteln**

Fu|der, das; -s, - (Fuhre; Hohlmaß für Wein)

Fuff|zi|ger, der; -s, - (*landsch. für* Münze od. Schein mit dem Wert 50); ein falscher Fuffziger (*ugs. für* unaufrichtiger Mensch)

Fug, der; *in* mit Fug und Recht

¹**Fu|ge,** die; -, -n (schmaler Zwischenraum; Verbindungsstelle)

²**Fu|ge,** die; -, -n (Musikstück)

fü|gen; sich fügen; **füg|sam; Füg|sam|keit,** die; -; **Fü|gung**

fühl|bar; füh|len; Füh|ler

Fuh|re, die; -, -n

füh|ren; Buch führen; jmdn. spazieren führen; **füh|rend; Füh|rer; Füh|re|rin; Führer|schein**

Fuhr|mann *Plur.* ...männer u. ...leute; **Fuhrpark**

Füh|rung; Füh|rungs|ebe|ne; Füh|rungskraft; Füh|rungs|po|si|ti|on; Füh|rungsrie|ge; Füh|rungs|rol|le; Füh|rungs|spitze; Füh|rungs|stil; Füh|rungs|tref|fer (*Sport*); **Füh|rungs|zeug|nis**

Fuhr|werk; fuhr|wer|ken

Fül|le, die; -; **fül|len; Fül|ler; Füll|[feder]|hal|ter; fül|lig; Füll|sel,** das; -s, -

Full|time-Job, Full|time|job [...taim...] (Ganztagsarbeit)

Fül|lung

ful|mi|nant (glänzend, prächtig)

Fum|me|lei; fum|meln (*ugs. für* sich an etwas zu schaffen machen)

Fun [fan], der; -s (Vergnügen)

Fund, der; -[e]s, -e

Fun|da|ment, das; -[e]s, -e; **fun|da|men|tal** (grundlegend; schwerwiegend); **Fun|damen|ta|lis|mus,** der; -; **Fun|da|men|talist,** der; -en, -en (jmd., der kompromisslos an seinen Grundsätzen festhält); **Fun|damen|ta|lis|tin; fun|da|men|ta|lis|tisch**

Fund|amt (*bes. österr.*); **Fund|bü|ro; Fundgru|be**

fun|die|ren (gründen; mit Mitteln versehen); **fun|diert** (begründet)

fün|dig (*Bergmannsspr.* ergiebig, reich); fündig werden (etwas entdecken); **Fund|ort**

Fund|rai|sing, Fund-Rai|sing ['fantre:zɪŋ], das; -[s], -s (Spendensammeln)

Fund|sa|che; Fund|stel|le; Fund|stück

Fun|dus, der; -, - (Grund u. Boden; Grundlage; Bestand an Kostümen, Kulissen usw.)

fünf; die fünf Sinne; die Fünf od. fünf Weisen (Sachverständigenrat); wir sind heute zu fünfen od. zu fünft; fünf gerade sein lassen (*ugs. für* nicht so genau nehmen)

Fünf, die; -, -en (Zahl); eine Fünf würfeln, schreiben; *vgl.* ¹Acht u. Eins

Fünf|cent|stück (*mit Ziffer* 5-Cent-Stück); **Fünf|eck**; **Fün|fer** (*ugs. auch für* Münze od. Schein mit dem Wert 5); *vgl.* Achter; **fün|fer|lei**; **Fün|fer|rei|he**; in Fünferreihen; **Fünf|eu|ro|schein** (*mit Ziffer* 5-Euro-Schein); **fünf|fach**; **fünf|hun|dert** (*als röm. Zahlzeichen* D); **fünf|jäh|rig** *vgl.* achtjährig; **Fünf|kampf**; **Fünf|ling**; **fünf|mal** *vgl.* achtmal; **fünf|stel|lig**; **fünft** *vgl.* fünf; **Fünf|ta|ge|wo|che**; **fünf|tä|gig** *vgl.* -tägig; **fünf|tau|send**

fünf|te; der Fünfte Kontinent (Australien); *vgl.* achte; **fünf|tel** *vgl.* achtel; **Fünf|tel**, das, *schweiz. meist* der; -s, -; *vgl.* Achtel; **fünf|tens**

fünf|und|zwan|zig; **fünf|zehn** *vgl.* acht

fünf|zig usw. *vgl.* achtzig usw.; **Fünf|zig|cent|stück** (*mit Ziffern* 50-Cent-Stück)

Fünf|zi|ger, der; -s, - (*ugs. auch für* Münze od. Schein mit dem Wert 50); *vgl.* Fuffziger

Fünf|zig|eu|ro|schein (*mit Ziffern* 50-Euro-Schein); **fünf|zig|jäh|rig** *vgl.* achtjährig

fun|gie|ren (eine bestimmte Funktion ausüben); er hat als Zeuge fungiert

Funk, der; -s; **Funk|aus|stel|lung**

Fünk|chen; **Fun|ke**, **Fun|ken**, der; ...kens, ...ken; eine Funken sprühende od. funkensprühende Leitung

fun|keln; **fun|kel|na|gel|neu** (*ugs.*)

fun|ken (durch Funk übermitteln)

Fun|ken *vgl.* Funke; **Fun|ken sprü|hend**, **fun|ken|sprü|hend** *vgl.* Funke

Fun|ker; **Fun|ke|rin**; **Funk|ge|rät**; **Funk|haus**; **Funk|kol|leg**; **Funk|si|gnal**; **Funk|spruch**; **Funk|stil|le**; **Funk|stö|rung**; **Funk|strei|fe**; **Funk|ta|xi**; **Funk|tech|nik**

Funk|ti|on, die; -, -en (Tätigkeit; Aufgabe; Wirkungsweise; *Math.* abhängige Größe)

funk|ti|o|nal (funktionell); **Funk|ti|o|na|li|tät**, die; -, -en; **Funk|ti|o|när**, der; -s, -e; **Funk|ti|o|nä|rin**; **funk|ti|o|nell** (eine Funktion erfüllend); **funk|ti|o|nie|ren**; **funk|ti|ons|fä|hig**; **Funk|ti|ons|fä|hig|keit**; **funk|ti|ons|tüch|tig**; **Funk|ti|ons|wei|se**

Funk|turm; **Funk|ver|bin|dung**

Fun|zel, die; -, -n (*ugs. für* schlecht brennende Lampe)

für (*Abk.* f.); *Präp. mit Akk.:* für ihn; ein für alle Mal; für und wider, *aber* das Für und [das] Wider; *vgl.* fürs

Für|bit|te

Fur|che, die; -, -n; **fur|chig**

Furcht, die; -; jmdm. Furcht einflößen; Furcht erregen; **furcht|bar**; **Furcht ein|flö|ßend**, **furcht|ein|flö|ßend**; eine Furcht einflößende od. furchteinflößende Gestalt, *aber nur* eine große Furcht einflößende Gestalt, eine noch furchteinflößendere Gestalt; **fürch|ten**; **fürch|ter|lich**; **furcht|er|re|gend**, **Furcht er|re|gend**; ein furchterregender od. Furcht erregender Auftritt, *aber nur* ein große Furcht erregender Auftritt, ein noch furchterregenderer Auftritt; **furcht|los**; **Furcht|lo|sig|keit**, die; -; **furcht|sam**; **Furcht|sam|keit**, die; -

für|ei|n|an|der; füreinander da sein, leben

Fu|rie [...jə], die; -, -n (wütende Frau)

Fur|nier, das; -s, -e (dünnes Deckblatt aus wertvollem Holz)

Fu|ro|re, die; -, *seltener* das; -s; Furore machen ([durch Erfolg] Aufsehen erregen)

fürs (für das); fürs Erste

Für|sor|ge, die; -; **Für|sor|ge|pflicht**; **für|sorg|lich** (pfleglich, liebevoll); **Für|spra|che**; **Für|spre|cher**; **Für|spre|che|rin**

Fürst, der; -en, -en; **Fürs|ten|tum**; **Fürs|tin**; **fürst|lich**

Furt, die; -, -en

Fu|run|kel, der, *auch* das; -s, - (Geschwür)

für|wahr (*geh. veraltend*)

Für|wort, das; -[e]s, ...wörter (*für* Pronomen)

Furz, der; -es, Fürze (*derb für* abgehende Blähung)

Fu|sel, der; -s, - (*ugs. für* schlechter Branntwein)

Fu|si|on, die; -, -en (Verschmelzung, Zusammenschluss); **fu|si|o|nie|ren**

Fuß, der; -es, Füße; drei Fuß lang; zu Fuß gehen; zu Füßen fallen; Fuß fassen; das Regal ist einen Fuß breit; der Weg ist kaum fußbreit; *vgl.* Fußbreit

Fuß|ball; Fußball spielen, *aber* das Fußball-
spielen; **Fuß|ball|club** *vgl.* Fußballklub;
Fuß|bal|ler; **Fuß|bal|le|rin**; **fuß|bal|le-**
risch; **Fuß|ball|fan**; **Fuß|ball|klub**, Fuß-
ball|club; **Fuß|ball-Län|der|spiel**, Fuß-
ball|län|der|spiel; **Fuß|ball|mann|schaft**;
Fuß|ball|platz; **Fuß|ball|pro|fi**; **Fuß|ball-**
spie|ler; **Fuß|ball|spie|le|rin**; **Fuß|ball-**
sta|di|on; **Fuß|ball|star** *vgl.* ²Star; **Fuß-**
ball|trai|ner; **Fuß|ball|trai|ne|rin**; **Fuß-**
ball|tur|nier; **Fuß|ball|ver|ein**; **Fuß|ball-**
welt|meis|ter|schaft; *Abk.:* Fußball-WM
Fuß|bo|den; **fuß|breit**; eine fußbreite Rinne;
vgl. Fuß
Fuß|breit, der; -, - (Maß); keinen Fußbreit
od. Fuß breit weichen; *vgl.* Fuß; **Füß|chen**
Fus|sel, die; -, -n, *auch* der; -s, -[n] (Faser-
stückchen); **fus|se|lig**, fuss|lig; sich den
Mund fusselig *od.* fusslig reden; **fus|seln**
fu|ßen; auf einem Vertrag fußen
Fuß|en|de; **Fuß|fall**, der; **Fuß|gän|ger**; **Fuß-**
gän|ge|rin; **Fuß|gän|ger|über|weg**; **Fuß-**
gän|ger|zo|ne; **fuß|hoch**; das Wasser
steht fußhoch; *vgl.* Fuß
...fü|ßig (z. B. vierfüßig)
fuss|lig *vgl.* fusselig
Fuß|marsch, der; **Fuß|no|te**; **Fuß|pilz**; **Fuß-**
soh|le; **Fuß|stap|fe**, die; -, -n, **Fuß|stap-**
fen, der; -s, -; **fuß|tief**; fußtiefe Löcher;
vgl. Fuß; **Fuß|tritt**; **Fuß|volk**; **Fuß|weg**
Fu|ton, der; -s, -s (jap. Matratze)
futsch (ugs. für weg, verloren)
¹Fut|ter das; -s, - *Plur. selten* (Nahrung [der
Tiere])
²Fut|ter, das; -s, - (innere Stoffschicht der
Oberbekleidung)
Fut|te|ral, das; -s, -e (Hülle; Behälter)
Fut|ter|mit|tel, das; **fut|tern** (ugs. scherzh.
für essen); ich futtere; **¹füt|tern**; den Hund
füttern; ich füttere; **²füt|tern** (²Futter ein-
legen); **Fut|ter|trog**; **Füt|te|rung**
Fu|tur das; -s, -e *Plur. selten* (Sprachwiss.
Zukunft); **Fu|tu|ris|mus**, der; - (Kunstrich-
tung des 20. Jh.s); **fu|tu|ris|tisch**
Fuz|zi, der; -s, -s (ugs. für nicht ganz ernst
zu nehmender Mensch)

G *g*

g, G, das; -, - (Tonbezeichnung)
G (Buchstabe); das G; des G, die G, *aber* das
g in Lage; der Buchstabe G, g
Ga|bar|di|ne [...di:n, *auch* ...'di:n], der; -s,
auch [...'di:nə], die; - (ein Gewebe)
Ga|be, die; -, -n
Ga|bel, die; -, -n; **Gä|bel|chen**; **ga|beln**;
Ga|bel|stap|ler; **Ga|be|lung**, **Gab|lung**
ga|ckern
gaf|fen (abwertend); **Gaf|fer**; **Gaf|fe|rin**
Gag [gɛk], der; -s, -s (witziger Einfall)
ga|ga (ugs. für nicht recht bei Verstand)
Ga|ge [...ʒə], die; -, -n (Künstlerhonorar)
gäh|nen; **Gäh|ne|rei**
Ga|la [*auch* 'gala], die; -, -s (Festkleid; festli-
che Veranstaltung); **Ga|la|emp|fang**
ga|lak|tisch (zur Galaxis gehörend)
ga|lant (betont höflich); **Ga|lan|te|rie**, die;
-, ...rien (Höflichkeit [gegenüber Frauen])
Ga|la|xie, die; -, ...xien (Astron. großes
Sternsystem); **Ga|la|xis**, die; -, ...xien (die
Milchstraße [nur Sing.]; selten für Galaxie)
Ga|lee|re, die; -, -n (Ruderkriegsschiff)
Ga|le|rie, die; -, ...ien; **Ga|le|rist**, der; -en,
-en (Leiter einer Galerie); **Ga|le|ris|tin**
Gal|gen, der; -s, -; **Gal|gen|frist**; **Gal|gen-**
hu|mor
Ga|li|ons|fi|gur
Gal|le, die; -, -n; **gal|le[n]|bit|ter**; **Gal|len-**
bla|se; **Gal|len|ko|lik**; **Gal|len|stein**
Gal|lert [*auch* ...lɛ...], das; -[e]s, -e (durch-
sichtige, steife Masse); **gal|lert|ar|tig**;
Gal|ler|te, die; -, -n (svw. Gallert)
gal|lig (gallebitter; verbittert)
Ga|lopp, der; -s, *Plur.* -s *u.* -e; **ga|lop|pie-**
ren; **Ga|lopp|renn|bahn**
gal|va|ni|sie|ren (durch Elektrolyse mit
Metall überziehen)
Ga|ma|sche, die; -, -n (über den Schuh gezo-
gener Strumpf)

Gam|be, die; -, -n (ein Streichinstrument)

Game|boy® ['ge:mbɔy], der; -[s], -s (eine Spielkonsole)

Gam|ma, das; -[s], -s (griech. Buchstabe; Γ, γ); Gam|ma|strah|len, γ-Strah|len ['gama...] Plur. (radioaktive Strahlen, kurzwellige Röntgenstrahlen)

Gam|mel|fleisch (ugs. für verdorbenes Fleisch); gam|me|lig, gamm|lig (ugs. für verkommen; verdorben, faulig); gam|meln (ugs.); Gamm|ler; Gamm|le|rin

Gams, die; -, -[en] od. der; -[en], -[en], Jägerspr. u. landsch. das; -[en], -[en], (bes. Jägerspr. u. landsch. für Gämse); Gams|bart, Gäms|bart; Gams|bock, Gäms|bock; Gäm|se, die; -, -n

gang; nur noch in gang und gäbe sein (allgemein üblich sein)

¹Gang, der; -[e]s, Gänge; im Gang[e] sein; in Gang bringen, halten, setzen

²Gang [gɛŋ], die; -, -s ([Verbrecher]bande)

Gang|art; gang|bar

Gän|gel|band, das; -[e]s, ...bänder; gän|geln

gän|gig; eine gängige Methode

Gan|g|li|en|zel|le ['gaŋ(g)liən...] (Biol. Nervenzelle)

Gang|schal|tung

Gangs|ter ['gɛ...], der; -s, - ([Schwer]verbrecher); Gangs|ter|boss; Gangs|te|rin

Gang|way ['gɛnve:], die; -, -s (Laufgang zum Besteigen eines Schiffes od. Flugzeuges)

Ga|no|ve, der; -n, -n (ugs. abwertend für Gauner, Betrüger); Ga|no|vin

Gans, die; -, Gänse; Gäns|chen; Gän|se|blüm|chen; Gän|se|bra|ten; Gän|se|füß|chen (ugs. für Anführungsstrich); Gän|se|haut; Gän|se|marsch der; -[e]s, ...märsche Plur. selten; Gän|se|rich, der; -s, -e

ganz; ganz und gar; ganze Zahlen (Math.); in ganz Berlin; etw. wieder ganz machen od. ganzmachen (ugs. für reparieren); das [große] Ganze; als Ganzes; ums Ganze; aufs Ganze gehen; im Ganzen [gesehen]; im großen Ganzen; im Großen und Gan-

zen; Gän|ze; nur in Wendungen wie zur Gänze (ganz, vollständig)

Ganz|heit, die; -; ganz|heit|lich; ganz|jäh|rig; ganz|lei|nen (aus reinem Leinen); gänz|lich; ganz ma|chen, ganz|ma|chen vgl. ganz; ganz|sei|tig; eine ganzseitige Anzeige; ganz|tä|gig; Ganz|tags|schu|le

¹gar (fertig gekocht; südd., österr. ugs. für zu Ende); das Fleisch ist noch nicht ganz gar; das Fleisch gar kochen od. garkochen

²gar (überhaupt; stets getrennt geschrieben); ganz und gar, gar kein, gar nicht, gar nichts; gar sehr

Ga|ra|ge [...ʒə], die; -, -n; ga|ra|gie|ren (österr. für [Wagen] einstellen)

Ga|rant, der; -en, -en; Ga|ran|tie, die; -, ...ien; ga|ran|tie|ren; ga|ran|tiert; Ga|ran|tie|schein; Ga|ran|tin

Ga|r|aus, der; nur in jmdm. den Garaus machen (jmdn. töten)

Gar|be, die; -, -n

Gar|de, die; -, -n (Militär Elitetruppe); Gar|de|re|gi|ment

Gar|de|ro|be, die; -, -n; Gar|de|ro|bi|er [...'bie:], der; -s, -s (Theater jmd., der Künstler[innen] u. ihre Kostüme betreut); Gar|de|ro|bi|e|re, die; -, -n

Gar|di|ne, die; -, -n; Gar|di|nen|pre|digt (ugs.); Gar|di|nen|stan|ge

Gar|dist, der; -en, -en (Soldat der Garde); Gar|dis|tin

ga|ren (gar kochen)

gä|ren; es gor (auch, bes. in übertr. Bedeutung gärte); gegoren (auch gegärt)

gar ge|kocht, gar|ge|kocht

Garn, das; -[e]s, -e

Gar|ne|le, die; -, -n (ein Krebstier)

gar nicht; gar nichts vgl. ²gar

gar|nie|ren (schmücken, verzieren); Gar|nie|rung

Gar|ni|son, die; -, -en

Gar|ni|tur, die; -, -en

gars|tig; Gars|tig|keit

Gär|stoff

Gar|ten, der; -s, Gärten; Gar|ten|ar|beit; Gar|ten|bank Plur. ...bänke; Gar|ten|bau, der; -[e]s; Gar|ten|haus; Gar|ten|schau; Gar|ten|schlauch; Gar|ten|zaun; Garten|zwerg; Gärt|ner; Gärt|ne|rei; Gärt-ne|rin; gärt|ne|risch; gärt|nern

Gä|rung; Gä|rungs|pro|zess

Gar|zeit

Gas, das; -es, -e; Gas geben; gas|för|mig; Gas|hahn; Gas|hei|zung; Gas|herd; Gas-lei|tung; Gas|mas|ke; Ga|so|me|ter, der; -s, - (veraltend für großer Gasbehälter); Gas|pe|dal; Gas|pis|to|le

Gäss|chen; Gas|se, die; -, -n (enge, schmale Straße; österr. in bestimmten Verwendungen auch für Straße)

Gas|si; nur in Gassi gehen (ugs. für den Hund ausführen)

Gast, der; -[e]s, Plur. Gäste u. (Seemannsspr. für bestimmte Matrosen:) -en; Gast|ar-bei|ter (veraltend); Gast|ar|bei|te|rin; Gäs|te|buch; Gäs|te|haus; Gäs|te-WC; Gäs|te|zim|mer; Gast|fa|mi|lie; gast-freund|lich; Gast|freund|schaft; Gast-ge|ber; Gast|ge|be|rin; Gast|haus; Gast-hof; gas|tie|ren (Theater); gast|lich

Gas|t|ri|tis, die; -, ...itiden (Magenschleim-hautentzündung)

Gas|t|ro|nom, der; -en, -en (Gastwirt); Gas-t|ro|no|mie, die; - (Gaststättengewerbe); Gas|t|ro|no|min; gas|t|ro|no|misch

Gast|spiel; Gast|stät|te; Gast|stu|be

Gast|wirt; Gast|wir|tin; Gast|wirt|schaft

Gas|ver|gif|tung; Gas|zäh|ler

Gate [geːt], das; -s, -s (Flugsteig)

Gat|te, der; -n, -n

Gat|ter, das; -s, - (Gitter, [Holz]zaun)

Gat|tin

Gat|tung

Gau, der, landsch. das; -[e]s, -e

GAU, der; -s, -s = größter anzunehmender Unfall

Gau|cho [...t∫o], der; -[s], -s (südamerik. Viehhirt)

Gau|di, die; -, österr. nur so, auch das; -s (ugs. für Gaudium)

gau|keln (veraltend); Gauk|ler; Gauk|le|rin

Gaul, der; -[e]s, Gäule

Gau|men, der; -s, -s

Gau|ner, der; -s, -; Gau|ner|ban|de; Gau-ne|rei; Gau|ne|rin; gau|ne|risch; gau-nern; Gau|ner|spra|che

gay [geɪ] (ugs. für homosexuell); Gay, der; -[s], -s (ugs. für Homosexueller)

Ga|ze [...zə], die; -, -n (durchsichtiges Gewebe; Verbandmull)

Ga|zel|le, die; -, -n (Antilopenart)

Ga|zet|te [auch ...'zɛt(ə)], die; -, -n (veral-tet, noch abwertend für Zeitung)

ge|ach|tet

Ge|äch|ze, das; -s (oft abwertend)

ge|ar|tet; die Sache ist so geartet, dass ...

Ge|äst, das; -[e]s (Astwerk)

Ge|bäck, das; -[e]s, -e; ge|ba|cken

Ge|bälk, das; -[e]s, -e Plur. selten

ge|ballt

Ge|bär|de, die; -, -n; ge|bär|den, sich; Ge-bär|den|spra|che; ge|ba|ren, sich (veral-tet für sich gebärden)

ge|bä|ren; gebar, geboren; Ge|bär|mut|ter, die; -, ...mütter

ge|bauch|pin|selt (ugs. für geschmeichelt)

Ge|bäu|de, das; -s, -; Ge|bäu|de|kom|plex; Ge|bäu|de|teil, der

ge|baut; ein gut gebauter od. gutgebauter Sportler

Ge|bein, das; -[e]s, -e

Ge|bell, das; -[e]s, Ge|bel|le, das; -s

ge|ben; gab, gegeben; Geben od. geben ist seliger denn Nehmen od. nehmen; Ge-ber; Ge|be|rin; Ge|ber|land; Ge|ber|lau-ne; in Geberlaune sein

Ge|bet, das; -[e]s, -e; Ge|bet|buch; Ge-bets|tep|pich

ge|beu|telt; vom Schicksal gebeutelt

Ge|biet, das; -[e]s, -e; ge|bie|ten; geboten; Ge|bie|ter; Ge|bie|te|rin; ge|bie|te|risch; Ge|biets|an|spruch

Ge|bil|de, das; -s, -

ge|bil|det

Ge|bin|de, das; -s, -

Ge|bir|ge, das; -s, -; ge|bir|gig; Ge|birgs-bach

Ge|biss, das; -es, -e

G

G

Ge|blä|se, das; -s, - *(Technik)*
ge|blümt (mit Blumenmuster)
Ge|blüt, das; -[e]s *(geh.)*
ge|bo|gen *vgl.* biegen
ge|bo|ren *(Abk.* geb.; *Zeichen* *); sie ist eine geborene Maier
ge|bor|gen; sich geborgen fühlen; Ge|bor|gen|heit, die; -
Ge|bot, das; -[e]s, -e; zu Gebot[e] stehen; die Zehn Gebote; ¹ge|bo|ten *vgl.* bieten; ²ge|bo|ten *vgl.* gebieten
ge|bracht *vgl.* bringen
ge|brannt; gebrannter Kalk
Ge|brauch, der; -[e]s, *Plur.* (für Sitte, Verfahrensweise:) Gebräuche; von etwas Gebrauch machen; ge|brau|chen (benutzen); ge|bräuch|lich; Ge|brauchs|an|wei|sung; ge|brauchs|fer|tig; Ge|brauchs|ge|gen|stand; ge|braucht; Ge|braucht|wa|gen
ge|bre|chen *(geh. für* fehlen); es gebricht mir an der nötigen Ausdauer; Ge|bre|chen, das; -s, - *(geh. für* Körperschaden); ge|brech|lich; Ge|brech|lich|keit, die; -
ge|bro|chen; gebrochene Farben
Ge|brü|der *Plur. (Abk.* Gebr.)
Ge|brüll, das; -[e]s
Ge|brumm, das; -[e]s, Ge|brum|me, das; -s
Ge|bühr, die; -, -en; nach, über Gebühr; ge|büh|ren; etwas gebührt ihr (kommt ihr zu); es gebührt sich nicht, dies zu tun; ge|büh|rend; Ge|büh|ren|er|hö|hung; ge|büh|ren|frei; ge|büh|ren|pflich|tig
ge|bun|den *(Abk. [bei Büchern]* geb.)
Ge|burt, die; -, -en; Ge|bur|ten|kon|t|rol|le; Ge|bur|ten|ra|te; Ge|bur|ten|re|ge|lung; ge|bur|ten|schwach; ge|bur|ten|stark
ge|bür|tig; er ist gebürtiger Bonner; Ge|burts|an|zei|ge; Ge|burts|da|tum; Ge|burts|haus; Ge|burts|hel|fer; Ge|burts|hel|fe|rin; Ge|burts|jahr; Ge|burts|na|me; Ge|burts|ort *Plur.* ...orte; Ge|burts|stadt; Ge|burts|stun|de; Ge|burts|tag; Ge|burts|tags|fei|er; Ge|burts|tags|ge|schenk; Ge|burts|tags|par|ty

Ge|büsch, das; -[e]s, -e
Geck, der; -en, -en; ge|cken|haft
ge|dacht; ich habe seiner gedacht
Ge|dächt|nis, das; -ses, -se; Ge|dächt|nis|fei|er; Ge|dächt|nis|schwund
Ge|dan|ke, der; ...kens, ...ken; Ge|dan|ken|aus|tausch; Ge|dan|ken|gang, der; ge|dan|ken|los; Ge|dan|ken|lo|sig|keit; Ge|dan|ken|spiel; Ge|dan|ken|strich; ge|dan|ken|voll; ge|dank|lich
Ge|därm, das; -[e]s, -e, Ge|där|me, das; -s, -
Ge|deck, das; -[e]s, -e; ge|deckt
Ge|deih, der; *nur in* auf Gedeih und Verderb; ge|dei|hen; gedieh, gediehen
ge|den|ken; *mit Gen.:* gedenket unser!; Ge|den|ken, das; -s; Ge|denk|fei|er; Ge|denk|stät|te; Ge|denk|ta|fel; Ge|denk|tag
Ge|dicht, das; -[e]s, -e; Ge|dicht|band, der
ge|die|gen; Ge|die|gen|heit, die; -
Ge|döns, das; -es *(landsch. für* Getue)
Ge|drän|ge, das; -s; Ge|drän|gel, das; -s *(ugs.);* ge|drängt
ge|drückt; gedrückte Stimmung
ge|drun|gen (untersetzt)
Ge|duld, die; -; ge|dul|den, sich; ge|dul|dig; Ge|dulds|fa|den; *nur in* jmdm. reißt der Geduldsfaden; Ge|dulds|pro|be
ge|dun|sen; ein gedunsenes Gesicht
ge|eig|net
Geest, die; -, -en (hoch gelegenes, sandiges Land im Küstengebiet)
Ge|fahr, die; -, -en; Gefahr laufen; Gefahr bringend *od.* gefahrbringend, *aber nur* große Gefahr bringend, äußerst gefahrbringend; ge|fähr|den; ge|fähr|det; gefährdete Tierarten; Ge|fähr|dung
Ge|fah|ren|ab|wehr, die; -
ge|fähr|lich; gefährliche Körperverletzung *(Rechtsspr.);* Ge|fähr|lich|keit, die; -
ge|fahr|los
Ge|fährt, das; -[e]s, -e (Wagen)
Ge|fähr|te, der; -n, -n (Begleiter); Ge|fähr|tin
ge|fahr|voll
Ge|fäl|le, das; -s, -
¹ge|fal|len; es hat mir gefallen; sich etwas gefallen lassen

²ge|fal|len; er ist gefallen (*Abk.* gef.; *Zeichen* ✕)

¹Ge|fal|len, der; -s, -; jmdm. einen Gefallen tun; jmdm. etwas zu Gefallen tun

²Ge|fal|len, das; -s; Gefallen an etwas finden

Ge|fal|le|ne, der u. die; -n, -n

ge|fäl|lig (*Abk.* gefl.); Ge|fäl|lig|keit

ge|fäl|ligst (*Abk.* gefl.)

Ge|fall|sucht, die; -; ge|fall|süch|tig

ge|fälscht; gefälschte Dokumente

ge|fan|gen; gefangen halten, nehmen, setzen; Ge|fan|ge|ne, der u. die; -n, -n; Ge|fan|ge|nen|la|ger; ge|fan|gen ge|nom|men, ge|fan|gen|ge|nom|men; der gefangen genommene Spion; ge|fan|gen hal|ten; Ge|fan|gen|nah|me, die; -, -n; ge|fan|gen neh|men; Ge|fan|gen|schaft, die; -, -en

Ge|fäng|nis, das; -ses, -se; Ge|fäng|nis-stra|fe

ge|färbt; blau gefärbt *od.* blaugefärbt; *vgl.* blau

Ge|fa|sel, das; -s (*ugs. abwertend*)

Ge|fäß, das; -es, -e

ge|fasst; auf alles gefasst sein

Ge|fecht, das; -[e]s, -e

ge|fei|ert (geehrt, umjubelt)

ge|feit (sicher, geschützt); sie ist gegen böse Einflüsse gefeit

ge|fes|tigt; gefestigte Meinungen

Ge|fie|der, das; -s, -; ge|fie|dert

Ge|fil|de, das; -s, - (*geh. für* Landschaft)

Ge|flecht, das; -[e]s, -e

ge|flis|sent|lich

ge|flo|hen *vgl.* fliehen

Ge|flü|gel, das; -s; ge|flü|gelt; geflügelte Worte (häufig gebrauchte Zitate)

Ge|fol|ge, das; -s, - *Plur. selten;* im Gefolge von ...; Ge|folg|schaft

ge|fragt

ge|frä|ßig; Ge|frä|ßig|keit, die; -

Ge|frei|te, der u. die; -n, -n (*Abk.* Gefr.)

ge|frie|ren; Ge|frier|fleisch; ge|frier|ge|trock|net; Ge|frier|punkt; Ge|frier|tru|he; ge|fro|ren *vgl.* frieren

ge|frus|tet (*ugs. für* frustriert)

Ge|fü|ge, das; -s, -; ge|fü|gig

Ge|fühl, das; -[e]s, -e; ge|fühl|los; ge-fühls|arm; ge|fühls|be|tont; Ge|fühls-du|se|lei (*ugs. abwertend*); ge|fühls|mä-ßig; Ge|fühls|sa|che; ge|fühlt (nach dem Gefühl geschätzt; gefühlsmäßig); eine gefühlte Wärme von 30 Grad; ge|fühl|voll

ge|führt; geführte Wanderungen

ge|fun|den *vgl.* finden

ge|fürch|tet

ge|gan|gen *vgl.* gehen

ge|ge|ben; aus gegebenem Anlass; etw. als gegeben voraussetzen; es ist das Gegebene, jetzt zu handeln; ge|ge|be|nen|falls (*Abk.* ggf.); Ge|ge|ben|heit

ge|gelt; gegelte Haare

ge|gen; *Präp. mit Akk.:* er rannte gegen das Tor; *Adverb:* gegen 20 Leute kamen

Ge|gen|an|griff; Ge|gen|ar|gu|ment; Ge-gen|be|we|gung; Ge|gen|be|weis

Ge|gend, die; -, -en

Ge|gen|dar|stel|lung (*bes. Zeitungsw.*)

ge|gen|ei|n|an|der; gegeneinander sein; gegeneinander antreten

ge|gen|ei|n|an|der|drü|cken; ge|gen|ei|n-an|der|prall|len; ge|gen|ei|n|an|der|stel-len; ge|gen|ei|n|an|der|sto|ßen

Ge|gen|ent|wurf; Ge|gen|fahr|bahn; Ge|gen|fi|nan|zie|rung; Ge|gen|fra|ge; Ge|gen|ge|wicht; ge|gen|läu|fig; Ge|gen|leis|tung; ge|gen|len|ken (beim Autofahren); Ge|gen|lie|be; Ge|gen|mit-tel; Ge|gen|pol; Ge|gen|rich|tung; Ge|gen|satz; ge|gen|sätz|lich; Ge|gen-sätz|lich|keit; Ge|gen|schlag; Ge|gen-sei|te; ge|gen|sei|tig; Ge|gen|sei|tig-keit; Ge|gen|spie|ler; Ge|gen|spie|le|rin

Ge|gen|stand; ge|gen|stän|d|lich; ge|gen-stands|los

ge|gen|steu|ern; einer bedrohlichen Entwicklung gegensteuern

Ge|gen|stim|me; Ge|gen|stück; Ge|gen-teil, das; -[e]s, -e; im Gegenteil; ins Gegenteil umschlagen; ge|gen|tei|lig; Ge-gen|tor; Ge|gen|tref|fer (*Sport*)

ge|gen|über; *Präp. mit Dat.:* gegenüber dem

Rathaus, *auch* dem Rathaus gegenüber; *in Verbindung mit Verben:* gegenüber (dort drüben, auf der anderen Seite) stehen zwei Häuser; *vgl. aber* gegenüberliegen usw.

Ge|gen|über, das; -s, -; ge|gen|über|lie|gen; sie haben sich gegenübergelegen; ge|gen|über|sit|zen; um sich gegenüberzusitzen; ge|gen|über|ste|hen; sie haben sich gegenübergestanden; ge|gen|über|stel|len; Ge|gen|über|stel|lung; ge|gen|über|tre|ten

Ge|gen|ver|kehr; Ge|gen|vor|schlag

Ge|gen|wart, die; -; ge|gen|wär|tig [*auch* ...'vɛ...]

Ge|gen|wehr; Ge|gen|welt; Ge|gen|wert; Ge|gen|wind; ge|gen|zeich|nen ([als Zweiter] mit unterschreiben); Ge|gen|zug

Geg|ner; Geg|ne|rin; geg|ne|risch; Geg|ner|schaft, die; -

ge|go|ren; der Saft ist gegoren

ge|grün|det (*Abk.* gegr.)

Ge|ha|be, das; -s (Ziererei); ge|ha|ben, sich; gehab[e] dich wohl!; Ge|ha|ben, das; -s

Ge|hack|te, das; -n (Hackfleisch)

¹Ge|halt, das; -[e]s, Gehälter (Lohn)

²Ge|halt, der; -[e]s, -e (Inhalt; Wert)

ge|hal|ten; die Teilnehmer sind gehalten (verpflichtet) ...

ge|halt|los

Ge|halts|er|hö|hung

ge|halt|voll

ge|han|di|capt, ge|han|di|kapt [gə'hɛndikept] (behindert, benachteiligt)

ge|har|nischt; geharnischter Protest

ge|häs|sig; Ge|häs|sig|keit

Ge|häu|se, das; -s, -

geh|be|hin|dert

Ge|hei|ge, das; -s, -

ge|heim; geheime Wahlen; im Geheimen; etw. muss geheim bleiben; etw. geheim halten; Ge|heim|bund, der; Ge|heimdienst; Ge|heim|fach; ge|heim hal|ten *vgl.* geheim; Ge|heim|hal|tung; Ge|heim|nis, das; -ses, -se; Ge|heim|niskrä|me|rei; Ge|heim|nis|tu|e|rei, die; -; ge|heim|nis|voll

Ge|heim|po|li|zei; Ge|heim|sen|der; Geheim|tipp; ge|heim|tun (geheimnisvoll tun)

Ge|heiß, das; -es, -e; auf Geheiß des ...

ge|hemmt

ge|hen; ging, gegangen; vor sich gehen; baden gehen, essen gehen, schlafen gehen; sie haben ihn [nach Hause] gehen lassen, *seltener* gelassen; den Teig gehen lassen (aufgehen lassen); du sollst die Kleine gehen lassen *od.* gehenlassen (in Ruhe lassen); sich gehen lassen *od.* gehenlassen (sich undiszipliniert verhalten); Ge|hen, das; -s (Sportart); 20-km-Gehen; Ge|her (Sport); Ge|he|rin

Ge|het|ze, das; -s

ge|heu|er; jmdm. nicht geheuer sein

Ge|hil|fe, der; -n, -n; Ge|hil|fin

Ge|hirn, das; -[e]s, -e; Ge|hirn|er|schüt|terung; Ge|hirn|wä|sche (gewaltsame Manipulation eines Menschen)

¹ge|ho|ben; gehobene Sprache

²ge|ho|ben *vgl.* heben

Ge|höft [*auch* ...'hœ...], das; -[e]s, -e

Ge|hölz, das; -es, -e

Ge|hör, das; -[e]s; Gehör finden, schenken

ge|hor|chen; du musst ihr gehorchen; der Not gehorchend

ge|hö|ren; Ge|hör|gang, der; ge|hö|rig; gehörigen Ortes (*Amtsspr.*); ge|hör|los

ge|hörnt; der gehörnte Ehemann

ge|hor|sam; Ge|hor|sam, der; -s; Ge|horsam|keit, die; -; Ge|hor|sams|ver|wei|gerung

Ge|hör|sinn, der; -[e]s

Geh|steig; Geh|weg

Gei|er, der; -s, -

Gei|fer, der; -s; gei|fern

Gei|ge, die; -, -n; die erste Geige spielen; gei|gen; Gei|ger; Gei|ge|rin

Gei|ger|zäh|ler, Gei|ger-Zäh|ler (Gerät zum Nachweis radioaktiver Strahlen)

geil (*Jugendspr. auch für* großartig, toll); Geil|heit, die; -

Gei|sel, die; -, -n; Geiseln freilassen; Gei|sel|dra|ma; Gei|sel|nah|me, die; -, -n

Gei|sha [ˈgeːʃa], die; -, -s (jap. Gesellschafterin)

Geiß, die; -, -en (südd., österr., schweiz. für Ziege); **Geiß|bock**

Gei|ßel, die; -, -n (landsch. auch für Peitsche; übertr. für Plage); **gei|ßeln**

Geiß|lein (junge Geiß)

Geist, der; -[e]s, Plur. (für Gespenst, kluger Mensch:) -er u. (für Weingeist usw.:) -e

Geis|ter|bahn; Geis|ter|fah|rer (jmd., der auf der Autobahn auf der falschen Seite fährt; Falschfahrer); **Geis|ter|fah|re|rin; geis|ter|haft; Geis|ter|hand;** wie von Geisterhand

geis|tern; es geistert; **Geis|ter|stun|de; geis|tes|ab|we|send; Geis|tes|blitz; geis|tes|ge|gen|wär|tig; geis|tes|ge|stört** (ugs. veraltend, oft abwertend); **geis|tes|krank** (Med., Psychol. veraltet, noch ugs.); **Geis|tes|krank|heit** (geistige Behinderung); **Geis|tes|wis|sen|schaft** meist Plur.; **Geis|tes|wis|sen|schaft|ler; Geis|tes|wis|sen|schaft|le|rin**

geis|tig; geistiges Eigentum; geistig behindert sein; die geistig Behinderten; **geis-tig-see|lisch**

geist|lich; Geist|li|che, der u. die; -n, -n; **Geist|lich|keit,** die; -

geist|los; geist|reich; geist|voll

Geiz, der; -es, -e; **gei|zen; Geiz|hals** (geiziger Mensch); **gei|zig**

Ge|jam|mer, das; -s

ge|kannt vgl. kennen

Ge|ki|cher, das; -s

Ge|kläff, das; -[e]s, **Ge|kläf|fe,** das; -s

Ge|klim|per, das; -s

Ge|klirr, das; -[e]s, **Ge|klir|re,** das; -s

ge|knickt (ugs. auch für bedrückt)

ge|kom|men vgl. kommen

ge|konnt; ihr Spiel wirkte sehr gekonnt

Ge|kräch|ze, das; -s

Ge|kreisch, das; -[e]s, **Ge|krei|sche,** das; -s

Ge|kreu|zig|te, der; -n, -n

Ge|krit|zel, das; -s

ge|küns|telt

Gel, das; -s, -e u. -s (gallertartige Substanz)

Ge|la|ber, das; -s (ugs. für Gerede)

Ge|läch|ter, das; -s, -

ge|lack|mei|ert (ugs. für angeführt); **Ge-lack|mei|er|te,** der u. die; -n, -n

ge|la|den; das Gewehr ist geladen; geladen (ugs. auch für zornig, wütend) sein

Ge|la|ge, das; -s, -

ge|lähmt; Ge|lähm|te, der u. die; -n, -n

Ge|län|de, das; -s, -; **ge|län|de|gän|gig**

Ge|län|der, das; -s, -

Ge|län|de|spiel; Ge|län|de|wa|gen

ge|lan|gen; in jmds. Hände gelangen

ge|lang|weilt

ge|las|sen; etw. gelassen hinnehmen; gelassen sein; **Ge|las|sen|heit,** die; -

Ge|la|ti|ne [ʒ...], die; -

ge|lau|fen vgl. laufen

ge|läu|fig; dieses Wort ist sehr geläufig

ge|launt; der Chef ist gut gelaunt; vgl. gut

Ge|läut, das; -[e]s, -e (Glocken einer Kirche); **Ge|läu|te,** das; -s (anhaltendes Läuten)

gelb; sich gelb und grün ärgern; jetzt ist [es] gelb (an der Ampel); der gelbe Sack, das Gelbe od. gelbe Trikot (des Spitzenreiters im Radsport), die Gelbe od. gelbe Karte (bes. Fußball); Gelbe Rüben (Möhren); Gelbe Seiten® (Branchentelefonbuch); vgl. blau; **Gelb,** das; -[s], -[s] (gelbe Farbe); bei Gelb; die Ampel steht auf Gelb; vgl. Blau

gelb|braun vgl. blau; **gelb|lich;** gelblich grün; **gelb|rot;** der Spieler sah Gelb-Rot od. Gelbrot; **Gelb|sucht,** die; -

Geld, das; -[e]s, -er; **Geld|an|la|ge; Geld-au|to|mat; Geld|be|trag; Geld|beu|tel; Geld|bör|se; Geld|bu|ße; Geld|ge|ber; Geld|ge|be|rin; geld|gie|rig; Geld|hahn;** meist in jmdm. den Geldhahn zudrehen (ugs. für jmdm. kein Geld mehr geben); **Geld|ins|ti|tut; Geld|markt; Geld|men-ge; Geld|mit|tel** Plur.; **Geld|not;** in Geldnot sein, geraten; **Geld|schein; Geld-schrank; Geld|se|gen** (ugs. scherzh.); **Geld|stra|fe; Geld|stück; Geld|wä|sche** (ugs. für Umtausch von illegal erworbenem Geld in solches von unverdächtiger Herkunft); **geld|wert** *(Finanzw.);* geldwerter Vorteil

ge|leckt; der Raum sieht aus wie geleckt *(ugs. für sehr sauber)*

Ge|lee [ʒ...], das, *auch* der; -s, -s

Ge|le|ge; das; -s, -

ge|le|gen; das kommt mir sehr gelegen

Ge|le|gen|heit; Ge|le|gen|heits|ar|beit

ge|le|gent|lich (manchmal)

ge|leh|rig; Ge|leh|rig|keit, die; -

ge|lehr|sam; Ge|lehr|sam|keit, die; -

ge|lehrt; Ge|lehr|te, der *u.* die; -n, -n

Ge|leit, das; -[e]s, -e; **ge|lei|ten; Ge|leit-schutz,** der; -es

gel|len; er gelt die Haare; gegelt

Ge|lenk, das; -[e]s, -e; **Ge|lenk|ent|zün-dung; ge|len|kig; Ge|len|kig|keit,** die; -

ge|lernt; ein gelernter Maurer

Ge|lieb|te, der *u.* die; -n, -n

ge|lie|fert *(ugs. für verloren, ruiniert)*

ge|lie|ren [ʒ...] *(zu Gelee werden)*

ge|lind, ge|lin|de; gelinde (vorsichtig) gesagt

ge|lin|gen; gelang, gelungen; **Ge|lin|gen,** das; -s

gell?, gel|le? *(landsch. für gelt?)*

gel|len; es gellt; es gellte; gegellt

ge|lo|ben; jmdm. etwas geloben (verspre-chen); das Gelobte Land *(bibl.)*

Ge|löb|nis, das; -ses, -se

ge|lockt

ge|löst; Ge|löst|heit, die; -

gelt? *(bes. südd. u. österr. für nicht wahr?)*

gel|ten; galt, gegolten; gelten lassen; gel-tend machen; **Gel|tend|ma|chung** *(Amtsspr.);* **Gel|tung,** die; -; **Gel|tungs|be-dürf|nis; Gel|tungs|be|reich,** der

Ge|lüb|de, das; -s, -

ge|lun|gen; eine gelungene Aufführung

Ge|lüst, das; -[e]s, -e, das; -s, - *(geh.);* **ge|lüs|ten;** es gelüstet mich

ge|mach; gemach, gemach! (langsam)

Ge|mach, das; -[e]s, *Plur.* ...mächer, *veraltet* -e

ge|mäch|lich [*auch* ...'mɛç...]

ge|macht; ein gemachter *(ugs. für erfolgrei-cher)* Mann

Ge|mahl, der; -[e]s, -e *(geh. für Ehemann);* **Ge|mah|lin**

ge|mah|nen *(geh. für erinnern)*

Ge|mäl|de, das; -s, -; **Ge|mäl|de|ga|le|rie**

Ge|mar|kung *(Fläche einer Gemeinde)*

ge|ma|sert; gemasertes Holz

ge|mäß; dem Befehl gemäß *(seltener gemäß dem Befehl; nicht:* gemäß des Befehls)

ge|mä|ßigt; gemäßigte Zone *(Meteorol.)*

Ge|mäu|er, das; -s, -

ge|mein; Ge|mein|be|sitz, der; -es

Ge|mein|de, die; -, -n; **ge|mein|de|ei|gen; Ge|mein|de|haus; Ge|mein|de|mit|glied; Ge|mein|de|ord|nung; Ge|mein|de|rat** *Plur.* ...räte; **Ge|mein|de|rä|tin; Ge|mein-de|saal; Ge|mein|de|ver|wal|tung; Ge-mein|de|zen|t|rum; ge|meind|lich**

Ge|mein|ei|gen|tum; ge|mein|ge|fähr|lich; Ge|mein|gut; Ge|mein|heit; ge|mein-hin; ge|mein|nüt|zig; Ge|mein|nüt|zig-keit, die; -; **Ge|mein|platz** *(svw. Phrase)*

ge|mein|sam; Ge|mein|sam|keit

Ge|mein|schaft; ge|mein|schaft|lich; Ge-mein|schafts|kun|de, die; - (ein Schul-fach); **Ge|mein|schafts|wäh|rung**

ge|meint; ein gut gemeinter *od.* gutge-meinter Vorschlag

ge|mein|ver|ständ|lich; Ge|mein|wohl

Ge|men|ge, das; -s, -; **Ge|men|ge|la|ge,** die; - *(übertr. für Mischung)*

ge|mes|sen; gemessenen Schritts

Ge|met|zel, das; -s, -

Ge|misch, das; -[e]s, -e; **ge|mischt;** gemischtes Doppel *(Sport)*

Ge|mur|mel, das; -s

Ge|mü|se, das; -s, -; **Ge|mü|se|an|bau,** der; -[e]s; **Ge|mü|se|beet; Ge|mü|se|händ|ler; Ge|mü|se|händ|le|rin**

ge|mus|tert

Ge|müt, das; -[e]s, -er; zu Gemüte führen

ge|müt|lich; Ge|müt|lich|keit

Ge|müts|art; Ge|müts|be|we|gung; ge-müts|krank; Ge|müts|mensch; Ge|müts-ver|fas|sung; Ge|müts|zu|stand

Gen, das; -s, -e *(Träger der Erbanlage)*

gen *(veraltend für in Richtung);* gen Himmel

ge|nannt (*Abk.* gen.)

ge|narbt; genarbtes Leder

ge|nau; genau[e]stens; wir wissen nichts
　Genaues; auf das, aufs Genau[e]ste *od.*
　genau[e]ste; etw. genau nehmen; sie hat[,]
　genau genommen[,] nicht gelogen

Ge|nau|ig|keit, die; -

ge|nau|so (ebenso); genauso viele Freunde;
　du kannst genauso gut die Bahn nehmen;
　das dauert genauso lang[e]; das stört mich
　genauso wenig

Gen|darm [ʒan…, *auch* ʒã…], der; -en, -en
　(*veraltet, noch österr. für* Polizist)

ge|nehm (*geh.*)*;* jmdm. genehm sein

ge|neh|mi|gen; Ge|neh|mi|gung; ge|neh-
　mi|gungs|pflich|tig

ge|neigt; er ist geneigt[,] zuzustimmen

Ge|ne|ral, der; -s, *Plur.* -e *u.* …räle;
　Ge|ne|ral|be|voll|mäch|tig|te; Ge|ne|ral-
　di|rek|tor; Ge|ne|ral|di|rek|to|rin;
　Ge|ne|ral|feld|mar|schall; Ge|ne|ra|lin;
　ge|ne|ra|li|sie|ren (verallgemeinern);
　Ge|ne|ral|kon|su|lat; Ge|ne|ral|pro|be;
　Ge|ne|ral|se|kre|tär; Ge|ne|ral|se|kre|tä-
　rin; Ge|ne|ral|stab; Ge|ne|ral|streik;
　ge|ne|ral|über|ho|len; *nur im Infinitiv u.
　Partizip II gebr.:* das Auto wurde general-
　überholt

Ge|ne|ra|ti|on, die; -, -en; Ge|ne|ra|ti|o-
　nen|ver|trag; Ge|ne|ra|ti|o|nen|wech|sel;
　Ge|ne|ra|ti|ons|wech|sel

Ge|ne|ra|tor, der; -s, …oren (Maschine, die
　Strom erzeugt)

ge|ne|rell (allgemein [gültig])

ge|ne|rie|ren (hervorbringen)

ge|ne|risch (das Geschlecht od. die Gattung
　betreffend, Gattungs…)

ge|ne|rös [ʒ…] (groß-, edelmütig; freigebig)

Ge|ne|se, die; -, -n (Entstehung)

ge|ne|sen; genas, genesen; Ge|ne|sen|de,
　der *u.* die; -n, -n; Ge|ne|sung

Ge|ne|tik, die; - (Vererbungslehre); ge|ne-
　tisch (erblich bedingt); Gen|for|schung

ge|ni|al (schöpferisch begabt; großartig);
　ge|ni|a|lisch (nach Art eines Genies); Ge-
　ni|a|li|tät, die; -

Ge|nick, das; -[e]s, -e; Ge|nick|schuss;
　Ge|nick|star|re

Ge|nie [ʒ…], das; -s, -s

ge|nie|ren [ʒ…]; sich genieren

ge|nieß|bar; Ge|nieß|bar|keit, die; -;
　ge|nie|ßen; genoss, genossen; Ge|nie-
　ßer; Ge|nie|ße|rin; ge|nie|ße|risch

Ge|nie|streich

Ge|ni|ta|li|en *Plur.* (Geschlechtsorgane)

Ge|ni|tiv, der; -s, -e (*Sprachwiss.* Wesfall,
　2. Fall; *Abk.* Gen.); Ge|ni|tiv|ob|jekt

Ge|ni|us, der; -, …ien (*geh. für* Genie)

Gen|mais (*ugs. für* gentechnisch veränderter
　Mais); gen|ma|ni|pu|liert

Ge|nom, das; -s, -e (*Genetik* die im Chromo-
　somensatz vorhandenen Erbanlagen)

Ge|nos|se, der; -n, -n (*Abk.* Gen.); Ge|nos-
　sen|schaft (*Abk.* Gen.); *vgl.* eG; ge|nos-
　sen|schaft|lich; Ge|nos|sen|schafts|bank
　Plur. …banken; Ge|nos|sin

Ge|no|zid, der, *auch* das; -[e]s, *Plur.* -e *u.*
　-ien (Völkermord)

Gen|re [ˈʒã:…], das; -s, -s (Art, Gattung)

Gen|tech|nik *Plur. selten* (Technik der Erfor-
　schung u. Manipulation der Gene); gen-
　tech|nik|frei; gentechnikfreies Essen;
　gen|tech|nisch; Gen|tech|no|lo|gie; Gen-
　test; Gen|the|ra|pie (*Med.*)

Gen|t|le|man [ˈdʒɛntlmɛn], der; -s, …men
　[…mən] (Mann von Lebensart u. Charakter
　[mit tadellosen Umgangsformen])

ge|nug; genug u. übergenug; genug Gutes,
　Gutes genug; genug des Guten; von etw.
　genug haben; genug getan haben

Ge|nü|ge, die; -; Genüge tun, leisten; zur
　Genüge; ge|nü|gen; ge|nü|gend

ge|nüg|sam (anspruchslos); Ge|nüg|sam|keit,
　die; -

Ge|nug|tu|ung *Plur. selten*

ge|nu|in (echt; *Med.* angeboren, erblich)

Ge|nus [*auch* ˈgeː…], das; -, Genera (Gattung,
　Art; *Sprachwiss.* grammatisches Geschlecht)

Ge|nuss, der; Genusses, Genüsse; ge|nüss-
　lich; Ge|nuss|mit|tel, das; **Ge|nuss-
　sucht**, Ge|nuss-Sucht, die; -; ge|nuss-
　süch|tig; ge|nuss|voll

ge|ra|de

(ugs. häufig:) gra|de

- *eine gerade Zahl*
- *fünf gerade sein lassen* (ugs.)
- *gerade darum*
- *der Weg ist gerade (ändert die Richtung nicht)*
- *er wohnt mir gerade (direkt) gegenüber*
- *sie fuhr gerade so langsam, dass er mitkam;* vgl. aber *geradeso*
- *sie kommt gerade (soeben) heraus;* vgl. aber *geradeheraus*
- *da er gerade sitzt, steht (sich soeben hingesetzt hat, soeben aufgestanden ist)*

- *er ist gerade mal 40*
- *sich gerade halten; das Besteck gerade hinlegen; sie sollen gerade sitzen, stehen*

Wenn »gerade« das Ergebnis der mit einem folgenden einfachen Verb bezeichneten Tätigkeit angibt, kann getrennt oder zusammengeschrieben werden:
- *die Stäbe gerade biegen* od. *geradebiegen*
- *den Tisch gerade rücken* od. *geraderücken*

Bei übertragener Bedeutung gilt Zusammenschreibung; vgl. *geradebiegen, geradestehen*

Geo|graf, Geo|graph, der; -en, -en; Geo|gra|fie, Geo|gra|phie, die; -, -n; Geo|gra|fin, Geo|gra|phin; geo|gra|fisch, geo|gra|phisch

Geo|lo|ge, der; -n, -n; Geo|lo|gie, die; - (Wissenschaft von Aufbau, Entstehung u. Entwicklung der Erde); Geo|lo|gin; geo|lo|gisch

Geo|me|t|rie, die; -, ...ien (ein Zweig der Mathematik); geo|me|t|risch; geometrisches Mittel

Geo|po|li|tik, die; -; geo|po|li|tisch

ge|ord|net; geordnete Verhältnisse; eine gut geordnete od. gutgeordnete Bibliothek; die Bibliothek ist gut geordnet

Ge|päck, das; -[e]s; Ge|päck|ab|fer|ti|gung; Ge|päck|schal|ter; Ge|päck|stück; Ge|päck|trä|ger; Ge|päck|trä|ge|rin

Ge|pard [auch geˈpart], der; Gen. -s, auch -en, Plur. -e, auch -en (ein Raubtier)

ge|pflegt; ein gut gepflegter od. gutgepflegter Rasen; aber nur der Rasen ist gut gepflegt; Ge|pflegt|heit, die; -

Ge|pflo|gen|heit (Gewohnheit)

ge|plän|kel, das; -s, -

ge|punk|tet; gepunkteter Stoff; blau gepunkteter od. blaugepunkteter Stoff

ge|ra|de s. Kasten

Ge|ra|de, die; -n, -n (gerade Linie); vier Gerade[n]; ge|ra|de|aus; geradeaus

gehen; ge|ra|de|bie|gen (ugs. für in Ordnung bringen); um die Sache wieder geradezubiegen; vgl. aber gerade; ge|ra|de|he|r|aus (freimütig, direkt); etwas geradeheraus sagen; vgl. aber gerade

ge|ra|den|wegs vgl. geradewegs

ge|ra|de rich|ten, ge|ra|de|rich|ten vgl. gerade; ge|ra|de|so (ebenso); das kann ich geradeso gut wie da

ge|ra|de|ste|hen; für etwas geradestehen (die Folgen auf sich nehmen); vgl. aber gerade; ge|ra|de stel|len, ge|ra|de|stel|len vgl. gerade; ge|ra|de|wegs, ge|ra|den|wegs

ge|ra|de|zu [auch ...ˈtsu:]; das ist geradezu absurd!

ge|rad|li|nig; Ge|rad|li|nig|keit, die; -

ge|ram|melt; gerammelt voll (ugs. für übervoll)

Ge|ran|gel, das; -s

Ge|ra|nie, die; -, -n (svw. Pelargonie)

Ge|rät, das; -[e]s, -e

ge|ra|ten; es gerät [mir]; geriet, geraten; ich gerate außer mir od. mich vor Freude

Ge|rä|te|schup|pen; Ge|rä|te|tur|nen

Ge|ra|te|wohl [auch ...ˈra:...], das; nur in aufs Geratewohl (auf gut Glück)

Ge|rät|schaft die; -, -en meist Plur.

Ge|räu|cher|te, das; -n

ge|raum (geh.); geraume Zeit

ge|räu|mig; Ge|räu|mig|keit, die; -
Ge|räusch, das; -[e]s, -e; ge|räusch|arm;
ge|räusch|emp|find|lich; Ge|räusch|ku-
lis|se; ge|räusch|los; ge|räusch|voll
ger|ben; Leder gerben
Ger|be|ra, die; -, -[s] (eine Schnittblume)
Ger|be|rei; Gerb|stoff; Ger|bung
ge|recht; jmdm., einer Aufgabe gerecht
werden; Ge|rech|te, der u. die; -n, -n
ge|recht|fer|tigt; Ge|rech|tig|keit; Ge-
rech|tig|keits|sinn, der; -[e]s
Ge|re|de, das; -s
ge|re|gelt; geregelte Arbeit
ge|rei|chen (geh.); es gereicht ihr zur Ehre
ge|reizt; Ge|reizt|heit, die; -
Ge|ren|ne, das; -s
Ge|ri|a|t|rie, die; - (Med. Altersheilkunde)
Ge|richt, das; -[e]s, -e; ge|richt|lich;
gerichtliche Medizin; Ge|richts|be-
schluss; Ge|richts|ent|schei|dung; Ge-
richts|hof; der Oberste Gerichtshof; Ge-
richts|me|di|zin, die; -; Ge|richts|saal;
Ge|richts|ur|teil; Ge|richts|ver|fah|ren;
Ge|richts|ver|hand|lung; Ge|richts|voll-
zie|her; Ge|richts|voll|zie|he|rin
ge|rie|ren, sich (geh. für sich benehmen,
auftreten als …)
ge|ring; ein Geringes tun; um ein Geringes
erhöhen; es geht Sie nicht das Geringste
an; es stört mich nicht im Geringsten;
keine Geringere als sie
ge|ring ach|ten, ge|ring|ach|ten; ge|ring-
fü|gig; geringfügig Beschäftigte (Arbeits-
recht); Ge|ring|fü|gig|keit; **ge|ring
schät|zen**, ge|ring|schät|zen; ge|ring-
schät|zig; Ge|ring|schät|zung, die; -; Ge-
ring|ver|die|ner; Ge|ring|ver|die|ne|rin
ge|rin|nen; Ge|rinn|sel; das, -s, -
Ge|rip|pe, das; -s, -; ge|rippt
ge|ris|sen (durchtrieben, schlau); Ge|ris-
sen|heit, die; -
ger|ma|nisch; germanische Kunst; ger|ma-
ni|sie|ren (eindeutschen)
Ger|ma|nist, der; -en, -en; Ger|ma|nis|tik,
die; - (deutsche Sprach- u. Literaturwissen-
schaft); Ger|ma|nis|tin; ger|ma|nis|tisch

gern, ger|ne; lie|ber, am liebs|ten; jmdn.
gern mögen; etwas gern tun; gar zu gern;
allzu gern; besonders gern
gern ge|se|hen, gern|ge|se|hen; ein gern
gesehener od. gerngesehener Gast; gern-
ha|ben (mögen); weil sie uns gernhat;
aber das Buch würde ich auch gern haben
Ge|röll, das; -[e]s, -e; Ge|röll|hal|de
Ge|ron|to|lo|gie, die; - (Altersforschung)
Gers|te, die; -, Plur. (Sorten:) -n; Gers|ten-
korn, das; Plur. …körner (auch Vereite-
rung einer Drüse am Augenlid); Gers|ten-
saft (scherzh. für Bier)
Ger|te, die; -, -n; ger|ten|schlank
Ge|ruch, der; -[e]s, Gerüche; ge|ruch|frei,
ge|ruchs|frei; ge|ruch|los; Ge|ruchs|or-
gan; Ge|ruchs|sinn, der; -[e]s
Ge|rücht, das; -[e]s, -e; Ge|rüch|te|kü|che
(ugs.); ge|rüch|te|wei|se
ge|ru|hen (veraltend, noch iron. für sich
bereitfinden)
ge|ruh|sam; Ge|ruh|sam|keit, die; -
Ge|rüm|pel, das; -s
Ge|rüst, das; -[e]s, -e; Ge|rüst|bau Plur. -ten
ge|rüt|telt; ein gerüttelt Maß; gerüttelt voll
ge|sal|zen; gesalzene Preise; vgl. salzen
ge|sam|melt; gesammelte Aufmerksamkeit
ge|samt; im Gesamten (veraltend für insge-
samt); Ge|samt, das; -s; im Gesamt
Ge|samt|aus|ga|be; Ge|samt|be|trag; ge-
samt|deutsch; gesamtdeutsche Fragen;
Ge|samt|ein|druck; Ge|samt|er|geb|nis;
Ge|samt|ge|wicht; Ge|samt|heit, die; -;
Ge|samt|klas|se|ment (Sport); Ge|samt-
kos|ten Plur.; Ge|samt|kunst|werk; Ge-
samt|schu|le; Ge|samt|sum|me; Ge-
samt|werk; Ge|samt|wert; Ge|samt-
wer|tung; ge|samt|wirt|schaft|lich
Ge|sand|te, der u. die; -n, -n; Ge|sand|tin;
Ge|sandt|schaft
Ge|sang, der; -[e]s, Gesänge; Ge|sang-
buch; ge|sang|lich; Ge|sang[s]|un|ter-
richt; Ge|sang[s]|ver|ein
Ge|säß, das; -es, -e
ge|sät|tigt; gesättigte Kohlenwasserstoffe
(Chemie)

G

Ge|säu|sel, das; -s

Ge|schä|dig|te, der u. die; -n, -n

Ge|schäft, das; -[e]s, -e; geschäftehalber, *aber* dringender Geschäfte halber; Ge|schäf|te|ma|che|rei

ge|schäf|tig; Ge|schäf|tig|keit *Plur. selten*

ge|schäft|lich

Ge|schäfts|ab|schluss; Ge|schäfts|be|reich; Ge|schäfts|be|richt; Ge|schäfts|be|zie|hung; Ge|schäfts|brief; ge|schäfts|fä|hig; Ge|schäfts|feld; Ge|schäfts|frau; Ge|schäfts|freund; Ge|schäfts|freun|din; ge|schäfts|füh|rend; der geschäftsführende Vorstand; Ge|schäfts|füh|rer; Ge|schäfts|füh|re|rin; Ge|schäfts|füh|rung; Ge|schäfts|in|ha|ber; Ge|schäfts|in|ha|be|rin; Ge|schäfts|jahr; Ge|schäfts|le|ben; Ge|schäfts|lei|ter; Ge|schäfts|lei|te|rin; Ge|schäfts|lei|tung; Ge|schäfts|leu|te *Plur.*; Ge|schäfts|mann *Plur.* ...leute, *selten* ...männer; ge|schäfts|mä|ßig; Ge|schäfts|ord|nung; Ge|schäfts|part|ner; Ge|schäfts|part|ne|rin; Ge|schäfts|rei|se; Ge|schäfts|schluss; ge|schäfts|tüch|tig; Ge|schäfts|zeit; Ge|schäfts|zweig

ge|schätzt; geschätzte Kollegen

ge|scheckt; ein geschecktes Pferd

ge|sche|hen; geschah, geschehen; Ge|sche|hen, das; -s, -; Ge|scheh|nis, das; -ses, -se

ge|scheit; ge|scheit|heit

Ge|schenk, das; -[e]s, -e; Ge|schenk|ar|ti|kel; Ge|schenk|pa|pier

Ge|schich|te, die; -, -n; Ge|schich|ten|buch (Buch mit Erzählungen); ge|schicht|lich; Ge|schichts|buch; Ge|schichts|träch|tig; Ge|schichts|wis|sen|schaft

Ge|schick, das; -[e]s, *Plur.* (für Schicksal:) -e; Ge|schick|lich|keit, die; -; Ge|schick|lich|keits|spiel; ge|schickt

ge|schie|den (*Abk.* gesch.; *Zeichen* ∞); Ge|schie|de|ne, der u. die; -n, -n

Ge|schimp|fe, das; -s

Ge|schirr, das; -[e]s, -e; **Ge|schirr|rei|ni|ger**, Ge|schirr-Rei|ni|ger; Ge|schirr|spül|ma|schi|ne; Ge|schirr|tuch

ge|schla|gen; eine geschlagene Stunde; sich geschlagen geben

Ge|schlecht, das; -[e]s, -er; das andere Geschlecht; Ge|schlech|ter|fol|ge; ge|schlecht|lich; geschlechtliche Fortpflanzung; Ge|schlecht|lich|keit, die; -

Ge|schlechts|akt; Ge|schlechts|krank|heit; Ge|schlechts|or|gan; ge|schlechts|reif; Ge|schlechts|rei|fe; ge|schlechts|spe|zifisch; Ge|schlechts|teil, das, *auch* der; Ge|schlechts|trieb, der; -[e]s; Ge|schlechts|ver|kehr, der; -[e]s; Ge|schlechts|wort *Plur.* ...wörter

ge|schlif|fen *vgl.* schleifen

ge|schlos|sen; geschlossene Gesellschaft; Ge|schlos|sen|heit, die; -

Ge|schmack, der; -[e]s, *Plur.* Geschmäcke, *scherzh.* Geschmäcker; ge|schmack|lich; ge|schmack|los; Ge|schmack|lo|sig|keit; Ge|schmack[s]|sa|che; Ge|schmacks|ver|ir|rung; ge|schmack|voll

Ge|schmei|de, das; -s, -; ge|schmei|dig; Ge|schmei|dig|keit, die; -

Ge|schnat|ter, das; -s

Ge|schnet|zel|te, das; -n

ge|schnie|gelt; *meist in* geschniegelt und gebügelt (*ugs. scherzh.*)

Ge|schöpf, das; -[e]s, -e

Ge|schoss, das; -es, -e

ge|schraubt; geschraubter Stil (*abwertend*)

Ge|schrei, das; -s

ge|schult; geschulte (geübte) Augen

Ge|schütz, das; -es, -e

Ge|schwa|der, das; -s, - (Verband von Kriegsschiffen od. Kampfflugzeugen)

Ge|schwa|fel, das; -s (*ugs.*)

Ge|schwätz, das; -es; ge|schwät|zig; Ge|schwät|zig|keit, die; -

ge|schweift; geschweifte Klammern

ge|schwei|ge [denn] (noch viel weniger)

ge|schwind; Ge|schwin|dig|keit; Ge|schwin|dig|keits|be|schrän|kung

Ge|schwis|ter, das; -s, - (*im allg. Sprachgebrauch nur Plur.; Sing. fachspr. für ein Geschwisterteil*); ge|schwis|ter|lich; Ge|schwis|ter|paar ge|schwol|len; ein geschwollener Stil

Ge|schwo|re|ne, der u. die; -n, -n; Ge|schwo|re|nen|ge|richt

Ge|schwulst, die; -, auch die; -[e]s, Plur. Geschwülste, seltener Geschwulste

ge|schwun|gen; eine geschwungene Linie

Ge|schwür, das; -[e]s, -e

ge|seg|net; gesegnete Mahlzeit!

Ge|selch|te, das; -n (bayr., österr. für Rauchfleisch)

Ge|sel|le, der; -n, -n

ge|sel|len, sich; ge|sel|lig; Ge|sel|lig|keit

Ge|sel|lin

Ge|sell|schaft; Gesellschaft mit beschränkter Haftung (Abk. GmbH); Ge|sell|schaf|ter; Ge|sell|schaf|te|rin; ge|sell|schaft|lich; ge|sell|schafts|fä|hig; ge|sell|schafts|kri|tisch; Ge|sell|schafts|ord|nung; ge|sell|schafts|po|li|tisch; Ge|sell|schafts|spiel

Ge|setz, das; -es, -e; Ge|setz|buch; Ge|setz|ent|wurf; Ge|set|zes|än|de|rung; Ge|set|zes|ent|wurf; Ge|set|zes|kraft, die; -; Ge|set|zes|text; Ge|set|zes|vor|la|ge; ge|setz|ge|bend; gesetzgebende Gewalt; Ge|setz|ge|ber; Ge|setz|ge|be|rin; ge|setz|ge|be|risch; Ge|setz|ge|bung; ge|setz|lich; gesetzliche Krankenversicherung (Abk. GKV); Ge|setz|lich|keit; ge|setz|los; Ge|setz|lo|sig|keit; ge|setz|mä|ßig; Ge|setz|mä|ßig|keit

ge|setzt; gesetzt[,] dass ...; gesetzt den Fall, [dass] ...

ge|setz|wid|rig

Ge|sicht, das; -[e]s, -er; sein Gesicht wahren; Ge|sichts|aus|druck; Ge|sichts|far|be; ge|sichts|feld; ge|sichts|los; Ge|sichts|punkt; Ge|sichts|zug meist Plur.

Ge|sims, das; -es, -e

Ge|sin|de, das; -s, - (früher für Gesamtheit der Knechte u. Mägde)

Ge|sin|del, das; -s (abwertend)

ge|sinnt (von bestimmter Gesinnung); ein übel gesinnter od. übelgesinnter Mensch

Ge|sin|nung; Ge|sin|nungs|ge|nos|se; Ge|sin|nungs|ge|nos|sin; ge|sin|nungs|los; Ge|sin|nungs|wan|del

ge|sit|tet; Ge|sit|tung, die; -

Ge|socks, das; -[es] (derb für Gesindel)

Ge|söff, das; -[e]s, -e (ugs. für schlechtes Getränk)

ge|son|dert; gesondert verpacken

ge|son|nen; gesonnen sein[,] etwas zu tun

ge|sot|ten

Ge|spann, das; -[e]s, -e

ge|spannt; Ge|spannt|heit; die; -

Ge|spenst, das; -[e]s, -er; ge|spens|ter|haft; Ge|spens|ter|stun|de

ge|spens|tig, ge|spens|tisch

ge|spielt; gespielte Empörung

Ge|spinst, das; -[e]s, -e

Ge|spött, das; -[e]s

Ge|spräch, das; -[e]s, -e; ge|sprä|chig; Ge|sprä|chig|keit, die; -; ge|sprächs|be|reit; Ge|sprächs|be|reit|schaft; Ge|sprächs|part|ner; Ge|sprächs|part|ne|rin; Ge|sprächs|run|de; Ge|sprächs|stoff; Ge|sprächs|the|ma; ge|sprächs|wei|se

ge|spreizt (abwertend für geziert)

ge|spren|kelt; gesprenkeltes Fell

Ge|spritz|te, der; -n, -n (südd., österr. für Weinschorle)

Ge|spür, das; -s

Ge|stalt, die; -, -en; ge|stalt|bar; ge|stal|ten; Ge|stal|ter; Ge|stal|te|rin; ge|stal|te|risch; ge|stalt|los; Ge|stal|tung

Ge|stam|mel, das; -s

ge|stan|den; eine gestandene Bergsteigerin

ge|stän|dig; Ge|ständ|nis, das; -ses, -se

Ge|stank, der; -[e]s

Ge|sta|po, die; - = Geheime Staatspolizei (nationalsoz.)

ge|stat|ten

Ges|te [auch 'ge:...], die; -, -n (Gebärde)

ge|ste|hen; gestanden

ge|stei|gert; [kein] gesteigertes Interesse an etwas haben

Ge|stein, das; -[e]s, -e; Ge|steins|schicht

Ge|stell, das; -[e]s, -e

ges|tern; seit gestern; die Mode von gestern; ich bin nicht von gestern (ugs. für

G

rückständig); gestern Abend, Mittag, Morgen; gestern früh, *bes. österr. auch* Früh; Ges|tern, das; - (das Vergangene)

ge|stie|felt; *aber* der Gestiefelte Kater

Ges|tik [*auch* 'ge:...], die; - (Gesamtheit der Gesten); ges|ti|ku|lie|ren

Ge|stirn, das; -[e]s, -e

ge|sto|chen; gestochen scharf

ge|stoh|len; du kannst mir gestohlen bleiben! (*ugs.*); vgl. stehlen

Ge|stöhn, das; -[e]s, Ge|stöh|ne, das; -s

ge|stor|ben (*Abk.* gest.; *Zeichen* †); vgl. sterben

ge|stört

ge|streckt; gestreckter Galopp

ge|streift; rot gestreift *od.* rotgestreift

ge|streng (*veraltend*); die Gestrengen Herren (Eisheiligen)

ge|stresst; gestresste Eltern

gest|rig; mein gestriger Brief

Ge|strüpp, das; -[e]s, -e

Ge|stüt, das; -[e]s, -e

ge|stylt; kunstvoll gestylte Frisuren

Ge|such, das; -[e]s, -e

ge|sucht; eine gesuchte Ausdrucksweise

ge|sund; ge|sün|der, *seltener* ge|sun|der, ge|sün|des|te, *seltener* ge|sun|des|te; gesund sein, werden, bleiben, leben; jmdn. gesund pflegen *od.* gesundpflegen; vgl. aber gesundschreiben, gesundschrumpfen

ge|sun|den (*geh.*)

Ge|sund|heit, die; -; ge|sund|heit|lich

Ge|sund|heits|amt; Ge|sund|heits|fonds (Einrichtung zur Finanzierung der gesetzlichen Krankenversicherung); ge|sund|heits|för|dernd; ge|sund|heits|ge|fähr|dend; Ge|sund|heits|mi|nis|ter; Ge|sund|heits|mi|nis|te|rin; Ge|sund|heits|mi|nis|te|ri|um; Ge|sund|heits|re|form; ge|sund|heits|schä|di|gend; Ge|sund|heits|schäd|lich; Ge|sund|heits|sys|tem; Ge|sund|heits|vor|sor|ge; Ge|sund|heits|we|sen, das; -s; Ge|sund|heits|zu|stand

ge|sund ma|chen, ge|sund|ma|chen; ge|sund|schrei|ben; der Arzt hat sie gesundgeschrieben; ge|sund|schrump|fen (*ugs.*

für durch Verkleinerung wieder rentabel machen); Ge|sun|dung, die; -

ge|tä|felt

ge|tauft (*Abk.* get.; *Zeichen* ≈)

Ge|tier, das; -[e]s

ge|ti|gert (geflammt)

Ge|tö|se, das; -s

ge|tra|gen; getragene Redeweise

Ge|tram|pel, das; -s

Ge|tränk, das; -[e]s, -e; Ge|trän|ke|au|to|mat; Ge|trän|ke|do|se

ge|trau|en, sich; ich getraue mich (*seltener* mir)[,] das zu tun

Ge|trei|de, das; -s, -; Ge|trei|de|an|bau, der; -[e]s; Ge|trei|de|ern|te

ge|trennt; getrennt sein, werden; getrennt schreiben; ein getrennt geschriebenes *od.* getrenntgeschriebenes Wort; getrennt leben; ein getrennt lebendes *od.* getrennt-lebendes Paar; Ge|trennt|schrei|bung

ge|treu; Ge|treue, der u. die; -n, -n

Ge|trie|be, das; -s, -; Ge|trie|be|scha|den

ge|trock|net; getrocknete Tomaten

ge|trost

Get|to, Ghet|to [g...], das; -s, -s (abgesondertes [jüdisches] Wohnviertel); Get|to|blas|ter, Ghet|to|blas|ter [...bla:ste], der; -s, - (großer tragbarer Radiorekorder)

Ge|tue, das; -s

Ge|tüm|mel, das; -s, -

ge|tüp|felt, ge|tupft

Ge|tu|schel, das; -s

ge|übt; Ge|übt|heit, die; -

Ge|viert, das; -[e]s, -e (Viereck, Quadrat); ge|vier|teilt

Ge|wächs, das; -es, -e; ge|wach|sen; jmdm., einer Sache gewachsen sein; Ge|wächs|haus

ge|wachst (mit Wachs behandelt)

ge|wagt; Ge|wagt|heit

ge|wählt; sich gewählt ausdrücken

ge|wahr; eine[r] Sache gewahr werden

Ge|währ, die; - (Bürgschaft, Sicherheit)

ge|wah|ren (*geh. für* bemerken, erkennen)

ge|wäh|ren (bewilligen)

ge|währ|leis|ten; der Veranstalter gewähr-

leistet die Sicherheit der Gäste; *Getrennt-*
schreibung beim Anschluss mit »für«: der
Veranstalter tut alles, um für die Sicherheit
der Gäste Gewähr zu leisten; Ge|währ-
leis|tung
Ge|wahr|sam, der; -s (Haft, Obhut)
Ge|währs|frau; Ge|währs|mann *Plur.*
...leute, *selten* ...männer
Ge|walt, die; -, -en; Ge|walt|akt; Ge|walt-
an|wen|dung; ge|walt|be|reit; Ge|walt-
be|reit|schaft; Ge|wal|ten|tei|lung, die;
-; ge|walt|frei; Ge|walt|herr|schaft
ge|wal|tig; Ge|walt|los; Ge|walt|lo|sig-
keit, die; -; ge|walt|sam; Ge|walt|tat;
Ge|walt|tä|ter; Ge|walt|tä|te|rin; ge-
walt|tä|tig; Ge|walt|tä|tig|keit, die; -; Ge|walt-
ver|bre|chen; Ge|walt|ver|zicht
Ge|wand, das; -[e]s, ...wänder
ge|wandt; Ge|wandt|heit, die; -
ge|wär|tig; einer Sache gewärtig sein
Ge|wäsch, das; -[e]s (ugs. für Gerede)
Ge|wäs|ser, das; -s, -
Ge|we|be, das; -s, -; Ge|we|be|flüs|sig|keit
Ge|wehr, das; -[e]s, -e
Ge|weih, das; -[e]s, -e
Ge|wer|be, das; -s, -; Ge|wer|be|auf|sicht,
die; -; Ge|wer|be|frei|heit; Ge|wer|be-
ge|biet; Ge|wer|be|ord|nung (*Abk.*
GewO); Ge|wer|be|schu|le; Ge|wer|be-
steu|er, die; ge|wer|be|trei|bend; Ge-
wer|be|trei|ben|de, der u. die; -n, -n; ge-
werb|lich; ge|werbs|mä|ßig
Ge|werk|schaft; Ge|werk|schaf|ter, Ge-
werk|schaft|ler; Ge|werk|schaf|te|rin, Ge-
werk|schaft|le|rin; ge|werk|schaft|lich;
Ge|werk|schafts|bund der; -es, ...bünde
Plur. selten; Ge|werk|schafts|funk|ti|o-
när; Ge|werk|schafts|funk|ti|o|nä|rin;
Ge|werk|schafts|mit|glied
Ge|wicht, das; -[e]s, -e
ge|wich|ten (Schwerpunkte setzen)
Ge|wicht|he|ben, das; -s (Sportart); Ge-
wicht|he|ber; Ge|wicht|he|be|rin
ge|wich|tig; Ge|wich|tig|keit, die; -
Ge|wichts|klas|se *(Sport);* Ge|wichts|kon|t-
rol|le; Ge|wichts|ver|lust; Ge|wich|tung

ge|wieft (*ugs. für* schlau, gerissen)
ge|willt; gewillt (bereit) sein[,] etw. zu tun
Ge|wim|mel, das; -s
Ge|wim|mer, das; -s
Ge|win|de, das; -s, -
Ge|winn, der; -[e]s, -e; [großen] Gewinn
bringen; Ge|winn|be|tei|li|gung; ge-
winn|brin|gend, Ge|winn brin|gend;
eine gewinnbringende od. Gewinn bringende Investition; *aber nur* eine großen
Gewinn bringende Investition; eine noch
gewinnbringendere Investition
Ge|winn|chan|ce; ge|win|nen; gewann,
gewonnen; ge|win|nend; Ge|win|ner;
Ge|win|ne|rin; Ge|winn|er|war|tung
(Wirtsch.); Ge|winn|klas|se; Ge|winn-
spiel; Ge|winn|sucht, die; -; ge|winn-
süch|tig; Ge|win|nung; Ge|winn|war-
nung (Börsenw. Ankündigung, dass erwar-
tete Gewinne voraussichtlich nicht erzielt
werden können); Ge|winn|zahl
Ge|win|sel, das; -s
ge|wirkt; gewirkter Stoff
Ge|wirr, das; -[e]s
ge|wiss; nichts Gewisses; ein gewisses Etwas
Ge|wis|sen, das; -s, -; ge|wis|sen|haft; Ge-
wis|sen|haf|tig|keit, die; -; ge|wis|sen-
los; Ge|wis|sen|lo|sig|keit, die; -; Ge-
wis|sens|biss *meist Plur.;* Ge|wis|sens-
fra|ge; Ge|wis|sens|kon|flikt
ge|wis|ser|ma|ßen
Ge|wiss|heit
Ge|wit|ter, das; -s, -; ge|wit|te|rig *vgl.*
gewittrig; ge|wit|tern; es gewittert; Ge-
wit|ter|re|gen; Ge|wit|ter|wol|ke; ge-
witt|rig, ge|wit|te|rig
ge|witzt; Ge|witzt|heit, die; -
ge|wo|gen (zugetan); sie ist mir gewogen
ge|wöh|nen; sich an etw. od. jmdn. gewöh-
nen; Ge|wohn|heit; ge|wohn|heits|mä-
ßig; Ge|wohn|heits|recht
ge|wöhn|lich; für gewöhnlich (meist)
ge|wohnt; ich bin es gewohnt, bin schwere
Arbeit gewohnt; die gewohnte Arbeit
ge|wöhnt (*Partizip II von* gewöhnen); ich
habe mich an diese Arbeit gewöhnt

G

Ge|wöh|nung, die; -; ge|wöh|nungs|be-
dürf|tig
Ge|wöl|be, das; -s, -; Ge|wöl|be|bo|gen
Ge|wölk das; -[e]s Plur. selten
ge|wollt (unnatürlich, gekünstelt)
Ge|wühl, das; -[e]s
ge|wünscht; der gewünschte Effekt
ge|wür|felt; gewürfelte Stoffe
Ge|würz, das; -es, -e; Ge|würz|gur|ke; Ge-
würz|nel|ke; ge|würzt
Gey|sir, der; -s, -e (eine Wasserfontänen
ausstoßende heiße Quelle)
ge|zahnt, ge|zähnt; ein gezahntes od.
gezähntes Blatt
Ge|zänk, das; -[e]s, -e
ge|zeich|net (Abk. gez.)
Ge|zei|ten Plur.
Ge|zer|re, das; -s
ge|zielt; gezielt fragen
ge|zie|men, sich (veraltend); es geziemt sich
für ihn; ge|zie|mend
ge|ziert; Ge|ziert|heit
Ge|zisch, das; -[e]s, -e Ge|zi|sche, das; -s
Ge|zwit|scher, das; -s
ge|zwun|ge|ner|ma|ßen
Ghet|to [g...] usw. vgl. Getto usw.
Ghost|wri|ter ['go:straitε], der; -s, - (für
eine andere Person Schreibende[r], nicht
genannte[r] Autor[in]); Ghost|wri|te|rin
Gicht, die; -; Gicht|an|fall; gicht|krank
Gie|bel, der; -s, -; Gie|bel|dach; Gie|bel-
fens|ter
Gier, die; -; gieren (gierig sein); gie|rig
gie|ßen; goss, gegossen; Gie|ßer; Gie|ße-
rei; Gie|ße|rin; Gieß|kan|ne
Gift, das; -[e]s, -e; gif|ten (ugs. für gehässig
reden); gift|frei; Gift|gas; gift|grün; gif-
tig; Gif|tig|keit, die; -; Gift|mord; Gift-
müll; Gift|pflan|ze; Gift|pilz; Gift-
schlan|ge; Gift|schrank; Gift|stoff
Gi|ga... (das Milliardenfache einer Einheit,
z. B. Gigameter = 10^9 Meter; Zeichen G);
Gi|ga|byte [...bait] (EDV 2^{30} Byte; Zeichen
GB, GByte)
Gi|gant, der; -en, -en (Riese); Gi|gan|tin;
gi|gan|tisch

Gi|go|lo ['ʒi:..., auch 'ʒɪ...], der; -s, -s (ugs.
für Mann, der sich aushalten lässt)
Gil|de, die; -, -n; Gil|de|haus
Gin [dʒɪn], der; -s, -s (ein Wacholderbrannt-
wein)
Gink|go ['gɪŋko], Gin|ko, der; -s, -s (ein
asiatischer Baum)
Gin|seng [auch ʒ...], der; -s, -s (ostasiati-
sche Pflanze mit heilkräftiger Wurzel)
Gins|ter, der; -s, -
Gip|fel, der; -s, - (schweiz. auch für Hörn-
chen); Gip|fel|kon|fe|renz; Gip|fel|kreuz;
gip|feln; Gip|fel|punkt; Gip|fel|tref|fen
Gips, der; -es, -e; Gips|ab|druck Plur.
...abdrücke; gip|sen; Gips|ver|band
Gi|raf|fe [südd., österr. ʒ...], die; -, -n
Girl [gœ:ɐl], der; -s, -s (scherzh. für Mädchen; w. Mitglied einer Tanztruppe)
Gir|lan|de, die; -, -n (Gewinde aus Laub,
Blumen, buntem Papier o. Ä.)
Gir|lie ['gœ:ɐli], das; -s, -s (selbstbewusst-
freche, auffällig gekleidete junge Frau)
Gi|ro [ʒ...], das; -s, Plur. -s, österr. auch Giri
(bargeldlose Überweisung); Gi|ro|kon|to
gir|ren; die Taube girrt
Gischt die; -, -en u., bes. fachspr., der; -[e]s,
-e Plur. selten (aufschäumende See)
Gi|tar|re, die; -, -n; Gi|tar|rist, der; -en, -en;
Gi|tar|ris|tin
Git|ter, das; -s, -; Git|ter|fens|ter
Glace [gla(:)s, schweiz. glasə], die; -, Plur. -s
[gla(:)s], schweiz. -n ['glasn] (Zuckerglasur;
Gelee aus Fleischsaft; schweiz. Speiseeis)
Gla|cé, Gla|cee [gla'se:], der; -[s], -s (ein
glänzendes Gewebe); Gla|cé|hand|schuh,
Gla|cee|hand|schuh
gla|cie|ren (mit Glace überziehen)
Gla|di|a|tor, der; -s, ...oren (altrömischer
Schwertkämpfer bei Zirkusspielen)
Gla|di|o|le, die; -, -n (ein Schwertliliengewächs)
Gla|mour ['glεmɐ], der u. das; -s (Glanz,
betörende Aufmachung); gla|mou|rös
[glamu...]
Glanz, der; -es, Plur. (fachspr.) -e; glän|zen;
glän|zend; glänzend schwarze Haare;

seine Augen waren glänzend schwarz; **Glanz|leis|tung; Glanz|licht** Plur. ...lichter; **glanz|los; Glanz|punkt** (Höhepunkt); **Glanz|stück; glanz|voll; Glanz|zeit**

¹**Glas,** das; -es, Gläser; zwei Glas Bier; ein Glas voll; Glas blasen

²**Glas,** das; -es, -en (Seemannsspr. halbe Stunde)

Glas|au|ge; Gläs|chen; Glas|dach; Gla|ser; Gla|se|rei; Gla|se|rin; glä|sern (aus Glas); **Glas|fa|ser; Glas|haus**

gla|sie|ren (mit Glasur versehen)

gla|sig; glas|klar; Glas|kör|per (Med. gallertiger Teil des Auges)

Glas|nost, die; - ([polit.] Offenheit)

Glas|schei|be; Glas|split|ter; Glas|tür

Gla|sur, die; -, -en (glasiger Überzug, Schmelz; Zucker-, Schokoladenguss)

glatt; glat|ter, auch **glät|ter; glat|tes|te,** auch **glät|tes|te;** die Bluse glatt bügeln od. glattbügeln; das Tischtuch glatt machen od. glattmachen; **glatt|bü|geln** (ugs. für in Ordnung bringen); vgl. aber glatt

Glät|te, die; -; **Glatt|eis; glät|ten** (landsch. u. schweiz. auch für bügeln)

glatt|ge|hen (ugs. für ohne Komplikationen ablaufen); **glatt ho|beln, glatt|ho|beln; glatt|ma|chen** (ugs. für bezahlen); vgl. aber glatt; **glatt rüh|ren, glatt|rüh|ren; glatt strei|chen, glatt|strei|chen**

glatt|weg (kurzerhand)

glatt zie|hen, glatt|zie|hen

Glat|ze, die; -, -n; **Glatz|kopf; glatz|köp|fig**

Glau|be, der; -ns, -n Plur. selten; **glau|ben;** er wollte mich glauben machen, dass ...

Glau|ben, der; -s, - (seltener für Glaube); **Glau|bens|be|kennt|nis; Glau|bens|fra|ge; Glau|bens|frei|heit; Glau|bens|ge|mein|schaft; Glau|bens|krieg**

glaub|haft; Glaub|haf|tig|keit, die; -; **gläu|big; Gläu|bi|ge,** der u. die; -n, -n; **Gläu|bi|ger,** der; -s, - (jmd., der berechtigt ist, von einem Schuldner Geld zu fordern); **Gläu|bi|ge|rin; Gläu|bi|ger|schutz,** der; -es; **Gläu|big|keit** Plur. selten; **glaub|wür|dig; Glaub|wür|dig|keit,** die; -

Glau|kom, das; -s, -e (Med. grüner Star [Augenkrankheit])

gleich s. Kasten Seite 176

gleich|alt|rig, gleich|al|te|rig; **gleich|ar|tig; Gleich|ar|tig|keit,** die; -; **gleich|auf;** gleichauf liegen; **gleich|be|deu|tend** (das Gleiche bedeutend); gleichbedeutende Wörter, aber gleich bedeutende (gleichermaßen angesehene) Gelehrte; **Gleich|be|hand|lung; gleich|be|rech|tigt; Gleich|be|rech|ti|gung,** die; -; **gleich|blei|bend,** gleich bleibend vgl. gleich; **gleich|den|kend,** gleich denkend vgl. gleich

glei|chen (gleich sein); glich, geglichen

glei|cher|ma|ßen; gleich|falls; gleich|far|big; gleich|för|mig; gleich|ge|ar|tet, gleich geartet vgl. gleich; **gleich ge|la|gert,** gleich|ge|la|gert vgl. gleich; **gleich|ge|schlecht|lich;** gleichgeschlechtliche Partnerschaft; **gleich ge|sinnt,** gleich|ge|sinnt vgl. gleich; **gleich ge|stimmt,** gleich|ge|stimmt vgl. gleich

Gleich|ge|wicht, das; -[e]s, -e; **Gleich|ge|wichts|sinn; Gleich|ge|wichts|stö|rung**

gleich|gül|tig; Gleich|gül|tig|keit

Gleich|heit; Gleich|heits|prin|zip

gleich|kom|men (entsprechen); das war einer Kampfansage gleichgekommen, aber wir sind gleich (sofort) gekommen; **gleich|lau|tend,** gleich lautend vgl. gleich; **gleich|ma|chen** (angleichen); dem Erdboden gleichmachen; vgl. gleich; **Gleich|ma|che|rei; gleich|mä|ßig; Gleich|mut,** der; -[e]s, selten die; -; **gleich|mü|tig; gleich|na|mig; Gleich|nis,** das; -ses, -se

gleich|ran|gig; gleich|sam; gleich|schal|ten (auf eine einheitliche Linie bringen); **gleich|schen|ke|lig, gleich|schenk|lig; Gleich|schritt,** der; -[e]s; **gleich|se|hen** (ähneln); **gleich|sei|tig; gleich|set|zen;** etwas mit einer Sache gleichsetzen; vgl. gleich; **Gleich|set|zung**

Gleich|stand, der; -[e]s; **gleich|ste|hen** (gleich sein); **gleich|stel|len** (auf die gleiche Stufe stellen); gleichgestellt sein; vgl. gleich; **Gleich|stel|lung; Gleich|strom**

gleich

- der gleiche Hut; die gleichen Rechte
- alle Menschen sind gleich
- die Sonne ging gleich einem roten Ball unter (geh.)
- er soll gleich (sofort) kommen

Großschreibung:

- das Gleiche (dasselbe) tun
- es kommt aufs Gleiche hinaus
- Gleiches mit Gleichem vergelten
- es kann uns Gleiches begegnen
- ein Gleiches tun
- Gleicher unter Gleichen
- Gleich und Gleich gesellt sich gern

Schreibung in Verbindung mit Adjektiven, Verben und Partizipien:

- gleich alt, gleich groß, gleich gut, gleich lang, gleich schnell, gleich verteilt usw.
- zwei gleich große Kinder; die Kinder waren gleich groß

- gleich sein, gleich werden; gleich denken, gleich klingen, gleich lauten
- die Wörter werden gleich geschrieben
- gleich bedeutende Gelehrte, aber gleichbedeutende (das Gleiche bedeutende) Wörter
- sie sind einander [völlig] gleich geblieben
- sie ist gleichbleibend od. gleich bleibend freundlich
- gleichdenkende od. gleich denkende Menschen; gleichgeartete od. gleich geartete Verhältnisse
- ein nicht nur ähnlich, sondern gleich gelagerter od. gleichgelagerter Fall
- gleich gesinnte od. gleichgesinnte Freunde
- gleichlautende od. gleich lautende Wörter

Vgl. aber gleichkommen, gleichmachen, gleichschalten, gleichsehen, gleichsetzen, gleichstehen, gleichstellen, gleichtun

---

gleich|tun (nacheifern); es jemandem gleichtun; *aber*: etwas gleich (sofort) tun
Glei|chung
gleich|viel; gleichviel[,] ob/wann/wo, *aber* wir haben gleich viel
gleich|wer|tig
gleich|wie *(geh.)*
gleich|win|ke|lig, gleich|wink|lig
gleich|wohl; *aber* wir fühlen uns alle gleich (in gleicher Weise) wohl
gleich|zei|tig; Gleich|zei|tig|keit
gleich|zie|hen (auf den gleichen Leistungsstand kommen)
Gleis, das; -es, -e
glei|ßen (glänzen, glitzern)
Gleit|boot; glei|ten; glitt, geglitten; Gleitflug; Gleit|schutz; gleit|si|cher
Glet|scher, der; -s, -; Glet|scher|spal|te
Glied, das; -[e]s, -er; glie|dern
Glie|der|pup|pe; Glie|der|schmerz
Glie|de|rung
Glied|ma|ße die; -, -n *meist Plur.*
glim|men; es glomm, *auch* glimmte;

geglommen, *auch* geglimmt; glim|mern; Glimm|stän|gel *(scherzh. für Zigarette)*
glimpf|lich; glit|schig
glit|zern; ich glitzere
glo|bal (weltumspannend; allgemein)
glo|ba|li|sie|ren (weltweit ausrichten); Globa|li|sie|rung; Glo|ba|li|sie|rungs|kri|tiker; Glo|ba|li|sie|rungs|kri|ti|ke|rin
Glo|bal Play|er ['glo:b| -], der; - -s, - -[s] (Unternehmen, Unternehmer o. Ä. mit weltweitem Wirkungskreis)
Glo|be|trot|ter, der; -s, - (Weltenbummler); Glo|be|trot|te|rin, die; -, -nen
Glo|bus, der; Gen.- u. -ses, Plur. ...ben u. -se (kugelförmiges Modell der Erde)
Glöck|chen; Glo|cke, die; -, -n; Glo|cken-blu|me; glo|cken|för|mig; Glo|cken-klang; Glo|cken|spiel; Glo|cken|turm; glo|ckig; Glöck|ner; Glöck|ne|rin
¹Glo|ria, das; - u. die; - (*meist iron.* für Ruhm); mit Glanz und Gloria
²Gloria, das; -s (Lobgesang in der kath. Messe)

Glo|rie, die; -, -n (*geh. für* Ruhm, Glanz); **Glo|ri|en|schein**; **glo|ri|fi|zie|ren**; **Glo|ri|fi|zie|rung**; **Glo|ri|o|le**, die; -, -n (Heiligenschein); **glor|reich**

Glos|sar, das; -s, -e (Glossensammlung; Wörterverzeichnis [mit Erklärungen]); **Glos|se** [*fachspr. auch* 'glo:sə], die; -, -n (Randbemerkung; Kommentar); **glos|sie|ren**

Glot|ze, die; -, -n (*ugs. für* Fernsehgerät); **glot|zen** (*ugs.*)

Glück das; -[e]s, -e *Plur.* selten; jmdm. Glück wünschen; ein ~Glück bringendes od.~ glückbringendes Amulett; ein ~Glück verheißendes od. glückverheißendes~ Vorzeichen; **Glück auf!** (Bergmannsgruß) ~Glück brin|gend~, **glück|brin|gend** *vgl.* Glück

Glu|cke, die; -, -n; **glu|cken**

glü|cken

glu|ckern; ich gluckere

glück|lich; **glück|li|cher|wei|se**; **glück|los** **Glücks|brin|ger**; **Glücks|brin|ge|rin** **glück|se|lig**; **Glück|se|lig|keit** **gluck|sen**

Glücks|fall, der; **Glücks|ge|fühl**; **Glückskind**; **Glücks|pilz**; **Glücks|rad**; **Glücks|sache**, die; -; **Glücks|spiel**; **Glücks|stern**; ~glück|strah|lend~; **Glücks|zahl**; ~Glück ver|hei|ßend~, **glück|ver|hei|ßend**; **Glück|wunsch**

Glu|co|se *vgl.* Glukose

Glüh|bir|ne; **glü|hen**

glü|hend; ein glühend heißes Eisen; das Eisen ist glühend heiß

Glüh|lam|pe; **Glüh|wein**; **Glüh|würm|chen** **Glu|ko|se**, *fachspr.* Glu|co|se, die; - (Traubenzucker)

Glut, die; -, -en; **Glut|hit|ze**

Gly|ze|rin, Gly|ce|rin, das; -s, -e (dreiwertiger Alkohol)

GmbH, die; -, -s = Gesellschaft mit beschränkter Haftung

Gna|de, die; -, -n; **Gna|den|frist**; **Gna|den|ge|such**; **gna|den|los**; **gnä|dig**

Gneis, der; -es, -e (ein Gestein)

Gnoc|chi ['njɔki] *Plur.* (Klößchen aus einem Teig mit Kartoffeln u. Mehl)

Gnom, der; *Gen.* -en, *auch* -s, *Plur.* -en, *auch* -e (Kobold; Zwerg); **gno|men|haft**

Gnu, das; -s, -s (ein Steppenhuftier)

Goal [go:l], das; -s, -s (*österr. u. schweiz. für* Tor [beim Fußball]); **Goa|lie**, **Goa|li** ['go:li], der; -s, -s (*schweiz. für* Torhüter)

Go|be|lin [...bə'lɛ̃:], der; -s, -s (Wandteppich mit eingewirkten Bildern)

Go|ckel, der; -s, - (*bes. südd. für* Hahn)

goe|thesch, **goethisch**; ~goethesche od. Goethe'sche od. goethische~ Dramen

Go-go-Girl, das; -s, -s (Vortänzerin in Tanzlokalen)

Go|kart, der od. das; -[s], -s (niedriger, unverkleideter kleiner Sportrennwagen)

Gold, das; -[e]s (chemisches Element, Edelmetall; *Zeichen* Au); etwas ist Gold wert; **Gold|bar|ren**; **Gold|barsch**; **gold|blond**; **gol|den**; die goldene Hochzeit; **gold|far|ben**, **gold|far|big**; **Gold|fisch**; **goldgelb**; **Gold|grä|ber**; **Gold|grä|be|rin**; **Gold|gru|be**; **Gold|hams|ter**; **gol|dig**; **Gold|klum|pen**; **Gold|me|dail|le**; **Gold|mi|ne**; **Gold|mün|ze**; **Gold|preis**; **Goldrausch**; **Gold|re|gen** (ein Strauch, Baum); **Gold|re|ser|ve**; **gold|rich|tig** (*ugs.*); **Gold|schmied**; **Gold|schmie|din**; **Goldstück**; **Gold|zahn**

¹**Golf**, der; -[e]s, -e (größere Meeresbucht)

²**Golf**, das; -s (ein Rasenspiel); Golf spielen **Golf|club** *vgl.* **Golfklub**; **gol|fen** (*ugs. für* Golf spielen); **Gol|fer**, der; -s, - (Golfspieler); **Gol|fe|rin**; **Golf|klub**, Golf|club; **Golf|platz**; **Golf|schlä|ger**; **Golf|spiel**

Go|li|ath, der; -s, -s (Riese)

Gon|del, die; -, -n (venezianisches Ruderboot; Kabine an einer Seilbahn); **gon|deln** (*ugs. für* [gemächlich] fahren); **Gon|do|li|e|re**, der; -, ...ri (Gondelführer)

Gong, der; *selten* das; -s, -s; **gon|gen**; es gongt; **Gong|schlag**

gön|nen; **Gön|ner**; **gön|ner|haft**; **Gön|nerin**

Go|nor|rhö, die; -, -en (Tripper)

good|bye! [gʊt'bai]

Good|will ['gʊt'vɪl], der; -[s] (Wohlwollen)

goo|geln ['gu:g|n] (mit Google im Internet suchen); **Goo|gle®** ['gu:g|] *ohne Artikel* (Internetsuchmaschine)

Gör, das; -[e]s, -en, **Gö|re,** die; -, -n (*nordd. für* [kleines] Kind; ungezogenes Mädchen)

Go|ril|la, der; -s, -s

Gos|pel, das *od.* der; -s, -s (religiöses Lied der Afroamerikaner); **Gos|pel|song**

Gos|se, die; -, -n

Go|tik, die; - (Kunststil vom 12. bis 15. Jh.; Zeit des gotischen Stils); **go|tisch**

Gott, der; *Gen.* -es, Götter; um Gottes willen; Gott sei Dank!; weiß Gott!; Gott[,] der Herr[,] hat ...; grüß [dich] Gott!; **Gott|er|bar|men**; **Göt|ter|bild**; **Göt|ter|däm|me|rung** (Zustand vor dem Anbruch eines neuen Zeitalters); **gott|er|ge|ben**; **Got|tes|an|be|te|rin** (eine Heuschreckenart); **Got|tes|dienst**; **got|tes|fürch|tig**; **Got|tes|haus**; **Got|tes|krie|ger** (Taliban- u. El-Kaida-Kämpfer); **Got|tes|krie|ge|rin**; **got|tes|läs|ter|lich**; **Got|tes|läs|te|rung**; **Got|tes|sohn,** der; -[e]s; **Got|tes|staat**; **Got|tes|ur|teil**; **gott|ge|wollt**; **Gott|heit**; **Göt|tin**

gött|lich; **Gött|lich|keit,** die; -

gott|lob!; **gott|los**; **Gott|lo|se,** der u. die; -n, -n; **Gott|lo|sig|keit**; **gotts|er|bärm|lich** (*ugs.*); **Gott|va|ter,** der; -s *meist ohne Artikel*; **gott|ver|las|sen**; **Gott|ver|trau|en**

Göt|ze, der; -n, -n (Abgott); **Göt|zen|bild**

Gou|da ['gau...], der; -s, -s (ein Käse)

Gou|da ['gau...], der; -s, -s (Statthalter)

Gour|met [...'me:], der; -s, -s (Feinschmecker[in])

gou|tie|ren [gu...] (Geschmack an etwas finden)

Gou|ver|nan|te [gu...], die; -, -n (*veraltet für* Erzieherin); **Gou|ver|neur** [...'nø:ɐ], der; -s, -e (Statthalter); **Gou|ver|neu|rin**

GPS, das; - (ein satellitengestütztes Navigationssystem)

Grab, das; -[e]s, Gräber

gra|ben; grub, gegraben; **Gra|ben,** der; -s, Gräben; **Gra|ben|kampf** (*Militär; auch übertr. für* heftige Auseinandersetzung)

Gra|bes|stil|le; **Grab|mal** *Plur.* ...mäler, *geh.* ...male

grab|schen *vgl.* grapschen

Grab|stät|te; **Grab|stein**; **Gra|bung**

Gracht, die; -, -en (Kanal[straße] in niederl. Städten)

Grad, der (*für Temperatureinheit meist:* das); -[e]s, -e (Temperatureinheit; Einheit für [ebene] Winkel [1° = 90. Teil eines rechten Winkels]; *Zeichen* °); 3 Grad C *od.* 3° C *od.* 3 °C (*fachspr. nur so*); der 30. Grad (*nicht:* 30.°); es ist heute um einige Grad wärmer; ein Winkel von 30°

gra|de (*ugs. für* gerade); **grad|li|nig**; **Grad|li|nig|keit**

Grad|mes|ser, der; **gra|du|ell** (stufenweise)

Gra|du|ier|te, der u. die; -n, -n (jmd., der einen akademischen Grad besitzt); **Gra|du|ie|rung**

Gratwanderung

Der *Grat* in *Gratwanderung* ist die Bezeichnung für die oberste Kante eines Bergrückens und wird mit *t* geschrieben. Er ist nicht zu verwechseln mit der Temperatur- und Winkeleinheit *Grad.*

---

¹**Graf** *vgl.* Graph

²**Graf,** der; -en, -en; **Gra|fen|ti|tel**

Graf|fi|to, der *od.* das; -[s], ...ti (Wandkritzelei; auf Mauern, Fassaden o. Ä. gesprühte oder gemalte Parole.)

Gra|fik, Gra|phik, die; -, -en (Schaubild); **Gra|fi|ker,** Gra|phi|ker; **Gra|fi|ke|rin,** Gra|phi|ke|rin

Grä|fin

gra|fisch, gra|phisch

Gra|fit, Gra|phit, der; -s, -e (ein Mineral); **gra|fit|grau,** gra|phit|grau

Gra|fo|lo|gie, Gra|pho|lo|gie, die; - (Lehre von der Deutung der Handschrift)

Graf|schaft

gram; jmdm. gram sein; **Gram,** der; -[e]s; **grä|men**; sich grämen; **gram|er|füllt**

Gramm, das; -s, -e (*Zeichen* g); 2 Gramm

Gram|ma|tik, die; -, -en (Sprachlehre); **gram|ma|ti|ka|lisch** (*seltener*); **gram|ma|tisch**

Gram|mo|fon, Gram|mo|phon®, das; -s, -e (Plattenspieler)

gram|voll

Gra|nat, der; -[e]s, -e, *österr.* der; -en, -en (ein Edelstein)

Gra|nat|ap|fel (Frucht einer subtropischen Pflanze)

Gra|na|te, die; -, -n; **Gra|nat|split|ter**

Grand [grã:], der; -s, -s (höchstes Spiel im Skat); **Grand|ho|tel** ['grã:...]

gran|di|os (großartig)

Grand Prix ['grã: 'pri:], der; - -, -s - ['grã: -]; **Grand|sei|g|neur** [grãsen'jø:ɐ̯], der; -s, Plur. -s u. -e (vornehmer, weltgewandter Mann)

Gra|nit, der; -s, -e (ein Gestein); **Gra|nit|block** Plur. ...blöcke; **gra|ni|ten** (aus Granit)

gran|tig (*südd., österr. ugs. für* mürrisch)

Gra|nu|lat, das; -[e]s, -e (Substanz in Körnchenform)

Grape|fruit ['gre:pfru:t], die; -, -s (eine Zitrusfrucht)

Graph, [1]Graf, der; -en, -en (*Math.* grafische Darstellung); **Gra|phik** usw. *vgl.* Grafik usw.

Gra|phit *vgl.* Grafit

Gra|pho|lo|gie *vgl.* Grafologie

grap|schen, grab|schen (*ugs.*)

Gras, das; -es, Gräser; **gra|sen;** **Gras|flä|che;** **gras|grün;** **Gras|halm;** **Gras|hüp|fer;** **Gras|mü|cke,** die; -, -n (ein Singvogel)

gra|sie|ren (um sich greifen)

gräss|lich; **Gräss|lich|keit**

Grat, der; -[e]s, -e (Kante; Bergkamm[linie])

Grä|te, die; -, -n (Fischgräte); **grä|ten|los**

Gra|ti|fi|ka|ti|on, die; -, -en ([freiwillige] [Sonder]zuwendung)

Gra|tin [...'tɛ̃:], das; -s, -s (überbackenes Gericht); **gra|ti|nie|ren** (mit einer Kruste überbacken)

gra|tis (unentgeltlich)

Grät|sche, die; -, -n (eine Turnübung); **grät|schen** ([die Beine] seitwärts abspreizen)

Gra|tu|lant, der; -en, -en; **Gra|tu|lan|tin;** **Gra|tu|la|ti|on,** die; -, -en; **gra|tu|lie|ren**

Grat|wan|de|rung

grau; grau in grau malen; grauer Star (Augenkrankheit); grau sein, werden; grau färben *od.* graufärben; grau melierte *od.* graumelierte Haare; **Grau,** das; -[s], -[s]; in Grau; *vgl.* Blau; **grau|blau**

Gräu|el, der; -s, -; **Gräu|el|tat**

[1]grau|en (Furcht haben); mir, *seltener* mich graut [es] vor dir

[2]grau|en (dämmern); der Morgen graut

Grau|en, das; -s, -; es überkommt ihn ein Grauen (Furcht, Schauder); die Grauen (Schrecken) des Atomkrieges; **grau|en|er|re|gend,** Grau|en er|re|gend; ein grauenerregender *od.* Grauen erregender Vorfall; *aber nur* ein höchstes Grauen erregender Vorfall; ein noch grauenerregenderer Vorfall; **grau|en|haft;** **grau|en|voll**

grau fär|ben, grau|fär|ben; grau|haa|rig

[1]gräu|lich (Grauen erregend)

[2]gräu|lich, grau|lich (leicht grau getönt)

grau me|liert, grau|me|liert *vgl.* grau

Grau|pe die; -, -n *meist Plur.* (Korn)

Grau|pel die; -, -n *meist Plur.* (Hagelkorn); **grau|peln; Grau|pel|schau|er**

Graus, der; -es (*veraltet für* Schrecken); o *od.* oh Graus!; **grau|sam; Grau|sam|keit;** **grau|sen** (sich fürchten); mir *od.* mich grauste; sich grausen; **Grau|sen,** das; -s; **grau|sig** (grauenerregend)

Grau|zo|ne (Übergangszone)

Gra|veur [...'vø:ɐ̯], der; -s, -e (Metall-, Steinschneider); **gra|veu|rin; gra|vie|ren** ([in Metall, Stein, Glas o. Ä.] [ein]schneiden)

gra|vie|rend (schwerwiegend; belastend)

Gra|vi|ta|ti|on, die; - (Schwerkraft, Anziehungskraft)

gra|vi|tä|tisch (würdevoll)

Gra|vur, die; -, -en (eingravierte Schrift)

[1]Gra|zie, die; - (Anmut)

[2]Gra|zie, die; -, -n (eine der drei röm. Göttinnen der Anmut)

gra|zil (schlank, geschmeidig, zierlich)

gra|zi|ös (anmutig)

Green|card, die; -, -s, **Green Card,** die; - -, - -s ['gri:n...] ([un]befristete Arbeits- u. Aufenthaltserlaubnis)

Green|horn ['gri:n...], das; -s, -s (Anfänger, Neuling)

gre|go|ri|a|nisch; der gregorianische Kalender

Greif, der; Gen. -[e]s u. -en, Plur. -e[n] (Fabeltier [Vogel]; auch für Greifvogel)

greif|bar; **grei|fen**; griff, gegriffen; um sich greifen; zum Greifen nahe; **Greif|vo|gel**

grei|nen (ugs. für weinen)

Greis, der; -es, -e; **grei|sen|haft**; **Grei|sin**

grell; die grell beleuchtete od. grellbeleuchtete Bühne; **grell|rot**

Gre|mi|um, das; -s, ...ien (Ausschuss)

Gre|na|dier, der; -s, -e (Infanterist); **Gre|na|die|rin**

Grenz|be|reich; **Gren|ze**, die; -, -n; **gren|zen**; **gren|zen|los**; **Grenz|fall**; **Grenz|gän|ger**; **Grenz|gän|ge|rin**; **Grenz|ge|biet**; **Grenz|kon|trol|le**; **Grenz|li|nie**; **Grenz|über|gang**; **grenz|über|schrei|tend**; **Grenz|wert**; **Grenz|zie|hung**

Grie|be, die; -, -n (ausgebratener Speckwürfel); **Grie|ben|wurst**

grie|chisch; **grie|chisch-or|tho|dox**

grie|nen (ugs. für grinsen)

Gries|gram, der; -[e]s, -e; **gries|grä|mig**

Grieß, der; -es, -e; **Grieß|brei**

Griff, der; -[e]s, -e; **griff|be|reit**

Grif|fel, der; -s, -

griff|fest; **grif|fig**

Grill, der; -s, -s (Bratrost)

Gril|le, die; -, -n (ein Insekt; auch für Laune)

gril|len (auf dem Grill braten); **Grill|fest**

Gri|mas|se, die; -, -n

Grimm, der; -[e]s (veraltend); **grim|mig**

Grind, der; -[e]s, -e (Schorf); **grin|dig**

grin|sen

grip|pal vgl. grippös; **Grip|pe**, die; -, -n (eine Infektionskrankheit); **Grip|pe|epi|de|mie**; **grip|pe|krank**; **Grip|pe|vi|rus**; **Grip|pe|wel|le**; **grip|pös** (Med. grippeartig)

Grips, der; -es (ugs. für Verstand)

Grizz|ly|bär ['grisli...], **Gris|li|bär** (großer nordamerik. Braunbär)

grob; grö|ber, gröbs|te; grob fahrlässig handeln; Korn grob mahlen od. grobmahlen;

grob gemahlenes od. grobgemahlenes Korn; jmdn. aufs Gröbste od. gröbste beleidigen; aus dem Gröbsten heraus sein **grob ge|mah|len**, **grob|ge|mah|len** vgl. grob; **grob ge|strickt**, **grob|ge|strickt**

Gro|bi|an, der; -[e]s, -e (grober Mensch)

grob|schläch|tig (von grober Art)

Grog, der; -s, -s (heißes alkohol. Getränk)

grog|gy [...gi] (schwer angeschlagen; ugs. auch für zerschlagen)

grö|len (ugs.); **Groll**, der; -[e]s; **grol|len**

Groove [gru:v], der; -s, -s (rhythmisches Grundmuster [im Jazz]; Gefühl für Rhythmus u. Tempo)

Gros [gro:], das; -, - (überwiegender Teil); vgl. en gros

Gro|schen, der; -s, - (Untereinheit des Schillings; früher ugs. für Zehnpfennigstück)

groß s. Kasten Seite 181

Groß|ak|ti|o|när; **Groß|ak|ti|o|nä|rin**

groß an|ge|legt, **groß|an|ge|legt** vgl. groß

groß|ar|tig; **Groß|auf|ge|bot**; **Groß|auf|nah|me**; **Groß|auf|trag**; **Groß|bau|stel|le**; **Groß|be|trieb**; **Groß|brand**; **Groß|buch|sta|be**; **groß|bür|ger|lich**

Grö|ße, die; -, -n; **Groß|ein|satz**; **Groß|el|tern** Plur.; **Grö|ßen|ord|nung**; **Grö|ßen|wahn**; **grö|ßen|wahn|sin|nig**

grö|ßer vgl. groß

Groß|er|eig|nis; **Groß|fa|mi|lie**; **groß|flä|chig**; **groß for|ma|tig**; **groß ge|wach|sen**, **groß|ge|wach|sen** vgl. groß; **Groß|grund|be|sit|zer**; **Groß|grund|be|sit|ze|rin**; **Groß|han|del**; **Groß|händ|ler**; **Groß|händ|le|rin**; **Groß|her|zog**; **Groß|her|zo|gin**; **Groß|hirn**; **Groß|in|dus|t|rie**; **Groß|in|dus|t|ri|el|le**

Gros|sist, der; -en, -en (Großhändler); **Gros|sis|tin**

groß ka|riert, **groß|ka|riert** vgl. groß

Groß|kon|zern; **Groß|lein|wand**; **Groß|macht**; **Groß|markt**; **Groß|mut**, die; -; **groß|mü|tig**; **Groß|mut|ter** Plur. ...müt|ter; **groß|po|rig**; **Groß|raum**; **groß|räu|mig**; **Groß|rei|ne|ma|chen**, das; -s

groß|schrei|ben (mit großem Anfangsbuch-

groß

gröβer, gröβte

– groß[en]teils, größer[e]nteils, größtenteils

I. Kleinschreibung:

a) *ihr Haus war am größten*

b) *die großen Ferien*

– *auf große Fahrt gehen*

– *das große Einmaleins; das große Latinum*

– *das große Los; die große Pause*

– *auf großem Fuß* (ugs. für *verschwenderisch*) *leben*

– *etwas an die große Glocke hängen* (ugs. für *überall erzählen*)

– *im großen Ganzen*

II. Großschreibung:

a) *etwas, nichts, viel, wenig Großes*

– *Groß und Klein* (auch für *jedermann*)

– *Große und Kleine, die Großen und die Kleinen; im Großen und Ganzen*

– *im Großen (en gros) einkaufen*

– *vom Kleinen auf das Große schließen*

– *im Großen wie im Kleinen treu sein*

– *ein gutes Fußballspiel ist für ihn das Größte*

– *er ist der Größte* (ugs. für *unübertroffen*)

b) *Otto der Große* (Abk. d. Gr.), Gen.: *Ottos des Großen*

– *der Große Teich* (ugs. für *Atlantischer Ozean*); *der Große Belt* (eine Meerenge)

– *der Große Wagen, der Große Bär* (Sternbilder); *die Große Mauer* (in China)

c) *der Große* od. *große Lauschangriff*

– *die Große* od. *große Anfrage* (im Parlament); *die Große* od. *große Koalition*

– *die Große* od. *große Kreisstadt*

III. Schreibung in Verbindung mit Verben:

– *groß herauskommen*

– *groß schreiben* (in großer Schrift schreiben)

aber *großschreiben* (mit großem Anfangsbuchstaben schreiben; sehr wichtig nehmen)

– *großtun* (prahlen)

– *Kinder großziehen* (aufziehen)

– *groß klicken* od. *großklicken* (EDV durch Anklicken vergrößern)

IV. Getrennt- oder Zusammenschreibung bei nicht übertragener Bedeutung in Verbindung mit adjektivisch gebrauchten Partizipien:

– *ein groß angelegter* od. *großangelegter Plan*

– *ein groß gemusterter* od. *großgemusterter Stoff; ein groß karierter* od. *großkarierter Mantel*

– *ein groß gewachsener* od. *großgewachsener Junge*

---

staben schreiben; *ugs. für* wichtig nehmen); Substantive großschreiben; Teamarbeit wird bei uns [sehr] großgeschrieben; *vgl.* groß; **Groß|schrei|bung**
groß|spu|rig; Groß|spu|rig|keit, die; -
Groß|stadt; Groß|städ|ter; Groß|städ|te|rin; groß|städ|tisch
größ|te *vgl.* groß
Groß|teil, der; **groß|teils; größ|ten|teils**
größt|mög|lich (*falsch:* größtmöglichst)
groß|tun (prahlen); er soll nicht so großtun

Groß|va|ter; Groß|ver|an|stal|tung; groß-
zie|hen (aufziehen); **groß|zü|gig; Groß-**
zü|gig|keit
gro|tesk (wunderlich; überspannt); **Gro|tes-**
ke, die; -, -n (fantastische Erzählung)
Grot|te, die; -, -n ([künstl.] Felsenhöhle)
grot|ten|schlecht (ugs. für sehr schlecht)
Grou|pie ['gru:pi], das; -s, -s (w. Fan, der engen Kontakt mit seinem Idol sucht)
Grüb|chen; Gru|be, die; -, -n
Grü|be|lei; grü|beln

Gru|ben|un|glück
Grüb|ler; Grüb|le|rin; grüb|le|risch
Gruft, die; -, Grüfte; **Gruf|ti,** der; -s, -s (*ugs.
für* älterer Mensch; Jugendlicher mit einer
Vorliebe für schwarze Kleidung, Friedhöfe
u. Todessymbole)
grün; er ist mir nicht grün (*ugs. für* gewogen); am grünen Tisch; der grüne Star
(Augenkrankheit); das Grüne *od.* grüne
Trikot *(Radsport);* der Grüne *od.* grüne
Punkt; die Grüne Insel (Irland); **Grün,** das;
-[s], -[s] (grüne Farbe); das erste Grün; die
Ampel steht auf, zeigt Grün; in Grün; das
ist dasselbe in Grün (*ugs. für* [fast] ganz
dasselbe); *vgl.* Blau; **Grün|an|la|ge**
Grund, der; -[e]s, Gründe; im Grunde; von
Grund auf; aufgrund *od.* auf Grund [des-
sen, von]; auf Grund laufen; im Grunde
genommen; zugrunde *od.* zu Grunde
gehen, legen, liegen, richten; **grund|an|-
stän|dig; Grund|aus|bil|dung; Grund-
aus|stat|tung; Grund|be|sitz; Grund-
buch; Grund|ei|gen|tum; Grund|eis**
grün|den; gegründet (*Abk.* gegr.); **Grün-
der; Grün|de|rin; Grün|der|va|ter** *meist
Plur.;* **Grün|der|zeit,** die; -
**grund|falsch; Grund|flä|che; Grund|ge-
bühr; Grund|ge|setz** (Statut); Grundge-
setz für die Bundesrepublik Deutschland
vom 23. Mai 1949 (*Abk.* GG); **Grund|hal-
tung; grun|die|ren; Grund|kennt|nis**
meist Plur.; **Grund|la|ge; Grund|la|gen-
for|schung; grund|le|gend**
gründ|lich; Gründ|lich|keit, die; -
grund|los
Grund|nah|rungs|mit|tel
Grün|don|ners|tag
**Grund|preis; Grund|prin|zip; Grund|recht;
Grund|re|gel; Grund|riss; Grund|satz;
grund|sätz|lich; Grund|satz|pro|gramm;
Grund|schu|le; Grund|schü|ler; Grund-
schü|le|rin; Grund|stein; Grund|stein|le-
gung; Grund|steu|er,** die; **Grund|stock**
Plur. ...stöcke; **Grund|stoff; Grund|stück;
Grund und Bo|den,** der; - - -s
Grün|dung; Grün|dungs|mit|glied

Grund|vo|r|aus|set|zung; Grund|was|ser
Plur. ...wasser *u.* ...wässer (*Ggs.* Oberflä-
chenwasser); **Grund|wert; Grund|zahl**
(Kardinalzahl); **Grund|zug**
¹Grü|ne, das; -n; Fahrt ins Grüne
²Grü|ne, der *u.* die; -n, -n (Mitglied der Partei
Bündnis 90/Die Grünen)
grü|nen (grün werden, sein); **Grün|flä|che;
Grün|kern,** der; -[e]s; **Grün|kohl; grün-
lich;** grünlich gelb; **Grün|schna|bel** (*ugs.
für* unerfahrener, vorlauter Mensch); **Grün-
span,** der; -[e]s (grüner Belag auf Kupfer
od. Messing); **Grün|strei|fen**
grun|zen
Grün|zeug, das; -[e]s (*ugs.*)
Grüpp|chen; Grup|pe, die; -, -n; **Grup|pen-
ar|beit; Grup|pen|bild; Grup|pen|sex;
Grup|pen|the|ra|pie; grup|pen|wei|se**
grup|pie|ren; Grup|pie|rung
gru|se|lig, grus|lig (schaurig); **Gru|sel|mär-
chen; gru|seln;** ich grus[e]le mich, mir *od.*
mich gruselt es; **grus|lig** *vgl.* gruselig
Gruß, der; -es, Grüße; **grü|ßen; gruß|los;
Gruß|wort** *Plur.* ...worte
Grüt|ze, die; -, -n
gu|cken, ku|cken (*ugs.*); **Guck|in|die|luft,**
der; -; Hans Guckindieluft; **Guck|loch**
¹Gue|ril|la [ge'rɪlja], die; -, -s (*kurz für* Gue-
rillakrieg); **²Gue|ril|la** der; -[s], -s *meist
Plur.* (Angehöriger einer Einheit, die einen
Guerillakrieg führt); **Gue|ril|la|kämp|fer;
Gue|ril|la|kämp|fe|rin; Gue|ril|la|krieg**
Gu|gel|hupf, der; -[e]s, -e (*südd., österr. für*
Napfkuchen)
Guide [gaɪt], der; -s, -s (Reiseführer [als Buch])
Guil|lo|ti|ne [gɪljo..., gijo...], die; -, -n (Fall-
beil)
Guin|ness|buch, Guin|ness-Buch ['gɪ...]
(Buch, das Rekorde u. Ä. verzeichnet)
Gu|lasch [*auch* 'gʊ...], das, *auch* der; -[e]s,
-e *u.* -s, *österr. nur* das; -[e]s, -e; **Gu|lasch-
ka|no|ne** (*scherzh. für* Feldküche)
Gul|den, der; -s, - (frühere niederl. Wäh-
rungseinheit)
Gül|le, die; - (*Landwirtsch.* flüssiger Stall-
dünger; *südwestd. u. schweiz. für* Jauche)

---

gut

bes|ser, bes|te

I. Kleinschreibung:
– *einen guten Morgen wünschen*
– *auf gut Glück; ein gut Teil*
– *guten Mutes; die guten Sitten*
– *gut und gern*
– *so gut wie; so weit, so gut*
– *es gut sein lassen*

II. Großschreibung:
a) *jmdm. etwas im Guten sagen*
– *im Guten wie im Bösen (allezeit)*
– *Gut und Böse unterscheiden können*
– *jenseits von Gut und Böse sein*
– *Gutes und Böses; vom Guten das Beste*
– *ein Guter; sie gehören zu den Guten*
– *sein Gutes haben; des Guten zu viel tun*
– *alles zum Guten lenken, wenden*
– *etwas, nichts, viel, wenig Gutes*
– *wir wünschen alles Gute*
b) *der Gute Hirte (Christus)*
– *das Kap der Guten Hoffnung*

III. Groß- oder Kleinschreibung:
– *[jmdm.] Guten od. guten Morgen sagen*

IV. Schreibung in Verbindung mit Verben:
– *das hast du gut gemacht!*
– *es mit jmdm. gut meinen*
– *es bei jmdm. gut haben*
– *sie kann gut schreiben*
– *es wird alles gut werden*
– *in diesen Schuhen kann ich gut gehen*
Aber:
– *im Urlaub lassen wir es uns gut gehen od.*
 gutgehen
– *es ist alles noch einmal gut gegangen od.*
 gutgegangen
– *die Bücher werden gut gehen od. gutge-*
 hen
Vgl. auch *guthaben, gutheißen, gutmachen,*
gutschreiben, guttun

V. Getrennt- oder Zusammenschreibung bei
nicht übertragener Bedeutung in Verbindung mit adjektivisch gebrauchten Partizipien:
– *eine gut bezahlte od. gutbezahlte Kraft*
– *ein gut gemeinter od. gutgemeinter Rat*
– *gut gehende od. gutgehende Geschäfte*
– *gut unterrichtete od. gutunterrichtete*
 Kreise

Gul|ly [...li], der, *auch* das; -s, -s (Einlauf-
schacht für Straßenabwässer)
gül|tig; Gül|tig|keit
¹**Gum|mi,** der (*österr. nur so*) u. das; -s, -[s]
(elastisches Kautschukprodukt)
²**Gum|mi,** das, *auch* der; -s, -s (*kurz für* Gum-
miband)
³**Gum|mi,** der u. das; -s, -s (*kurz für* Radier-
gummi; *ugs. für* Präservativ)
Gum|mi|band, das; *Plur.* ...bänder; **Gum|-
mi|bär|chen; Gum|mi|baum; Gum|mi-
soh|le; Gum|mi|stie|fel**
Gunst, die; -; zu seinen Gunsten, *aber*
zugunsten *od.* zu Gunsten; zuungunsten
od. zu Ungunsten der Armen
güns|tig; güns|tigs|ten|falls

Günst|ling
Gur|gel, die; -, -n; **gur|geln**
Gur|ke, die; -, -n; **gur|ken** (*ugs. für* fahren);
durch die Gegend gurken; **Gur|ken|sa|lat**
gur|ren; die Taube gurrt
Gurt, der; -[e]s, *Plur.* -e, *landsch. u. fachspr.* -en
Gür|tel, der; -s, -; **Gür|tel|li|nie; Gür|tel-
rei|fen; gür|ten**
Gu|ru, der; -s, -s (religiöser Lehrer des Hin-
duismus)
Guss, der; -es, Güsse; **Guss|ei|sen,** das; -s;
guss|ei|sern; **Guss|stahl, Guss-Stahl**
Gus|to, der; -s, -s (Appetit; Neigung)
gut s. Kasten
Gut, das; -[e]s, Güter; sein Hab und Gut
gut|ach|ten; *meist im Infinitiv u. Partizip I;*

er gutachtet; um zu gutachten; sie hat gegutachtet; **Gut**|**ach**|**ten**, das; -s, -; **Gut**|**ach**|**ter**; **Gut**|**ach**|**te**|**rin**

gut|**ar**|**tig**; **gut aus**|**se**|**hend**, **gut**|**aus**|**se**-hend vgl. gut; **gut be**|**zahlt**, **gut**|**be**|**zahlt** vgl. gut; **gut**|**bür**|**ger**|**lich**; **Gut**|**dün**|**ken**, das; -s; nach [seinem] Gutdünken

Gü|**te**, die; -

Gu|**te**|**nacht**|**ge**|**schich**|**te**

Gü|**ter**|**bahn**|**hof**; **Gü**|**ter**|**ver**|**kehr**; **Gü**|**ter**-zug

Gü|**te**|**sie**|**gel**

gut ge|**hen**, **gut**|**ge**|**hen** vgl. gut; **gut ge**-**launt**, **gut**|**ge**|**launt** vgl. gut; **gut ge**-**meint**, **gut**|**ge**|**meint** vgl. gut; **gut**|**gläu**-big; **gut**|**ha**|**ben** (Kaufmannsspr. zu fordern haben); du hast bei mir noch 10 € gut; **Gut**|**ha**|**ben**, das; -s, -; **gut**|**hei**|**ßen** (billigen); gutgeheißen; **gut**|**her**|**zig**

gü|**tig**

güt|**lich**; sich gütlich tun

gut|**ma**|**chen** (in Ordnung bringen; erwerben, Vorteil erringen); er hat etwas gutgemacht; **Gut**|**mensch**, der (oft abwertend für jmd., der sich besonders für Political Correctness engagiert); **gut**|**mü**-tig; **Gut**|**mü**|**tig**|**keit**, die; -; **Gut**|**schein**; **gut**|**schrei**|**ben** (anrechnen); sie versprach, den Betrag gutzuschreiben; **Gut**-schrift (eingetragenes Guthaben); **gut** sein vgl. gut

Guts|**herr**; **Guts**|**her**|**rin**; **Guts**|**hof**

Gut|**teil**, das u. der; -[e]s (ein großer Teil)

gut|**tun**; die Kur hat ihm gutgetan; aber er wird gut daran tun, ...; **gut un**|**ter**|**rich**-**tet**, **gut**|**un**|**ter**|**rich**|**tet** vgl. gut; **gut wer**-den vgl. gut; **gut**|**wil**|**lig**

gym|**na**|**si**|**al**; der gymnasiale Deutschunterricht; **Gym**|**na**|**si**|**al**|**leh**|**rer**; **Gym**|**na**|**si**|**al**-**leh**|**re**|**rin**; **Gym**|**na**|**si**|**ast**, der; -en, -en (Schüler eines Gymnasiums); **Gym**|**na**|**si**-**as**|**tin**; **Gym**|**na**|**si**|**um**, das; -s, ...ien (eine Form der höheren Schule in Deutschland, Österreich u. der Schweiz)

Gym|**nas**|**tik** die; -, -en Plur. selten; **gym**-**nas**|**tisch**

Gy|**nä**|**ko**|**lo**|**ge**, der; -n, -n; **Gy**|**nä**|**ko**|**lo**|**gie**, die; - (Frauenheilkunde); **Gy**|**nä**|**ko**|**lo**|**gin**; **gy**|**nä**|**ko**|**lo**|**gisch**

Gy|**ros**, das; -, - (griech. Gericht aus am Drehspieß gebratenem Fleisch)

G-7-Staat, **G7-Staat** Plur. ...staaten, (Staat der Vereinigung der sieben wichtigsten westl. Wirtschaftsnationen)

G-8-Staat, **G8-Staat** Plur. ...staaten (vgl. G-7-Staat, mit Russland)

H *h*

H (Buchstabe); das H; des H, die H, aber das h in Bahn; der Buchstabe H, h

Haar, das; -[e]s, -e; aber Härchen, Härlein; **Haar**|**aus**|**fall**; **haa**|**ren**; der Hund haart [sich]; **Haa**|**res**|**brei**|**te**; nur in um Haaresbreite, aber um eines Haares Breite; **Haar**-**far**|**be**; **haar**|**ge**|**nau**; **haa**|**rig** (ugs. auch für heikel); **haar**|**scharf**; **Haar**|**schnitt**; **Haar**|**spal**|**te**|**rei**; **haar**|**sträu**|**bend**

Ha|**be** vgl. Hab und Gut

ha|**ben**; hatte, gehabt; ich habe auf dem Tisch Blumen stehen (nicht: ... zu stehen); **Ha**|**ben**, das; -s, -; [das] Soll und [das] Haben; **Ha**|**be**|**nichts**, der; Gen. - u. -es, Plur. -e; **Ha**|**ben**|**sei**|**te** (eines Kontos)

Hab|**gier**, die; -; **hab**|**gie**|**rig**

hab|**haft**; des Diebes habhaft werden (ihn festnehmen)

Ha|**bicht**, der; -s, -e

Ha|**bi**|**li**|**ta**|**ti**|**on**, die; -, -en (Erwerb der Lehrberechtigung an Hochschulen); **ha**|**bi**|**li**|**tie**-**ren** (die Lehrberechtigung an Hochschulen erlangen bzw. verleihen)

Ha|**bi**|**tus**, der; - (Erscheinung, Benehmen)

Hab|**se**|**lig**|**keit**, die; -, -en meist Plur. (Besitztum); **Hab**|**sucht**, die; -; **hab**|**süch**|**tig**

Hab und Gut, das; - - -[e]s

Hach|**se**, südd. **Ha**|**xe**, die; -, -n (unterer Teil des Beines von Kalb od. Schwein)

Hack|beil; Hack|bra|ten

¹Ha|cke, die; -, -n, Ha|cken, der; -s, - (Ferse)

²Ha|cke, die; -, -n (ein Werkzeug)

¹ha|cken (hauen; mit dem Beil spalten)

²ha|cken [*auch* 'hɛkn̩] (sich als Hacker betätigen)

Ha|cken *vgl.* ¹Hacke

Ha|cker [*auch* 'hɛkɐ], der; -s, - (jmd., der sich unberechtigt Zugang zu fremden Computersystemen zu verschaffen sucht); Ha|cke|rin

Hack|fleisch

Häck|sel, das *od.* der; -s (Schnittstroh)

Ha|der, der; -s (*geh. für* Zank, Streit); ha|dern (*geh.*)

Ha|des, der; - (Unterwelt)

Ha|fen, der; -s, Häfen (Lande-, Ruheplatz); Ha|fen|ar|bei|ter; Ha|fen|ar|bei|te|rin; Ha|fen|stadt

Ha|fer, der; -s, *Plur. (Sorten:)* -; Ha|fer|brei; Ha|fer|flo|cken *Plur.*

Haff, das; -[e]s, *Plur.* -s *od.* -e (durch Nehrungen vom Meer abgetrennte Küstenbucht)

Haft, die; - (Gewahrsam); haft|bar; jmdn. für etwas haftbar machen; Haft|be|fehl

haf|ten; haften bleiben (festhängen); weil der Dreck an den Schuhen haften bleibt; *aber* die Erinnerung daran wird noch lang in ihrem Gedächtnis haften bleiben *od.* haftenbleiben; haf|ten blei|ben, haf|ten|blei|ben *vgl.* haften

Haft|ent|las|sung; haft|fä|hig; Häft|ling; Haft|pflicht; Haft|pflicht|ver|si|che|rung; Haft|rich|ter; Haft|rich|te|rin; Haft|stra|fe; Haf|tung, die; -; *vgl.* GmbH

Ha|ge|but|te, die; -, -n

Ha|gel, der; -s; ha|geln; es hagelt

ha|ger; Ha|ger|keit, die; -

Hahn, der; *Gen.* -[e]s, *schweiz. auch* -en, *Plur.* Hähne, *landsch., schweiz. u. fachspr.* (*für* techn. Vorrichtungen:) -en; Hähn|chen; Hah|nen|fuß, der; -es (eine Wiesenblume)

Hai, der; -[e]s, -e (ein Raubfisch); Hai|fisch

Hain, der; -[e]s, -e (*geh. für* kleiner Wald)

Häk|chen

hä|keln; ich häk[e]le; Hä|kel|na|del

ha|ken; Ha|ken, der; -s, -; Ha|ken|na|se

halb *s. Kasten Seite 186*

halb|amt|lich; eine halbamtliche Nachricht, *aber* etwas geschieht halb amtlich, halb privat; **halb au|to|ma|tisch, halb|au|to|ma|tisch** *vgl.* halb; **halb|bit|ter**; halbbittere Schokolade; *vgl.* halb; **Halb|bru|der; halb|dun|kel**; es war halbdunkel, *aber* die Plätzchen waren halb dunkel, halb hell; **Halb|dun|kel; Hal|be**, der, die, das; -n, -n; eine Halbe (*bayr., österr. für* ein halber Liter) Bier; **hal|be-hal|be**; halbe-halbe machen (*ugs. für* teilen)

hal|ber; *Präp. mit Gen.:* der Ehre halber; gewisser Umstände halber; *aber* ehrenhalber, umständehalber, beispielshalber

halb fer|tig, halb|fer|tig; halb fertige *od.* halbfertige Fabrikate

Halb|fi|na|le (*Sport*)

halb gar, halb|gar; halb gares *od.* halbgares Fleisch; **halb|her|zig; halb|hoch**; ein halbhoher Zaun; *vgl.* halb

hal|bie|ren; Hal|bie|rung

Halb|in|sel; Halb|jahr; halb|jäh|rig (ein halbes Jahr alt, ein halbes Jahr dauernd); **halb|jähr|lich** (jedes Halbjahr wiederkehrend, alle halben Jahre); **Halb|kreis; Halb|ku|gel**

halb leer, halb|leer *vgl.* halb; **Halb|lei|ter**, der (*Elektrot.* Stoff, der bei Zimmertemperatur elektrisch leitet u. bei tieferen Temperaturen isoliert); **halb links, halb|links** *vgl.* halb; **halb|mast** (als Zeichen der Trauer); [eine Flagge] halbmast hissen; auf halbmast setzen, stehen; **Halb|mond; halb nackt, halb|nackt** *vgl.* halb; **halb of|fen, halb|of|fen** *vgl.* halb

Halb|pen|si|on, die; - (Unterkunft mit Frühstück u. einer warmen Mahlzeit); **halb rechts, halb|rechts**; sich halb rechts *od.* halbrechts halten; **halb|rund** (halbkreisförmig); *aber* die Formen waren halb rund, halb eckig; **Halb|rund**

Halb|schlaf; Halb|schuh; halb|sei|tig; halb|staat|lich; ein halbstaatlicher Betrieb

halb

I. Groß- oder Kleinschreibung
a) Kleinschreibung:

– es ist, es schlägt halb eins
– eine viertel und eine halbe Stunde
– eine halbe und eine Dreiviertelstunde
– der Zeiger steht auf halb
– [um] voll und halb jeder Stunde
– ein halbes Dutzend Mal

b) Großschreibung:

– ein Halbes, einen Halben bestellen
– eine Halbe (bayr. für halbe Maß)
– nichts Halbes und nichts Ganzes

II. Schreibung in Verbindung mit Adjektiven, Partizipien und Verben:

– ich habe ihn nur halb verstanden
– sie war halb krank vor Angst
– den Eimer halb voll machen

– wir haben uns halb totgelacht
– er lief halb bekleidet od. halbbekleidet herum
– eine halb automatische od. halbautomatische Fertigung
– sich halb links od. halblinks einordnen
– ein halb leeres od. halbleeres Glas
– halb verwelkte od. halbverwelkte Blumen

III. Getrenntschreibung, wenn »halb« die Bedeutung »teils« hat:

– sie machte ein halb freundliches, halb ernstes Gesicht
– ein halb seidenes, halb wollenes Gewebe

Vgl. auch halbamtlich, halbbitter, halbhoch usw.

(DDR), aber der Betrieb ist halb staatlich, halb privat; **Halb|star|ke**, der u. die; -n, -n; **halb|stün|dig** (eine halbe Stunde dauernd); **halb|stünd|lich** (jede halbe Stunde [stattfindend]); **halb|tags**
Halb|ton Plur. ...töne; **halb|tro|cken;** halbtrockener Wein; **halb ver|hun|gert, halb|ver|hun|gert** vgl. halb; **halb ver|welkt, halb|ver|welkt** vgl. halb; **halb voll, halb|voll** vgl. halb; **Halb|wahr|heit; Halb|wai|se; halb|wegs; Halb|werts|zeit** (Kernphysik Zeit, nach der die Hälfte einer Anzahl radioaktiver Atome zerfallen ist); **Halb|wis|sen; halb|wüch|si|ge,** der u. die; -n, -n; **Halb|zeit; Halb|zeit|pau|se**
Hal|de, die; -, -n
Hälf|te, die; -, -n; meine bessere Hälfte (scherzh. für meine Ehefrau, mein Ehemann); zur Hälfte
¹Half|ter, das od. der; -s, -, schweiz. auch die; -, -n (Zaum ohne Gebiss)
²Half|ter, das; -s, -, auch die; -, -n (Pistolentasche)

Hall, der; -[e]s, -e
Hal|le, die; -, -n
hal|le|lu|ja!; Hal|le|lu|ja, das; -s, -s (liturgischer Freudengesang)
hal|len (schallen)
Hal|len|bad; Hal|len|fuß|ball
Hal|lig, die; -, -en (bei Sturmflut überflutete Insel im nordfries. Wattenmeer)
Hal|li|gal|li, Hul|ly-Gul|ly, das, selten: der; -[s] (ugs. für fröhliches Treiben)
hal|lo! [auch ...'lo:]; **Hal|lo,** das; -s, -s; mit großem Hallo; Hallo od. hallo rufen
Hal|lo|ween [hɛlo'vi:n], das; -[s], -s ([bes. in den USA gefeierter] Tag vor Allerheiligen)
Hal|lu|zi|na|ti|on, die; -, -en (Sinnestäuschung)
Halm, der; -[e]s, -e
Ha|lo|gen, das; -s, -e (Salz bildendes chem. Element); **Ha|lo|gen|schein|wer|fer**
Hals, der; -es, Hälse; **Hals|ab|schnei|der; Hals|ab|schnei|de|rin; hals|bre|che|risch; Hals|ket|te; Hals-Na|sen-Oh|ren-Arzt** (Abk. HNO-Arzt); **Hals-Na|sen-Oh-**

ren-Ärz|tin (*Abk.* HNO-Ärztin); Hals-
schlag|ader; Hals|schmerz *meist Plur.*
hals|star|rig

hältst
Die 2. Person Singular von *halten* lautet im
Indikativ Präsens *[du]* hältst. Das *t* nach dem
l darf nicht weggelassen werden, da es zum
Wortstamm gehört und deshalb in allen For-
men des Verbs erhalten bleibt.

Hals|tuch *Plur.* ...tücher; Hals|weh, das; -s
　　bruch! (*ugs.*); Hals|weh, das; -s
¹halt (*landsch. u. schweiz. für* eben, wohl, ja,
　　schon)
²halt!; Halt! Wer da?
Halt, der; -[e]s, *Plur.* -e u. -s; [laut] Halt *od.*
　　halt rufen; Halt finden; haltmachen *od.*
　　Halt machen; ich mache halt *od.* Halt;
　　ohne haltzumachen *od.* Halt zu machen
halt|bar; Halt|bar|keit, die; -
hal|ten; du hältst; er hielt, er hat gehalten;
　　an sich halten; Hal|te|punkt; Hal|ter; Hal-
　　te|rin; Hal|te|stel|le; Hal|te|ver|bot
　　(*amtl.* Haltverbot); halt|los; Halt|lo|sig-
　　keit, die; -; halt|ma|chen *vgl.* Halt; Hal-
　　tung; Halt|ver|bot *vgl.* Halteverbot
Ha|lun|ke, der; -n, -n (*abwertend für* Schuft)
Ha|mam, der; -[s], -s (türkisches Bad)
Ham|bur|ger [*auch* ˈhɛmbœːɡɐ], der; -s,
　　Plur. -, -s (Brötchen mit gebratenem Rin-
　　derhackfleisch)
Hä|me, die; - (Gehässigkeit); hä|misch; sein
　　hämisches Grinsen
Ham|mel, der; -s, -; Ham|mel|bein; *meist in*
　　jmdm. die Hammelbeine lang ziehen *od.*
　　langziehen (*ugs. für* jmdn. heftig tadeln)
Ham|mer, der; -s, Hämmer; häm|mern;
　　Ham|mer|wer|fen, das; -s (*Sport*)
Ham|mond|or|gel [ˈhɛmənt...] (elektroakus-
　　tische Orgel)
Hä|mo|glo|bin, das; -s (*Med.* roter Blutfarb-
　　stoff; *Zeichen* Hb)
Hä|mor|rho|i|de, Hä|mor|ri|de, die; -, -n
　　meist Plur. ([leicht blutender] Venenknoten
　　des Mastdarms)

Ham|pel|mann *Plur.* ...männer; ham|peln
　　(zappeln); ich hamp[e]le
Hams|ter, der; -s, - (ein Nagetier); hams-
　　tern
Hand, die; -, Hände; linker Hand, rechter
　　Hand; letzter Hand; etw. unter der Hand
　　(heimlich, im Stillen) regeln; [an etw.]
　　Hand anlegen; etw. an, bei der Hand
　　haben; eine Handvoll *od.* Hand voll Kir-
　　schen essen; Hand voll Kirschen essen;
　　ten; gehandarbeitet; *vgl. aber* handgear-
　　beitet; Hand|ball; Hand|bal|ler (*ugs. für*
　　Handballspieler); Hand|bal|le|rin
hand|breit; ein handbreiter Saum, *aber der*
　　Streifen ist eine Hand breit; Hand|breit,
　　die; -, -, Hand breit, die; - -, - -; eine,
　　zwei, keine Handbreit *od.* Hand breit, *aber*
　　ein zwei Hand breiter Saum
Hand|brem|se; Hand|buch; Händ|chen;
　　ein Händchen haltendes *od.* händchen-
　　haltendes Paar; Händ|chen hal|tend,
　　händ|chen|hal|tend; Hand|creme,
　　Hand|crème; Hän|de|druck *Plur.* ...drü-
　　cke
Han|del, der; -s (Kaufgeschäft); Handel trei-
　　ben; Handel treibende *od.* handeltrei-
　　bende Völker; han|del|bar ([bes. von
　　Wertpapieren] im Handel erhältlich)
¹han|deln; es handelt sich um ...
²han|deln [ˈhɛn...] (handhaben, gebrauchen);
　　ich hand[e]le [ˈhɛnd[ə]lə]; gehandelt
Han|deln, das; -s; Han|dels|ab|kom|men;
　　Han|dels|be|zie|hung *meist Plur.*; Han-
　　dels|bi|lanz; han|dels|ei|nig; Han|dels-
　　ge|sell|schaft; Han|dels|kam|mer; Han-
　　dels|ket|te; Han|dels|mi|nis|te|ri|um;
　　Han|dels|part|ner; Han|dels|part|ne|rin;
　　Han|dels|platz; Han|dels|re|gis|ter; Han-
　　dels|schu|le; han|dels|üb|lich; Han|dels-
　　ver|tre|ter; Han|dels|ver|tre|te|rin; Han-
　　dels|vo|lu|men; Han|del trei|bend, han-
　　del|trei|bend *vgl.* Handel
hän|de|rin|gend (verzweifelt)
hand|fest; Hand|feu|er|waf|fe; Hand|flä-
　　che; hand|ge|ar|bei|tet; handgearbeitete
　　Möbel; *vgl. aber* handarbeiten; Hand|ge-

H

lenk; Hand|ge|men|ge; Hand|ge|päck;
hand|ge|schrie|ben; Hand|gra|na|te;
hand|greif|lich; Hand|griff; Hand|ha|be,
die; -, -n; hand|ha|ben; das ist schwer zu
handhaben; Hand|ha|bung

Hand|held ['hɛnthɛlt], der od. das; -s, -s
(Taschencomputer)

Han|di|cap, Han|di|kap ['hɛndikɛp], das; -s,
-s (Nachteil, Behinderung; *Sport* Aus-
gleichsvorgabe); han|di|ca|pen, han|di-
ka|pen ['hɛndikɛpn]; gehandicapt, gehan-
dikapt

Hand-in-Hand-Ar|bei|ten, das; -s; Hand-
kuss; Hand|lan|ger; Hand|lan|ge|rin;
Hand|lauf (an Treppengeländern); Händ-
ler; Händ|le|rin; hand|lich

Hand|ling ['hɛ...], das; -[s] (Handhabung,
Gebrauch)

Hand|lung; Hand|lungs|be|darf; Hand-
lungs|be|voll|mäch|tig|te; hand|lungs-
fä|hig; Hand|lungs|fä|hig|keit, die; -;
Hand|lungs|rei|sen|de; Hand|lungs-
spiel|raum; Hand|lungs|wei|se, die

Hands [hɛnts], das; -, - (*österr., schweiz. für*
Handspiel)

Hand|schel|le *meist Plur.;* Hand|schlag;
Hand|schrift; hand|schrift|lich; Hand-
schuh; ein Paar Handschuhe; Hand-
spie|gel; Hand|stand; Hand|streich;
Hand|ta|sche; Hand|tuch *Plur.* ...tücher;
Hand|um|dre|hen, das; -s; *meist in:* im
Handumdrehen; hand|ver|le|sen (*auch für*
sorgfältig ausgewählt); Hand|voll, die; -,
-, Hand voll, die; --, --; *vgl.* Hand

Hand|werk; Hand|wer|ker; Hand|wer|ke-
rin; hand|werk|lich; Hand|werks|be-
trieb; Hand|werks|kam|mer; Hand-
werks|zeug, das; -[e]s, -e

Han|dy ['hɛndi], das; -s, -s (handliches
schnurloses Funktelefon); Han|dy|dis|play;
Han|dy|ta|rif

Hand|zei|chen; Hand|zet|tel

ha|ne|bü|chen (*veraltend für* unerhört)

Hanf, der; -[e]s (eine Faserpflanze)

Hänf|ling (eine Finkenart; Mensch von
schwächlicher Statur)

Hang, der; -[e]s, Hänge

Han|gar [*auch* ...'ga:ɐ̯], der; -s, -s (Flug-
zeughalle)

Hän|ge|bauch; Hän|ge|bauch|schwein

han|geln (*Turnen*)

Hän|ge|mat|te

¹hän|gen; hing, gehangen; das Bild hing an
der Wand; mit Hängen und Würgen (*ugs.
für* mit Müh und Not); das Bild kann hier
hängen bleiben; an einem Nagel hängen
bleiben *od.* hängenbleiben; von dem
Gelernten ist wenig hängen geblieben *od.*
hängengeblieben; du kannst das Bild da
hängen lassen; seinen Mantel im Restaurant hängen lassen *od.* hängenlassen (vergessen); jmdn. hängen lassen *od.* hängenlassen (*ugs. für* im Stich lassen)

²hän|gen; hängte, gehängt; ich hängte das
Bild an die Wand

hän|gen blei|ben, hän|gen|blei|ben *vgl.*
¹hängen; hän|gen las|sen, hän|gen|las-
sen *vgl.* ¹hängen

Han|se, die; - (mittelalterl. nordd. Kauf-
manns- u. Städtebund); Han|se|at, der;
-en, -en (Hansestädter); Han|se|a|tin; han-
se|a|tisch

Hän|se|lei; hän|seln (necken)

Han|se|stadt; han|se|städ|tisch

Hans|wurst ['ha...], der; -[e]s, *Plur.* -e,
scherzh. auch ...würste (derbkomische
Figur; dummer Mensch)

Han|tel, die; -, -n (ein Sportgerät)

han|tie|ren (handhaben; umgehen mit ...)

ha|pern; es hapert (fehlt [an])

Häpp|chen; Hap|pen, der; -s, -

Hap|pe|ning ['hɛ...], das; -s, -s ([öffentliche]
Veranstaltung von Künstlern mit Einbezie-
hung des Publikums)

hap|pig (*ugs. für* zu stark, übertrieben)

hap|py ['hɛpi] (*ugs. für* glücklich, zufrie-
den); Hap|py End, das; - -[s], - -s, Hap-
py|end, das; -[s], -s ['hɛpi 'ɛnt, *auch*
'hɛpiɛnt]

Här|chen (kurzes, feines Haar)

Hard|core [...ko:ɐ̯], der; -s, -s (aggressive
Richtung der Rockmusik); Hard|co|ver

[...ka...], das; -s, -s (Buch mit festem Einband); **Hard|li|ner** [...lai...], der; -s, - (Vertreter eines harten [politischen] Kurses); **Hard|li|ne|rin; Hard|rock**, der; -[s]; **Hard Rock**, der; - -[s] ([laute] Rockmusik mit einfachen Rhythmen); **Hard|ware** [...vɛ:ɐ̯], die; -, -s (*EDV* Gesamtheit der techn.-physikal. Teile einer Datenverarbeitungsanlage; *Ggs.* Software)

Ha|rem, der; -s, -s (von Frauen bewohnter Teil des islam. Hauses; die Frauen darin)

Har|fe, die; -, -n; **Har|fen|spiel**

Har|ke, die; -, -n (*nordd. für* Rechen); **har|ken** (rechen)

Har|le|kin, der; -s, -e (Narrengestalt)

Harm, der; -[e]s (*veraltend für* Kummer, Leid); **här|men**, sich (*geh. für* sich sorgen)

harm|los; Harm|lo|sig|keit

Har|mo|nie, die; -, ...ien; **har|mo|nie|ren**

Har|mo|ni|ka, die; -, *Plur.* -s u. ...ken; **har|mo|nisch; har|mo|ni|sie|ren** (in Einklang bringen); **Har|mo|ni|um**, das; -s, *Plur.* ...ien *od.* -s (ein Tasteninstrument)

Harn, der; -[e]s, -e; **Harn|bla|se**

Har|nisch, der; -[e]s, -e ([Brust]panzer); jmdn. in Harnisch (in Wut) bringen

harn|trei|bend; harntreibender Tee

Har|pu|ne, die; -, -n (Wurfspeer od. pfeilartiges Geschoss für den Fischfang)

har|ren (*geh. für* warten)

harsch (*geh. für* unfreundlich)

Harsch, der; -[e]s (hart gefrorener Schnee)

hart; här|ter, här|tes|te; hart sein, werden; wenn es hart auf hart geht; <mark>hart kochen</mark> *od.* hartkochen; ein <mark>hart gekochtes *od.*</mark> hartgekochtes Ei

Här|te, die; -, -n; **Här|te|fall; här|ten; Här|te|test**

<mark>**hart ge|fro|ren,** hart|ge|fro|ren; <mark>hart ge|kocht,</mark> hart|ge|kocht *vgl.* hart; **Hart|geld**, das; -[e]s; **hart|ge|sot|ten;** die hartgesottensten Sünder; **hart|her|zig; Hart|her|zig|keit; Hart|kä|se**

hart|nä|ckig; Hart|nä|ckig|keit, die; -

Har|tung, der; -s, -e (*alte Bez. für* Januar)

Hartz, das; - (ein Arbeitsmarktprogramm);

Hartz IV (dessen vierte Stufe); **Hartz-IV-Emp|fän|ger; Hartz-IV-Emp|fän|ge|rin**

Harz, das; -es, -e (klebrige Absonderung aus dem Holz von Nadelbäumen); **har|zen** (Harz ausscheiden); **har|zig**

Hasch, das; -s (*ugs. für* Haschisch)

Häs|chen

Ha|schisch, das, *auch* der; -[s] (ein Rauschgift)

Ha|se, der; -n, -n; <mark>falscher</mark> *od.* Falscher Hase (Hackbraten)

Ha|sel, die; -, -n (ein Strauch); **Ha|sel|nuss; Ha|sel|nuss|strauch, Ha|sel|nuss-Strauch**

Ha|sen|fuß (*scherzh. für* überängstlicher Mensch); **Ha|sen|klein**, das; -s (ein Gericht); **Hä|sin**

Hass, der; -es; **has|sen; hass|er|füllt**

häss|lich; Häss|lich|keit

Hass|lie|be

Hast, die; -; **has|ten; has|tig**

hät|scheln [*auch* 'hɛ:...]

Hat|trick ['hɛtrɪk], der; -s, -s (*Fußball* dreimaliger Torerfolg hintereinander in einer Halbzeit durch denselben Spieler)

Häub|chen; Hau|be, die; -, -n

Hau|bit|ze, die; -, -n (ein Geschütz)

Hauch, der; -[e]s, -e; **hauch|dünn; hau|chen; hauch|zart**

Hau|de|gen (Krieger; Draufgänger)

Haue, die; - (*ugs. für* Schläge); Haue kriegen; **hau|en;** du hautest (*für* »mit dem Schwert schlagen« *u. geh.* du hiebest); gehauen (*landsch.* gehaut); sie hat ihm (*auch* ihn) ins Gesicht gehauen

Häuf|chen; ein Häufchen Elend; **Hau|fen**, der; -s, -; zuhauf; **häu|fen;** sich häufen; **hau|fen|wei|se**

häu|fig; Häu|fig|keit

Häuf|lein; Häu|fung

Haupt, das; -[e]s, Häupter (*geh.*); **haupt|amt|lich; Haupt|at|trak|ti|on; Haupt|auf|ga|be; Haupt|au|gen|merk; Haupt|aus|schuss; Haupt|bahn|hof** (*Abk.* Hbf.); **Haupt|be|ruf; haupt|be|ruf|lich**

Haupt|dar|stel|ler; Haupt|dar|stel|le|rin; Haupt|ein|gang; Haupt|fach; Haupt|fi|gur; Haupt|ge|bäu|de; Haupt|ge|richt; Haupt|ge|winn; Haupt|grund

Häupt|ling

Haupt|mann Plur. ...leute; Haupt|per|son; Haupt|preis; Haupt|pro|b|lem; Haupt|quar|tier; Haupt|rol|le; Haupt|sa|che; haupt|säch|lich; Haupt|satz; Haupt|schu|le; Haupt|sitz; Haupt|stadt; Haupt|stra|ße; Haupt|teil, der; Haupt|the|ma; Haupt|ur|sa|che; Haupt|ver|kehrs|stra|ße; Haupt|ver|samm|lung; Haupt|wort Plur. ...wörter (Substantiv)

hau ruck!; Hau|ruck, das; -s; mit einem kräftigen Hauruck

Haus, das; -es, Häuser; Haus halten od. haushalten; vgl. haushalten; Lieferung frei Haus; außer Haus[e]; im Haus[e] (Abk. i. H.); von Haus[e] aus; nach Haus[e] od. nachhause[e]; zu Haus[e] od. zuhause[e]; von zu Haus[e] od. von zuhaus[e]

Haus|an|ge|stell|te; Haus|ar|beit; Haus|ar|rest; Haus|arzt; Haus|ärz|tin; Haus|auf|ga|be; haus|ba|cken (bieder); Haus|bau Plur. ...bauten; Haus|be|set|zer; Haus|be|set|ze|rin; Haus|be|sit|zer; Haus|be|sit|ze|rin; Haus|be|such

Häus|chen, das; -s, -; Haus|ei|gen|tü|mer; Haus|ei|gen|tü|me|rin; Haus|ein|gang; hau|sen; Häu|ser|block Plur. -s, selten ...blöcke; Häu|ser|meer; Haus|flur, der; Haus|frau; haus|ge|macht

Haus|halt, der; -[e]s, -e; haus|hal|ten; sie haushaltet, haushaltete; ich habe gehaushaltet; um zu haushalten; Haus hal|ten; du hältst, hieltest Haus; du hast Haus gehalten; um Haus zu halten; Haus|häl|te|rin; Haus|halt[s]|de|fi|zit; Haus|halt[s]|ge|rät; Haus|halt[s]|hil|fe; Haus|halt[s]|kas|se; Haus|halt[s]|plan; Haus|halt[s]|po|li|tik; haus|halts|po|li|tisch; Haus|halt[s]|sper|re; Haus|halts|wa|ren Plur.

Haus|herr; haus|hoch; haushohe Wellen hau|sie|ren (mit etw. hausieren gehen;

etw. überall erzählen); Hau|sie|rer; Hau|sie|re|rin

häus|lich; Haus|ma|cher|art, die; -; nach Hausmacherart; Haus|mann Plur. ...männer; Haus|manns|kost; Haus|meis|ter; Haus|meis|te|rin; Haus|num|mer; Haus|ord|nung; Haus|putz, der; -es; Haus|rat, der; -[e]s; Haus|schuh

Haus|se ['ho:s(ə), auch o:s], die; -, -n ([starkes] Steigen der Börsenkurse; allg. Aufschwung der Wirtschaft)

Haus|tier; Haus|tür; Haus|ver|bot; Haus|ver|wal|tung; Haus|wand

Haut, die; -, Häute; zum Aus-der-Haut-Fahren; Haut|arzt; Haut|ärz|tin; Haut|aus|schlag; Häut|chen; Haut|creme, Haut|crème

häu|ten; sich häuten

haut|eng; Haut|far|be; Haut|krank|heit; Haut|krebs; haut|nah; Haut|trans|plan|ta|ti|on

Häu|tung

Ha|va|rie, die; -, ...ien (Unfall von Schiffen od. Flugzeugen; schwere Betriebsstörung)

Ha|xe vgl. Hachse

Ha|zi|en|da, die; -, Plur. -s, auch ...den (südamerik. Farm)

HDTV, das; -[s] (hochauflösendes Fernsehen)

Head|hun|ter ['hɛt...], der; -s, - (jmd., der Führungskräfte abwirbt); Head|hun|te|rin

Head|set ['hɛt...], das; -[s], -s (am Kopf getragene Kombination von Mikrofon u. Kopfhörer)

Hea|ring ['hi:...], das; -[s], -s (Anhörung)

Hea|vy Me|tal ['hɛvi 'mɛt|], das; - -[s] (aggressivere Variante des Hardrocks)

Heb|am|me, die; -, -n

He|bel, der; -s, -; he|beln

he|ben; hob, gehoben

he|b|rä|isch vgl. deutsch/Deutsch

he|cheln; ich hech[e]le

Hecht, der; -[e]s, -e; hech|ten (ugs. für einen Hechtsprung machen); Hecht|rol|le (eine Bodenturnübung); Hecht|sprung

Heck, das; -[e]s, Plur. -e od. -s (hinterster Teil eines Schiffes, Flugzeugs, Autos)

hei|lig

(*Abk.* hl., *für den Plural* hll.)
I. Kleinschreibung:
– *in heiligem Zorn; mit heiligem Ernst*
– *heilige Einfalt! (Ausruf der Verwunderung über jmds. Naivität)*
– *der heilige Paulus, die heilige Theresia*
– *das heilige Abendmahl, die heilige Messe, die erste heilige Kommunion*
– *das heilige Pfingstfest usw.*

II. Großschreibung:
– *der Heilige Christ; die Heilige Dreifaltigkeit; der Heilige Geist; die Heilige Jungfrau*
– *der Heilige Abend; heute ist Heiliger Abend (24. Dez.)*
– *die Heiligen Drei Könige; heute ist Heilige Drei Könige (6. Jan.)*

– *die Heilige Nacht; das Heilige Grab; der Heilige Gral; das Heilige Land*
– *die Heilige Schrift*
– *die Heilige Stadt (Jerusalem)*
– *der Heilige Stuhl (Amt des Papstes)*
– *der Heilige Vater (der Papst)*
– *der Heilige od. heilige Krieg*

III. Getrennt- und Zusammenschreibung:
– *jemanden für heilig halten*
– *den Sonntag heilighalten (feiern)*
– *einen Menschen heiligsprechen (zum oder zur Heiligen erklären)*
Vgl. heilighalten, heiligsprechen

He|cke, die; -, -n (Umzäunung aus Sträuchern); He|cken|ro|se
Heck|mo|tor
Hedge|fonds, Hedge-Fonds [ˈhɛdʒfõ:] (*Wirtsch.* besondere Form des Investmentfonds)
Heer, das; -[e]s, -e; Hee|res|lei|tung; Heer|la|ger; Heer|schar
He|fe, die; -, -n; He|fe|ku|chen; He|fe|teig
Heft, das; -[e]s, -e
hef|ten; geheftet (*Abk.* geh.); Hef|ter (Mappe zum Abheften, Gerät zum Heften)
hef|tig; Hef|tig|keit
Heft|klam|mer; Heft|pflas|ter
He|ge, die; - (Pflege u. Schutz des Wildes)
He|ge|mo|nie, die; -, …ien ([staatliche] Vorherrschaft)
he|gen; hegen und pflegen
Hehl, der u. das; *nur in* keinen, *auch* kein Hehl daraus machen (es nicht verheimlichen); Heh|ler; Heh|le|rei; Heh|le|rin
hehr (*geh.* für erhaben; heilig)
¹Hei|de, der; -n, -n (*veraltend für* Nichtchrist; *auch für* Ungetaufter, Religionsloser)
²Hei|de, die; -, -n (sandiges, unbebautes

Land; *nur Sing.:* Heidekraut); Hei|de|kraut, das
Hei|del|bee|re
Hei|den|lärm
Hei|din; heid|nisch
Heid|schnu|cke, die; -, -n (eine Schafrasse)
hei|kel (schwierig; *landsch. auch für* wählerisch [beim Essen]); eine heik|le Sache
heil; eine heile Welt; Heil, das; -[e]s; Berg Heil!; Ski Heil!; *vgl. auch* Heil bringend; Hei|land, der; -[e]s, -e (*geh. für* Retter, Erlöser); heil|bar; Heil|butt (ein Fisch); hei|len; Hei|ler; Hei|le|rin; heil|froh
hei|lig s. Kasten
Hei|lig|abend; Hei|li|ge, der u. die; -n, -n; hei|li|gen; Hei|li|gen|schein; hei|lig|halten; sie hielten die Gebote heilig; Hei|lig|keit; Seine Heiligkeit (der Papst); hei|lig|spre|chen; Hei|lig|tum
Heil|kun|de die *Plur. selten;* heil|kun|dig
heil|los; ein heilloses Durcheinander
Heil|mit|tel, das; Heil|pflan|ze; Heil|prak|ti|ker; Heil|prak|ti|ke|rin; heil|sam
Heils|ar|mee, die; -
Hei|lung; Hei|lungs|pro|zess

Heim, das; -[e]s, -e; Heim|ar|beit
Hei|mat, die; -, -en; Hei|mat|film; Hei|mat|land *Plur.* ...länder; hei|mat|lich; hei|mat|los; Hei|mat|mu|se|um; Hei|mat|stadt; Hei|mat|ver|trie|be|ne
heim|be|ge|ben, sich; heim|be|glei|ten; Heim|be|woh|ner; Heim|be|woh|ne|rin; heim|brin|gen
hei|me|lig (anheimelnd)
heim|fah|ren; Heim|fahrt; heim|füh|ren; heim|ge|hen; heim|ho|len; hei|misch; Heim|kehr, die; -; heim|keh|ren; Heim|keh|rer; Heim|keh|re|rin; heim|kom|men
Heim|lei|ter, der; Heim|lei|te|rin
heim|leuch|ten; dem haben sie heimge-leuchtet (*ugs.* für ihn derb abgefertigt)
heim|lich; er hat es heimlich getan; *vgl. aber* heimlichtun; heim|lich|tun (geheim-nisvoll tun); sie hat damit sehr heimlichge-tan; *vgl. aber* heimlich
Heim|mann|schaft (*Sport*); Heim|markt (*schweiz.* für Binnenmarkt); Heim|nie|der|la|ge (*Sport*); Heim|platz; Heim|rei|se; heim|rei|sen; Heim|sieg (*Sport*); Heim|spiel (*Sport*); Heim|statt
heim|su|chen; er wurde schwer heimge-sucht; Heim|su|chung
Heim|tü|cke *Plur. selten* (Hinterlist); heim|tü|ckisch
Heim|vor|teil (*Sport*); heim|wärts; heim-wärts gehen; Heim|weg; Heim|weh, das; -s; heim|weh|krank; Heim|wer|ker (jmd., der handwerkliche Arbeiten zu Hause selbst macht; Bastler); Heim|wer|ke|rin
heim|zah|len; jmdm. etwas heimzahlen
Hein|zel|männ|chen (hilfreicher Hausgeist)
Hei|rat, die; -, -en; hei|ra|ten; Hei|rats|an|trag; Hei|rats|an|zei|ge; Hei|rats|schwind|ler; Hei|rats|schwind|le|rin; Hei|rats|ur|kun|de
hei|ser; Hei|ser|keit
heiß; hei|ßer; am hei|ßes|ten; ein heißes Eisen (*ugs.* für eine heikle Sache); heißer Draht ([telefonische] Direktverbindung für schnelle Entscheidungen); das Wasser heiß machen od. heißmachen; *vgl. aber* heiß-

machen; jmdn., etw. heiß begehren, lie-ben; der Motor hatte sich heiß gelaufen; eine heiß begehrte od. heißbegehrte Aus-zeichnung; ein heiß geliebtes od. heißge-liebtes Kind; ein heiß gelaufener od. heiß-gelaufener Motor; ein heiß umstrittenes od. heißumstrittenes Thema
heiß be|gehrt, heiß|be|gehrt *vgl.* heiß
heiß|blü|tig
hei|ßen (einen Namen tragen; nennen); du heißt, sie hieß, er hat geheißen
heiß er|sehnt, heiß|er|sehnt *vgl.* heiß; heiß ge|liebt, heiß|ge|liebt *vgl.* heiß; Heiß|hun|ger; heiß|hung|rig; heiß|ma|chen; jmdm. die Hölle heißmachen (*ugs.* für jmdm. heftig zusetzen); was ich nicht weiß, kann mich nicht heißmachen; *vgl. aber* heiß; heiß|re|den; sich die Köpfe heißreden (sehr lebhaft diskutieren); heiß um|strit|ten, heiß|um|strit|ten *vgl.* heiß
hei|ter; Hei|ter|keit, die; -
hei|zen; Hei|zer; Hei|ze|rin; Heiz|kis|sen; Heiz|kör|per; Heiz|kos|ten *Plur.*; Heiz|öl; Hei|zung
Hek|t|ar [*auch* ...'ta:ɐ̯], das, *auch* der; -s, -e (100 a; *Zeichen* ha)
Hek|tik, die; - (fieberhafte Aufregung, ner-vöses Getriebe); Hek|ti|ker; Hek|ti|ke|rin; hek|tisch (fieberhaft, aufgeregt)
Hek|to|li|ter (100 l; *Zeichen* hl)
he|lau! (Karnevalsruf)
Held, der; -en, -en; hel|den|haft; Hel|den|tat; Hel|den|tum, das; -s; Hel|din
hel|fen; half, geholfen; sich zu helfen wis-sen; Hel|fer; Hel|fe|rin; Hel|fers|hel|fer (Mittäter); Hel|fers|hel|fe|rin
He|li|ko|p|ter, der; -s, - (Hubschrauber)
He|li|um, das; -s (chemisches Element, Edel-gas; *Zeichen* He)
hell; hell scheinen, strahlen; ein hell leuch-tender, hell strahlender od. hellleuchten-der, hellstrahlender Stern; eine hell lodernde od. helllodernde Flamme
hell|auf; hellauf begeistert sein; hell|blau; hell|blond; Hel|le, die; - (Helligkeit)

Hẹl|ler, der; -s, - (ehem. dt. Münze); auf Heller u. Pfennig

hẹll|hö|rig (schalldurchlässig); hellhörig (stutzig) werden; Hẹll|lig|keit, die; -, Plur. (fachspr.) -en; hẹll leuch|tend, hẹll-leuch|tend vgl. hell; hẹll|licht; es ist helllichter Tag; hẹll|li|la; hẹll lo|dernd, hẹll-lo|dernd vgl. hell; hẹll|se|hen; nur im Infinitiv gebräuchlich; Hẹll|se|her; Hẹll-se|he|rin; hẹll strah|lend, hẹll|strahlend vgl. hell; hẹll|wạch

Hẹlm, der; -[e]s, -e (Kopfschutz)

Hẹmd, das; -[e]s, -en; Hẹmd|blu|se; Hẹm-den|knopf, Hẹmd|knopf

Hẹmds|är|mel meist Plur.; hẹmds|är|me|lig

He|mi|sphä|re, die; -, -n ([Erd- od. Himmels]halbkugel)

hẹm|men; Hẹmm|nis, das; -ses, -se; Hẹmm|schuh; Hẹmm|schwel|le (bes. Psychol.); Hẹm|mung; hẹm|mungs|los

Hẹngst, der; -[e]s, -e

Hẹn|kel, der; -s, -; Hẹn|kel|krug

hẹn|ken (veraltend für durch den Strang hinrichten); Hẹn|ker; Hẹn|ke|rin

Hẹn|kers|mahl|zeit

Hẹn|na, die; - od. das; -[s] (rotgelber Farbstoff)

Hẹn|ne, die; -, -n

He|pa|ti|tis, die; -, ...ti|tiden (Leberentzündung)

hẹr; her zu mir!; hin und her; von früher her; das muss schon lange her sein; obwohl es schon drei Jahre her gewesen ist; hinter jmdm. her sein (ugs.)

he|r|ạb; he|r|ạb|hän|gen; he|r|ạb|las|sen; he|r|ạb|las|send; he|r|ạb|se|hen; auf jmdn. herabsehen; he|r|ạb|set|zen; He-r|ạb|set|zung; he|r|ạb|stu|fen; He|r|ạb-stu|fung; he|r|ạb|wür|di|gen

he|r|ạn; heran sein; sobald er heran ist; he-r|ạn|fah|ren; he|r|ạn|füh|ren; he|r|ạn|ge-hen; He|r|ạn|ge|hens|wei|se; he|r|ạn|kom|men; he|r|ạn|ma|chen (ugs. für sich [mit einer bestimmten Absicht] nähern; beginnen); he|r|ạn|rei|chen; he|r|ạn|tas-ten, sich; he|r|ạn|tre|ten

he|r|ạn|wach|sen; He|r|ạn|wach|sen|de, der u. die; -n, -n

he|r|auf; he|r|auf|be|schwö|ren; he|r|auf-set|zen; he|r|auf|zie|hen

he|r|aus; heraus sein; sobald es heraus war; he-r|aus|ar|bei|ten; he|r|aus|be|kom-men; he|r|aus|bil|den, sich; he|r|aus-brin|gen; he|r|aus|fal|len; he|r|aus|fil-tern; he|r|aus|fin|den; he|r|aus|flie|gen

He|r|aus|for|de|rer; He|r|aus|for|de|rin; he|r|aus|for|dern; he|r|aus|for|dernd; He|r|aus|for|de|rung

He|r|aus|ga|be; he|r|aus|ge|ben; He|r|aus-ge|ber (Abk. Hg. u. Hrsg.); He|r|aus|ge-be|rin (Abk. Hg. u. Hrsg.); he|r|aus|ge|ge-ben (Abk. hg. u. hrsg.)

he|r|aus|ge|hen; du musst mehr aus dir herausgehen (weniger befangen sein); he-r|aus|grei|fen; he|r|aus|ha|ben (ugs. auch für etw. begriffen, gelöst haben); he|r|aus-hal|ten, sich; he|r|aus|ho|len; he|r|aus-hö|ren; he|r|aus|kom|men; es wird nichts dabei herauskommen (ugs.)

he|r|aus|las|sen; he|r|aus|le|sen; he|r|aus-lö|sen; he|r|aus|neh|men; sich etwas herausnehmen (ugs. für sich dreist erlauben); he|r|aus|put|zen; he|r|aus|ra|gen; eine herausragende Leistung; he|r|aus|rei-ßen (ugs. auch für befreien; retten); he-r|aus|rü|cken; mit der Sprache herausrücken (ugs.); he|r|aus|schmei|ßen (ugs.); he|r|aus|schnei|den; he|r|aus sein vgl. heraus; he|r|aus|sprin|gen (auch für sich als Gewinn, als Vorteil ergeben); he|r|aus-stel|len; es hat sich herausgestellt, dass ...; he|r|aus|strei|chen (auch für hervorheben); he|r|aus|su|chen; he|r|aus|tre-ten; he|r|aus|wer|fen; he|r|aus|zie|hen

herb; herbe Kritik

her|bei; her|bei|füh|ren; her|bei|schaf|fen; her|bei|zi|tie|ren

Her|ber|ge, die; -, -n; Her|bergs|mut|ter; Her|bergs|va|ter

her|bit|ten; sie hat ihn hergebeten

her|brin|gen

Herbst, der; -[e]s, -e; Herbst|an|fang;

Herbst|fe|ri|en *Plur.;* herbst|lich; herbst-
lich gelbes Laub; Herbst|sturm; Herbst-
tag; Herbst|zeit|lo|se, die; -, -n
Herd, der; -[e]s, -e
Her|de, die; -, -n; Her|den|trieb, der; -[e]s
Herd|feu|er; Herd|plat|te
he|r|ein; »Herein!« rufen
he|r|ein|bre|chen; he|r|ein|brin|gen; he|r-
ein|fah|ren; he|r|ein|fal|len; auf etw.
hereinfallen *(ugs.);* he|r|ein|ho|len; he|r-
ein|kom|men; he|r|ein|las|sen; he|r|ein-
le|gen; jmdn. hereinlegen *(ugs. für betrü-*
gen); he|r|ein|plat|zen; he|r|ein|schnei-
en *(ugs. für unvermutet eintreten);* he|r-
ein|spa|zie|ren *(ugs.);* hereinspaziert!
her|fah|ren; Her|fahrt
her|fal|len; über jmdn. herfallen
Her|gang, der; -[e]s, ...gänge
her|ge|ben; sich [für *od.* zu etwas] hergeben
her|ge|hen; hinter jmdm. hergehen; hoch
hergehen *(ugs. für laut, toll zugehen)*
her|ge|lau|fen; Her|ge|lau|fe|ne, der *u.* die;
-n, -n
her|hal|ten; er musste dafür herhalten
her|ho|len; das ist weit hergeholt (ist kein
naheliegender Gedanke); *aber* diesen Wein
haben wir von weither geholt
her|hö|ren; alle mal herhören!
He|ring, der; -s, -e (ein Fisch; Zeltpflock);
He|rings|fi|let; He|rings|sa|lat
her|kom|men; er ist hinter mir hergekom-
men; *aber* er ist von der Tür her gekom-
men; her|kömm|lich
Her|kunft, die; -, ...künfte; Her|kunfts|land
Plur. ...länder
her|lau|fen; hinter ihr herlaufen
her|lei|ten; sich herleiten
her|ma|chen *(ugs.);* sich über etwas herma-
chen
¹Her|me|lin, das; -s, -e (großes Wiesel)
²Her|me|lin, der; -s, -e (ein Pelz)
her|me|tisch ([luft- u. wasser]dicht)
He|ro|in, das; -s (ein Rauschgift)
he|ro|isch (heldenhaft); He|ro|is|mus, der; -
Herr, der; -n, -en; Herr|chen
Her|rei|se

Her|ren|aus|stat|ter; Her|ren|ein|zel
(Sport); Her|ren|haus; her|ren|los
Herr|gott, der; -s; Herr|gotts|frü|he; *nur in*
in aller Herrgottsfrühe
her|rich|ten; etwas herrichten lassen
Her|rin; her|risch
herr|je!, herr|je|mi|ne!
herr|lich; Herr|lich|keit
Herr|schaft; herr|schaft|lich; herr|schen;
herr|schend; Herr|scher; Herr|sche|rin;
Herrsch|sucht, die; -; herrsch|süch|tig
her|rüh|ren
her|schie|ben; etwas vor sich herschieben
her sein *vgl.* her
her|stel|len; Her|stel|ler; Her|stel|ler|fir-
ma; Her|stel|le|rin; Her|stel|lung; Her-
stel|lungs|kos|ten *Plur.*
Hertz, das; -, - (Maßeinheit der Frequenz;
Zeichen Hz); 440 Hertz
he|r|ü|ber; he|r|ü|ber|brin|gen; he|r|ü|ber-
kom|men; he|r|ü|ber|rei|chen
he|r|um; herum sein; sobald die Zeit herum
war; he|r|um|är|gern, sich *(ugs.);* he|r-
um|drü|cken, sich *(ugs.);* he|r|um|fah|ren;
he|r|um|kom|men; nicht darum herum-
kommen *(ugs.);* he|r|um|lau|fen; he|r|um-
lie|gen; he|r|um|lun|gern *(ugs.);* he|r|um-
rei|ßen; das Steuer herumreißen; he|r|um-
schla|gen, sich *(ugs.);* he|r|um|sit|zen
(ugs.); he|r|um|spre|chen; etwas spricht
sich herum; he|r|um|ste|hen; he|r|um|tra-
gen *(ugs.);* he|r|um|trei|ben, sich *(ugs.)*
he|r|un|ter; herunter sein *(ugs. für abgear-
beitet, elend sein);* he|r|un|ter|fah|ren;
he|r|un|ter|fal|len; he|r|un|ter|ge|hen;
he|r|un|ter|ge|kom|men *(ugs. für* in
schlechtem Zustand); he|r|un|ter|hän|gen;
der Vorhang hing herunter; *vgl.* ¹hängen;
he|r|un|ter|kom|men; he|r|un|ter|la|den
(EDV); he|r|un|ter|las|sen; he|r|un|ter-
ma|chen *(ugs. für* abwerten; ausschimp-
fen); he|r|un|ter|rei|ßen; he|r|un|ter sein
vgl. herunter; he|r|un|ter|spie|len *(ugs.*
für nicht so wichtig nehmen)
her|vor; her|vor|brin|gen; her|vor|ge|hen;
her|vor|he|ben; her|vor|ho|len; her|vor-

H

keh|ren; her|vor|ra|gend; her|vor|ru|fen; her|vor|tre|ten; her|vor|tun, sich

Herz, das; -ens, *Dat.* -en, *Plur.* -en (*Med. auch starke Beugung des Herzes, am Herz, die Herze*); von Herzen kommen; zu Herzen gehen, nehmen; herz|al|ler|liebst; **Herz-ass**, **Herz-Ass** [*auch* 'hɛrts...]; Herz|blut, das; -[e]s; Herz|chen

her|zen; du herzt

Her|zens|bre|cher; Her|zens|bre|che|rin; her|zens|gut; Her|zens|lust; *nur in* nach Herzenslust; Her|zens|wunsch

herz|er|grei|fend; Herz|feh|ler; herz|för|mig; herz|haft

her|zie|hen; ... weil ich den Sack hinter mir herzog; er ist, hat über sie hergezogen (*ugs. für* hat schlecht von ihr gesprochen); her|zig

Herz|in|farkt; Herz|kam|mer; Herz|klop|fen, das; -s; herz|krank; Herz|krank|heit; Herz|kranz|ge|fäß; Herz-Kreis|lauf-Er|kran|kung

herz|lich; aufs, auf das Herzlichste *od.* herzlichste; Herz|lich|keit

herz|los; Herz|lo|sig|keit; Herz|mus|kel

Her|zog, der; -[e]s, *Plur.* ...zöge, *auch* -e; Her|zo|gin; Her|zog|tum

Herz|schlag; Herz|schritt|ma|cher; Herz|schwä|che; herz|stär|kend; Herz|still|stand; Herz|stück; Herz|trans|plan|ta|ti|on; Herz|ver|sa|gen; herz|zer|rei|ßend

he|te|ro|gen (ungleichartig)

he|te|ro|se|xu|ell (zum anderen Geschlecht hinneigend)

Het|ze, die; -, -n; het|zen; Hetz|jagd

Heu, das; -[e]s; Heu|bo|den

Heu|che|lei; heu|cheln; Heuch|ler; Heuch|le|rin; heuch|le|risch

heu|er (*südd., österr., schweiz. für* in diesem Jahr); Heu|er, die; -, -n (Lohn der Seeleute)

Heu|ern|te; Heu|ga|bel

heu|len; das ist [ja] zum Heulen

Heu|ler; Heul|krampf

Heu|schnup|fen; Heu|schre|cke, die; -, -n

heu|te; bis heute; für heute; seit heute; von heute an; von heute auf morgen; die Frau

von heute; heute Nacht, Morgen, Mittag, Abend; Heu|te, das; - (die Gegenwart); heu|tig; heut|zu|ta|ge

He|xe, die; -, -n; he|xen; He|xen|jagd; He|xen|kes|sel; He|xen|schuss; He|xen|ver|bren|nung; He|xe|rei

hey! [hɛi] (*bes. Jugendspr.*); hey, wie gehts?

hi! [hai] *vgl.* hey!

Hi|bis|kus, der; -, ...ken (Eibisch)

Hieb, der; -[e]s, -e; hieb|fest; *meist in* hieb- und stichfest

hier; hier und da; von hier aus; hier sein (zugegen sein); du sollst genau hier (an genau dieser Stelle) bleiben

hie|r|an [*auch* 'hi:r...]

Hi|e|r|ar|chie [hier..., hir...], die; -, ...ien (Rangordnung); hi|e|r|ar|chisch

hie|r|auf [*auch* 'hi:r...]

hie|r|aus [*auch* 'hi:r...]

hier|be|hal|ten

hier|bei [*auch* ...'bai]

hier|blei|ben *vgl.* hier

hier|durch [*auch* ...'dʊrç]

hier|für

hier|her [*auch* 'hi:ɐ̯...]; hierher gehörend *od.* hierhergehörend; hierher gehörig; hier|her|kom|men

hier|hin [*auch* 'hi:ɐ̯...]; hierhin laufen

hie|r|in [*auch* 'hi:...]; hierin gebe ich dir recht

hier|las|sen

hier|mit [*auch* 'hi:ɐ̯...]

hier|nach

Hi|e|ro|gly|phe [hier..., hir...], die; -, -n (Bilderschriftzeichen; *nur Plur.: scherzh. für* schwer entzifferbare Schriftzeichen)

hier sein *vgl.* hier; Hier|sein, das; -s

hie|r|ü|ber

hie[r] und da

hier|von

hier|zu [*auch* 'hi:ɐ̯...]

hier|zu|lan|de, hier zu Lan|de

hie|sig; Hie|si|ge, der u. die; -n, -n

hie|ven [...f..., *auch* ...v...] (*ugs. für* heben)

Hi-Fi ['haifi, *auch* 'haifai] = High Fidelity; Hi-Fi-An|la|ge high [hai] (ugs. für in gehobener Stimmung [nach dem Genuss von Rauschgift])

High Fi|de|li|ty ['hai fi'dɛliti], die; - - (originalgetreue Wiedergabe bei Tonträgern u. elektroakustischen Geräten; *Abk.* Hi-Fi)

High|light ['hailait], das; -[s], -s (Höhepunkt)

High|school ['haisku:l], die; -, -s (amerik. Bez. für höhere Schule)

High So|ci|e|ty ['hai sə'saiəti], die; - - (die vornehme Gesellschaft)

High|tech ['haitɛk], das; -[s], auch die; - (Spitzentechnologie); High|way ['haive:], der; -s, -s (amerik. Bez. für Fernstraße)

Hil|fe, die; -, -n; die Erste od. erste Hilfe (bei Verletzungen usw.); Hilfe leisten, suchen; zu Hilfe kommen, eilen, nehmen; sich Hilfe suchend od. hilfesuchend umschauen; Hil|fe|leis|tung; Hil|fe|ruf; Hil|fe|stel|lung; Hil|fe su|chend, hil|fe|su|chend vgl. Hilfe; hilf|los; Hilf|lo|sig|keit, die; -; hilf|reich; Hilfs|ak|ti|on; Hilfs|ar|bei|ter; Hilfs|ar|bei|te|rin; hilfs|be|dürf|tig; hilfs|be|reit; Hilfs|be|reit|schaft, die; -; Hilfs|dienst; Hilfs|gut meist Plur.; Hilfs|kraft, die; Hilfs|maß|nah|me meist Plur.; Hilfs|mit|tel, das; Hilfs|or|ga|ni|sa|ti|on; Hilfs|verb

Him|bee|re; Him|beer|saft

Him|mel, der; -s, -; um [des] Himmels willen; him|mel|blau; Him|mel|don|ner|wet|ter!; Him|mel|fahrt (christl. Kirche); him|mel|hoch; Him|mel|reich; him|mel|schrei|end; Him|mels|kör|per; Him|mels|rich|tung; him|mlisch

hin (beschreibt meist eine Bewegung vom Sprechenden weg); bis zur Mauer hin; hin sein (ugs. für kaputt, tot sein; hingerissen sein)

hin|ab; hin|ab|ge|hen; hin|ab|stei|gen; hin|ab|stür|zen

hin|ar|bei|ten; auf eine Sache hinarbeiten

hin|auf; den Rhein hinauf; hin|auf|ge|hen; hin|auf|klet|tern; hin|auf|stei|gen

hin|aus; über ein bestimmtes Alter hinaus sein; hin|aus|fah|ren; hin|aus|ge|hen; alles darüber Hinausgehende; hin|aus-kom|men; hi|n|aus|kom|pli|men|tie|ren; hi|n|aus|lau|fen; aufs Gleiche hinauslaufen; hi|n|aus|schmei|ßen (ugs.); hi|n|aus sein vgl. hinaus; hi|n|aus|wach|sen; über sich selbst hinauswachsen; hi|n|aus|wer|fen; hi|n|aus|wol|len; [zu] hoch hinauswollen; hi|n|aus|zö|gern

hin|be|kom|men (ugs.)

hin|blät|tern (ugs.); Geldscheine hinblättern

Hin|blick; nur in im Hinblick auf, seltener in Hinblick auf

hin|brin|gen

hin|der|lich; hin|dern; Hin|der|nis, das; -ses, -se; Hin|der|nis|lauf; Hin|de|rung

hin|deu|ten

Hin|du|is|mus, der; - (indische Volksreligion); hin|du|is|tisch

hin|durch; hin|durch|ge|hen

hi|n|ein; hi|n|ein|fal|len; hi|n|ein|ge|hen; hi|n|ein|ge|ra|ten; in etwas hineingeraten; hi|n|ein|plat|zen; hi|n|ein|schlit|tern; hi|n|ein|stei|gern, sich; hi|n|ein|ver|set|zen; sich hineinversetzen; hi|n|ein|zie|hen

hin|fah|ren; Hin|fahrt

hin|fal|len

hin|fäl|lig; Hin|fäl|lig|keit, die; -

Hin|flug; Hin- und Rückflug

Hin|ga|be, die; -

hin|ge|ben; sich hingeben; Hin|ge|bung, die; -; hin|ge|bungs|voll

hin|ge|gen (dagegen, im Gegensatz dazu)

hin|ge|hen

hin|ge|hö|ren

hin|ge|ris|sen (begeistert)

hin|ge|zo|gen; sich hingezogen fühlen

hin|hal|ten; er hat das Buch hingehalten; mit der Rückgabe des Buches hat er sie lange hingehalten

hin|hän|gen vgl. ²hängen

hin|hö|ren

Hin|kel|stein (größerer [kultischer] Stein)

hin|ken

hin|kom|men

hin|krie|gen (ugs. für zustande bringen)

hin|läng|lich

hin|le|gen; sich hinlegen
hin|nehm|bar; hin|neh|men
hin|rei|chend
Hin|rei|se; hin|rei|sen
hin|rei|ßen; sich hinreißen lassen; hin- und
　hergerissensein; hin|rei|ßend
hin|rich|ten; Hin|rich|tung
Hin|run|de (Sport; Ggs. Rückrunde)
hin|schau|en
hin|schi|cken
hin|schlep|pen; sich hinschleppen
hin|schmei|ßen (ugs.); sich hinschmeißen
hin|se|hen
hin sein vgl. hin
hin|set|zen; sich hinsetzen
Hin|sicht, die; -, -en; in Hinsicht auf …
hin|sicht|lich; Präp. mit Gen.: hinsichtlich
　des Briefes
Hin|spiel (Sport)
hin|stel|len; sich hinstellen
hint|an|stel|len
hin|ten; hin|ten|drauf (ugs.); hin|ten|he|r|
　um
hin|ter; Präp. mit Dat. u. Akk.: hinter dem
　Zaun stehen, aber hinter den Zaun stellen
Hin|ter|ach|se; Hin|ter|aus|gang; Hin|ter-
　blie|be|ne, der u. die; -n, -n
hin|ter|brin|gen (heimlich melden)
hin|ter|drein|lau|fen
hin|ter|ei|n|an|der; sich hintereinander auf-
　stellen; hin|ter|ei|n|an|der|schal|ten
Hin|ter|ein|gang
hin|ter|fot|zig (derb für hinterlistig)
hin|ter|fra|gen (nach den Hintergründen von
　etw. fragen)
Hin|ter|ge|dan|ke
hin|ter|ge|hen (täuschen, betrügen); hinter-
　gangen; hin|ter|ge|hen (ugs. für nach hin-
　ten gehen); hintergegangen
Hin|ter|grund; hin|ter|grün|dig; Hin|ter-
　grund|in|for|ma|ti|on
Hin|ter|halt, der; -[e]s, -e; hin|ter|häl|tig;
　Hin|ter|häl|tig|keit
Hin|ter|hand, die; -
Hin|ter|haus
hin|ter|her [auch 'hı...]; hin|ter|her|lau|fen

Hin|ter|hof
Hin|ter|kopf
Hin|ter|land, das; -[e]s
hin|ter|las|sen (zurücklassen; vererben);
　Hin|ter|las|sen|schaft
hin|ter|le|gen (als Pfand usw.)
Hin|ter|list, die; -; hin|ter|lis|tig
Hin|ter|mann Plur. …männer, auch
　…leute
Hin|tern, der; -s, - (ugs. für Gesäß)
Hin|ter|rad
hin|ter|rücks
Hin|ter|sinn, der; -[e]s (geheime Nebenbe-
　deutung); hin|ter|sin|nig
Hin|ter|teil (Gesäß)
Hin|ter|tref|fen; nur in Wendungen wie ins
　Hintertreffen kommen, geraten
hin|ter|trei|ben (vereiteln)
Hin|ter|tür
Hin|ter|wäld|ler (rückständiger Mensch);
　Hin|ter|wäld|le|rin
hin|ter|zie|hen (unterschlagen)
Hin|ter|zim|mer
hin|tre|ten; vor jmdn. hintreten
hi|n|ü|ber; hi|n|ü|ber|ge|hen; hi|n|ü|ber
　sein (ugs.)
Hin und Her, das; - - -[s]; Hin-und-her-Fah-
　ren, das; -s; Hin- und Her|fahrt; Hin-
　und Her|rei|se; Hin- und Her|weg
hi|n|un|ter; hi|n|un|ter|ge|hen; hi|n|un|ter-
　schlu|cken
hin|weg (geh.)
Hin|weg; Hin- und Herweg
hin|weg|ge|hen; hin|weg|se|hen; hin|weg-
　set|zen; sich darüber hinwegsetzen; hin-
　weg|täu|schen
Hin|weis, der; -es, -e; hin|wei|sen; Hin|
　weis|schild, das
hin|wen|den; sich hinwenden; Hin|wen-
　dung
hin|wer|fen; sich hinwerfen
hin|wir|ken; darauf hinwirken, dass …
hin|zie|hen (auch für verzögern)
hin|zu; hin|zu|fü|gen; hin|zu|kom|men;
　hin|zu|rech|nen; hin|zu|zie|hen
Hi|obs|bot|schaft

H

hip (modern, zeitgemäß); hippe, hippere Klamotten; das hip[p]ste Lokal der Stadt

Hip-Hop, Hip|hop, der; -s (eine Richtung der modernen Popmusik)

Hip|pie [...pi], der; -s, -s (Anhänger[in] einer antibürgerlichen, pazifistischen, naturnahen Lebensform; Blumenkind)

Hirn, das; -[e]s, -e; Hirn|ge|spinst; hirn|ris|sig (ugs. für verrückt)

Hirsch, der; -[e]s, -e, österr. auch: -en, -en; Hirsch|ge|weih; Hirsch|kuh

Hir|se, die; -, Plur. (Sorten:) -n

Hirt, der; -en, -en; Hir|te, der; -n, -n; Hir|tin

¹His|bol|lah, die; - (Gruppe radikaler schiitischer Moslems); ²His|bol|lah, der; -s, -s (Anhänger der ¹Hisbollah)

his|sen ([Flagge, Segel] hochziehen)

His|to|rie, die; -, -n (nur Sing.: veraltend für [Welt]geschichte; veraltet für Bericht); His|to|ri|ker; His|to|ri|ke|rin; his|to|risch

Hit, der; -s, -s (ugs. für [musikalischer] Verkaufsschlager); Hit|lis|te; Hit|pa|ra|de

Hit|ze, die; -; hit|ze|be|stän|dig; hit|ze|frei; Hit|ze|frei, das; -; Hitzefrei od. hitzefrei haben, bekommen; aber nur groß: Hitzefrei geben; kein Hitzefrei bekommen; Hit|ze|wel|le; hit|zig; Hitz|kopf; hitz|köp|fig; Hitz|schlag

HIV [ha:|i:'fạu] das; -[s], -[s] Plur. selten = human immunodeficiency virus ⟨engl.⟩ (ein Aidsauslöser); HIV-In|fek|ti|on; HIV-in|fi|ziert; HIV-ne|ga|tiv; HIV-po|si|tiv

H-Milch ['ha:...] (kurz für haltbare Milch)

HNO-Arzt [ha:|en'|o:...] = Hals-Nasen-Oh-ren-Arzt; HNO-Ärz|tin

Hob|by [...bi], das; -s, -s (Steckenpferd)

Ho|bel, der; -s, -; Ho|bel|bank Plur. ...bänke; ho|beln

hoch s. Kasten Seite 199

Hoch, das; -s, -s (Hochruf; Meteorol. Gebiet hohen Luftdrucks); hoch ach|ten, hoch-ach|ten vgl. hoch; Hoch|ach|tung, die; -; hoch|ach|tungs|voll; Hoch|adel; hoch-ak|tu|ell; hoch|al|pin; hoch|al|tar; Hoch-amt; hoch|an|stän|dig; hoch|ar|bei|ten, sich; hoch|auf|lö|send (bes. Fachspr.)

Hoch|bau Plur. ...bauten; hoch|be|gabt, hoch be|gabt; hochbegabte od. hoch begabte Schülerinnen; hoch|be|tagt; Hoch|be|trieb, der; -[e]s; hoch be|zahlt, hoch|be|zahlt vgl. hoch; Hoch|burg

hoch|deutsch; auf Hochdeutsch; vgl. deutsch/Deutsch; Hoch|druck, der; -[e]s, Plur. (für Erzeugnis im Hochdruckverfahren:) ...drucke; Hoch|ebe|ne; hoch ent-wi|ckelt, hoch|ent|wi|ckelt vgl. hoch; hoch|er|freut; hoch|ex|plo|siv

hoch|fah|ren; hoch|flie|gend; eine hoch-fliegende Idee; Hoch|form, die; - (Sport) hoch|ge|bil|det; Hoch|ge|bir|ge; hoch|ge-ehrt, hoch ge|ehrt; Hoch|ge|fühl; hoch-ge|hen (ugs. auch für aufbrausen); hoch-ge|lobt, hoch ge|lobt; Hoch|ge|nuss; hoch|ge|schätzt, hoch ge|schätzt; hoch|ge|schlos|sen; ein hochgeschlosse-nes Kleid; Hoch|ge|schwin|dig|keits|zug hoch|ge|steckt; hochgesteckte Haare; hoch-gesteckte Ziele; hoch|ge|stellt; hochge-stellte Zahlen (Indizes); hochgestellte Per-sönlichkeiten; hoch|ge|sto|chen (ugs. für eingebildet); hoch|ge|wach|sen; eine hochgewachsene Frau; hoch|gif|tig; Hoch|glanz; hoch|gra|dig

hoch|ha|ckig; hoch|hal|ten; ein Kind hoch-halten (nach oben halten); Traditionen hochhalten; aber etwas so hoch halten, dass alle es sehen können; Hoch|haus; hoch|he|ben; hoch|herr|schaft|lich hoch|in|tel|li|gent; hoch|in|te|r|es|sant hoch|kant; hochkant stellen; jmdn. hoch-kant rauswerfen (ugs.); hoch|ka|rä|tig; hoch|klas|sig (bes. Sport); hoch|kom-plex; hoch kom|pli|ziert, hoch|kom|pli-ziert; Hoch|kon|junk|tur; hoch kon|zen-t|riert, hoch|kon|zen|t|riert; hoch|krem-peln; Hoch|kul|tur; hoch|kur|beln; das Fenster hochkurbeln

Hoch|land Plur. ...länder, auch ...lande; hoch|le|ben; wir haben sie hochleben las-sen; er lebe hoch!; hoch|le|gen; um die Füße hochzulegen; Hoch|leis|tung; Hoch-leis|tungs|sport, der; -[e]s; hoch|mo-

hoch

hö|her, höchst

I. Schreibung in Verbindung mit Verben

a) Getrenntschreibung:

– *hoch sein*
– *es wird [sehr] hoch hergehen*
– *sie kann [sehr] hoch springen, sie kann höher springen als ihr Bruder*
– *hoch (weit oben) fliegen, hoch (weit hinauf) steigen usw.*
– *jmdn. hoch achten* od. *hochachten, hoch schätzen* od. *hochschätzen*

b) Zusammenschreibung, wenn »hoch« Verbzusatz ist (besonders, wenn »hoch« als Richtungsangabe gebraucht wird):

– *Zahlen statistisch hochrechnen*
– *hochspringen (Hochsprung betreiben)*
– *hochstapeln (etwas vortäuschen)*
– *die Haare hochbinden, hochstecken*
– *[vor Schreck] hochfahren*
– *sich [zum Direktor] hocharbeiten*
– *Späne, die hochfliegen (nach oben fliegen)*
– *die Ärmel hochkrempeln*
– *an der Mauer hochspringen*
– *die Treppe hochsteigen*
– *die Preise, den Klavierhocker hochschrauben,* aber *... zu hoch schrauben*

II. Schreibung in Verbindung mit adjektivisch gebrauchten Partizipien

a) Getrennt- und Zusammenschreibung:

– *hochgesteckte Ziele*
– *eine hochgestellte Persönlichkeit*
– *ein hochgeschlossenes Kleid*
– *ein hoch kompliziertes* od. *hochkompliziertes Verfahren*
– *ein hoch bezahlter* od. *hochbezahlter Job*
– *hoch dotierte* od. *hochdotierte Architektinnen; hoch qualifizierte* od. *hochqualifizierte Akademiker*

b) Zusammenschreibung, wenn »hoch« rein intensivierend gebraucht wird:

– *hocherfreut (sehr erfreut), hochglänzend usw.*
– das gilt auch bei Adjektiven: *hochanständig, hochberühmt usw.*

c) Zusammenschreibung, wenn das zugrunde liegende Verb zusammengeschrieben wird:

– *hochgesteckte Haare*
– *mit hochgekrempelten Ärmeln*
– *die hochgeladene Datei*

d) Zusammenschreibung bei übertragener Bedeutung:

– *hochtrabende, hochfliegende Pläne*
– *hochgestochen reden*

Vgl. auch *hohe*

dern; **hoch mo|ti|viert**, hoch|mo|ti-viert; Hoch|mut; hoch|mü|tig
hoch|nä|sig (*ugs. für* hochmütig)
hoch|neh|men; jmdn. hochnehmen (*ugs. für* übervorteilen; necken)
Hoch|ofen; Hoch|par|ter|re; hoch|prei|sig; hoch|pro|zen|tig; **hoch qua|li|fi|ziert**, hoch|qua|li|fi|ziert *vgl.* hoch
hoch|ran|gig; ein hochrangiger Politiker
hoch|rech|nen (*Statistik*); Hoch|rech|nung
hoch|rot; Hoch|sai|son; **hoch schät|zen**, hoch|schät|zen; Hoch|schät|zung, die; -

hoch|schla|gen; um den Kragen hochzu-schlagen; *aber nur* den Ball hoch, [noch] höher schlagen; **hoch|schrau|ben** *vgl.* hoch
Hoch|schul|ab|schluss; Hoch|schu|le; Hoch|schul|leh|rer; Hoch|schul|leh|re-rin; Hoch|schul|rei|fe
hoch|schwan|ger; Hoch|see|fi|sche|rei; Hoch|sitz (*Jägerspr.*); Hoch|som|mer; Hoch|span|nung; Hoch|span|nungs|lei-tung; **hoch spe|zi|a|li|siert**, hoch|spe|zi-a|li|siert; hoch|spie|len; hoch|sprach-lich; hoch|sprin|gen (aufspringen; in die

Höhe springen; Hochsprung betreiben); *aber* sie kann sehr hoch, viel höher springen; Hoch|sprung *(Sport)*

höchst; höchs|tens; am höchs|ten; sie war auf das/aufs Höchste *od.* auf das/aufs höchste erfreut; das höchste der Gefühle

Hoch|sta|pe|lei; hoch|sta|peln; Hoch|stap|ler; Hoch|stap|le|rin

Höchst|be|trag; Höchst|bie|ten|de, der *u.* die; -n, -n

hoch|ste|cken; die Haare, seine Ziele hochstecken; hoch|ste|hend *vgl.* hoch; hoch|stei|gen; um die Treppe hochzusteigen; hoch|stel|len; Stühle hochstellen

höchs|tens; Höchst|fall; *nur in* im Höchstfall; Höchst|form *(bes. Sport)*; Höchst|geschwin|dig|keit; Höchst|gren|ze

Hoch|stim|mung, die; -

Höchst|leis|tung; Höchst|maß; höchst|mög|lich; die höchstmögliche *(falsch:* höchstmöglichste) Leistung; höchst|per|sön|lich; Höchst|preis

Hoch|stra|ße

höchst|rich|ter|lich; Höchst|stand; Höchst|stra|fe; höchst|wahr|schein|lich; Höchst|wert

hoch tech|ni|siert, hoch|tech|ni|siert; Hoch|tour; hoch|tou|rig; hoch|tra|bend; hoch|trei|ben

hoch|ver|dient; hoch|ver|ehrt; Hoch|ver|rat; hoch ver|schul|det, hoch|ver|schul|det; Hoch|was|ser *Plur.* ...wasser; hoch|wer|fen; hoch|wer|tig; Hoch|wür|den; Eure, Euer *(Abk. Ew.)* Hochwürden

¹Hoch|zeit (Fest der Eheschließung); silberne, goldene Hochzeit

²Hoch|zeit (glänzender Höhepunkt)

Hoch|zeits|fei|er; Hoch|zeits|ge|schenk; Hoch|zeits|rei|se; Hoch|zeits|tag

hoch|zie|hen

Ho|cke, die; -, -n (eine Turnübung); ho|cken

Ho|cker, der; -s, - (Schemel)

Hö|cker, der; -s, - (Buckel)

Ho|ckey [...ke, *auch* ...ki], das; -s (eine Sportart); Ho|ckey|schlä|ger

Ho|de, der; -n, -n *od.* die; -, -n *(selten für*

Hoden); Ho|den, der; -s, - (männliche Keimdrüse)

Hof, der; -[e]s, Höfe; Hof halten; er hält Hof

hof|fen

hof|fent|lich

Hoff|nung; hoff|nungs|los; Hoff|nungs|lo|sig|keit, die; -; Hoff|nungs|schim|mer; Hoff|nungs|trä|ger; Hoff|nungs|trä|ge|rin; hoff|nungs|voll

Hof hal|ten *vgl.* Hof

ho|fie|ren (den Hof machen)

hö|fisch

höf|lich; Höf|lich|keit

Hof|narr; Hof|staat, der; -[e]s; Hof|tor

ho|he; die Hohe *od.* hohe Schule *(Reiten)*; die Hohe Tatra; Hö|he, die; -, -n

Ho|heit; *vgl.* euer, Ew., ihr *u.* ¹sein; ho|heit|lich; Ho|heits|ge|biet

Hö|hen|an|ga|be; Hö|hen|flug; Hö|hen|la|ge; Hö|hen|luft, die; -; Hö|hen|son|ne *(als* ®: Ultraviolettlampe)

Ho|he|pries|ter, Ho|he Pries|ter; des Hohepriesters, dem Hohepriester, den Hohepriester; *bei Beugung des ersten Bestandteils nur getrennt geschrieben:* Hoher Priester, des Hohen Priesters usw.

Hö|he|punkt

hö|her; höhere Gewalt; höhere Schule; hö|her|ge|stellt; hö|her|schrau|ben

hohl

Höh|le, die; -, -n; Höh|len|ma|le|rei

Hohl|kör|per; Hohl|maß, das; Hohl|raum; Hohl|saum; Hohl|spie|gel; hohl|wan|gig; Hohl|weg

Hohn, der; -[e]s; Hohn lachen, hohnlachen; ich lache Hohn *od.* hohnlache; Hohn sprechen *od.* hohnsprechen; ich spreche Hohn; *vgl.* hohnlachen; hohnsprechen; höh|nen; höh|nisch; hohn|la|chen; ich hohnlache; *vgl.* Hohn; hohn|spre|chen; *vgl.* Hohn

Ho|kus|po|kus, der; -

hold; hol|der; am hol|des|ten

Hol|ding|ge|sell|schaft *(Wirtsch. Gesellschaft, die nicht selbst produziert, aber Aktien anderer Gesellschaften besitzt)*

ho|len; etwas holen lassen

Höl|le, die; -, -n; Höl|len|qual; höl|lisch

Holm, der; -[e]s, -e (Griffstange des Barrens, Längsstange der Leiter)

Ho|lo|caust [engl. 'hɔləkɔ:st], der; Gen. -[e]s u. -, Plur. -s (Tötung einer großen Zahl von Menschen, bes. der Juden während des Nationalsozialismus); Ho|lo|caust|mahn|mal

hol|pe|rig; hol|pern; holp|rig

Ho|lun|der, der; -s, - (ein Strauch)

Holz, das; -es, Hölzer; Holz verarbeitendes od. holzverarbeitendes Gewerbe; Holz|bank; Holz|bein; Holz|blas|in|s|t|ru|ment

hol|zen; du holzt

höl|zern (aus Holz)

Holz|fäl|ler; Holz|fäl|le|rin; Holz|ham|mer|me|tho|de (plumpe Art u. Weise); Holz|haus; Holz|klotz; Holz|koh|le; Holz|scheit; holz|schnitt|ar|tig; Holz|tisch; Holz verar|bei|tend, holz|ver|ar|bei|tend vgl. Holz; Holz|weg; Holz|wol|le

Home|page ['ho:mpe:dʒ], die; -, -s [...dʒɪs] (im Internet abrufbare Darstellung von Informationen, Angeboten usw.)

Hom|mage [ɔ'ma:ʃ], die; -, -n [...ʒn] (Veranstaltung, Werk als Huldigung für einen Menschen); Hommage à (für) Miró

Ho|mo, der; -s, -s (ugs., meist abwertend für Homosexueller); Ho|mo-Ehe, Ho|mo|ehe (ugs.)

ho|mo|gen (gleichartig, gleichmäßig zusammengesetzt); Ho|mo|ge|ni|tät, die; -

Ho|möo|path, der; -en, -en; Ho|möo|pa|thie, die; - (ein Heilverfahren); Ho|möo|pa|thin; ho|möo|pa|thisch

ho|mo|phil (vgl. homosexuell); Ho|mo|phi|lie, die; -

Ho|mo sa|pi|ens, der; - - (wissenschaftl. Bezeichnung für den Menschen)

Ho|mo|se|xu|a|li|tät, die; - (gleichgeschlechtliche Liebe); ho|mo|se|xu|ell

Ho|nig, der; -s, Plur. (für Sorten:) -e; Ho|nig|bie|ne; Ho|nig|ku|chen; ho|nig|süß

Ho|no|rar, das; -s, -e (Vergütung); ho|no|rie|ren (vergüten)

Hoo|li|gan ['hu:liɡn], der; -s, -s (Randalierer, bes. bei Massenveranstaltungen)

Hop|fen, der; -s, - (eine Kletterpflanze; Bierzusatz); Hop|fen|stan|ge

hopp!; hop|peln; hopp|hopp!; hopp|la!

hop|sen; Hop|ser; hops|ge|hen (ugs. für verloren gehen; umkommen)

hör|bar

Hör|buch (gesprochener Text auf CD o. A.)

hor|chen; horch od. horche!

¹Hor|de, die; -, -n (Lattengestell; Rost)

²Hor|de, die; -, -n (Bande, Schar)

hö|ren; uns ist Hören und Sehen od. hören und sehen vergangen (ugs.)

Hö|ren|sa|gen, das; -s; meist in etw. nur vom Hörensagen wissen; Hö|rer; Hö|re|rin; Hör|feh|ler; Hör|funk (Rundfunk im Ggs. zum Fernsehen); Hör|funk|pro|gramm; Hör|ge|rät

hö|rig (abhängig); Hö|rig|keit, die; -

Ho|ri|zont, der; -[e]s, -e; ho|ri|zon|tal (waagerecht); Ho|ri|zon|ta|le, die; -, -n; drei -[n]

Hor|mon, das; -s, -e (ein körpereigener Wirkstoff); hor|mo|nal, hor|mo|nell; Hor|mon|be|hand|lung; hor|mo|nell; hor|mo|nal; Hor|mon|prä|pa|rat

Horn, das; -[e]s, Plur. Hörner u. (für Hornarten:) -e; Hörn|chen; Horn|haut

Hor|nis|se [auch 'hɔr...], die; -, -n (eine Wespenart)

Ho|ro|s|kop, das; -s, -e

hor|rend (erschreckend; übermäßig)

Hör|rohr

Hor|ror, der; -s (Schauder, Abscheu); Hor|ror|film; Hor|ror|sze|na|rio (ugs. für Vorstellung, die vom Schlimmsten ausgeht)

Hör|saal

Hors|d'œu|v|re [ɔr'dø:vrə, auch ...dœ:...], das; -[s], -s (appetitanregende Vorspeise)

Hör|spiel

Horst, der; -[e]s, -e (Greifvogelnest)

Hör|sturz (Med. plötzlich auftretende Schwerhörigkeit od. Taubheit)

Hort, der; -[e]s, -e (Schatz; Ort, Stätte; kurz für Kinderhort)

hor|ten ([Geld usw.] aufhäufen)

Hor|ten|sie, die; -, -n (ein Zierstrauch)
Hör|wei|te; in Hörweite
Hös|chen
Ho|se, die; -, -n; Ho|sen|an|zug; Ho|sen|bein; Ho|sen|ta|sche; Ho|sen|trä|ger
ho|si|an|na! (Gebets- u. Freudenruf)
Hos|pi|tal, das; -s, Plur. -e u. ...täler (Krankenhaus)
hos|pi|tie|ren (als Gast zuhören)
Hos|piz, das; -es, -e (Einrichtung zur Pflege u. Betreuung Sterbender)
Hos|tess [auch 'hɔ...], die; -, -en ([sprachkundige] Begleiterin, Betreuerin [auf Messen, in Hotels o. Ä.])
Hos|tie, die; -, -n (Abendmahlsbrot)
Hot|dog, der od. das; -s, -s, **Hot Dog**, der od. das; - -s, - -s (heißes Würstchen in einem Brötchen)
Ho|tel, das; -s, -s; Ho|tel gar|ni, das; - -, -s -s [- -] (Hotel, das nur Frühstück anbietet); Ho|tel|gast; Ho|te|li|er [...'lje:], der; -s, -s (Hotelbesitzer); Ho|te|li|e|rin; Ho|tel|ket|te; Ho|tel|le|rie, die; - (Gast-, Hotelgewerbe); Ho|tel|zim|mer
Hot|line [...lạin], die; -, -s (Telefonanschluss für rasche Serviceleistungen)
Hub, der; -[e]s, Hübe (Weglänge eines Kolbens usw.)
hü|ben; hüben und drüben
Hub|raum
hübsch
Hub|schrau|ber
hu|cke|pack; huckepack (ugs. für auf dem Rücken) tragen, huckepack nehmen
Hu|de|lei; hu|deln (südd., österr. für hastig, schlampig arbeiten)
Huf, der; -[e]s, -e; Huf|ei|sen; huf|ei|sen|för|mig; Huf|lat|tich (Wildkraut u. Heilpflanze); Huf|schmied; Huf|schmie|din
Hüf|te, die; -, -n; Hüft|ge|lenk; Hüft|hal|ter; Hüft|ho|se; Hüft|kno|chen
Hü|gel, der; -s, -; hü|ge|lig, hüg|lig; Hü|gel|land Plur. ...länder; hü|ge|lig, hüg|lig
Huhn, das; -[e]s, Hühner; Hühn|chen
Hüh|ner|au|ge; Hüh|ner|brü|he; Hüh|ner|ei; Hüh|ner|fri|kas|see

hui!; im Hui, in einem Hui
hul|di|gen; Hul|di|gung
Hül|le, die; -, -n; hül|len; sich in etwas hüllen; hül|len|los
Hull|ly-Gul|ly ['hali'gali], der; -[s], -s (Modetanz der Sechzigerjahre; ugs. auch für fröhliches Treiben)
Hül|se, die; -, -n (Kapsel[frucht]); Hül|sen|frucht
hu|man (menschlich; menschenfreundlich)
Hu|ma|nis|mus, der; - (auf das Bildungsideal der griechisch-römischen Antike gegründetes Denken u. Handeln; geistige Strömung zur Zeit der Renaissance); Hu|ma|nist, der; -en, -en (Vertreter des Humanismus; Kenner der alten Sprachen); hu|ma|nis|tisch
hu|ma|ni|tär (menschenfreundlich; wohltätig); Hu|ma|ni|tät, die; - (Menschlichkeit)
Hum|bug, der; -s (ugs. für Unsinn)
Hum|mel, die; -, -n
Hum|mer, der; -s, -
Hu|mor der; -s, -e Plur. selten (heitere Gelassenheit, Wesensart); hu|mo|rig (launig, mit Humor); Hu|mo|rist, der; -en, -en; Hu|mo|ris|tin; hu|mo|ris|tisch; hu|mor|los; Hu|mor|lo|sig|keit, die; -; hu|mor|voll
hum|peln
Hum|pen, der; -s, -
Hu|mus, der; - (fruchtbarer Bodenbestandteil); Hu|mus|bo|den
Hund, der; -[e]s, -e (Bergmannsspr. auch Förderwagen); Hun|de|be|sit|zer; Hun|de|be|sit|ze|rin; hun|de|elend (ugs. für sehr elend); Hun|de|hal|ter (Amtsspr.); Hun|de|hal|te|rin; Hun|de|hüt|te; hun|de|mü|de, hunds|mü|de (ugs. für sehr müde)
hun|dert; hundert Millionen; bis hundert zählen; Tempo hundert (für hundert Stundenkilometer); ein paar Hundert od. hundert [Menschen]; einige, viele Hundert od. hundert Büroklammern; Hunderte od. hunderte von Menschen; sie strömten zu Hunderten od. hunderten herein

H

¹**Hun|dert**, das; -s, -e; [vier] vom Hundert (*Abk.* v. H., p. c.; *Zeichen* %); *vgl.* hundert

²**Hun|dert** *vgl.* ¹Acht; **hun|dert|ein[s], hun|dert|und|ein[s]** *vgl.* hundert

Hun|der|ter, der; -s, - (*ugs. auch für* Schein mit dem Wert 100); *vgl.* Achter; **hun|der|ter|lei**; auf hunderterlei Weise

Hun|dert|eu|ro|schein, **Hun|dert-Eu-ro-Schein** (*mit Ziffern* 100-Euro-Schein)

hun|dert|fach; **Hun|dert|fa|che**, das; -n; *vgl.* Achtfache

hun|dert|jäh|rig; die hundertjährige Frau

hun|dert|mal; einhundertmal; *bei besonderer Betonung* hundert Mal, einhundert Mal; viele **Hundert** *od.* hundert Mal[e]; viel **Hundert** *od.* hundert Male; ein halbes Hundert Mal; **Hun|dert|me|ter|lauf**, **Hundert-Me|ter-Lauf** (*mit Ziffern* 100-Meter-Lauf, 100-m-Lauf); **hun|dert|pro|zen|tig** (*mit Ziffern* 100-prozentig, 100%ig)

Hun|dert|schaft

hun|derts|te; die hundertste Folge; der Hundertste; vom Hundertsten ins Tausendste kommen; **hun|derts|tel** *vgl.* achtel; **Hun-derts|tel**, das, *schweiz. meist* der; -s, -; *vgl.* Achtel; **hun|dert|tau|send**; mehrere **Hunderttausend** *od.* hunderttausend Euro; **Hunderttausende** *od.* hunderttausende Besucher *od.* von Besuchern; **hun|dert-und|ein[s]** *vgl.* hundertein[s]

Hun|de|steu|er, die; **Hün|din**; **hün|disch**

hunds|ge|mein (*ugs.*); **hunds|mi|se|ra|bel** (*ugs.*); **hunds|mü|de** *vgl.* hundemüde

Hü|ne, der; -n, -n; **Hü|nen|grab**; **hü|nen-haft**

Hun|ger, der; -s; vor Hunger sterben; hungers sterben; **Hun|ger|lohn**; **hun|gern**; **Hun|gers|not**; **Hun|ger|streik**; **hung|rig**

Hü|nin; *zu* Hüne

Hu|pe, die; -, -n; **hu|pen**

Hüpf|burg (aufblasbares Spielgerät [in Form einer Burg]); **hüp|fen**; **Hüp|fer**, der; -s, - (kleiner Sprung)

Hup|kon|zert (*ugs.*)

Hür|de, die; -, -n; **Hür|den|lauf** (*Leichtathletik*); **Hür|den|läu|fer**; **Hür|den|läu|fe|rin**

Hu|re, die; -, -n; **hu|ren**

hur|ra!; **Hur|ra** [*auch* 'hʊr...], das; -s, -s; viele Hurras; Hurra *od.* hurra schreien

Hur|ri|kan [*auch* 'harikn], der; -s, *Plur.* -e, *bei engl. Ausspr.* -s (*trop.* Wirbelsturm)

hur|tig (flink)

husch!; husch, husch!; **hu|schen**

Hus|ky ['haski], der; -s, -s (Polarhund)

hüs|teln; ich hüst[e]lle

hus|ten; **Hus|ten** der; -s, - *Plur. selten*; **Hus-ten|an|fall**; **Hus|ten|bon|bon**; **Hus|ten-reiz**, der; -es; **Hus|ten|saft**

¹**Hut**, der; -[e]s, Hüte (Kopfbedeckung)

²**Hut**, die; - (*geh. für* Schutz, Aufsicht); auf der Hut sein

hü|ten; sich hüten; **Hü|ter**; **Hü|te|rin**

Hut|krem|pe; **Hut|schach|tel**

Hüt|te, die; -, -n; **Hüt|ten|schuh**

Hy|ä|ne, die; -, -n (ein Raubtier)

Hy|a|zin|the, die; -, -n (eine Zwiebelpflanze)

hy|b|rid (von zweierlei Herkunft; zwitterhaft)

Hy|d|ra, die; -, ...dren (ein Süßwasserpolyp)

Hy|d|rant, der; -en, -en (Zapfstelle zur Wasserentnahme)

Hy|d|rau|lik, die; -, -en (Lehre von der Bewegung der Flüssigkeiten; deren technische Anwendung); **hy|d|rau|lisch** (mit Flüssigkeitsdruck arbeitend); hydraulische Bremse

Hy|d|ro|kul|tur (Wasserkultur; Pflanzenzucht in Nährlösungen ohne Erde)

Hy|gi|e|ne, die; - (Gesundheitslehre, -für-sorge, -pflege); **hy|gi|e|nisch**

Hym|ne, die; -, -n (Festgesang); **hym|nisch**

Hype [haɪp], der; -s, -s (aggressive Werbung; Welle oberflächlicher Begeisterung)

hy|per|ak|tiv (übersteigerten Bewegungs-drang zeigend); hyperaktive Kinder

Hy|per|bel, die; -, -n (*Math.* Kegelschnitt)

hy|per|kor|rekt (überkorrekt); **hy|per|mo-dern** (übermodern, übertrieben neuzeitlich); **hy|per|sen|si|bel**

Hy|per|to|nie, die; -, ...ien (*Med.* Bluthochdruck; gesteigerte Muskelspannung)

Hyp|no|se, die; -, -n ([durch Suggestion herbeigeführter] schlafähnlicher Bewusstseinszustand); **hyp|no|ti|sie|ren** (in Hypnose versetzen)

Hy|po|thek, die; -, -en (im Grundbuch eingetragenes Pfandrecht an einer Immobilie)

Hy|po|the|se, die; -, -n ([unbewiesene] Annahme; Vorentwurf für eine Theorie); **hy|po|the|tisch**

Hy|po|to|nie, die; -, ...ien (*Med.* zu niedriger Blutdruck; herabgesetzte Muskelspannung)

Hys|te|rie, die; -, ...ien (eine psychisch bedingte körperliche Störung); **hys|te|risch**

I *i*

I (Buchstabe); das I, des I, die I, *aber* das i in Bild; der Buchstabe I, i; der Punkt auf dem i

---

i. A.

= im Auftrag

Die Abkürzung wird im ersten Bestandteil kleingeschrieben (i. A.), wenn sie unmittelbar der Grußformel oder der Bezeichnung einer Behörde, Firma u. dgl. folgt, z. B.

Die Oberbürgermeisterin
i. A. Schmidt

Die Abkürzung wird dagegen im ersten Bestandteil großgeschrieben (I. A.), wenn sie nach einem abgeschlossenen Text allein vor einer Unterschrift steht, z. B.

Ihre Unterlagen erhalten Sie mit gleicher Post zurück.
I. A. Schmidt

ICE®, der; -[s], -[s] = Intercityexpress[zug]; **ich**; **Ich**, das; -[s], -[s]; mein anderes Ich **ich|be|zo|gen**; **Ich|form, Ich-Form**, die; -; **Ich|sucht**, die; -; **ich|süch|tig**

Icon ['aikən], das; -s, -s (*EDV* grafisches Sinnbild)

ide|al (nur in der Vorstellung existierend; der Idee entsprechend; vollkommen); **Ide|al**, das; -s, -e (dem Geiste vorschwebendes Muster der Vollkommenheit; als ein höchster Wert erkanntes Ziel); **Ide|al|bild**; **ide|a|ler|wei|se**; **Ide|al|fall**, der; im Idealfall); **ide|a|li|sie|ren** (der Idee od. dem Ideal annähern; verklären); **Ide|a|lis|mus**, der; - (Überordnung der Gedanken-, Vorstellungswelt über die wirkliche; Streben nach Verwirklichung von Idealen); **Ide|a|list**, der; -en, -en; **Ide|a|lis|tin**; **ide|a|lis|tisch**

Idee, die; -, Ide|en (Grundgedanke, Einfall, Plan); eine Idee (*ugs. auch für* eine Kleinigkeit); **ide|ell** (nur gedacht); **ide|en|los**; **ide|en|reich**; **Ide|en|wett|be|werb**

Iden|ti|fi|ka|ti|on, die; -, -en (Gleichsetzung; Feststellung der Identität); **Iden|ti|fi|ka|ti|ons|fi|gur**; **iden|ti|fi|zier|bar**; **iden|ti|fi|zie|ren** (miteinander gleichsetzen; genau wiedererkennen); sich identifizieren; **Iden|ti|fi|zie|rung**; **iden|tisch** (übereinstimmend; völlig gleich)

Iden|ti|tät, die; -, -en (völlige Gleichheit, Übereinstimmung); **iden|ti|täts|stif|tend**

Ideo|lo|ge, der; -n, -n (Lehrer od. Anhänger einer Ideologie); **Ideo|lo|gie**, die; -, ...ien (System von Weltanschauungen, [politischen] Grundeinstellungen u. Wertungen); **Ideo|lo|gin**; **ideo|lo|gisch**

Idi|ot, der; -en, -en (*ugs. abwertend für* Dummkopf); **idi|o|ten|si|cher** (*ugs. für* so beschaffen, dass niemand etwas falsch machen kann); **Idi|o|tin**; **idi|o|tisch**

Idol, das; -s, -e (Publikumsliebling, Schwarm; Götzenbild, Abgott)

Idyll, das; -s, -e (Bereich, Zustand eines friedlichen u. einfachen [Land]lebens); **Idyl|le**, die; -, -n (Schilderung eines Idylls in Literatur u. bildender Kunst; *auch svw.* Idyll); **idyl|lisch** (das Idyll, die Idylle betreffend; friedlich; beschaulich)

Igel, der; -s, -

igitt!, igit|ti|gitt!

Iglu, der od. das; -s, -s (runde Schneehütte)

ignorant (von Unwissenheit zeugend); Ignorant, der; -en, -en (Dummkopf); Ignorantin; Ignoranz, die; - (Unwissenheit, Dummheit); ignorieren (nicht wissen [wollen], absichtlich nicht beachten)

ihm; ihn; ihnen; er folgte ihnen; Großschreibung entsprechend »Sie«: ich wäre Ihnen dankbar, wenn Sie …

ihr

I. Possessivpronomen:
– der Bruder ihres Vaters
– sie kam mit ihrem Sohn, ihrer Tochter

II. Großschreibung in Titeln und in der Anrede (entsprechend »Sie«):
– Ihre Majestät (Abk. I. M.) die Königin
– Ihre Exzellenz
– geben Sie mir bitte Ihre Adresse
Vgl. auch dein

III. Anredepronomen (entsprechend »du«):
– ihr seid dran, kommt ihr uns besuchen?

Das Anredepronomen »ihr« kann in Briefen groß- oder kleingeschrieben werden:
– Lieber Hans, liebe Elke, wann besucht Ihr od. ihr uns einmal?

ihrerseits; Großschreibung entsprechend »Sie«: seien Sie Ihrerseits gegrüßt

ihresgleichen; Großschreibung entsprechend »Sie«: dort werden Sie Ihresgleichen treffen

ihretwegen; Großschreibung entsprechend »Sie«: wussten Sie, dass wir Ihretwegen gekommen sind?

ihretwillen; um ihretwillen; Großschreibung entsprechend »Sie«: wussten Sie, dass wir um Ihretwillen gekommen sind?

Ikone, die; -, -n (Kultbild der Ostkirche; übertr. für Idol); eine Ikone des Pop

illegal [auch …'ga:l] (gesetzwidrig); Illegalität [auch 'ı…], die; -, -en

illegitim [auch …'ti:m] (unrechtmäßig; unehelich); Illegitimität [auch 'ı…], die; -

illoyal ['ıloaja:l, auch …'ja:l] (unredlich, untreu; Vereinbarungen nicht einhaltend); Illoyalität [auch 'ıl…], die; -, -en

Illumination, die; -, -en (Festbeleuchtung); illuminieren (festlich erleuchten)

Illusion, die; -, -en (Wunschvorstellung, Sinnestäuschung); illusionslos; illusorisch (nur in der Illusion bestehend)

illuster (glänzend, vornehm); illustre Gesellschaft

Illustration, die; -, -en (Erläuterung, Bildbeigabe); Illustrator, der; -s, …oren (Künstler, der ein Buch mit Bildern schmückt); Illustratorin; illustrieren ([durch Bilder] erläutern; [ein Buch] mit Bildern schmücken); illustriert (Abk. ill.); Illustrierte, die; -n, -n

Iltis, der; Iltisses, Iltisse (kleines Raubtier)

im (in dem; Abk. i. [bei Ortsnamen, z. B. Königshofen i. Grabfeld]); im Auftrag[e] (Abk. i. A. od. I. A. [vgl. d.]; im Grunde [genommen]; im Haus[e] (Abk. i. H.); im Allgemeinen (Abk. i. Allg.); im Besonderen; vgl. auch einzeln, ganz usw.

IM, der; -[s], -[s] = inoffizieller Mitarbeiter (des Staatssicherheitsdienstes der DDR)

Image […ıtʃ], das; -[s], -s (Vorstellung, Bild von jmdm. od. etw. [in der öffentlichen Meinung]); Imagekampagne (bes. Werbespr.)

imaginär (vorgestellt); Imagination, die; -, -en (Einbildungskraft)

im Allgemeinen (Abk. i. Allg.)

Imam, der; -[s], Plur. -s u. -e (Vorbeter in der Moschee)

im Auftrag, im Auftrage (Abk. i. A. od. I. A.); vgl. Kasten Seite 204

im Begriff, im Begriffe; im Begriff[e] sein

im Besonderen

Imbiss, der; Imbisses, Imbisse; Imbissbude; **Im|biss|stand**, **Im|biss-Stand**; **Im-biss|stu|be**, **Im|biss-Stu|be**

Inbus®
Mit einem *n* und nicht mit einem *m* schreibt sich der Name des gebogenen Sechskant-schlüssels: *Inbus* ist die Abkürzung für **In**nensechskantschlüssel [der Firma] **B**auer und **S**chaurte.

im Ein|zel|nen
im Fall, Fal|le[,] dass
Imi|ta|ti|on, die; -, -en (Nachahmung); **imi-tie|ren**; **imi|tiert** (unecht)
Im|ker, der; -s, - (Bienenzüchter); **Im|ke|rin**
im|ma|nent (in etwas enthalten)
Im|ma|t|ri|ku|la|ti|on, die; -, -en (Einschreibung an einer Hochschule; *schweiz. auch für* amtliche Zulassung eines Kraftfahrzeugs); **im|ma|t|ri|ku|lie|ren**
im|mens (unermesslich [groß])
im|mer; immer[,] wenn …; immer wieder; immer mehr; für immer; die immer gleichen *od.* immergleichen Argumente; der immerwährende *od.* immer während Kalender; **im|mer|fort**; **im|mer gleich**, **im|mer|gleich** *vgl.* immer; **im|mer|grün**; **Im|mer|grün**, das; -s, -e (eine Pflanze); **im|mer|hin**; **im|mer|wäh|rend**, **im|mer wäh|rend** *vgl.* immer; **im|mer|zu**
Im|mi|g|rant, der; -en, -en (Einwanderer); **Im|mi|g|ran|tin**; **Im|mi|g|ra|ti|on**, die; -, -en; **im|mi|g|rie|ren**
Im|mis|si|on, die; -, -en (Einwirkung von Verunreinigungen, Lärm o. Ä. auf Lebewesen); **Im|mis|si|ons|schutz**
Im|mo|bi|lie, die; -, -n (unbeweglicher Besitz, z. B. Grundstücke, Gebäude); **Im-mo|bi|li|en|mak|ler**; **Im|mo|bi|li|en|mak-le|rin**; **Im|mo|bi|li|en|markt**
im|mun (unempfänglich [für Krankheit]); unter Rechtsschutz stehend; unempfindlich); **im|mu|ni|sie|ren** (unempfänglich machen [für Krankheiten]); **Im|mu|ni|sie-rung**; **Im|mu|ni|tät**, die; - (Unempfindlichkeit gegenüber Krankheitserregern; Schutz

[der Abgeordneten] vor Strafverfolgung); **Im|mun|schwä|che**; **Im|mun|sys|tem**
im Nach|hi|n|ein
Im|pe|ra|tiv [*auch* …'ti:f], der; -s, -e (*Sprachwiss.* Befehlsform)
Im|per|fekt [*auch* …'fɛkt], das; -s, -e (*Sprachwiss.* Präteritum)
Im|pe|ri|a|lis|mus, der; - (das Streben von Großmächten nach wirtschaftlicher, politischer u. militärischer Vorherrschaft); **Im-pe|ri|a|list**, der; -en, -en; **Im|pe|ri|a|lis-tin**; **im|pe|ri|a|lis|tisch**
Im|pe|ri|um, das; -s, …ien ([römisches] Kaiserreich; Weltreich)
im|per|ti|nent (frech, unverschämt)
imp|fen; **Impf|pass**; **Impf|stoff**; **Imp|fung**
Im|plan|tat, das; -[e]s, -e (*Med.* dem Körper eingepflanztes Material); **Im|plan|ta|ti|on**, die; -, -en (Einpflanzung von Gewebe o. Ä. in den Körper); **im|plan|tie|ren**
Im|ple|men|ta|ti|on *(EDV)*; **im|ple|men|tie-ren** (einsetzen, einbauen); Software implementieren *(EDV)*; **Im|ple|men|tie|rung**
Im|pli|ka|ti|on, die; -, -en (das Einbeziehen); **im|pli|zie|ren** (einschließen); **im|pli|zit** (inbegriffen, mitgemeint; *Ggs.* explizit)
im|po|nie|ren (Achtung einflößen, Eindruck machen); **im|po|nie|rend**
Im|port, der; -[e]s, -e (Einfuhr); **Im|por|teur** [...'tøːɐ̯], der; -s, -e ([Groß]händler, der Waren einführt); **Im|por|teu|rin**; **Im|port-ge|schäft**; **Im|port|han|del** *vgl.* Handel; **im|por|tie|ren**; **Im|port|ver|bot**
im|po|sant (eindrucksvoll; großartig)
im|po|tent (zum Koitus, zur Zeugung nicht fähig); **Im|po|tenz**, die; -, -en
im|präg|nie|ren (mit einem Schutzmittel [gegen Feuchtigkeit, Zerfall] durchtränken)
Im|pres|si|on, die; -, -en (Eindruck; Empfindung; Sinneswahrnehmung); **Im|pres|sio-nis|mus**, der; - (Kunstrichtung des 19. Jh.s); **Im|pres|si|o|nist**, der; -en, -en; **Im-pres|si|o|nis|tin**; **im|pres|si|o|nis|tisch**
Im|pres|sum, das; -s, …ssen (*Buchw.* Erscheinungsvermerk; Angabe über Verleger, Drucker usw. in Druck-Erzeugnissen)

Im|pro|vi|sa|ti|on, die; -, -en (unvorbereitetes Handeln; Stegreifdichtung, -rede, -musizieren); im|pro|vi|sie|ren

Im|puls, der; -es, -e (Antrieb; Anregung; [An]stoß); im|pul|siv (inneren Impulsen sogleich folgend)

im|stạn|de, im Stạn|de; imstande od. im Stande sein; vgl. Stand

im Üb|ri|gen

im Vo̱r|aus [auch - ...'ra̱us]

¹in (Abk. i. [bei Ortsnamen, z. B. Weißenburg i. Bay.]); Präp. mit Dat. u. Akk.: ich gehe in dem (im) Garten auf und ab, aber ich gehe in den Garten; im (in dem); ins (in das)

²in (ugs.); in sein (ugs. für dazugehören; zeitgemäß, modern sein)

in|ak|tiv [auch ...'ti:f] (untätig; ruhend)

in|ak|zep|ta|bel [auch ...'ta:...] (unannehmbar); ...a|b|le Bedingungen

In|an|griff|nah|me, die; -, -n

In|an|spruch|nah|me, die; -, -n

in ba̱r

In|be|griff, der; -[e]s, -e (absolute Verkörperung); in|be|grif|fen vgl. einbegriffen

In|be|sitz|nah|me, die; -, -n

In|be|trieb|nah|me, die; -, -n

in Be|zug vgl. Bezug

In|brunst, die; -; in|brüns|tig

In|bus®, der; -ses, -se (Kurzw. für Innensechskantschlüssel [der Firma] Bauer und Schaurte); In|bus|schlüs|sel

in|dem; er bedankte sich, indem (damit, dass) er Blumen schickte

in|des, in|des|sen

In|dex, der; -[es], Plur. -e u. ...dizes, auch ...dices (alphabetisches Namen-, Sachverzeichnis; Liste verbotener Bücher)

In|di|a|ner, der; -s, - (Ureinwohner Amerikas); In|di|a|ne|rin; in|di|a|nisch

In|di|ces (Plur. von Index); vgl. Indizes

in|dif|fe|rent [auch ...'rɛ...] (gleichgültig, teilnahmslos; wirkungslos); In|dif|fe|renz [auch ...'rɛ...], die; -, -en

In|di|go, der od. das; -s, Plur. (für Indigoarten:) -s (ein blauer Farbstoff)

In|di|ka|ti|on, die; -, -en (Merkmal; Med. Heilanzeige)

In|di|ka|tiv, der; -s, -e (Sprachwiss. Wirklichkeitsform; Abk. Ind.)

In|di|ka|tor, der; -s, ...o̱ren (Merkmal, das etwas anzeigt)

in|di|rekt [auch ...'rɛ...] (mittelbar; auf Umwegen); indirekte Wahl; indirekte Rede

in|dis|kret [auch ...'kre:t] (nicht verschwiegen; taktlos; zudringlich); In|dis|kre|ti|on [auch 'ı...], die; -, -en (Vertrauensbruch)

in|dis|ku|ta|bel [auch ...'ta:...] (nicht der Erörterung wert); ...a|b|le Forderung

In|di|vi|du|a|lis|mus, der; - (Anschauung, die dem Individuum den Vorrang vor der Gemeinschaft gibt); In|di|vi|du|a|list, der; -en, -en (Vertreter des Individualismus; Einzelgänger); In|di|vi|du|a|lis|tin; in|divi|du|a|lis|tisch; In|di|vi|du|a|li|tät, die; -, -en (nur Sing.: Einzigartigkeit der Persönlichkeit; Eigenart; Persönlichkeit)

in|di|vi|du|ell (vereinzelt; besonders geartet)

In|di|vi|du|um, das; -s, ...duen (Einzelwesen, einzelne Person; abwertend für Lump)

In|diz, das; -es, -ien (Anzeichen; verdächtiger Umstand; In|di|zes, In|di|ces (Plur. von Index); In|di|zi|en|be|weis (auf zwingenden Verdachtsmomenten beruhender Beweis); In|di|zi|en|pro|zess; In|di|zie|ren (auf den Index setzen; anzeigen; Med. als angezeigt erscheinen lassen)

In|dok|t|ri|na|ti|on, die; -, -en (massive Beeinflussung); in|dok|t|ri|nie|ren

in|dus|t|ri|a|li|sie|ren (Industrie ansiedeln, einführen); In|dus|t|ri|a|li|sie|rung

In|dus|t|rie, die; -, ...ien; In|dus|t|rie|an|lage; In|dus|t|rie|be|trieb; In|dus|t|rie|gebiet; In|dus|t|rie|ge|sell|schaft (Soziol.); In|dus|t|rie|ge|werk|schaft (Abk. IG); Indus|t|rie|kauf|frau; In|dus|t|rie|kaufmann Plur. ...leute; In|dus|t|rie|kon|zern; In|dus|t|rie|land

in|dus|t|ri|ell; die industrielle Revolution; In|dus|t|ri|el|le, der u. die; -n, -n (Eigentümer[in] eines Industriebetriebes); In|dus|trie|ma|g|nat; In|dus|t|rie|na|ti|on; In-dus|t|rie|staat; In|dus|t|rie|stadt; In|dust|rie|un|ter|neh|men; In|dus|t|rie|zweig

in|ef|fi|zi|ent [auch ...'tsi|ɛnt] (unwirksam; unwirtschaftlich)

in|ei|n|an|der; sich ineinander verkeilen, ineinander verschachteln; in|ei|n|an|der|grei|fen; in|ei|n|an|der|ste|cken

in eins; in eins setzen (gleichsetzen)

in|fam (niederträchtig); In|fa|mie, die; -, ...ien

In|fan|te|rie [...ri, auch ...'ri:], die; -, ...ien (Militär Fußtruppe); In|fan|te|rie|re|gi-ment (Abk. IR.); In|fan|te|rist [auch ...'rı...] (Fußsoldat); In|fan|te|ris|tin

in|fan|til (kindlich; unentwickelt; unreif); In-fan|ti|li|tät, die; -

In|farkt, der; -[e]s, -e (Med. Absterben eines Gewebeteils infolge Gefäßverschlusses)

In|fekt, der; -[e]s, -e (Med. Infektionskrank-heit; kurz für Infektion); grippaler Infekt; In|fek|ti|on, die; -, -en (Ansteckung durch Krankheitserreger); In|fek|ti|ons|ge|fahr; In|fek|ti|ons|krank|heit

in|fer|na|lisch (höllisch; teuflisch); In|fer-no, das; -s, -s (entsetzliches Geschehen)

in|fil|t|rie|ren (eindringen)

In|fi|ni|tiv [auch ...'ti:f], der; -s, -e (Sprach-wiss. Grundform [des Verbs], z. B. »schwimmen«)

in|fi|zie|ren (anstecken)

in fla|g|ran|ti (auf frischer Tat); in flagranti ertappen

In|fla|ti|on, die; -, -en (Geldentwertung); in-fla|ti|o|när (Inflation bewirkend); In|fla|ti-ons|ge|fahr; In|fla|ti|ons|ra|te

In|flu|en|za, die; - (veraltet für Grippe)

¹In|fo, das; -s, -s (ugs. kurz für Informations-blatt)

²In|fo, die; -, -s (ugs. kurz für Information)

in|fol|ge; mit Gen. oder mit »von«: infolge des schlechten Wetters; infolge von Krieg, aber sie hat drei Mal in Folge (hintereinan-der) gewonnen

in|fol|ge|des|sen; die Straßen waren über-flutet und infolgedessen (deshalb) unpas-

sierbar, aber das Hochwasser, infolge des-sen die Straßen unpassierbar waren

In|fo|post (in größeren Mengen verschickte Postsendungen)

In|for|mand, der; -en, -en (eine Person, die informiert wird); In|for|man|din; In|for-mant, der; -en, -en (jmd., der [geheime] Informationen liefert); In|for|man|tin

In|for|ma|tik, die; - (Wissenschaft von der [elektronischen] Informationsverarbei-tung); In|for|ma|ti|ker; In|for|ma|ti|ke|rin

In|for|ma|ti|on, die; -, -en (Auskunft, Nach-richt); in|for|ma|ti|o|nell; In|for|ma|ti-ons|blatt; In|for|ma|ti|ons|fluss; In|for-ma|ti|ons|ma|te|ri|al; In|for|ma|ti|ons-pflicht; In|for|ma|ti|ons|quel|le; In|for-ma|ti|ons|stand; In|for|ma|ti|ons|sys-tem; In|for|ma|ti|ons|tech|nik; In|for|ma|ti|ons|tech|no|lo|gie (Abk. IT); In|for|ma|ti|ons|ver|an|stal|tung; In|for-ma|ti|ons|zen|t|rum; in|for|ma|tiv (Auskunft gebend; aufschlussreich)

¹in|for|mell (informierend)

²in|for|mell [auch ...'mɛl] (nicht förmlich; auf Formen verzichtend)

in|for|mie|ren (Auskunft geben; benachrich-tigen); sich informieren (Auskünfte, Erkun-digungen einziehen); In|for|miert|heit, die; -

In|fo|stand; In|fo|tain|ment [...'te:nmɛnt], das; -s (unterhaltende Darbietung von Informationen)

in|fra|ge, in Fra|ge; infrage, in Frage kom-men, stehen, stellen; das kommt nicht infrage od. in Frage; die infrage od. in Frage kommende Person; die infrage od. in Frage gestellten Regeln, aber das Infra-gestellen

in|f|ra|rot (zum Infrarot gehörend); In|f|ra-rot (unsichtbare Wärmestrahlen); In|f|ra-rot|lam|pe

In|f|ra|struk|tur (wirtschaftlich-organisatori-scher Unterbau einer arbeitsteiligen Wirt-schaft)

In|fu|si|on, die; -, -en (Zufuhr von Flüssigkeit in den Körper mittels einer Hohlnadel)

In|gang|hal|tung, die; -; In|gang|set|zung

In|ge|ni|eur [...ʒeˈni̯øːɐ̯], der; -s, -e (*Abk.* Ing.); In|ge|ni|eu|rin (*Abk.* Ing.); In|ge|ni|eur|wis|sen|schaft *meist Plur.*

In|gre|di|enz die; -, -en *meist Plur.*

Ing|wer, der; -s, - (eine Gewürzpflanze; ein Likör; *nur Sing.:* ein Gewürz)

in|ha|ber; In|ha|be|rin

in|haf|tie|ren (in Haft nehmen); In|haf|tie|rung

in|ha|lie|ren (*auch für* [beim Zigarettenrauchen] den Rauch einziehen)

In|halt, der; -[e]s, -e; in|halt|lich; In|halts|an|ga|be; in|halts|los; in|halts|reich; In|halts|stoff; In|halts|ver|zeich|nis

in|hu|man [*auch* ...ˈmaːn] (unmenschlich)

In|i|ti|a|le, die; -, -n (großer [meist verzierter] Anfangsbuchstabe)

In|i|ti|al|zün|dung (Zündung eines schwer entzündlichen Sprengstoffs durch einen leicht entzündlichen)

in|i|ti|a|tiv (Initiative ergreifend, besitzend); initiativ werden; In|i|ti|a|ti|ve, die; -, -n (Entschlusskraft; Anstoß zum Handeln); die Initiative ergreifen; In|i|ti|a|tor, der; -s, ...oren (Urheber; Anstifter); In|i|ti|a|to|rin

in|i|ti|ie|ren (den Anstoß geben; einleiten)

In|jek|ti|on, die; -, -en (*Med.* Einspritzung); in|ji|zie|ren (einspritzen)

In|kar|na|ti|on, die; -, -en (Verkörperung)

In|kauf|nah|me, die; -

in|klu|si|ve (einschließlich; *Abk.* inkl.); *Präp. mit Gen.:* inklusive des Portos *aber* inklusive Porto, inklusive Getränken

in|ko|g|ni|to (unter fremdem Namen); inkognito reisen; In|ko|g|ni|to, das; -s, -s

in|kom|pa|ti|bel [*auch* ...ˈtiː...] (unverträglich; miteinander unvereinbar)

in|kom|pe|tent [*auch* ...ˈtɛ...] (nicht sachverständig; nicht befugt); In|kom|pe|tenz [*auch* ...ˈtɛ...], die; -, -en

in|kon|se|quent [*auch* ...ˈkvɛ...] (nicht folgerichtig; widersprüchlich); In|kon|se|quenz [*auch* ...ˈkvɛ...], die; -, -en

in|kon|ti|nent [*auch* ...ˈnɛ...] (*Med.* nicht in der Lage, Harn od. Stuhl zurückzuhalten); In|kon|ti|nenz [*auch* ...ˈnɛ...], die; -, -en

in|kor|rekt [*auch* ...ˈrɛ...] ([sprachlich] ungenau, fehlerhaft); In|kor|rekt|heit

in Kraft *vgl.* Kraft; In|kraft|set|zung (*Amtsspr.);* In|kraft|tre|ten, das; -s (eines Gesetzes)

In|ku|ba|ti|ons|zeit (*Med.* Zeit von der Infektion bis zum Ausbruch einer Krankheit)

In|land, das; -[e]s; In|län|der, der; In|län|de|rin; in|län|disch; In|lands|nach|fra|ge; In|lands|por|to; In|lands|preis

In|lay [ˈɪnleː], das; -s, -s (aus Metall od. Porzellan gegossene Zahnfüllung)

In|lett, das; -[e]s, Plur. -e od. -s (Baumwollstoff [für Federbetten u. -kissen])

In|li|ner [...laɪ...], der; -s, - (*kurz für* Inlineskate); in|li|nern; wir inlinerten, sind od. haben geinlinert

In|line|skate [ˈɪnlaɪnskeːt] der; -s, -s *meist Plur.* (Rollschuh mit schmalen, hintereinander aufgereihten Rädchen); in|line|ska|ten; wir inlineskateten, sind od. haben inlinegeskatet; In|line|ska|ter, der; -s, -; In|line|ska|te|rin

in|mit|ten (*geh.);* *als Präp. mit Gen.:* inmitten des Sees

in|ne|ha|ben; in|ne|hal|ten

in|nen; von, nach innen; innen und außen

In|nen|ar|chi|tekt; In|nen|ar|chi|tek|tin; In|nen|aus|schuss (*Politik);* In|nen|aus|stat|tung; In|nen|ein|rich|tung; In|nen|hof; In|nen|mi|nis|ter; In|nen|mi|nis|te|rin; In|nen|mi|nis|te|ri|um; In|nen|po|li|tik; in|nen|po|li|tisch; In|nen|raum; In|nen|sei|te; In|nen|stadt; In|nen|ver|tei|di|ger; In|nen|ver|tei|di|ge|rin

in|ner|be|trieb|lich; in|ner|deutsch

in|ne|re; innerste; zuinnerst; die innere Medizin; innere, *fachspr. auch* Innere Sicherheit [eines Staates]; In|ne|re, das; ...r[e]n; das Ministerium des Innern; im Inner[e]n

In|ne|rei *meist Plur.* (z. B. Leber, Herz, Darm von Schlachttieren)

in|ner|halb; *Präp. mit Gen.:* innerhalb eines Jahres

in|ner|lich; In|ner|lich|keit

in|ner|orts (*bes. schweiz.* für innerhalb des Ortes); in|ner|par|tei|lich; in|ner|staat|lich; in|ner|städ|tisch

In|ners|te, das; -n; im Innersten

in|ne|woh|nen *(geh.);* auch diesen alten Methoden hat Gutes innegewohnt

in|nig; In|nig|keit *Plur. selten;* in|nig|lich; in|nigst; aufs Innigste *od.* innigste verbunden

In|no|va|ti|on, die; -, -en ([Er]neuerung); In|no|va|ti|ons|kraft; in|no|va|tiv (Innovationen betreffend, schaffend)

In|nung; In|nungs|meis|ter; In|nungs|meis|te|rin

in|of|fi|zi|ell [*auch* ...'tsi̯el] (nicht amtlich; vertraulich; nicht förmlich)

in pet|to; etwas in petto (*ugs.* für bereit) haben

in punc|to (hinsichtlich)

In|put, der, *auch* das; -s, -s (*Wirtsch.* von außen bezogene u. im Betrieb eingesetzte Produktionsmittel; *EDV* Eingabe)

In|qui|si|ti|on, die; -, -en (*nur Sing.:* mittelalterliches katholisches Ketzergericht; Untersuchung); In|qui|si|tor, der; -s, ...oren; in|qui|si|to|risch

ins (in das)

In|sas|se, der; -n, -n; In|sas|sin

ins|be|son|de|re, ins|be|sond|re

In|schrift

In|sekt, das; -[e]s, -en (Kerbtier); In|sek|ten|be|kämp|fung; in|sek|ten|fres|send, In|sek|ten fres|send; insektenfressende. Insekten fressende Pflanzen, Tiere; In|sek|ten|stich; In|sek|ti|zid, das; -s, -e (Insekten tötendes Mittel)

In|sel, die; -, -n; In|sel|be|woh|ner; In|sel|be|woh|ne|rin; In|sel|grup|pe; In|sel|staat *Plur.* ...staaten

In|se|rat, das; -[e]s, -e (Anzeige [in Zeitungen usw.]); In|se|rent, der; -en, -en (jmd., der ein Inserat aufgibt); In|se|ren|tin; in|se|rie|ren (ein Inserat aufgeben)

ins|ge|heim [*auch* 'ı...]

ins|ge|samt [*auch* 'ı...]

In|si|der [...'sai...], der; -s, - (jmd., der interne Kenntnisse von etw. besitzt); In|si|der|han|del, der (illegale Form des Handels mit Aktien); In|si|de|rin; In|si|der|tipp

In|si|g|ne das; -s, ...nien *meist Plur.* (Abzeichen, Symbol der Macht u. Würde)

in|sis|tie|ren (auf etwas bestehen)

in|so|fern [*auch* ...'fɛrn, *österr., schweiz.* nur 'ı...]

in|sol|vent [*auch* 'ı...] (*Wirtsch.* zahlungsunfähig); In|sol|venz [*auch* 'ı...], die; -, -en (*Wirtsch.* Zahlungsunfähigkeit); In|sol|venz|ver|fah|ren (*Wirtsch.)*

in|so|weit [*auch* ...'vait, *österr. nur* 'ı...]

in spe (zukünftig)

In|s|pek|ti|on, die; -, -en (Besichtigung; Wartung [eines Kraftfahrzeugs]; Dienststelle); In|s|pek|tor, der; -s, ...oren (jmd., der etwas inspiziert); In|s|pek|to|rin

In|s|pi|ra|ti|on, die; -, -en (Eingebung; Erleuchtung); in|s|pi|rie|ren

in|s|pi|zie|ren (prüfen); In|s|pi|zie|rung

in|sta|bil [*auch* ...'bi:l] (nicht konstant bleibend; unbeständig); In|sta|bi|li|tät [*auch* 'ı...] die; -, -en *Plur. selten*

In|s|tal|la|teur [...'tø:ɐ̯], der; -s, -e (Handwerker für Installationen); In|s|tal|la|teu|rin; In|s|tal|la|ti|on, die; -, -en (Einrichtung, Einbau, Anlage, Anschluss von technischen Anlagen); in|s|tal|lie|ren

in|stand, in Stand; etwas instand *od.* in Stand halten, setzen (*schweiz.:* stellen); die instand gesetzten *od.* in Stand gesetzten *od.* instandgesetzten Gebäude; ein Haus instand *od.* in Stand besetzen (*ugs.* für widerrechtlich besetzen und wieder bewohnbar machen)

in|stand hal|ten *vgl.* instand; In|stand|hal|tung; In|stand|hal|tungs|kos|ten *Plur.*

in|stän|dig (eindringlich; flehentlich)

in|stand set|zen *vgl.* instand; In|stand|set|zung

in|s|tant [*auch* ...tənt] (sofort löslich); *nur*

als nachgestellte Beifügung, z. B. Haferflocken instant

In|s|tanz, die; -, -en (zuständige Stelle bei Behörden od. Gerichten)

In|s|tinkt, der; -[e]s, -e (angeborene Verhaltensweise; *auch für* sicheres Gefühl); In|s|tinkt|hand|lung; in|s|tink|tiv (trieb-, gefühlsmäßig); in|s|tinkt|los

In|s|ti|tut, das; -[e]s, -e (Unternehmen; Bildungs-, Forschungsanstalt)

In|s|ti|tu|ti|on, die; -, -en (öffentliche Einrichtung); in|s|ti|tu|ti|o|nell (die Institution betreffend)

In|s|ti|tuts|lei|ter, der; In|s|ti|tuts|lei|te|rin

in|s|t|ru|ie|ren (unterweisen; anleiten); In|s|t|ruk|ti|on, die; -, -en (Anleitung; Anweisung); in|s|t|ruk|tiv (lehrreich)

In|s|t|ru|ment, das; -[e]s, -e; in|s|t|ru|men|tal (Musikinstrumente verwendend); in|s|t|ru|men|ta|li|sie|ren (als Mittel für die eigenen Zwecke nutzen); In|s|t|ru|men|ta|ri|um, das; -s, ...ien (Gesamtheit der zur Verfügung stehenden Instrumente)

In|su|la|ner (Inselbewohner); In|su|la|ne|rin

In|su|lin, das; -s (ein Hormon; ® ein Arzneimittel)

in|sze|nie|ren (für die Bühnenaufführung gestalten); In|sze|nie|rung

in|takt (unversehrt; funktionsfähig); In|takt|heit, die; -; In|takt|sein, das; -s

in|te|ger (unbescholten)

in|te|g|ral (ein Ganzes ausmachend; vollständig; für sich bestehend); In|te|g|ral, das; -s, -e (*Math.; Zeichen* ∫); In|te|g|ral|rech|nung

In|te|g|ra|ti|on, die; -, -en (Eingliederung); In|te|g|ra|ti|ons|po|li|tik; In|te|g|ra|ti|ons|pro|zess; in|te|g|ra|tiv (eingliedernd); in|te|g|rie|ren (eingliedern); in|te|g|riert; integrierte Gesamtschule

In|te|g|ri|tät, die; - (Unbestechlichkeit)

In|tel|lekt, der; -[e]s (Verstand; Erkenntnis-, Denkvermögen); in|tel|lek|tu|ell ([einseitig] verstandesmäßig; geistig); In|tel|lek|tu|el|le, der *u.* die; -n, -n; in|tel|li|gent (verständig; klug, begabt); In|tel|li|genz,

die; -, -en (besondere geistige Fähigkeit, Klugheit; *meist Plur.:* Vernunftwesen; *nur Sing.:* Schicht der Intellektuellen)

In|tel|li|genz|grad; In|tel|li|genz|quo|ti|ent (Maß für die intellektuelle Leistungsfähigkeit; *Abk.* IQ); In|tel|li|genz|test

In|ten|dant, der; -en, -en (Leiter eines Theaters, eines Rundfunk- od. Fernsehsenders); In|ten|dan|tin; In|ten|danz, die; -, -en (Amt, Büro eines Intendanten)

In|ten|si|tät die; -, -en *Plur. selten* (Stärke, Kraft; Wirksamkeit)

in|ten|siv (eindringlich; kräftig; gründlich); in|ten|si|vie|ren (verstärken, steigern); In|ten|si|vie|rung; In|ten|siv|sta|ti|on

In|ten|ti|on, die; -, -en (Absicht; Vorhaben); in|ten|ti|o|nal (zielgerichtet)

In|ter|ak|ti|on, die; -, -en (Wechselbeziehung zwischen Personen u. Gruppen); in|ter|ak|tiv; In|ter|ak|ti|vi|tät, die; -, -en (*bes.* EDV Dialog zwischen Computer u. Benutzer)

In|ter|ci|ty® [...'sıti], der; -[s], -s; In|ter|ci|ty|ex|press® (moderner Hochgeschwindigkeitszug; *Abk.* ICE®)

in|ter|dis|zi|p|li|när [*auch* ı...] (mehrere Disziplinen betreffend)

in|te|r|es|sant; in|te|r|es|san|ter|wei|se

In|te|r|es|se, das; -s, -n; Interesse an, für etwas haben; in|te|r|es|se|hal|ber; in|te|r|es|se|los; In|te|r|es|sen|aus|gleich; In|te|r|es|sen|ge|biet; In|te|r|es|sen|ge|mein|schaft (Zweckverband); In|te|r|es|sen|kon|flikt; In|te|r|es|sen|la|ge; In|te|r|es|sent, der; -en, -en; In|te|r|es|sen|tin; In|te|r|es|sen|ver|band; In|te|r|es|sen|ver|tre|ter; In|te|r|es|sen|ver|tre|te|rin; In|te|r|es|sen|ver|tre|tung

in|te|r|es|sie|ren (Teilnahme erwecken); sich interessieren (Interesse zeigen) für ...; in|te|r|es|siert (Anteil nehmend)

In|ter|face [...fe:s], das; -, -s (EDV svw. Schnittstelle)

In|te|ri|eur [ɛ̃te'rjø:ɐ̯], das; -s, *Plur.* -s *u.* -e (Ausstattung eines Innenraumes)

In|te|rim, das; -s, -s (Zwischenzeit, -zustand;

vorläufige Regelung); In|te|rims|lö|sung;
In|te|rims|re|ge|lung

In|ter|jek|ti|on, die; -, -en (Sprachwiss. Aus-
rufe-, Empfindungswort, z. B. »au«, »bäh«)

in|ter|kon|ti|nen|tal (Erdteile verbindend);
In|ter|kon|ti|nen|tal|ra|ke|te (Militär
Rakete mit sehr großer Reichweite)

in|ter|kul|tu|rell (verschiedene Kulturen ver-
bindend, umfassend)

In|ter|mez|zo, das; -s, Plur. -s u. ...zzi (Zwi-
schenspiel, -fall)

in|tern (nur die inneren Verhältnisse ange-
hend; vertraulich; Med. innerlich)

In|ter|na (Plur. von Internum)

In|ter|nat, das; -[e]s, -e (eine Schule mit
Wohnheim)

in|ter|na|ti|o|nal; internationale Vereinba-
rungen; aber Internationales Rotes Kreuz
(Abk. IRK); Internationales Olympisches
Komitee (Abk. IOK); In|ter|na|ti|o|na|le,
die; -, -n; In|ter|na|ti|o|na|li|sie|rung; In-
ter|na|ti|o|na|li|tät, die; -

In|ter|nats|schu|le (Schule mit angeschlos-
senem Wohnheim)

In|ter|net, das; -s ([internationales] Compu-
ternetzwerk); In|ter|net|ad|res|se;
In|ter|net|an|schluss; In|ter|net|auf|tritt;
In|ter|net|ca|fé; In|ter|net|dienst;
in|ter|net|fä|hig; In|ter|net|por|tal;
In|ter|net|sei|te; In|ter|net|zu|gang

in|ter|nie|ren (in staatlichen Gewahrsam, in
Haft nehmen; [Kranke] isolieren); In|ter-
nier|te, der u. die; -n, -n; In|ter|nie|rung;
In|ter|nie|rungs|la|ger

In|ter|nist, der; -en, -en (Facharzt für innere
Krankheiten); In|ter|nis|tin

In|ter|num das; -s, ...na meist Plur. (nicht
für Außenstehende bestimmte Angelegenheit)

In|ter|pol, die; - (Kurzw. für Internationale
Kriminalpolizeiliche Organisation; Zentral-
stelle zur internationalen Koordination der
Verbrechensbekämpfung)

In|ter|pret, der; -en, -en (jmd., der etw.
interpretiert; reproduzierender Künstler);
In|ter|pre|ta|ti|on, die; -, -en; in|ter|pre-

tie|ren (auslegen, deuten; künstlerisch
wiedergeben); In|ter|pre|tin

In|ter|punk|ti|on die; -, -en Plur. selten (Zei-
chensetzung); In|ter|punk|ti|ons|re|gel;
In|ter|punk|ti|ons|zei|chen

In|ter|vall, das; -s, -e (Zeitspanne; Abstand)

in|ter|ve|nie|ren (vermitteln; Politik eingrei-
fen); In|ter|ven|ti|on, die; -, -en

In|ter|view [...vju:, auch ...'vju:], das; -s, -s
(Unterredung [von Reportern] mit Persön-
lichkeiten; Befragung); in|ter|vie|w|en
[...'vju:..., auch 'ı...]; interviewt; In|ter-
vie|w|er; In|ter|vie|w|e|rin

In|thro|ni|sa|ti|on, die; -, -en (Thronerhe-
bung, feierliche Einsetzung); in|thro|ni-
sie|ren; In|thro|ni|sie|rung

In|ti|fa|da, die; - (palästinensischer Wider-
stand in den von Israel besetzten Gebieten)

in|tim (sehr nahe u. vertraut; sexuell; ver-
borgen); In|tim|be|reich; In|tim|hy|gi|e-
ne; In|ti|mi|tät, die; -, -en; In|tim|sphä|re
(vertraut-persönlicher Bereich)

in|to|le|rant [auch ...'ra...] (unduldsam); In-
to|le|ranz [auch ...'ra...], die; -, -en

In|to|na|ti|on, die; -, -en (Musik das An-,
Abstimmen); in|to|nie|ren (anstimmen)

In|t|ra|net, das; -s, -s (unternehmensinter-
nes Computernetz)

in|tran|si|tiv (Sprachwiss. nicht zum persön-
lichen Passiv fähig; nicht zielend)

in|t|ra|ve|nös (im Innern, ins Innere der Vene)

In|t|ri|gant (auf Intrigen sinnend; hinterhäl-
tig); In|t|ri|gant, der; -en, -en; In|t|ri|gan-
tin; In|t|ri|ge, die; -, -n (hinterhältige
Machenschaften, Ränke[spiel]); In|t|ri|gen-
spiel; in|t|ri|gie|ren

in|t|ro|ver|tiert (nach innen gewandt)

In|tu|i|ti|on, die; -, -en (unmittelbares Erfas-
sen; Eingebung); in|tu|i|tiv

in|tus; nur in etwas intus haben (ugs. für
etwas im Magen haben; etwas begriffen
haben)

Inuk, der; -s, Inuit (Selbstbezeichnung der
Eskimos)

in|va|lid, in|va|li|de ([durch Verwundung od.
Unfall] dienst-, arbeitsunfähig); In|va|li|de,

der u. die; -n, -n; In|va|li|di|tät, die; -, -en (Erwerbs-, Dienst-, Arbeitsunfähigkeit)

In|va|si|on, die; -, -en (feindlicher Einfall)

In|ven|tar, das; -s, -e (Einrichtungsgegenstände [eines Unternehmens]; Vermögens-, Nachlassverzeichnis); in|ven|ta|ri|sie|ren; In|ven|ta|ri|sie|rung; In|ven|tur, die; -, -en (Wirtsch. Bestandsaufnahme)

in|ves|tie|ren ([Kapital] anlegen; in ein [geistliches] Amt einweisen); In|ves|tie|rung

in|ves|ti|ga|tiv (nachforschend, enthüllend)

In|ves|ti|ti|on, die; -, -en (langfristige [Kapital]anlage); In|ves|ti|ti|ons|gut meist Plur. (Gut, das der Produktion dient); In|ves|ti|ti|ons|kos|ten Plur.; In|ves|ti|ti|ons|vo|lu|men

In|vest|ment, das; -s, -s (engl. Bez. für Investition); In|vest|ment|bank Plur. ...banken; In|vest|ment|ban|ker [auch ...beŋkɐ]; In|vest|ment|ban|ke|rin; In|vest|ment|fonds (Effektenbestand einer Kapitalanlagegesellschaft); In|ves|tor, der; -s, ...oren (Kapitalanleger); In|ves|to|rin

In-vi|t|ro-Fer|ti|li|sa|ti|on, die; -, -en (Med. Befruchtung außerhalb des Körpers)

in|vol|vie|ren (einschließen; in etwas verwickeln)

in|wen|dig; in- und auswendig

in|wie|fern

in|wie|weit; inwieweit sind die Angaben zuverlässig?

In|zah|lung|nah|me, die; -, -n

In|zest, der; -[e]s, -e (Geschlechtsverkehr zwischen engsten Blutsverwandten); in|zes|tu|ös

In|zucht die; -, -en Plur. selten

in|zwi|schen

Ion, das; -s, -en (elektr. geladenes Teilchen)

Io|ta vgl. Jota

i-Punkt, der; -[e]s, -e

IQ, der; -[s], -[s] = Intelligenzquotient

ir|den (aus gebranntem Ton)

ir|disch; den Weg alles Irdischen gehen

ir|gend; wenn du irgend kannst, so ...; wenn irgend möglich; irgend so ein Gerät,

irgend so etwas; ir|gend|ein; irgendeine, irgendeiner; aber irgend so ein; ir|gend|et|was; aber irgend so etwas; ir|gend|je|mand; ir|gend|wann; ir|gend|was (ugs.); aber irgend so was; ir|gend|welch; irgendwelche Fragen; irgendwelches dumme[s] Zeug; ir|gend|wer; ir|gend|wie; ir|gend|wo; irgendwo anders, irgendwo sonst; sonst irgendwo; ir|gend|wo|hin

¹Iris, die; -, Plur. -, auch Iriden (Regenbogenhaut im Auge)

²Iris, die; -, - (Schwertlilie; Regenbogen)

Iro|nie, die; -, ...ien ([versteckter, feiner] Spott); iro|nisch

Iron|man® ['aiənmɛn], der; -s (bes. harter Triathlonwettkampf)

irr vgl. irre

ir|ra|ti|o|nal [auch ...'na:l] (verstandesmäßig nicht fassbar; vernunftwidrig); Ir|ra|ti|o|na|li|tät, die; - (das Irrationale)

ir|re, irr; irr[e] sein; irreführen, irregehen, irreleiten, irremachen, irrereden

¹Ir|re, die; -; in die Irre gehen

²Ir|re, der u. die; -n, -n (ugs. veraltend)

ir|re|al [auch ...'a:l] (unwirklich); Ir|re|a|li|tät [auch 'ɪ...], die; - (Unwirklichkeit)

ir|re|füh|ren; Ir|re|füh|rung

ir|re|ge|hen; er ist irregegangen

ir|re|gu|lär [auch ...'lɛ:ɐ] (unregelmäßig, ungesetzmäßig)

ir|re|lei|ten; er hat die Polizei irregeleitet

ir|re|le|vant [auch ...'va...] (unerheblich); Ir|re|le|vanz [auch ...'va...], die; -, -en

ir|re|ma|chen; sie hat mich irregemacht

ir|ren; sich irren; Irren od. irren ist menschlich

Ir|ren|haus (veraltet; ugs.)

ir|re|pa|ra|bel [auch ...'ra:...] (unersetzlich, nicht wiederherstellbar)

ir|re|re|den; ir|re sein vgl. irre

ir|re|ver|si|bel [auch ...'zi:...] (nicht umkehrbar)

ir|re|wer|den, irr|wer|den; wenn man irrewird, irrwird; sie ist irregeworden, irrgeworden

Irr|fahrt; Irr|gar|ten; Irr|glau|be[n]; ir|rig

Ir|ri|ta|ti|on, die; -, -en (Reiz, Erregung); ir|ri|tie|ren ([auf]reizen, verwirren, stören)
Irr|leh|re; Irr|licht Plur. ...lichter; Irr|sinn, der; -[e]s; irr|sin|nig; Irr|tum, der; -s, ...tümer; irr|tüm|lich; irr|tüm|li|cher|wei|se; Irr|weg; irr|wer|den vgl. irrewerden; irr|wit|zig
Is|chi|as ['ɪʃi..., auch 'ɪsçi...], der, selten das, fachspr. auch die; - (Hüftschmerz); Is|chi|as|nerv
Is|lam [auch '1....], der; -[s] (im Koran verkündete Religion); is|la|misch; Is|la|mis|mus, der; - (islamischer Fundamentalismus); Is|la|mist, der; -en, -en; Is|la|mis|tin; is|la|mis|tisch
Iso|la|ti|on, die; -, -en ([politische u. a.] Absonderung; Getrennthaltung; [Ab]dämmung); Iso|lier|band, das; Plur. ...bänder; iso|lie|ren (absondern; getrennt halten; [ab]dichten; durch entsprechendes Material schützen); Iso|lier|ma|te|ri|al; Iso|lier|schicht; iso|liert (auch für vereinsamt); Iso|liert|heit, die; -; Iso|lie|rung
Ist|zu|stand, Ist-Zu|stand
IT [aɪ'tiː] = information technology (Informationstechnologie)
ita|li|e|nisch; die italienische Schweiz; italienischer od. Italienischer Salat
i-Tüp|fel|chen

---

i. V.

= in Vertretung; in Vollmacht
Die Abkürzung wird mit kleinem i geschrieben, wenn sie unmittelbar der Grußformel oder der Bezeichnung einer Behörde, Firma u. dgl. folgt:

Der Oberbürgermeister
i. V. Meyer

Die Abkürzung wird mit großem I geschrieben, wenn sie nach einem abgeschlossenen Text allein vor einer Unterschrift steht:

Herr Direktor Müller wird Sie nach seiner
Rückkehr sofort anrufen.
I. V. Meyer

J *j*

J [jɔt, österr. je:] (Buchstabe); das J; des J, die J, aber das j in Boje; der Buchstabe J, j
ja; jawohl; ja|ja, auch ja, ja!; mit [einem] Ja antworten; mit Ja oder [mit] Nein stimmen; Ja od. ja sagen; Ja und Amen od. ja und amen sagen
Jacht, Yacht [j...], die; -, -en (Schiff für Sport- u. Vergnügungsfahrten, auch Segelboot); Jacht|ha|fen, Yacht|ha|fen
Ja|cke, die; -, -n; Ja|cken|ta|sche
Ja|cket|kro|ne ['dʒɛkɪt...] (Zahnkronenersatz)
Ja|ckett [ʒa...], das; -s, Plur. -s, selten -e (gefütterte Stoffjacke von Herrenanzügen); Ja|ckett|ta|sche , Ja|ckett-Ta|sche
Jack|pot ['dʒɛkpɔt], der; -s, -s (bes. hoher Gewinn bei einem Glücksspiel)
Ja|de, der; -[s] u. die; - (blassgrüner Schmuckstein); ja|de|grün
Jagd, die; -, -en; Jagd|fie|ber; Jagd|flugzeug; Jagd|ge|wehr; Jagd|grün|de Plur.; die ewigen Jagdgründe; Jagd|hund; Jagd|hüt|te; Jagd|re|vier; Jagd|schein; Jagd|schloss; ja|gen; Jä|ger; Jä|ge|rei, die; - (Jagdwesen; Jägerschaft); Jä|ge|rin; Jä|ger|spra|che, die; -
Ja|gu|ar, der; -s, -e (ein Raubtier)
jäh; Jäh|heit, die; -; jäh|lings
Jahr, das; -[e]s, -e; im Jahr[e]; zwei, viele Jahre lang; jahr|aus; nur in jahraus, jahrein od. jahrein, jahraus; Jahr|buch (Abk. Jb.); Jähr|chen; jahr|ein vgl. jahraus
jah|re|lang; aber viele Jahre lang
jäh|ren, sich
Jah|res|ab|schluss; Jah|res|an|fang; Jah|res|be|ginn; Jah|res|bei|trag; Jah|res|be|richt; Jah|res|ein|kom|men; Jah|res|en|de; Jah|res|frist; innerhalb Jahresfrist; Jah|res|ge|halt, das; Jah|res|hälf|te; Jah|res|ring meist Plur.; Jah|res|rück|blick;

Jah|res|tag; Jah|res|ur|laub; Jah|res|wech|sel; Jah|res|wen|de; Jah|res|zahl; Jah|res|zeit; jah|res|zeit|lich

Jahr|gang, der; *Plur.* ...gänge (*Abk.* Jg., *Plur.* Jgg.)

Jahr|hun|dert, das; -s, -e (*Abk.* Jh.); jahr|hun|der|te|alt; *aber* zwei, viele Jahrhunderte alt; jahr|hun|der|te|lang; Jahr|hun|dert|fei|er; Jahr|hun|dert|wen|de

...jäh|rig (z. B. vierjährig [vier Jahre dauernd, vier Jahre alt], *mit Ziffer* 4-jährig)

jähr|lich (jedes Jahr wiederkehrend)

...jähr|lich (z. B. alljährlich, vierteljährlich)

Jahr|markt; Jahr|markts|bu|de

Jahr|tau|send, das; -s, -e; Jahr|tau|send|wen|de; Jahr|zehnt, das; -[e]s, -e; jahr|zehn|te|alt; jahr|zehn|te|lang

Jäh|zorn; jäh|zor|nig

Ja|lou|sie, die; -, ...ien ([hölzerner] Fensterschutz, Rollladen)

Jam|mer, der; -s; Jam|mer|lap|pen (*ugs.*); jäm|mer|lich; Jäm|mer|lich|keit; jam|mern; jam|mer|scha|de; jam|mer|voll

Jän|ner, der; -[s] (*österr., seltener auch südd., schweiz. für* Januar)

Ja|nu|ar, der; -[s], -e (*Abk.* Jan.)

jap|sen (*ugs. für* nach Luft schnappen); du japst; Jap|ser

Jar|gon [ʒarˈgõː], der; -s, -s ([saloppe] Sondersprache einer Berufsgruppe od. Gesellschaftsschicht)

Ja|sa|ger; Ja|sa|ge|rin

Jas|min, der; -s, -e (ein Zierstrauch)

Ja|stim|me

jä|ten

Jau|che, die; -, -n; jau|chen; Jau|che[n]-gru|be

jauch|zen; du jauchzt; Jauch|zer

jau|len (klagend winseln, heulen)

Jau|se, die; -, -n (*österr. für* Zwischenmahlzeit)

ja|wohl

Ja|wort *Plur.* ...worte

Jazz [dʒɛs, *auch* jats], der; - (Musikstil, der sich aus der Volksmusik der schwarzen Bevölkerung Amerikas entwickelt hat);

Jazz|band, die; -, -s; jaz|zen [ˈdʒɛsn̩, *auch* ˈjatsn̩]; Jaz|zer, der; -s, - (Jazzmusiker); Jaz|ze|rin; Jazz|fes|ti|val; jaz|zig (*ugs. für* wie Jazz wirkend); Jazz|kel|ler; Jazz|mu|si|ker; Jazz|mu|si|ke|rin

¹je; seit je; je drei

²je; ach je!; je nun (*veraltend für* nun ja)

Jeans [dʒiːns] *Plur. od.* die; -, - ([saloppe] Hose im Stil der Bluejeans)

jeck (*rhein. für* närrisch, verrückt); Jeck, der; -en, -en (*rhein. für* [Fastnachts]narr)

je|den|falls

je|der; jede, jedes; jedes Mal; jeder Beliebige; jeder Einzelne; alles und jedes (alles ohne Ausnahme); das weiß ein jeder; jedem kann geholfen werden

je|der|art; je|der|lei; je|der|mann; je|der|zeit (immer); *aber* zu jeder Zeit

je|doch

Jeep® [dʒiːp], der; -s, -s (kleiner [amerikanischer] Geländekraftwagen)

jeg|li|cher; ein jeglicher; jegliches; jeglichen Geschlechts; jeglicher Angestellte

je|her; von, seit jeher

Je|län|ger|je|lie|ber, das; -s, - (Geißblatt)

je|mals

je|mand; *Gen.* jemand[e]s, *Dat.* jemandem, *auch* jemand, *Akk.* jemanden, *auch* jemand; sonst jemand; *aber* irgendjemand; jemand anders; mit, von jemand anders, *auch* anderem; jemand Fremdes; *aber* ein gewisser Jemand; *vgl.* irgend

je|mi|ne! (*veraltend*)

Jen *vgl.* Yen

je nach|dem; je nachdem[,] ob/wie

je|ner; jene, jenes; ich erinnere mich jenes Tages; da kam jener; jene war es, die ...

jen|sei|tig [*auch* ˈjɛn...]; jen|seits [*auch* ˈjɛn...]; *Präp. mit Gen.:* jenseits des Flusses; jenseits von Gut und Böse; Jen|seits, das; -

¹Jer|sey [ˈdʒœrzi], der; -[s], -s (eine Stoffart)

²Jer|sey [ˈdʒœrzi], das; -s, -s (Trikot des Sportlers)

Je|su|it, der; -en, -en (Mitglied des Jesuitenordens); je|su|i|tisch

Jet [dʒɛt], der; -[s], -s (*ugs. für* Düsenflugzeug); **Jet|lag** […lɛg], der; -s, -s (Beschwerden nach schnellem Überfliegen mehrerer Zeitzonen)

Je|ton [ʒəˈtõː], der; -s, -s (Spielmarke)

Jet|set [dʒɛt…], der; -[s], -s (Gruppe reicher, den Tagesmoden folgender Menschen)

jet|ten [dʒ…] (mit dem Jet fliegen); gejettet

jet|zig; **jetzt**; bis jetzt; von jetzt an; **Jetzt**, das; - (Gegenwart); **Jetzt|zeit**, die; -

je|wei|lig; **je|weils**

jid|disch; **Jid|disch**, das; -[s] (von den Juden in Osteuropa gesprochenes Deutsch)

Jiu-Jit|su [ˈdʒiːuˈdʒɪt͡su], das; -[s] (*älter für* Ju-Jutsu)

Job [dʒɔp], der; -s, -s ([Gelegenheits]arbeit, Stelle); **job|ben** (*ugs. für* einen Job ausüben); gejobbt; **Job|bör|se**; **Job|cen|ter**, **Job-Cen|ter** (Zusammenschluss von Arbeitsagenturen u. Sozialämtern); **Job|sha|ring**, das; -[s] (Aufteilung eines Arbeitsplatzes unter mehrere Personen); **Job|su|che**; **Job|wech|sel**

Joch, das; -[e]s, -e; **Joch|bein**

Jo|ckey, **Jo|ckei** [ˈdʒɔke, ˈdʒɔki, *auch* ˈdʒɔkai, ˈjɔkai], der; -s, -s (Berufsrennreiter[in])

Jod, das; -[e]s (chemisches Element, Nichtmetall; *Zeichen* J, *auch* I)

jo|deln; ich jod[e]le

jod|hal|tig

Jod|ler; **Jod|le|rin**

Jod|tink|tur (*früher* [Wund]desinfektionsmittel)

Jo|ga *vgl.* Yoga

jog|gen [ˈdʒɔ…] (Jogging betreiben); sie joggt, ist/hat gejoggt

Jog|ger; **Jog|ge|rin**

Jog|ging, das; -s (Laufen in mäßigem Tempo [als Fitnesstraining]); **Jog|ging|an|zug**

Jo|ghurt [ˈjoːgʊrt], **Jo|gurt**, der *u.*, *bes. österr. u. schweiz.*, das; -[s], -[s], *bes. ostösterr. auch* die; -, -[s] (säuerliche Dickmilch)

Jo|gi *vgl.* Yogi; **Jo|gin** *vgl.* Yogin

Jo|gurt *vgl.* Joghurt

Jo|han|nis|bee|re; Rote, Schwarze Johannisbeere; **Jo|han|nis|tag** (am 24. Juni)

Jo|han|ni|ter, der; -s, - (Angehöriger des Johanniterordens); **Jo|han|ni|ter|or|den**, der; -s

joh|len

Joint [dʒɔɪnt], der; -s, -s (Haschisch od. Marihuana enthaltende Zigarette)

Joint Ven|ture [ˈdʒɔɪnt ˈvɛntʃə], das; - -[s], - -s (*Wirtsch.* Zusammenschluss von Unternehmen, Gemeinschaftsunternehmen)

Jo-Jo, Yo-Yo [joˈjoː, *auch* ˈjoːjo], das; -s, -s (ein Geschicklichkeitsspiel); **Jo-Jo-Ef|fekt**, Yo-Yo-Ef|fekt (Gewichtsab- *u.* -wiederzunahme bei Diäten)

Jo|ker [*auch* ˈdʒoː…], der; -s, - (eine Spielkarte; zusätzliche Chance in einem Quiz)

Jol|le, die; -, -n (kleines [einmastiges] Boot)

Jon|g|leur [ʒɔŋ(g)ˈløːɐ̯], der; -s, -e (Geschicklichkeitskünstler); **Jon|g|leu|rin**; **jon|g|lie|ren**

Jop|pe, die; -, -n (Jacke)

Jot, das; -, - (Buchstabe)

Jo|ta, Io|ta, das; -[s], -s (griech. Buchstabe: I, ι); kein Jota *od.* Iota (nicht das Geringste)

Joule [dʒuːl], das; -[s], - (*Physik* Maßeinheit für die Energie; *Zeichen* J)

Jour|nail|le [ʒʊrˈnaljə, *auch* …ˈnai̯…, *österr.* …ˈnai̯jə], die; - (gewissenlos u. hetzerisch arbeitende Tagespresse)

Jour|nal [ʒʊr…], das; -s, -e (Tagebuch in der Buchhaltung; [Mode]zeitschrift; *veraltet für* Zeitung)

Jour|na|lis|mus, der; - (Berichterstattung in den Massenmedien; Pressewesen); **Jour|na|list**, der; -en, -en (jmd., der beruflich für die Presse, den Rundfunk, das Fernsehen schreibt, publizistisch tätig ist); **Jour|na|lis|tin**; **jour|na|lis|tisch**

jo|vi|al [*österr. u. schweiz. meist* ʒo…] (leutselig, gönnerhaft); **Jo|vi|a|li|tät**, die; -

Joy|stick [ˈdʒɔ͡ɪstɪk], der; -s, -s (Steuerhebel für Computer[spiele])

Ju|bel, der; -s; **Ju|bel|fei|er**; **Ju|bel|jahr**;

alle Jubeljahre (*ugs. für* ganz selten); **ju|beln**; **Ju|bi|lar**, der; -s, -e; **Ju|bi|la|rin**

Ju|bi|lä|um, das; -s, ...äen; **Ju|bi|lä|ums|aus|ga|be**; **Ju|bi|lä|ums|fei|er**; **Ju|bi|lä|ums|jahr**

ju|bi|lie|ren (*geh. für* jubeln; *auch* ein Jubiläum feiern)

juch|he!; **juch|hei|sa!**; **juch|hei|ßa!**

Juchten, der *od.* das; -s (feines, wasserdichtes Leder); **Juch|ten|le|der**

juch|zen (jauchzen); **Juch|zer**

ju|cken; es juckt mich [am Arm]; die Hand juckt mir, *auch* mich; es juckt mir, *auch* mich in den Fingern (*ugs. für* es drängt mich), ...; **Juck|reiz**

Ju|de, der; -n, -n; **Ju|den|tum**, das; -s; **Jü|din**; **jü|disch**

Ju|do [*österr. meist* dʒ...], das; -[s] (sportliche Ausübung des Ju-Jutsu); **Ju|do|ka**, der; -[s], -[s] *u.* die; -, -[s] (Judosportler[in])

Ju|gend, die; -; **Ju|gend|amt**; **Ju|gend|ar|beit**; **Ju|gend|ar|beits|lo|sig|keit**; **Ju|gend|buch**; **ju|gend|frei** (Prädikat für Filme); **Ju|gend|freund**; **Ju|gend|freun|din**; **ju|gend|ge|fähr|dend**; **Ju|gend|grup|pe**; **Ju|gend|her|ber|ge**; **Ju|gend|kri|mi|na|li|tät**, die; -

ju|gend|lich; **Ju|gend|li|che**, der *u.* die; -n, -n; **Ju|gend|lich|keit**, die; -

Ju|gend|li|te|ra|tur; **Ju|gend|or|ga|ni|sa|ti|on**; **Ju|gend|rich|ter**; **Ju|gend|rich|te|rin**; **Ju|gend|schutz**, der; -es; **Ju|gend|stil**, der; -[e]s; **Ju|gend|stra|fe** (*Rechtsspr.*); **Ju|gend|sün|de**; **Ju|gend|the|a|ter**; **Ju|gend|zeit**; **Ju|gend|zen|t|rum**

Juice [dʒu:s], der *od.* das; -, -s (Obst- od. Gemüsesaft)

Ju-Jut|su, das; -[s] (Technik der Selbstverteidigung ohne Waffen)

Juke|box ['dʒu:k...], die; - Plur. -es *u.* -en (*svw.* Musikbox)

Ju|li, der; -[s], -s

Jum|bo, der; -s, -s (*kurz für* Jumbojet); **Jum|bo|jet**, **Jum|bo-Jet** (Großraumflugzeug)

jum|pen ['dʒa...] (springen); gejumpt

Jum|per ['dʒa..., *bes. südd., österr.* 'dʒe...],

der; -s, - (blusen- od. pulloverähnliches Kleidungsstück)

jung; der jüngste meiner Söhne; von jung auf; Jung und Alt (jedermann); Junge und Alte; meine Jüngste; er ist nicht mehr der Jüngste; ein Fest für jung gebliebene *od.* junggebliebene Menschen; **Jung|brun|nen**

¹**Jun|ge**, der; -n, *Plur.* -n, *ugs. auch* Jungs *u.* -ns

²**Jun|ge**, das; -n, -n

jun|gen|haft; **Jun|gen|haf|tig|keit**, die; -; **Jun|gen|schu|le**

Jün|ger, der; -s, -; **Jün|ge|rin**

Jung|fer, die; -, -n (*veraltet*); **jüng|fer|lich**; **Jung|fern|fahrt** (erste Fahrt [eines Schiffes]); **Jung|fern|häut|chen**

Jung|frau; **jung|fräu|lich**; **Jung|fräu|lich|keit**, die; -

Jung|ge|sel|le; **Jung|ge|sel|len|ab|schied**; **Jung|ge|sel|lin**

Jung|leh|rer; **Jung|leh|re|rin**

Jüng|ling

Jung|so|zi|a|list (Angehöriger einer Nachwuchsorganisation der SPD; *Kurzw.* Juso); **Jung|so|zi|a|lis|tin**

jüngs|te; das Jüngste Gericht, der Jüngste Tag

Jung|tier; **Jung|un|ter|neh|mer**; **Jung|un|ter|neh|me|rin**; **Jung|ver|hei|ra|te|te**; **Jung|vo|gel**; **Jung|wäh|ler**; **Jung|wäh|le|rin**

Ju|ni, der; -[s], -s (Brachmonat); **Ju|ni|kä|fer**

ju|ni|or (hinter Namen der Jüngere; *Abk.* jr. *u.* jun.); Karl Meyer junior; **Ju|ni|or**, der; -s, ...oren (Sohn [im Verhältnis zum Vater]; *Mode* Jugendlicher; *Sport* Sportler zwischen 18 u. 23 Jahren); **Ju|ni|or|chef**; **Ju|ni|or|che|fin**; **Ju|ni|o|ren|meis|ter|schaft** (*Sport*); **Ju|ni|o|rin**; **Ju|ni|or|part|ner**; **Ju|ni|or|part|ne|rin**

Jun|ker, der; -s, -,

Junk|food, **Junk-Food** ['dʒaŋkfu:t], das; -[s] (minderwertige Nahrung)

Jun|kie ['dʒaŋki], der; -s, -s (*Jargon* Drogenabhängige[r])

Junk|tim, das; -s, -s (Verbindung mehrerer

[parlamentarischer] Anträge zur gleichzeitigen Erledigung)

Ju|no, der; -[s], -s (*verdeutlichende Sprechform von* Juni)

Jun|ta [x…, *auch* j…], die; -, …ten (Regierungsausschuss, bes. in Südamerika; *kurz für* Militärjunta)

Ju|ra (*Plur. von* ¹Jus); **Ju|rist,** der; -en, -en (Rechtskundiger); **Ju|ris|ten|deutsch; Ju|ris|te|rei,** die; - (*scherzh. für* Rechtswissenschaft, Rechtsprechung); **Ju|ris|tin; ju|ris|tisch**

Ju|ror, der; -s, …oren (Mitglied einer Jury); **Ju|ro|rin; Ju|ry** [ʒy'riː, *auch* 'ʒy:…], die; -, -s (Preis- bzw. Kampfgericht)

¹Jus [*österr.* jʊs], das; - (*österr., schweiz., sonst veraltend für* Recht, Rechtswissenschaft); Jus studieren

²Jus [ʒy:], die; -, *südd. auch* das; -, *schweiz. meist* der; - (konzentrierter, eingedickter Fleischsaft; Bratensaft; *schweiz. auch für* Fruchtsaft)

Ju|so, der; -s, -s *u.* die; -, -s (*Kurzw. für* Jungsozialist[in])

just (*veraltend für* eben, gerade; recht)

jus|tie|ren (genau einstellen, ausrichten); **Jus|ti|ti|ar** usw. *vgl.* Justiziar usw.

Jus|tiz, die; - (Gerechtigkeit; Rechtspflege); **Jus|tiz|be|am|te; Jus|tiz|be|am|tin; Jus|tiz|be|hör|de; Jus|ti|zi|ar,** Jus|ti|ti|ar, der; -s, -e (Rechtsbeistand, Syndikus); **Jus|ti|zi|a|rin,** Jus|ti|ti|a|rin

Jus|tiz|irr|tum; Jus|tiz|mi|nis|ter; Jus|tiz|mi|nis|te|rin; Jus|tiz|mi|nis|te|ri|um; Jus|tiz|voll|zugs|an|stalt (*Abk.* JVA)

Ju|te, die; - (eine Faserpflanze; deren Faser)

¹Ju|wel das, *auch* der; -s, -en *meist Plur.* (Edelstein; Schmuckstück)

²Ju|wel, das; -s, -e (Person od. Sache, die von jmdm. besonders geschätzt wird)

Ju|we|lier, der; -s, -e (Schmuckhändler; Goldschmied); **Ju|we|lier|ge|schäft; Ju|we|lie|rin**

Jux der; -es, -e *Plur. selten* (*ugs. für* Scherz, Spaß); aus lauter Jux und Tollerei (aus Übermut); **ju|xen** (*ugs.*)

K k

K (Buchstabe); das K; des K, die K, *aber* das k in Haken; der Buchstabe K, k

Ka|a|ba, die; - (Hauptheiligtum des Islams in Mekka)

Ka|ba|le, die; -, -n (*veraltet für* Intrige, Ränke)

Ka|ba|rett [*auch* 'ka…], das; -s, *Plur.* -s *u.* -e, *auch* [*österr. nur so*] das; -s, -s, *bes. österr.* Ca|ba|ret […'re:, *auch* 'kabare] (Kleinkunst[bühne); Speiseplatte mit Fächern); **Ka|ba|ret|tist,** der; -en, -en (Künstler an einer Kleinkunstbühne); **Ka|ba|ret|tis|tin; ka|ba|ret|tis|tisch**

Kab|be|lei (*bes. nordd. für* Zankerei, Streit); **kab|beln**

Ka|bel, das; -s, -; **Ka|bel|an|schluss; Ka|bel|fern|se|hen**

Ka|bel|jau, der; -s, *Plur.* -e *u.* -s (ein Fisch)

ka|bel|los; kabellose Telefone; **Ka|bel|netz**

Ka|bi|ne, die; -, -n

Ka|bi|nett, das; -s, -e (Gesamtheit der Minister); **Ka|bi|netts|be|schluss; Ka|bi|netts|bil|dung; Ka|bi|netts|mit|glied; Ka|bi|netts|sit|zung**

Ka|b|ri|o|lett [*auch, österr. nur* …'le:], das; -s, -s (*veraltet für* leichter, zweirädriger Einspänner)

Ka|chel, die; -, -n; **ka|cheln; Ka|chel|ofen**

Ka|cke, die; - (*derb für* Kot); **ka|cken** (*derb*)

Ka|da|ver, der; -s, - (toter [Tier]körper; Aas)

Ka|der, der, *schweiz.* das; -s, - (Stamm von Führungskräften in Wirtschaft, Staat u. Ä.)

Ka|dett, der; -en, -en (*früher für* Zögling einer militärischen Erziehungsanstalt); **Ka|det|ten|schu|le**

Ka|di, der; -s, -s (*ugs. für* Richter)

Kad|mi|um, *chem. fachspr.* Cad|mi|um, das; -s (chemisches Element; *Zeichen* Cd)

Kä|fer, der; -s, - (*ugs. auch für* Volkswagen)

Kaff, das; -s, *Plur.* -s, -e *u.* Käffer (*ugs. für* Dorf, langweilige Ortschaft)

Kaf|fee [*auch, österr. nur,* …'fe:], der; -s, -s (Kaffeestrauch, Kaffeebohnen; Getränk); 3 [Tassen] Kaffee; **Kaf|fee|boh|ne; Kaf|fee-Ern|te**, Kaf|fee|ern|te; Kaf|fee|kan|ne; Kaf|fee|kränz|chen; Kaf|fee|ma|schi|ne; Kaf|fee|müh|le; Kaf|fee|satz; Kaf|fee|ser|vice; Kaf|fee|tas|se

Kä|fig, der; -s, -e; **Kä|fig|hal|tung**

kahl; kahl sein, werden; den Kopf kahl scheren *od.* kahlscheren; einen Wald kahl schlagen *od.* kahlschlagen; **kahl fres|sen, kahl|fres|sen; Kahl|kopf; kahl|köp|fig; kahl sche|ren,** kahl|sche|ren *vgl.* kahl; **Kahl|schlag** (abgeholztes Waldstück); **kahl schla|gen,** kahl|schla|gen

Kahn, der; -[e]s, Kähne; **Kahn|fahrt**

Kai, der *od.* das; -s, -s (befestigter Hafenufer); **Kai|mau|er**

Kai|ser, der; -s, -; **Kai|se|rin;** kai|ser|lich; **Kai|ser|reich**

Kai|ser|schmar|ren (*österr., auch südd. für* in kleine Stücke gerissener Eierkuchen)

Kai|ser|schnitt (Entbindung durch Bauchschnitt)

Kai|ser|tum, das; -s, …tümer

Ka|jak, das, *auch* der; -s, -s (einsitziges Boot der Eskimos; Sportpaddelboot)

Ka|jal, das; -[s] (Kosmetikfarbe zum Umranden der Augen); **Ka|jal|stift**

Ka|jü|te, die; -, -n (Wohn-, Aufenthaltsraum auf Schiffen)

Ka|ka|du [*österr.* …'du:], der; -s, -s (ein Papagei)

Ka|kao […'kau, *auch* …'ka:o], der; -s, *Plur.* (*Sorten:*) -s (eine tropische Frucht; ein Getränk); **Ka|kao|boh|ne; Ka|kao|pul|ver**

Ka|ker|lak, der; *Gen.* -s *u.* -en, *Plur.* -en, **Ka|ker|la|ke,** die; -, -n (Küchenschabe)

Ka|ki, Kha|ki, der; -[s] (ein gelbbrauner Stoff); **ka|ki|far|ben,** kha|ki|far|ben

Kak|tee, die; -, -n (*svw.* Kaktus); **Kak|tus,** der; *Gen.* -, *ugs. auch* -ses, *Plur.* …teen, *ugs. auch* -se (eine [sub]tropische Pflanze)

Ka|la|mi|tät, die; -, -en (missliche Lage)

Ka|lasch|ni|kow, die; -, -s (eine Schusswaffe)

Ka|lau|er, der; -s, - (nicht sehr geistreicher [Wort]witz)

Kalb, das; -[e]s, Kälber; **kal|ben** (ein Kalb werfen); **Kalb|fleisch; Kalbs|bra|ten; Kalbs|brust; Kalbs|schnit|zel**

Ka|lei|do|s|kop, das; -s, -e (optisches Spielzeug; lebendig-bunte [Bilder]folge)

ka|len|da|risch (nach dem Kalender); **Ka|len|da|ri|um,** das; -s, …ien (Kalender; Verzeichnis kirchlicher Fest- u. Gedenktage); **Ka|len|der,** der; -s, -; **Ka|len|der|blatt; Ka|len|der|jahr; Ka|len|der|wo|che**

Ka|li, das; -s (Kalisalze, Kalidünger)

Ka|li|ber, das; -s, - (lichte Weite von Rohren; innerer Durchmesser; *ugs. übertr. für* Art)

Ka|lif, der; -en, -en (ehemaliger Titel orientalischer Herrscher)

Ka|li|um, das; -s (chemisches Element, Metall; *Zeichen* K)

Kalk, der; -[e]s, *Plur.* (*Sorten:*) -e; **Kalk|bo|den;** kalk|hal|tig; kalk|kig; **Kalk|man|gel,** der; -s; **Kalk|stein**

Kal|kül, das, *auch* der; -s, -e (Berechnung, Schätzung); **Kal|ku|la|ti|on,** die; -, -en ([Kosten]voranschlag); **kal|ku|lier|bar; kal|ku|lie|ren** ([be]rechnen)

Kal|la *vgl.* Calla

Kal|li|gra|fie, Kal|li|gra|phie, die; -, …ien (Schönschreibkunst)

Ka|lo|rie, die; -, …ien (Maßeinheit für den Energiewert von Lebensmitteln; *Zeichen* cal); **ka|lo|ri|en|arm; ka|lo|ri|en|re|du|ziert**

kalt; kalte *od.* Kalte Ente (ein Getränk); ein kalter (nicht mit Waffen geführter) Krieg, aber der Kalte Krieg (als historische Epoche); etwas Kaltes (ein kaltes Getränk) zu sich nehmen; kalt bleiben; den Pudding kalt stellen *od.* kaltstellen; *vgl. aber* kaltstellen; den Kühlschrank kälter stellen

Kalt|blü|ter (*Zool.*); **kalt|blü|tig; Kalt|blü|tig|keit,** die; -

Käl|te, die; -; **Käl|te|ein|bruch; käl|te|emp|find|lich; Käl|te|wel|le**

Kalt|front (*Meteorol.*); **kalt|her|zig; kalt|las|sen** (*ugs. für* nicht berühren); seine

Vorwürfe haben mich [völlig] kaltgelassen;
Kalt|luft (Meteorol.); kalt|ma|chen (ugs.
für ermorden); er hat ihn kaltgemacht;
Kalt|scha|le (kalte süße Suppe); kalt|-
schnäu|zig (ugs.); Kalt|schnäu|zig|keit,
die; - (ugs.); kalt|stel|len (ugs. für [poli-
tisch] einflusslos machen); vgl. aber kalt
Kal|zi|um, das; -s, chem. fachspr. Cal|ci|um
(chemisches Element, Metall; Zeichen Ca)
Ka|mel, das; -[e]s, -e; Ka|mel|haar|man|tel
Ka|mel|lie, die; -, -n (eine Zierpflanze)
Ka|mel|len Plur.; olle Kamellen (ugs. für Alt-
bekanntes)
Ka|me|ra, die; -, -s
Ka|me|rad, der; -en, -en; Ka|me|ra|de|rie,
die; - (meist abwertend für Kamerad-
schaft); Ka|me|ra|din; Ka|me|rad|schaft;
ka|me|rad|schaft|lich
Ka|me|ra|ein|stel|lung; Ka|me|ra|leu|te
Plur.; Ka|me|ra|mann Plur. ...männer u.
...leute; Ka|me|ra|re|kor|der, Ka|me|ra-
re|cor|der; Ka|me|ra|team
Ka|mil|le, die; -, -n (eine Heilpflanze)
Ka|min, der, schweiz. meist das; -s, -e
(offene Feuerstelle mit Rauchabzug); Ka-
min|fe|ger (landsch., schweiz.); Ka|min-
fe|ge|rin; Ka|min|feu|er
Kamm, der; -[e]s, Kämme; käm|men
Käm|mer|er; Käm|me|rin
Kam|mer|jä|ger; Kam|mer|jä|ge|rin; Kam-
mer|mu|sik; Kam|mer|or|ches|ter; Kam-
mer|sän|ger; Kam|mer|sän|ge|rin; Kam-
mer|spiel (in einem kleinen Theater aufge-
führtes Stück mit wenigen Rollen)
Kam|pa|gne, Cam|pa|gne [...'panjə], die;
-, -n (polit. Aktion; Wirtsch. Hauptbetriebs-
zeit; veraltet für militär. Feldzug)
Kam|pa|ni|le, der; -[s], -[s] (frei stehender
Glockenturm [in Italien])
Kampf, der; -[e]s, Kämpfe; Kampf|ab|stim-
mung; Kampf|an|sa|ge; kampf|be|reit
kämp|fen
Kampf|er, der; -s (harzartige Masse)
Kämp|fer (Kämpfender); Kämp|fe|rin;
kämp|fe|risch; Kämp|fer|na|tur

kampf|fä|hig; Kampf|flug|zeug; Kampf-
geist, der; -[e]s; Kampf|hand|lung;
Kampf|hund; Kampf|jet; Kampf|kraft;
kampf|los; Kampf|rich|ter; Kampf|rich-
te|rin; Kampf|stoff; kampf|un|fä|hig
kam|pie|ren ([im Freien] lagern)
Ka|na|di|er (Bewohner von Kanada; auch
offenes Sportboot); Ka|na|di|e|rin
Ka|nal, der; -s, ...näle (Sing. auch für Ärmel-
kanal); Ka|na|li|sa|ti|on, die; -, -en
(Anlage zur Ableitung der Abwässer); ka-
na|li|sie|ren (eine Kanalisation bauen;
übertr. für lenken); Ka|na|li|sie|rung
Ka|na|ri|en|vo|gel
Kan|da|re, die; -, -n (Gebissstange des Pfer-
des); jmdn. an die Kandare nehmen (streng
behandeln)
Kan|de|la|ber, der; -s, - (Ständer für Kerzen
od. Lampen)
Kan|di|dat, der; -en, -en (in der Prüfung Ste-
hender; [Amts]bewerber, Anwärter; Abk.
cand.); Kan|di|da|ten|lis|te; Kan|di|da-
tin; Kan|di|da|tur, die; -, -en (Bewerbung
[um ein Amt o. Ä.]); kan|di|die|ren (sich
[um ein Amt o. Ä.] bewerben)
kan|die|ren (mit Zuckerlösung überziehen)
Kan|dis, der; - (an Fäden auskristallisierter
Zucker); Kan|dis|zu|cker
Kän|gu|ru, das; -s, -s (ein Beuteltier)
Ka|nin|chen
Ka|nis|ter, der; -s, -
Kann|be|stim|mung, Kann-Be|stim|mung
Kan|ne, die; -, -n; kan|nen|wei|se
Kan|ni|ba|le, der; -n, -n (Menschenfresser);
Kan|ni|ba|lin; kan|ni|ba|lisch; Kan|ni|ba-
lis|mus, der; - (Menschenfresserei; Zool.
das Auffressen von Artgenossen)
Ka|non, der; -s, -s (Richtschnur; Regel;
mehrstimmiges Lied)
Ka|no|na|de, die; -, -n (Geschützfeuer); Ka-
no|ne, die; -, -n (Geschütz; ugs. für Pis-
tole, Revolver; Könner); Ka|no|nen|ku|gel;
Ka|no|nen|schuss
Ka|no|nier, der; -s, -e (Soldat, der ein
Geschütz bedient); Ka|no|nie|rin
Kan|ta|te, die; -, -n (mehrteiliges, von

Instrumenten begleitetes Gesangsstück für eine Solostimme od. Solo- u. Chorstimmen)
Kan|te, die; -, -n; etw. auf die hohe Kante legen (sparen); kan|ten (rechtwinklig behauen; auf die Kante stellen); Kant|holz; kan|tig
Kan|ti|ne, die; -, -n (Speisesaal in Betrieben, Kasernen o. Ä.); Kan|ti|nen|es|sen
Kan|ton, der; -s, -e (Bundesland der Schweiz [*Abk.* Kt.]; Bezirk, Kreis in Frankreich u. Belgien); kan|to|nal (den Kanton betreffend); Kan|tons|ge|richt; Kan|tons|po|li|zei; Kan|tons|rat *Plur.* ...räte; Kan|tons|re|gie|rung; Kan|tons|schu|le (kantonale höhere Schule); Kan|tons|spi|tal
Kan|tor, der; -s, ...oren (Leiter des Kirchenchores, Organist); Kan|to|rei (ev. Kirchenchor); Kan|to|rin
Ka|nu [*österr.* ...'nu:], das; -s, -s (leichtes Boot der Indianer; Einbaum; *zusammenfassende Bez. für* Kajak u. Kanadier)
Ka|nü|le, die; -, -n (Röhrchen; Hohlnadel)
Ka|nu|te, der; -n, -n (*Sport* Kanufahrer); Ka|nu|tin
Kan|zel, die; -, -n
Kanz|lei (Büro eines Anwalts od. einer Behörde); Kanz|lei|spra|che
Kanz|ler; Kanz|ler|amt; Kanz|le|rin; Kanz|ler|kan|di|dat; Kanz|ler|kan|di|da|tin; Kanz|ler|kan|di|da|tur; Kanz|ler|schaft, die; -
Kap, das; -s, -s (Vorgebirge)
Ka|pa|zi|tät, die; -, -en (Aufnahmefähigkeit, Fassungsvermögen; hervorragender Fachmann); Ka|pa|zi|täts|aus|las|tung
Ka|pel|le, die; -, -n (kleiner kirchl. Raum; Orchester); Ka|pell|meis|ter; Ka|pell|meis|te|rin
Ka|per die; -, -n *meist Plur.* ([eingelegte] Blütenknospe des Kapernstrauches)
ka|pern, Ka|pe|rung
ka|pie|ren (*ugs. für* verstehen)
ka|pi|tal (sehr groß); ein kapitaler Hirsch
Ka|pi|tal, das; -s, *Plur.* -e u., *österr. nur,* -ien (Vermögen; Geldsumme); Ka|pi|tal|an|la|ge; Ka|pi|tal|er|trag; Ka|pi|tal|flucht,

die; -; ka|pi|tal|ge|deckt; kapitalgedeckte Rente; ka|pi|ta|li|sie|ren (in eine Geldsumme umwandeln); Ka|pi|ta|li|sie|rung; Ka|pi|ta|lis|mus, der; - (Wirtschafts- u. Gesellschaftsordnung, deren treibende Kraft das Gewinnstreben Einzelner ist); Ka|pi|ta|list, der; -en, -en (*oft abwertend für* Vertreter des Kapitalismus); Ka|pi|ta|lis|tin; ka|pi|ta|lis|tisch; ka|pi|tal|kräf|tig; Ka|pi|tal|ver|bre|chen (schweres Verbrechen); Ka|pi|tal|zins *Plur.* ...zinsen
Ka|pi|tän, der; -s, -e; Ka|pi|tä|nin; Ka|pi|täns|pa|tent
Ka|pi|tel, das; -s, - ([Haupt]stück, Abschnitt [*Abk.* Kap.]; geistl. Körperschaft)
Ka|pi|tell, das; -s, -e (*Archit.* oberer Säulen-, Pfeilerabschluss)
Ka|pi|tel|über|schrift
Ka|pi|tu|la|ti|on, die; -, -en (Übergabe [einer Truppe od. einer Festung], Aufgabe); ka|pi|tu|lie|ren (sich ergeben)
Ka|p|lan, der; -s, ...pläne (kath. Hilfsgeistlicher)
Kap|pa, das; -[s], -s (griech. Buchstabe: K, κ); Kap|pe, die; -, -n
kap|pen (abschneiden; abhauen)
Kap|pen|abend (eine Faschingsveranstaltung)
Käp|pi, das; -s, -s (kleine, längliche Mütze)
Ka|p|ri|o|le, die; -, -n (Streich; Luftsprung)
ka|p|ri|zi|ös (launenhaft, eigenwillig)
Kap|sel, die; -, -n
ka|putt; kaputt sein; ka|putt|ge|hen; kaputtgegangen; ka|putt|la|chen, sich; wir haben uns kaputtgelacht; **ka|putt ma|chen**, ka|putt|ma|chen; **ka|putt schla|gen**, ka|putt|schla|gen
Ka|pu|ze, die; -, -n (an einen Mantel od. eine Jacke angearbeitete Kopfbedeckung)
Ka|pu|zi|ner, der; -s, - (Angehöriger eines kath. Ordens; *österr. auch für* Kaffee mit wenig Milch); Ka|pu|zi|ne|rin; Ka|pu|zi|ner|kres|se; Ka|pu|zi|ner|or|den, der; -s
Kar, das; -[e]s, -e (Mulde [an vergletscherten Hängen])
Ka|ra|bi|ner, der; -s, - (ein kurzes Gewehr)

K

Ka|ra|bi|ner|ha|ken (federnder Verschluss-
haken)

Ka|ra|bi|ni|e|re vgl. Carabiniere

Ka|ra|cho [...xo], das; -s (ugs. für große
Geschwindigkeit, Tempo); mit Karacho

Ka|raf|fe, die; -, -n ([geschliffene] bauchige
Glasflasche [mit Glasstöpsel])

Ka|ram|bo|la|ge [...ʒə], die; -, -n (ugs. für
Zusammenstoß; Billard Treffer [durch
Karambolieren]); **ka|ram|bo|lie|ren** (ugs.
für zusammenstoßen; Billard mit dem
Spielball die beiden anderen Bälle treffen)

Ka|ra|mell, der, schweiz. auch das; -s
(gebrannter Zucker); **Ka|ra|mell|bon|bon;**
Ka|ra|mel|le die; -, -n meist Plur. (Bonbon
mit Zusatz aus Milch[produkten]); **ka|ra-**
mel|li|sie|ren (Zucker[lösungen]) trocken
erhitzen); **Ka|ra|mell|pud|ding**

Ka|ra|o|ke, das; -[s] (Veranstaltung, bei der
Laien zur Instrumentalmusik [eines Schla-
gers] den Text singen)

Ka|rat, das; -[e]s, -e (Gewichtseinheit von
Edelsteinen; Maß der Feinheit einer Goldle-
gierung); 24 Karat

Ka|ra|te, das; -[s] (sportliche Methode der
waffenlosen Selbstverteidigung); **Ka|ra|te-**
kämp|fer; Ka|ra|te|kämp|fe|rin

...ka|rä|tig (z. B. zehnkarätig; mit Ziffern
10-karätig)

Ka|ra|wa|ne, die; -, -n (durch Wüsten u. Ä.
ziehende Gruppe von Reisenden); **Ka|ra-**
wan|se|rei (Unterkunft für Karawanen)

Kar|bon, das; -s (Geol. Steinkohlenforma-
tion); **Kar|bo|nat**, Car|bo|nat, das; -[e]s, -e
(Salz der Kohlensäure)

Kar|da|mom, der od. das; -s, -e[n] (ein
scharfes Gewürz)

Kar|di|nal, der; -s, ...näle (Titel der höchsten
katholischen Würdenträger nach dem
Papst); **Kar|di|nal|feh|ler; Kar|di|nal|fra-**
ge; Kar|di|nal|pro|b|lem; Kar|di|nals|kol-
le|gi|um; Kar|di|nal|tu|gend; Kar|di|nal-
zahl (Grundzahl, z. B. eins, zwei)

Kar|dio|lo|ge, der; -n, -n (Med. Facharzt für
Kardiologie); **Kar|dio|lo|gin**

Ka|renz, die; -, -en (Wartezeit, Sperrfrist;

Verzicht; österr. auch für unbezahlter
Urlaub, Elternzeit); **Ka|renz|zeit**

Kar|frei|tag (Freitag vor Ostern)

Kar|fun|kel, der; -s, - (volkstüml. für roter
Granat)

karg; kar|ger (auch kär|ger), kargs|te (auch
kärgs|te); **Karg|heit**, die; -; **kärg|lich**

Kar|go vgl. Cargo

ka|riert (gewürfelt, gekästelt); rot karierter
od. rotkarierter Stoff

Ka|ri|es, die; - (Med. Zerstörung der harten
Zahnsubstanz bzw. von Knochengewebe)

Ka|ri|ka|tur, die; -, -en (Zerr-, Spottbild, kri-
tische od. satirische Darstellung); **Ka|ri|ka-**
tu|rist, der; -en, -en; **ka|ri|ka|tu|ris|tin;**
ka|ri|ka|tu|ris|tisch; ka|ri|kie|ren

Ka|ri|tas, die; - (Nächstenliebe; Wohltätig-
keit); vgl. Caritas; **ka|ri|ta|tiv** (wohltätig)

Kar|me|sin (svw. Karmin); **kar|me|sin|rot**
(svw. karminrot)

Kar|min, das; -s (ein roter Farbstoff); **kar-**
min|rot

Kar|ne|val, der; -s, Plur. -e u. -s (Fast-
nacht[szeit], Fasching); **Kar|ne|va|list**, der;
-en, -en; **Kar|ne|va|lis|tin; kar|ne|va|lis-**
tisch; Kar|ne|vals|ge|sell|schaft; Kar|ne-
vals|zug

Kar|ni|ckel, das; -s, - (landsch. für Kanin-
chen)

Ka|ro, das; -s, -s (auf der Spitze stehendes
Viereck)

Ka|ros|se, die; -, -n (Prunkwagen; kurz für
Staatskarosse; ugs. für Karosserie); **Ka-**
ros|se|rie, die; -, ...ien (Wagenoberbau,
-aufbau [von Kraftfahrzeugen])

Ka|ro|tin, fachspr. Ca|ro|tin, das; -s, -e (ein
gelbroter Farbstoff in Pflanzenzellen)

Ka|rot|te, die; -, -n (eine Mohrrübenart)

Karp|fen, der; -s, - (ein Fisch)

Kar|re, die; -, -n, auch u. österr. nur Kar|ren,
der; -s, -

Kar|ree, das; -s, -s (Viereck; bes. österr. für
Rippenstück)

kar|ren (mit einer Karre befördern); **Kar|ren**
vgl. Karre

Kar|ri|e|re, die; -, -n ([erfolgreiche] Laufbahn); **Kar|ri|e|re|frau** *(auch abwertend)*; **Kar|ri|e|re|lei|ter**, die; die Karriereleiter erklimmen; **Kar|ri|e|rist**, der; -en, -en *(abwertend)*; **Kar|ri|e|ris|tin**

Karst, der; -[e]s, -e (*Geol.* durch Wasser ausgelaugte, meist kahle Gebirgslandschaft aus Kalkstein od. Gips); **kars|tig**

Kar|täu|ser (Angehöriger eines kath. Einsiedlerordens; ein Kräuterlikör)

Kärt|chen; Kar|te, die; -, -n; die Gelbe od. gelbe Karte, die Rote od. rote Karte *(Sport)*; Karten spielen

Kar|tei (Zettelkasten); **Kar|tei|kar|te**

Kar|tell, das; -s, -e (Interessenvereinigung in der Industrie); **Kar|tell|amt; Kar|tellrecht; kar|tell|recht|lich**

Kar|ten|le|ge|rin; Kar|ten|spiel; Kar|tente|le|fon; Kar|ten|[vor]|ver|kauf

Kar|tof|fel, die; -, -n; **Kar|töf|fel|chen; Kartof|fel|pü|ree; Kar|tof|fel|sa|lat**

Kar|to|graf, **Kar|to|graph**, der; -en, -en (Landkartenzeichner; wissenschaftl. Bearbeiter einer Karte); **Kar|to|gra|fin**, **Karto|gra|phin; kar|to|gra|fisch**, **kar|togra|phisch**

Kar|ton […'tõ:, *auch, bes. südd., österr.* …'to:n], der; -s, *Plur.* -s, *seltener* -e […'to:nə] *(auch Kunstwiss.* Vorzeichnung zu einem [Wand]gemälde); 5 Karton[s] Seife; **Kar|to|na|ge** […ʒə], die; -, -n (Pappverpackung; Einbandart); **kar|toniert** *(Abk.* kart.)

Kar|tu|sche, die; -, -n (Behälter für Toner u. Ä.)

Ka|rus|sell, das; -s, *Plur.* -s u. -e

Kar|wo|che (Woche vor Ostern)

Kar|zer, der; -s, - *(früher für* [Hoch]schulgefängnis; *nur Sing.:* verschärfter Arrest)

Kar|zi|nom, das; -s, -e (Krebs[geschwulst]; *Abk.* Ca. *[für* Carcinoma])

Ka|salt|schok, das; -s, -s (russ. Volkstanz)

Ka|schem|me, die; -, -n (Lokal mit schlechtem Ruf)

ka|schie|ren (verdecken, verbergen)

Kasch|mir, der; -s, -e (ein Gewebe)

Kä|se, der; -s, -; **Kä|se|blatt** *(ugs. abwer*tend *für* niveaulose [Provinz]zeitung); **Käse|glo|cke**

Kä|se|rei ([Betrieb für] Käseherstellung)

Ka|ser|ne, die; -, -n; **Ka|ser|nen|hof**

Ka|si|no, das; -s, -s (Speiseraum [für Offiziere]; *kurz für* Spielkasino)

Kas|ka|de, die; -, -n ([künstlicher] stufenförmiger Wasserfall; *Artistik* Sturzsprung)

kas|ko|ver|si|chert; das Auto ist kaskoversichert; **Kas|ko|ver|si|che|rung** (Versicherung gegen Schäden an Fahrzeugen)

Kas|per, der; -s, - *(auch ugs. für* alberner Kerl); **Kas|per|le**, das od. der; -s, -; **Kasper|le|the|a|ter; kas|pern** *(ugs. für* sich wie ein Kasper benehmen)

Kas|san|d|ra|ruf (Unheil verheißende Warnung)

Kas|se, die; -, -n (Geldkasten, -vorrat; Zahlraum, -schalter; Bargeld); **Kas|sen|arzt; Kas|sen|ärz|tin; kas|sen|ärzt|lich; Kassen|bon; Kas|sen|pa|ti|ent; Kas|sen|pati|en|tin; Kas|sen|schla|ger; Kas|sensturz** (Feststellung des Kassenbestandes); **Kas|sen|wart; Kas|sen|war|tin**

Kas|se|rol|le, die; -, -n (Schmortopf)

Kas|set|te, die; -, -n (Kästchen; Behälter; Kunststoffgehäuse mit abspulbarem Magnetband; *Archit.* vertieftes Feld); **Kas|setten|re|kor|der**, **Kas|set|ten|re|cor|der**

Kas|si|ber, der; -s, - *(Gaunerspr.* heimliches Schreiben zwischen Gefangenen)

kas|sie|ren (Geld einnehmen; *ugs. für* wegnehmen; verhaften); **Kas|sie|rer; Kas|siere|rin**

Kas|ta|g|net|te […ta'njɛ…] die; -, -n *meist Plur.* (kleines Rhythmusinstrument aus zwei Holzschälchen, die mit einer Hand aneinandergeschlagen werden)

Kas|ta|nie, die; -, -n (ein Baum, dessen Frucht); **kas|ta|ni|en|braun**

Käst|chen

Kas|te, die; -, -n (Gruppe in der hinduist. Gesellschaftsordnung; sich streng abschließende Gesellschaftsschicht)

kas|tei|en, sich (sich Bußübungen, Entbehrungen auferlegen); **Kas|tei|ung**

Kas|tẹll, das; -s, -e (fester Platz, Burg, Schloss [bes. in Südeuropa])

Kạs|ten, der; -s, Plur. Kästen, selten - (südd., österr., schweiz. auch für Schrank)

Kas|t|rạt, der; -en, -en (kastrierter Mann); Kas|t|ra|ti|ọn, die; -, -en (Entfernung od. Ausschaltung der männlichen Keimdrüsen); kas|t|rie|ren; Kas|t|rie|rung

Ka|sus, der; -, - [...zu:s] (Fall; Vorkommnis)

Kạt, der; -[s], -s (kurz für Katalysator)

Ka|ta|fạlk, der; -s, -e (schwarz verhängtes Gerüst für den Sarg bei Trauerfeiern)

Ka|ta|kọm|be die; -, - meist Plur. (unterird. Begräbnisstätte)

Ka|ta|lọg, der; -[e]s, -e (Verzeichnis [von Bildern, Büchern, Waren usw.]); ka|ta|lo|gi|sie|ren (in einen Katalog aufnehmen)

Ka|ta|ly|sa|tor, der; -s, ...ọren (Kfz-Technik Gerät zur Abgasreinigung); ka|ta|ly|sie|ren

Ka|ta|ma|rạn [auch ...'ta:...], der; -s, -e (offenes Segelboot mit Doppelrumpf)

Ka|ta|pụlt, das; auch der; -[e]s, -e (Wurf-, Schleudermaschine); ka|ta|pul|tie|ren

Ka|ta|rạkt, der; -[e]s, -e (Wasserfall; Stromschnelle)

Ka|tạrrh, der; -s, -e (Med. Schleimhautentzündung)

Ka|tạs|ter, der (österr. nur so) od. das; -s, - (amtl. Grundstücksverzeichnis); Ka|tạs|ter|amt

ka|ta|s|t|ro|phạl (entsetzlich); Ka|ta|s|t|rọ|phe, die; -, -n (Unglück großen Ausmaßes); Ka|ta|s|t|ro|phen|alarm; Ka|ta|s|t|ro|phen|ge|biet; Ka|ta|s|t|ro|phen|schutz, der; -es

Kạ|te, die; -, -n (nordd. oft abwertend für kleines, ärmliches Bauernhaus)

Ka|te|chẹt, der; -en, -en (Religionslehrer, insbes. außerhalb der Schule); Ka|te|che|tin; Ka|te|chịs|mus, der; -, ...men (Lehrbuch des christl. Glaubens)

Ka|te|go|rie, die; -, ...ien (Klasse; Gattung; Begriffsform); ka|te|go|risch (nachdrücklich, entschieden; unbedingt gültig)

Kạ|ter, der; -s, - (ugs. auch für Folge übermäßigen Alkoholgenusses); Kạ|ter|frühstück (ugs.); Kạ|ter|stim|mung (ugs.)

Ka|thẹ|der, das od. der (österr. nur so); -s, - ([Lehrer]pult, Podium)

Ka|the|d|ra|le, die; -, -n (bischöfl. Hauptkirche)

Ka|the|te, die; -, -n (Math. eine der beiden Seiten im rechtwinkligen Dreieck, die die Schenkel des rechten Winkels bilden)

Ka|the|ter, der; -s, - (Med. röhrenförmiges Instrument)

Ka|thọ|de, fachspr. auch Ka|tọ|de, die; -, -n (Physik negative Elektrode; Minuspol)

Ka|thọ|lik, der; -en, -en (Anhänger der kath. Kirche u. Glaubenslehre); Ka|tho|li|kin; ka|thọ|lisch (Abk. kath.); die katholische Kirche; Ka|tho|li|zịs|mus, der; - (Geist u. Lehre des kath. Glaubens)

Ka|tọ|de vgl. Kathode

Kạt|tun, der; -s, -e (feinfädiges Gewebe aus Baumwolle od. Chemiefasern); kạt|tu|nen

Kätz|chen; Kạt|ze, die; -, -n; für die Katz (ugs. für umsonst); Kạt|zen|au|ge (auch ein Mineral; ugs. Rückstrahler am Fahrrad); Kạt|zen|jam|mer (ugs.); Kạt|zen|sprung (ugs.); Kạt|zen|wä|sche (ugs.); Katz-und-Maus-Spiel

Kau|der|welsch, das; -[s]; ein Kauderwelsch sprechen

kau|en

kau|ern (hocken); ich kau[e]re

Kauf, der; -[e]s, Käufe; in Kauf nehmen; kau|fen; kau|fens|wert; Käu|fer; Käu|fe|rin; Kauf|frau (Abk. Kff., Kfr.); Kaufhaus; Kauf|kraft; käuf|lich; Käuf|lich|keit, die; -; Kauf|lust; Kauf|mann Plur. ...leute; Abk. Kfm.; kauf|män|nisch; Kauf|preis; Kauf|rausch; Kauf|ver|trag

Kau|gum|mi, der; auch das; -s, -s

Kaul|quap|pe (Froschlarve)

kaum

kau|sal (ursächlich zusammenhängend; begründend); Kau|sa|li|tät, die; -, -en (Ursächlichkeit); Kau|sal|ket|te

Kau|ta|bak

Kau|tel, die; -, -en (*Rechtsspr.* Vorsichtsmaß-regel; Vorbehalt)

Kau|ti|on, die; -, -en (Geldsumme als Bürg-schaft, Sicherheit)

Kau|t|schuk, der; -s, -e (Saft des Kautschuk-baumes zur Gummiherstellung)

Kau|werk|zeu|ge *Plur.*

Kauz, der; -es, Käuze; **Käuz|chen**; **kau|zig**

Ka|va|lier, der; -s, -e; **Ka|va|liers|de|likt**

Ka|val|le|rie [...ri:, *auch* ...'ri:], die; -, ...ien (*Militär* früher für Reiterei; Reitertruppe); **Ka|val|le|rist**, der; -en, -en

Ka|vi|ar, der; -s, -e (Rogen des Störs)

Ke|bab [*auch* 'ke:...] (am Spieß gebratene [Hammel]fleischstückchen); **Ke|bap** [*auch* 'ke:...] (türkische Schreibung von Kebab)

keck; Keck|heit

Kee|per ['ki:pɐ], der; -s, - (*Sport* Torhüter); **Kee|pe|rin**

Ke|fir, der; -s (Getränk aus gegorener Milch)

Ke|gel, der; -s, -; mit Kind und Kegel; Kegel schieben; **Ke|gel|bahn**; **ke|gel|för|mig**; **ke|geln**; **Ke|gel schie|ben** *vgl.* Kegel; **Keg|ler**; **Keg|le|rin**

Keh|le, die; -, -n; **keh|lig**; **Kehl|kopf**

Kehr|aus, der; -; **Kehr|be|sen**

Keh|re, die; -, -n (Wendekurve; Turnübung)

¹**keh|ren** (umwenden); sich nicht an etwas kehren (*ugs.* für sich nicht um etwas küm-mern)

²**keh|ren** (*bes. südd.* für fegen); **Kehr|richt**, der, *auch* das; -s; **Kehr|ma|schi|ne**

Kehr|reim

Kehr|sei|te

kehrt|ma|chen (umkehren); **Kehrt|wen|de**

Kehr|wert (für reziproker Wert)

kei|fen; Kei|fe|rei

Keil, der; -[e]s, -e; **Kei|le**, die; - (*ugs.* für Prügel); Keile kriegen; **kei|len** (*ugs.* für stoßen); sich keilen (*ugs.* für sich prügeln)

Kei|ler (*Jägerspr.* m. Wildschwein)

Keil|rie|men (*Technik*); **Keil|schrift**

Keim, der; -[e]s, -e; **kei|men**; **keim|frei**; **Keim|ling**; **keim|tö|tend**; **Keim|zel|le**

kein, -e, -, *Plur.* -e; kein and[e]rer; in keinem Falle, auf keinen Fall; keiner, keine,

kein[e]s von beiden; **kei|ner|lei**; **kei|nes-falls**; **kei|nes|wegs**; **kein|mal**; *bei besonderer Betonung auch* kein Mal; *aber nur getrennt* kein einziges Mal

Keks, der *od.* das; *Gen.* - *u.* -es, *Plur.* - *u.* -e, *österr.* das; -[es], -[e]

Kelch, der; -[e]s, -e

Kel|le, die; -, -n

Kel|ler, der; -s, -; **Kel|ler|as|sel**; **Kel|le|rei**; **Kel|ler|ge|schoss**, *südd., österr. auch* **Kel|ler|ge|schoß** [...|o:s]; **Kel|ler|raum**

Kell|ner, der; -s, -; **Kell|ne|rin**

Kel|te, der; -n, -n (Angehöriger eines idg. Volkes)

Kel|ter, die; -, -n (Weinpresse); **Kel|te|rei**; **kel|tern**

Kel|tin; kel|tisch

Ke|me|na|te, die; -, -n ([Frauen]gemach einer Burg)

ken|nen; kannte, gekannt; **ken|nen|ler-nen**, **ken|nen ler|nen**; es freut mich, Sie kennenzulernen *od.* kennen zu lernen

Ken|ner; Ken|ner|blick; Ken|ne|rin; Ken-ner|mie|ne

Kenn|num|mer, **Kenn-Num|mer**; **kennt-lich**; kenntlich machen

Kennt|nis, die; -, -se; von etwas Kenntnis nehmen; in Kenntnis setzen; zur Kenntnis nehmen; **Kennt|nis|nah|me**, die; -; **kennt-nis|reich**, **Kennt|nis|stand**, der; -[e]s

Ken|nung (charakteristisches Merkmal)

Kenn|wort *Plur.* ...wörter; **Kenn|zahl**; **Kenn|zei|chen**; **kenn|zeich|nen**; **Kenn-zeich|nung**; **Kenn|zif|fer**

Ken|taur *vgl.* Zentaur

ken|tern (umkippen [von Schiffen]); ich kentere

Ke|ra|mik, die; -, *Plur.* (für Erzeugnisse:) -en ([Erzeugnis der] [Kunst]töpferei)

Ker|be, die; -, -n (Einschnitt)

Ker|bel, der; -s (eine Gewürzpflanze)

Kerb|holz; etwas auf dem Kerbholz haben (*ugs.* für etwas auf dem Gewissen haben)

Ker|ker, der; -s, - (früher für sehr festes Gefängnis; *österr.* früher für schwere Frei-heitsstrafe)

K

Kerl, der; -s, Plur. -e, landsch., bes. nordd. -s; **Kerl|chen**

Kern, der; -[e]s, -e; **Kern|be|reich; Kern-ener|gie** (svw. Atomenergie); **Kern|fra|ge; Kern|ge|häu|se; Kern|ge|schäft; kern-ge|sund; ker|nig; Kern|kom|pe|tenz; Kern|kraft** (svw. Atomenergie; Physik nur Plur. Kräfte, die den Atomkern zusammen-halten); **Kern|kraft|werk; kern|los; Kern-obst; Kern|phy|sik** (Lehre von den Kernre-aktionen); **Kern|re|ak|tor; Kern|sei|fe; Kern|spal|tung; Kern|spin|to|mo|gra-fie, Kern|spin|to|mo|gra|phie** (Med.); **Kern|stück; Kern|waf|fe** meist Plur.

Ke|ro|sin, das; -s, -e (ein Treibstoff)

Ker|ze, die; -, -n; **ker|zen|ge|ra|de, ker-zen|gra|de; Ker|zen|licht** Plur. ...lichter; **Ker|zen|stän|der**

kess (ugs. für frech; schneidig; flott)

Kes|sel, der; -s, -

Ket|ch|up [...tʃap, auch ...ʊp, ...əp], **Ket-sch|up,** der od. das; -[s], -s (pikante [Tomaten]soße)

Ket|te, die; -, -n; **Kette rauchen** (ugs.); **ket-ten; Ket|ten|rau|cher; Ket|ten|rau|che-rin; Ket|ten|re|ak|ti|on; Ket|ten|sä|ge**

Ket|zer; Ket|ze|rei; Ket|ze|rin; ket|ze-risch

keu|chen; Keuch|hus|ten

Keu|le, die; -, -n; **keu|len|för|mig**

keusch; Keusch|heit, die; -; **Keusch|heits-ge|lüb|de; Keusch|heits|gür|tel** (früher)

Key|board ['ki:boːɐ̯t], das; -s, -s (elektroni-sches Tasteninstrument)

Kfz [ka:ɛf'tsɛt], das; -, - = Kraftfahrzeug; **Kfz-Steu|er,** die; **Kfz-Ver|si|che|rung**

Kha|ki usw. vgl. Kaki usw.

Khan [k...], **Chan** [k..., x...], der; -s, -e (mongol.-türk. Herrschertitel)

Kib|buz, der; -, Plur. ...uz|im od. -e (Gemein-schaftssiedlung in Israel); **Kib|buz|nik,** der; -s, -s (Angehöriger eines Kibbuz)

Ki|cher|erb|se

ki|chern; ich kichere

Kick, der; -s, -s (ugs. für Tritt, Stoß [beim Fußball]; auch für Nervenkitzel)

Kick|board [...boːɐ̯t], das; -s, -s (eine Art Tretroller)

ki|cken (ugs. für Fußball spielen); **Ki|cker,** der; -s, -[s] (ugs. für Fußballspieler; Stand-fußballspiel); **Ki|cke|rin**

Kid, das; -s, -s ([Handschuh aus] Kalb-, Zie-gen-, Schafleder; Plur.: ugs. für Jugendli-che, Kinder)

kid|nap|pen [...nɛpn] (entführen); gekidnappt; **Kid|nap|per,** der; -s, -; **Kid|nap|pe|rin**

Kie|bitz, der; -es, -e (ein Vogel)

kie|bit|zen (ugs. für beim [Karten-, Schach]spiel zuschauen)

¹Kie|fer, die; -, -n (ein Nadelbaum)

²Kie|fer, der, bayr., österr. ugs. auch das; -s, - (ein Schädelknochen); **Kie|fer|höh|le**

Kie|fern|holz

Kie|ker (Seemannsspr. u. landsch. für Fern-glas); jmdn. auf dem Kieker haben (ugs. für jmdn. misstrauisch beobachten)

Kiel, der; -[e]s, -e (Grundbalken der Wasser-fahrzeuge); **Kiel|was|ser** Plur. ...wasser (Wasserspur hinter einem fahrenden Schiff)

Kie|me die; -, -n meist Plur. (Atmungsorgan im Wasser lebender Tiere)

Kien|span

Kies, der; -es, Plur. (für Kiesarten:) -e (ugs. auch für Geld); **Kie|sel,** der; -s, -; **Kie|sel-stein; Kies|gru|be; Kies|weg**

Kiez, der; -es, -e (bes. berlin. für Ort, Stadt-teil; bes. hamburg. Vergnügungsviertel)

kif|fen (Jargon Haschisch od. Marihuana rauchen); **Kif|fer; Kif|fe|rin**

kil|len (ugs. für töten); **Kil|ler** (ugs.); **Kil|le-rin**

Ki|lo, das, österr. ugs. auch der; -s, -[s] (kurz für Kilogramm); **Ki|lo|byte** [...baɪt, auch 'ki:...] (EDV Einheit von 1 024 Byte; Zei-chen kByte, KByte, kB, KB); **Ki|lo|gramm** [auch 'ki:...] (1 000 Gramm; Maßeinheit für Masse; Zeichen kg); 3 Kilogramm; **Ki|lo-me|ter** [auch 'ki:...], der; -s, - (1 000 m; Zeichen km); 80 Kilometer je Stunde (Abk. km/h); **ki|lo|me|ter|lang;** aber 3 Kilometer lang; **ki|lo|me|ter|weit** vgl. kilometerlang; **Ki|lo|watt** [auch 'ki:...] (1 000 Watt; Zei-

chen kW); Ki|lo|watt|stun|de (1 000 Watt-
stunden; *Zeichen* kWh)

Kilt (zur schott. Männertracht gehörender
karierter Faltenrock)

Kim|me, die; -, -n (Einschnitt; Kerbe)

Ki|mo|no [*auch* 'kɪ... *od.* ki'mo:no], der; -s,
-s (weitärmeliges Gewand)

Kind, das; -[e]s, -er; an Kindes statt; von
Kind auf; sich bei jmdm. lieb Kind machen
(einschmeicheln); Kind|bett, das; -[e]s
(*veraltend für* Wochenbett); Kind|chen

Kin|der|ar|beit; Kin|der|ar|mut; Kin|der-
arzt; Kin|der|ärz|tin; Kin|der|be|treu-
ung; Kin|der|buch; Kin|der|chor; Kin-
der|er|zie|hung; Kin|der|frei|be|trag
(*Steuerw.*); kin|der|freund|lich; Kin|der-
gar|ten; Kin|der|gar|ten|platz; Kin|der-
gärt|ner; Kin|der|gärt|ne|rin; Kin|der-
geld; Kin|der|heim; Kin|der|hort

Kin|der|kli|nik; Kin|der|krank|heit; Kin-
der|krip|pe; Kin|der|läh|mung; kin|der-
leicht; kin|der|lieb; kin|der|los; Kin|der-
lo|sig|keit, die; -; Kin|der|mäd|chen; kin-
der|reich; Kin|der|schän|der; Kin|der-
schän|de|rin; Kin|der|sitz; Kin|der|spiel;
Kin|der|ta|ges|stät|te; Kin|der|wa|gen;
Kin|der|wunsch; Kin|der|zim|mer

Kin|des|al|ter; Kin|des|miss|brauch

kind|ge|mäß; kind|ge|recht; Kind|heit,
die; -; Kind|heits|er|in|ne|rung; kin|disch;
kind|lich; Kinds|kopf (*ugs. abwertend*)

Ki|ne|tik, die; - (*Physik* Bewegungslehre); ki-
ne|tisch

King, der; -[s], -s (*engl. für* König; *ugs. für*
Anführer)

Kin|ker|litz|chen Plur. (*ugs. für* Nichtigkei-
ten)

Kinn, das; -[e]s, -e; Kinn|ha|ken; Kinn|la|de

Ki|no, das; -s, -s (Lichtspieltheater); Ki|no-
film; Ki|no|pro|gramm; Ki|no|saal

Ki|osk [*auch* kɪɔsk], der; -[e]s, -e (Verkaufs-
häuschen; oriental. Gartenhaus)

Kip|pe, die; -, -n (Spitze, Kante; eine Turn-
übung; *ugs. für* Zigarettenstummel)

kip|pen; Kipp|fens|ter; Kipp|schal|ter

Kir|che, die; -, -n; Kir|chen|asyl; Kir|chen-

chor; Kir|chen|ge|mein|de; Kir|chen-
jahr; Kir|chen|mu|sik; Kir|chen|steu|er,
die; Kir|chen|tag; z. B. Deutscher Evangeli-
scher Kirchentag; Kirch|gän|ger; Kirch-
gän|ge|rin; Kirch|hof; kirch|lich; Kirch-
turm; Kirch|weih, die; -, -en

Kir|mes, die; -, ...messen (*bes. mittel- und
nordd. für* Kirchweih)

kir|re (*ugs. für* zutraulich, zahm; nervös);
jmdn. kirre machen *od.* kirremachen

Kirsch, der; -[e]s, -e (ein Branntwein); zwei
Kirsch bestellen; Kirsch|baum; Kirsch|blü-
te; Kir|sche, die; -, -n; kirsch|rot; Kirsch-
was|ser (ein Branntwein)

Kis|sen, das; -s, -; Kis|sen|schlacht

Kis|te, die; -, -n; kis|ten|wei|se

Ki|ta, die; -, -s (*kurz für* Kindertagesstätte)

Kitsch, der; -[e]s (als geschmacklos empfun-
denes Produkt); kit|schig

Kitt, der; -[e]s, -e

Kitt|chen, das; -s, - (*ugs. für* Gefängnis)

Kit|tel, der; -s, -; Kit|tel|schür|ze

kit|ten

Kitz, das; -es, -e, Kit|ze, die; -, -n (Junges
von Reh, Gämse, Ziege); Kit|zel, der; -s, -;
kit|ze|lig, kitz|lig; kit|zeln; Kitz|ler (*für*
Klitoris); kitz|lig *vgl.* kitzelig

¹Ki|wi, der; -s, -s (neuseeländischer Laufvogel)

²Ki|wi, die; -, -s (eine exotische Frucht)

KKW, das; -[s], -[s] = Kernkraftwerk

Kla|bau|ter|mann Plur. ...männer (ein
Schiffskobold)

kla|cken (klack machen)

Klacks, der; -es, -e (*ugs. für* kleine Menge)

klaf|fen; eine klaffende Wunde

kläf|fen; Kläf|fer (*ugs. abwertend*)

Klaf|ter, der *od. das*; -s, -, *selten* die; -, -n
(altes Längen-, Raummaß); 5 Klafter Holz

Kla|ge, die; -, -n; kla|gen

Klä|ger; Klä|ge|rin; Kla|ge|schrift

kläg|lich (erbärmlich)

klag|los

Kla|mauk, der; -s (*ugs. für* Lärm; Ulk)

klamm (feucht; steif [vor Kälte])

Klam|mer, die; -, -n; Klam|mer|af|fe (*auch
für* @); klam|mern

klamm|heim|lich (ugs.)

Kla|mot|te, die; -, -n (ugs. für schlechtes [Theater]stück; meist Plur.: Kleidung)

Klampf|fe, die; -, -n (volkstüml. Gitarre)

Klan, Clan [engl. klɛn], der; -s, Plur. -e, bei engl. Ausspr. -s ([schott.] Lehns-, Stammesverband; Gruppe von Personen, die jmd. um sich schart)

Klang, der; -[e]s, Klänge; Klang|far|be; Klang|kör|per; klang|lich; klang|voll

Klapp|bett

Klap|pe, die; -, -n (österr. auch für Nebenstelle eines Telefonanschlusses, svw. Apparat)

klap|pen

Klap|per, die; -, -n; klap|pe|rig, klapp|rig; klap|pern; Klap|per|schlan|ge

Klapp|mes|ser, das

klapp|rig vgl. klapperig

Klaps, der; -es, -e; Kläps|chen

Klaps|müh|le (ugs., auch diskriminierend für psychiatrische Klinik)

klar; ich bin mir darüber im Klaren; wieder klar (deutlich) sehen können; klar sein, klar werden; mir ist Verschiedenes klar geworden od. klargeworden

Klär|an|la|ge; Klär|be|cken; klä|ren

klar|ge|hen (ugs. für reibungslos ablaufen)

Klar|heit Plur. selten

Kla|ri|net|te, die; -, -n (ein Holzblasinstrument); Kla|ri|net|tist, der; -en, -en; Kla|ri|net|tis|tin

klar|kom|men (ugs. für zurechtkommen); klar|le|gen (erklären); klar|ma|chen (erklären; [Schiffe] fahrbereit machen); klar|se|hen (verstehen, Bescheid wissen); vgl. aber klar; Klar|sicht|fo|lie; klar|stel|len (Irrtümer beseitigen); Klar|stel|lung

Klar|text, der (entzifferter [dechiffrierter] Text); Klartext reden/sprechen (offen seine Meinung sagen), im Klartext (auch für verständlich)

Klä|rung; Klä|rungs|be|darf

klar wer|den, klar|wer|den vgl. klar

klas|se (ugs. für großartig); ein klasse Auto; sie hat klasse gespielt; die neue Lehrerin ist klasse; das finde ich klasse

Klas|se, die; -, -n (Abk. Kl.); jmd. od. etwas hat Klasse; das ist große Klasse (ugs. für großartig); Klas|sen|ar|beit; Klas|sen|er|halt (Sport); Klas|sen|fahrt; Klas|sen|ka|me|rad; Klas|sen|ka|me|ra|din; Klas|sen|kampf; Klas|sen|leh|rer; Klas|sen|leh|re|rin; klas|sen|los; die klassenlose Gesellschaft; Klas|sen|lot|te|rie; Klas|sen|spre|cher; Klas|sen|spre|che|rin; Klas|sen|zim|mer

Klas|si|fi|ka|ti|on vgl. Klassifizierung; klas|si|fi|zie|ren (österr. auch für mit Noten beurteilen); Klas|si|fi|zie|rung (Einteilung, Einordnung)

Klas|sik die; -; -en Plur. selten (Epoche kultureller Höchstleistungen u. ihre Werke); Klas|si|ker (maßgebender Künstler od. Schriftsteller [bes. der antiken u. der dt. Klassik]); Klas|si|ke|rin; klas|sisch (mustergültig; die Klassik betreffend; traditionell); Klas|si|zis|mus, der; - (die Klassik nachahmende Stilrichtung, bes. der Stil um 1800); klas|si|zis|tisch

klatsch!; klitsch, klatsch!; Klatsch, der; -[e]s, -e (ugs. auch für Rederei); Klatsch|ba|se (ugs. abwertend); klat|schen

Klatsch|mohn, der; -[e]s

klatsch|nass (ugs. für durchnässt)

klau|ben (sondern; mit Mühe heraussuchen); österr. für pflücken, sammeln)

Klaue, die; -, -n

klau|en (ugs. für stehlen)

Klau|en|seu|che; Maul- u. Klauenseuche

Klau|se, die; -, -n (Klosterzelle; Talenge)

Klau|sel, die; -, -n (Nebenbestimmung)

Klau|sur, die; -, -en (abgeschlossener Gebäudeteil [im Kloster]; svw. Klausurarbeit); Klau|sur|ar|beit (Prüfungsarbeit); Klau|sur|ta|gung (geschlossene Tagung)

Kla|vi|a|tur, die; -, -en (Tasten, Tastbrett)

Kla|vier, das; -s, -e; Klavier spielen; Kla|vier|kon|zert; Kla|vier|spie|ler; Kla|vier|spie|le|rin

Kle|be|band, das Plur. ...bänder; kle|ben;

an der Wand kleben bleiben; *aber* sie ist in der dritten Klasse kleben geblieben *od.* klebengeblieben (*ugs. für* nicht versetzt worden); Kle|ber; kleb|rig; Kleb|stoff kle|ckern (*ugs.*); Klecks, der; -es, -e; klecksen

Klee, der; -s; Klee|blatt
Kleid, das; -[e]s, -er; klei|den, sich kleiden; es kleidet mich gut usw.; Klei|der|bü|gel; Klei|der|schrank; kleid|sam
Klei|dung *Plur. selten;* Klei|dungs|stück
Kleie, die; -, -n (Abfallprodukt beim Mahlen von Getreide)
klein s. Kasten Seite 230
Klein, das; -s (*kurz für* Gänseklein o. Ä.)
klein bei|ge|ben (kleinlaut nachgeben); klein|be|kom|men (*svw.* kleinkriegen); Klein|be|trieb; klein|bür|ger|lich; Klein|bus; Klei|ne, der, die, das; -n, -n; Klein|fa|mi|lie; klein|for|ma|tig; Klein|gar|ten
klein ge|druckt, klein|ge|druckt *vgl.* klein; Klein|ge|druck|te, das; -n, klein Ge|druck|te, das; - -n; Klein|geld; klein ge|mus|tert, klein|ge|mus|tert *vgl.* klein; klein ha|cken, klein|ha|cken *vgl.* klein
Klei|nig|keit
klein|ka|riert (engherzig, engstirnig); ein kleinkarierter Mensch; *aber* klein kariertes *od.* kleinkariertes Papier; *vgl. auch* klein
Klein|kind; Klein|kram, der; -[e]s; Klein|krieg; klein|krie|gen (*ugs. für* gefügig machen; aufbrauchen; zerstören); ich kriege den Kerl schon klein; klein|kri|mi|nell; Klein|kunst, die; -; klein|laut
klein|lich; kleinlich denkende *od.* kleinlichdenkende Menschen; Klein|lich|keit
klein|ma|chen; sich kleinmachen (unterwürfig sein); einen Fünfzigeuroschein kleinmachen (wechseln); *vgl. aber* klein; klein mah|len, klein|mah|len *vgl.* klein; kleinmü|tig
Klein|od, das; -[e]s, *Plur.* (für Kostbarkeit:) -e, (*für* Schmuckstück:) ...odien
klein schnei|den, klein|schnei|den *vgl.* klein; klein|schrei|ben (mit kleinem Anfangsbuchstaben schreiben; nicht wichtig nehmen); das Wort wird kleingeschrieben; Rücksichtnahme wird hier kleingeschrieben; *vgl. aber* klein; Klein|schrei|bung
Klein|staat *Plur.* ...staaten; Klein|stadt; klein|städ|tisch
kleinst|mög|lich; *dafür besser:* möglichst klein; *nicht:* kleinstmöglichst
klein|tei|lig
Klein|wa|gen
Kleis|ter, der; -s, -; kleis|tern
Kle|ma|tis [*auch* ...'ma:...], die; -, - (Waldrebe, eine Kletterpflanze)
Kle|men|ti|ne *vgl.* Clementine
Klemm|me, die; -, -n; klem|men
Klemp|ner (Blechschmied); Klemp|ne|rei; Klemp|ne|rin; klemp|nern
Klep|per (*ugs. für* altes, entkräftetes Pferd)
Klep|to|ma|ne, der; -n, -n; Klep|to|ma|nie, die; - (krankhafter Trieb zum Stehlen); Klep|to|ma|nin; klep|to|ma|nisch
kle|ri|kal (die Geistlichkeit betreffend; kirchlich); Kle|ri|ker (kath. Geistlicher); Kle|rus, der; - (kath. Geistlichkeit, Priesterschaft)
Klet|te, die; -, -n
Klet|te|rei; Klet|te|rer; Klet|te|rin; klettern; Klet|ter|pflan|ze; Klet|ter|stan|ge
Klett|ver|schluss
klick!; Klick der; -s, -s *meist Plur.;* kli|cken
Kli|ent, der; -en, -en (Auftraggeber [eines Anwaltes]); Kli|en|tel, die; -, -en (Auftraggeberkreis [eines Anwaltes]); Kli|en|tin
Kliff, das; -[e]s, -e (*bes. nordd. für* steiler Abfall einer [felsigen] Küste)
Kli|ma, das; -s, *Plur.* -ta, *selten* -s, *fachspr.* ...mate (meteorolog. Erscheinungen in einem bestimmten Gebiet); Kli|ma|an|lage; Kli|ma|ka|ta|s|t|ro|phe
Kli|mak|te|ri|um, das; -s (Med. Wechseljahre der Frau)
Kli|ma|po|li|tik; Kli|ma|schutz, der; -es; klima|tisch; kli|ma|ti|sie|ren (Temperatur u. Luftfeuchtigkeit in geschlossenen Räumen automatisch regeln); Kli|ma|ver|än|derung; Kli|ma|wan|del
klim|men (klettern); du klommst (*auch* klimmtest); geklommen (*auch* geklimmt)

kl<u>ei</u>n

– *kleiner als* (Math.; Zeichen <)
– *kleiner[e]nteils*

I. Kleinschreibung:

a) *am kleins|ten*
– *von klein auf; ein klein wenig*
– *die Flamme auf klein drehen, stellen*
b) *das sind kleine Fische* (ugs. für *Kleinigkeiten*)
– *er ist kleiner Leute Kind*
– *das Auto für den kleinen Mann*

II. Großschreibung
a) der Substantivierungen:

– *etwas, nichts, viel, wenig Kleines*
– *Groß und Klein* (auch für *jedermann*); *Kleine und Große; die Kleinen und die Großen; die Kleinen* (für *Kinder*); *die Kleine* (für *junges Mädchen*); *meine Kleine* (ugs.)
– *einen Kleinen sitzen haben* (ugs. für *leicht betrunken sein*)
– *die Gemeinde ist ein Staat im Kleinen*
– *das ist dasselbe in Klein* (für *im Kleinen*)
– *vom Kleinen auf das Große schließen*
– *bis ins Kleins|te* (sehr eingehend)
b) in Namen und bestimmten namensähnlichen Fügungen:

– *Klein Dora, Klein Udo*
– *der Kleine Bär* (Sternbild)
– *die Kleine Strafkammer; die Kleine* od. *kleine Anfrage* (im Parlament)
– *Kleiner Belt* (eine Meerenge)

III. Schreibung in Verbindung mit Verben
a) In vielen Fällen wird getrennt geschrieben:

– *klein anfangen* (ohne Vermögen beginnen)
– *klein beigeben* (kleinlaut nachgeben)
– *klein schreiben* (in kleiner Schrift)

Aber:
– *kleinschreiben* (mit kleinem Anfangsbuchstaben)
– *Rücksichtnahme wird bei diesen Leuten kleingeschrieben* (ugs. für *nicht wichtig genommen*)

b) Wenn »klein« das Ergebnis der mit einem folgenden einfachen Verb bezeichneten Tätigkeit angibt, kann getrennt oder zusammengeschrieben werden:

– *klein schneiden* od. *kleinschneiden*
– *klein hacken* od. *kleinhacken*

c) Bei übertragener Bedeutung gilt Zusammenschreibung; vgl. kleinbekommen, kleinkriegen

IV. In Verbindung mit einem adjektivisch gebrauchten Partizip kann bei nicht übertragener Bedeutung getrennt oder zusammengeschrieben werden:

– *klein gemusterte* od. *kleingemusterte Stoffe; ein klein kariertes* od. *kleinkariertes Muster*
– *ein klein gedruckter* od. *kleingedruckter Text; ein klein geschnittenes* od. *kleingeschnittenes Papier*
– *das Kleingedruckte* od. *klein Gedruckte lesen*
Vgl. aber kleinkariert

V. In Straßennamen gilt Getrennt- u. Großschreibung:

– *Kleine Bockenheimer Straße*
– *Kleine Riedgasse*

K

Klimm|zug (eine Turnübung)
klim|pern (klingen lassen; *ugs. für* [schlecht]
  auf dem Klavier o. Ä. spielen)
Klin|ge, die; -, -n
Klin|gel, die; -, -n; **klin|geln; Klin|gel|ton**
  Plur. ...töne
klin|gen; klang, geklungen; **klin|gend**
Kli|nik, die; -, -en
Kli|ni|kum, das; -s, *Plur.* ...ka u. ...ken
kli|nisch
Klin|ke, die; -, -n; **klin|ken**
Klin|ker, der; -s, - (hart gebrannter Ziegel)
klipp; *nur in* klipp und klar (*ugs. für* ganz
  deutlich); **Klipp** vgl. Clip
Klip|pe, die; -, -n
Klips, Clips, der; -es, -e vgl. Clip
klir|ren (klirrende (eisige) Kälte
Kli|schee, das; -s, -s (Druckstock; Abklatsch;
  eingefahrene Vorstellung); **kli|schee|haft;**
  Kli|schee|vor|stel|lung
Klis|tier, das; -s, -e (Einlauf)
Kli|to|ris, die; -, *Plur.* - u. ...orides (*Med.* Teil
  der w. Geschlechtsorgane)
Klit|sche, die; -, -n (*ugs. für* kleiner Betrieb)
klit|schig (*landsch. für* feucht u. klebrig)
klitsch|nass (*ugs.*)
klit|ze|klein (*ugs. für* sehr klein)
Klo, das; -s, -s (*ugs.; kurz für* Klosett)
Klo|a|ke, die; -, -n ([unterirdischer] Abwas-
  serkanal; Senkgrube)
Klo|ben, der; -s, - (gespaltenes Holzstück;
  auch für ungehobelter Mensch); **klo|big**
Klon, der; -s, -e (durch Klonen entstandenes
  Lebewesen); **klo|nen** (durch ungeschlecht-
  liche Vermehrung genetisch identische
  Kopien von Lebewesen herstellen)
klö|nen (*nordd. für* gemütlich plaudern)
klop|fen; Klop|fer
Klöp|pel, der; -s, -; **klöp|peln**
klop|pen (*nordd., md. für* schlagen)
Klöpp|ler; Klöpp|le|rin
Klops, der; -es, -e, (*auch:*) Klöpse (Fleisch-
  kloß; *ugs. für* Fehler)
Klo|sett, das; -s, *Plur.* -s, *auch* -e (*veraltend
  für* Toilettenraum, -becken)
Kloß, der; -es, Klöße; **Klöß|chen**

Klos|ter, das; -s, Klöster; **Klos|ter|bru|der;**
  Klos|ter|kir|che; klös|ter|lich
Klotz, der; -es, *Plur.* Klötze, *ugs.* Klötzer;
  Klötz|chen; klot|zen; klotzen, nicht kle-
  ckern (*ugs. für* ordentlich zupacken, statt
  sich mit Kleinigkeiten abzugeben)
Klub, Club, der; -s, -s (Vereinigung, auch
  deren Räume); **Klub|haus,** Clubhaus
¹**Kluft,** die; -, -en (*ugs. für* [alte] Kleidung;
  Uniform)
²**Kluft,** die; -, Klüfte (Spalte)
klug; klü|ger, klügs|te; der/die Klügere gibt
  nach; es ist das Klügste[,] nachzugeben; es
  ist am klügsten[,] nachzugeben; **klu|ger-
  wei|se;** *aber* in kluger Weise
Klug|heit; klug|re|den (alles besser wissen
  wollen); weil er dauernd klugredet; **Klug-
  schwät|zer; Klug|schwät|ze|rin**
Klümp|chen; klum|pen; der Pudding klumpt;
  Klum|pen, der; -s, -; **Klump|fuß; klum|pig**
Klün|gel, der; -s, - (*abwertend für* Gruppe,
  die Vetternwirtschaft betreibt; Clique)
Klün|ge|lei (Vetternwirtschaft); **klün|geln**
Klun|ker, die; -, -n *od.* der; -s, - (*ugs. für*
  Schmuckstein, Juwel)
knab|bern; ich knabbere
Kna|be, der; -n, -n; **Kna|ben|chor; kna|ben-
  haft; Knäb|lein**
knack!; Knack, der; -[e]s, -e (kurzer, har-
  ter, heller Ton); **Knack|arsch** (*ugs.*)
Knä|cke|brot
kna|cken; kna|ckig
Knack|punkt (problematischer Punkt)
Knacks, der; -es, -e (*svw.* Knack; *ugs. auch
  für* Riss, Schaden)
Knack|wurst
Knall, der; -[e]s, -e; Knall und/auf Fall
  (*ugs. für* plötzlich, sofort); **Knall|ef|fekt**
  (*ugs. für* große Überraschung)
knal|len; Knal|ler, der; -s, - (*ugs.*)
Knall|erb|se; Knall|frosch; knall|hart
  (*ugs. für* sehr hart)
knal|lig (*ugs. für* grell); **knall|rot**
knapp; knapps|te; knapp sein, werden,
  schneiden usw.; ein knapp sitzender *od.*
  knappsitzender Anzug; eine knapp gehal-

tene *od.* knappgehaltene Beschreibung;
vgl. knapphalten

Knap|pe, der; -n, -n (Bergmann; *früher* noch
nicht zum Ritter geschlagener Adliger)

knapp|hal|ten (*ugs. für* wenig [Geld]
geben); er hat seine Kinder immer knapp-
gehalten; *vgl.* knapp; **Knapp|heit**, die; -

knap|sen (*ugs. für* geizen)

Knar|re, die; -, -n (*ugs. für* Gewehr)

knar|ren; die Tür knarrt

Knast, der; -[e]s, *Plur.* Knäste, *auch* -e (*ugs.
für* Gefängnis)

knat|tern

Knäu|el, der *od.* das; -s, -

Knauf, der; -[e]s, Knäufe

knau|se|rig, knaus|rig (geizig); **knau|sern**

knaut|schen (knittern); **Knautsch|zo|ne**
(Kfz-Technik)

Kne|bel, der; -s, -; **kne|beln**; **Kne|be|lung**

Knecht, der; -[e]s, -e; **knech|ten**

Knecht Ru|p|recht, der; - -[e]s, - -e

Knecht|schaft, die; -; **Knech|tung**

knei|fen; kniff, gekniffen; **Kneif|zan|ge**

Knei|pe, die; -, -n (*ugs. für* [einfaches] Lokal
mit Alkoholausschank)

kneip|pen (eine Wasserkur nach Kneipp
machen); **Kneipp|kur**

Kne|te, die; - (*ugs. für* Knetmasse; *auch für*
Geld); **kne|ten**; **Knet|mas|se**

Knick, der; -[e]s, -e (scharfer Falz, scharfe
Krümmung, Bruch); **kni|cken**

Kni|cker|bo|cker, *engl.* Kni|cker|bo|ckers
['nɪ...] *Plur.* (halblange Pumphose)

kni|cke|rig, knick|rig (*ugs. abwertend)*; **kni-
ckern** (*ugs. für* geizig sein)

Knicks, der; -es, -e; **knick|sen**

Knie, das; -s, - ['kni:ə, *auch* kni:]; auf den
Knien liegen; auf die Knie!; **Knie|beu|ge**;
Knie|fall, der; **knie|frei**; **knie|hoch**; der
Schnee liegt kniehoch; **Knie|keh|le**; **kni|en**
[kni:n, *auch* 'kni:ən]; kniete, gekniet;
Knie|strumpf; **Knie|ver|let|zung**

Kniff, der; -[e]s, -e; **knif|fe|lig**, **kniff|lig**

Knig|ge, der; -[s], -[s] (Buch über Umgangs-
formen)

knips!; knips, knaps!; **knip|sen** (*ugs.)*

Knirps, der; -es, -e (kleiner Junge *od.* Mann)

knir|schen

knis|tern

Knit|tel|vers (vierhebiger, unregelmäßiger
Reimvers)

Knit|ter, der; -s, -; **knit|ter|fest**; **knit|ter-
frei**; **knit|tern**

kno|beln (losen; würfeln; nachdenken)

Knob|lauch [*auch* 'knɔp...], der; -[e]s;
Knob|lauch|but|ter; **Knob|lauch|ze|he**

Knö|chel, der; -s, -; **Knö|chel|chen**; **knö-
chel|lang**; **knö|chel|tief**

Kno|chen, der; -s, -; **Kno|chen|bau**, der;
-[e]s; **Kno|chen|bruch**, der; **Kno|chen-
mark**; **Kno|chen|mark[s]|trans|plan|ta|ti-
on** *(Med.);* **kno|chen|tro|cken** (*ugs. für*
sehr trocken); **knö|chern** (aus Knochen);
kno|chig (mit starken Knochen)

knock-out, knock|out [nɔk'aut] *(Boxen*
niedergeschlagen, kampfunfähig; *Abk.*
k. o. [ka:'|o:]); jmdn. k. o. schlagen;
Knock-out, Knock|out, der; -[s], -s (Nie-
derschlag; *übertr. für* völlige Vernichtung;
Abk. K. o.)

Knö|del, der; -s, - (*bes. südd., österr. für*
Kloß)

Knöll|chen; **Knol|le**, die; -, -n; **Knol|len-
blät|ter|pilz** (ein Giftpilz); **knol|len|för-
mig**; **Knol|len|frucht**; **knol|lig**

Knopf, der; -[e]s, Knöpfe (*österr. ugs. auch
für* Knoten); **Knöpf|chen**; **Knopf|druck**
Plur. ...drücke; ein Knopfdruck genügt;
knöp|fen; **Knopf|loch**

Knor|pel, der; -s, -; **knor|pe|lig**, **knorp|lig**
knor|rig

Knös|p|chen; **Knos|pe**, die; -, -n; **knos|pen**

Knöt|chen; **kno|ten**; **Kno|ten**, der; -s, -
(*auch* Marke an der Logleine, Seemeile je
Stunde [*Zeichen* kn]); **Kno|ten|punkt**

Know-how, Know|how [no:'hau, *auch*
'no:...], das; -[s] (Wissen, wie man eine
Sache praktisch verwirklicht)

Knuff, der; -[e]s, Knüffe (*ugs. für* Puff, Stoß);
knuf|fen (*ugs.)*

knül|len (zerknittern)

Knül|ler (*ugs. für* Sensation)

knüp|fen

Knüp|pel, der; -s, -; knüp|pel|dick (ugs. für sehr schlimm); knüp|peln (mit einem Knüppel schlagen)

knur|ren; knur|rig; ein knurriger Mensch

Knus|per|häus|chen; knus|pern; ich knuspere; knus|prig, knus|pe|rig

Knu|te, die; -, -n (Lederpeitsche)

knut|schen (ugs. für heftig küssen); Knut|sche|rei (ugs.); Knutsch|fleck (ugs.)

k. o. = knock-out; k. o. schlagen

K. o. = Knock-out; K.-o.-Niederlage

Ko|a|la, der; -s, -s (austral. Beutelbär)

ko|a|lie|ren; Ko|a|li|ti|on, die; -, -en (Vereinigung, Bündnis; Zusammenschluss [von Staaten]); die Kleine od. kleine Koalition, die Große od. große Koalition; Ko|a|li|ti|o|när der; -s, -e meist Plur. (Koalitionspartner); Ko|a|li|ti|o|nä|rin; Ko|a|li|ti|ons|par|tei; Ko|a|li|ti|ons|part|ner; Ko|a|li|ti|ons|part|ne|rin; Ko|a|li|ti|ons|ver|hand|lung meist Plur.; Ko|a|li|ti|ons|ver|trag

Ko|balt, Co|balt, das; -s (chemisches Element, Metall; Zeichen Co); ko|balt|blau

Ko|bold, der; -[e]s, -e (neckischer Geist)

Ko|b|ra, die; -, -s (Brillenschlange)

Koch, der; -[e]s, Köche; Koch|buch

kö|cheln (leicht kochen)

ko|chen; kochend heißes Wasser; das Wasser ist kochend heiß

Kö|cher, der; -s, - (Behälter für Pfeile)

Kö|chin; Koch|kunst; Koch|kurs; Koch|ni|sche; Koch|salz, das; -es; Koch|topf

Kode [ko:t] usw. vgl. Code usw.

Kö|der, der; -s, - (Lockmittel); kö|dern

Ko|dex, der; Gen. -es u. -, Plur. -e u. ...dizes, Co|dex, der; -, ...dices (Handschriftensammlung; Gesetzbuch)

ko|die|ren vgl. codieren; Ko|die|rung vgl. Codierung

Ko|edu|ka|ti|on [auch ...'tsjo:n], die; - (gemeinsamer Schulunterricht für Mädchen u. Jungen)

Ko|exis|tenz [auch ...'tɛnts], die; - (gleichzeitiges Vorhandensein unterschiedlicher Dinge); ko|exis|tie|ren [...'ti:...]

Kof|fe|in, Cof|fe|in, das; -s (Wirkstoff von Kaffee u. Tee); kof|fe|in|frei

Kof|fer, der; -s, -; Köf|fer|chen

Kof|fer|ra|dio; Kof|fer|raum

Ko|gnak ['kɔnjak], der; -s, -s (ugs. für Weinbrand); drei Kognak

ko|g|ni|tiv (die Erkenntnis betreffend)

ko|hä|rent (zusammenhängend); Ko|hä|renz, die; -

Kohl, der; -[e]s, Plur. (Sorten:) -e (ein Gemüse)

Kohl|dampf, der; -[e]s (ugs. für Hunger); Kohldampf schieben

Koh|le, die; -, -n; Koh|le|kraft|werk

¹koh|len (nicht mit voller Flamme brennen)

²koh|len (ugs. für aufschneiden, schwindeln)

Koh|len|di|oxid, Koh|len|di|oxyd vgl. Oxid; Koh|len|hy|d|rat (zucker- od. stärkeartige chem. Verbindung); Koh|len|säu|re; Koh|len|stoff (chemisches Element; Zeichen C); Koh|len|was|ser|stoff; Koh|le|pa|pier

Köh|ler; Köh|le|rin

Kohl|mei|se (ein Singvogel)

kohl|ra|ben|schwarz

Kohl|ra|bi, der; -[s], -[s] (ein Gemüse); Kohl|rü|be; kohl|schwarz

Kohl|weiß|ling (ein Schmetterling)

Ko|in|zi|denz, die; -, -en (Zusammentreffen von Ereignissen)

ko|i|tie|ren (Med. den Koitus vollziehen); Ko|i|tus, Co|i|tus, der; -, Plur. - u. -se (Med. Geschlechtsakt)

Ko|je, die; -, -n (Schlafstelle auf Schiffen)

Ko|jo|te, der; -n, -n, Co|yo|te (nordamerik. Präriewolf; Schimpfwort)

Ko|ka|in, das; -s (ein Betäubungsmittel; eine Droge)

ko|ken (¹Koks herstellen); Ko|ke|rei (Kokswerk; nur Sing.: Koksgewinnung)

ko|kett (eitel, gefallsüchtig); ko|ket|tie|ren

Ko|ko|lo|res, der; - (ugs. für Unsinn)

Ko|kon [...'kõ:, österr. ko'ko:n], der; -s, -s (Hülle der Insektenpuppen)

Ko|kos|nuss; Ko|kos|pal|me

¹**Koks,** der; -es, -e (ein Brennstoff aus Kohle; *nur Sing.:* ugs. scherzh. *für* Geld)

²**Koks,** der, *auch* das; -es (ugs. *für* Kokain)

Koks|ofen

Kol|ben, der; -s, -

Kol|chos, der; -, ...ose, **Kol|cho|se,** die; -, -n (landwirtschaftl. Produktionsgenossenschaft in der ehem. Sowjetunion)

Ko|li|bri, der; -s, -s (kleiner Vogel)

Ko|lik [*auch* ...'li:k], die; -, -en (Anfall von krampfartigen Leibschmerzen)

kol|la|bie|ren (Med. einen Kollaps erleiden)

Kol|la|bo|ra|teur [...'tø:ɐ̯], der; -s, -e (jmd., der kollaboriert); **Kol|la|bo|ra|teu|rin; Kol|la|bo|ra|ti|on,** die; -, -en; **kol|la|bo|rie|ren** (mit dem Feind zusammenarbeiten)

Kol|laps [*auch* ...'laps], der; -es, -e (Zusammenbruch)

Kol|la|te|ral|scha|den (militär. verhüllend *für* in Kauf genommener schwerer Schaden, bes. Tod von Zivilisten)

Kol|leg, das; -s, Plur. -s u. -ien (akadem. Vorlesung; Bildungseinrichtung)

Kol|le|ge, der; -n, -n (Abk. Koll.); **kol|le|gi|al; Kol|le|gi|a|li|tät,** die; -; **Kol|le|gin** (Abk. Koll.); **Kol|le|gi|um,** das; -s, ...ien (Gruppe von Personen mit gleichem Amt od. Beruf; Lehrkörper)

Kol|lek|te, die; -, -n (Sammlung von Geldspenden in der Kirche)

Kol|lek|ti|on, die; -, -en ([Muster]sammlung [von Waren], Auswahl)

kol|lek|tiv (gemeinschaftlich, gruppenweise, umfassend); **Kol|lek|tiv,** das; -s, Plur. -e, *auch* -s (Team, Gruppe; Arbeits- u. Produktionsgemeinschaft, bes. in der sozialist. Wirtschaft)

Kol|ler, der; -s, - (eine Pferdekrankheit; ugs. *für* Wutausbruch)

kol|li|die|ren (zusammenstoßen; sich überschneiden)

Kol|li|er [...'lje:] vgl. Collier

Kol|li|si|on, die; -, -en (Zusammenstoß)

Kol|lo|qui|um [*auch* ...'lo:...], das; -s, ...ien (wissenschaftl. Gespräch; *bes.* österr. kleinere Universitätsprüfung)

Köl|nisch|was|ser, das; -s

ko|lo|ni|al (die Kolonie[n] betreffend; zu Kolonien gehörend; aus Kolonien stammend); **Ko|lo|ni|al|herr; Ko|lo|ni|a|lis|mus,** der; - (auf Erwerb von Kolonien ausgerichtete Politik eines Staates); **Ko|lo|ni|al|macht; Ko|lo|ni|al|zeit; Ko|lo|nie,** die; -, ...ien (*auch für* Siedlung); **Ko|lo|ni|sa|ti|on,** die; -, -en; **ko|lo|ni|sie|ren**

Ko|lon|na|de, die; -, -n (Säulengang, -halle)

Ko|lon|ne, die; -, -n

Ko|lo|ra|tur, die; -, -en (virtuose gesangliche Verzierung); **ko|lo|rie|ren** (färben; aus-, bemalen)

Ko|lo|rit, das; -[e]s, Plur. -e, *auch* -s (Farbgebung, -wirkung; Klangfarbe)

Ko|loss [*auch* 'kɔ...], der; -es, -e (Riese, Ungetüm); **ko|los|sal** (riesig, übergroß)

Kol|por|ta|ge [...ʒə], die; -, -n (Verbreitung von Gerüchten); **Kol|por|teur** [...'tø:ɐ̯], der; -s, -e; **Kol|por|teu|rin; kol|por|tie|ren**

Kölsch, das; -[s] (ein obergäriges Bier; Kölner Mundart)

Ko|lum|ne, die; -, -n ([Druck]spalte; regelmäßig veröffentlichter Meinungsbeitrag); **Ko|lum|nist,** der; -en, -en (Journalist, dem eine bestimmte Spalte einer Zeitung zur Verfügung steht); **Ko|lum|nis|tin**

Ko|ma, das; -s, Plur. -s u. -ta (Med. tiefe Bewusstlosigkeit); **Ko|ma|trin|ken,** das; -s (ugs. *für* gemeinsames Trinken von Alkohol bis zur Bewusstlosigkeit)

¹**Kom|bi,** der; -[s], -s (kurz *für* kombinierter Liefer- u. Personenwagen)

²**Kom|bi,** die; -, -s (vgl. Kombination)

Kom|bi|lohn (staatlich bezuschusster Lohn zur Verminderung von Arbeitslosigkeit)

Kom|bi|na|ti|on, die; -, -en (berechnende Verbindung; Folgerung; Zusammenstellung; Sport gutes Zusammenspiel); **kom|bi|nie|ren** (zusammenstellen; vermuten; gut zusammenspielen)

Kom|bü|se, die; -, -n (Seemannsspr. Schiffsküche)

Ko|met, der; -en, -en (Schweifstern)

Kom|fort [...'fo:ɐ̯], der; -s; kom|for|ta|bel

Ko|mik, die; - (erheiternde, Lachen erregende Wirkung); Ko|mi|ker; Ko|mi|ke|rin; ko|misch (belustigend; sonderbar)

Ko|mi|tee, das; -s, -s (leitender Ausschuss)

Kom|ma, das; -s, Plur. -s, auch -ta (Beistrich)

Kom|man|dant, der; -en, -en (Befehlshaber einer Festung, eines Schiffes usw.); Komman|dan|tin; Kom|man|dan|tur, die; -, -en (Dienstgebäude eines Kommandanten; Amt des Befehlshabers); Kom|man|deur [...'dø:ɐ̯], der; -s, -e (Befehlshaber eines größeren Truppenteils); Kom|man|deu|rin; kom|man|die|ren

Kom|man|dit|ge|sell|schaft (eine Form der Handelsgesellschaft; Abk. KG)

Kom|man|do, das; -s, Plur. -s, österr. auch ...den (Befehl[sgewalt]; Militär Einheit)

Kom|ma|ta (Plur. von Komma)

kom|men; kam, gekommen; einen Arzt kommen lassen; den Gegner kommen lassen od. kommenlassen (angreifen lassen); die Kupplung kommen lassen od. kommenlassen (einkuppeln); Kom|men, das; -s; das Kommen und Gehen; kom|mend; kommende Woche; kom|men las|sen, kom|men|las|sen vgl. kommen

Kom|men|tar, der; -s, -e (Erläuterung, kritische Stellungnahme; ugs. für Bemerkung); kom|men|tar|los; Kom|men|ta|tor, der; -s, ...oren (Verfasser eines Kommentars); Kom|men|ta|to|rin; kom|men|tie|ren

Kom|merz, der; -es (Handel u. Geschäftsverkehr); kom|mer|zi|a|li|sie|ren (kommerziellen Interessen unterordnen); Kom|mer|zi|a|li|sie|rung; kom|mer|zi|ell

Kom|mi|li|to|ne, der; -n, -n (Studienkollege); Kom|mi|li|to|nin

Kom|miss, der; -es (ugs. für Militär[dienst]); beim Kommiss

Kom|mis|sar, der; -s, -e ([vom Staat] Beauftragter; Dienstbez., z. B. Polizeikommissar; Kom|mis|sa|ri|at, das; -[e]s, -e (Amt[szimmer] eines Kommissars; österr. für Polizeidienststelle); Kom|mis|sa|rin; kom|mis|sa|risch (auftragsweise, vorübergehend)

Kom|mis|si|on, die; -, -en (Ausschuss [von Beauftragten]; Wirtsch. Handel für fremde Rechnung); Kom|mis|si|ons|mit|glied

Kom|mo|de, die; -, -n

kom|mu|nal (die Gemeinde[n] betreffend, Gemeinde...); kommunale Angelegenheiten; Kom|mu|nal|po|li|tik; kom|mu|nal|po|li|tisch; Kom|mu|nal|wahl

Kom|mu|ne, die; -, -n (politische Gemeinde; Wohn- u. Wirtschaftsgemeinschaft)

Kom|mu|ni|kant, der; -en, -en (Teilnehmer am Abendmahl); Kom|mu|ni|kan|tin

Kom|mu|ni|ka|ti|on, die; -, -en (Verständigung; Verbindung); Kom|mu|ni|ka|ti|ons|mit|tel, das; Kom|mu|ni|ka|ti|ons|tech|no|lo|gie; kom|mu|ni|ka|tiv (mitteilsam; die Kommunikation betreffend)

Kom|mu|ni|kee vgl. Kommuniqué

Kom|mu|ni|on, die; -, -en (kath. Kirche [Teilnahme am] Abendmahl)

Kom|mu|ni|qué [...myniˈke:, ...mu...], Kom|mu|ni|kee, das; -s, -s (Denkschrift; [regierungs]amtliche Mitteilung)

Kom|mu|nis|mus, der; -; Kom|mu|nist, der; -en, -en; Kom|mu|nis|tin; kom|mu|nis|tisch; aber das Kommunistische Manifest

kom|mu|ni|zie|ren (in Verbindung stehen; miteinander sprechen; mitteilen)

Ko|mö|di|ant, der; -en, -en (Schauspieler; auch für jmd., der sich verstellt); Ko|mö|di|an|tin; ko|mö|di|an|tisch; Ko|mö|die, die; -, -n (Lustspiel; auch für Vortäuschung)

Kom|pa|g|non [...panjõ, auch ...nˈjõ:], der; -s, -s (Kaufmannsspr. [Geschäfts]teilhaber)

kom|pakt (gedrungen; dicht; fest); Kom|pakt|heit, die; -

Kom|pa|nie, die; -, ...ien (militärische Einheit [Abk. Komp., schweiz. Kp]; Kaufmannsspr. veraltet für [Handels]gesellschaft; Abk. Co. od. Co, seltener Cie.)

Kom|pa|ra|tiv, der; -s, -e (Sprachwiss. erste Steigerungsstufe, z. B. »schöner«)

Kom|par|se, der; -n, -n (Statist, stumme Person [bei Bühne u. Film]); Kom|par|sin

Kom|pass, der; -es, -e (Gerät zur Bestimmung der Himmelsrichtung); Kom|pass|na|del

kom|pa|ti|bel (vereinbar, zusammenpassend); Kom|pa|ti|bi|li|tät, die; -, -en

Kom|pen|di|um, das; -s, ...ien (Abriss, kurzes Lehrbuch)

Kom|pen|sa|ti|on, die; -, -en (Ausgleich); kom|pen|sie|ren (ausgleichen)

kom|pe|tent (sachverständig; zuständig); Kom|pe|tenz, die; -, -en (Sachverstand; Zuständigkeit); Kom|pe|tenz|zen|t|rum

kom|ple|men|tär (ergänzend); Kom|ple|men|tär|far|be (Optik Ergänzungsfarbe)

kom|plett (vollständig, abgeschlossen); kom|plet|tie|ren (vervollständigen)

kom|plex (umfassend; vielfältig verflochten); Kom|plex, der; -es, -e (zusammengefasster Bereich; [Sach-, Gebäude]gruppe; Psychol. negative Vorstellung [in Bezug auf sich selbst]); Kom|ple|xi|tät, die; -

Kom|pli|ce [...tsə, auch ...sə] usw. vgl. Komplize usw.

Kom|pli|ka|ti|on, die; -, -en (Verwicklung; Erschwerung)

Kom|pli|ment, das; -[e]s, -e (lobende, schmeichelhafte Äußerung)

Kom|pli|ze, Kom|pli|ce [...tsə, auch ...sə], der; -n, -n (abwertend für Mitschuldiger; Mittäter); Kom|pli|zen|schaft

kom|pli|zie|ren (verwickeln; erschweren); kom|pli|ziert (verwickelt, schwierig)

Kom|pli|zin (abwertend)

Kom|plott, das; ugs. auch der; -[e]s, -e (heimlicher Anschlag, Verschwörung)

Kom|po|nen|te, die; -, -n (Bestandteil eines Ganzen)

kom|po|nie|ren (Musik [eine Komposition] schaffen; geh. für [kunstvoll] gestalten); Kom|po|nist, der; -en, -en; Kom|po|nis|tin; Kom|po|si|ti|on, die; -, -en (Zusammensetzung, Aufbau u. Gestaltung eines Kunstwerkes); kom|po|si|to|risch

Kom|po|si|tum, das; -s, Plur. ...ta, selten ...siten (Sprachwiss. [Wort]zusammensetzung, z. B. »Haustür«)

Kom|post [auch 'kɔm...], der; -[e]s, -e (natürl. Mischdünger); Kom|post|hau|fen; kom|pos|tier|bar; kom|pos|tie|ren (zu Kompost verarbeiten)

Kom|pott, das; -[e]s, -e (gekochtes Obst)

Kom|pres|se, die; -, -n (Med. feuchter Umschlag; Mullstück); Kom|pres|si|on, die; -, -en (Technik Zusammenpressung; Verdichtung); Kom|pres|sor, der; -s, ...oren (Technik Verdichter); kom|pri|mie|ren (verdichten); kom|pri|miert

Kom|pro|miss, der, selten das; -es, -e (Übereinkunft; Ausgleich); kom|pro|miss|be|reit; Kom|pro|miss|be|reit|schaft; kom|pro|miss|los; Kom|pro|miss|vor|schlag; kom|pro|mit|tie|ren (bloßstellen)

Kon|den|sat, das; -[e]s, -e (Niederschlag[swasser]); Kon|den|sa|ti|on, die; -, -en (Verdichtung; Verflüssigung); Kon|den|sa|tor, der; -s, ...oren (Gerät zum Speichern von Elektrizität od. zum Verflüssigen von Dämpfen); kon|den|sie|ren (verdichten; verflüssigen)

Kon|dens|milch; Kon|dens|strei|fen; Kon|dens|was|ser, das; -s

Kon|di|ti|on, die; -, -en (Bedingung; nur Sing.: körperlicher Zustand); Kon|di|ti|ons|schwä|che; Kon|di|ti|ons|trai|ning

Kon|di|tor, der; -s, ...oren; Kon|di|to|rei; Kon|di|to|rin [auch ...'di:...]

Kon|do|lenz, die; -, -en (Beileid[sbezeigung]); Kon|do|lenz|schrei|ben

kon|do|lie|ren; jmdm. kondolieren

Kon|dom, das od. der; -s, Plur. -e, selten -s (Präservativ)

Kon|dor, der; -s, -e (südamerik. Geier)

Kon|fekt, das; -[e]s, -e (Pralinen; südd., schweiz., österr. auch für Teegebäck)

Kon|fek|ti|on die; -, -en Plur. selten (industrielle Anfertigung von Kleidung; industriell angefertigte Kleidung; Bekleidungsindustrie); Kon|fek|ti|ons|grö|ße

Kon|fe|renz, die; -, -en; Kon|fe|renz|raum; Kon|fe|renz|schal|tung (Fernmeldet.); kon|fe|rie|ren (eine Konferenz abhalten)

Kon|fes|si|on, die; -, -en ([Glaubens]be-

kenntnis; [christl.] Bekenntnisgruppe);
kon|fes|si|o|nell (zu einer Konfession
gehörend); **Kon|fes|si|ons|schu|le**
Kon|fet|ti, das; -[s] (bunte Papierblättchen)
Kon|fi|gu|ra|ti|on, die; -, -en (*Astron.,
Astrol. EDV* Zusammenstellung eines Systems); **kon|fi|gu|rie|ren** *(EDV)*
Kon|fir|mand, der; -en, -en; **Kon|fir|man-**
din; Kon|fir|ma|ti|on, die; -, -en (Aufnahme jugendl. ev. Christen in die Erwachsenengemeinde); **kon|fir|mie|ren**
kon|fis|zie|ren (beschlagnahmen)
Kon|fi|tü|re, die; -, -n (Marmelade mit Früchten od. Fruchtstücken)
Kon|flikt, der; -[e]s, -e (Zwiespalt,
[Wider]streit); **Kon|flikt|lö|sung; kon-**
flikt|scheu; Kon|flikt|si|tu|a|ti|on
Kon|fö|de|ra|ti|on, die; -, -en ([Staaten]bund)
kon|form (einig, übereinstimmend); konform
sein (übereinstimmen); **kon|form ge|hen,**
kon|form|ge|hen (übereinstimmen)
Kon|for|mis|mus, der; - (*abwertend für*
[Geistes]haltung, die [stets] um Anpassung
bemüht ist); **Kon|for|mi|tät**, die; - (Übereinstimmung)
Kon|fron|ta|ti|on, die; -, -en (Gegenüberstellung; Auseinandersetzung); **Kon|fron-**
ta|ti|ons|kurs; kon|fron|tie|ren; mit
jmdm., mit etwas konfrontiert werden
kon|fus (verwirrt, verworren); **Kon|fu|si|on,**
die; -, -en (Verwirrung, Durcheinander)
kon|ge|ni|al [*auch* 'kɔ...] (geistig ebenbürtig); **Kon|ge|ni|a|li|tät** [*auch* 'kɔ...], die; -
Kon|glo|me|rat, das; -[e]s, -e (Zusammenballung, Gemisch; *Geol.* Sedimentgestein)
Kon|gre|ga|ti|on, die; -, -en ([kath.] Vereinigung)
Kon|gress, der; -es, -e (fachl. od. polit. Versammlung; *nur Sing.:* Parlament in den
USA); **Kon|gress|saal,** Kon|gress-Saal;
Kon|gress|zen|t|rum
kon|gru|ent (übereinstimmend; *Math.*
deckungsgleich); **Kon|gru|enz** die; -, -en
Plur. selten (Übereinstimmung)
Kö|nig [...nɪç], der; -s, -e; **Kö|ni|gin; kö|nig-**

lich [...nɪklɪç] (*Abk.* kgl.); Königliche Hoheit
(Anrede eines Fürsten od. Prinzen);
Kö|nig|reich [...nɪk...]; **Kö|nigs|haus;**
Kö|nigs|klas|se (*Sport* höchste Klasse);
Kö|nigs|weg (bester Weg); **Kö|nig|tum**
Kon|ju|ga|ti|on, die; -, -en (*Sprachwiss.* Beugung des Verbs); **kon|ju|gie|ren** ([Verben]
beugen)
Kon|junk|ti|on, die; -, -en (*Sprachwiss.* Bindewort; *Astron.* Stellung zweier Gestirne
im gleichen Längengrad)
Kon|junk|tiv, der; -s, -e (*Sprachwiss.* Möglichkeitsform; *Abk.* Konj.)
Kon|junk|tur, die; -, -en (wirtschaftl.
Gesamtlage von bestimmter Entwicklungstendenz; wirtschaftl. Aufschwung); **Kon-**
junk|tur|auf|schwung; Kon|junk|tur|aus-
sicht *meist Plur.;* **kon|junk|tu|rell** (der
Konjunktur gemäß); **Kon|junk|tur|ent-**
wick|lung; Kon|junk|tur|flau|te; Kon-
junk|tur|pro|gramm; Kon|junk|tur-
schwä|che; Kon|junk|tur|zy|k|lus
kon|kav (*Optik* hohl, nach innen gewölbt)
Kon|kla|ve, das; -s, -n (Versammlung[sort]
der Kardinäle zur Papstwahl)
Kon|kor|danz, die; -, -en (*Biol., auch*
schweiz. für Übereinstimmung); **Kon|kor-**
dat, das; -[e]s, -e (Vertrag zwischen Staat
u. kath. Kirche; *schweiz. für* Vertrag zwischen Kantonen)
kon|kret (gegenständlich, anschaubar, greifbar); **kon|kre|ti|sie|ren** (verdeutlichen; [im
Einzelnen] ausführen); **Kon|kre|ti|sie|rung**
Kon|ku|bi|nat, das; -[e]s, -e (*Rechtsspr.* eheähnliche Gemeinschaft ohne Eheschließung); **Kon|ku|bi|ne**, die; -, -n (*veraltet für*
im Konkubinat lebende Frau; *veraltet*
abwertend für Geliebte)
Kon|kur|rent, der; -en, -en (Mitbewerber,
[geschäftl.] Rivale); **Kon|kur|ren|tin;**
Kon|kur|renz, die; -, -en (Wettbewerb;
Zusammentreffen zweier Tatbestände od.
Möglichkeiten; *nur Sing.:* Konkurrent,
Gesamtheit der Konkurrenten); **Kon|kur-**
renz|druck, der; -[e]s; **kon|kur|renz|fä-**
hig; Kon|kur|renz|fä|hig|keit *Plur. selten;*

K

Kon|kur|renz|kampf; kon|kur|renz|los; kon|kur|rie|ren (wetteifern; zusammentreffen [von mehreren strafrechtl. Tatbeständen])

Kon|kurs, der; -es, -e (früher für Insolvenz, Zahlungsunfähigkeit); in Konkurs gehen

kön|nen; konnte, gekonnt; **Kön|nen,** das; -s; **Kön|ner; Kön|ne|rin**

Kon|rek|tor, der; -s, ...oren (Vertreter des Rektors einer Schule); **Kon|rek|to|rin**

Kon|sens, der; -es, -e (Meinungsübereinstimmung; veraltend für Genehmigung)

kon|se|quent (folgerichtig; beharrlich, zielbewusst); **kon|se|quen|ter|wei|se; Kon|se|quenz,** die; -, -en (Folgerichtigkeit; Beharrlichkeit; Folge[rung])

Kon|ser|va|tis|mus; kon|ser|va|tiv [auch 'kɔ...]; **Kon|ser|va|ti|ve,** der u. die; -n, -n

Kon|ser|va|to|ri|um, das; -s, ...ien (Musik[hoch]schule)

Kon|ser|ve, die; -, -n (haltbar gemachtes Lebensmittel; Konservenbüchse, -glas mit Inhalt); **Kon|ser|ven|do|se; kon|ser|vie|ren** (einmachen; haltbar machen; beibehalten); **Kon|ser|vie|rung**

kon|sis|tent (fest, zäh zusammenhaltend; dickflüssig); **Kon|sis|tenz,** die; -

Kon|so|le, die; -, -n (Wandbrett; EDV Gerät für elektronische Spiele)

kon|so|li|die|ren (in seinem Bestand sichern, festigen); **Kon|so|li|die|rung**

Kon|so|nant, der; -en, -en (Sprachwiss. Mitlaut, z. B. p, t, k)

Kon|sor|te, der; -n, -n (Wirtsch. Mitglied eines Konsortiums; nur Plur.: abwertend für Mittäter); **Kon|sor|ti|um,** das; -s, ...ien (Genossenschaft; vorübergehende Vereinigung von Unternehmen, bes. von Banken, für größere Finanzierungsaufgaben)

Kon|s|pi|ra|ti|on, die; -, -en (Verschwörung); **kon|s|pi|ra|tiv; kon|s|pi|rie|ren**

kon|s|tant (unveränderlich, stetig); **Kon|s|tan|te,** die; -[n], Plur. -n, ohne Artikel fachspr. auch - (eine mathematische Größe, deren Wert sich nicht ändert; Ggs. Veränderliche, Variable); zwei Konstan-

te[n]; **Kon|s|tanz,** die; - (Beharrlichkeit; Stetigkeit)

kon|s|ta|tie|ren (feststellen)

Kon|s|tel|la|ti|on, die; -, -en (Zusammentreffen von Umständen; Lage)

kon|s|ter|niert (bestürzt, betroffen)

kon|s|ti|tu|ie|ren (einsetzen, festsetzen, gründen); sich konstituieren (zusammentreten [zur Beschlussfassung]); **Kon|s|ti|tu|ti|on,** die; -, -en (allgemeine, bes. körperliche Verfassung; Med. Körperbau; Politik Verfassung, Satzung); **kon|s|ti|tu|ti|o|nell** (verfassungsmäßig; Med. auf die Körperbeschaffenheit bezüglich; anlagebedingt); konstitutionelle Monarchie; **kon|s|ti|tu|tiv** (das Wesen einer Sache bestimmend)

kon|s|t|ru|ie|ren (gestalten; zeichnen; bilden; [künstlich] herstellen); **Kon|s|t|rukt,** das; -[e]s, Plur. -e u. -s (Arbeitshypothese); **Kon|s|t|ruk|teur** [...'tø:ɐ̯], der; -s, -e (Erbauer, Erfinder, Gestalter); **Kon|s|t|ruk|teu|rin; Kon|s|t|ruk|ti|on,** die; -, -en; **kon|s|t|ruk|tiv** [auch 'kɔ...] (die Konstruktion betreffend; folgerichtig; aufbauend)

Kon|sul, der; -s, -n (höchster Beamter der röm. Republik; Diplomatie Vertreter eines Staates im Ausland); **kon|su|la|risch; Kon|su|lat,** das; -[e]s, -e (Amt[sgebäude] eines Konsuls); **Kon|su|lin**

Kon|sul|ta|ti|on, die; -, -en (Befragung, bes. eines Arztes; Beratung von Regierungen); **kon|sul|tie|ren** ([einen Arzt] befragen)

Kon|sum, der; -s (Verbrauch, Verzehr); **Kon|su|ment,** der; -en, -en (Verbraucher; Käufer); **Kon|su|men|tin; Kon|sum|gut** meist Plur. (Wirtsch.); **kon|su|mie|ren** (verbrauchen; verzehren); **Kon|sum|ver|hal|ten**

Kon|takt, der; -[e]s, -e (Berührung, Verbindung); **Kon|takt|ad|res|se; kon|takt|arm; Kon|takt|auf|nah|me; kon|takt|freu|dig; kon|tak|tie|ren; Kon|takt|lin|se; Kon|takt|per|son; kon|takt|scheu**

Kon|ta|mi|na|ti|on, die; -, -en (fachspr. für [radioaktive] Verunreinigung, Verseuchung); **kon|ta|mi|nie|ren**

Kon|ter, der; -s, - (Sport schneller Gegenangriff); Kon|ter|fei [auch ...'faı], das; -s, Plur. -s od. -e (scherzh., sonst veraltet für [Ab]bild, Bildnis)

kon|ter|ka|rie|ren (hintertreiben)

kon|tern (schlagfertig erwidern; abwehren)

Kon|ter|re|vo|lu|ti|on (Gegenrevolution)

Kon|text [auch ...'tɛ...], der; -[e]s, -e (umgebender Text; Zusammenhang; Inhalt)

Kon|ti (Plur. von Konto)

Kon|ti|nent [auch 'kɔn...], der; -[e]s, -e (Festland; Erdteil); kon|ti|nen|tal

Kon|tin|gent, das; -[e]s, -e (anteilig zu erbringende Menge, Leistung); kon|tin|gen|tie|ren (einen Anteil festsetzen)

kon|ti|nu|ier|lich (stetig, fortdauernd); Kon|ti|nu|i|tät, die; -, -en (Stetigkeit)

Kon|to, das; -s, Plur. ...ten, selten -s u. ...ti (fortlaufende Gegenüberstellung u. Verrechnung der Forderungen u. Schulden im privaten od. geschäftlichen Zahlungsverkehr); Kon|to|aus|zug; Kon|to|num|mer

Kon|tor, das; -s, -e (Handelsniederlassung im Ausland)

Kon|to|stand

kon|t|ra, con|t|ra (gegen, entgegengesetzt); Kon|t|ra, das; -s, -s (Kartenspiele Gegenansage); jmdm. Kontra geben

Kon|t|ra|bass (Bassgeige)

Kon|tra|hent, der; -en, -en (Rechtsspr. Vertragspartner; Gegner); Kon|tra|hen|tin

Kon|t|ra|in|di|ka|ti|on, die; -, -en (Med. Umstand, der die Anwendung einer Arznei o. Ä. verbietet)

Kon|trakt, der; -[e]s, -e (Vertrag)

Kon|trak|ti|on, die; -, -en (Zusammenziehung)

kon|t|ra|pro|duk|tiv (negativ, entgegenwirkend)

Kon|t|ra|punkt, der; -[e]s, -e (Musik Führung mehrerer selbstständiger Stimmen im Tonsatz)

kon|t|rär (gegensätzlich; widrig)

Kon|t|rast, der; -[e]s, -e ([starker] Gegensatz; auffallender [Farb]unterschied); kon|t|ras|tie|ren (sich unterscheiden, einen [starken] Gegensatz bilden); Kon|t|rast-

mit|tel, das (Med.); Kon|t|rast|pro-gramm; kon|t|rast|reich

Kon|t|rol|le, die; -, -n; Kon|t|rol|leur [...'løːɐ̯], der; -s, -e (Aufsichtsbeamter, Prüfer); Kon|t|rol|leu|rin; kon|t|rol|lier|bar; kon|t|rol|lie|ren; kon|t|rol|liert

Kon|t|roll|me|cha|nis|mus

kon|t|ro|vers (entgegengesetzt; strittig; umstritten); Kon|t|ro|ver|se, die; -, -n (Meinungsverschiedenheit; Streit[frage])

Kon|tur die; -, -en meist Plur. (Umriss; andeutende Linie[nführung]); kon|tu|rie|ren (in Umrissen zeichnen)

Kon|vent, der; -[e]s, -e (kath. Kirche Versammlung der Mönche; ev. Kirche Zusammenkunft der Geistlichen zur Beratung)

Kon|ven|ti|on, die; -, -en (Abkommen, [völkerrechtl.] Vertrag; meist Plur.: Herkommen, Brauch, Förmlichkeit); kon|ven|ti|o-nell (herkömmlich, üblich; förmlich)

kon|ver|gent (sich zuneigend, zusammenlaufend; übereinstimmend); Kon|ver|genz, die; -, -en (Annäherung, Übereinstimmung)

Kon|ver|sa|ti|on, die; -, -en (gesellige Unterhaltung, Plauderei)

kon|ver|tie|ren (Rel. den Glauben, die Konfession wechseln); Kon|ver|tit, der; -en, -en (Rel. zu anderem Glauben od. anderer Konfession Übergetretener); Kon|ver|ti|tin

kon|vex (Optik nach außen gewölbt)

Kon|voi [auch 'kɔn...], der; -s, -s (bes. Militär Geleitzug; Fahrzeugkolonne)

Kon|vo|lut, das; -[e]s, -e (Buchw. Bündel [von Schriftstücken]; Sammelband)

Kon|zen|t|rat, das; -[e]s, -e (angereicherter Stoff, hochprozentige Lösung)

Kon|zen|t|ra|ti|on, die; -, -en (Zusammenziehung [von Truppen]; [geistige] Sammlung; Chemie Gehalt einer Lösung)

Kon|zen|t|ra|ti|ons|la|ger, das; -s, ...lager (Abk. KZ); Kon|zen|t|ra|ti|ons|schwä|che

kon|zen|t|rie|ren ([Truppen] zusammenziehen, vereinigen; Chemie anreichern, gehaltreich machen); sich konzentrieren (sich [geistig] sammeln); kon|zen|t|riert (Chemie angereichert, gehaltreich; übertr.

für gesammelt, aufmerksam); **kon|zen|t-
risch** (mit gemeinsamem Mittelpunkt)
Kon|zept, das; -[e]s, -e (Entwurf; Plan); **Kon-
zep|ti|on**, die; -, -en (Entwurf eines Werkes;
Med. Empfängnis); **kon|zep|ti|o|nell; kon-
zep|tu|ell** (auf ein Konzept bezogen)
Kon|zern, der; -[e]s, -e (Zusammenschluss
wirtschaftl. Unternehmen); **Kon|zern|lei-
tung; Kon|zern|mut|ter** (*Wirtsch.* Mut-
tergesellschaft eines Konzerns);
Kon|zern|spit|ze; Kon|zern|toch|ter
(Tochtergesellschaft eines Konzerns);
Kon|zern|um|satz
Kon|zert, das; -[e]s, -e; **Kon|zert|abend;
Kon|zert|haus**
kon|zer|tiert) eine konzertierte Aktion
(*Wirtsch.* gemeinsam zwischen Partnern
abgestimmtes Handeln)
Kon|zert|saal
Kon|zes|si|on, die; -, -en (behördl. Genehmi-
gung; *meist Plur.*: Zugeständnis)
Kon|zil, das; -s, *Plur.* -e u. -ien (Versamm-
lung kath. Würdenträger; Universitätsgre-
mium)
kon|zi|li|ant (versöhnlich, umgänglich)
kon|zi|pie|ren (verfassen, entwerfen)
Ko|ope|ra|ti|on, die; -, -en (Zusammenar-
beit); **Ko|ope|ra|ti|ons|be|reit|schaft; ko-
ope|ra|tiv; Ko|ope|ra|tiv**, das; -s, *Plur.* -e,
auch -s (Arbeitsgemeinschaft, Genossen-
schaft); **ko|ope|rie|ren** (zusammenarbei-
ten)
Ko|or|di|na|ti|on, die; -, -en; **ko|or|di|nie-
ren** (in ein Gefüge einbauen; aufeinander
abstimmen); **Ko|or|di|nie|rung**
Kopf, der; -[e]s, Köpfe; Kopf hoch!; von Kopf
bis Fuß; jmdm. zu Kopf steigen; einen Ball
über Kopf od. überkopf schlagen; *aber nur*
die Schmerzen strahlten über Kopf und
Nacken bis in beide Schultern; auf dem
Kopf stehen; das Bild, der Turner steht auf
dem Kopf; *vgl. aber* kopfstehen
**Kopf-an-Kopf-Ren|nen; Kopf|bahn|hof;
Kopf|ball; Kopf|be|de|ckung; Köpf|chen;
köp|fen; Kopf|haut; Kopf|hö|rer; Kopf-
kis|sen; kopf|los; Kopf|pau|scha|le** (ein-

kommensunabhängige pauschale Kranken-
versicherungsprämie); **kopf|rech|nen** *nur
im Infinitiv gebr.;* **Kopf|rech|nen**, das; -s;
Kopf|schmerz *meist Plur.;* **Kopf|schuss;
kopf|schüt|telnd; Kopf|sprung; kopf|ste-
hen;** ich stehe kopf, habe kopfgestanden,
um kopfzustehen; *aber* auf dem Kopf ste-
hen; **Kopf|stein|pflas|ter; Kopf|tuch** *Plur.*
…tücher; **kopf|über; Kopf|ver|let|zung;
Kopf|weh**, das; -s; **Kopf|zer|bre|chen**,
das; -s
Ko|pie [*österr. auch* 'ko:piə], die; -, …ien
[*österr. auch* 'ko:piən] (Abschrift; Abdruck;
Nachbildung; *Film* Abzug); **ko|pie|ren**
(eine Kopie machen); **Ko|pie|rer** (*ugs. für*
Kopiergerät); **Ko|pier|ge|rät; Ko|pier-
schutz**, der; -es (*EDV*)
Ko|pi|lot, Co|pi|lot (zweiter Flugzeugführer;
zweiter Fahrer); **Ko|pi|lo|tin**, Co|pi|lo|tin
¹**Kop|pel**, die; -, -n (eingezäunte Weide; Rie-
men; durch Riemen verbundene Tiere)
²**Kop|pel**, das; -s, -, *österr.* die; -, -n (Gürtel)
kop|peln (verbinden); **Kop|pe|lung, Kopp-
lung**
Ko|pro|duk|ti|on, die; -, -en (Gemeinschafts-
herstellung); **ko|pro|du|zie|ren**
Ko|pu|la|ti|on, die; -, -en (*Biol.* Begattung);
ko|pu|lie|ren
Ko|ral|le, die; -, -n (ein Nesseltier; aus sei-
nem Skelett gewonnener Schmuckstein);
Ko|ral|len|in|sel; Ko|ral|len|riff
Ko|ran [*auch* 'ko:...], der; -[s], -e (das heilige
Buch des Islams)
Korb, der; -[e]s, Körbe; **Korb|blüt|ler**
Körb|chen
Kord usw. *vgl.* Cord usw.
Kor|del, die; -, -n (gedrehte Schnur)
Ko|ri|an|der der; -s, - *Plur. selten* (Gewürz-
pflanze u. deren Samen)
Ko|rin|the die; -, -n *meist Plur.* (kleine Rosine)
Kork, der; -[e]s, -e (Rinde der Korkeiche;
Korken); **kor|ken** (aus Kork); **Kor|ken**, der;
-s, - (Stöpsel aus Kork); **Kor|ken|zie|her**
Kor|mo|ran [*österr.* 'kɔr...], der; -s, -e (ein
Schwimmvogel)
¹**Korn**, der; -[e]s (*ugs. für* Kornbranntwein)

²**Korn**, das; -[e]s, Plur. Körner u. (für Getreidearten:) -e; **Korn|blu|me**; **Körn|chen**

Kor|nett, das; -[e]s, Plur. -e u. -s (ein Blechblasinstrument)

kör|nig

Ko|ro|na, die; -, ...nen (Kunstwiss. Heiligenschein; Astron. Strahlenkranz [um die Sonne])

Kör|per, der; -s, -; **Kör|per|bau**, der; -[e]s; **kör|per|be|hin|dert; kör|per|ei|gen;** körpereigene Abwehrstoffe; **Kör|per|gewicht; Kör|per|grö|ße; Kör|per|hal|tung; kör|per|lich; Kör|per|lich|keit; Kör|perpfle|ge; Kör|per|schaft; Kör|per|sprache; Kör|per|teil**, der; **Kör|per|ver|letzung**

Kor|po|ra|ti|on, die; -, -en (Körperschaft; Studentenverbindung)

Korps, Corps [ko:ɐ̯], das; -, - (Heeresabteilung; [schlagende] stud. Verbindung)

kor|pu|lent (beleibt); **Kor|pu|lenz**, die; - (Beleibtheit)

Kor|pus, Cor|pus, das; -, ...pora (einer wissenschaftl. Untersuchung zugrunde liegende Textsammlung; Musik [meist der; nur Sing.] Klangkörper eines Instruments)

kor|rekt; kor|rek|ter|wei|se; Kor|rekt|heit; Kor|rek|tur, die; -, -en (Berichtigung, Verbesserung); Korrektur lesen

Kor|re|la|ti|on, die; -, -en (Wechselbeziehung); **kor|re|lie|ren**

kor|re|pe|tie|ren (Musik eine Gesangs-, Instrumental- od. Tanzpartie mit Klavierbegleitung einüben); **Kor|re|pe|ti|tor; Kor|re|pe|ti|to|rin**

Kor|re|s|pon|dent, der; -en, -en (Berichterstatter im Ausland); **Kor|re|s|pon|den|tin; Kor|re|s|pon|denz**, die; -, -en (Briefwechsel); **kor|re|s|pon|die|ren** (im Briefverkehr stehen; übereinstimmen)

Kor|ri|dor, der; -s, -e ([Wohnungs]flur, Gang; schmaler Gebietsstreifen)

kor|ri|gie|ren (berichtigen; verbessern)

Kor|ro|si|on, die; -, -en (Zersetzung, Zerstörung); **kor|ro|si|ons|be|stän|dig**

kor|rum|pie|ren ([charakterlich] verderben; bestechen)

kor|rupt ([moralisch] verdorben; bestechlich); **Kor|rup|ti|on**, die; -, -en (Bestechlichkeit; Bestechung; [Sitten]verfall, -verderbnis); **Kor|rup|ti|ons|af|fä|re**

Kor|sett, das; -s, Plur. -s, auch -e (Mieder; Med. Stützvorrichtung für die Wirbelsäule)

Kor|so, der; -s, -s (Schaufahrt; Umzug; Straße [für das Schaufahren])

Kor|ti|son, fachspr. Cor|ti|son, das; -s (Pharm. ein Hormonpräparat)

Kor|vet|te, die; -, -n (leichtes Kriegsschiff)

Ko|ry|phäe, die; -, -n (bedeutende Persönlichkeit, hervorragender Gelehrter usw.)

ko|scher (den jüd. Speisegesetzen gemäß [erlaubt]; ugs. für einwandfrei)

K.-o.-Schlag (Boxen Niederschlag)

ko|sen; Ko|se|na|me

Ko|si|nus, Co|si|nus der; -, Plur. - u. -se Plur. selten (Math. eine Winkelfunktion im rechtwinkligen Dreieck; Zeichen cos)

Kos|me|tik, die; - (Körper- u. Schönheitspflege); **Kos|me|ti|ker; Kos|me|ti|ke|rin; Kos|me|tik|sa|lon; Kos|me|ti|kum** das; -s, ...ka meist Plur. (Mittel zur Schönheitspflege); **kos|me|tisch**

kos|misch (im Kosmos; das Weltall betreffend; All...); **Kos|mo|lo|gie**, die; -, ...ien (Lehre von der Entstehung u. Entwicklung des Weltalls); **Kos|mo|naut**, der; -en, -en (Weltraumfahrer); **Kos|mo|nau|tin**

Kos|mo|po|lit, der; -en, -en (Weltbürger); **Kos|mo|po|li|tin; kos|mo|po|li|tisch**

Kos|mos, der; - (Weltall, Weltraum)

Kost, die; -

kost|bar; Kost|bar|keit

¹**kos|ten** (schmecken)

²**kos|ten** (wert sein); **Kos|ten** Plur.; Kosten senken, sparen; kostensenkende od. Kosten senkende Maßnahmen; eine kostensparende od. Kosten sparende Lösung, aber nur eine kostensparendere, die kostensparendste Lösung; **kos|ten|deckend, Kos|ten de|ckend;** kostendeckende od. Kosten deckende Gebühren

K

Kos|ten|ein|spa|rung; Kos|ten|fak|tor; kos|ten|frei; kos|ten|güns|tig; kos|ten|in|ten|siv; kos|ten|los; kos|ten|pflich|tig; Kos|ten|punkt; kos|ten|sen|kend, Kosten sen|kend vgl. Kosten; Kos|ten|sen|kung; kos|ten|spa|rend, Kos|ten spa|rend vgl. Kosten

köst|lich; Köst|lich|keit

Kost|pro|be

kost|spie|lig

Kos|tüm, das; -s, -e; Kos|tüm|fest; kos|tü|mie|ren; sich kostümieren ([ver]kleiden)

Kot der; -[e]s, -e Plur. selten

Ko|tan|gens, bes. fachspr. Co|tan|gens der; -, - Plur. selten (Math. eine Winkelfunktion im Dreieck; Zeichen cot)

Ko|tau, der; -s, -s (demütige Ehrerweisung); Kotau machen

Ko|te|lett [kɔt|lɛt, auch 'kɔt...], das; -s, -s (Rippenstück)

Ko|te|let|ten Plur. (Backenbart)

Kö|ter, der; -s, - (abwertend für Hund)

Kot|flü|gel; ko|tig

Kot|ze, die; - (derb für Erbrochenes); kot|zen (derb für sich übergeben)

Krab|be, die; -, -n (ein Krebs)

krab|beln; ich krabb[e]le

krach!; Krach, der; -[e]s, Kräche (nur Sing.: Lärm; ugs. für Streit; Zusammenbruch); mit Ach und Krach (mit Müh und Not); Krach schlagen; kra|chen; es mal richtig krachen lassen od. krachenlassen (ugs. für ausgelassen feiern); Kra|cher (ugs. für Knallkörper); Krach|le|der|ne, die; -n, -n (bayr. für kurze Lederhose)

kräch|zen; Kräch|zer

Krä|cker vgl. Cracker

kraft; Präp. mit Gen.: kraft meines Amtes

Kraft, die; -, Kräfte; [viel] Kraft rauben; kraftraubende od. Kraft raubende, kraftsparende od. Kraft sparende Methoden; in Kraft treten, sein; das Inkrafttreten; etwas außer Kraft setzen

Kraft|akt; Kraft|an|stren|gung

Kräf|te|mes|sen, das; -s; Kräf|te|ver|hält|nis; kräf|te|zeh|rend

Kraft|fah|rer; Kraft|fah|re|rin; Kraft|fahr|zeug (Abk. Kfz)

kräf|tig; kräf|ti|gen; Kräf|ti|gung

kraft|los; saft- und kraftlos; Kraft|mei|e|rei (ugs. abwertend); Kraft|pro|be

kraft|rau|bend, Kraft rau|bend; eine kraftraubende od. Kraft raubende Arbeit, aber nur eine viel Kraft raubende Arbeit, eine äußerst kraftraubende, noch kraftraubendere Arbeit; kraft|spa|rend, Kraft spa|rend; eine kraftsparende od. Kraft sparende Technik, aber nur eine viel Kraft sparende Technik, eine äußerst kraftsparende, noch kraftsparendere Technik

Kraft|sport; Kraft|stoff; kraft|voll; Kraft-Wär|me-Kopp|lung; Kraft|werk

Krä|gel|chen; Kra|gen, der; -s, Plur. -, südd., österr. u. schweiz. auch Krägen

Krä|he, die; -, -n; krä|hen; Krä|hen|fü|ße Plur. (ugs. für Fältchen in den Augenwinkeln; unleserlich gekritzelte Schrift)

Kra|kau|er, die; -, - (eine Art Knackwurst)

Kra|ke, der; -n, -n, ugs. auch die; -, -n (Riesentintenfisch)

Kra|keel, der; -s (ugs. für Lärm u. Streit; Unruhe); kra|kee|len (ugs.); er hat krakeelt

Kra|kel, der; -s, - (ugs. für schwer leserliches Schriftzeichen); Kra|ke||el (ugs.); kra|ke|lig (ugs.); kra|keln (ugs.); Kra|kel|schrift (ugs.); krak|lig (ugs.)

Kral, der; -s, Plur. -e, auch -s (Runddorf afrik. Stämme)

Kral|le, die; -, -n; kral|len (ugs. unerlaubt wegnehmen)

Kram, der; -[e]s; kra|men (ugs. für herumwühlen u. nach etw. suchen)

Krä|mer (veraltet, aber noch landsch. für Kleinhändler); Krä|me|rin

Kram|pe, die; -, -n (Metallhaken)

Krampf, der; -[e]s, Krämpfe; Krampf|ader; kramp|fen; sich krampfen; krampf|haft

Kran, der; -[e]s, Plur. Kräne u. (fachspr.) Krane (Hebevorrichtung); Kran|füh|rer; Kran|füh|re|rin

Kra|nich, der; -s, -e (ein Stelzvogel)

krank; krän|ker, kränks|te; krank sein, wer-

den, liegen; weil die Belastungen uns krank machen od. krankmachen; *vgl. aber* krankmachen; **krank|är|gern,** sich (*ugs. für sich sehr ärgern*); **Kran|ke,** der u. die; -n, -n; die chronisch Kranken
krän|keln; ich kränk[e]le
kran|ken; an etwas kranken (durch etwas beeinträchtigt sein)
krän|ken (beleidigen)
Kran|ken|bett; Kran|ken|geld; Kran|ken|gym|nas|tik; Kran|ken|haus; Kran|ken|kas|se; Kran|ken|kas|sen|bei|trag; Kran|ken|pfle|ge; Kran|ken|pfle|ger; Kran|ken|pfle|ge|rin; Kran|ken|schein; Kran|ken|schwes|ter; Kran|ken|stand (Anteil der Krankheitstage einer Arbeitnehmerschaft in einem bestimmten Zeitraum); **kran|ken|ver|si|chert; Kran|ken|ver|si|che|rung; Kran|ken|wa|gen**
krank|fei|ern (*ugs. für der Arbeit fernbleiben, ohne ernstlich krank zu sein*); er hat gestern krankgefeiert; **krank|haft; Krankheit; krank|heits|be|dingt; Krank|heits|er|re|ger; Krank|heits|fall;** im Krankheitsfall; **krank|la|chen,** sich (*ugs. für heftig lachen*); ich habe mich krankgelacht; **krank|lich; krank|ma|chen** (*svw.* krankfeiern); sie hat krankgemacht; *vgl. aber* krank; **krank|mel|den;** er hat sich krankgemeldet; **Krank|mel|dung; krank|schrei|ben;** sie wurde [für] eine Woche krankgeschrieben
Krän|kung
Kranz, der; -es, Kränze; **Kränz|chen; Kranz|nie|der|le|gung**
Krap|fen, der; -s, - (ein Gebäck)
krass (extrem; grell); **Krass|heit**
Kra|ter, der; -s, - (Vulkanöffnung; Abgrund); **Kra|ter|land|schaft**
kratz|bürs|tig (widerspenstig)
Krät|ze, die; - (Hautkrankheit)
krat|zen; Krat|zer (*ugs. für* Schramme); **krat|zig**
Kraul, das; -[s] *meist ohne Artikel* (ein Schwimmstil)
¹krau|len (im Kraulstil schwimmen)
²krau|len (zart krauen)

Kraul|schwim|men, das; -s
kraus; Krau|se, die; -, -n
kräu|seln; ich kräus[e]le; das Haar kräuselt sich
Kraus|haar; kraus|haa|rig
Kraut, das; -[e]s, Kräuter (*südd., österr. Sing. auch für* Kohl); **Kräu|ter** *Plur.* (Gewürz- u. Heilpflanzen); **Kräu|ter|tee**
Kra|wall, der; -s, -e (Aufruhr; *nur Sing.: ugs. für* Lärm)
Kra|wat|te, die; -, -n ([Hals]binde, Schlips)
kra|xeln (*ugs. für* klettern)
Kre|a|ti|on, die; -, -en (Modeschöpfung; *veraltend für* Erschaffung); **kre|a|tiv** (schöpferisch); **Kre|a|ti|vi|tät,** die; - (schöpferische Kraft)
Kre|a|tur, die; -, -en (Geschöpf, Lebewesen); **kre|a|tür|lich**
Krebs, der; -es, -e (Krebstier; bösartige Geschwulst; *nur Sing.:* Sternbild); Krebs erregen; **Krebs|er|kran|kung; krebs|er|re|gend, Krebs er|re|gend;** eine krebserregende od. Krebs erregende (karzinogene) Chemikalie, *aber nur* eine äußerst krebserregende Chemikalie; **krebs|krank; Krebs|lei|den; Krebs|pa|ti|ent; Krebs|pa|ti|en|tin; krebs|rot; Krebs|zel|le**
kre|den|zen (*geh. für* feierlich anbieten)
Kre|dit [*auch* ...ˈdɪt], der; -[e]s, -e (befristet zur Verfügung gestellter Geldbetrag; *übertr. für* Glaubwürdigkeit)
Kre|dit|an|stalt; Kre|dit|auf|nah|me; Kre|dit|ge|schäft; Kre|dit|in|s|ti|tut; Kre|dit|kar|te; Kre|dit|li|nie (Obergrenze für einen Kredit); **Kre|dit|we|sen,** das; -s; **kre|dit|wür|dig; Kre|dit|wür|dig|keit**
Kre|do *vgl.* Credo
Krei|de, die; -, -n; **krei|de|bleich; Krei|de|fel|sen; krei|de|weiß**
kre|ie|ren ([er]schaffen)
Kreis, der; -es, -e (*auch für* Verwaltungsgebiet; *Abk.* Kr., Krs.); **Kreis|aus|schnitt**
krei|schen
Kreis|durch|mes|ser
Krei|sel, der; -s, -; **krei|seln**

krei|sen; du kreist; den Becher kreisen lassen

kreis|för|mig; kreis|frei; eine kreisfreie Stadt; Kreis|klas|se *(Sport)*; Kreis|lauf; Kreis|li|ga *(Sport);* kreis|rund; Kreis|sä|ge

Kreiß|saal (Entbindungsraum im Krankenhaus)

Kreis|stadt; Kreis|um|fang; Kreis|ver|kehr

Kre|ma|to|ri|um, das; -s, ...ien (Anlage für Feuerbestattungen)

Krem|pe, die; -, -n ([Hut]rand)

Krem|pel, der; -s *(ugs. für [Trödel]kram)*

krem|peln ([nach oben] umschlagen)

kre|pie|ren (bersten, zerspringen [von Sprenggeschossen]; *derb für* verenden)

¹Krepp, der; -s, Plur. -e u. -s, ¹Crêpe [krεp], der; -[s], -s (krauses Gewebe)

²Krepp vgl. ²Crêpe

Krepp|pa|pier, Krepp-Pa|pier

Kres|se, die; -, -n (Name für verschiedene Salat- und Gewürzpflanzen)

Kre|thi und Ple|thi Plur., auch Sing., ohne Artikel *(abwertend für* alle möglichen Leute)

Kreuz, das; -es, -e; das Rote Kreuz; das Eiserne Kreuz; Kreuz|band|riss; kreu|zen (über Kreuz legen; *Biol.* paaren; *Seemannsspr.* im Zickzackkurs fahren); Kreuzer (ehem. Münze; Kriegsschiff; größere Segeljacht); Kreu|zes|tod; Kreu|zes|zei|chen vgl. Kreuzzeichen; Kreuz|fah|rer; Kreuz|fahrt; Kreuz|fahrt|schiff; Kreuz-feu|er; kreuz|fi|del *(ugs.);* Kreuz|gang, der; kreu|zi|gen; Kreu|zi|gung; Kreuz|ot-ter, die; Kreuz|rit|ter; kreuz und quer (planlos); Kreu|zung; Kreuz|ver|hör; kreuz|wei|se; Kreuz|wort|rät|sel; Kreuz-zei|chen, Kreu|zes|zei|chen; Kreuz|zug

Kre|vet|te, Cre|vet|te, die; -, -n (eine Garne-lenart)

krib|be|lig, kribb|lig *(ugs. für* ungeduldig, gereizt); krib|beln *(ugs. für* prickeln, jucken; wimmeln); kribb|lig vgl. kribbelig

Kri|cket, das; -s (ein Ballspiel)

krie|chen; kroch, gekrochen; Krie|cher *(abwertend);* Krie|che|rei; Krie|che|rin; krie|che|risch; Kriech|tier

Krieg, der; -[e]s, -e; die Krieg führenden *od.* kriegführenden Parteien

krie|gen *(ugs. für* erhalten, bekommen)

Krie|ger; Krie|ge|rin; krie|ge|risch

Krieg füh|rend, krieg|füh|rend vgl. Krieg; Krieg|füh|rung, Kriegs|füh|rung; Kriegs-be|ginn; Kriegs|dienst; Kriegs|dienst-ver|wei|ge|rer; Kriegs|en|de; Kriegs|er-klä|rung; Kriegs|füh|rung vgl. Kriegführung; Kriegs|ge|biet; Kriegs|ge|fan|ge-ne; Kriegs|ge|fan|gen|schaft; Kriegs|geg|ner; Kriegs|geg|ne|rin; Kriegs|op|fer; Kriegs|par|tei; Kriegs-schiff; Kriegs|ver|bre|chen; Kriegs|ver-bre|cher; Kriegs|ver|bre|che|rin

Kri|mi *[auch* 'kri:...], der; -s, -s *(ugs. für* Kriminalroman, -film); Kri|mi|nal|be|am|te; Kri|mi|nal|be|am|tin; Kri|mi|nal|fall, der; Kri|mi|nal|film; kri|mi|na|li|sie|ren (als kriminell hinstellen); Kri|mi|na|list, der; -en, -en (Kriminalpolizist); Kri|mi|na|lis-tin; Kri|mi|na|li|tät, die; -; Kri|mi|nal|po-li|zei (Kurzw. Kripo); Kri|mi|nal|ro|man

kri|mi|nell; Kri|mi|nel|le, der u. die; -n, -n (straffällig Gewordene[r])

Krims|krams, der; -[es] *(ugs. für* Plunder)

Krin|gel, der; -s, - ([kleiner] Kreis; *auch für* [Zucker]gebäck); krin|ge|lig (sich rin-gelnd); sich kringelig lachen *(ugs.)*

krin|geln; sich [vor Lachen] kringeln

Kri|po, die; -, -s (kurz für Kriminalpolizei)

Krip|pe, die; -, -n; Krip|pen|platz; Krip-pen|spiel (Weihnachtsspiel)

Kri|se, Kri|sis, die; -, Krisen; kri|seln; er sagt, es kris[e]le; Kri|sen|ge|biet; kri|sen-ge|schüt|telt; Kri|sen|herd; Kri|sen|re|gi-on; Kri|sen|si|tu|a|ti|on; Kri|sen|sit|zung; Kri|sen|stab; Kri|sis vgl. Krise

¹Kris|tall, der; -s, -e (regelmäßig geformter, von ebenen Flächen begrenzter Körper)

²Kris|tall, das; -s (geschliffenes Glas)

kris|tal|len (aus, wie Kristall)

Kris|tall|glas Plur. ...gläser

kris|tal|lin (aus vielen kleinen Kristallen bestehend); kris|tal|li|sie|ren (Kristalle bil-den); kris|tall|klar

Kris|tall|leuch|ter, Kris|tall-Leuch|ter
Kri|te|ri|um, das; -s, ...ien (unterscheidendes Merkmal)
Kri|tik, die; -, -en (kritische Beurteilung; *nur Sing.:* Gesamtheit der Kritiker[innen]); Kri|ti|ker [*auch* 'krı...]; Kri|ti|ke|rin; kri|tik|fä|hig; Kri|tik|fä|hig|keit, die; -; kri|tik|los; Kri|tik|punkt; kri|tisch [*auch* 'krı...] (streng beurteilend, prüfend; *oft für* anspruchsvoll; eine Wende ankündigend; bedenklich); kri|ti|sie|ren
Krit|te|lei; krit|teln (mäkelnd urteilen)
Krit|ze|lei *(ugs.);* krit|zeln *(ugs.)*
Kro|kant, der; -s (knusprige Masse aus zerkleinerten Mandeln od. Nüssen)
Kro|ket|te; die; -, -n *meist Plur.* (frittiertes Röllchen aus Kartoffelbrei)
Kro|ko|dil, das; -s, -e; Kro|ko|dils|trä|ne *meist Plur.* (heuchlerische Träne)
Kro|kus, der; -, *Plur.* - u. -se (eine früh blühende Gartenpflanze)
Krön|chen
¹Kro|ne, die; -, -n (Kopfschmuck)
²Kro|ne, die; -, -n (Währungseinheit in Dänemark, Estland, Island, Norwegen, Schweden, Tschechien u. früher in der Slowakei)
krö|nen
Kron|ko|lo|nie; Kron|leuch|ter; Kron|prinz; Kron|prin|zes|sin
Krö|nung
Kron|zeu|ge (Hauptzeuge); Kron|zeu|gin
Kropf, der; -[e]s, Kröpfe
kross *(nordd. für* knusprig); das Fleisch kross braten *od.* krossbraten
Krö|sus, der; *Gen.* -, *auch* -ses, *Plur.* -se (sehr reicher Mann)
Krö|te, die; -, -n; Krö|ten *Plur.* (ugs. für Geld)
Krü|cke, die; -, -n; Krück|stock *Plur.* ...stöcke
krud, kru|de (grob, roh)
Krug, der; -[e]s, Krüge (ein Gefäß; *landsch., bes. nordd. für* Schenke)
Kru|me, die; -, -n; Krü|mel, der; -s, - (kleine Krume); krü|me|lig, krüm|lig; krü|meln
krumm; krumm dasitzen; etwas krumm biegen *od.* krummbiegen; das Knie

krumm machen *od.* krummmachen; keinen Finger krumm machen *od.* krummmachen (nichts tun, nicht helfen); krumm (gekrümmt) gehen; *aber* die Sache darf nicht krummgehen (ugs. *für* misslingen); krumm|bei|nig
krumm bie|gen, krumm|bie|gen *vgl.* krumm; krüm|men; sich krümmen; krumm|ge|hen (ugs. *für* misslingen); *vgl. aber* krumm; krumm|la|chen, sich (ugs. *für* sehr lachen); krumm|le|gen, sich (ugs. *für* sich abmühen); krumm ma|chen, krumm|ma|chen *vgl.* krumm; krumm|neh|men *vgl.* ugs. *für* verübeln); Krümm|mung
Krüp|pel, der; -s, -
Krus|te, die; -, -n; Krus|ten|tier
Krux, Crux, die; - (Last, Kummer)
Kru|zi|fix [*auch,* österr. *nur* ...'fıks], das; -es, -e (plastische Darstellung des gekreuzigten Christus)
Kryp|ta, die; -, ...ten (unterirdischer Kirchenraum); kryp|tisch (unklar, schwer zu deuten); Kryp|ton [*auch* ...'to:n], das; -s (chemisches Element, Edelgas; *Zeichen* Kr)
Kü|bel, der; -s, -; kü|bel|wei|se (in Kübeln; in großen Mengen)
Ku|ben (*Plur. von* Kubus)
Ku|bik|me|ter (*Zeichen* m³); Ku|bik|zen|ti|me|ter (*Zeichen* cm³)
ku|bisch (würfelförmig; *Math.* in der dritten Potenz vorliegend); Ku|bis|mus, der; - (Kunststil); Ku|bus, der; -, Kuben (Würfel; *Math.* dritte Potenz)
Kü|che, die; -, -n
Ku|chen, der; -s, -; Ku|chen|blech
Kü|chen|chef; Kü|chen|che|fin; Kü|chen|dienst; Kü|chen|hil|fe; Kü|chen|la|tein, das; -s (scherzh. *für* schlechtes Latein); Kü|chen|mes|ser, das; Kü|chen|schrank
Ku|chen|teig
Kü|chen|tisch; Kü|chen|zei|le
Küch|lein (kleiner Kuchen)
ku|cken *(nordd. für* gucken)
Kü|cken *vgl.* Küken
ku|ckuck!; Ku|ckuck, der; -s, -e; Ku|ckucks|ei; Ku|ckucks|uhr

Kud|del|mud|del, der od. das; -s (ugs. für
Durcheinander)

Ku|fe, die; -, -n (Gleitschiene)

Kü|fer (südwestd. u. schweiz. für Böttcher;
auch svw. Kellermeister)

Ku|gel, die; -, -n; **Ku|gel|blitz**; **Kü|gel|chen**;
ku|ge|lig, kug|lig; **Ku|gel|la|ger**; **ku|geln**;
sich kugeln; **ku|gel|rund**; **Ku|gel|schrei-
ber**; **ku|gel|si|cher**; **Ku|gel|sto|ßen**, das;
-s; **kug|lig** vgl. kugelig

Kuh, die; -, Kühe; **Kuh|han|del** (ugs. für
fragwürdiges Tauschgeschäft); **Kuh|haut**;
das geht auf keine Kuhhaut (ugs. für das
ist unerhört)

kühl; den Pudding über Nacht kühl stellen
od. kühlstellen; **Kühl|an|la|ge**

Kuh|le, die; -, -n (ugs. für Grube, Loch)

Küh|le, die; -; **küh|len**; **Küh|ler**; **Küh|ler-
hau|be**; **Kühl|schrank**; **Küh|lung**

Kuh|milch

kühn; **Kühn|heit**

ku|jo|nie|ren (ugs. abwertend für verächt-
lich behandeln; schikanieren)

Kü|ken, österr. Kü|cken, das; -s, - (das Junge
des Huhnes)

ku|lant (entgegenkommend, großzügig [im
Geschäftsverkehr]); **Ku|lanz**, die; -

¹Ku|li, der; -s, -s (Tagelöhner in Südostasien;
abwertend für rücksichtslos Ausgenutzter)

²Ku|li, der; -s, -s (ugs.; kurz für Kugelschrei-
ber)

ku|li|na|risch (auf die Kochkunst bezogen;
ausschließlich dem Genuss dienend)

Ku|lis|se, die; -, -n (Theater Teil der Bühnen-
dekoration; übertr. für Hintergrund)

kul|lern (ugs. für rollen)

Kul|mi|na|ti|on, die; -, -en (Erreichung des
Höhe-, Scheitel-, Gipfelpunktes); **kul|mi-
nie|ren** (den Höhepunkt erreichen)

Kult, der; -[e]s, -e, **Kul|tus**, der; -, Kulte
([übertriebene] Verehrung; Form der Religi-
onsausübung); **Kult|fi|gur**; **Kult|film** (Film,
der von einem bestimmten Publikum bes.
verehrt wird); **kul|tig** (ugs. für Kultstatus
habend); **kul|tisch** (zum Kult gehörend)

kul|ti|vie|ren ([Land] bearbeiten, urbar

machen; [aus]bilden; pflegen); **kul|ti|viert**
(gesittet; hochgebildet)

Kult|sta|tus

Kul|tur, die; -, -en; **Kul|tur|be|trieb** (oft
abwertend); **Kul|tur|beu|tel** (Beutel für
Toilettensachen); **kul|tu|rell**; **Kul|tur|er-
be**, das; **Kul|tur|ge|schich|te**, die; -; **kul-
tur|ge|schicht|lich**; **Kul|tur|gut**

Kul|tur|haupt|stadt; **kul|tur|his|to|risch**;
Kul|tur|land|schaft; **Kul|tur|po|li|tik**; **kul-
tur|po|li|tisch**; **Kul|tur|pro|gramm**

Kul|tur|re|vo|lu|ti|on (marx. radikale kultu-
relle Umgestaltung; politisch-ideologisch
Kampagne in China 1965–76); **Kul|tur-
schock**; **Kul|tur|sze|ne**; **Kul|tur|wis|sen-
schaft** meist Plur.; **Kul|tus** vgl. Kult; **Kul-
tus|ge|mein|de**; **Kul|tus|mi|nis|te|ri|um**;
Kul|tus|mi|nis|ter|kon|fe|renz

Küm|mel, der; -s, - (Gewürzpflanze; ein
Branntwein)

Kum|mer, der; -s; **Kum|mer|kas|ten** (ugs.
für Briefkasten für Beschwerden o. Ä.)

küm|mer|lich

küm|mern (in der Entwicklung zurückbleiben
[von Pflanzen u. Tieren]); sich [um jmdn.,
etw.] kümmern ([für jmdn., etw.] sorgen)

Kum|pan, der; -s, -e (ugs. für Kamerad,
Gefährte; abwertend für Helfershelfer;
Mittäter); **Kum|pa|nei** (ugs., oft abwer-
tend); **Kum|pa|nin**

Kum|pel, der; -s, Plur. -, ugs. -s, österr. ugs.
-n (Bergmann; ugs. auch für [Arbeitskol-
lege u.] Freund)

Ku|mu|la|ti|on, die; -, -en (fachspr. für
Anhäufung); **ku|mu|lie|ren** (anhäufen)

Ku|mu|lus, der; -, ...li (Meteorol. Haufen-
wolke)

kund; kund und zu wissen tun; vgl. kundge-
ben usw.

künd|bar (die Möglichkeit einer Kündigung
enthaltend)

¹Kun|de, der; -n, -n (Käufer)

²Kun|de die; -, -n Plur. selten (Botschaft)

³Kun|de, die; -, -n (österr. für Kundschaft)

kün|den (geh. für kundtun)

Kun|den|bin|dung; **Kun|den|dienst**; **kun-**

den|freund|lich; kun|den|ori|en|tiert;
Kun|den|ser|vice, der, *österr. auch das;*
Kun|den|stamm; Kun|den|wunsch
kund|ge|ben *(geh.);* gab kund, kundgege-
ben; Kund|ge|bung
kun|dig; Kun|di|ge, der u. die; -n, -n
kün|di|gen; Kün|di|gung; Kün|di|gungs-
frist; Kün|di|gungs|grund; Kün|di-
gungs|schutz, der; -es
Kun|din (Käuferin); Kund|schaft
Kund|schaf|ter; Kund|schaf|te|rin
kund|tun; tut kund, kundgetan
künf|tig
Kung-Fu, das; -[s] (eine sportliche Methode
der Selbstverteidigung)
Kunst, die; -, Künste; Kunst|aus|stel|lung;
Kunst|be|trieb *(oft abwertend);* Kunst-
denk|mal; Kunst|er|zie|hung; Kunst|fa-
ser; Kunst|feh|ler; Kunst|ge|gen|stand;
Kunst|ge|schich|te, die; -; Kunst|ge|wer-
be; Kunst|griff; Kunst|händ|ler; Kunst-
händ|le|rin; Kunst|hand|werk; Kunst-
his|to|ri|ker; Kunst|his|to|ri|ke|rin;
kunst|his|to|risch; Kunst|hoch|schu|le
Künst|ler; Künst|ler|grup|pe; Künst|le|rin;
künst|le|risch; Künst|ler|na|me; Künst-
ler|pech *(ugs.)*
künst|lich; künstliche Befruchtung; künstli-
che Niere; künstliche Intelligenz *(Abk.* KI);
Künst|lich|keit
Kunst|mu|se|um; Kunst|ob|jekt; Kunst-
samm|ler; Kunst|samm|le|rin; Kunst-
samm|lung; Kunst|stoff; Kunst|stoff|fo-
lie, Kunst|stoff-Fo|lie; Kunst|stück;
Kunst|sze|ne; kunst|voll; Kunst|werk
kun|ter|bunt (durcheinander, gemischt)
Kup|fer, das; -s (chemisches Element,
Metall; *Zeichen* Cu); Kup|fer|mün|ze; kup-
fern (aus Kupfer); kupferne Hochzeit; Kup-
fer|stich; Kup|fer|stich|ka|bi|nett
ku|pie|ren ([Ohren, Schwanz bei Hunden od.
Pferden] stutzen)
Ku|pon *vgl.* Coupon
Kup|pe, die; -, -n
Kup|pel, die; -, -n
Kup|pe|lei *(veraltend abwertend für* Ver-

mittlung einer Heirat durch unlautere Mit-
tel); kup|peln *(veraltend auch für* Kuppelei
betreiben)
kup|pen (Zweige o. Ä. stutzen)
Kupp|ler *(abwertend);* Kupp|le|rin
Kupp|lung; Kupp|lungs|pe|dal
Kur, die; -, -en (Heilverfahren; [Heil]behand-
lung, Pflege)
Kür, die; -, -en (Wahl; Wahlübung beim
Sport); sie muss noch Kür laufen
Kü|ras|sier, der; -s, -e *(früher für* Panzerrei-
ter; schwerer Reiter)
Ku|ra|tor, der; -s, ...oren (Verwalter einer
Stiftung; [wissenschaftlicher] Leiter eines
Museums, einer Ausstellung o. Ä.; *österr.
auch für* Treuhänder; *früher für* Vormund);
Ku|ra|to|rin; Ku|ra|to|ri|um, das; -s, ...ien
(Aufsichtsbehörde)
Kur|bel, die; -, -n; kur|beln
Kür|bis, der; -ses, -se; Kür|bis|kern
ku|ren (eine Kur machen)
kü|ren *(geh. für* wählen); kürte, *seltener* kor,
gekürt, *seltener* gekoren
Kur|fürst; Kur|fürs|tin; kur|fürst|lich
Kur|gast *Plur.* ...gäste; Kur|haus
Ku|rie, die; -, -n ([Sitz der] päpstl. Zentralbe-
hörde)
Ku|rier, der; -s, -e (Bote); Ku|rier|dienst
ku|rie|ren (ärztlich behandeln; heilen)
Ku|rie|rin
ku|ri|os (seltsam, sonderbar); Ku|ri|o|si|tät,
die; -, -en; Ku|ri|o|sum, das; -s, ...sa
Kur|kon|zert
Kür|lauf *(Sport)*
Kur|ort *Plur.* ...orte; Kur|pfu|scher; Kur-
pfu|sche|rin
Kurs, der; -es, -e; Kurs|an|stieg; Kurs|buch
Kürsch|ner (Pelzverarbeiter); Kürsch|ne|rin
Kurs|ein|bruch *(Börsenw.);* Kurs|ent|wick-
lung
kur|sie|ren (umlaufen, im Umlauf sein)
kur|siv (laufend, schräg); Kur|siv|schrift
Kurs|kor|rek|tur
kur|so|risch (rasch durchlaufend)
Kurs|schwan|kung
Kurs|teil|neh|mer; Kurs|teil|neh|me|rin;

kurz

kür|zer, kür|zes|te

Groß- und Kleinschreibung:

– *kurz und gut; kurz und bündig; kurz und klein; kurz und schmerzlos; über kurz oder lang; am kürzesten*
– *binnen, seit, vor Kurzem* od. *kurzem*
– *den Kürzer[e]n ziehen; etwas des Kürzeren darlegen; etwas Kurzes spielen, vortragen*

Schreibung in Verbindung mit Verben:

– *sie hat hier nur kurz (für kurze Zeit) gearbeitet* (vgl. aber *kurzarbeiten*)
– *kannst du das mal kurz halten?* (vgl. aber *kurzhalten*)
– *zu kurz kommen*
– *es kurz machen* od. *kurzmachen*

– *einen Text kurz fassen* od. *kurzfassen*
– *den Rasen kurz mähen* od. *kurzmähen*
– *sich die Haare kurz schneiden* od. *kurzschneiden lassen*

Vgl. auch *kurzarbeiten, kurzfassen, kurzhalten, kurzschließen, kürzertreten*

In Verbindung mit einem adjektivisch oder substantivisch gebrauchten Partizip kann getrennt oder zusammengeschrieben werden:

– *kurz gebratenes* od. *kurzgebratenes Fleisch; kurz geschnittene* od. *kurzgeschnittene Haare; ein kurz gefasster* od. *kurzgefasster Überblick*
– *Urlaub für Kurzentschlossene* od. *kurz Entschlossene*

Kur|sus, der; -, Kurse (Lehrgang; *auch für* Gesamtheit der Lehrgangsteilnehmer)
Kurs|ver|fall (*Börsenw.*)
Kur|ta|xe
Kur|ti|sa|ne, die; -, -n (*früher für* Geliebte am Fürstenhof)
Kur|ve [...və, *auch* ...fə], die; -, -n; **kur|ven;** gekurvt; **kur|ven|reich; kur|vig**
kurz *s. Kasten*
Kurz|ar|beit, die; -; **kurz|ar|bei|ten** (aus Betriebsgründen eine kürzere Arbeitszeit einhalten); ich arbeite kurz; kurzgearbeitet; kurzzuarbeiten; *vgl. aber* kurz
kurz|är|me|lig, kurz|ärm|lig; kurz|at|mig
Kür|ze, der; -n, -n (*ugs. für* kleines Glas Branntwein; Kurzschluss)
Kür|ze, die; -; in Kürze
Kür|zel, das; -s, - (festgelegtes Abkürzungszeichen); **kür|zen;** du kürzt
Kurz|ent|schlos|se|ne, kurz Ent|schlos|se|ne *vgl.* kurz
kur|zer|hand (umstandslos)
kür|zer|tre|ten (sich schonen; sich einschränken)
kurz|fas|sen, sich (sich zeitsparend äußern)
Kurz|film; Kurz|form; kurz|fris|tig; kurz

ge|bra|ten, kurz|ge|bra|ten *vgl.* kurz;
kurz ge|fasst, kurz|ge|fasst *vgl.* kurz
Kurz|ge|schich|te; kurz ge|schnit|ten, kurz|ge|schnit|ten *vgl.* kurz; **kurz|haa|rig; kurz|hal|ten** (wenig Geld geben); sie hat ihre Kinder immer [ziemlich] kurzgehalten; *aber* kannst du das mal kurz (kurze Zeit) halten? (*ugs.*); **kurz|le|big**
kürz|lich
Kurz|mel|dung; Kurz|nach|richt
kurz|schlie|ßen; einen Stromkreis kurzschließen; sich kurzschließen (unmittelbaren Kontakt aufnehmen); **Kurz|schluss**
kurz schnei|den, kurz|schnei|den *vgl.* kurz; **Kurz|schrift** (für Stenografie)
kurz|sich|tig; Kurz|sich|tig|keit
kurz|um
Kür|zung
Kurz|ur|laub; Kurz|wa|ren *Plur.;* **kurz|wei|lig; Kurz|zeit|ge|dächt|nis,** das; -ses (*Psychol.*); **kurz|zei|tig**
ku|sche|lig, kusch|lig (gut zum Kuscheln); **ku|scheln; sich kuscheln** (sich anschmiegen); **Ku|schel|tier** (weiches Stofftier)
ku|schen (sich lautlos hinlegen [vom Hund]; *ugs. auch für* stillschweigen)
kusch|lig *vgl.* kuschelig

Ku|si|ne vgl. Cousine

Kuss, der; -es, Küsse; Küss|chen; küs|sen; du küsst; Kuss|hand

Küs|te, die; -, -n; Küs|ten|wa|che

Küs|ter (Kirchendiener); Küs|te|rin

Kutsch|bock; Kut|sche, die; -, -n; Kut|scher; Kut|sche|rin; kut|schie|ren

Kut|te, die; -, -n

Kut|tel die; -, -n meist Plur. (essbares Stück vom Magen od. Darm des Rindes)

Kut|ter, der; -s, - (ein Fischereifahrzeug)

Ku|vert [...'veːɐ̯, ...'vɛːɐ̯], das; -s, -s, auch [...'veːrt], -[e]s [...rtəs, ...rts], -e [...rtə] ([Brief]umschlag; [Tafel]gedeck für eine Person)

Ku|ver|tü|re, die; -, -n (Überzugsmasse für Kuchen, Gebäck u. a.)

Ky|ber|ne|tik, die; - (wissenschaftl. Erforschung der Steuerungs- u. Regelungsvorgänge); ky|ber|ne|tisch

Ky|rie|elei|son, das; -s, -s (Bittruf); Ky|rie elei|son! [auch - e'leːiː...], Ky|ri|elei|s! (Bittformel im gottesdienstlichen Gesang)

KZ, das; -[s], -[s] (kurz für Konzentrationslager)

L

L (Buchstabe); das L; des L, die L, aber das l in Schale; der Buchstabe L, l

Lab, das; -[e]s (Enzym im [Kälber]magen)

lab|be|rig, labb|rig (nordd. für schwach; fade; breiig)

La|bel ['leː...], das; -s, -s (Etikett; Tonträgerproduzent; Markenname)

la|ben; sich laben

la|bern (ugs. für schwatzen, unaufhörlich reden); ich labere

la|bil (schwankend; veränderlich; unsicher)

Lab|ma|gen (Teil des Magens der Wiederkäuer)

La|bor [österr. auch, schweiz. meist 'laː...], das; -s, Plur. -s, auch -e (kurz für Laboratorium); La|bo|rant, der; -en, -en; La|bo|ran|tin; La|bo|ra|to|ri|um, das; -s, ...ien

Lab|sal, das; -[e]s, -e, österr. u. südd. auch die; -, -e

La|by|rinth, das; -[e]s, -e

¹La|che, die; -, -n (Gelächter)

²La|che [auch 'laː...], die; -, -n (Pfütze)

lä|cheln; ich läch[e]le; lä|chen; Tränen lachen; sie hat gut lachen; zum Lachen sein; La|chen, das; -s; La|cher

lä|cher|lich; etwas Lächerliches; ins Lächerliche ziehen

Lach|gas; lach|haft; Lach|num|mer (ugs. für lächerliche Angelegenheit)

Lachs, der; -es, -e (ein Fisch); lachs|far|ben, lachs|far|big

Lack, der; -[e]s, -e

la|ckie|ren (Lack auftragen); La|ckie|rung

La|de, die; -, -n (landsch. für Truhe, Schublade); La|de|flä|che

¹la|den (aufladen); du lädst, er/sie lädt; du lud[e]st; du lüdest; geladen; lad[e]!

²la|den (einladen); du lädst, er/sie lädt (veraltet, aber noch landsch. du ladest, er/sie ladet); du ludst; du lüdest; geladen; lad[e]!

La|den, der; -s, Plur. Läden, selten auch -; La|den|dieb|stahl; La|den|hü|ter (schlecht absetzbare Ware); La|den|öffnungs|zeit meist Plur.; La|den|schluss, der; -es; La|den|schluss|ge|setz; La|den|tisch

La|de|raum; La|dung

La|dy ['leːdi], die; -, -s (Titel der engl. adligen Frau; selten für Dame); la|dy|like [...laik] (nach Art einer Lady; vornehm)

La|ge, die; -, -n; in der Lage sein; La|ge|be|richt

La|ger, das; -s, Plur. - u. (Kaufmannsspr. für Warenvorräte:) Läger; etwas auf Lager halten; La|ger|be|stand; La|ger|feu|er; La|ger|hal|le; la|gern; ich lagere; sich lagern; La|ger|raum; La|ger|stät|te (Geol. Fundort; seltener für Lagerstatt)

La|ge|rung

La|gu|ne, die; -, -n (durch einen Landstreifen vom offenen Meer getrennter Meeresteil)

lahm; ein lahmes Bein; eine lahme Ausrede; **lah|men** (lahm gehen)

läh|men (lahm machen); **läh|mend;** lähmende Stille

lahm|le|gen; eine Demonstration hat den Verkehr lahmgelegt; **Läh|mung**

Laib, der; -[e]s, -e; ein Laib Brot

Laich, der; -[e]s, -e (Eier von Wassertieren); **lai|chen** (Laich absetzen); **Laich|zeit**

Laie, der; -n, -n (Nichtfachmann; Nichtpriester); **lai|en|haft; Lai|en|spiel; Lai|in**

La|i|zis|mus, der; - (weltanschauliche Richtung, die die radikale Trennung von Kirche u. Staat fordert); **la|i|zis|tisch**

La|kai, der; -en, -en (*abwertend für* Kriecher; *früher für* herrschaftl. Diener)

La|ke, die; -, -n (Salzlösung zum Einlegen von Fisch, Fleisch)

La|ken, das; -, - (Betttuch; Tuch)

la|ko|nisch (kurz u. treffend)

La|k|ritz, der, *auch* das; -es, -e; **La|k|rit|ze,** die; -, -n (eingedickter Süßholzsaft)

lal|len; lall *od.* lalle nicht so!

¹La|ma, das; -s, -s (eine südamerik. Kamelart)

²La|ma, der; -[s], -s (buddhist. Priester od. Mönch in Tibet u. der Mongolei)

La|mel|le, die; -, -n (dünnes Blättchen)

la|men|tie|ren (*ugs. für* laut klagen, jammern); **La|men|to,** das; -s, Plur. -s od. (für Klagelieder:) ...ti (*ugs. für* Gejammer)

La|met|ta, das; -s (Metallfäden [als Christbaumschmuck])

La|mi|nat, das; -[e]s, -e (ein Schichtpressstoff [für Bodenbeläge])

Lamm, das; -[e]s, Lämmer; **läm|men** (ein Lamm werfen); **lamm|fromm** (*ugs.*)

Lam|pe, die; -, -n; **Lam|pen|fie|ber,** das; -s

Lam|pi|on [...'pĭŏ:, *österr.* ...'pĭo:n], der, *seltener* das; -s, -s ([Papier]laterne)

LAN, das; -[s], -s (*EDV* lokales Netzwerk)

lan|cie|ren [lã'si:...] (fördern; gezielt in die Öffentlichkeit dringen lassen); **Lan|cie|rung**

Land, das; -[e]s, Länder u. *geh.* Lande

land|ab *vgl.* landauf; **land|auf;** landauf, landab (überall)

Land|be|völ|ke|rung

Lan|de|an|flug; Lan|de|bahn

land|ein|wärts

lan|den

Län|der|fi|nanz|aus|gleich (*Abk.* LFA); **Länder|kam|mer** (*vgl.* Bundesrat); **Län|der|spiel** (*Sport); län|der|über|grei|fend*

Lan|des|amt; Lan|des|bank Plur. ...banken; **Lan|des|be|hör|de; Lan|des|bi|schof; Lan|des|bi|schö|fin; Lan|des|chef** (*ugs.*); **Lan|des|che|fin; Lan|des|ebe|ne;** auf Landesebene verhandeln; **lan|des|ei|gen; Lan|des|haupt|frau** (*österr.* für Regierungschefin eines Bundeslandes); **Lan|des|haupt|mann** Plur. ...leute u. ...männer; *vgl.* Landeshauptfrau; **Lan|des|hauptstadt; Lan|des|in|ne|re; Lan|des|kir|che; Lan|des|kri|mi|nal|amt** (*Abk.* LKA); **Landes|li|ga; Lan|des|lis|te** (*Politik); Landes|meis|ter* (*Sport); Lan|des|par|lament; Lan|des|par|tei|tag; Lan|des|po|litik; Lan|des|rat** Plur. ...räte (*österr.* für Mitglied einer Landesregierung); **Lan|des|rä|tin; Lan|des|rech|nungs|hof** (*Abk.* LRH); **Lan|des|re|gie|rung**

Lan|des|spra|che; Lan|des|teil; lan|des|üblich; Lan|des|ver|band; Lan|des|währung; lan|des|weit; Lan|des|zen|t|ralbank Plur. ...banken (*Abk.* LZB)

Land|frie|dens|bruch, der; **Land|ge|richt** (*Abk.* LG); **Land|graf** (*früher); Land|gräfin; Land|haus** (*österr. auch* für Sitz des Landtags); **Land|kar|te; Land|kreis**

land|läu|fig (allgemein verbreitet)

Land|le|ben, das; -s; **länd|lich; Land|luft; Land|mi|ne** (verdeckt im Boden verlegter Sprengkörper); **Land|rat** Plur. ...räte; **Land|rä|tin**

Land|schaft; land|schaft|lich; Land|schaftsar|chi|tekt; Land|schafts|ar|chi|tek|tin

Lands|frau (*svw.* Landsmännin); **Land|sitz;**
Lands|mann Plur. ...leute (Landes-, Heimatgenosse); **Lands|män|nin; Land|stra|ße; Land|strei|cher; Land|strei|che|rin;**

lang

län|ger, am längs|ten

I. Groß- und Kleinschreibung:
– *über kurz oder lang; seit Langem od. langem; seit, vor Längerem od. längerem*

II. Großschreibung
a) der Substantivierung:
– *in Lang* (ugs. für *im langen Abendkleid*) *gehen*
– *sich des Langen und Breiten, des Längeren und Breiteren über etwas äußern*

b) in bestimmten namensähnlichen Fügungen:
– *der Lange Marsch* (der Marsch der chinesischen Kommunisten quer durch China 1934/35)

III. Getrennt- und Zusammenschreibung
a) *zu lang, allzu lang*
b) Schreibung in Verbindung mit Verben:
– *lang hinschlagen* (der Länge nach)
– *sich lang ausstrecken*

– *ein Gummi lang ziehen* od. *langziehen*
– *jmdm. die Ohren lang ziehen* od. *langziehen* (jmdn. [an den Ohren ziehend] strafen)
– *der Torwart musste sich langmachen* (sich sehr strecken)
Vgl. aber *langgehen; langlegen*

c) Getrennt- oder Zusammenschreibung in Verbindung mit adjektivisch gebrauchten Partizipien:
– *ein lang gehegter* od. *langgehegter Wunsch*
– *eine lang gezogene* od. *langgezogene Kurve*

d) bei »lang« als zweitem Bestandteil:
– *meterlang* (aber *zehn Meter lang*)
– *tagelang* (aber *drei Tage lang*)
– *jahrelang* (aber *zwei Jahre lang*) usw.

Vgl. auch *lange*

Land|strich; Land|tag; der Hessische Landtag; Land|tags|frak|ti|on; Landtags|prä|si|dent; Land|tags|wahl
Lan|dung
Land|wirt; Land|wir|tin; Land|wirt|schaft; land|wirt|schaft|lich; landwirtschaftliche Produktionsgenossenschaft (*in der DDR; Abk.* LPG),; Land|wirt|schafts|mi|nis|ter; Land|wirt|schafts|mi|nis|te|rin
lang *s. Kasten*
lang|ār|me|lig, lang|ärm|lig
lang|at|mig; langatmige Reden
lang|bei|nig
Lan|ge; es ist lange her; lang, lang ists her; das Ende der langen Weile; aus langer Weile; *vgl.* lang, Langeweile
Län|ge, die; -, -n
lan|gen (*ugs. für* ausreichen; [nach etwas] greifen)

Län|gen|grad; Län|gen|kreis (*Geogr.*); Längen|maß, das
län|ger|fris|tig
Lan|ge|wei|le [*auch* 'la...], Lang|wei|le, die; Gen. der Lang[e]weile; *bei Beugung des ersten Bestandteils getrennt geschrieben; vgl.* lange
lang|fris|tig; **lang ge|hegt,** lang|ge|hegt *vgl.* lang; **lang|ge|hen** (*ugs. für* entlanggehen); wissen, wo es langgeht; **lang ge|zo|gen,** lang|ge|zo|gen *vgl.* lang; **lang|haa|rig; lang|jäh|rig**
Lang|lauf (*Sport*); Lang|läu|fer (*Sport; auch Wirtsch. für festverzinsliches Wertpapier mit langer Laufzeit*); Lang|läu|fe|rin
lang|le|big; Lang|le|big|keit, die; -
lang|le|gen, sich (*ugs. für* sich zum Ausruhen hinlegen)

L

läng|lich; länglich rund
Lang|mut, die; - *(geh.);* lang|mü|tig
längs (der Länge nach); etwas längs trennen; *Präp. mit Gen.:* längs des Weges
Längs|ach|se
lang|sam; langsamer Walzer; Lang|samkeit, die; -
Lang|schlä|fer; Lang|schlä|fe|rin
längs gestreift, längs|ge|streift
Lang|spiel|plat|te *(Abk. LP)*
Längs|schnitt
längst (schon lange)
längs|tens *(landsch. für* längst; spätestens)
Lang|stre|cke; Lang|stre|cken|flug
Lan|gus|te, die; -, -n (ein Krebs)
Lang|wei|le vgl. Langeweile; lang|wei|len;
du langweilst; gelangweilt; zu langweilen;
lang|wei|lig; lang|wie|rig
Lang|zeit|stu|die; Lang|zeit|wir|kung
lang zie|hen, lang|zie|hen vgl. lang
LAN-Par|ty (Treffen zu gemeinsamen Computerspielen an vernetzten PCs)
Lan|ze, die; -, -n
la|pi|dar (elementar; kurz u. bündig)
Lap|pa|lie, die; -, -n (Nichtigkeit)
Lap|pen, der; -s, -
läp|pisch; eine läppische Bemerkung
Lap|sus, der; -, - ([geringfügiger] Fehler)
Lap|top ['le:...], der, *auch* das; -s, -s (kleiner, tragbarer Personal Computer)
Lär|che, die; -, -n (ein Nadelbaum); *vgl. aber* Lerche
¹large [la:ɐdʒ] (Kleidergröße = groß; *Abk.* L)
²large [la:ʁ] *(bes. schweiz. für* großzügig)
lar|go *(Musik* breit, langsam); Lar|go, das; -s, *Plur.* -s, *auch* ...ghi [...gi]
la|ri|fa|ri (nachlässig); etwas larifari machen; La|ri|fa|ri, das; -s *(ugs. für* Unsinn)
Lärm, der; *Gen.* -s, *seltener* -es; Lärm|be|läs|ti|gung; lär|men; Lärm|pe|gel
Lärm|schutz; Lärm|schutz|wand
Lar|ve [...fə], die; -, -n (Gespenst, Maske; *Zool.* Jugendstadium bestimmter Tiere)
La|sa|g|ne [...'zanjə], die; -, -n (ein ital. Nudelgericht)

lasch *(ugs. für* schlaff, träge; *landsch. für* fade, nicht gewürzt)
La|sche, die; -, -n (ein Verbindungsstück)
La|ser ['le:..., *auch* 'la:...], der; -s, - *(Physik* Gerät zur Erzeugung eines scharf gebündelten Lichtstrahles); La|ser|dru|cker; la|sern (mit einem Laserstrahl behandeln); ich lasere; gelasertes Metall; La|ser|strahl
la|sie|ren (mit Lasur versehen)
las|sen; du lässt; sie lässt; sie ließ; sie hat gelassen; lasse *od.* lass! ich habe es gelassen (unterlassen); ich habe dich rufen lassen; er sollte es bleiben lassen *oder* bleibenlassen (unterlassen); sie hat ihre Tasche fallen lassen, *seltener* fallen gelassen; *aber* sie wird nicht lockerlassen *(umgangssprachlich für:* nachgeben)
läs|sig; Läs|sig|keit
läss|lich *(bes. Rel.* verzeihlich); lässliche (kleinere) Sünden
Las|so, das, *österr. nur* so, *seltener* der; -s, -s (Wurfschlinge; Figur im Eiskunstlauf)
Last, die; -, -en; zu meinen Lasten; zulasten *od.* zu Lasten des *od.* von ...; las|ten
¹Las|ter, der; -s, - *(ugs. für* Lastkraftwagen)
²Las|ter, das; -s, -; las|ter|haft
läs|tern; ich lästere; Läs|te|rung
läs|tig; lästig werden; jmdm. lästig fallen *od.* lästigfallen
Last|kraft|wa|gen *(Abk.* Lkw *od.* LKW)
Last-mi|nute-Rei|se, Last-Mi|nute-Rei|se
Last|wa|gen (Lastkraftwagen); Last|wa|gen|fah|rer; Last|wa|gen|fah|re|rin
La|sur, die; -, -en (durchsichtige Farbschicht)
las|ziv (schlüpfrig; übertrieben sinnlich); Las|zi|vi|tät, die; -
La|tein, das; -[s]; la|tein|ame|ri|ka|nisch; la|tei|nisch; lateinische Schrift; ein lateinisch-deutsches Wörterbuch
la|tent (vorhanden, aber [noch] nicht in Erscheinung tretend); eine latente Gefahr
La|ter|ne, die; -, -n; La|ter|nen|pfahl
La|tex, der; -, Latizes (Kautschukmilch)
La|ti|no, der; -s, -s (in den USA lebender Einwanderer aus den Spanisch sprechenden Ländern Lateinamerikas)

La|ti|num, das; -s (Prüfung im Lateinischen); das kleine, große Latinum

La|t|ri|ne, die; -, -n (Abort, Senkgrube)

Lat|sche, die; -, -n (ugs. für Hausschuh, abgetretener Schuh); **lat|schen** (ugs. für nachlässig, schleppend gehen); du latschst; **Lat|schen** vgl. Latsche

Lat|te, die; -, -n

Lat|te mac|chi|a|to [- ...'kja:...], der u. die; - -, - -[s] (Kaffeegetränk)

Lat|ten|rost vgl. ¹Rost; **Lat|ten|zaun**

Latz, der; -es, Lätze (Kleidungsteil [z. B. Brustlatz]); **Brustlatz**

lau; ein laues Lüftchen; für lau (ugs. für kostenlos)

Laub, das; -[e]s; **Laub|baum**; **Lau|be**, die; -, -n; **Laub|frosch**; **Laub|sä|ge**; **laub|tragend**, **Laub tra|gend**; **Laub|wald**

Lauch, der; -[e]s, -e (eine Zwiebelpflanze)

Lau|da|tio, die; -, ...iones (feierl. Würdigung); **Lau|da|tor**, der; -s, ...oren; **Lau|dato|rin**

¹**Lau|er**, die; -; auf der Lauer sein, liegen (ugs.)

²**Lau|er**, der; -s, - (Tresterwein)

lau|ern; ich lau[e]re

Lauf, der; -[e]s, Läufe; im Lauf[e] der Zeit; 100-m-Lauf; **Lauf|bahn**; **Lauf|band**, das; Plur. ...bänder; **lau|fen**; du läufst, er/sie läuft; du liefst (liefest); du liefest; gelaufen; lauf[e]!; einen Hund nicht auf die Straße laufen lassen; die Dinge einfach laufen lassen od. laufenlassen (nicht eingreifen); ich habe sie laufen lassen od. laufenlassen, seltener laufen gelassen od. laufengelassen (ugs. für freigegeben, entkommen lassen); Gefahr laufen; Ski laufen; vgl. aber eislaufen

lau|fend (Abk. lfd.); I laufender Meter u. laufenden Meters (Abk. lfd. M.) laufende Nummer u. laufender Nummer (Abk. lfd. Nr.); am laufenden Band arbeiten; auf dem Laufenden sein, bleiben, halten

lau|fen las|sen, **lau|fen|las|sen** vgl. laufen

Läu|fer (auch für längerer, schmaler Teppich); **Läu|fe|rin**; **Lauf|feu|er**

läu|fig (brünstig [von der Hündin])

Lauf|schritt; **Lauf|steg**; **Lauf|werk** (Technik, EDV); **Lauf|zeit**

Lau|ge, die; -, -n (alkalische Lösung)

Lau|mann (ugs. für Mensch ohne eigene Meinung)

Launch [b:ntʃ], der u. das; -[e]s, -[e]s (Werbespr. Einführung eines neu entwickelten Produktes auf dem Markt); **laun|chen**

Lau|ne, die; -, -n; **lau|nig** (humorvoll); **launisch** (launenhaft)

Laus, die; -, Läuse; **Laus|bub** (ugs.)

Lausch|an|griff (heimliches Anbringen von Abhörgeräten [in einer Privatwohnung]); der Große od. große Lauschangriff; **lauschen**; du lauschst

lau|schig; ein lauschiges Plätzchen

lau|sen; du laust; **lau|sig** (ugs. auch für erbärmlich); lausig kalt; lausige Zeiten

¹**laut**; laut reden; etwas laut werden lassen; laut redende od. lautredende Nachbarn; muss ich erst laut werden od. lautwerden (drohend die Stimme erheben)?

²**laut** (gemäß; Abk. lt.); Präp. mit Gen. od. Dat.: laut [ärztlicher] Anweisung; laut Berichten; laut unseres Schreibens, auch unserem Schreiben

Laut, der; -[e]s, -e; Laut geben (Jägerspr. u. ugs.)

Lau|te, die; -, -n (ein Saiteninstrument)

lau|ten; die Antwort lautet ...

läu|ten; die Glocken läuten

¹**lau|ter** (geh. für rein; ungetrübt); lautere Gesinnung

²**lau|ter** (nur, nichts als); lauter (nur) Jungen

läu|tern (geh. für reinigen; von Fehlern befreien); ich läutere

laut|hals (aus voller Kehle); **laut|los**; **Lautlo|sig|keit**, die; -; **Laut|schrift**; **Laut|sprecher**; **laut|stark**; **Laut|stär|ke**

lau|warm

La|va, die; -, Laven (feurig-flüssiger Schmelzfluss aus Vulkanen)

la|ven|del (blauviolett); ein lavendel[farbenes] Kleid; vgl. auch beige; **La|ven|del**, der; -s, - (Heil- u. Gewürzpflanze)

la|vie|ren (Schwierigkeiten überwinden)
La|wi|ne, die; -, -n; la|wi|nen|ar|tig
La|wi|nen|ge|fahr
lax (schlaff; lau [von Sitten])
Lay|out, Lay-out [le:'laut, auch 'le:...], das;
-s, -s (Druckw. Text- u. Bildgestaltung)
La|za|rett, das; -[e]s, -e (Militärkranken-
haus)
LCD-An|zei|ge [ɛltse:'de:...] (Flüssigkristall-
anzeige)
Lead [li:t], das; -[s] (die Führungsstimme im
Jazz); Lea|der ['li:də], der; -s, - (kurz für
Bandleader; Sport österr. u. schweiz. Tabel-
lenführer); Lea|de|rin; Lea|der|ship
[...ʃɪp], die; -, auch das; -[s] (Jargon Führung; Gesamtheit der Führungsqualitäten)
Lear|ning by Do|ing ['lə:nɪŋ bai 'du:ɪŋ], das;
- - - (Lernen durch unmittelbares Anwen-
den); Lear|ning-by-Do|ing-Me|tho|de
lea|sen ['li:...] (mieten, pachten); er/sie leas-
te, hat geleast; ein Auto leasen; Lea|sing,
das; -s, -s (Vermietung [mit Anrechnung
der Mietzahlungen bei späterem Kauf])
Le|be|mann Plur. ...männer
le|ben; leben und leben lassen; die in Armut
Lebenden; das In-den-Tag-hinein-Leben
Le|ben, das; -s, -
le|bend ge|bä|rend, le|bend|ge|bä|rend
le|ben|dig; lebendig gebärende od. leben-
diggebärende Tiere; Le|ben|dig|keit
Le|bens|abend; Le|bens|ab|schnitt;
Le|bens|al|ter; le|bens|be|droh|lich;
Le|bens|dau|er; Le|bens|en|de; Le|bens-
er|fah|rung; Le|bens|er|war|tung
le|bens|fä|hig; Le|bens|freu|de; Le|bens-
froh; Le|bens|ge|fahr; le|bens|ge|fähr-
lich; Le|bens|ge|fähr|te; Le|bens|ge-
fähr|tin; Le|bens|ge|fühl; Le|bens|ge-
mein|schaft; le|bens|groß; Le|bens|hal-
tungs|kos|ten Plur.; Le|bens|hil|fe;
le|bens|lang; auf lebenslang; le|bens-
läng|lich; zu »lebenslänglich« verurteilt
werden; Le|bens|lauf; Le|bens|lust;
le|bens|lus|tig
Le|bens|mit|tel das meist Plur.
Le|bens|mit|tel|punkt; le|bens|not|wen-

dig; Le|bens|part|ner; Le|bens|part|ne-
rin; Le|bens|part|ner|schaft; Le|bens-
pha|se; Le|bens|qua|li|tät; le|bens|ret-
tend; Le|bens|stan|dard; Le|bens|stil;
Le|bens|un|ter|halt; Le|bens|ver|si|che-
rung; Le|bens|wei|se; Le|bens|welt; Le-
bens|werk; le|bens|wert; le|bens|wich-
tig; Le|bens|zei|chen; Le|bens|zeit; auf
Lebenszeit; Le|bens|zy|k|lus
Le|ber, die; -, -n; Le|ber|tran; Le|ber-
wurst
Le|be|we|sen
Le|be|wohl, das; -[e]s, Plur. -e u. -s; jmdm.
Lebewohl sagen; er rief ein herzliches
Lebewohl, aber er rief: »Leb[e] wohl!«
leb|haft
Leb|ku|chen
leb|los
Leb|zei|ten Plur.; zu seinen Lebzeiten
lech|zen; du lechzt
leck (Seemannsspr. undicht); das Boot
könnte leck sein; ein leckgeschlagener od.
leck geschlagener Tanker; Leck, das; -[e]s,
-s (Seemannsspr. undichte Stelle [bei Schiffen, an Gefäßen u. a.])
¹le|cken (Seemannsspr. leck sein)
²le|cken (mit der Zunge)
le|cker (wohlschmeckend)
Le|cker|bis|sen; Le|cke|rei (Leckerbissen)
Le|der, das; -s, -; die Leder verarbeitende
od. lederverarbeitende Industrie
Le|der|ho|se; le|de|rig vgl. ledrig; Le|der-
ja|cke; le|dern (aus Leder; zäh)
le|dig (Abk. led.); ledig sein, bleiben
le|dig|lich
LED-Lam|pe [ɛl|e:'de:...] (Leuchtdiode als
[energiesparende] Lichtquelle)
led|rig, le|de|rig (lederartig)
Lee, die; -, auch (Geogr. nur:) das; -s (Seemannsspr., Geogr. die dem Wind abge-
kehrte Seite; Ggs. Luv); in, nach Lee
leer; Lee|re, die; - (Leerheit); lee|ren (leer
machen); sich leeren; leer es|sen, leer-
es|sen; Leer|gut Plur. selten; Leer|lauf;
leer|lau|fen; leer ma|chen, leer|ma-
chen; Leer|stand (von Wohnungen, Büros

usw.); **leer ste|hend**, leer|ste|hend; **leer trin|ken**, leer|trin|ken; **Lee|rung**

Lef|ze, die; -, -n (Lippe bei Tieren)

le|gal (gesetzlich); le|ga|li|sie|ren (gesetzlich machen); Le|ga|li|sie|rung; Le|ga|li|tät, die; - (Gesetzlichkeit, Rechtsgültigkeit)

Le|g|as|the|nie, die; -, ...ien (Lese-Rechtschreib-Schwäche); le|g|as|the|nisch

le|gen; gelegt; vgl. aber gelegen

le|gen|där (legendenhaft; unwahrscheinlich); Le|gen|de, die; -, -n ([Heiligen]erzählung; Sage; Umschrift [von Münzen, Siegeln]; Zeichenerklärung [auf Karten])

le|ger [...'ʒɛːɐ̯] (ungezwungen, [nach]lässig)

Leg|gings, Leg|gins Plur. (Strumpfhose ohne Füßlinge)

le|gie|ren ([Metalle] verschmelzen; [Suppen, Soßen] mit Eigelb anrühren); Le|gie|rung

Le|gi|on, die; -, -en (röm. Heereseinheit; in der Neuzeit für Freiwilligentruppe, Söldnerschar; große Menge); Le|gi|o|när, der; -s, -e (Soldat einer Legion)

Le|gis|la|ti|ve, die; -, -n (gesetzgebende Gewalt im Staat); Le|gis|la|tur|pe|ri|o|de (Amtsdauer einer Volksvertretung)

le|gi|tim (gesetzlich; rechtmäßig); Le|gi|ti|ma|ti|on, die; -, -en (Beglaubigung; Berechtigungsausweis); le|gi|ti|mie|ren (beglaubigen; [Kinder] als ehelich erklären); sich legitimieren (sich ausweisen); Le|gi|ti|mi|tät, die; - (Rechtmäßigkeit)

Le|gu|an [auch 'le:...], der; -s, -e (trop. Baumeidechse)

Le|hen, das; -s, -; Le|hens|we|sen vgl. Lehnswesen

Lehm, der; -[e]s, -e; leh|mig

Leh|ne, die; -, -n; leh|nen; sich lehnen

Lehns|we|sen, Le|hens|we|sen, das; -s (früher); Lehn|wort Plur. ...wörter

Lehr|amt; Lehr|an|stalt; Lehr|buch

¹Leh|re, die; -, -n (Unterricht, Lehrmeinung)

²Leh|re, die; -, -n (Messwerkzeug)

leh|ren; Leh|rer; Lehrer-Schüler-Verhältnis; Leh|rer|aus|bil|dung; Leh|re|rin; Leh|rer|man|gel; Leh|rer|stel|le; Lehr|gang; Lehr|jahr; Lehr|kraft; Lehr|ling (Auszu-

bildende[r]); Lehr|meis|ter; Lehr|meiste|rin; Lehr|plan; lehr|reich; Lehr|stel|le; Lehr|stuhl; Lehr|ver|an|stal|tung

Leib, der; -[e]s, -er (Körper; veraltet auch für Leben); gut bei Leibe (wohlgenährt) sein, aber beileibe nicht; jmdm. zu Leibe rücken; Leib und Leben wagen

leib|ei|gen (früher); Leib|ei|gen|schaft; Leib|ge|richt; leib|haf|tig [auch 'laip...]; leib|lich; Leib|wäch|ter; Leib|wäch|te|rin

Lei|ca®, die; -, -s (Kurzw. für Leitz-Camera [der Firma Ernst Leitz])

Leich, der; -[e]s, -e (eine mhd. Liedform)

Lei|che, die; -, -n; lei|chen|blass; Leich|nam, der; -s, -e

leicht s. Kasten Seite 256

Leicht|ath|let; Leicht|ath|le|tik; Leicht-ath|le|tin

leicht be|waff|net, leicht|be|waff|net

Leich|ter (Seemannsspr. Wasserfahrzeug zum Leichtern); leich|tern (größere Schiffe entladen); ich leichtere, lichtere

leicht|fal|len (keine Mühe bereiten); vgl. leicht; leicht|fer|tig; leicht|fü|ßig; Leicht|ge|wicht (Körpergewichtsklasse in der Schwerathletik); leicht|gläu|big

Leich|tig|keit; **leicht ma|chen**, leicht|ma|chen vgl. leicht; Leicht|me|tall; Leicht-sinn; leicht|sin|nig; **leicht ver|dau|lich**, leicht|ver|dau|lich; **leicht ver|letzt**, leicht|ver|letzt; Leicht|ver|letz|te, leicht Ver|letz|te vgl. leicht; **leicht ver-stänḋ|lich**, leicht|ver|ständ|lich

leid; leid sein, leid werden; er ist das Genörgel leid; der Ärger wird mir allmählich leid; Leid, das; -[e]s; sie klagte ihm ihr Leid

Lei|de|form (für Passiv); lei|den; du littst; du littest; gelitten; leid[e]!; Not leiden

Lei|den, das; -s, - (Krankheit); lei|dend

Lei|den|schaft; lei|den|schaft|lich; lei|den-schafts|los; Lei|dens|ge|schich|te; Lei|dens|weg

lei|der; leider Gottes ⟨entstanden aus (bei dem) Leiden Gottes⟩

lei|dig (unangenehm); ein leidiges Thema; leid|lich (gerade noch ausreichend); leid-

leicht

leich|ter, am leich|tes|ten

Kleinschreibung:

- *leichte Artillerie; leichtes Heizöl; leichte Musik*

Großschreibung der Substantivierung:

- *er isst gern etwas Leichtes*
- *es ist mir ein Leichtes (fällt mir sehr leicht)*

Getrennt- und Zusammenschreibung in Verbindung mit Verben u. Adjektiven:

- *leicht atmen; sie hat leicht geatmet*
- *sich leicht entzünden, leicht verletzen*
- *du musst dich leicht machen* od. *leichtmachen*
- *die Preise sind leicht gefallen*
- *es ist mir [sehr] leichtgefallen (hat mich nicht angestrengt), aber allzu leicht gefallen*
- *er hat es sich leicht gemacht* od. *leichtgemacht (hat sich wenig Mühe gemacht)*
- *etwas leichtnehmen (unbekümmert sein)*
- *ich habe mir* od. *mich leichtgetan dabei (es ohne Schwierigkeiten bewältigt)*
- *eine leicht verdauliche* od. *leichtverdauliche Speise; aber nur eine sehr leichtverdauliche Speise*
- *eine leicht verständliche* od. *leichtverständliche Sprache*
- *ein leicht bewaffneter* od. *leichtbewaffneter Soldat; die Leichtbewaffneten* od. *leicht Bewaffneten*
- *eine leicht verletzte* od. *leichtverletzte Sportlerin; die Leichtverletzten* od. *leicht Verletzten*

tra|gend; Leid|tra|gen|de, der u. die; -n, -n
leid|tun; sie tut uns leid, hat uns leidgetan; das braucht dir nicht leidzutun; leid|voll (geh.); Leid|we|sen, das; nur in zu meinem, seinem usw. Leidwesen (Bedauern)
Lei|er, die; -, -n (ein Saiteninstrument; auch ein Sternbild); lei|ern; ich leiere
Leih|ar|beit; Leih|ar|bei|ter; Leih|ar|bei|te|rin; Leih|bü|che|rei; lei|hen; du leihst; du liehst; du liehest; geliehen; leih[e]!; ich leihe mir einen Frack; Leih|ga|be; Leih|wa|gen; leih|wei|se
Leim, der; -[e]s, -e; lei|men
Lein, der; -[e]s, Plur. (Sorten:) -e (Flachs)
Lei|ne, die; -, -n (Strick)
lei|nen (aus Leinen); leinene Geschirrtücher
Lei|nen, das; -s, -; Lein|wand für Maler-, Kinoleinwand u. Ä. Plur. ...wände
lei|se, leis; nicht im Leisesten zweifeln
Leis|te, die; -, -n
leis|ten; ich leiste mir ein neues Auto
Leis|ten, der; -s, - (Modell in Fußform)
Leis|ten|bruch
Leis|tung; Leis|tungs|be|reit|schaft; leis-
tungs|be|zo|gen; Leis|tungs|bi|lanz (Wirtsch.); Leis|tungs|druck; leis|tungs|fä|hig; Leis|tungs|fä|hig|keit; Leis|tungs|ge|recht; Leis|tungs|kurs (Schule); Leis|tungs|ni|veau; leis|tungs|ori|en|tiert; Leis|tungs|spek|t|rum; Leis|tungs|sport; leis|tungs|stark; Leis|tungs|stei|ge|rung
Leit|an|trag (bes. Politik Antrag, dessen Inhalt für alle weiteren gestellten Anträge als Leitlinie gilt); Leit|ar|ti|kel (Stellungnahme der Zeitung zu aktuellen Fragen); Leit|bild
lei|ten; eine leitende Angestellte
¹Lei|ter, der; ²Lei|ter, die; -, -n (ein Steiggerät); Lei|te|rin; Lei|ter|wa|gen
Leit|fa|den Plur. ...fäden; Leit|fi|gur; Leit|ham|mel; Leit|kul|tur; Leit|li|nie; Leit|mo|tiv; Leit|plan|ke; Leit|stel|le
Lei|tung; Lei|tungs|mast, der; Lei|tungs|netz; Lei|tungs|was|ser; Leit|werk; Leit|zins Plur. ...zinsen (Wirtsch.)
Lek|ti|on, die; -, -en (Unterricht[sstunde]; Lernabschnitt, Aufgabe; Zurechtweisung)
Lek|tor, der; -s, ...oren (Hochschullehrer; Mitarbeiter eines Verlags; kath. Kirche

letz|te

Kleinschreibung:

- *die letzte Ruhestätte; der letzte Schrei*
- *letzten Endes*
- *das letzte Mal; zum letzten Mal (vgl. Mal)*
- *der Letzte od. letzte Wille (das Testament)*
- *die Letzten od. letzten Dinge (nach kath. Lehre)*

Großschreibung der Substantivierung:

- *der Letzte, der kam*
- *als Letzter fertig werden*
- *er ist der Letzte, den ich wählen würde*
- *die Letzten werden die Ersten sein*
- *ein Letztes habe ich zu sagen*
- *am, zum Letzten (zuletzt)*
- *sich bis aufs Letzte (völlig) verausgaben*

- *bis ins Letzte (bis in jedes Detail)*
- *bis zum Letzten (Äußersten) gehen*
- *fürs Letzte (zuletzt)*
- *der Letzte des Monats*
- *das ist ja das Letzte (ugs. für empörend)*

Großschreibung in bestimmten namensähnlichen Fügungen:

- *das Letzte Gericht; die Letzte Ölung (kath. Kirche früher für Krankensalbung)*

Wortstellung:

- *die zwei letzten Tage od. die letzten zwei Tage des Urlaubs waren am schönsten*
- *die letzten zwei Tage od. die zwei letzten Tage habe ich fast nichts gegessen*

---

jmd., der liturgische Lesungen hält; *ev. Kirche* jmd., der Lesegottesdienste hält); **Lek|to|rin; Lek|tü|re,** die; -, -n (Lesestoff; *nur Sing.:* Lesen)

Lem|ming, der; -s, -e (skand. Wühlmaus)

Len|de, die; -, -n; **Len|den|schurz** *(Völkerkunde);* **Len|den|wir|bel**

lenk|bar; len|ken; Len|ker; Lenk|rad; Len|kung

Lenz, der; -es, -e (Frühling; *Plur. auch für* Jahre); **Len|zing,** der; -s, -e

Le|o|pard, der; -en, -en (asiat. u. afrik. Großkatze)

Le|pra, die; - (*Med.* Aussatz)

Ler|che, die; -, -n (eine Vogelart)

lern|be|hin|dert; Lern|ef|fekt; ler|nen; Lern|er|folg; lern|fä|hig; Lern|mit|tel|frei|heit; Lern|pro|gramm; Lern|pro|zess; Lern|soft|ware (Computerprogramm, das Lerninhalte vermittelt)

Les|art; les|bar; Les|bar|keit, die; -

Les|be, die; -, -n *(ugs. u. Selbstbez. für homosexuell veranlagte Frau);* **Les|bi|e|rin** *(seltener für* Lesbe); **les|bisch;** lesbische Liebe (Homosexualität bei Frauen)

Le|se, die; -, -n (Weinernte)

Le|se|buch; Le|se|ecke; Le|se|ge|rät; Le|se|lounge

le|sen; du liest; er liest; du lasest, *seltener* last; du läsest; gelesen; lies! (*Abk.* l.); lesen lernen, *aber* beim Lesenlernen

le|sens|wert

Le|ser; Le|ser|brief; Le|se|rin; le|ser|lich; Le|ser|schaft; Le|se|zei|chen; Le|sung

Le|thar|gie, die; - (Schlafsucht; Trägheit, Teilnahmslosigkeit); **le|thar|gisch**

Let|ter, die; -, -n (Druckbuchstabe)

Letzt, die; - (*veraltet für* Abschiedsmahl); zu guter Letzt;

letz|te s. Kasten

letzt|end|lich; letz|tens; letzt|ge|nannt; letzt|lich; letzt|ma|lig; letzt|mals

¹**Leu,** der; -en, -en (*geh. für* Löwe)

²**Leu,** der; -, Lei (rumän. Währungseinheit; *Währungscode* ROL)

Leucht|di|o|de; Leuch|te, die; -, -n

leuch|ten; leuch|tend; leuchtend blaue Augen; **Leuch|ter; Leucht|turm**

leug|nen; Leug|ner; Leug|ne|rin

Leu|k|ä|mie, die; -, ...ien (*Med.* Blutkrebs)

Leu|ko|plast®, das; -[e]s, -e (Heftpflaster)

Leu|mund, der; -[e]s (Ruf); **Leu|munds|zeug|nis**

L

lieb

Kleinschreibung:	Schreibung in Verbindung mit Verben:

Kleinschreibung:

- *ein liebes Kind; der liebe Gott*
- *am liebsten; es wäre mir am liebsten*

Großschreibung der Substantivierung:

- *etwas, viel, nichts Liebes*
- *mein Lieber; meine Liebe; mein Liebes*
- *sich vom Liebsten trennen*
- *es ist mir das Liebste (sehr lieb), wenn ...*

Großschreibung in Namen:

- *[Kirche] Zu Unsrer Lieben Frau[en]*

Schreibung in Verbindung mit Verben:

- *sich bei jmdm. lieb Kind machen*
- *sie hat ihn immer lieb behalten* od. *liebbehalten*
- *er wird sie lieb gewinnen* od. *liebgewinnen*
- *lieb haben* od. *liebhaben; sie haben sich alle [sehr] lieb gehabt* od. *liebgehabt*
- *eine lieb gewordene* od. *liebgewordene Gewohnheit*

Vgl. aber *liebäugeln, liebkosen*

Leu|te *Plur.*

Leut|nant, der; -s, *Plur.* -s, *seltener* -e (unterster Offiziersgrad; *Abk.* Lt., Ltn.)

leut|se|lig; Leut|se|lig|keit, die; -

Le|vel, das *u.* der; -s, -[s] (Niveau, [Schwierigkeits]stufe)

Le|vit, der; -en, -en (Angehöriger des jüdischen Stammes Levi)

le|xi|ka|lisch (das Lexikon betreffend, in der Art eines Lexikons); **Le|xi|kon,** das; -s, *Plur.* ...ka, *auch* ...ken (alphabetisch geordnetes allgemeines Nachschlagewerk)

Li|ai|son [liɛ̯'zõː, *auch, bes. südd., österr.,* ...'zoːn], die; -, *Plur.* -s, *auch, bes. südd., österr.,* ...onen (*veraltend für* Verbindung; Liebesverhältnis)

Li|a|ne die; -, -n *meist Plur.* (eine Schlingpflanze)

Li|bel|le, die; -, -n (ein Insekt)

li|be|ral (vorurteilslos; freiheitlich; den Liberalismus vertretend); eine liberale Partei; **li|be|ra|li|sie|ren** (von Einschränkungen befreien, freiheitlich gestalten); **Li|be|ra|li|sie|rung** (das Liberalisieren; *Wirtsch.* Aufhebung der staatl. Außenhandelsbeschränkungen)

Li|be|ra|lis|mus, der; - (Denkrichtung, die die freie Entfaltung des Individuums fordert); **li|be|ra|lis|tisch** (freiheitlich im Sinne des Liberalismus; *auch* extrem liberal); **Li|be|ra|li|tät,** die; - (Freiheitlichkeit)

Li|be|ro, der; -[s], -s (*Fußball* freier Verteidiger)

Li|b|ret|to, das; -s, *Plur.* -s *u.* ...tti (Text[buch] von Opern, Operetten usw.)

Li|by|en; li|bysch; *aber* die Libysche Wüste

licht; es wird licht; ein lichter Wald; im Lichten (im Hellen; im Inneren gemessen)

Licht, das; -[e]s, *Plur.* -er, *veraltet u. geh.* Lichte; **Licht|bild** (*für* Passbild; Fotografie; Diapositiv); **Licht|blick; licht|durch|flu|tet; licht|durch|läs|sig; licht|emp|find|lich;** **¹lich|ten** (licht machen); das Dunkel lichtet sich

²lich|ten (*Seemannsspr.* anheben); den Anker lichten

Lich|ter|ket|te; lich|ter|loh; Licht|ge|schwin|dig|keit *Plur. selten;* **Licht|jahr** (astron. Längeneinheit; *Zeichen* ly); **Licht|mess** (kath. Fest); **Licht|quel|le; Licht|schran|ke** (*Elektrot.*); **Licht|schutz|fak|tor** (bei Sonnenschutzmitteln); **Licht|spiel** (*veraltend für* Kinofilm); **Licht|strahl**

Lich|tung

Lid, das; -[e]s, -er (Augendeckel); *vgl. aber* Lied

Li|do, der; -s, *Plur.* -s, *auch* Lidi (Nehrung, bes. die bei Venedig)

Lid|schat|ten; Lid|schlag

lieb s. Kasten

Lieb, das; -s (Geliebte[r]); mein Lieb; **lieb|äu|geln;** sie hat mit diesem Plan geliebäugelt; **lieb be|hal|ten, lieb|be|hal|ten**

Lie|be, die; -, *Plur.* (*ugs. für* Liebschaften:) -n;

Lieb und Lust; mir zuliebe; etwas jmdm. zuliebe tun; *vgl.* zuliebe

lie|ben; sie haben sich lieben gelernt

lie|bens|wert; lie|bens|wür|dig

lie|ber *vgl.* gern

Lie|bes|be|zie|hung; Lie|bes|brief; Lie|bes|er|klä|rung; Lie|bes|film; Lie|bes|kum|mer; Lie|bes|lied; Lie|bes|paar

lie|be|voll; **lieb ha|ben, lieb|ha|ben;** Lieb|ha|ber; Lieb|ha|be|rin; lieb|ko|sen [*auch* 'li:p...]; er hat liebkost (*auch* geliebkost); lieb|lich; Lieb|ling; Lieb|lings|far|be; lieb|los; Lieb|schaft

Lieb|stö|ckel, das *od.* der; -s, - (eine Heil- u. Gewürzpflanze)

Lied, das; -[e]s, -er (Gedicht; Gesang); *vgl. aber* Lid

lie|der|lich (nachlässig; unordentlich)

Lie|der|ma|cher; Lie|der|ma|che|rin; Lied|gut, das; -[e]s

Lie|fe|rant, der; -en, -en (Lieferer); Lie|fe|ran|tin; lie|fer|bar; lie|fern; ich liefere

Lie|fer|schein; Lie|fe|rung; Lie|fer|ver|trag; Lie|fer|wa|gen; Lie|fer|zeit

Lie|ge, die; -, -n (ein Möbelstück)

lie|gen; du liegst; sie liegt; sie lag; sie hat (*südd. od. österr.* ist) im Bett gelegen; lieg *od.* liege! du sollst den Stein liegen lassen; sie hat den Schlüssel liegen lassen *od.* lie-gen|lassen (vergessen); sie hat ihn links lie-gen lassen *od.* liegenlassen, *seltener* lie-gen gelassen *od.* liegengelassen (sie hat ihn nicht beachtet)

lie|gen blei|ben, lie|gen|blei|ben; sie ist im Bett liegen geblieben; *aber* die Arbeit ist liegen geblieben *od.* liegengeblieben (wurde nicht erledigt)

lie|gend; liegendes Gut, liegende Güter

lie|gen las|sen, lie|gen|las|sen *vgl.* liegen

Lie|gen|schaft (Grundbesitz); Lie|ge|stuhl; Lie|ge|stütz, der; -es, -e (*Sport*)

Life|style ['laifstail], der; -[s], -s (Lebens-stil)

¹Lift, der; -[e]s, *Plur.* -e u. -s (Fahrstuhl, Auf-zug)

²Lift, der *od.* das; -s, -s (kosmetische Opera-tion zur Straffung der Haut); lif|ten (heben, einen ²Lift durchführen)

Li|ga, die; -, ...gen (Bund, Bündnis; *Sport* Bez. einer Wettkampfklasse)

light [lait] (*Werbespr.* von unerwünschten, belastenden Inhaltsstoffen weniger enthal-tend); Bier light

Light|show ['lait...] (Show mit besonderen Lichteffekten)

li|ie|ren (eng verbinden); sich -

Li|kör, der; -s, -e (süßer Branntwein)

li|la (fliederblau; *ugs. für* mittelmäßig); ein lila (*ugs. auch gebeugt* lilanes) Kleid; sich die Haare lila färben *od.* lilafärben; *vgl.* blau; Li|la, das; -[s], -[s] (ein fliederblauer Farbton); li|la|far|ben, li|la|far|big

Li|lie, die; -, -n (eine [Garten]blume)

Li|li|pu|ta|ner (Bewohner von Liliput; *auch* diskriminierend für Kleinwüchsiger); Li|li|pu|ta|ne|rin

Li|mes, der; -, *Plur.* (fachsprachlich) Limites (von den Römern angelegter Grenzwall)

Li|mit, das; -s, *Plur.* -s u. -e (Grenze, Begren-zung; *Kaufmannsspr.* Preisgrenze)

li|mi|ted [...tit] (*in engl. u. amerik. Firmen-namen* »mit beschränkter Haftung«; *Abk.* Ltd., lim., Lim., Ld.); li|mi|tie|ren ([den Preis] begrenzen); limitierte Auflage

Li|mo|na|de, die; -, -n

Li|mou|si|ne [...mu...], die; -, -n (Pkw mit festem Verdeck)

lind; ein linder Regen

Lin|de, die; -, -n; Lin|den|blü|ten|tee

lin|dern; ich lindere; Lin|de|rung

Li|ne|al, das; -s, -e; li|ne|ar (geradlinig; auf gerader Linie verlaufend; linienförmig)

Lin|gu|is|tik, die; - (Sprachwissenschaft); lin|gu|is|tisch

Li|nie [...iə], die; -, -n; Li|ni|en|bus; Li|ni|en|flug

li|ni|e|ren (*österr. nur so*), li|ni|ie|ren (mit Linien versehen; Linien ziehen); Li|nie|rung (*österr. nur so*), Li|ni|ie|rung

link; linker Hand (links)

Link, der, *auch* das; -[s], -s (*EDV* feste Kabel-verbindung, die zwei Vermittlungsstellen miteinander verbindet; Verküpfung mit einer anderen Datei od. einer anderen Stelle in derselben Datei)

Lin|ke, die; -n, -n (linke Hand; linke Seite; *Politik* die links stehenden Parteien, eine links stehende Gruppe); zur Linken; er traf ihn mit einer Linken *(Boxen)*

¹lin|ken *(ugs. für täuschen)*

²lin|ken *(EDV verlinken)*

lin|kisch

links; von links nach rechts

Links|au|ßen, der; -, - *(Sport);* er spielt Linksaußen; **links|bün|dig; Links|hän|der; Links|hän|de|rin; links|hän|dig; links|he|r|um;** linksherum drehen, *aber* nach links herumdrehen; **links|li|be|ral** (linksliberale Koalition); **Links|par|tei; links|ra|di|kal; links|sei|tig; links|um** [*auch* 'lı...]; linksum machen; linksum kehrt!; *vgl. aber* links; **Links|ver|kehr**

Lin|nen, das; -s, - *(veraltet für Leinen)*

Li|n|o|le|um [*österr. u. schweiz. meist* ...'le:...], das; -s (ein Fußbodenbelag); **Li|n|ol|schnitt** (ein grafisches Verfahren)

Lin|se, die; -, -n

lin|sen *(ugs. für schauen; scharf blicken)*

Lin|sen|sup|pe

Li|nux®, das; - *(EDV ein freies Betriebssystem)*

Lip|gloss, das od. der; -[es], -[e] (Kosmetikmittel, das den Lippen Glanz verleiht)

Lip|pe, die; -, -n (Rand der Mundöffnung)

Lip|pen|be|kennt|nis; Lip|pen|stift

li|quid, li|qui|de (flüssig; fällig; verfügbar); liquide Gelder, liquide Forderung; **Li|qui|da|ti|on,** die; -, -en ([Kosten]abrechnung freier Berufe; Tötung [aus polit. Gründen])

li|qui|die|ren ([eine Forderung] in Rechnung stellen; [einen Verein o. Ä.] auflösen; beseitigen, tilgen; [aus polit. Gründen] töten); **Li|qui|die|rung** *(bes. für Beseitigung [einer Person]*; Beilegung eines Konflikts); **Li|qui|di|tät,** die; - (Verhältnis der Verbindlichkeiten eines Unternehmens zu den liquiden Vermögensbestandteilen)

¹Li|ra, die; -, Lire (frühere ital. Währungseinheit)

²Li|ra, die; -, - (türk. Währungseinheit)

lis|peln; ich lisp[e]le

List, die; -, -en

Lis|te, die; -, -n; die schwarze Liste; **lis|ten** (in Listenform bringen); gelistet; **Lis|ten|platz** *(Politik)*

lis|ten|reich; lis|tig

Lis|ting, das; -s, -s *(Börsenw.* Zulassung von Wertpapieren zum Börsenhandel)

Li|ta|nei, die; -, -en (Wechselgebet; eintöniges Gerede; endlose Aufzählung)

Li|ter [*auch* 'lı...], der, *schweiz.* nur so, *auch* das; -s, - (1 Kubikdezimeter; *Zeichen* l); ein halber, *auch* halbes Liter, ein viertel Liter *od.* Viertelliter

li|te|ra|risch (schriftstellerisch, die Literatur betreffend); **Li|te|rat,** der; -en, -en (*oft abwertend für* Schriftsteller); **Li|te|ra|tin**

Li|te|ra|tur, die; -, -en; **Li|te|ra|tur|be|trieb,** der; -[e]s (*oft abwertend)*; **Li|te|ra|tur|ge|schich|te; Li|te|ra|tur|kri|tik; Li|te|ra|tur|no|bel|preis; Li|te|ra|tur|wis|sen|schaft**

li|ter|wei|se [*auch* 'lı...]

Lit|faß|säu|le (Anschlagsäule)

Li|tho|gra|fie, Li|tho|gra|phie, die; -, ...ien (Steindruck)

Li|tur|gie, die; -, ...ien (amtliche od. gewohnheitsrechtliche Form des kirchl. Gottesdienstes, bes. der am Altar gehaltene Teil); **li|tur|gisch;** liturgische Texte

Lit|ze, die; -, -n

live [laif] *(Rundfunk, Fernsehen* direkt, original); live senden

Live|mu|sik, Live-Mu|sik; **Live|sen|dung,** Live-Sen|dung *(Rundfunk, Fernsehen* Direktsendung, Originalübertragung)

Li|v|re, der od. das; -[s], -[s] (alte franz. Münze); 6 Livre

Li|v|ree, die; -, ...een (uniformartige Dienerkleidung); **li|v|riert** (in Livree [gekleidet])

Li|zenz, die; -, -en (Erlaubnis, bes. zur Nutzung eines Patents, eines Softwareprogramms od. zur Herausgabe eines Druckwerks); **li|zen|zie|ren** (Lizenz erteilen);

Li|zen|zie|rung; Li|zenz|spie|ler *(Fußball)*; Li|zenz|spie|le|rin; Li|zenz|ver|trag
LKA, das; -, -[s] (Landeskriminalamt)
Lkw, LKW, der; -[s], -[s]; **Lkw-Maut, LKW-Maut**
Ll**oyd**, der; -[s] (Name von Seeversicherungs-, auch von Schifffahrtsgesellschaften; Name von Zeitungen [mit Schiffsnachrichten]); Norddeutscher Lloyd, *jetzt* Hapag-Lloyd AG
¹**Lob** das; -[e]s, -e *Plur. selten;* Lob spenden
²**Lob**, der; -[s], -s *(Tennis* einen hohen Bogen beschreibender Ball)
Lob|by [...bi], die; -, -s (Wandelhalle im [engl. od. amerik.] Parlament; *auch für* Gesamtheit der Lobbyisten); **Lob|by|ar|beit; Lob|by|ing** ['bbiiŋ], das; -s, -s (das Beeinflussen von Abgeordneten durch Interessengruppen); **Lob|by|is|mus**, der; - (Beeinflussung von Abgeordneten durch Interessengruppen); **Lob|by|ist**, der; -en, -en (jmd., der Abgeordnete für seine Interessen zu gewinnen sucht); **Lob|by|is|tin**
lo|ben; lo|bens|wert; Lo|bes|hym|ne; löb|lich; Lob|lied; lob|prei|sen; du lobpreist; du lobpreistest *u.* lobpriesest; gelobpreist *u.* lobgepriesen; zu lobpreisen; lobpreise!
Lo|ca|tion [b'keıʃn], die; -, -s (Örtlichkeit; *Film* Drehort im Freien)
Loch, das; -[e]s, Löcher; lö|chen
lö|chern; ich löchere; löch|rig, lö|che|rig
Lo|cke, die; -, -n; ¹lo|cken (lockig machen)
²lo|cken (anlocken)
lo|cker *(auch ugs. für* entspannt, zwanglos); locker bleiben, sein, sitzen, werden; die Schrauben locker machen *od.* lockermachen; die Zügel locker/lockerer lassen
Lo|cker|heit
lo|cker|las|sen *(ugs. für* nachgeben); er hat nicht lockergelassen; *vgl. aber* locker
lo|cker|ma|chen *(ugs. für* hergeben); er hat viel Geld lockergemacht; *vgl. aber* locker
lo|ckern; ich lockere; Lo|cke|rung
lo|ckig
Lock|mit|tel, das; Lock|vo|gel
Lo|den, der; -s, - (ein Wollgewebe)

lo|dern; ich lodere
Lodge [bdʒ], die; -, -s [...ıs] (Ferienanlage)
Löf|fel, der; -s, -; löf|feln; ich löff[e]le; Löf|fel|stiel; löf|fel|wei|se
Loft, das, *auch, bes. schweiz.,* der; -[s], -s *od.* die; -, -s (aus der Etage einer Fabrik o. Ä. umgebaute Großraumwohnung)
Log, das; -s, -e (Fahrgeschwindigkeitsmesser eines Schiffes)
lo|ga|rith|mie|ren (mit Logarithmen rechnen; den Logarithmus berechnen); lo|ga|rith|misch; Lo|ga|rith|mus, der; -, ...men (math. Größe; *Zeichen* log)
Log|buch (Schiffstagebuch)
Lo|ge [...ʒə], die; -, -n (Pförtnerraum; Theaterraum; [geheime] Gesellschaft)
Log|gia [...dʒ(i)a], die; -, ...ien [...dʒn, *auch* ...dʒiən] (nach außen offener, überdeckter Raum am Haus)
lo|gie|ren [lo'ʒi:...] ([vorübergehend] wohnen; *veraltend für* beherbergen)
Lo|gik, die; -, -en (Lehre von den Gesetzen, der Struktur, den Formen des Denkens; folgerichtiges Denken)
Log-in, Log|in, das, *auch* der; -[s], -s *(EDV* das Einloggen)
lo|gisch (folgerichtig; *ugs. für* selbstverständlich, klar); lo|gi|scher|wei|se
¹Lo|gis|tik die; -, -en *Plur. selten* (Behandlung der logischen Gesetze mithilfe von math. Symbolen; *math.* Logik)
²Lo|gis|tik die; -, -en *Plur. selten* (militärisches Nachschubwesen; *Wirtsch.* Aktivitäten, die Beschaffung, Lagerung u. Transport von Produkten betreffen)
¹lo|gis|tisch (die ¹Logistik betreffend)
²lo|gis|tisch (die ²Logistik betreffend); logistische Kette
lo|go *(ugs.;* logisch); das ist doch logo
Lo|go, der *od.* das; -s, -s (Firmenzeichen, Signet)
Lo|go|pä|die, die; - (Sprachheilkunde)
Lo|he, die; -, -n *(geh. für* Glut, Flamme)
Lohn, der; -[e]s, Löhne; Lohn|aus|gleich
Lohn|dum|ping (Zahlung von Löhnen, die deutlich unter Tarif liegen)

loh|nen; es lohnt den Einsatz; es lohnt die,
der Mühe nicht; der Einsatz lohnt [sich]

löh|nen (Lohn auszahlen)

loh|nend; eine lohnende Aufgabe; **loh-
nens|wert**

Lohn|er|hö|hung; Lohn|for|de|rung; Lohn-
kos|ten Plur.; Lohn|ne|ben|kos|ten Plur.;
Lohn|ni|veau; Lohn|stei|ge|rung; Lohn-
steu|er, die; Lohn|un|ter|gren|ze

Loi|pe, die; -, -n (Skisport Skilanglaufspur)

Lok, die; -, -s (kurz für Lokomotive)

lo|kal (örtlich; örtlich beschränkt); Lo|kal,
das; -[e]s, -e (Örtlichkeit; [Gast]wirtschaft)

Lo|kal|an|äs|the|sie (örtl. Betäubung); Lo-
kal|der|by (Sport); lo|ka|li|sie|ren; Lo-
kal|ma|ta|dor (örtliche Berühmtheit); Lo-
kal|po|li|tik; Lo|kal|teil; Lo|kal|zei|tung

Lo|ko|mo|ti|ve, die; -, -n (Kurzform Lok);
Lo|ko|mo|tiv|füh|rer (Kurzform Lokfüh-
rer); Lo|ko|mo|tiv|füh|re|rin

Lo|li|ta, die; -, -s (Kindfrau)

Lom|bard [auch ...'ba...], der od. das; -[e]s,
-e (Bankw. Kredit gegen Verpfändung
beweglicher Sachen)

Long|drink, **Long Drink** (mit Soda, Eiswas-
ser o. Ä. verlängerter Drink)

Lon|ge ['lŏːʒə], die; -, -n (Reiten Laufleine
für Pferde; Akrobatik Sicherheitsleine)

Long|sel|ler, der; -s, - (lange zu den Bestsel-
lern gehörendes Buch)

Look [lʊk], der; -s, -s (bestimmtes Aussehen;
Moderichtung)

Loo|ping ['luː...], der, auch das; -s, -s
(Flugw. senkrechter Schleifenflug, Über-
schlagrolle)

Loser
Häufig wird im Englischen der Laut /uː/
durch u (June »Juni«) oder durch zwei o
(moon »Mond«) wiedergegeben. Loser gehört zu den relativ seltenen Fällen, in denen
ein einfaches o für /uː/ steht.

Lor|beer, der; -s, -en (ein Baum; ein
Gewürz); Lor|beer|baum; Lor|beer|blatt

Lord, der; -s, -s (ein englischer Adelstitel)

Lo|re, die; -, -n (offener Eisenbahngüterwa-
gen, Feldbahnwagen)

Lo|re|ley [...'lai, auch 'loː...], die; -, **Lo|re-
lei** (Rheinnixe der dt. Sage; Felsen am
rechten Rheinufer bei St. Goarshausen)

Lo|ri, der; -s, -s (ein Papagei)

los; los sein; die Schraube wird los sein; er
will die Sorgen endlich los sein; sie möchte
ihre Probleme endlich **los haben** od. losha-
ben; vgl. aber losbinden, losfahren usw.

Los, das; -es, -e; das große Los

lös|bar; Lös|bar|keit, die; -

los|bin|den; er bindet los; losgebunden; los-
zubinden

Lösch|blatt; ¹lö|schen (einen Brand ersti-
cken); du löschst, er löscht; du löschtest;
gelöscht; lösch[e]!; ²lö|schen (nur noch
geh. für erlöschen); du lischst; er lischt; du
loschst; du löschtest; geloschen; lisch!

³lö|schen (Seemannsspr. ausladen); du
löschst; du löschtest; gelöscht; lösch[e]!

Lösch|pa|pier; Lö|schung

lo|se; das lose Blatt; lose Ware (nicht in Origi-
nalpackung, sondern einzeln); eine lose
Zunge haben (leichtfertig reden); die Zügel
lose, landsch. auch los (locker) halten; der
Knopf ist lose (locker); vgl. los

Lö|se|geld

¹lo|sen (das Los ziehen); du lost; er/sie los|te;
gelost; los[e]!

²lo|sen ['luːzn̩] (ugs. für erfolglos bleiben);
gelost

lö|sen (auch für befreien); du löst; er/sie lös-
te; gelöst; lös[e]!

Lo|ser ['luːze], der; -s, - (ugs. für Versager)

los|fah|ren; er ist losgefahren; los|ge|hen
(ugs. auch für anfangen); der Streit ist los-
gegangen; los|la|chen; sie musste laut
loslachen; los|las|sen; sie hat den Hund
[von der Kette] losgelassen; los|le|gen
(ugs. für ungestüm beginnen); sie hat
ordentlich losgelegt

lös|lich; Lös|lö|sung

los|ma|chen; er hat das Brett losgemacht;
mach los! (ugs. für beeile dich!)

Los|num|mer

los|rei|ßen; du hast dich losgerissen
los|schla|gen; er hat das Brett losgeschla-
  gen; die Feinde haben losgeschlagen (mit
  dem Kampf begonnen)
Löss|schicht, Löss-Schicht, **Löß|schicht**
  (Geol.)
los|tre|ten; eine Lawine lostreten
Lo|sung (Wahlspruch; Erkennungswort)
Lö|sung; Lö|sungs|an|satz; Lö|sungs|men-
  ge (Math.); Lö|sungs|mit|tel, das; Lö-
  sungs|vor|schlag; Lö|sungs|weg
los|wer|den; etwas loswerden (von etwas
  befreit werden; ugs. für etwas verkaufen);
  sie ist ihn losgeworden; sie muss sehen,
  wie sie die Ware loswird
los|zie|hen (ugs. für sich zu einer Unterneh-
  mung aufmachen); wir sind losgezogen;
  gegen jmdn. losziehen (ugs. für gehässig
  von ihm reden)
Lot, das; -[e]s, -e (Vorrichtung zum Messen
  der Wassertiefe u. zur Bestimmung der
  Senkrechten; früher [Münz]gewicht, Hohl-
  maß); 3 Lot Kaffee; lo|ten (senkrechte
  Richtung, Wassertiefe bestimmen)
lö|ten (durch Lötmetall verbinden)
Lo|ti|on [auch 'lo:ʃn], die; -, Plur. -en, bei
  engl. Aussprache -s (flüssiges Reinigungs-,
  Pflegemittel für die Haut)
Löt|kol|ben; Löt|lam|pe
Lo|tos, der; -, - (eine Seerose)
lot|recht
Lot|se, der; -n, -n; lot|sen; du lotst; gelotst;
  Lot|sin
Lot|te|rie, die; -, ...ien (Glücksspiel, Verlo-
  sung); Lot|to, das; -s, -s (Zahlenlotterie;
  Gesellschaftsspiel)
Lo|tus, der; -, - (Hornklee; auch svw. Lotos)
Lounge [launtʃ], die; -, -s [...dʒɪs]
  ([Hotel]halle; [Cocktail]bar)
Lou|v|re ['lu:vrə], der; -[s] (ein Museum in
  Paris)
Love-Pa|rade®, Love|pa|rade ['lafpəreit],
  die; -, -s (Umzug der Raver[innen])
Lo|ver ['lave], der; -s, -[s] (Liebhaber; Liebe-
  spartner); Lo|ve|rin
Low-Bud|get-Pro|duk|ti|on [loː'badʒɪt...]

(Filmproduktion mit geringen finanziellen
  Mitteln)
Lö|we, der; -n, -n; Lö|wen|an|teil (Hauptan-
  teil); Lö|wen|zahn Plur. selten (eine Wie-
  senblume); Lö|win
lo|y|al [lɔa'ja:l] (redlich, [regierungs]treu)
Lo|ya|li|tät, die; -, -en
LP, die; -, -[s] = Langspielplatte
LSD, das; -[s] (ein Rauschgift)
Luchs, der; -es, -e (ein Raubtier)
Lü|cke, die; -, -n; Lü|cken|bü|ßer (ugs. für
  Ersatzmann); Lü|cken|bü|ße|rin; lü|cken-
  haft; lü|cken|los
Lu|der, das; -s, - (Jägerspr. Köder, Aas; auch
  Schimpfwort)
Luft, die; -, Lüfte; Luft|an|griff; Luft|bal-
  lon; luft|dicht; luftdicht verschließen;
  Luft|druck Plur. ...drücke u. ...drucke;
  luft|durch|läs|sig
lüf|ten; Lüf|ter
Luft|fahrt, die; -, Plur. (für Fahrten durch die
  Luft:) -en; Luft|feuch|tig|keit; luf|tig;
  Luft|krieg; luft|leer; Luft|li|nie; Luft-
  post; Luft|pum|pe; Luft|raum; Luft|röh-
  re; Luft|schiff|fahrt, Luft|schiff-Fahrt,
  die; -, Plur. (für Fahrten mit dem Luft-
  schiff:) -en; Luft|schlan|ge meist Plur.
Lüf|tung
Luft|ver|kehr; Luft|ver|schmut|zung; Luft-
  waf|fe
Lug, der; -[e]s (Lüge); [mit] Lug und Trug
Lü|ge, die; -, -n; jmdn. Lügen strafen
lu|gen (landsch. für spähen)
lü|gen; du logst; du lögest; gelogen;
  lüg[e]!
Lü|gen|de|tek|tor (Gerät, mit dem unwill-
  kürliche körperliche Reaktionen eines
  Befragten gemessen werden können)
Lüg|ner; Lüg|ne|rin; lüg|ne|risch
Luk, das; -[e]s, -e; vgl. Luke; Lu|ke, die; -, -n
  (kleines Dach- od. Kellerfenster; Öffnung
  im Deck od. in der Wand des Schiffes)
lu|k|ra|tiv (gewinnbringend); lu|k|rie|ren
  (österr. für Gewinn erzielen)
Lu|latsch, der; -[e]s, -e (ugs. für langer,
  schlaksiger Mann)

L

Lu|men, das; -s, Plur. - u. ...mina (Physik Einheit des Lichtstromes [Zeichen lm])

Lüm|mel, der; -s, -; **lüm|meln,** sich (ugs.); ich lümm[e]le mich

Lump, der; -en, -en (schlechter Mensch)

Lum|pen, der; -s, - (Lappen); **lum|pig**

Lunch [lantʃ], der; Gen. -[e]s od. -, Plur. -[e]s od. -e (leichte Mittagsmahlzeit [in angelsächsischen Ländern]); **Lunch|pa|ket**

Lun|ge, die; -, -n; die grüne oder Grüne Lunge (Grünfläche, Park in einer Stadt);; **Lun|gen|ent|zün|dung; Lun|gen|krebs**

lun|gern (ugs.); ich lungere

Lun|te, die; -, -n (ein Zündmittel; Jägerspr. Schwanz des Fuchses); Lunte riechen (ugs. für Gefahr wittern)

Lu|pe, die; -, -n (Vergrößerungsglas); **lu|pen|rein** (sehr rein, ganz ohne Mängel [von Edelsteinen]; übertr. für einwandfrei)

lup|fen (südd., schweiz., österr. für lüpfen)

lüp|fen (anheben, kurz hochheben, lüften)

Lurch, der; -[e]s, -e (Amphibie)

Lust, die; -, Lüste; Lust haben

Lüs|ter, der; -s, - (Kronleuchter); **Lüs|ter|klem|me**

lüs|tern; er hat lüsterne Augen; der Mann ist lüstern; **Lüs|tern|heit**

lus|tig; Schluss mit lustig; **lust|los; Lust|lo|sig|keit; Lust|spiel; lust|voll**

lu|the|risch [auch ...'te:...]; eine lutherische Kirche; die lutherische Bibelübersetzung; **lu|thersch;** die lutherische od. Luther'sche Bibelübersetzung

lut|schen; du lutschst; **Lut|scher**

Lutz, der; -, - (Sprung beim Eiskunstlauf)

Luv [lu:f], die; -, auch (Geogr. nur:) das; -s (Seemannsspr., Geogr. die dem Wind zugewandte Seite; Gegensatz: Lee); meist ohne Artikel in, von Luv

Lux, das; -, - (Einheit der Beleuchtungsstärke; Zeichen lx)

lu|xu|ri|ös; Lu|xus, der; - (Verschwendung, Prunksucht); **Lu|xus|gut; Lu|xus|ho|tel**

Lu|zer|ne, die; -, -n (eine Futterpflanze)

Lym|phe, die; -, -n (weißliche Körperflüssigkeit, ein Impfstoff); **Lymph|kno|ten**

lyn|chen [auch 'lı...] (ungesetzl. Volksjustiz ausüben); du lynchst; er wurde gelyncht; **Lynch|jus|tiz**

Ly|rik, die; - ([liedmäßige] Dichtung); **Ly|ri|ker; Ly|ri|ke|rin; ly|risch** (der persönlichen Stimmung u. dem Erleben unmittelbaren Ausdruck gebend; gefühlvoll); lyrisches Drama; lyrische Dichtung

Ly|ze|um, das; -s, ...een (schweiz. regional für Oberstufe des Gymnasiums)

M m

M (Buchstabe); das M; des M, die M, aber das m in Wimpel; der Buchstabe M, m

Mä|an|der, der; -s, - (geschlängelter Flusslauf; ein bandförmiges Ornament)

Maar, das; -[e]s, -e (Geogr. kraterförmige Senke)

Maat, der; -[e]s, Plur. -e u. -en (Seemannsspr. Schiffsunteroffizier)

Mach, das; -[s], - (Machzahl)

Mach|art; mach|bar; Mach|bar|keit; Mach|bar|keits|stu|die

Ma|che, die; - (ugs. für Schein, Vortäuschung)

ma|chen; er/sie hat es gemacht; du hast mich lachen gemacht; nun mach schon!; **Ma|chen|schaft** meist Plur.; **Ma|cher** (Person, die etwas zustande bringt); **Ma|che|rin**

Ma|che|te [auch ...'tʃe:...], die; -, -n (Buschmesser)

Ma|cho ['matʃo], der; -s, -s (sich betont männlich gebender Mann)

Macht, die; -, Mächte; alles in unserer Macht Stehende; **Macht|an|spruch; macht|be|ses|sen; macht|be|wusst; Macht|er|grei|fung; Macht|er|halt; macht|gie|rig; Macht|ha|ber; Macht|ha|be|rin; mäch|tig; Macht|kampf; macht|los; Macht|spiel; Macht|über|nah|me;**

**Macht|ver|lust; macht|voll; Macht-
wech|sel; Macht|wort** Plur. ...worte; ein
Machtwort sprechen; **Macht|zen|t|rum**
Mach|werk (abwertend für minderwertiges
[geistiges] Produkt)
Ma|cke, die; -, -n (ugs. für Tick; Fehler)
Ma|dame [...'dam] (franz. Anrede für eine
Frau; als Anrede ohne Artikel; Abk. [nur in
Verbindung mit dem Namen] Mme.
[schweiz. ohne Punkt]); Plur. Mesdames
[mɛ'dam] (Abk. Mmes. [schweiz. ohne
Punkt])
**Mäd|chen; mäd|chen|haft; Mäd|chen-
schu|le; Mäd|chen|schwarm**
Ma|de, die; -, -n (Insektenlarve)
made in Ger|ma|ny ['meɪd ɪn 'dʒəːməni]
(ein Warenstempel)
Mä|del, das; -s, Plur. -[s] u. bayr., österr. -n
(ugs., häufig iron.)
ma|dig|ma|chen; jmdn. madigmachen (ugs.
für in schlechten Ruf bringen); jmdm.
etwas madigmachen (ugs. für verleiden)
Ma|don|na, die; -, ...nnen (nur Sing.: Mutter
Gottes; bild. Kunst Mariendarstellung)
Ma|es|t|ro, der; -s, Plur. ...stri od. -s (großer
Musiker, Komponist [bes. als Anrede])
Ma|fia, die; -, -s (erpresserische Geheimor-
ganisation [in Sizilien]); **Ma|fi|o|so,** der;
-[s], ...si (Mitglied der Mafia)
Ma|ga|zin, das; -s, -e
Magd, die; -, Mägde
Ma|gen, der; -s, Plur. Mägen od. -; **ma|gen-
krank; Ma|gen|schleim|haut**
ma|ger; Ma|ger|sucht, die; -
Ma|gie, die; - (Zauber-, Geheimkunst); **Ma-
gi|er** (Zauberer); **Ma|gi|e|rin; ma|gisch**
¹Ma|gis|t|rat, der; -[e]s, -e (Stadtverwaltung,
-behörde)
²Ma|gis|t|rat, der; -en, -en (schweiz. für Inha-
ber eines hohen öffentlichen Amtes)
Mag|ma, das; -s, ...men (Geol. Gesteins-
schmelzfluss des Erdinnern)
Ma|gne|si|um, das; -s (chemisches Element,
Metall; Zeichen Mg)
Ma|g|net, der; Gen. -en u. -[e]s, Plur. -en u.
-e; **Ma|g|net|feld** (Physik); **ma|g|ne|tisch;**

magnetische Feldstärke; magnetischer Pol;
Ma|g|net|schwe|be|bahn
Ma|g|num, die; -, ...gna (Wein- od. Sektfla-
sche mit 1,5 l Fassungsvermögen; Waffen-
technik Patrone mit verstärkter Ladung)
Ma|ha|go|ni, das; -s (ein Edelholz)
Mäh|dre|scher; ¹mä|hen ([Gras] schneiden)
²mä|hen; mähende Schafe
Mahl, das; -[e]s, Plur. Mähler u. -e (Gast-
mahl)
mah|len (Korn u. a.); gemahlen; wer zuerst
kommt, mahlt zuerst
Mahl|zeit; gesegnete Mahlzeit!
Mäh|ma|schi|ne
Mäh|ne, die; -, -n
mah|nen; Mahn|mal Plur. ...male, selten
...mäler; **Mah|nung; Mahn|wa|che**
Mahr, der; -[e]s, -e (quälendes Nachtge-
spenst, ¹Alb)
Mäh|re, die; -, -n ([altes] Pferd)
Mai, der; Gen. -[e]s u. - (geh. gelegtl. noch
-en), Plur. -e; der Erste Mai (Feiertag);
Mai|baum
Maid, die; -, -en (scherzh., sonst veraltet für
Mädchen)
Mai|glöck|chen; Mai|kä|fer
Mail [me:l], die; -, -s, auch (bes. südd.,
österr., schweiz.) das; -s, -s (kurz für
E-Mail); **Mail|box** ['me:...], die; -, -en
(Speicher für das Hinterlassen von Nach-
richten in Computersystemen od. beim
Mobilfunk); **mai|len** ['me:lən] (als E-Mail
senden); gemailt; **Mai|ling** ['me:...], das;
-s, -s (Versenden von Werbematerial per
Post od. E-Mail)
Main|board ['meɪnbɔːd], das; -s, -s (EDV
Motherboard)
Main|stream ['me:nstriːm], der; -s (oft
abwertend für vorherrschende Richtung)
Mais, der; -es, Plur. (Sorten:) -e (eine Getrei-
depflanze)
Mai|sche, die; -, -n (Gemisch zur Wein-,
Bier- od. Spiritusherstellung)
Mais|kol|ben
Mai|so|nette, **Mai|son|nette** [mɛzɔ'nɛt],
die; -, Plur. -s (zweistöckige Wohnung)

M

Ma|ja, die; - (ind. Philos. [als verschleierte Schönheit dargestellte] Erscheinungswelt)

Ma|jes|tät, die; -, Plur. (als Titel u. Anrede von Kaisern u. Königen:) -en (Herrlichkeit, Erhabenheit); Seine Majestät (Abk. S[e]. M.), Ihre Majestät (Abk. I. M.), Euer Majestät od. Eure Majestät (Abk. Ew. M.); ma|jes|tä|tisch (herrlich, erhaben)

Ma|jo|nä|se vgl. Mayonnaise

¹Ma|jor, der; -s, -e (unterster Stabsoffizier)

²Ma|jor ['meɪdʒɐ] die; -, -s meist Plur. (große, den Markt dominierende Firma)

Ma|jo|ran [auch ...'ra:n] der; -s, -e Plur. selten (eine Gewürzpflanze)

Ma|jo|rin; zu ¹Major

Ma|jo|ri|tät, die; -, -en ([Stimmen]mehrheit)

ma|ka|ber (unheimlich; frivol); makab[e]rer, makabers|te; maka|b|res Aussehen

Ma|kel, der; -s, - (geh. für Schande; Fleck; Fehler); ma|kel|los

mä|keln (svw. nörgeln); ich mäk[e]le

Make-up [meːkˈʌp], das; -s, -s (kosmet. Verschönerung; kosmet. Präparat)

Mak|ka|ro|ni Plur. (röhrenförmige Nudeln)

Mak|ler (Geschäftsvermittler); Mak|ler|ge|bühr; Mak|le|rin

Ma|k|re|le, die; -, -n (ein Fisch)

Ma|k|ro, der od. das; -s, -s (EDV); Ma|k|ro|kli|ma (Großklima)

Ma|k|ro|ne, die; -, -n (ein Gebäck)

ma|k|ro|öko|no|misch

Ma|ku|la|tur, die; -, -en (Druckw. schadhaft gewordene od. fehlerhafte Bogen)

mal; acht mal zwei (mit Ziffern [u. Zeichen]: 8 mal 2, 8 × 2 od. 8 · 2); acht mal zwei ist, macht, gibt (nicht: sind, machen, geben) sechzehn; eine Fläche von drei mal fünf Metern (mit Ziffern [u. Zeichen]: 3 m × 5 m); vgl. achtmal u. ¹Mal; (ugs. für einmal ['Mal], z. B. komm mal her!; das ist nun mal so; öfter mal was Neues; sag das noch mal od. nochmal!)

¹Mal, das; -[e]s, -e; das erste, zweite usw. Mal; das and[e]re, einzige, letzte usw. Mal; von Mal zu Mal; jedes Mal; manches, nächstes Mal; diese paar Mal[e]; ein Dut-

zend Mal, ein paar Dutzend od. dutzend Mal; noch einmal, auf einmal; keinmal, manchmal, allemal, ein andermal; einmal (aber ein Mal; hier sind beide Wörter betont); ein paarmal (auch, bei besonderer Betonung, ein paar Mal

²Mal, das; -[e]s, Plur. -e u. Mäler (Fleck; Merkmal; geh. für Denkmal)

Ma|lai|se [...'lɛː...], die; -, -n, schweiz. das; -s, -s (Misere; Missstimmung)

Ma|la|ria, die; - (eine tropische Infektionskrankheit)

ma|len; gemalt; Ma|ler; Ma|le|rei; Ma|le|rin; ma|le|risch

Mal|heur [maˈløːɐ̯], das; -s, Plur. -e u. -s (ugs. für [kleines] Missgeschick; Unglück)

Mall [mɔːl], die; -, -s ([bes. in den USA] Einkaufszentrum)

mal|neh|men (vervielfachen); ich nehme mal; malgenommen; malzunehmen

Mal|te|ser (Bewohner von Malta; Angehöriger des Malteserordens); Mal|te|se|rin

mal|t|rä|tie|ren (misshandeln, quälen)

Mal|ve, die; -, -n (eine Zier-, Heilpflanze)

Malz, das; -es, -e; Malz|bier

Mal|zei|chen (Multiplikationszeichen; Zeichen · od. ×)

Mäl|zer; Mäl|ze|rin; Malz|kaf|fee

Ma|ma [auch ...'ma:], die; -, -s

Mam|ba, die; -, -s (eine Giftschlange)

Mam|bo, der; -[s], -s, auch die; -, -s (südamerik. Tanz)

Ma|mi (Kinderspr.)

Mam|mo|gra|fie, Mam|mo|gra|phie, die; -, ...ien (Röntgenuntersuchung der weiblichen Brust)

Mam|mon, der; -s (abwertend für Reichtum; Geld)

Mam|mut, das; -s, Plur. -e u. -s (Elefant einer ausgestorbenen Art); Mam|mut|baum; Mam|mut|pro|gramm

¹man; Dat. einem, Akk. einen; man kann nicht wissen, was einem zustoßen wird; du siehst einen an, als ob man ...

²man (nordd. ugs. für nur, mal); das lass man bleiben

Man, der od. das; -s, -s (früheres pers. Gewicht); 3 Man

Ma|nage|ment [ˈmɛnɪtʃmənt], das; -s, -s (Leitung eines Unternehmens); **ma|na|gen** [...nɪdʒn] (ugs. für leiten, unternehmen; zustande bringen); du managst; sie managt; er managte; ihr habt das gut gemanagt; **Ma|na|ger**, der; -s, - (leitende Persönlichkeit in einem Unternehmen, in einer Institution o. Ä.); **Ma|na|ge|rin**

manch; manche, mancher, manches; manche sagen; so mancher, so manches; manch einer; mancher Tag; manche Stunde; manch guter od. mancher gute Vorsatz; mit manch gutem od. manchem guten Vorsatz; manchmal; manches Mal; manch Schönes od. manches Schöne; mit manch Schönem od. manchem Schönen; manche nützliche[n] Einrichtungen

manch|er|lei; mancherlei, was

manch|mal vgl. manch

Man|dant, der; -en, -en (Rechtsspr. Auftraggeber; Vollmachtgeber); **Man|dan|tin**

Man|da|rin, der; -s, -e (europ. Bezeichnung eines hohen chin. Beamten)

Man|da|ri|ne, die; -, -n

Man|dat, das; -[e]s, -e (Auftrag; Vollmacht; Sitz im Parlament); **Man|dats|trä|ger**; **Man|dats|trä|ge|rin**

Man|del, die; -, -n (Kern einer Steinfrucht; meist Plur.: Gaumenmandeln); **Man|del|ent|zün|dung**

Mandl, das; -s, -[n] (bayr. u. österr. ugs. für Männlein; Wegzeichen aus Steinen)

Man|do|li|ne, die; -, -n (ein Saiteninstrument)

Ma|ne|ge [...ʒə], die; -, -n (runde Vorführfläche od. Reitbahn im Zirkus)

Man|ga, das od. der; -s, -[s] (Comic aus Japan)

¹**Man|gel**, die; -, -n ([Wäsche]rolle)

²**Man|gel**, der; -s, Mängel (Fehler, Unvollkommenheit; nur Sing.: das Fehlen); **man|gel|haft** vgl. ausreichend

¹**man|geln** ([Wäsche] rollen); ich mang[e]le

²**man|geln** (nicht [ausreichend] vorhanden sein); sie sagt, es mang[e]le an allem

man|gels; Präp. mit Gen.: mangels des nötigen Geldes, mangels eindeutiger Beweise; im Plur. mit Dat., wenn der Gen. nicht erkennbar ist: mangels Beweisen

Man|gel|wa|re

Man|go, die; -, Plur. -s, selten ...onen (eine tropische Frucht)

Man|gold der; -[e]s, -e Plur. selten (ein Blatt- u. Stängelgemüse)

Ma|nie, die; -, ...ien (Sucht; Besessenheit)

Ma|nier, die; - (Art u. Weise; Künstelei)

ma|nie|ren Plur. (Umgangsformen, [gutes] Benehmen); **ma|nier|lich** (gesittet; fein); **ma|ni|fest** (handgreiflich, deutlich)

Ma|ni|fest, das; -[e]s, -e (öffentl. Erklärung, Kundgebung; Seew. Verzeichnis der Güter auf einem Schiff); das Kommunistische Manifest; **Ma|ni|fes|ta|ti|on**, die; -, -en (Offenbarwerden; Offenlegung; regional u. schweiz. für politische Kundgebung); **ma|ni|fes|tie|ren** (offenbaren; bekunden; regional u. schweiz. für demonstrieren); sich manifestieren (deutlich werden, sich zu erkennen geben)

Ma|ni|kü|re, die; -, -n (Handpflege, bes. Nagelpflege; Hand-, Nagelpflegerin); **ma|ni|kü|ren**; manikürt

Ma|ni|pu|la|ti|on, die; -, -en (Hand-, Kunstgriff; Verfahren; meist Plur.: Machenschaft); **ma|ni|pu|la|tiv**; **Ma|ni|pu|lie|ren**; manipulierte (gesteuerte) Währung

ma|nisch (Psychol., Med. an einer Manie erkrankt; abnorm heiter erregt)

Ma|ni|tu, der; -[s] (zauberhafte Macht des indian. Glaubens, oft ohne Artikel personifiziert als »Großer Geist«)

Man|ko, das; -s, -s (Fehlbetrag, Mangel)

Mann, der; -[e]s, Plur. Männer u. (früher für Lehnsleute, ritterl. Dienstmannen od. scherzh.:) Mannen; alle Mann an Bord!; tausend Mann; er ist Manns genug; seinen Mann stehen; Mann, ist das schön! (ugs.); **Männ|chen**

Man|ne|quin [...kɛ̃, auch ...ˈkɛ̃:], das, selten der; -s, -s (Frau, die Modellkleider u. Ä. vorführt; veraltet für Gliederpuppe)

M

Män|ner|chor, der; Män|ner|sa|che; Män-
ner|welt

man|nig|fach; man|nig|fal|tig ['maniçfaltiç]

männ|lich; männliches Geschlecht; Männ-
lich|keit, die; -

Mann|schaft; Mann|schafts|ka|pi|tän;
Mann|schafts|ka|pi|tä|nin

manns|hoch

Ma|no|me|ter, das; -s, - (Physik ein Druck-
messgerät)

Ma|nö|ver, das; -s, - (größere Truppen-,
Flottenübung; Winkelzug); ma|nö|v|rie-
ren (Manöver vornehmen; geschickt
handeln)

Man|sar|de, die; -, -n (Dachgeschoss, -zim-
mer); Man|sar|den|woh|nung

Man|schet|te, die; -, -n (Ärmelaufschlag;
Papierkrause für Blumentöpfe); Manschet-
ten haben (ugs. für Angst haben)

Man|tel, der; -s, Mäntel

Man|t|ra, das; -[s], -s ([im Hinduismus u. a.
verwendete] magische Formel)

ma|nu|ell (mit der Hand; Hand...); manuelle
Fertigkeit; Ma|nu|fak|tur, die; -, -en ([vor-
industrieller] gewerbl. Großbetrieb mit
Handarbeit); Ma|nu|skript, das; -[e]s, -e
(hand- od. maschinenschriftl. Ausarbeitung; Urschrift; Satzvorlage; Abk. Ms.
[Plur. Mss.] od. Mskr.)

Mao|ist, der; -en, -en (Anhänger des Maois-
mus); Mao|is|tin; mao|is|tisch

Map|pe, die; -, -n

Mär, die; -, Mären (veraltet, heute noch
scherzh. für Kunde, Nachricht; Sage)

Ma|ra|cu|ja, die; -, -s (essbare Frucht der
Passionsblume)

Ma|ra|thon ['ma...], der; -s, -s (kurz für
Marathonlauf); Ma|ra|thon|lauf (leicht-
athletischer Wettlauf über 42,195 km);
Ma|ra|thon|läu|fer; Ma|ra|thon|läu|fe|rin

March, die; -, -en (schweiz. für Flurgrenze,
Grenzzeichen)

Mär|chen; Mär|chen|buch; mär|chen|haft

Mär|der, der; -s, -

Mar|ga|ri|ne, die; -, Plur. (Sorten:) -n

Mar|ge [...ʒə], die; -, -n (Abstand, Spiel-

raum; Wirtsch. Spanne zwischen zwei Prei-
sen)

Mar|ge|ri|te, die; -, -n (eine Wiesenblume)

mar|gi|nal (am Rand liegend; bes. Bot. rand-
ständig; geh. für nicht unmittelbar wichtig)

Ma|ri|en|kä|fer

Ma|ri|hua|na, das; -s (ein Rauschgift)

ma|rin (zum Meer gehörend, Meer[es]...)

Ma|ri|na|de, die; -, -n (Flüssigkeit mit
Essig zum Einlegen von Fleisch, Gurken
usw.)

Ma|ri|ne, die; -, -n (Seewesen eines Staates;
Flottenwesen; [Kriegs]flotte)

ma|ri|nie|ren (in Marinade einlegen)

Ma|ri|o|net|te, die; -, -n (Gliederpuppe);
Ma|ri|o|net|ten|the|a|ter

ma|ri|tim (das Meer, das Seewesen betref-
fend; Meer[es]..., See...); maritimes
Klima

¹Mark, die; -, Plur. -, ugs. scherzh. Märker
(frühere dt. Währungseinheit; Abk. [DDR]
M); Deutsche Mark (Abk. DM)

²Mark, die; -, -en (früher für Grenzland); die
Mark Brandenburg

³Mark, das; -[e]s (Med. Rückenmark)

mar|kant (stark ausgeprägt)

Mar|ke, die; -, -n (Zeichen; Handels-,
Waren-, Wertzeichen)

mar|ken (Seemannsspr. mit Markierungen
versehen; Fachspr. mit einem Firmenabzei-
chen versehen); Mar|ken|ar|ti|kel; mar-
ken|be|wusst; Mar|ken|na|me; Mar|ken-
pro|dukt; Mar|ken|zei|chen

Mar|ker, der; -s, -[s] (Stift zum Markieren;
fachspr. für Merkmal)

Mar|ke|ting, das; -[s] (Wirtsch. Ausrichtung
eines Unternehmens auf die Förderung des
Absatzes); Mar|ke|ting|stra|te|gie

mar|kie|ren (be-, kennzeichnen; österr. für
[eine Fahrkarte] entwerten, stempeln; ugs.
für vortäuschen); Mar|kie|rung

mar|kig; markige Sprüche

mär|kisch (aus der Mark stammend, sie
betreffend)

Mar|ki|se, die; -, -n (aufrollbares Sonnen-
dach); vgl. aber Marquise

Markt, der; -[e]s, Märkte (*bayr., österr. auch für* Titel einer Gemeinde, urspr. mit altem Marktrecht); zu Markte tragen

Markt|ana|ly|se; Markt|an|teil; markt-be|herr|schend; eine marktbeherrschende Stellung; **Markt|chan|ce; markt|fä|hig** (*Wirtsch.* für den [Massen]absatz geeignet); **Markt|for-schung; markt|füh|rend; Markt|füh-rer; Markt|füh|re|rin; markt|ge|recht; Markt|hal|le; Markt|la|ge; Markt|lü-cke; Markt|macht; markt|ori|en|tiert; Markt|platz; Markt|po|si|ti|on; Markt-po|ten|zi|al, Markt|po|ten|ti|al; markt|reif; markt|üb|lich; Markt|wert Markt|wirt|schaft** (Wirtschaftssystem mit freiem Wettbewerb); soziale Marktwirtschaft; **markt|wirt|schaft|lich**

Mar|me|la|de, die; -, -n

Mar|mor, der; -s, -e (Gesteinsart)

ma|ro|de (heruntergekommen)

Ma|ro|ne, die; -, *Plur.* -n, *landsch. auch* ...ni ([geröstete] essbare Kastanie)

Ma|rot|te, die; -, -n (wunderliche Neigung)

Mar|quis [...ˈkiː], der; -, - (franz. Titel); **Mar-qui|se,** die; -, -n

Mars, der; - (ein Planet)

¹Marsch, der; -[e]s, Märsche

²Marsch, die; -, -en (vor Küsten angeschwemmter fruchtbarer Boden)

Mar|schall, der; -s, ...schälle (hoher militär. Dienstgrad; Haushofmeister)

mar|schie|ren; Marsch|rou|te

Mar|seil|lai|se [...sɛˈjɛːzə], die; - (franz. Revolutionslied, dann Nationalhymne)

Mar|stall, der; -[e]s, ...ställe (Pferdehaltung eines Fürsten u. a.)

Mar|ter, die; -, -n (Qual; Folter); **mar|tern;** ich martere

mar|ti|a|lisch (kriegerisch; grimmig)

Mar|ti|ni, das; - (Martinstag)

Mär|ty|rer (jmd., der wegen seines Glaubens od. seiner Überzeugung Verfolgung od. den Tod erleidet); **Mär|ty|re|rin; Mar-ty|ri|um,** das; -s, ...ien (schweres Leiden [meist um des Glaubens willen])

Mar|xis|mus, der; - (die von Marx u. Engels begründete Theorie des Kommunismus); **mar|xis|tisch**

März, der; *Gen.* -[es], *geh. auch noch* -en, *Plur.* -e

Mar|zi|pan [*auch, österr. nur,* 'ma...], das; -s, -e (süße Masse aus Mandeln u. Zucker)

Ma|sche, die; -, -n (Schlinge; *österr. u. schweiz. auch für* Schleife; *ugs. für* Trick)

Ma|schi|ne, die; -, -n; Maschine schreiben; ich schreibe Maschine; weil er Maschine schreibt; *aber* das Maschine[n]schreiben **ma|schi|nell** (maschinenmäßig [hergestellt]) **Ma|schi|nen|bau|er** *vgl.* ¹Bauer; **Ma|schi-nen|bau|e|rin; ma|schi|nen|ge|schrie-ben; Ma|schi|nen|ge|wehr** (*Abk.* MG)

Ma|schi|ne|rie, die; -, ...ien (maschinelle Einrichtung; Getriebe)

Ma|schi|nist, der; -en, -en (Maschinenmeister); **Ma|schi|nis|tin**

¹Ma|ser ['meː..., *auch* 'ma:...], der; -s, - (*Physik* Gerät zur Verstärkung od. Erzeugung von Mikrowellen)

²Ma|ser, die; -, -n (Zeichnung [im Holz])

Ma|sern *Plur.* (eine Kinderkrankheit)

Ma|se|rung (Zeichnung des Holzes)

Mas|ke, die; -, -n (künstl. Hohlgesichtsform; Verkleidung; kostümierte Person)

Mas|ken|ball *vgl.* ²Ball; **mas|ken|haft; Mas-ke|ra|de,** die; -, -n (Verkleidung; Maskenfest); **mas|kie|ren** ([mit einer Maske] verkleiden); sich maskieren

Mas|kott|chen (Glück bringender Talisman, Anhänger; Puppe u. a. [als Amulett])

mas|ku|lin [*auch* ...'li:n] (männlich); **Mas-ku|li|num,** das; -s, ...na (*Sprachwiss.* m. Substantiv, z. B. »der Wagen«; *nur Sing.:* m. Geschlecht)

Ma|so|chis|mus, der; - (geschlechtl. Erregung durch Erdulden von Misshandlungen); **Ma|so|chist,** der; -en, -en; **Ma|so-chis|tin**

¹Maß, das; -es, -e; Maß halten *od.* maßhalten; du hältst Maß *od.* maß; er hat Maß gehalten *od.* maßgehalten; halte Maß *od.*

maß!; das rechte Maß halten; Maß nehmen; *aber* das Maßnehmen

²**Maß,** die; -, -[e], **Mass,** die; -, -[en] (*bayr. u.
österr.* ein Flüssigkeitsmaß); 2 Maß *od.*
Mass Bier

Mas|sa|ge [...ʒə], die; -, -n (Heilbehandlung
durch Kneten usw. des Körpergewebes)

Mas|sa|ker, das; -s, - (Gemetzel); **mas|sa-
k|rie|ren** (niedermetzeln)

Maß|ar|beit; Maß|be|zeich|nung

Mas|se, die; -, -n

Maß|ein|heit

Ma|ßen (*Plur. von* Maße); *noch in:* in, mit,
ohne Maßen; über die/alle Maßen

**Mas|sen|an|drang; Mas|sen|ar|beits|lo-
sig|keit; Mas|sen|ent|las|sung; Mas|sen-
grab; mas|sen|haft; Mas|sen|me|di|um**
meist Plur.; **Mas|sen|mör|der; Mas|sen-
mör|de|rin; Mas|sen|pro|duk|ti|on; Mas-
sen|tou|ris|mus; Mas|sen|ver|nich-
tungs|waf|fe** *meist Plur.;* **mas|sen|wei|se**

Mas|seur [...'søːɐ̯], der; -s, -e (die Massage
Ausübender); **Mas|seu|rin** (Berufsbez.)

Maß|ga|be (*Amtsspr.* Bestimmung); nach
Maßgabe (entsprechend); **maß|ge|bend;
maß|geb|lich; maß|ge|schnei|dert**

maß|hal|ten, Maß hal|ten *vgl.* Maß

mas|sie|ren (durch Massage behandeln)

mas|sig

mä|ßig; mä|ßi|gen; sich mäßigen; **Mä|ßig-
keit,** die; -; **Mä|ßi|gung**

mas|siv (schwer; voll [nicht hohl]; fest; roh,
grob); ich musste erst massiv werden *od.*
massivwerden (deutlich drohen)

Mas|siv, das; -s, -e (Gebirgsstock)

maß|los; Maß|nah|me, die; -, -n; **Maß|nah-
men|pa|ket; maß|re|geln;** ich maß-
reg[e]|le; gemaßregelt; zu maßregeln;
**Maß|stab; maß|stab|ge|treu, maß|stabs-
ge|treu; maß|voll**

¹**Mast,** der; -[e]s, *Plur.* -en, *auch* -e (Mast-
baum)

²**Mast,** die; -, -en (Mästung); **Mast|darm;
mäs|ten**

Mas|ter, der; -s, - (Hochschulabschluss); im
deutschsprachigen Raum z. B.: Master of

Arts, *Abk.* M. A.; Master of Business Admi-
nistration, *Abk.* MBA; Master of Education,
Abk. M. Ed.

Mas|ter|plan (umfassender, übergeordneter
Plan); **Mas|ter|stu|di|um**

Mast|och|se

Mas|tur|ba|ti|on, die; -, -en (geschlechtliche
Selbstbefriedigung); **mas|tur|bie|ren**

Match [mɛtʃ, *schweiz. auch* matʃ], das,
schweiz. der; -[e]s, *Plur.* -[e]s, *auch* -e
(Wettkampf, -spiel); **Match|ball** (*Sport*
spielentscheidender Ball [Aufschlag])

ma|te|ri|al (stofflich, inhaltlich, sachlich)

Ma|te|ri|al, das; -s, -ien; **Ma|te|ri|al|feh|ler**

Ma|te|ri|a|lis|mus, der; - (das Streben nach
Besitz und Gewinn); **ma|te|ri|a|lis|tisch**

Ma|te|ri|al|kos|ten *Plur.*

Ma|te|rie, die; -, -n (Stoff; Inhalt; Gegen-
stand [einer Untersuchung])

ma|te|ri|ell (stofflich; finanziell; auf den
eigenen Nutzen bedacht)

Ma|the, die; - *meist ohne Artikel* (*Schü-
lerspr.* Mathematik); **Ma|the|ma|tik**
[*österr.* ...'ma...], die; - (Wissenschaft von
den Raum- u. Zahlengrößen; *Abk.* Math.);
Ma|the|ma|ti|ker; Ma|the|ma|ti|ke|rin;
ma|the|ma|tisch [*österr.* ...'ma...]

Ma|ti|nee [*auch* 'ma...], die; -, ...een (am
Vormittag stattfindende künstlerische Veranstaltung)

Mat|jes|he|ring (junger Hering)

Ma|t|rat|ze, die; -, -n (Bettpolster)

Ma|t|rix, die; -, *Plur.* Matrizes, Matrices *u.*
Matrizen (*Math.* rechteckiges Schema von
Zahlen, für das bestimmte Rechenregeln
gelten)

Ma|t|ro|se, der; -n, -n; **Ma|t|ro|sin**

matsch (*ugs. für* erschöpft); matsch sein

¹**Matsch,** der; -[e]s, -e (gänzlicher Verlust
beim Kartenspiel)

²**Matsch,** der; -[e]s (*ugs. für* breiiger
Schmutz, nasse Erde); **mat|schig** (*ugs.*)

matt (schwach; glanzlos); jmdn. matt setzen *od.* mattsetzen (im Schach; *vgl. aber*
mattsetzen); Schach und matt!; mattblau
u. a.; ein Auto in Blaumatt *od.* in Blau

matt, in Mattblau od. in matt Blau; Matt, das; -s, -s

¹Mat|te, die; -, -n (Decke, Unterlage)

²Mat|te, die; - (md. für Quark)

mat|tie|ren (matt, glanzlos machen)

Matt|schei|be; [eine] Mattscheibe haben (übertr. ugs. für begriffsstutzig sein)

matt|set|zen (als Gegner ausschalten); vgl. aber matt

Ma|tur, die; - (schweiz. für Reifeprüfung)

Matz, der; -es, Plur. -e u. Mätze (scherzh.); meist in Zusammensetzungen, z. B. Hosenmatz; Mätz|chen; Mätzchen machen (ugs. für Ausflüchte machen, sich sträuben)

mau (ugs. für schlecht; dürftig); die Geschäfte gehen mau; ein maues Gefühl

Mau|er, die; -, -n; Mau|er|bau, der; -[e]s (der Bau der Berliner Mauer [1961]); Mau|er|fall, der; -[e]s (Öffnung u. Abbau der Berliner Mauer); Mau|er|meis|ter, Mauer|meis|ter; mau|ern; ich mau[e]re

Maul, das; -[e]s, Mäuler; Maul|af|fen Plur.; meist in Maulaffen feilhalten (ugs. für gaffend, untätig herumstehen); Maul|bee|re

mau|len (ugs. für murren, widersprechen)

Maul|esel (Kreuzung aus Pferdehengst u. Eselstute); maul|faul (ugs.); Maul|korb; Maul|tier (Kreuzung aus Eselhengst u. Pferdestute); Maul|wurf, der; -[e]s, ...würfe (auch für Spion)

Mau|rer; Mau|rer|ge|sel|le; Mau|rer|ge|sel|lin; Mau|re|rin

Mau|rer|meis|ter, Mau|er|meis|ter; Mau|rer|meis|te|rin, Mauermeisterin

Maus, die; -, Mäuse; mäus|chen|still; Mäu|se|bus|sard; Mau|se|fal|le; mau|sen (ugs. scherzh. für stehlen; landsch. für Mäuse fangen); du maust; er maus|te

Mau|ser, die; - (jährlicher Wechsel der Federn bei Vögeln); mau|sern; ich mausere mich

mau|se|tot (ugs.); mausetot, österr. auch maustot schlagen; maus|grau

Maus|klick (EDV Betätigen der Maustaste)

Mau|so|le|um, das; -s, ...een (monumentales Grabmal)

Maus|pad [...pɛt], Mouse|pad ['mauspɛt] (EDV Unterlage, auf der die Computermaus bewegt wird); Maus|tas|te (EDV Taste der Computermaus)

Maut, die; -, -en (Gebühr für Straßen- u. Brückenbenutzung; veraltet für Zoll)

ma|xi (Mode knöchellang); der Rock ist maxi

ma|xi|mal (sehr groß, größt..., höchst...)

Ma|xi|me, die; -, -n (allgemeiner Grundsatz); ma|xi|mie|ren (maximal machen); Ma|xi|mum, das; -s, ...ma (Höchstmaß); barometrisches Maximum (Meteorol. Hoch)

¹Ma|ya, der; -[s], -[s] (Angehöriger eines indian. Kulturvolkes in Mittelamerika)

²Ma|ya, die; -, -[s] (w. Form zu ¹Maya)

Ma|yo, die; -, -s (ugs.; kurz für Mayonnaise)

Ma|yon|nai|se [majɔˈnɛːzə, majo..., österr. majɔˈnɛːs], Ma|jo|nä|se, die; -, -n (kalte, dicke Soße aus Eigelb u. Öl)

Mä|zen, der; -s, -e (Kunstfreund; Gönner)

MC, die; -, -[s] = musicassette (Musikkassette)

MdB, M.d.B. = Mitglied des Bundestages

Me|cha|nik, die; -, -en (nur Sing.: Lehre von den Kräften u. Bewegungen; auch für Getriebe, Trieb-, Räderwerk); Me|cha|ni|ker; Me|cha|ni|ke|rin; me|cha|nisch (den Gesetzen der Mechanik entsprechend; automatisch; unwillkürlich, gewohnheitsmäßig, gedankenlos); Me|cha|nis|mus, der; -, ...men ([selbsttätiger] Ablauf)

me|ckern; ich meckere (ugs. abwertend)

Me|dail|le [...ˈdaljə, österr. ...ˈdailjə], die; -, -n (Plakette zur Erinnerung od. als Auszeichnung)

Me|dail|lon [...dalˈjõː], das; -s, -s (Anhänger, kleine runde Fleischschnitte; Kunstwiss. rundes od. ovales Relief)

me|di|al (von den Medien ausgehend, zu ihnen gehörend; Parapsychologie das spiritistische Medium betreffend)

Me|di|a|ti|on, die; -, -en (Vermittlung zwischen Streitenden); Me|di|a|tor, der; -s, ...oren (Vermittler); Me|di|a|to|rin

Me|di|ci [...tʃi], der u. die; -, - (Angehörige[r] eines florentin. Geschlechts)

M

Me|di|en|be|richt; Me|di|en|kon|zern; Me|di|en|land|schaft; Me|di|en|po|li|tik; Me|di|en|prä|senz; Me|di|en|rum|mel (ugs.); me|di|en|wirk|sam

Me|di|ka|ment, das; -[e]s, -e (Arzneimittel); me|di|ka|men|tös; medikamentöse Behandlung

Me|di|na, die; -, -s (Gesamtheit der alten islam. Stadtteile im Ggs. zu den Europäervierteln)

Me|di|ta|ti|on, die; -, -en (Nachdenken; religiöse Versenkung); me|di|ta|tiv

me|di|ter|ran (dem Mittelmeerraum angehörend, eigen)

me|di|tie|ren (nachdenken; Meditation üben)

Me|di|um [auch, als Kleidergröße nur, 'mi:djəm] (Gastron. halb durchgebraten; Kleidergröße: mittel; Abk. M)

Me|di|um, das; -s, ...ien (Mittel[glied]; Mittler[in], Kommunikationsmittel)

Me|di|zin, die; -, -en (Arznei; nur Sing.: Heilkunde); Me|di|zin|ball (großer, schwerer, nicht elastischer Lederball); Me|di|zi|ner (Arzt); Me|di|zi|ne|rin; me|di|zi|nisch; Me|di|zin|stu|di|um; Me|di|zin|tech|nik

Meer, das; -[e]s, -e; Meer|en|ge; Mee|res|bo|den; Mee|res|grund, der; -[e]s; Mee|res|spie|gel, der; -s; über dem Meeresspiegel (Abk. ü. d. M. od. ü. M.); unter dem Meeresspiegel (Abk. u. d. M. od. u. M.)

Meer|jung|frau; Meer|kat|ze (ein Affe)

Meer|ret|tich (Heil- u. Gewürzpflanze)

Meer|schwein|chen; Meer|was|ser, das; -s

Mee|ting ['mi:...], das; -s, -s (Zusammenkunft; Treffen; Sportveranstaltung); meets [mi:ts]; Jazz meets (trifft) Klassik

Me|ga|bit [auch 'mε..., ...'bɪt] (EDV Einheit von 1 048 576 Bit; Zeichen Mbit, MBit); Me|ga|byte [auch 'mε..., ...'bait], das; -[s], -[s] (2^{20} Byte; Zeichen MB, MByte)

me|ga|cool (bes. Jugendspr.)

Me|ga|fon, Me|ga|phon, das; -s, -e (Sprachrohr)

me|ga-in; mega-in sein (ugs. für äußerst

gefragt sein); me|ga-out [...|aut]; mega-out sein (ugs. für ganz überholt sein)

Me|ga|phon vgl. Megafon

Me|ga|pi|xel [auch 'mε..., ...'pɪksl] (1 Million Pixel)

Me|ga|star (ugs.; vgl. ²Star)

Me|ga|watt [auch 'mε..., ...'vat] (1 Million Watt; Zeichen MW)

Mehl, das; -[e]s, Plur. (Sorten:) -e; meh|lig

Mehl|tau, der (eine Pflanzenkrankheit); vgl. aber Meltau

mehr; mehr Freunde; mehr Geld; mit mehr Hoffnung; mehr oder weniger (minder); umso mehr; vieles mehr; mehr denn je

Mehr, das; -[s] (auch für Mehrheit); ein Mehr an Kosten; das Mehr oder Weniger; Mehr|ar|beit; Mehr|auf|wand; Mehr|ein|nah|me; meh|ren (geh.)

meh|re|re; mehrere behaupten dies

meh|rer|lei (ugs.); mehr|fach

Mehr|fa|mi|li|en|haus

Mehr|heit; absolute Mehrheit; die schweigende Mehrheit; mehr|heit|lich; Mehrheits|ent|schei|dung; mehr|heits|fä|hig; eine mehrheitsfähige Gesetzesvorlage

mehr|jäh|rig; Mehr|kos|ten Plur.; mehrma|lig; mehr|mals; mehr|spra|chig; mehr|stel|lig; mehr|stim|mig; mehr|stu|fig; mehr|tä|gig; Mehr|wert, der; -[e]s (Wirtsch.); Mehr|wert|steu|er, die (Abk. MwSt. od. Mw.-St.); Mehr|zahl, die; - (auch für Plural); Mehr|zweck|hal|le

mei|den; du miedst; du miedest; gemieden; meid[e]!

Mei|le, die; -, -n (ein Längenmaß); Mei|len|stein; mei|len|weit [auch 'mailən'vait]; aber zwei Meilen weit

Mei|ler, der; -s, - (kurz für Atommeiler)

mein; mein Sohn, meine Tochter, mein Kind; mein Ein u. [mein] Alles; vgl. dein u. deine

Mein|eid (Falscheid); mein|ei|dig

mei|nen; er meint es gut mit ihm

mei|ner|seits; mei|net|we|gen

Mei|nung; Mei|nungs|äu|ße|rung; Meinungs|bil|dung; Mei|nungs|for|schung; Mei|nungs|frei|heit, die; -;

Mei|nungs|um|fra|ge; Mei|nungs|ver-
schie|den|heit
Mei|se, die; -, -n (ein Singvogel)
Mei|ßel, der; -s, -; mei|ßeln; ich meiß[e]le
Mei|ße|ner, Meiß|ner; Meiß[e]ner Porzel-
lan®, auch Meissener Porzellan
meist; meist kommt er viel zu spät; vgl.
meiste; meist|bie|tend; meistbietend ver-
kaufen, aber Meistbietender bleiben
meis|te; das meiste Geld; aber das meiste
od. Meiste ist bekannt; die meisten od.
Meisten glauben, ...
meis|tens; meis|ten|teils
Meis|ter; Meis|ter|brief; meis|ter|haft;
Meis|te|rin; Meis|ter|leis|tung; meis|ter-
lich; meis|tern; ich meistere; Meis|ter-
prü|fung; Meis|ter|schaft; Meis|ter-
schafts|spiel; Meis|ter|stück; Meis|ter-
ti|tel (Handwerk, Sport); Meis|ter|werk
meist|ge|le|sen; meist|ver|kauft
Mek|ka, das; -s, -s (Zentrum, das viele Besu-
cher anlockt); ein Mekka der Touristen
Me|lan|cho|lie [...laŋko...], die; -, ...ien
(Schwermut); me|lan|cho|lisch
Me|lan|ge [...'lã:ʒə, österr. ...'lã:ʃ], die; -, -n
(Mischung; österr. für Milchkaffee)
Me|la|nom, das; -s, -e (bösartige Geschwulst
an der Haut od. den Schleimhäuten)
mel|den; Mel|de|pflicht; polizeiliche Mel-
depflicht; Mel|dung
mel|ken; du melkst od. milkst; du melktest
od. molkst; du melktest od. mölkest;
gemolken, auch gemelkt; melk[e]! od.
milk!; frisch gemolkene Milch
Me|lo|die, die; -, ...ien (sangbare, in sich
geschlossene Folge von Tönen); me|lo-
disch (wohlklingend)
Me|lo|dram, das; -s, ...men (Musikschau-
spiel; Schauspiel, Film in pathetischer
Inszenierung); me|lo|dra|ma|tisch
Me|lo|ne, die; -, -n (großes Kürbisgewächs;
ugs. scherzh. für runder, steifer Hut)
Mel|tau, der; -[e]s (Honigtau); vgl. aber
Mehltau
Mem|b|ran, die; -, -en, Mem|b|ra|ne, die; -,
-n (gespanntes Häutchen; Schwingblatt)

Mem|me, die; -, -n (ugs. abwertend für
Feigling)
Me|mo, das; -s, -s (kurz für Memorandum;
Merkzettel)
Me|moire [...'mŏa:ə̯], das; -s, -s (Memoran-
dum); Me|moi|ren [...'mŏa:rən] Plur.
(Lebenserinnerungen)
Me|mo|ran|dum, das; -s, Plur. ...den u. ...da
(Denkschrift)
¹Me|mo|ri|al, das; -s, Plur. -e u. -ien (veraltet
für Tagebuch; [Vor]merkbuch)
²Me|mo|ri|al [mɛˈmoːriəl], das; -s, -s
(Gedenkveranstaltung; Denkmal)
Me|mo|ry® [ˈmɛmori], das; -s, -s (ein Gesell-
schaftsspiel); Me|mo|ry|stick® [...stɪk],
der; -s, -s (EDV ein Datenspeicher)
Me|na|ge|rie, die; -, ...ien (Tierschau)
Me|ne|te|kel, das; -s, - (unheildrohendes
Zeichen)
Men|ge, die; -, -n; men|gen (mischen);
Men|gen|leh|re Plur. selten (Math., Logik)
Me|nis|kus, der; -, ...ken (Med. Zwischen-
knorpel im Kniegelenk)
Men|sa, die; -, Plur. -s u. ...sen (restaurant-
ähnliche Einrichtung an Universitäten)
Mensch, der; -en, -en; eine menschenver-
achtende od. Menschen verachtende Ideologie; aber nur noch menschenverachten-
dere Ideologie
Men|schen|bild; Men|schen|han|del vgl.
Handel; Men|schen|le|ben; men|schen-
leer; Men|schen|mas|se meist Plur.;
Men|schen|men|ge; men|schen|mög-
lich; was menschenmöglich war, wurde
getan; aber sie hat das Menschenmögli-
che getan
Men|schen|recht meist Plur.; Men|schen-
recht|ler; Men|schen|recht|le|rin; Men-
schen|rechts|or|ga|ni|sa|ti|on
men|schen|un|wür|dig; men|schen|ver-
ach|tend, Men|schen ver|ach|tend vgl.
Mensch; Men|schen|ver|stand; der
gesunde Menschenverstand; Men|schen-
wür|de, die; -; men|schen|wür|dig
Mensch|heit, die; -; Mensch|heits|ge-
schich|te, die; -

mensch|lich; menschliche Schwächen; *aber* etwas Menschliches; **Mensch|lich|keit**

Mens|t|ru|a|ti|on, die; -, -en (Monatsblutung, Regel)

men|tal (geistig; gedanklich); Men|ta|li|tät, die; -, -en (Denkweise, Sinnesart)

Men|thol, das; -s (Bestandteil des Pfefferminzöls)

Men|tor, der; -s, ...oren (Erzieher; Ratgeber); **Men|to|rin**

Me|nü, das; -s, -s (Speisenfolge; *EDV* Programmauswahl); **Me|nü|punkt**

Me|phis|to (Teufel in Goethes »Faust«)

Mer|chan|di|sing ['mø:ɐtʃndaɪ...], das; -[s] (*Wirtsch.* Vermarktung aller mit einem Film, einem Sportereignis o. Ä. in Zusammenhang stehenden Produkte)

mer|ci! [...'si:] (*bes. schweiz. für* danke!)

Mer|ger ['mø:dʒe], der; -s, -[s] (*Wirtsch.* Zusammenschluss von Firmen; Fusion)

Me|ri|di|an, der; -s, -e (*Geogr., Astron.* Mittags-, Längenkreis)

mer|ken; ich merke mir etwas

merk|lich; merkliche Besserung; *aber* um ein Merkliches

Merk|mal *Plur.* ...male

¹Mer|kur, der; -s (ein Planet)

²Mer|kur, der od. das; -s (Quecksilber)

merk|wür|dig; merk|wür|di|ger|wei|se

Mer|lin [*auch* 'mɛ...], der; -s, -e (ein Greifvogel)

Mes|ner, Mess|ner (*landsch. für* Kirchendiener); **Mes|ne|rin**, Mess|ne|rin

Mes|sage [...sɪtʃ], die; -, -s (Nachricht; Information)

mess|bar; Mess|bar|keit, die; -

Mess|die|ner; Mess|die|ne|rin

¹Mes|se, die; -, -n (kath. Gottesdienst mit Eucharistiefeier; Chorwerk); die, eine Messe lesen, *aber* das Messelesen

²Mes|se, die; -, -n (Großmarkt, Ausstellung)

Mes|se|be|su|cher; Mes|se|be|su|che|rin; Mes|se|ge|län|de; Mes|se|hal|le

mes|sen; du misst, er misst; ich maß, du maßest; du mäßest; gemessen; miss!; sich [mit jmdm.] messen; ¹Mes|ser, der (Mes-

sender, Messgerät; *fast nur als 2. Teil in Zusammensetzungen,* z. B. Zeitmesser)

²Mes|ser, das; -s, - (ein Schneidwerkzeug)

Mes|ser|geb|nis

mes|ser|scharf; Mes|ser|stich

Mes|se|stadt; Mes|se|stand

Mess|feh|ler; Mess|ge|rät

Mes|si|as, der; -, -se (*nur Sing.*: Beiname Jesu Christi; *A. T.* der verheißene Erlöser)

Mes|sing, das; -s, *Plur.* (*Sorten:*) -e (Kupfer-Zink-Legierung)

Mess|lat|te; Mess|platz (*Elektrot.* ortsfeste Messeinrichtung); Mes|sung; Mess|wert

Mes|ti|ze, der; -n, -n (Nachkomme eines weißen u. eines indian. Elternteils *[häufig als diskriminierend empfundene Bez.]*)

Met, der; -[e]s (gegorener Honigsaft)

Me|tal ['mɛtl], das; -[s] (*kurz für* Heavy Metal)

Me|tall, das; -[e]s, -e; die Metall verarbeitende *od.* metallverarbeitende Industrie; me|tall|len (aus Metall); Me|tall|ler (*ugs. für* Metallarbeiter; Angehöriger der IG Metall); **Me|tall|le|rin**

me|tal|lic [...lɪk] (metallisch schimmernd); ein Auto in Blaumetallic *od.* in Blau metallic, in Metallicblau *od.* in metallic Blau

Me|tall|in|dus|t|rie; me|tal|lisch (metallartig); **Me|tall|le|gie|rung**, Me|tall-Le|gie|rung; **Me|tall ver|ar|bei|tend**, me|tall|ver|ar|bei|tend

Me|ta|mor|pho|se, die; -, -n (Verwandlung)

Me|ta|pher, die; -, -n (*Sprachwiss.* Wort mit übertragener Bedeutung, bildliche Wendung, z. B. »Haupt der Familie«); me|ta|pho|risch (bildlich, im übertragenen Sinne)

Me|ta|phy|sik die; -, -en *Plur. selten* (philos. Lehre von den letzten, nicht erfahrbaren Gründen u. Zusammenhängen des Seins); me|ta|phy|sisch

Me|te|or, der, *selten* das; -s, -e (Leuchterscheinung beim Eintritt eines Meteoroiden in die Erdatmosphäre); Me|te|o|rit, der; *Gen.* -en *u.* -s, *Plur.* -en *u.* -e (auf der Erde aufschlagender kosmischer Körper)

Me|te|o|ro|lo|ge, der; -n, -n; Me|te|o|ro|lo-

gie, die; - (Lehre von Wetter u. Klima); Me|te|o|ro|lo|gin; me|te|o|ro|lo|gisch

Me|ter, der; -s, -; me|ter|hoch; der Schnee liegt meterhoch; *aber* drei Meter hoch; me|ter|lang; *aber* ein[en] Meter lang

Me|tha|don, das; -s (*Chemie, Med.* synthet. Derivat des Morphins [als Ersatzdroge für Heroinabhängige])

Me|than, das; -s (Gruben-, Sumpfgas)

Me|tho|de, die; -, -n (planmäßiges u. folgerichtiges Verfahren; Vorgehensweise)

Me|tho|dik, die; -, -en (Verfahrenslehre, -weise; Vortrags-, Unterrichtslehre; *nur Sing.:* methodisches Vorgehen); me|tho|disch (planmäßig; überlegt, durchdacht)

Me|ti|er [...'tie:], das; -s, -s (Beruf; Aufgabe)

Me|t|rik, die; -, -en (Verslehre, -kunst; *Musik* Lehre vom Takt)

Me|t|ro [*auch* 'mε...], die; -, -s (Untergrundbahn, bes. in Paris u. Moskau)

Me|t|ro|nom, das; -s, -e (*Musik* Taktmesser)

Me|t|ro|po|le, die; -, -n (Hauptstadt, Weltstadt); **Me|t|ro|po|lis**, die; -, ...polen (*veraltet für* Metropole)

Metz|ger (*westmd., südd., schweiz. für* Fleischer); Metz|ge|rei; Metz|ge|rin

Metz|ler (*rhein. für* Fleischer); Metz|le|rin

Meu|chel|mord

Meu|te, die; -, -n (*Jägerspr.* Gruppe von Hunden; *übertr. abwertend für* größere Zahl von Menschen)

Meu|te|rei; **Meu|te|rer**; **Meu|te|rin**; meu|tern; ich meutere

Mez|za|nin, das, *auch* der; -s, -e (niedriges Halb-, Zwischengeschoss, bes. in der Baukunst der Renaissance u. des Barocks)

mi|au|en; die Katze hat miaut

mich (*Akk. von* »ich«)

mi|cke|rig, mick|rig (*ugs. für* schwach, zurückgeblieben)

Mi|cky|maus, die; -, ...mäuse (Trickfilm- u. Comicfigur); Mi|cky|maus|heft

Mid|life-Cri|sis, Mid|life|cri|sis ['mɪdlaɪf-kraɪsɪs], die; - (Krise in der Mitte des Lebens)

Mie|der, das; -s, -

Mief, der; -[e]s (*ugs. für* schlechte Luft); mie|fen (*ugs.*); es mieft

Mie|ne, die; -, -n (Gesichtsausdruck)

mies (*ugs. für* schlecht; gemein; unwohl); miese Laune; *vgl.* miesmachen

Mies, das; -es, -e (*südd. für* Sumpf, Moor)

mies|ma|chen (*ugs. für* schlechtmachen)

Mies|mu|schel (Pfahlmuschel)

Mie|te, die; -, -n (Preis, der für das Benutzen von Wohnungen u. a. zu zahlen ist); Miet-ein|nah|me; mie|ten; eine Wohnung mieten; Mie|ter; Miet|er|hö|hung; Mie|te|rin

Miet|preis; **Miet|recht**; **Miets|haus**; **Miet-spie|gel** (Tabelle ortsüblicher Mieten); **Miet|ver|hält|nis** (*Amtsspr.*); **Miet|ver-trag**; **Miet|wa|gen**; **Miet|woh|nung**; **Miet|zins** *Plur.* ...zinse (*südd., österr., schweiz. für* Miete)

Mie|ze, die; -, -n (*fam. für* Katze; *ugs. für* Freundin, Mädchen)

MiG, die; -, -[s] (*Bez. für* Flugzeugtypen der Sowjetunion)

Mi|g|rä|ne, die; -, -n (heftiger Kopfschmerz)

Mi|g|rant, der; -en, -en (*Soziol.* Aus- od. Einwanderer); **Mi|g|ran|ten|kind**; **Mi|g|ran-tin**; **Mi|g|ra|ti|on**, die; -, -en (*Biol., Soziol.* Wanderung); **Mi|g|ra|ti|ons|hin|ter|grund**

Mi|k|ro|be, die; -, -n (*svw.* Mikroorganismus)

Mi|k|ro|bio|lo|gie (Wissenschaft von den Mikroorganismen); **Mi|k|ro|chip**; **Mi|k|ro-elek|t|ro|nik**; **Mi|k|ro|fiche** (Filmkarte mit stark verkleinerten Kopien); **Mi|k|ro|film**; **Mi|k|ro|fon**, Mi|k|ro|phon, das; -s, -e (Gerät zur Übertragung von Hörbarem auf Tonträger oder über Lautsprecher)

Mi|k|ro|gramm [*auch* 'mi:...] (ein millionstel Gramm; *Zeichen* µg); **Mi|k|ro|kos|mos** [*auch* 'mi:...], der; - (Welt des Menschen als verkleinertes Abbild des Universums; *Ggs.* Makrokosmos; *Biol.* Welt der Kleinlebewesen); **Mi|k|ron**, das; -s, - (*veraltet für* Mikrometer; *Kurzform* My; *Zeichen* µ)

Mi|k|ro|or|ga|nis|mus (*Biol.* kleinstes Lebewesen); **Mi|k|ro|phon** *vgl.* Mikrofon; **Mi-k|ro|pro|zes|sor** (*EDV*)

Mi|k|ro|s|kop, das; -s, -e (optisches Vergrößerungsgerät); mi|k|ro|s|ko|pisch (sehr klein; mithilfe des Mikroskops durchgeführt)

Mi|k|ro|wel|le (elektromagnet. Welle; *auch kurz für* Mikrowellenherd)

Mi|lan [*auch* …'la:n], der; -s, -e (ein Greifvogel)

Mil|be, die; -, -n (ein Spinnentier)

Milch, die; -, *Plur. (fachspr.)* -e[n]; eine Milch gebende *od.* milchgebende Kuh

Milch|bau|er vgl. ²Bauer; Milch|bäu|e|rin

mil|chig; Milch|pro|dukt; Milch|stra|ße, die; - *(Astron.);* Milch|zahn

mild; Mil|de, die; -; mil|dern; ich mildere; mildernde Umstände *(Rechtsspr.);* mild|tä|tig

Mi|li|eu [mi'ljø:], das; -s, -s (Umwelt; *bes. schweiz. auch für* Dirnenwelt)

mi|li|tant (kämpferisch)

¹Mi|li|tär, der; -s, -s (höherer Offizier)

²Mi|li|tär, das; -s (Soldatenstand; Streitkräfte); Mi|li|tär|ak|ti|on; Mi|li|tär|dik|ta|tur; Mi|li|tär|ein|satz; mi|li|tä|risch; Mi|li|ta|ris|mus; der; -, …men (Vorherrschen militär. Denkens); mi|li|ta|ris|tisch; Mi|li|tär|jun|ta (von Offizieren [nach einem Putsch] gebildete Regierung); Mi|li|tär|putsch; Mi|li|tär|re|gime

Mi|liz, die; -, -en (kurz ausgebildete Truppen, Bürgerwehr; *in einigen [ehemals] sozialistischen Staaten auch für* Polizei); Mi|li|zi|o|när, der; -s, -e (Angehöriger der Miliz); Mi|li|zi|o|nä|rin

Mil|le, die; -, - (Tausend; *Zeichen* M; *ugs. für* tausend Euro o. Ä.); 5 Mille; *vgl.* pro mille

Mil|len|ni|um, das; -s, …ien (Jahrtausend)

Mil|li|ar|där, der; -s, -e (Besitzer eines Vermögens von mindestens einer Milliarde; sehr reicher Mann); Mil|li|ar|dä|rin; Mil|li|ar|de, die; -, -n (1 000 Millionen; *Abk.* Md., Mrd. *u.* Mia.); Mil|li|ar|den|be|trag; mil|li|ar|den|schwer

Mil|li|gramm [*auch* …'gr…] (¹/₁₀₀₀ g; *Zeichen* mg); 10 Milligramm; Mil|li|li|ter [*auch* …'li:…] (¹/₁₀₀₀ l; *Zeichen* ml); Mil|li|me|ter [*auch* …'me:…], der; -s, - (¹/₁₀₀₀ m; *Zeichen* mm); mil|li|me|ter|ge|nau

Mil|li|on, die; -, -en (1 000 mal 1 000; *Abk.* Mill. *u.* Mio.); eine Million; ein[und]dreiviertel Millionen; zwei Millionen fünfhundertfünfzigtausend; mit 0,8 Millionen; Mil|li|o|när, der; -s, -e (Besitzer eines Vermögens von mindestens einer Million); Mil|li|o|nä|rin; Mil|li|o|nen|be|trag; mil|li|o|nen|fach; mil|li|o|nen|schwer; Mil|li|o|nen|stadt

Mil|li|se|kun|de [*auch* …ze'kʊndə] (¹/₁₀₀₀ Sekunde; *Zeichen* ms)

Milz, die; -, -en (Organ); Milz|brand, der; - (eine gefährliche Infektionskrankheit)

Mi|me, der; -n, -n (*veraltend für* Schauspieler); mi|men (*veraltend für* als Mime wirken; *ugs. für* so tun, als ob); Mi|mik, die; - (Gebärden- u. Mienenspiel)

Mi|mi|k|ry […ri], die; - (*Zool.* Nachahmung wehrhafter Tiere durch nicht wehrhafte; *übertr. für* Anpassung)

Mi|na|rett, das; -s, *Plur.* -e u. -s (Moscheeturm)

min|der; minder gut, minder wichtig; von mind[er]er Qualität; min|der|be|gabt; min|der|be|mit|telt; Min|der|heit; Min|der|hei|ten|schutz, der; -es; Min|der|heits|re|gie|rung; min|der|jäh|rig; Min|der|jäh|ri|ge, der u. die; -n, -n; min|dern; ich mindere; Min|de|rung; min|der|wer|tig; Min|der|wer|tig|keits|ge|fühl

Min|dest|al|ter; Min|dest|an|for|de|rung

min|des|te; ohne die mindeste Angst; nicht das Mindeste *od.* mindeste (gar nichts); zum Mindesten *od.* mindesten (wenigstens); nicht im Mindesten *od.* mindesten (gar nicht); min|des|tens

Min|dest|lohn; Min|dest|maß, das

Mind|map, Mind-Map ['maɪntmɛp] (grafische Darstellung von Zusammenhängen)

Mi|ne, die; -, -n (unterird. Gang; Bergwerk; Sprengkörper; Kugelschreiber-, Bleistifteinlage); *vgl. aber* Miene; Mi|nen|feld

Mi|ne|ral, das; -s, *Plur.* -e u. -ien (anorganischer, chem. einheitlicher u. natürlich gebildeter Bestandteil der Erdkruste; *österr. u. schweiz. auch kurz für* Mineral-

wasser); mi|ne|ra|lisch; Mi|ne|ral|öl; Mi-
ne|ral|öl|steu|er, die; Mi|ne|ral|stoff; Mi-
ne|ral|was|ser *Plur.* ...wässer
mi|ni (*Mode sehr kurz*); der Rock ist mini
¹Mi|ni, das; -s, -s (*ugs. für* Minikleid); ²Mi|ni,
der; -s, -s (*ugs. für* Minirock)
Mi|ni|a|tur, die; -, -en (kleines Bild; [kleine]
Illustration); Mi|ni|golf, das; -s (Miniatur-
golfanlage; Kleingolfspiel); Mi|ni|job
(geringfügiges Beschäftigungsverhältnis)
mi|ni|mal (sehr klein, niedrigst, winzig); Mi-
ni|ma|lis|mus (Minimal Art; Stilrichtung,
Haltung, die sich auf das Wesentliche
beschränkt); mi|ni|ma|lis|tisch
mi|ni|mie|ren (minimal machen)
Mi|ni|mum [*auch* 'mi:ni...], das; -s, ...ma
(Mindestpreis, -maß, -wert); Mi|ni|rock
Mi|nis|ter, der; -s, - (einen bestimmten
Geschäftsbereich leitendes Regierungsmit-
glied); mi|nis|te|ri|ell (von einem Minister
od. Ministerium ausgehend); Mi|nis|te|rin;
Mi|nis|te|ri|um, das; -s, ...ien (höchste
[Verwaltungs]behörde des Staates mit
bestimmtem Aufgabenbereich); Mi|nis|ter-
prä|si|dent; Mi|nis|ter|prä|si|den|tin; Mi-
nis|ter|rat *Plur.* ...räte
Mi|nis|t|rant, der; -en, -en (kath. Messdie-
ner); Mi|nis|t|ran|tin
Mi|ni|van [...vɛn] (kleiner Van)
Mi|no|ri|tät, die; -, -en (Minderheit)
Mi|nu|end, der; -en, -en (Zahl, von der
etwas abgezogen werden soll)
mi|nus (weniger; *Zeichen* − [negativ]; *Ggs.*
plus); fünf minus drei ist, macht, gibt (*nicht*
sind, machen, geben) zwei; minus 15 Grad
od. 15 Grad minus; Mi|nus, das; -, - (Min-
der-, Fehlbetrag, Verlust); Mi|nus|pol; Mi-
nus|zei|chen (Subtraktionszeichen)
Mi|nu|te, die; -, -n (¹⁄₆₀ Stunde; *Zeichen* min,
Abk. Min.); *Geom.* ¹⁄₆₀ Grad; *Zeichen* '); mi-
nu|ten|lang; minutenlanger Beifall; *aber*
mehrere Minuten lang; Mi|nu|ten|zei|ger
mi|nu|ti|ös, mi|nu|zi|ös
mir (*Dat. des Pronomens* »ich«); mir nichts,
dir nichts; mir alten, *selten* alter Frau; mir
jungem, *auch* jungen Menschen; mir

Geliebten (w.; *selten* Geliebter); mir
Geliebtem (m.; *auch* Geliebten)
Mi|ra, die; - (ein Stern)
Mi|ra|bel|le, die; -, -n (eine Pflaumenart)
mi|schen; du mischst; sich mischen
Misch|form; Misch|ge|tränk; Misch|kon-
zern; Misch|ling; Misch|pult (*Rundfunk,
Film*); Mi|schung; Misch|wald
mi|se|ra|bel (*ugs. für* erbärmlich [schlecht];
nichtswürdig); ein mi|se|ra|b|ler Kerl
Mi|se|re, die; -, -n (Not[lage], Elend)
Miss, die; -, Misses (*[engl. u. nordamerik.]
für* unverheiratete Frau; *in Verbindung mit
einem Länder- od. Ortsnamen für* Schön-
heitskönigin, z. B. Miss Berlin)
miss|ach|ten; ich missachte; ich habe miss-
achtet; zu missachten; *seltener* missachten, gemissachtet, zu missachten; Miss-
ach|tung; Miss|bil|dung; miss|bil|li|gen;
ich missbillige; ich habe missbilligt; zu
missbilligen; Miss|bil|li|gung; Miss-
brauch; miss|brau|chen; ich missbrauche;
ich habe missbraucht; zu missbrauchen
mis|sen; du misst; gemisst; misse! *od.* miss!
Miss|er|folg; Miss|ern|te
Mis|se|tat (*veraltend*); Mis|se|tä|ter; Misse-
se|tä|te|rin
miss|fal|len; ich missfalle, missfiel; ich habe
missfallen; zu missfallen; es missfällt mir;
Miss|fal|len, das; -s; Miss|ge|schick;
miss|glü|cken; es missglückt; es ist miss-
glückt; zu missglücken; miss|gön|nen; ich
missgönne; ich habe missgönnt; zu miss-
gönnen; Miss|griff; Miss|gunst; miss-
güns|tig; miss|han|deln; ich miss-
hand[e]le; ich habe misshandelt; zu miss-
handeln; Miss|hand|lung
Mis|si|on, die; -, -en (Sendung; Auftrag;
diplomatische Vertretung im Ausland; *nur
Sing.:* Glaubensverkündung [unter Anders-
gläubigen]); die Innere Mission (Organisa-
tion der ev. Kirche; *Abk.* I. M.); Mis|si|o-
när, der; -s, -e (Sendbote; in der Mission
tätiger Geistlicher); Mis|si|o|na|rin; mis-
si|o|na|risch; Mis|si|ons|sta|ti|on
Mis|sis|sip|pi, der; -[s] (nordamerik. Strom)

M

mit

Präposition mit Dativ:

– *mit Kartoffeln*
– *mit aufrichtigem Bedauern*
– *mit anderen Worten* (Abk. m. a. W.)

Als (getrennt geschriebenes) Adverb drückt »mit« die vorübergehende Beteiligung oder den Gedanken des Anschlusses aus (svw. »auch«), z. B.:

– *mit nach oben gehen*
– *wir wollen alle mit hinübergehen*

Mit dem Verb zusammengeschrieben wird »mit«, wenn es eine dauernde Vereinigung oder Teilnahme ausdrückt:

– vgl. *mitarbeiten, mitbringen, mitfahren, mitreißen, mitteilen usw.*

Im Zweifelsfall sind beide Schreibweisen zulässig:

– *mitberücksichtigen* od. *mit berücksichtigen*
– *mitunterzeichnen* od. *mit unterzeichnen*

Miss|klang; Miss|kre|dit, der; -[e]s (schlechter Ruf); jmdn. in Misskredit bringen
miss|lich (unangenehm); die Verhältnisse sind misslich; miss|lie|big (unbeliebt)
miss|lin|gen; es misslingt; es misslang; es misslänge; es ist misslungen; zu misslingen; Miss|lin|gen, das; -s; miss|lun|gen
Miss|ma|nage|ment, das; -s (schlechtes Management)
Miss|mut; miss|mu|tig
miss|ra|ten (schlecht geraten); es missrät; der Kuchen ist missraten; zu missraten
Miss|stand, Miss-Stand
Miss|stim|mung, Miss-Stim|mung
miss|trau|en; ich misstraue; ich habe misstraut; zu misstrauen; Miss|trau|en, das; -s; Misstrauen gegen jmdn. hegen; Miss|trau|ens|an|trag; Miss|trau|ens|vo|tum; miss|trau|isch
Miss|ver|hält|nis
miss|ver|ständ|lich; Miss|ver|ständ|nis
miss|ver|ste|hen; ich missverstehe; ich habe missverstanden; sich missverstehen
Miss|wirt|schaft
Mist, der; -[e]s (österr. auch für Kehricht)
Mis|tel, die; -, -n (eine immergrüne Schmarotzerpflanze)
Mis|ter vgl. Mr
Mist|kä|fer
mit s. Kasten
Mit|ar|beit, die; -; mit|ar|bei|ten; sie hat an

diesem Werk mitgearbeitet; Mit|ar|bei|ter; Mit|ar|bei|te|rin; Mit|be|grün|der; Mit|be|grün|de|rin; mit|be|kom|men; mit|be|rück|sich|ti|gen; mit|be|stim|men; Mit|be|stim|mung
Mit|be|wer|ber; Mit|be|wer|be|rin
Mit|be|woh|ner; Mit|be|woh|ne|rin
mit|bie|ten
mit|brin|gen; Mit|bring|sel, das; -s, -
Mit|bür|ger; Mit|bür|ge|rin
mit|den|ken
Mit|ei|gen|tü|mer; Mit|ei|gen|tü|me|rin
mit|ei|n|an|der; miteinander (einer mit dem andern) auskommen, gehen, leben usw.; vgl. aneinander; Mit|ei|n|an|der [auch 'mɪ...], das; -[s]
mit|er|le|ben; Mit|fah|ren; Mit|fah|rer; Mit|fah|re|rin; Mit|fahr|ge|le|gen|heit; mit|fi|nan|zie|ren; mit|füh|lend; mit|füh|ren; mit|ge|ben; Mit|ge|fühl, das; -[e]s; mit|ge|hen
mit|ge|nom|men; er sah sehr mitgenommen (ermattet) aus
mit|ge|stal|ten
Mit|gift, die; -, -en (veraltend für Mitgabe; Aussteuer)
Mit|glied; Mitglied des Bundestages (Abk. M. d. B. od. MdB); Mitglied des Landtages (Abk. M. d. L. od. MdL); Mit|glie|der|ver|samm|lung; Mit|glie|der|zahl; Mit|glieds|aus|weis; Mit|glieds|bei|trag; Mit|glied|schaft, die; -, -en; Mit|glieds-

land *Plur.* ...länder; **Mit|glieds|staat,
Mit|glied|staat** *Plur.* ...staaten
mit|hal|ten; mit jmdm. mithalten
mit|hel|fen
Mit|he|r|aus|ge|ber; Mit|he|r|aus|ge|be|rin
mit|hil|fe, mit Hil|fe; mithilfe *od.* mit Hilfe
einiger Zeugen; **Mit|hil|fe,** die; -
mit|hin (somit)
mit|hö|ren; am Telefon mithören
Mit|in|ha|ber; Mit|in|ha|be|rin
mit|kom|men
mit|krie|gen (*ugs. für* mitbekommen)
mit|lau|fen; Mit|läu|fer; Mit|läu|fe|rin
Mit|laut (*für* Konsonant)
Mit|leid, das; -[e]s; sie waren in einem mit-
leiderregenden *od.* Mitleid erregenden
Zustand; **Mit|lei|den|schaft;** *nur in* etwas
od. jmdn. in Mitleidenschaft ziehen
**mit|lei|dig; mit|leid|los, mit|leids|los; mit-
leids|voll, mit|leid|voll**
mit|lie|fern
mit|ma|chen (*ugs.*)
Mit|mensch, der; **mit|mensch|lich**
mit|mi|schen (*ugs. für* sich beteiligen)
mit|neh|men; Kaffee zum Mitnehmen
mit|nich|ten (*veraltend für* keineswegs)
Mi|t|ra, die; -, ...tren (Bischofsmütze; *Med.*
haubenartiger Kopfverband)
mit|rech|nen
mit|re|den; bei etwas mitreden können
mit|re|gie|ren
mit|rei|ßen; von der Menge mitgerissen
werden; der Redner riss alle Zuhörer mit;
mit|rei|ßend; eine mitreißende Musik
mit|samt (gemeinsam mit); *Präp. mit Dat.:*
mitsamt seinem Eigentum
mit|schnei|den (eine Radio- oder Fernseh-
sendung aufnehmen); **Mit|schnitt**
mit|schrei|ben; *aber* zum Mitschreiben
Mit|schuld, die; -; **mit|schul|dig**
Mit|schü|ler; Mit|schü|le|rin
mit|sin|gen
mit|spie|len; lasst die Kleine mitspielen;
Mit|spie|ler; Mit|spie|le|rin
Mit|spra|che, die; -; **Mit|spra|che|recht**
Mit|strei|ter; Mit|strei|te|rin

¹**Mit|tag,** der; -s, -e; über Mittag wegbleiben;
[zu] Mittag essen; gestern Mittag; Diens-
tagmittag; ²**Mit|tag,** das; -s (*ugs. für* Mit-
tagessen); ein karges Mittag; **mit|tag|es-
sen** (*österr. für* [zu] Mittag essen); wir
gehen mittagessen; wir haben schon mit-
taggegessen; **Mit|tag|es|sen,** das
mit|tags; 12 Uhr mittags; *aber* des Mittags;
dienstagmittags; **Mit|tags|pau|se; Mit-
tags|tisch; Mit|tags|zeit**
Mit|tä|ter; Mit|tä|te|rin; Mit|tä|ter|schaft
Mit|te, die; -, -n; in der Mitte; Mitte Januar;
Seite 3 [in der] Mitte, Obergeschoss Mitte
mit|tei|len (melden); er hat ihm das Geheim-
nis mitgeteilt; **Mit|tei|lung; Mit|tei|lungs-
be|dürf|nis,** das; -ses
mit|tel (*nur adverbial; ugs. für* mittelmäßig)
Mit|tel, das; -s, -; sich ins Mittel legen
mit|tel|alt; mittelalter Gouda; **Mit|tel|al-
ter,** das; -s (*Abk.* MA.); **mit|tel|al|ter|lich**
(dem Mittelalter angehörend; *Abk.* ma.)
mit|tel|deutsch *vgl.* deutsch/Deutsch; **Mit-
tel|deutsch,** das; -[s] (Sprache); *vgl.*
deutsch/Deutsch; **mit|tel|eu|ro|pä|isch;**
mitteleuropäische Zeit (*Abk.* MEZ)
Mit|tel|feld (*bes. Sport*); **Mit|tel|feld|spie-
ler; Mit|tel|feld|spie|le|rin; Mit|tel|fin-
ger; mit|tel|fris|tig; mit|tel|groß; Mit-
tel|klas|se; Mit|tel|li|nie; mit|tel|los**
Mit|tel|maß, das; -es; **mit|tel|mä|ßig**
Mit|tel|meer|raum; Mit|tel|punkt
mit|tels; *Präp., meist mit Gen.:* mittels eines
Löffels; mittels Drahtes *od.* mittels Draht
(*bei allein stehenden, stark gebeugten
Substantiven*)
Mit|tel|schicht (*Soziol.*); **mit|tel|schwer;**
mittelschwere Verletzungen; **Mit|tels-
mann** *Plur.* ...männer *u.* ...leute (Vermitt-
ler); **Mit|tel|stand,** der; -[e]s; **mit|tel-
stän|disch** (den Mittelstand betreffend);
**Mit|tel|ständ|ler; Mit|tel|ständ|le|rin;
Mit|tel|stu|fe; Mit|tel|wert; Mit|tel|wort**
Plur. ...wörter (*für* Partizip)
mit|ten; inmitten; mitten darein, mitten
darin, mitten darunter; *aber* mittendrein,

M

mittendrin, mittendrunter; mitten entzwei-
brechen; mitten hindurchgehen; er will
mitten durch den Wald gehen, *aber* mitten-
durch; **mit|ten|drin** (mitten darin); sie
befand sich mittendrin; *vgl. aber* mitten
Mit|ter|nacht, die; -; um Mitternacht; *vgl.*
Abend; **mit|ter|nachts;** *aber* des Mitter-
nachts; **Mit|ter|nachts|son|ne** *Plur. sel-
ten*
Mit|te|strich (Binde-, Gedankenstrich der
Schreibmaschine)
Mitt|ler (*geh. für* Vermittler; *Sing. auch für*
Christus); **Mitt|le|rin; mitt|ler|wei|le**
mit|tra|gen; eine Entscheidung mittragen
Mitt|woch, der; -[e]s, -e; *Abk.* Mi.; *vgl.*
Dienstag; **Mitt|woch|abend** usw. *vgl.*
Dienstagabend usw.; **mitt|wochs**
mit|un|ter (zuweilen)
**mit|ver|ant|wort|lich; Mit|ver|ant|wor-
tung**
mit|ver|fol|gen
Mit|ver|schul|den
mit|wir|ken; Mit|wir|kung
Mit|wis|ser; Mit|wis|se|rin
mit|zäh|len
mit|zie|hen
Mix, der; -[es], -e (Gemisch, spezielle
Mischung); **Mixed** [mɪkst] *das;* -[s], -[s]
(*Sport* gemischtes Doppel); **mi|xen**
([Getränke] mischen; *Film, Funk, Fernsehen*
verschiedene Tonaufnahmen zu einem
Klangbild vereinigen); du mixt; ein bunt
gemixtes Programm; **Mi|xer,** der; -s, -
(Barmixer; Gerät zum Mixen; *Film, Funk,
Fernsehen* Tonmischer); **Mix|ge|tränk**
Mix|tur, die; -, -en (flüssige Arzneimischung;
gemischte Stimme der Orgel)
MKS, die; - *auch ohne Artikel* = Maul- und
Klauenseuche
MMS®, der; - *meist ohne Artikel* (Mobilfunk-
dienst zur Übermittlung von Multimediada-
ten); **MMS-Han|dy**
Mob, der; -s, -s ([randalierender] Haufen)
mob|ben (Arbeitskolleg[inn]en schikanieren
[mit der Absicht, sie von ihrem Arbeitsplatz
zu vertreiben]); **Mob|bing,** das; -s

Mö|bel das; -s, - *meist Plur.;* **Mö|bel|pa-
cker; Mö|bel|pa|cke|rin; Mö|bel|stück**
mo|bil (beweglich, munter; *ugs. für* wohl-
auf; *Militär* auf Kriegsstand gebracht)
Mo|bi|le, das; -s, -s (hängend zu befestigen-
des, durch Luftzug bewegtes Gebilde)
Mo|bil|funk (Funk zwischen mobilen od.
zwischen mobilen u. festen Stationen);
Mo|bil|funk|netz
Mo|bi|li|ar, das; -s, -e (bewegliche Habe;
Hausrat, Möbel)
mo|bi|li|sie|ren (*Militär* einsatzbereit
machen; aktivieren); **Mo|bi|li|sie|rung;
Mo|bi|li|tät,** die; - ([geistige] Beweglich-
keit; Häufigkeit des Wohnsitzwechsels);
mo|bil|ma|chen
Mo|bil|te|le|fon (drahtloses Telefon)
mö|b|lie|ren ([mit Hausrat] einrichten)
Moc|ca (*österr. auch für* Mokka)
Mo|da|li|tät, die; -, -en (Art u. Weise, Aus-
führungsart); **Mo|dal|satz** (*Sprachwiss.*
Umstandssatz der Art u. Weise); **Mo|dal-
verb** (Verb, das vorwiegend ein anderes
Sein od. Geschehen modifiziert, z. B. »wollen« in: »wir wollen warten«)
Mo|de, die; -, -n (etwas, was dem gerade
herrschenden Geschmack entspricht); in
Mode sein, kommen
**Mo|de|ar|ti|kel; mo|de|be|wusst; Mo|de-
de|si|g|ner; Mo|de|far|be**
Mo|dell, das; -s, -s (Fotomodell; Manne-
quin)
Mo|dell, das; -s, -e (Muster, Vorbild, Typ;
Entwurf); Modell stehen; **Mo|dell|flug-
zeug; mo|del|lie|ren** (künstlerisch formen);
ein Modell herstellen)
Mo|dell|pro|jekt; Mo|dell|ver|such
¹**mo|deln** (*selten für* gestalten); ich mod[e]le
²**mo|deln** (als Model arbeiten); ich mod[e]le
Mo|dem, der, *auch* das; -s, -s (Gerät zur
Datenübertragung über Fernsprechleitun-
gen)
Mo|den|schau
Mo|der, der; -s (Faulendes, Fäulnisstoff)
mo|de|rat (gemäßigt)
Mo|de|ra|ti|on, die; -, -en (*Rundfunk, Fern-*

sehen Tätigkeit des Moderators; *veraltet für* Mäßigung; **Mo|de|ra|tor**, der; -s, ...**oren** (*Rundfunk, Fernsehen* jmd., der eine Sendung moderiert; *Kernphysik* bremsende Substanz in Kernreaktoren); **Mo|de|ra|to|rin**; **mo|de|rie|ren** (*Rundfunk, Fernsehen* durch eine Sendung führen; *veraltet, aber noch landsch. für* mäßigen)

mo|de|rig, **mod|rig**

¹mo|dern (faulen); sie sagt, es modere

²mo|dern (modisch, der Mode entsprechend; neu[zeitlich]; zeitgemäß); moderner Fünfkampf (*Sport*); **Mo|der|ne**, die; - (moderne Richtung [in der Kunst]; moderner Zeitgeist); **mo|der|ni|sie|ren** (auf einen neueren [technischen] Stand bringen); **Mo|der|ni|sie|rer**; **Mo|der|ni|sie|re|rin**; **Mo|der|ni|sie|rung**

Mo|de|schau (*svw.* Modenschau); **Mo|de|schöp|fer**; **Mo|de|schöp|fe|rin**

Mo|di|fi|ka|ti|on, die; -, -en; **mo|di|fi|zie|ren** (abwandeln, [ab]ändern)

mo|disch (in od. nach der Mode)

mod|rig *vgl.* moderig

Mo|dul, das; -s, -e (*bes. Elektrot.* Bau- od. Schaltungseinheit); **mo|du|lar** (in der Art eines Moduls)

Mo|du|la|ti|on, die; -, -en (*Musik* das Steigen u. Fallen der Stimme, des Tones; *Technik* Änderung einer Schwingung)

Mo|dus [*auch* 'mɔ...], der; -, Modi (Art u. Weise; *Sprachwiss.* Aussageweise; *mittelalterl. Musik* Melodie, Kirchentonart)

Mo|fa, das; -s, -s

Mo|gel|lei; mo|geln (*ugs. für* betrügen [beim Spiel], nicht ehrlich sein); ich mog[e]le; **Mo|gel|pa|ckung** (*ugs.*)

mö|gen; ich mag, du magst, er mag; du mochtest; du möchtest; du hast es nicht gemocht, *aber* das hätte ich hören mögen

mög|lich; so viel wie, *älter* als möglich

mög|li|chen|falls *vgl.* Fall; **mög|li|cher|wei|se**; **Mög|lich|keit**; nach Möglichkeit; **Mög|lich|keits|form** (*für* Konjunktiv)

mög|lichst; möglichst schnell; möglichst viel Geld verdienen

Mohn, der; -[e]s, Plur. (*Sorten:*) -e

Mohr, der; -en, -en (*veraltet für* dunkelhäutiger Afrikaner)

Möh|re, die; -, -n (eine Gemüsepflanze); **Mohr|rü|be** (*svw.* Möhre)

Mo|kas|sin [*auch* ...'si:n], der; -s, Plur. -s u. -e (lederner Halbschuh [nach der Art] der nordamerik. Indianer)

mo|kie|ren, sich (sich abfällig od. spöttisch äußern); ich mokierte mich über dich

Mok|ka, der; -s, -s (eine Kaffeesorte; sehr starker Kaffee); *vgl.* Mocca

Mol, das; -s, -e (*früher svw.* Grammmolekül; Einheit der Stoffmenge; *Zeichen* mol)

Molch, der; -[e]s, -e (im Wasser lebender Lurch)

Mo|le, die; -, -n (Hafendamm)

Mo|le|kül, das; -s, -e (kleinste Einheit einer chem. Verbindung); **mo|le|ku|lar**; **Mo|le|ku|lar|bio|lo|gie**; **Mo|le|ku|lar|ge|wicht**

Mol|ke, die; - (bei der Käseherstellung übrig bleibende Milchflüssigkeit); **Mol|ke|rei**; **Mol|ke|rei|pro|dukt** *meist Plur.*

Moll, das; -[s] (*Musik* Tongeschlecht mit kleiner Terz); a-Moll; die a-Moll-Arie

mol|lig (*ugs. für* dicklich; behaglich); mollig warm

Mo|loch, der; -s, -e (Macht, die alles verschlingt)

¹Mo|ment, der; -[e]s, -e (Augenblick)

²Mo|ment, das; -[e]s, -e ([ausschlaggebender] Umstand; Gesichtspunkt)

mo|men|tan (augenblicklich)

Mo|ment|auf|nah|me

Mo|n|arch, der; -en, -en (gekröntes Staatsoberhaupt); **Mo|n|ar|chie**, die; -, ...ien; **Mo|n|ar|chin**

Mo|nat, der; -[e]s, -e; alle zwei Monate; dieses Monats (*Abk.* d. M.); laufenden Monats (*Abk.* lfd. M.); **mo|na|te|lang**; *aber* viele Monate lang; **mo|nat|lich**; **Mo|nats|an|fang**; **Mo|nats|en|de**; **Mo|nats|ers|te**; **Mo|nats|frist**; innerhalb Monatsfrist; **Mo|nats|ge|halt**, das; **Mo|nats|kar|te**

Mönch, der; -[e]s, -e (Angehöriger eines geistl. Ordens); **mön|chisch**

M

Mọnd, der; -[e]s, -e (ein Himmelskörper; *veraltet für* Monat)

mon|dạ̈n (betont elegant)

Mọnd|auf|gang; Mọnd|fins|ter|nis; mọnd|hẹll; Mọnd|lan|dung; Mọnd|pha|se; Mọnd|schein, der; -[e]s

mo|ne|tạ̈r (das Geld betreffend, geldlich)

mo|nie|ren (beanstanden)

Mo|ni|tor, der; -s, *Plur.* -e, *auch* ...ọren (Bildschirm; Kontrollgerät, bes. beim Fernsehen; Strahlennachweis- u. -messgerät)

Mo|ni|to|ring ['mɔnɪtərɪŋ], das; -s, -s ([Dauer]beobachtung [eines best. Systems])

mo|no|chrọm [...k...] (einfarbig)

Mo|no|gra|fie, Mo|no|gra|phie, die; -, ...ien (wissenschaftl. Untersuchung über einen einzelnen Gegenstand)

Mo|no|grạmm, das; -s, -e (Namenszug [aus den Anfangsbuchstaben eines Namens])

Mo|no|gra|phie *vgl.* Monografie

Mo|no|kul|tur [*auch* 'mɔ...] (einseitiger Anbau einer bestimmten Wirtschafts- od. Kulturpflanze)

Mo|no|lọg, der; -[e]s, -e (Selbstgespräch)

Mo|no|pọl, das; -s, -e (das Recht auf Alleinhandel u. -verkauf; alleiniger Anspruch); Mo|no|po|lịst, der; -en, -en (Besitzer eines Monopols); Mo|no|po|lịs|tin; Mo|no|pọl|stel|lung

Mo|no|pọ|ly® [...li], das; - (ein Gesellschaftsspiel)

mo|no|tọn (eintönig; gleichförmig; ermüdend); Mo|no|to|nie, die; -, ...ien

Mon|si|eur [məˈsiø:], der; -, [-s], Messieurs [meˈsiø:] (*franz. Bez. für* Herr; *als Anrede ohne Artikel; Abk.* M., *Plur.* MM.)

Mọns|ter, das; -s, - (Ungeheuer)

Mons|t|rạnz, die; -, -en (Gefäß zum Tragen u. Zeigen der geweihten Hostie)

mons|t|rọ̈s (furchterregend scheußlich; ungeheuer aufwendig); Mọns|t|rum, das; -s, *Plur.* ...ren u. ...ra (Ungeheuer)

Mon|sụn, der; -s, -e (jahreszeitlich wechselnder Wind, bes. im Indischen Ozean)

Mọn|tag, der; -[e]s, -e; *Abk.* Mo.; *vgl.*

Dienstag; Mọn|tag|abend usw. *vgl.* Dienstagabend usw.

Mon|ta|ge [mɔnˈtaːʒə, *auch* mõ...], die; -, -n (Aufstellung [einer Maschine], Auf-, Zusammenbau); Mon|ta|ge|hal|le

mọn|tags *vgl.* dienstags

Mont|blanc [mõˈblãː], der; -[s] (höchster Gipfel der Alpen u. Europas)

Mon|teur [...ˈtøːɐ̯, *auch* mõ...], der; -s, -e (Montagefacharbeiter); Mon|teu|rin; mon|tie|ren [*auch* mõ...] ([eine Maschine, ein Gerüst u. a.] [auf]bauen, aufstellen, zusammenbauen); Mon|tur, die; -, -en (*ugs. für* [Arbeits]kleidung; *österr. auch für* Dienstkleidung, Uniform)

Mo|nu|mẹnt, das; -[e]s, -e (Denkmal); mo|nu|men|tạl (gewaltig; großartig)

Mọọr, das; -[e]s, -e; Mọọr|bad; mọọ|rig

¹Mọọs, das; -es, *Plur.* -e u. (*für* Sumpf usw.:) Möser (eine Pflanze; *bayr., österr., schweiz. auch für* Sumpf, ²Bruch)

²Mọọs, das; -es (*ugs. für* Geld)

mọọs|be|deckt; mọọs|grün; mọọ|sig

Mọ|ped, das; -s, -s (leichtes Motorrad)

Mọpp, der; -s, -s (Stoffbesen mit langen Fransen); mọp|pen

Mọps, der; -es, Möpse (ein Hund); mọp|sen (*ugs. für* stehlen); du mopst

Mo|rạl die; -, -en *Plur. selten* (Sittlichkeit; Sittenlehre); mo|rạ|lisch (der Moral gemäß; sittlich); moralische Maßstäbe; Mo|ra|lịst, der; -en, -en; Mo|rạl|pre|digt

Mo|rạ̈|ne, die; -, -n (*Geol.* Gletschergeröll)

Mo|rạst, der; -[e]s, *Plur.* -e u. Moräste (sumpfige schwarze Erde, Sumpf[land])

Mo|ra|tọ|ri|um, das; -s, ...ien (befristete Stundung [von Schulden]; Aufschub)

mor|bịd (kränklich; im [moral.] Verfall begriffen); Mor|bi|di|tạ̈t, die; - (*Med.* Krankheitsstand; Erkrankungsziffer)

Mọr|bus, der; -, ...bi (Krankheit)

Mọr|chel, die; -, -n (ein Pilz)

Mọrd, der; -[e]s, -e; Mọrd|an|schlag; Mọrd|dro|hung; mọr|den; Mọ̈r|der; Mọ̈r|de|rin; mọ̈r|de|risch (*veraltend für* mordend; *ugs. für* schrecklich, sehr stark);

mörderische Kälte; **Mord|fall**, der; **Mord-kom|mis|si|on**; **Mord|ver|such**

mor|gen; bis morgen; jmdn. auf morgen vertrösten, morgen früh, morgen Abend

¹**Mor|gen**, der; -s, - (Tageszeit); guten Morgen! (Gruß); jmdm. Guten od. guten Morgen sagen; heute, gestern Morgen; morgens; morgens früh

²**Mor|gen**, der; -s, - (ein altes Feldmaß); fünf Morgen Land

³**Mor|gen**, das; - (die Zukunft); das Heute und das Morgen

mor|gend|lich (am Morgen geschehend); **Mor|gen|grau|en**, das; -; **mor|gens**; *aber* des Morgens, eines Morgens; *vgl.* ¹Morgen; **Mor|gen|stun|de**

mor|gig; der morgige Tag

Mo|ri|tat [*auch* 'mo:...], die; -, -en ([zu einer Bildertafel] vorgetragenes Lied über ein schreckliches od. rührendes Ereignis)

Mor|phi|um, das; -s (*allgemeinsprachlich für* Morphin); **mor|phi|um|süch|tig**

morsch; morsche Bäume

Mor|se|al|pha|bet, **Mor|se-Al|pha|bet** (Alphabet für die Telegrafie); **mor|sen** (den Morseapparat bedienen); du morst

Mör|ser, der; -s, - (schweres Geschütz; schalenförmiges Gefäß zum Zerkleinern)

Mor|se|zei|chen

Mor|ta|del|la, die; -, -s (eine Wurstsorte)

Mör|tel, der; -s, *Plur. (Sorten:)* -; **mör|teln**; ich mört[e]le

Mo|sa|ik, das; -s, *Plur.* -en, *auch* -e; **Mo|sa-ik|stein**

Mo|schee, die; -, ...scheen (islam. Bethaus)

Mos|ki|to der; -s, -s *meist Plur.* (eine trop. Stechmücke); **Mos|ki|to|netz**

Mos|lem, der; -s, -s (Anhänger des Islams); *vgl.* Muslim; **Mos|le|min**, die; -, -nen; **mos|le|misch** *vgl.* muslimisch

Most, der; -[e]s, -e (unvergorener Fruchtsaft; *südd., österr. u. schweiz. für* Obstwein, -saft; *schweiz. ugs. für* Benzin); **mos|ten**

Most|rich, der; -[e]s (*nordostd. für* Senf)

Mo|tel [*auch* ...'tɛl], das; -s, -s (Hotel an der Autobahn)

Mo|tet|te, die; -, -n (geistl. Chorwerk)

Mo|ther|board ['maðebo:ɐ̯t], das; -s, -s (Hauptplatine im Computer)

Mo|ti|on, die; -, -en (*Sprachwiss.* Bildung weiblicher Personenbezeichnungen aus den männlichen, z. B. »Freundin« zu »Freund«; *schweiz. für* gewichtigste Form des Antrags in einem Parlament)

Mo|tiv, das; -s, -e ([Beweg]grund; Thema einer [künstler.] Darstellung)

Mo|ti|va|ti|on, die; -, -en (die Beweggründe, die das Handeln eines Menschen bestimmen); **mo|ti|vie|ren** (begründen; anregen, anspornen); **Mo|ti|viert**; **Mo|ti|vie|rung**

Mo|to|cross, **Mo|to-Cross**, das; -, -e (Geschwindigkeitsprüfung im Gelände für Motorradsportler)

Mo|tor [*auch* mo'to:ɐ̯], der; -s, *Plur.* ...toren, *auch* ...tore (Antriebskraft erzeugende Maschine; *übertr. für* vorwärtsstrebende Kraft); **Mo|tor|boot**; **Mo|tor|hau|be**

mo|to|risch; motorisches Gehirnzentrum (Sitz der Bewegungsantriebe)

mo|to|ri|sie|ren (mit Kraftmaschinen, -fahrzeugen ausstatten); **Mo|to|ri|sie|rung**

Mo|tor|rad; **Mo|tor|rad|fah|rer**; **Mo|tor-rad|fah|re|rin**; **Mo|tor|sport**

Mot|te, die; -, -n; **Mot|ten|pul|ver**

Mot|to, das; -s, -s (Leitspruch; Devise)

mot|zen (*ugs. für* nörgelnd schimpfen; *landsch. auch für* schmollen); du motzt

Moun|tain|bike ['mauntinbaik], das; -s, -s (Fahrrad für Gelände- bzw. Gebirgsfahrten)

Mount Eve|rest ['maunt 'ɛvərɪst], der; - - (höchster Berg der Erde)

Mo|vie ['mu:vi], das, *auch* der; -[s] -s ([Kino]film)

Mö|we, die; -, -n (ein Vogel)

Moz|za|rel|la, der; -s, -s (ein ital. Käse aus Büffel- od. Kuhmilch)

MP, die; -, -s = Maschinenpistole

MP3 (ein Standard der Datenkompression für Musikdateien); **MP3-Play|er**

Mr = Mister (engl. Anrede *[nur mit Eigenn.]*)

Mu|cke, die; -, -n (*ugs. für* Grille, Laune; *südd. für* Mücke)

Mü|cke, die; -, -n; Mü|cken|stich

Mucks, der; -es, -e (ugs. für leiser, halb unterdrückter Laut); keinen Mucks od. Muck od. Muckser tun; muck|sen (ugs. für einen Laut geben); er hat sich nicht gemuckst; Muck|ser, der; -s, -

mucks|mäus|chen|still (ugs. für ganz still)

mü|de; einer Sache müde (überdrüssig) sein; ich bin es müde; Mü|dig|keit, die; -

Mües|li (schweiz. Form von Müsli)

¹Muff, der; -[e]s (nordd. für ¹Schimmel)

²Muff, der; -[e]s, -e (Handwärmer)

Muf|fe, die; -, -n (Rohr-, Ansatzstück); Muffe haben (ugs. für Angst haben)

Muf|fel, der; -s, - (Jägerspr. kurze Schnauze; ugs. für mürrischer Mensch); muf|fe|lig, muff|lig (nordd. für mürrisch)

¹muff|fig (landsch. für mürrisch)

²muff|fig (nach ¹Schimmel riechend)

muff|lig vgl. muffelig

muh!; Muh od. muh machen

Mü|he, die; -, -n; mit Müh und Not; es kostet mich keine Mühe; sie hat sich Mühe gegeben; mü|he|los; mü|hen, sich; ich mühe mich; mü|he|voll

Mühl|le, die; -, -n; Mühl|rad; Mühl|stein

Müh|sal, die; -, -e; müh|sam; müh|se|lig

Mu|lat|te, der; -n, -n (wird häufig als diskriminierend empfunden Nachkomme eines weißen u. eines schwarzen Elternteils); Mu|lat|tin

Mul|de, die; -, -n

Mull, der; -[e]s, -e (ein Baumwollgewebe)

Müll, der; -[e]s (Abfälle); Müll|ab|fuhr

Mul|lah, der; -s, -s (Titel von islam. Geistlichen u. Gelehrten)

Müll|bin|de

Müll|ei|mer

Mül|ler; Mül|le|rin

Müll|kip|pe; Müll|mann Plur. ...männer (ugs.); Müll|sack; Müll|ton|ne; Müll|trennung; Müll|ver|bren|nungs|an|la|ge

mul|mig (ugs. auch für bedenklich; unwohl)

Mul|ti, der; -s, -s (ugs. Kurzw. für multinationaler Konzern); mul|ti|funk|ti|o|nal (vielen Funktionen gerecht werdend)

mul|ti|kul|ti (ugs. für multikulturell); mul|ti-kul|tu|rell (viele Kulturen, Angehörige mehrerer Kulturen umfassend)

mul|ti|la|te|ral (mehrseitig); multilaterale Verträge

Mul|ti|me|dia, das; -[s] (EDV Zusammenwirken verschiedener Medien [Texte, Videoclips u. Ä.]); mul|ti|me|di|al (viele Medien betreffend; für viele Medien bestimmt)

Mul|ti|mil|li|o|när; Mul|ti|mil|li|o|nä|rin

mul|ti|na|ti|o|nal (aus vielen Nationen bestehend; in vielen Staaten vertreten)

mul|ti|pel (vielfältig); multi|p|le Sklerose (eine Nervenkrankheit; Abk. MS)

Mul|ti|p|le-Choice-Test ['maltɪpl'tʃɔys...] (Prüfungsverfahren, bei dem von mehreren vorgegebenen Antworten die richtigen zu kennzeichnen sind)

mul|ti|plex (veraltet für vielfältig); Mul|ti-plex, das; -[es], -e (großes Kinozentrum)

Mul|ti|pli|kand, der; -en, -en (Math. Zahl, die mit einer anderen multipliziert werden soll); Mul|ti|pli|ka|ti|on, die; -, -en (Vervielfachung); Mul|ti|pli|ka|tor, der; -s, ...oren (Zahl, mit der eine vorgegebene Zahl multipliziert werden soll; jmd., der Wissen, Informationen verbreitet); mul|ti|pli|zie|ren (malnehmen, vervielfachen); zwei multipliziert mit zwei ist, macht, gibt (nicht: sind, machen, geben) vier

Mul|ti|ta|lent (vielseitig begabter Mensch)

Mum [mam], die; -, -s (engl. ugs. Bezeichnung für Mutter)

Mu|mie, die; -, -n ([durch Einbalsamieren usw.] vor Verwesung geschützter Leichnam); mu|mi|en|haft

mu|mi|fi|zie|ren; Mu|mi|fi|zie|rung

Mumm, der; -s (ugs. für Mut, Schneid); keinen Mumm haben

müm|meln (fressen [vom Hasen, Kaninchen]); ich mümm[e]le

Mum|pitz, der; -es (ugs. für Unsinn)

Mumps, der, landsch. auch die; - (eine Infektionskrankheit)

Mund, der; -[e]s, Plur. Münder, selten auch Munde u. Münde; einen, ein paar Mundvoll *od.* Mund voll nehmen; den Mund [zu] voll nehmen (großsprecherisch sein)

Mund|art (Dialekt)

Mün|del, das, *(BGB für beide Geschlechter:)* der; -s, -, *für eine weibliche Person selten auch* die; -, -n *(Rechtsspr. unter Vormundschaft stehende Person)*

mun|den *(geh. für schmecken)*

mün|den

mund|ge|recht; Mund|ge|ruch; Mund|har|mo|ni|ka

mün|dig; mündig sein, werden; **Mün|dig|keit,** die; -

münd|lich

M-und-S-Rei|fen ['ɛm|ʊnt'|ɛs...] = Matsch-und-Schnee-Reifen

mund|tot; jmdn. mundtot machen (zum Schweigen bringen); **Mün|dung; Mundwin|kel; Mund-zu-Mund-Be|at|mung**

Mu|ni|ti|on, die; -, -en

mun|keln *(ugs. für im Geheimen reden);* ich munk[e]le

Müns|ter, das, *selten* der; -s, - (Stiftskirche, Dom)

mun|ter; jmdn. munter machen *od.* muntermachen; **Mun|ter|keit**

Mün|ze, die; -, -n (Geldstück; Geldprägestätte); **mün|zen;** du münzt; das ist auf mich gemünzt *(ugs. für das zielt auf mich ab);* **Münz|fern|spre|cher**

Mu|rä|ne, die; -, -n (ein Fisch)

mürb, mür|be; mürbes Gebäck; Natron kann den Teig mürbe machen *od. vgl. aber* mürbemachen; **Mür|be,** die; -; **mürbe|ma|chen** *(ugs. für* jmds. Widerstand brechen); **Mür|be|teig**

Murks, der; -es *(ugs. für schlechte Arbeit);* **murk|sen;** du murkst

Mur|mel, die; -, -n *(landsch. für Spielkügelchen)*

¹**mur|meln** (leise u. undeutlich sprechen); ich murm[e]le; vor sich hin murmeln

²**mur|meln** *(landsch. für mit Murmeln spielen);* ich murm[e]le

Mur|mel|tier (ein Nagetier)

mur|ren; mür|risch

Mus, das, *landsch.* der; -es, -e

Mu|schel, die; -, -n *(österr. auch für* Becken)

Mu|se, die; -, -n (eine der [neun] griech. Göttinnen der Künste); die zehnte Muse *(scherzh. für* Kleinkunst); *vgl. aber* Muße

mu|se|al (zum, ins Museum gehörend; Museums...); **Mu|se|um,** das; -s, ...een ([der Öffentlichkeit zugängliche] Sammlung von Kunstwerken o. Ä.); **mu|se|ums|reif**

Mu|si|cal ['mju:zikl], das; -s, -s (populäres Musiktheater[stück]); **Mu|sic|box** ['mju:zɪk...], die; -, -es *(svw.* Musikbox)

Mu|sik, die; -, -en *(nur Sing.:* Tonkunst; Komposition, Musikstück); [die] Musik lieben; **mu|si|ka|lisch** (tonkünstlerisch; musikbegabt, Musik liebend); **Mu|si|kant,** der; -en, -en (Musiker, der zum Tanz u. dgl. aufspielt); **Mu|si|kan|tin; Mu|sik|box,** die; -, -en (Schallplattenautomat); **Mu|si|ker; Mu|si|ke|rin; Mu|sik|in|dus|t|rie; Mu|sikin|s|t|ru|ment; Mu|sik|kas|set|te; Mu|sikschu|le; Mu|sik|stück; Mu|sik|sze|ne; Mu|sik|the|a|ter; Mu|sik|vi|deo** *(ugs.)*

mu|sisch (künstlerisch; die schönen Künste betreffend); musisches Gymnasium

mu|si|zie|ren

Mus|kat [*österr. u. schweiz.* 'mʊs...], der; -[e]s, -e (ein Gewürz); **Mus|kat|nuss**

Mus|kel, der; -s, -n; **Mus|kel|fa|ser|riss; Mus|kel|ka|ter** *(ugs. für* Muskelschmerzen); **Mus|ku|la|tur,** die; -, -en (Muskelgefüge, starke Muskeln); **mus|ku|lös** (mit starken Muskeln versehen; äußerst kräftig)

Müs|li, das; -[s], -[s] (ein Rohkostgericht, bes. aus Getreideflocken)

Mus|lim, der; -[s], *Plur.* -e u. -s (Anhänger des Islams); **Mus|li|min,** die; -, -nen; **musli|misch,** moslemisch (die Muslime betreffend)

Mu|ße, die; - (freie Zeit, [innere] Ruhe); *vgl. aber* Muse

müs|sen; ich muss; du musst; du muss|test; du müss|test; gemusst; müsse!; ich habe gemusst; *aber* was habe ich hören müssen!

mü|ßig; müßig sein; müßig hin und her

gehen; *vgl. aber* müßiggehen; **Mü|ßig-
gang,** der; -[e]s; **mü|ßig|ge|hen** (nichts
tun, faulenzen)

Mus|tang, der; -s, -s (wild lebendes Prärie-
pferd)

Mus|ter, das; -s, -; nach Muster; **Mus|ter-
bei|spiel;** **mus|ter|gül|tig;** **mus|tern;** ich
mustere; **Mus|ter|pro|zess;** **Mus|te|rung**

Mut, der; -[e]s; jmdm. Mut machen; guten
Mut[e]s sein; mir ist traurig zumute *od.* zu
Mute

Mu|tant, der; -en, -en (*Biol.* durch Mutation
entstandenes Lebewesen; *bes. österr. auch
für* Jugendlicher im Stimmwechsel); **Mu-
tan|tin;** **Mu|ta|ti|on,** die; -, -en (*Biol.*
spontane od. künstlich erzeugte Verände-
rung im Erbgefüge; *Med.* Stimmwechsel;
schweiz. auch für Änderung im Personal-
od. Mitgliederbestand)

mu|ten (*Bergmannsspr.*); [wohl] gemutet
(*veraltet für* gestimmt, gesinnt) sein, *aber*
wohlgemut sein

mu|tie|ren (*Biol.* sich spontan im Erbgefüge
ändern; *Med.* die Stimme wechseln)

mu|tig; **mut|los;** **Mut|lo|sig|keit,** die; -
mut|ma|ßen (vermuten); du mutmaßt;
gemutmaßt; zu mutmaßen; **mut|maß|lich;**
der mutmaßliche Täter; **Mut|ma|ßung**

Mut|pro|be

¹**Mut|ter,** die; -, -n (Schraubenteil)

²**Mut|ter,** die; -, Mütter; mutter Natur

Mut|ter|bo|den, der; -s (humusreiche
oberste Bodenschicht); **Mut|ter|ge|sell-
schaft** (*Wirtsch.*); **Mut|ter|got|tes,** die; -,
Mut|ter Got|tes, die; - -; **Mut|ter|leib,**
der; -[e]s; **müt|ter|lich;** **Mut|ter|mal** *Plur.*
...male; **Mut|ter|milch;** **Mut|ter|schaft;**
mut|ter|see|len|al|lein (ganz allein); **Mut-
ter|spra|che;** **Mut|ter|tag**

Mut|ti, die; -, -s (*Koseform von* ²Mutter)

mu|tu|al (wechselseitig)

mut|wil|lig; **Mut|wil|lig|keit**

Müt|ze, die; -, -n; **Müt|zen|schirm**

¹**My,** das; -[s], -s (griech. Buchstabe: M, μ)

²**My** (*kurz für* Mikron)

Myr|rhe, die; -, -n (ein aromat. Harz)

Myr|te, die; -, -n (immergrüner Baum od.
Strauch); **Myr|ten|kranz**

mys|te|ri|ös (geheimnisvoll); **Mys|te|ri|um,**
das; -s, ...ien (unergründliches Geheimnis)

Mys|te|ry ['mɪstəri], die; -, -s *od.* das; -s, -s
meist ohne Artikel (Film, Roman o. Ä., in
dem es um übernatürliche Ereignisse geht)

Mys|tik, die; - (*urspr.* Geheimlehre; rel. Rich-
tung, die den Menschen zu persönlicher
Vereinigung mit Gott zu bringen sucht);
mys|tisch (geheimnisvoll)

My|the, die; -, -n (*älter für* Mythos); **my-
thisch** (sagenhaft, erdichtet)

My|tho|lo|gie, die; -, ...ien (überlieferte
Götter-, Helden-, Dämonensagen eines Volkes; wissenschaftl. Behandlung der
Mythen); **my|tho|lo|gisch**

My|thos, My|thus, der; -, ...then (Sage u.
Dichtung von Göttern, Helden u. Geistern;
legendäre, glorifizierte Person od. Sache)

N*n*

N (Buchstabe); das; N; des N, die N, *aber* das
n in Wand; der Buchstabe N, n

na!; na, na!; na ja!; na und?; na gut!

Na|be, die; -, -n (Mittelhülse des Rades)

Na|bel, der; -s *Plur.* -, *selten auch* Näbel

Na|bel|schnur *Plur.* ...schnüre

NABU = Naturschutz, Artenschutz, Biotop-
schutz, Umweltschutz (dt. Naturschutz-
bund)

nach; nach und nach; nach wie vor; *Präp.
mit Dat.:* nach ihm; nach außen; nach
Haus[e] *od.* nachhaus[e]; nach langem,
schwerem Leiden

nach|äf|fen (*ugs. für* nachahmen)

nach|ah|men; er hat sie nachgeahmt;
Nach|ah|mer; **Nach|ah|me|rin;** **Nach-
ah|mung**

Nach|bar, der; *Gen.* -n, *seltener* -s, *Plur.* -n;
Nach|bar|haus; **Nach|ba|rin;** **Nach|bar-**

land *Plur.* ...länder; n**a**ch|bar|lich; N**a**ch-
bar|schaft; n**a**ch|bar|schaft|lich; N**a**ch-
bar|staat *Plur.* ...staaten; N**a**ch|bar|stadt
N**a**ch|bau, der; -[e]s, *Plur. (für etwas Nach-
gebautes)* -ten; n**a**ch|bau|en
N**a**ch|be|ben (nach einem Erdbeben)
n**a**ch|bes|sern; ich bessere *od.* bessre nach;
N**a**ch|bes|se|rung
n**a**ch|be|stel|len; N**a**ch|be|stel|lung
n**a**ch|bil|den; N**a**ch|bil|dung
n**a**ch|d**e**m; je nachdem[,] ob ... *od.* wie ...
n**a**ch|den|ken; n**a**ch|denk|lich; N**a**ch|denk-
lich|keit, die; -
N**a**ch|druck, der; -[e]s, *Plur. (Druckw.:)*
...drucke; n**a**ch|drück|lich
n**a**ch|ei|fern
n**a**ch|ei|n|an|der; nacheinander starten; die
Schüler wurden nacheinander aufgerufen
usw.; *vgl.* aneinander
n**a**ch|emp|fin|den
n**a**ch|er|zäh|len; N**a**ch|er|zäh|lung
N**a**ch|fah|re, der; -n, -n; N**a**ch|fah|rin
N**a**ch|fol|ge; n**a**ch|fol|gen; n**a**ch|fol|gend;
die nachfolgenden Bestimmungen; das
Nachfolgende; Nachfolgendes gilt nur mit
Einschränkungen; im Nachfolgenden (wei-
ter unten) ist zu lesen; N**a**ch|fol|ger *(Abk.
N[a]chf.);* N**a**ch|fol|ge|rin *(Abk. N[a]chf.)*
n**a**ch|for|schen; N**a**ch|for|schung
N**a**ch|fra|ge; n**a**ch|fra|gen; N**a**ch|fra|ger
(Wirtsch.); N**a**ch|fra|ge|rin
n**a**ch|ge|ben
n**a**ch|ge|bo|ren; nachgebor[e]ner Sohn
N**a**ch|ge|bühr (z. B. Strafporto)
N**a**ch|ge|burt
n**a**ch|ge|hen
n**a**ch|ge|la|gert; nachgelagerte Besteuerung
n**a**ch|ge|ord|net
n**a**ch|ge|ra|de
N**a**ch|ge|schmack, der; -[e]s
n**a**ch|gie|big; N**a**ch|gie|big|keit
n**a**ch|hal|tig (sich für länger stark auswir-
kend; *Ökologie* nur in dem Maße, wie die
Natur es verträgt; *Jargon* nur so groß, viel,
dass zukünftige Entwicklungen nicht
gefährdet sind); N**a**ch|hal|tig|keit, die; -

nach H**au**s[e], nach|h**au**|s[e]; Nach|h**au**-
se|weg
n**a**ch|hel|fen
nach|h**e**r [*auch, österr. nur* 'na:x...]
N**a**ch|hil|fe; N**a**ch|hil|fe|un|ter|richt
N**a**ch|hi|n|ein; *nur in* im Nachhinein (hinter-
her; nachträglich)
N**a**ch|hol|be|darf; n**a**ch|ho|len
N**a**ch|kom|me, der; -n, -n; n**a**ch|kom|men;
N**a**ch|kom|men|schaft; N**a**ch|kom|min
N**a**ch|kömm|ling
N**a**ch|kriegs|jahr; N**a**ch|kriegs|zeit
N**a**ch|lass, der; -es, *Plur.* -e *u.* ...lässe; n**a**ch-
las|sen; n**a**ch|läs|sig; N**a**ch|läs|sig|keit
n**a**ch|lau|fen
n**a**ch|le|gen
N**a**ch|le|se; n**a**ch|le|sen
n**a**ch|lie|fern; N**a**ch|lie|fe|rung
n**a**ch|lö|sen
n**a**ch|ma|chen *(ugs.)*
N**a**ch|mit|tag, der; -[e]s, -e; nachmittags;
(Abk. nachm., *bei Raummangel* nm.); *aber*
des Nachmittags; gestern, heute, morgen
Nachmittag; Dienstagnachmittag; *vgl.*
¹Mittag; n**a**ch|mit|tags *vgl.* Nachmittag
N**a**ch|nah|me, die; -, -n; als, per Nachnahme
schicken; N**a**ch|nah|me|ge|bühr
N**a**ch|na|me (Familienname)
n**a**ch|prüf|bar; n**a**ch|prü|fen; N**a**ch|prü-
fung
n**a**ch|ran|gig *(svw. zweitrangig)*
n**a**ch|rech|nen
N**a**ch|re|de; üble Nachrede
n**a**ch|rei|chen; Unterlagen nachreichen
N**a**ch|richt, die; -, -en; N**a**ch|rich|ten|agen-
tur; N**a**ch|rich|ten|dienst; N**a**ch|rich|ten-
ma|ga|zin; N**a**ch|rich|ten|sen|der; N**a**ch-
rich|ten|sen|dung
n**a**ch|rü|cken
N**a**ch|ruf, der; -[e]s, -e
n**a**ch|rüs|ten (nachträglich mit einem
Zusatzgerät versehen); N**a**ch|rüs|tung
n**a**ch|sa|gen; jmdm. etw. nachsagen
N**a**ch|sai|son
N**a**ch|satz
n**a**ch|schau|en *(bes. südd., österr., schweiz.)*

Nach|schlag, der; -[e]s, Nachschläge (*Musik; ugs. für* zusätzliche Essensportion)

nach|schla|gen; er ist seinem Vater nachgeschlagen; sie hat in einem Buch nachgeschlagen; Nach|schla|ge|werk

Nach|schlüs|sel

Nach|schub der; -[e]s, Nachschübe *Plur. selten*

nach|se|hen; jmdm. etwas nachsehen; Nach|se|hen, das; -s

nach|sen|den; Nach|sen|dung

Nach|sicht, die; -; nach|sich|tig

Nach|sil|be

nach|sit|zen (zur Strafe nach dem Unterricht noch in der Schule bleiben müssen); er hat nachgesessen

Nach|spei|se

Nach|spiel; nach|spie|len; Nach|spiel|zeit

nach|spü|ren

nächst (hinter, gleich nach); *Präp. mit Dat.:* nächst dem Hause, nächst ihm

Nächst|bes|te, der *u.* die *u.* das; -n, -n; das Nächstbeste, was sich uns bietet *aber* der nächste Beste

nächs|te; nächs|ter, nächs|tes; im nächsten Jahr; nächsten Monats; im Mai [des] nächsten Jahres; sie steht mir am nächsten; nächstes Mal, das nächste Mal; das müssen wir als Nächstes tun; *aber* das kommt der Wahrheit am nächsten; der nächste Beste; *aber* das Nächstbeste

Nächs|te, der; -n, -n (Mitmensch); liebe deinen Nächsten; *vgl.* nächst

nach|ste|hen; jmdm. in nichts nachstehen; nach|ste|hend; die nachstehende Erläuterung; *aber* ich möchte Ihnen Nachstehendes zur Kenntnis bringen; Einzelheiten werden im Nachstehenden behandelt; das Nachstehende muss geprüft werden

nach|stel|len; Nach|stel|lung

Nächs|ten|lie|be

nächs|tens (bald)

nächst|ge|le|gen

nächst|lie|gend *vgl.* naheliegen

Nächst|lie|gen|de, das; -n

Nacht, die; -, Nächte; bei, über Nacht; die

Nacht über; Tag und Nacht; es wird Nacht; des Nachts, eines Nachts; heute, morgen Nacht; Dienstagnacht; *vgl.* nachts

nacht|ak|tiv; nachtaktive Tiere

Nacht|club, Nacht|klub

Nach|teil, der; nach|tei|lig

näch|te|lang; *aber* drei Nächte lang

nach|ten (*schweiz. u. geh. für* Nacht werden); näch|tens (nachts)

Nacht|frost; Nacht|hemd; Nacht|him|mel

Nach|ti|gall, die; -, -en (ein Singvogel)

Nach|tisch, der; -[e]s, -e

Nacht|klub, Nacht|club; Nacht|le|ben

nächt|lich

Nacht|pro|gramm

Nach|trag, der; -[e]s, ...träge; nach|tragen; nach|tra|gend; nach|träg|lich (später, danach); Nach|trags|haus|halt

nach|trau|ern

Nacht|ru|he

nachts; *aber* des Nachts, eines Nachts; nachtsüber, *aber* die Nacht über; *vgl.* Abend

Nacht|schat|ten|ge|wächs *meist Plur.* (eine Pflanzenfamilie); Nacht|schicht; Nacht|schwär|mer (*scherzh. für* jmd., der sich die Nacht über vergnügt); Nacht|schwär|me|rin

nachts|über *vgl.* nachts

Nacht|tisch; Nacht|tisch|lam|pe

Nacht|wäch|ter; Nacht|wäch|te|rin

nacht|wan|deln; ich nachtwand[e]le; ich bin *od.* habe genachtwandelt; zu nachtwandeln

nach|voll|zieh|bar; nach|voll|zie|hen

Nach|weis, der; -es, -e; nach|weis|bar; nach|wei|sen (beweisen); er hat den Tatbestand nachgewiesen; nach|weis|lich

Nach|welt, die; -

nach|wir|ken; Nach|wir|kung

Nach|wort *Plur.* ...worte

Nach|wuchs, der; -es; Nach|wuchs|för|de|rung; Nach|wuchs|spie|ler; Nach|wuchs|spie|le|rin; Nach|wuchs|ta|lent

nach|zah|len

nach|zäh|len

Nach|zah|lung
nach|zeich|nen
nach|zie|hen
Nach|züg|ler; Nach|züg|le|rin
Na|cke|dei, der; -s, -s (*scherzh. für* nacktes
Kind; Nackte[r])
Na|cken, der; -s, -; Na|cken|stüt|ze
nackt; Nackt|heit, die; -
Na|del, die; -, -n; Na|del|baum; na|deln
(Nadeln verlieren [von Tannen u. a.]); er
sagt, der Baum nad[e]le nicht; Na|del|öhr
Na|gel, der; -s, Nägel; Na|gel|lack
na|geln; ich nag[e]le; na|gel|neu *(ugs.)*
Na|gel|pro|be (Prüfstein für etwas)
na|gen; Na|ger; Na|ge|tier
nah *vgl.* ¹nahe; Nah|auf|nah|me
¹nahe, nah; nä|her, am nächs|ten; aus/von
nah und fern; von nahem *od.* Nahem; ein
nahe stehendes *od.* nahestehendes Haus;
ein nahe liegendes oder naheliegendes (in
der Nähe liegendes) Dorf; *aber* ein naheliegender (einleuchtender) Gedanke
²na|he; *Präp. mit Dat.:* nahe dem Ufer
Nä|he, die; -; in der Nähe; na|he|bei; er
wohnt nahebei, *aber* er wohnt nahe bei
der Post
na|he|brin|gen (Interesse für etwas
wecken); den Schülerinnen die Klassiker
nahebringen
na|he|ge|hen (stark treffen, bewegen); sein
schwerer Unfall ist uns allen sehr nahege-
gangen
na|he ge|le|gen, na|he|ge|le|gen *vgl.* nahe
na|he|kom|men (sich annähern, fast gleich-
kommen); sie sind einander sehr nahege-
kommen; der Lösung nahekommen
na|he|le|gen (hinlenken, empfehlen); man
hat uns einen Vergleich nahegelegt
na|he|lie|gen (sich anbieten); es liegt nahe,
auf den Vorschlag einzugehen; ein naheliegender Vorschlag; die Lösung hat nahege-
legen; ein näherliegender *od.* naheliegen-
derer Gedanke; die am nächsten liegende
od. naheliegendste *od.* nächstliegende
Lösung
na|he lie|gend, na|he|lie|gend *vgl.* ¹nahe

na|hen; sich [jmdm.] nahen
nä|hen
nä|her; nähere Erläuterungen; *aber* Nähe-
res folgt; das Nähere findet sich bei …;
jmdm. etw. des Näher[e]n (genauer)
erläutern; alles Nähere erfahren Sie später; dem Abgrund immer näher kommen;
weil der Termin näher gekommen, näher
gerückt ist; Sie dürfen ruhig näher
[heran]treten *vgl.* ¹nahe, näherkommen,
näherliegen
nä|her|brin|gen (verständlicher machen, mit
etw. vertraut machen); sie hat ihren Schü-
lern politische Lyrik nähergebracht
Nah|er|ho|lungs|ge|biet
nä|her|kom|men (in engere Beziehung tre-
ten); sie sind sich wieder nähergekommen;
aber sie sind einander wieder viel näher
gekommen; *vgl.* näher
nä|her|lie|gen (sich eher anbieten); es hatte
nähergelegen, den Bus zu nehmen; *aber*
die näher gelegenen *od.* nähergelegenen
Ortschaften
nä|hern, sich nähern; ich nähere mich
nä|her|ste|hen (in engerer Beziehung ste-
hen); sie hatten sich damals nähergestan-
den; *aber* die näher stehenden *od.* näher-
stehenden Bäume
Nä|he|rungs|wert *(Math.)*
na|he|ste|hen (vertraut, befreundet sein);
eine ihm [besonders] nahestehende Ver-
wandte; sie hat dem Verstorbenen sehr
nahegestanden
na|he|zu
Näh|garn; Näh|ma|schi|ne
Nah|ost (der Nahe Osten); für, in, nach, über
Nahost; Nah|ost|kon|flikt, der; -[e]s; nah-
öst|lich
Nähr|bo|den; näh|ren; sich nähren; nahr-
haft; Nähr|salz; Nähr|stoff *meist Plur.*
Nah|rung, die; -, Plur. (fachspr.:) -en; Nah-
rungs|auf|nah|me die; -, -n *Plur. selten;*
Nah|rungs|ket|te *(Biol.);* Nah|rungs|mit-
tel *meist Plur.*
Nähr|wert
Naht, die; -, Nähte; naht|los; Naht|stel|le

Na̲h|ver|kehr

na|i̲v (natürlich; unbefangen; einfältig);
naive Malerei; naive u. sentimentalische
Dichtung (bei Schiller); Na|i̲|vi|tät, die; -;
Na|i̲v|ling (gutgläubiger, törichter Mensch)

na̲ ja!

Na̲|me, der; -ns, -n; im Namen; mit Namen

na̲|men|los; na̲|mens (im Namen, im Auf-
trag [von]; mit Namen); Präp. mit Gen.
(Amtsspr.): namens der Regierung

Na̲|mens|än|de|rung; Na̲|mens|pa|t|ron;
Na̲|mens|pa|t|ro|nin; Na̲|mens|schild
Plur. ...schilder; Na̲|mens|tag

na̲|ment|lich; namentlich[,] wenn

na̲m|haft; jmdn. namhaft machen

nä̲m|lich; nämlich[,] dass/wenn; er ist noch
der Nämliche (veraltend für derselbe)

Na̲|no|me̲|ter (Zeichen nm); Na̲|no|tech|no-
lo|gie, die; -; ...ien (Forschung u. Ferti-
gung im Nanometerbereich)

Na̲|palm®, das; -s (Füllstoff für Benzin-
brandbomben); Na̲|palm|bom|be

Napf, der; -[e]s, Näpfe; Napf|ku|chen

na|po|le|o̲|nisch; napoleonischer Erobe-
rungsdrang; aber die Napoleonischen
Kriege (Epochenbezeichnung)

Nap|pa, das; -[s], -s; Nap|pa|le|der

Na̲r|be, die; -, -n; na̲r|big

Nar|ko̲|se, die; -, -n (Med. Betäubung);
nar|ko̲|tisch; nar|ko|ti|sie̲|ren (betäu-
ben)

Na̲rr, der; -en, -en

nar|ra|ti̲v (erzählend)

Na̲r|ren|frei|heit; na̲r|ren|si̲|cher (ugs.);
Nä̲r|rin; nä̲r|risch

Nar|zi̲ss, der; Gen. - u. Narzisses, Plur. Nar-
zisse (jmd., der sich selbst bewundert u.
liebt)

Nar|zi̲s|se, die; -, -n (eine Frühjahrsblume)

Nar|zi̲ss|mus, der; - (übersteigerte Selbst-
liebe); nar|zi̲ss|tisch

na|sa̲l (durch die Nase gesprochen; zur Nase
gehörend); na|sa|lie̲|ren ([einen Laut]
durch die Nase aussprechen, näseln)

na̲|schen; du naschst; Na̲|sche|rei (wieder-
holtes Naschen [nur Sing.]; auch für

Näscherei); na̲sch|haft; Na̲sch|kat|ze
(ugs. für jmd., der gerne nascht)

[1]NASDAQ® ['nɛsdɛk], die; - (in den USA
betriebene elektronische Börse)

[2]NASDAQ® ['nɛsdɛk], der; -[s] (Aktienindex
der an der [1]NASDAQ gehandelten Aktien)

Na̲|se, die; -, -n; na̲|seln; ich näs[e]le

Na̲|sen|bein; Na̲|sen|blu|ten, das; -s

na̲|se|weis; Na̲|se|weis, der; -es, -e (ugs.
für neugieriger Mensch)

nas|fü̲h|ren; ich nasführe; genasführt; zu
nasführen

Na̲s|horn Plur. ...hörner

na̲ss; nas|ser od. näs|ser, nas|ses|te od.
näs|ses|te; den Boden nass wischen; vgl.
nass machen, nass spritzen; Na̲ss, das;
-es (Wasser); gut Nass! (Gruß der
Schwimmer)

Nä̲s|se, die; -; nä̲s|sen; du nässt (nässest),
sie nässt; du näss|test; genässt; nässe! u.
näss!

na̲ss|kalt; nass ma|chen, na̲ss|ma|chen;
Na̲ss|ra|sur; Na̲ss|schnee, Nass-Schnee;
na̲ss sprit|zen, na̲ss|sprit|zen

Na|ti|o̲n, die; -, -en (Staatsvolk); na|ti|o|na̲l;
nationale Unabhängigkeit; Nationales
Olympisches Komitee (Abk. NOK)

Na|ti|o|na̲l|bank Plur. ...banken; Na|ti|o-
na̲l|be|wusst|sein; Na|ti|o|na̲l|elf vgl.
[2]Elf; Na|ti|o|na̲l|fei|er|tag; Na|ti|o|na̲l|ga-
le|rie; Na|ti|o|na̲l|hym|ne

Na|ti|o|na|lis|mus, der; -, ...men (übertrie-
benes Nationalbewusstsein); Na|ti|o|na-
list, der; -en, -en; Na|ti|o|na|lis|tin; na|ti-
o|na|lis|tisch; Na|ti|o|na|li|tät, die; -, -en
(Staatsangehörigkeit; nationale Minder-
heit); na|ti|o|na̲l|kon|ser|va|tiv

Na|ti|o|na̲l|li|ga (schweiz. für höchste Spiel-
klasse im Sport); Na|ti|o|na̲l|mann-
schaft; Na|ti|o|na̲l|mu|se|um; Na|ti|o-
na̲l|park; Na|ti|o|na̲l|rat (Bez. von Volks-
vertretungen in der Schweiz u. in Österreich; auch für deren Mitglied)

Na|ti|o|na̲l|so|zi|a|lis|mus, der; - (Abk. NS);
Na|ti|o|na̲l|so|zi|a|list; Na|ti|o|na̲l|so|zi|a-
lis|tin; na|ti|o|na̲l|so|zi|a|lis|tisch

Na|ti|o|nal|spie|ler *(Sport)*; Na|ti|o|nal-
spie|le|rin; Na|ti|o|nal|staat *Plur. ...staa-*
ten; na|ti|o|nal|staat|lich; Na|ti|o|nal-
stolz; Na|ti|o|nal|the|a|ter; Na|ti|o|nal-
trai|ner *(Sport)*; Na|ti|o|nal|trai|ne|rin;
Na|ti|o|nal|ver|samm|lung

na|tiv (natürlich); natives Olivenöl

NATO-Ein|greif|trup|pe, Na|to-Ein|greif-
trup|pe

Na|t|ri|um, das; -s (chemisches Element,
Metall; *Zeichen* Na); Na|t|ri|um|chlo|rid,
das; -[e]s (Kochsalz)

Na|t|ron, das; -s (*ugs.* für doppeltkohlensau-
res Natrium); Na|t|ron|lau|ge

Nat|ter, die; -, -n

Na|tur, die; -, -en; in Eiche *Natur od. natur*

Na|tu|ra|li|en *Plur.* (Natur-, Landwirtschafts-
erzeugnisse)

Na|tu|ra|lis|mus, der; -, ...men (Natur-
glaube; *nur Sing.:* Wirklichkeitstreue; nach
naturgetreuer Darstellung strebende Kunst-
richtung); na|tu|ra|lis|tisch

na|ture [...'ty:ɐ̯]; Schnitzel nature (ohne
Panade)

Na|tu|rell, das; -s, -e (Wesensart)

na|tur|ge|mäß; Na|tur|ge|setz; Na|tur|ge-
walt; Na|tur|ka|ta|s|t|ro|phe

na|tür|lich; natürliche Geometrie *(Math.)*;
natürliche Person (*Ggs.* juristische Person);
na|tür|li|cher|wei|se; Na|tür|lich|keit

Na|tur|park; na|tur|rein; Na|tur|schutz,
der; -es; Na|tur|schutz|bund, der; Na|tur-
schutz|ge|biet (*Abk.* NSG); na|tur|trüb

Na|tur|wis|sen|schaft *meist Plur.;* Na|tur-
wis|sen|schaft|ler; Na|tur|wis|sen-
schaft|le|rin; na|tur|wis|sen|schaft|lich;
der naturwissenschaftliche Zweig

Nau|tik, die; - (Schifffahrtskunde)

nau|tisch; nautisches Dreieck

Na|vi|ga|ti|on, die; - (Orts- u. Kursbestim-
mung von Schiffen u. Flugzeugen); Na|vi-
ga|ti|ons|ge|rät (*svw.* Navigationssystem);
Na|vi|ga|ti|ons|sys|tem (zur Positionsbe-
stimmung u. Zielführung von Fahrzeugen)

Na|vi|ga|tor, der; -s, ...oren *(Flugw., Seew.)*
für die Navigation verantwortliches Besat-

zungsmitglied); Na|vi|ga|to|rin; na|vi|gie-
ren (ein Schiff od. Flugzeug führen)

Na|zi, der; -s, -s (*kurz für* Nationalsozialist)

Ne|an|der|ta|ler (vorgeschichtlicher
Mensch); Ne|an|der|ta|le|rin

Ne|bel, der; -s, -; ne|bel|haft; Ne|bel-
horn *Plur. ...hörner (Seew.);* ne|be|lig
vgl. neblig; ne|beln; es nebelt; ich
neb[e]le; Ne|bel|schluss|leuch|te; Ne-
bel|schwa|den

ne|ben; *Präp. mit Dat. u. Akk.:* neben dem
Haus stehen, *aber* neben das Haus stellen
ne|ben|an; ne|ben|bei; nebenbei bemerkt
ne|ben|be|ruf|lich

Ne|ben|buh|ler; Ne|ben|buh|le|rin

Ne|ben|ef|fekt

ne|ben|ei|n|an|der; Ne|ben|ei|n|an|der
[*auch* 'ne:...], das; -s; ne|ben|ei|n|an|der-
le|gen; ne|ben|ei|n|an|der|stel|len

Ne|ben|fach; Ne|ben|fluss; Ne|ben|frau

ne|ben|her; etwas nebenher erledigen; sich
etwas nebenher verdienen

Ne|ben|job; Ne|ben|klä|ger; Ne|ben|klä-
ge|rin; Ne|ben|kos|ten *Plur.;* Ne|ben|pro-
dukt; Ne|ben|raum; Ne|ben|rol|le

Ne|ben|sa|che; ne|ben|säch|lich

Ne|ben|satz *(Sprachwiss.)*

ne|ben|ste|hend; Nebenstehendes, das
Nebenstehende bitte vergleichen; im
Nebenstehenden (*Amtsspr.* hierneben)

Ne|ben|stra|ße; Ne|ben|tä|tig|keit; Ne-
ben|ver|dienst, der; Ne|ben|wir|kung

neb|lig, ne|be|lig

nebst; *Präp. mit Dat. (veraltend):* nebst seinem Hunde

ne|bu|los, ne|bu|lös (unklar, verschwom-
men)

Ne|ces|saire [...sɛ'sɛ:ɐ̯], Nes|ses|sär, das;
-s, -s ([Reise]behältnis für Toiletten-, Näh-
utensilien u. a.)

ne|cken; Ne|cke|rei; ne|ckisch

Nef|fe, der; -n, -n

Ne|ga|ti|on, die; -, -en (Verneinung, Ableh-
nung; Verneinungswort, z. B. »nicht«)

ne|ga|tiv [*auch* ...'ti:f] (verneinend; ergeb-
nislos; *Math.* kleiner als null; *Elektrot.:*

Ggs. zu positiv); Ne|ga|tiv, das; -s, -e (*Fotogr.* Gegen-, Kehrbild)

Ne|ger, der; -s, -; Ne|ge|rin

Neger

Viele Menschen empfinden die Bezeichnungen *Neger, Negerin* als diskriminierend. Alternative Bezeichnungen sind *Schwarzafrikaner, Schwarzafrikanerin, Afroamerikaner, Afroamerikanerin, Afrodeutscher, Afrodeutsche;* in bestimmten Kontexten auch *Schwarzer, Schwarze.* Vermieden werden sollten auch Zusammensetzungen mit *Neger* wie *Negerkuss,* stattdessen verwendet man besser *Schoko-* od. *Schaumkuss.*

Ne|ger|kuss (*svw.* Schokokuss); *vgl.* Neger
ne|gie|ren (verneinen); Ne|gie|rung
Ne|gli|gé, Ne|gli|gee [...'ʒe:], das; -s, -s (Hauskleid; leichter Morgenmantel)
neh|men; du nimmst, er nimmt; ich nahm, du nahmst; du nähmest; genommen; nimm!; ich nehme es an mich; Geben (*od.* geben) ist seliger denn Nehmen (*od.* nehmen); sich etwas nicht nehmen lassen
Neh|rung, die; -, -en (schmale Landzunge)
Neid, der; -[e]s; nei|den; Nei|der; Nei|de|rin; Neid|ham|mel (*ugs. für* neidischer Mensch); nei|disch; neid|los
Nei|ge, die; -, -n; zur Neige gehen; nei|gen; sich neigen; Nei|gung; Nei|gungs|win|kel
nein; nein, nein; nein danke; oh nein oder o nein; Nein sagen *od.* nein sagen; Nein, das; -[s], -[s]; das Ja und das Nein; mit [einem] Nein antworten
Nein|sa|ger; Nein|sa|ge|rin; Nein|stim|me
Ne|k|ro|log, der; -[e]s, -e (Nachruf)
Nek|tar, der; -s, -e (Blütenabsonderung; *griech. Mythol.* Göttertrank)
Nek|ta|ri|ne, die; -, -n (Pfirsichart mit glatthäutigen Früchten)
Nel|ke, die; -, -n (eine Blume; ein Gewürz)
Nel|son, der; -[s], -s (Ringergriff)
nen|nen; du nanntest; *selten* du nenntest; genannt; nenn[e]!; sie nannte ihn einen Dummkopf; nen|nens|wert
Nen|ner (*Math.*); Nenn|form (*für* Infinitiv);

Nen|nung; Nenn|wert (*Wirtsch.* auf Münzen, Banknoten o. Ä. angegebener Wert); Nenn|wort *Plur.* ...wörter (*für* Nomen)
neo|kon|ser|va|tiv; neo|li|be|ral; Neo|li|be|ra|lis|mus (*Wirtsch.*)
Ne|on, das; -s (chemisches Element, Edelgas; *Zeichen* Ne)
Neo|na|zi; Neo|na|zis|mus; neo|na|zis|tisch
Ne|on|licht *Plur.* ...lichter
Neo|pren®, das; -s, -e (synthetischer Kautschuk); Neo|pren|an|zug
Nepp, der; -s; nep|pen (durch überhöhte Preisforderungen übervorteilen)
Nerv, der; *Gen.* -s, *fachspr. auch* -en, *Plur.* -en; ner|ven [...f...] (*ugs. für* nervlich strapazieren; belästigen); ner|ven|auf|rei|bend; Ner|ven|kit|zel; ner|ven|schwach; Ner|ven|sys|tem; vegetatives Nervensystem; Ner|ven|zu|sam|men|bruch
ner|vig [...f..., *auch* ...v...] (sehnig, kräftig; *ugs. für* die Nerven strapazierend, lästig)
nerv|lich (das Nervensystem betreffend)
ner|vös [...v...] (nervenschwach; unruhig, gereizt; *Med. svw.* nervlich); jmdn. nervös machen; sich nicht nervös machen lassen
Ner|vo|si|tät, die; -; nerv|tö|tend
Nerz, der; -es, -e (Pelz[tier])
Nes|sel, die; -, -n; Nes|sel|sucht
Nes|ses|sär *vgl.* Necessaire
Nest, das; -[e]s, -er; Nest|häk|chen (das jüngste Kind in der Familie); Nest|ho|cker; Nest|ho|cke|rin; Nest|wär|me
Net, das; -s (*ugs.; kurz für* Internet); Ne|ti|quet|te [...'kɛtə], die; - (*EDV* Gesamtheit der Kommunikationsregeln im Internet)
nett; net|ter|wei|se (*ugs.*)
net|to (rein, nach Abzug der Verpackung, der Unkosten, der Steuern u. Ä.); mehr Netto vom Brutto; Net|to|ein|kom|men; Net|to|ge|wicht; Net|to|ge|winn; Net|to|lohn; Net|to|preis; Net|to|zah|ler (Staat, der in die gemeinsame Kasse eines Bundesstaates mehr einzahlt, als er in Form von Subventionen aus ihr bezieht)

n**eu**

neu|er, neu|es|te *od.* neus|te; neu|es|tens *od.*
neus|tens

I. Kleinschreibung:
– *etwas auf neu herrichten*
– *das neue Jahr; ein gutes neues Jahr!*
– *die neuen Bundesländer*
– *die neue Mitte (Politik); die neue Linke*
  (eine philos. u. politische Richtung)

II. Großschreibung
a) der Substantivierung:
– *etwas, nichts Neues; auf ein Neues*
– *das Alte und das Neue*
– *sie hat es aufs Neue (wieder) versucht*
– *aus Alt wird Neu*, auch *aus alt wird neu*
– *seit Neuestem od. neuestem*
– *von Neuem od. neuem*
b) in Namen und bestimmten namenähnli-
chen Bezeichnungen:
– *das Neue Forum (1989 in der DDR gegrün-*
  dete Bürgerbewegung; Abk. NF)

– *der Neue Markt (Börsenw. ehem. Aktien-*
  markt für junge Unternehmen aus zu-
  kunftsorientierten Branchen)
– *die Neuen od. neuen Medien*
– *das Neue Testament (Abk. N. T.)*
– *die Neue Welt (Amerika)*

III. Getrenntschreibung in Verbindung mit
Verben:
– *neu bauen, neu einrichten, neu bearbeiten,*
  neu entwickeln, neu ordnen
– *das Geschäft wird neu eröffnet*

IV. In Verbindung mit einem adjektivisch ge-
brauchten Partizip kann getrennt oder zu-
sammengeschrieben werden:
– *das neu eröffnete od. neueröffnete Zweig-*
  geschäft; das Geschäft ist neu eröffnet
– *das neu bearbeitete od. neubearbeitete*
  Werk

Vgl. aber *neugeboren*

N

Net|work ['nɛtvøːɐ̯k], das; -[s], -s (System
miteinander verbundener Rundfunksender
od. Computer); **Net|wor|king**, das; -s (Bil-
dung von Netzwerken)

Netz, das; -es, -e; **netz|ar|tig; Netz|au|ge**
(bei Insekten); **Netz|be|trei|ber**

net|zen (*geh. für* nass machen, befeuchten);
du netzt

Netz|haut; Netz|teil, das

Netz|werk; soziale Netzwerke; Netz|werk-
kar|te

neu s. Kasten

Neu|an|fang; Neu|an|kömm|ling; neu|ar-
tig; Neu|auf|bau; Neu|auf|la|ge; Neu-
bau *Plur.* ...bauten; **neu be|ar|bei|tet, neu be|ar|bei|tet** *vgl.*
neu; **Neu|be|ginn; Neu|be|set|zung;**
Neu|bür|ger; Neu|bür|ge|rin

neu|deutsch *(meist abwertend);* die schicke
Bar, neudeutsch »Lounge«

Neu|ein|stel|lung; Neu|ent|wick|lung

neu|er|dings; seit Kurzem; *südd., österr.,*
schweiz. auch für erneut

neu|er|lich (erneut)

neu|ern (*veraltend für* erneuern); ich
neuere

neu er|öff|net, neu|er|öff|net; Neu|er|öff-
nung; Neu|er|schei|nung; Neu|e|rung;
Neu|fas|sung; neu|ge|bo|ren; die neuge-
borenen Kinder; sich wie neugeboren füh-
len; **Neu|ge|bo|re|ne**, das; -n, -n (Säug-
ling); **Neu|ge|stal|tung**

Neu|gier, Neu|gier|de, die; -; **neu|gie|rig**

Neu|grün|dung; Neu|heit; Neu|ig|keit;
Neu|in|sze|nie|rung

Neu|jahr; Neu|jahrs|emp|fang; Neu|jahrs-
tag

Neu|kun|de; Neu|land, das; -[e]s

neu|lich (vor Kurzem)

Neu|ling; Neu|mond

neun, *ugs.* neu|ne; alle neun[e]!; wir sind zu neunen *od.* zu neunt; *vgl.* acht; Neun, die; -, -en (Ziffer, Zahl); *vgl.* ¹Acht

Neu|ner; einen Neuner schieben (beim Kegeln); *vgl.* Achter

neun|fach; neun|hun|dert; neun|jäh|rig

neun|mal *vgl.* achtmal

neun|mal|klug (*ugs. für* überklug)

neunt *vgl.* neun; neun|te *vgl.* achte

Neun|tel, das, *schweiz. meist* der; -s, -; *vgl.* Achtel; neun|tens; neun|zehn *vgl.* acht

neun|zig *vgl.* achtzig; neun|zi|ger *vgl.* achtziger; Neun|zi|ger *vgl.* Achtziger

Neu|ord|nung; Neu|ori|en|tie|rung

Neu|r|al|gie, die; -, ...ien (*Med.* Nervenschmerz); neu|r|al|gisch

Neu|re|ge|lung

neu|reich

Neu|ro|lo|ge, der; -n, -n; neu|ro|lo|gisch

Neu|ron, das; -s, *Plur.* ...one, *auch* ...onen (*Med.* Nervenzelle); neu|ro|nal

Neu|ro|se, die; -, -n (*Med., Psychol.* psychische Störung); neu|ro|tisch

Neu|schnee; Neu|stadt (im Unterschied zur Altstadt); Neu|start; Neu|struk|tu|rie|rung

neu|t|ral (unparteiisch; keine besonderen Merkmale aufweisend); ein neutrales Land

neu|t|ra|li|sie|ren; Neu|t|ra|li|tät, die; -

Neu|t|ron, das; -s, ...onen (*Kernphysik* Elementarteilchen ohne elektr. Ladung als Baustein des Atomkerns; *Zeichen* n); Neu|t|ro|nen|bom|be

Neu|t|rum [*österr.* 'ne:u...], das; -s, *Plur.* ...tra, *auch* ...tren (*Sprachwiss.* sächliches Substantiv, z. B. »das Buch«; *nur Sing.:* sächl. Geschlecht)

Neu|ver|schul|dung; Neu|wa|gen; Neu|wahl; Neu|zeit, die; -; neu|zeit|lich; Neu|zu|gang; Neu|zu|las|sung

New Age ['nju: 'e:dʒ], das; - - (neues Zeitalter als Inbegriff eines neuen Weltbildes)

New|co|mer ['nju:ka...], der; -s, - (Neuling)

New Eco|no|my ['nju: ɪ'kɔnəmi], die; - -

(Wirtschaftsbereich mit Unternehmen aus Zukunftsbranchen)

News [nju:s] *Plur.* (Nachrichten)

News|group ['nju:sgru:p], die; -, -s (*EDV* öffentliche Diskussionsrunde im Internet zu einem bestimmten Thema)

News|let|ter, der; -s, *Plur.* -s *u.* - (regelmäßig erscheinender Internetbeitrag; regelmäßig zu beziehende elektron. Post)

New|ton, das; -s, - (Einheit der Kraft; *Zeichen* N)

New Yor|ker, New-Yor|ker; New Yor|ke|rin, New-Yor|ke|rin

NGO [endʒi:'ləʊ], die; -, -s = nongovernmental organization (Nichtregierungsorganisation, nicht staatliche Organisation)

Ni|be|lun|gen|sa|ge;

nicht *s. Kasten Seite 295*

nicht be|rufs|tä|tig, nicht|be|rufs|tä|tig *vgl.* nicht

Nich|te, die; -, -n

nicht ehe|lich, nicht|ehe|lich *vgl.* nicht

Nicht|er|fül|lung

nich|tig; null u. nichtig; Nich|tig|keit

Nicht|me|tall; Nicht|mit|glied; nicht öf|fent|lich, nicht|öf|fent|lich *vgl.* nicht; Nicht|rau|cher; Nicht|rau|che|rin; Nicht|re|gie|rungs|or|ga|ni|sa|ti|on

nicht ros|tend, nicht|ros|tend *vgl.* nicht

nichts; für nichts; zu nichts; gar nichts; um nichts und wieder nichts; nichts ahnend oder nichtsahnend; nichts sagend oder nichtssagend; sich in nichts unterscheiden; er will nichts tun; mir nichts, dir nichts (ohne Weiteres); viel Lärm um nichts; nichts einfacher als das; nichts Genaues; *aber* nichts and[e]res

Nichts, das; -, -e; etwas aus dem Nichts erschaffen; aus dem Nichts auftauchen; wir stehen vor dem Nichts

nichts ah|nend, nichts|ah|nend *vgl.* nichts

Nicht|schwim|mer; Nicht|schwim|me|rin

nichts|des|to|trotz (*ugs.*); nichts|des|to|we|ni|ger

Nichts|nutz, der; -es, -e; nichts|nut|zig

nicht

– *nicht wahr?*
– *gar nicht, nicht [ein]mal*
– *zunichtemachen, zunichtewerden*

Getrennt- od. Zusammenschreibung in Verbindung mit Adjektiven und Partizipien:

– *nicht berufstätige* od. *nichtberufstätige Frauen*
– *die Darstellung ist nicht amtlich* od. *nichtamtlich; dieses Kind ist nicht ehelich* od., Rechtsspr. meist, *nichtehelich*
– *die Sitzung war nicht öffentlich* od. *nichtöffentlich*
– *die nicht Krieg führenden* od. *nichtkriegführenden Parteien*
– *nicht leitende* od. *nichtleitende Stoffe*
– *eine nicht zutreffende* od. *nichtzutreffende Behauptung, Nichtzutreffendes* od. *nicht Zutreffendes streichen*

Nur getrennt schreibt man, wenn sich »nicht« auf größere Textteile, z. B. einen ganzen Satz, bezieht:

– *die Probe kann nicht öffentlich stattfinden*
– *Frauen, die nicht berufstätig sein konnten*

Schreibung substantivierter Infinitive:

– *das Nichtkönnen*
– *das Nichtwissen*
– *das Nichtwollen*

Aber:

– *das Nicht-bekannt-Sein*
– *das Nicht-loslassen-Können*
– *das Nicht-wissen-Wollen*

---

nichts|sa|gend, **nichts sa|gend** *vgl.* nichts
nicht staat|lich, **nicht|staat|lich**
Nichts|tun, das; -s
Nicht|wäh|ler; **Nicht|wäh|le|rin**
nicht|zu|tref|fend; **Nicht|zu|tref|fen|de**, **nicht Zu|tref|fen|de**, das; - -n
¹Ni|ckel, das; -s (chemisches Element, Metall; *Zeichen* Ni)
²Ni|ckel, der; -s, - (früheres Geldstück)
ni|cken
Ni|cker|chen (ugs. für kurzer Schlaf)
Ni|cki, der; -s, -s (Pullover aus samtartigem Baumwollstoff)
Nick|na|me [*auch* ˈnɪkneːm], der; -ns, -n u. bei engl. Aussprache -[s], -s (*EDV* Benutzername im Internet)
Ni|co|tin *vgl.* Nikotin
nie; nie mehr; nie und nimmer
nie|der; nieder mit ihm!; auf und nieder
nie|der|bren|nen
nie|der|deutsch (*Abk.* nd.); *vgl.* deutsch/Deutsch; **Nie|der|deutsch**, das; -[s] (Sprache); *vgl.* deutsch/Deutsch

Nie|der|gang, der; **nie|der|ge|hen**
nie|der|ge|las|sen; ein niedergelassener Arzt
nie|der|ge|schla|gen (bedrückt, traurig); **Nie|der|ge|schla|gen|heit**
nie|der|kni|en; niedergekniet
Nie|der|la|ge
nie|der|las|sen; sich auf dem od. auf den Stuhl niederlassen; der Vorhang wurde niedergelassen; **Nie|der|las|sung**
nie|der|le|gen; sie hat den Kranz auf der od. auf die Platte niedergelegt; sich niederlegen; **nie|der|schie|ßen**; jmdn. niederschießen; der Adler ist auf die Beute niedergeschossen
Nie|der|schlag, der; -[e]s, ...schläge
nie|der|schla|gen; sich niederschlagen; der Prozess wurde dann niedergeschlagen
Nie|der|schla|gung
nie|der|schrei|ben; **Nie|der|schrift**
nie|der|ste|chen
Nie|der|tracht, die; -; **nie|der|träch|tig**
Nie|de|rung
nied|lich

N

nied|rig; niedrige Temperaturen; die niedrig stehende *od.* niedrigstehende Sonne

Nied|rig|lohn; Nied|rig|lohn|sek|tor; Nied|rig|preis; Nied|rig|was|ser *Plur.* ...wasser

nie|mals

nie|mand; *Gen.* niemand[e]s; *Dat.* niemandem *od.* niemand; *Akk.* niemanden *od.* niemand; niemand Fremdes usw., *aber* niemand anders; niemand kann es besser wissen als sie

Nie|mand, der; -[e]s; er, sie ist ein Niemand; der böse Niemand (*auch für* Teufel)

Nie|mands|land *Plur.* ...länder (Kampfgebiet zwischen feindlichen Linien; unerforschtes, herrenloses Land)

Nie|re, die; -, -n; eine künstliche Niere (med. Gerät); **nie|ren|krank; Nie|ren|stein**

nie|seln (*ugs. für* leise regnen); es nieselt; **Nie|sel|re|gen**

nie|sen; du niest; sie nies|te; geniest

Nies|pul|ver

Nieß|brauch, der; -[e]s (*Rechtsspr.* Nutzungsrecht)

Niet, der, *auch* das; -[e]s, -e (*fachspr. für* ¹Niete)

¹Nie|te, die; -, -n (Metallbolzen zum Verbinden)

²Nie|te, die; -, -n (Los, das nichts gewonnen hat; Reinfall, Versager)

nie|ten; niet- und na|gel|fest

Night|club ['naɪt...], der; -s, -s (Nachtlokal)

Ni|hi|lis|mus, der; - (Philosophie, die alles Bestehende für nichtig hält); **ni|hi|lis|tisch**

Ni|ko|laus, der; -[es], *Plur.* läuse, *selten auch* -e (als hl. Nikolaus verkleidete Person; den hl. Nikolaus darstellende Figur aus Schokolade)

Ni|ko|tin, Ni|co|tin, das; -s (Alkaloid im Tabak); **ni|ko|tin|frei; Ni|ko|tin|ge|halt,** der; **ni|ko|tin|hal|tig**

Nil|pferd

Nim|bus, der; -, -se (besonderes Ansehen)

nim|mer (*landsch. für* niemals; nicht mehr); nie und nimmer

nim|mer|mehr (*landsch. für* niemals); nie und nimmermehr; **nim|mer|mü|de; nim-**

mer|satt; Nim|mer|satt, der; *Gen.* - *u.* -[e]s, *Plur.* -e (jmd., der nicht genug bekommen kann)

Nim|mer|wie|der|se|hen, das; -s; auf Nimmerwiedersehen (*ugs.*)

Nin|ja, der; -[s], -[s] (*früher in Japan in* Geheimbünden organisierter Krieger)

Nip|pel, der; -s, - (Rohrstück mit Gewinde)

nip|pen

Nip|pes [*auch* nips, nɪp], der; - (kleine Ziergegenstände [aus Porzellan])

nir|gends; nir|gend|wo

Nir|wa|na, das; -[s] (völlige, selige Ruhe als Endzustand des gläubigen Buddhisten)

Ni|sche, die; -, -n

nis|ten; Nist|kas|ten; Nist|platz

Ni|t|rat, das; -[e]s, -e (*Chemie* Salz der Salpetersäure); **Ni|t|rit,** das; -s, -e (Salz der salpetrigen Säure)

Ni|t|ro|gly|ze|rin, fachsprachlich **Ni|t|ro|gly|ce|rin** (ein Heilmittel; ein Sprengstoff)

Ni|veau [...'voː], das; -s, -s (waagerechte Fläche auf einer gewissen Höhenstufe; Höhenlage; [Bildungs]stand, Rang)

ni|veau|los; ni|veau|voll

ni|vel|lie|ren (gleichmachen; ebnen)

nix (*ugs. für* nichts)

Nix, der; -es, -e (germ. Wassergeist)

Ni|xe, die; -, -n (Meerjungfrau)

no|bel (edel; *ugs. für* freigebig); ein no|b|ler Mensch

No|bel, der; -s (Löwe in der Tierfabel)

No|bel|preis; No|bel|preis|trä|ger; No|bel|preis|trä|ge|rin

No|b|les|se [nɔˈblɛs], die; -, -n (Adel; *nur Sing.: veraltend für* vornehmes Benehmen)

No|bo|dy ['noʊbɔdi], der; -[s], -s (jmd., der unbedeutend, ein Niemand ist)

noch; noch nicht; noch immer; noch mehr; noch und noch; noch einmal; noch einmal so viel; **noch mal, noch|mal** (*ugs.*); **noch|ma|lig; noch|mals**

No|cken, der; -s, - (*Technik* Vorsprung an einer Welle *od.* Scheibe); **No|cken|wel|le**

No-Fu|ture-Ge|ne|ra|ti|on, die; - (junge Generation ohne Zukunftsaussichten)

noir [noa:ę] (schwarz); Pinot noir (eine Rotweinrebsorte)

NOK, das; -[s], -s = Nationales Olympisches Komitee

No|ma|de, der; -n, -n (Angehöriger eines Hirten-, Wandervolkes); **No|ma|den|volk**; **No|ma|din**

No|men, das; -s, Plur. ...mina od. - (Sprachwiss. Nennwort, Substantiv, z. B. »Haus«; häufig auch für Adjektiv u. andere deklinierbare Wortarten)

no|mi|nal (zum Namen gehörend; Wirtsch. zum Nennwert)

no|mi|na|li|sie|ren (svw. substantivieren); **No|mi|na|li|sie|rung** (svw. Substantivierung); **No|mi|nal|wert**

No|mi|na|tiv, der; -s, -e (Sprachwiss. Werfall, 1. Fall; Abk. Nom.)

no|mi|nell ([nur] dem Namen nach)

no|mi|nie|ren (benennen, bezeichnen; ernennen); **No|mi|nie|rung**

Non, die; -, Nonen (Teil des kath. Stundengebets)

No-Name-Pro|dukt, **No|name|pro|dukt** ['no:'ne:m..., 'no:ne:m...] (Ware ohne Marken- oder Firmenzeichen)

Non|ne, die; -, -n

Non|plus|ul|t|ra, das; - (Unübertreffliches)

Non|sens, der; Gen. - u. -es (Unsinn)

non|stop ['nɔn'stɔp, 'nɔnstɔp, auch ...ʃt...] (ohne Halt, ohne Pause); nonstop fliegen, spielen; **Non|stop-Flug**, **Non|stop|flug** (Flug ohne Zwischenlandung)

Nord (Himmelsrichtung; Abk. N); Menschen aus Nord und Süd; der Wind weht aus, von Nord

nord|af|ri|ka|nisch; **nord|ame|ri|ka|nisch**; **nord|deutsch**; die norddeutsche Bevölkerung; aber der Norddeutsche Rundfunk

Nor|den, der; -s (Abk. N); das Gewitter kommt aus Norden; sie zogen gen Norden

Nor|dic Wal|king [- 'wɔ:kɪŋ], das; - -[s] (als Sport betriebenes Gehen mit Stöcken)

nor|disch (den Norden betreffend); nordische Kälte; aber der Nordische Krieg (1700–21)

nörd|lich; **Nord|licht** Plur. ...lichter (auch scherzh. für Norddeutscher)

Nord|ost (Himmelsrichtung; Abk. NO); **Nord|os|ten**, der; -s (Abk. NO); vgl. Nordost; **nord|öst|lich**; in nordöstlicher Richtung; aber: die Nordöstliche Durchfahrt

Nord|pol; **Nord|see**, die; - (Meer); **Nord|sei|te**; **Nord|wand**; **nord|wärts**

Nord|west (Himmelsrichtung; Abk. NW); **Nord|wes|ten**, der; -s (Abk. NW); vgl. Nordwest; **nord|west|lich**; in nordwestlicher Richtung; aber die Nordwestliche Durchfahrt; **Nord|wind**

Nör|ge|lei; **nör|geln**; ich nörg[e]le; **Nörg|ler**; **Nörg|le|rin**

Norm, die; -, -en (Richtschnur, Regel)

nor|mal (der Norm entsprechend, vorschriftsmäßig; gewöhnlich, üblich, durchschnittlich); **Nor|mal**, das; -s, -e (besonders genauer Maßstab; meist ohne Artikel, nur Sing.: kurz für Normalbenzin); **Nor|mal|bür|ger**; **nor|ma|ler|wei|se**; **Nor|mal|fall**, der

nor|ma|li|sie|ren (wieder normal gestalten); sich normalisieren (wieder normal werden); **Nor|ma|li|sie|rung**

Nor|ma|li|tät, die; - (normaler Zustand)

Nor|mal|ver|brau|cher

Nor|mal|ver|tei|lung (Math.)

Nor|man|ne, der; -n, -n (Angehöriger eines nordgerm. Volkes); **Nor|man|nin**

nor|ma|tiv (maßgebend, als Richtschnur dienend); **Nor|ma|tiv**, das; -s, -e (regional für Richtschnur, Anweisung)

norm|ge|recht; **nor|mie|ren** (normgerecht gestalten); **Nor|mie|rung**

Nor|ne die; -, -n meist Plur. (nord. Schicksalsgöttin [Urd, Werdandi, Skuld])

Nos|t|al|gie, die; -, ...ien (Sehnsucht nach vergangenen Zeiten); **nos|t|al|gisch**

Not, die; -, Nöte; sie ist in Not oder in Nöten; aber etwas ist not, vonnöten; ohne Not; zur Not; nottun; Not sein; Not leiden; vgl. **Not leidend**, notleidend

no|ta|be|ne (übrigens; Abk. NB); **No|ta|be|ne**, das; -[s], -[s] (Merkzeichen, Vermerk)

No|tar, der; -s, -e (Amtsperson zur Beurkun-
dung von Rechtsgeschäften); No|ta|ri|at,
das; -[e]s, -e (Amt eines Notars); no|ta|ri-
ell (von einem Notar [ausgefertigt]); nota-
riell beglaubigt; No|ta|rin

Not|arzt; Not|ärz|tin; Not|arzt|wa|gen;
Not|auf|nah|me; Not|brem|se; Not-
dienst; ärztlicher Notdienst; Not|durft,
die; - (veraltend für Drang, den Darm, die
Blase zu entleeren; Stuhlgang); not|dürf|tig

No|te, die; -, -n; eine ganze, eine halbe
Note; die Note »Drei«; vgl. drei

Note|book ['no:tbuk], das; -s, -s (Personal
Computer im Buchformat)

No|ten|bank Plur. ...banken

No|ten|schlüs|sel; No|ten|stän|der

Note|pad ['no:tpet], das; -s, -s (Personal
Computer im Notizblockformat)

Not|fall, der; Not|fall|dienst; not|falls;
not|ge|drun|gen; Not|hil|fe

no|tie|ren (aufzeichnen; vormerken; Kauf-
mannsspr. den Kurs, den Preis festsetzen;
einen bestimmten Kurswert, Preis haben);
No|tie|rung

nö|tig; für nötig halten; etwas nötig haben,
machen; das ist am nötigsten; das
Nötigste; es fehlt ihnen am Nötigsten

nö|ti|gen; nö|ti|gen|falls; Nö|ti|gung

No|tiz, die; -, -en; von etwas Notiz nehmen;
No|tiz|block vgl. Block; No|tiz|buch

Not|la|ge; not|lan|den; ich notlande; not-
gelandet; notzulanden; Not|lan|dung

Not leidend, not|lei|dend; die Not lei-
dende od. notleidende Bevölkerung; aber
nur äußerste Not leidend, äußerst notleidend; notleidende Kredite (Bankw.)

Not|lö|sung; Not|ope|ra|ti|on

no|to|risch (offenkundig, allbekannt)

Not|ruf; Not|ruf|zen|tra|le; Not|si|g|nal;
Not|si|tu|a|ti|on; Not|stand; not|tun;
eine Verordnung, die nottut; die Verordnung tat not, hat notgetan; vgl. auch Not

Not|tur|no, das; -s, Plur. -s u. ...ni (lyrisches,
stimmungsvolles Klavierstück)

Not|un|ter|kunft; Not|wehr, die; -
not|wen|dig [auch ...'ven...]; [sich] auf das,

aufs Notwendigste beschränken; es fehlt
am Notwendigsten; alles Notwendige tun;
not|wen|di|ger|wei|se; Not|wen|dig|keit

Nou|gat ['nu:...] vgl. Nugat

¹No|va, die; -, ...vä u. ...ven (neuer Stern)

²No|va (Plur. von Novum; Neuerscheinungen
im Buchhandel)

No|vel|le, die; -, -n (Prosaerzählung; Nach-
tragsgesetz); No|vel|lie|rung

No|vem|ber, der; -[s], - (Abk. Nov.)

No|vi|tät, die; -, -en (Neuheit [der Mode
u. a.]; veraltet für Neuigkeit)

No|vi|ze; No|vi|zin

No|vum, das; -s, ...va (absolute Neuheit,
noch nie Dagewesenes); vgl. ²Nova

Nu, der od. das; -s (sehr kurze Zeitspanne);
meist in im Nu, in einem Nu

Nu|an|ce ['nÿã:sə, österr. ny'ã:s], die; -, -n
(feiner Unterschied; Feinheit; Kleinigkeit);
nu|an|cen|reich; nu|an|cie|ren

nüch|tern; Nüch|tern|heit, die; -

Nu|del, die; -, -n (in der Schweiz nur für
Bandnudeln); Nu|del|holz; Nu|del|sup|pe

Nu|dis|mus, der; - (Freikörperkultur)

Nu|gat, Nou|gat ['nu:...], der od. das; -s, -s
(süße Masse aus Zucker u. Nüssen)

Nug|get ['nagɪt], das; -[s], -s (natürl. Gold-
klumpen)

nu|k|le|ar (den Atomkern, Kernwaffen
betreffend); nukleare Waffen; Nu|k|le|ar-
waf|fe meist Plur.

null; null Grad; null Uhr; null und nichtig;
null Ahnung (ugs.); Null, die; -, -en (Ziffer;
ugs. für gänzlich unfähiger Mensch); die
Zahl Null; eine Zahl mit fünf Nullen; die
Ziffern Null bis Neun

null|acht|fünf|zehn (ugs. für wie üblich,
Allerwelts...; in Ziffern 08/15)

Null|de|fi|zit (Politik, bes. österr.)

nul|len (mit dem Nullleiter verbinden; ugs.
für ein neues Jahrzehnt beginnen)

Null|li|nie, Null-Li|nie; Null|lö|sung,
Null-Lö|sung; Null|men|ge (Mengen-
lehre); Null|me|ri|di|an, der; -s; Null-
punkt; die Stimmung sank auf den Null-
punkt (ugs.); Null|run|de (ugs. für Lohn-

runde ohne [reale] Lohnerhöhung); **Nụllta|rif** (kostenlose Gewährung üblicherweise nicht unentgeltlicher Leistungen)

Nu|me|ra|le, das; -s, Plur. ...lien u. ...lia (Sprachwiss. Zahlwort, z. B. »eins«)

nu|me|risch (zahlenmäßig, der Zahl nach; mit Ziffern [verschlüsselt])

Nu|me|rus [auch 'nʊ...], der; -, ...ri (Sprachwiss. Zahlform des Substantivs [Singular, Plural]; Math. die zu logarithmierende Zahl); **Nu|me|rus clau|sus,** der; - - (zahlenmäßig beschränkte Zulassung [bes. zum Studium])

Nụm|mer, die; -, -n (Zahl; Abk. Nr., Plur. Nrn.); Nummer fünf; etwas ist Gesprächsthema Nummer eins (ugs.); auf Nummer sicher gehen (ugs. für nichts tun, ohne sich abzusichern)

num|me|rie|ren (beziffern, [be]nummern); nummerierte Ausgabe (Druckw.); **Numme|rie|rung; num|me|risch**

Nụm|mern|schild, das

nụn; nun mal; nun wohlan!; nun und nimmer; von nun an; **nụn|mehr** (geh.)

Nụn|ti|us, der; -, ...ien (ständiger Botschafter des Papstes bei weltlichen Regierungen)

nur; nur Gutes empfangen; nur mehr (landsch. für nur noch); nur zu!

nu|scheln (ugs. für undeutlich sprechen); ich nusch[e]le

Nụss, die; -, Nüsse; **Nụss|baum; Nụss|knacker; Nụss|scha|le,** Nuss-Scha|le (auch für kleines Boot)

Nüs|ter [auch 'ny:...], die; -, -n meist Plur.

Nụt, die; -, -en (in der Technik nur so), **Nute,** die; -, -n (Furche, Fuge)

Nụt|te, die; -, -n (derb für Prostituierte)

nụtz; zu nichts nutz sein (südd., österr. für zu nichts nütze sein); **nụtz|bar;** nutzbar machen; **nüt|ze;** [zu] nichts nütze

nụt|zen; du nutzt; vgl. nützen

Nụt|zen, der; -s, -; es ist von [großem, geringem] Nutzen

nüt|zen; du nützt; es nützt mir nichts

Nụt|zer; Nụt|ze|rin

Nụtz|fahr|zeug; Nụtz|flä|che

nütz|lich; sich nützlich machen; **nụtz|los**

Nụtz|nie|ßer; Nụtz|nie|ße|rin

Nụtz|tier

Nụt|zung; Nụt|zungs|dau|er; Nụt|zungsrecht (Rechtsspr.); **Nụtz|wert**

Ny, das; -[s], -s (griech. Buchstabe; N, ν)

Ny|lon ['naɪ...], das; -[s] (haltbare synthet. Textilfaser); **Ny|lon|strumpf**

Nym|phe, die; -, -n (griech. Naturgottheit; Zool. Entwicklungsstufe [der Libelle])

O o

O (Buchstabe); das O; des O, die O, aber das o in Tor; der Buchstabe O, o

Oa|se, die; -, -n (Wasserstelle in der Wüste)

¹ob; das Ob und Wann

²ob; Präp. mit Dat. (veraltet, noch landsch. für oberhalb, über; z. B. Rothenburg ob der Tauber); mit Gen., seltener mit Dat. (geh. veraltend für wegen; z. B. ob des Glückes)

¹OB, der; -[s], -s, selten - (Oberbürgermeister)

²OB, die; -, -s, selten - (Oberbürgermeisterin)

Ob|acht, die; -; Obacht geben

Ob|dach, das; -[e]s (veraltend für Unterkunft); **ob|dach|los; Ob|dach|lo|se,** der u. die; -n, -n; **Ob|dach|lo|sig|keit,** die; -

Ob|duk|ti|on, die; -, -en (Med. Leichenöffnung); **ob|du|zie|ren**

Obe|lisk, der; -en, -en (vierkantiger, nach oben spitz zulaufender Pfeiler)

oben; nach oben hin; von oben her; alles Gute kommt von oben; oben liegen, oben bleiben; die oben genannte od. obengenannte Tatsache (Abk.: o. g.); die Obengenannten od. die oben Genannten

oben|an; obenan stehen, sitzen

oben|auf; obenauf liegen; obenauf (ugs. für gesund, guter Laune) sein; obenauf od. obenaus schwingen (schweiz. für die Oberhand gewinnen, an der Spitze liegen) oben|drauf; obendrauf stellen; oben|drein; oben|drü|ber; obendrüber legen

oben ge|nannt, oben|ge|nannt

oben ste|hend, oben|ste|hend

ober (österr. für über); Präp. mit Dat., z. B. das Schild hängt ober der Tür

Ober, der; -s, - ([Ober]kellner; eine Spielkarte); Ober|arm; Ober|arzt; Ober|befehls|ha|ber; Ober|be|fehls|ha|be|rin; Ober|be|griff; Ober|bür|ger|meis|ter [auch 'o:...] (Abk. OB, OBM); Ober|bür-ger|meis|te|rin (Abk. OB, OBM)

obe|re; der obere Stock; die ober[e]n Klassen; aber das Obere Eichsfeld

Ober|flä|che; ober|fläch|lich; Ober-fläch|lich|keit

Ober|ge|richt (Kantonsgericht); Ober|ge-schoss (Abk. OG); Ober|gren|ze

ober|halb; Präp. mit Gen.: der Neckar oberhalb Heidelbergs (von Heidelberg aus flussaufwärts)

Ober|hand, die; -; Ober|haupt; Ober|haus (im Zweikammerparlament); ober|ir|disch; Ober|kör|per; Ober|lan|des|ge|richt [auch 'o:...] (Abk. OLG); Ober|lei|tung; Ober|li|ga; Ober|li|gist; Ober|lip|pe; Ober|schen|kel; Ober|schicht

Oberst, der; Gen. -en u. -s, Plur. -en, seltener -e; Ober|staats|an|walt [auch 'o:...]; Ober|staats|an|wäl|tin

obers|te; oberstes Stockwerk; dort das Buch, das oberste, hätte ich gern; die obersten Gerichtshöfe; aber der Oberste Gerichtshof; das Oberste zuunterst, das Unterste zuoberst kehren (ugs. für alles durchwühlen)

Oberst|leut|nant [auch ...'lɔyt...]

Ober|stu|fe; Ober|teil, das, auch der; Ober|ver|wal|tungs|ge|richt [auch 'o:...]

Ob|frau

ob|gleich (obwohl)

Ob|hut, die; - (geh.)

Obi, der od. das; -[s], -s (Kimonogürtel; Judo Gürtel der Kampfbekleidung)

obi|ge; die obigen Paragrafen; der Obige (der oben Genannte; Abk. d. O.); Obiges

gilt auch weiterhin; im Obigen (Amtsspr. weiter oben); vgl. folgend

Ob|jekt [Sprachwiss. auch 'ɔp...], das; -[e]s, -e (Gegenstand; österr. Amtsspr. auch für Gebäude; Sprachwiss. Ergänzung)

ob|jek|tiv [auch 'ɔp...] (gegenständlich; tatsächlich; sachlich)

Ob|jek|tiv, das; -s, -e (bei optischen Instrumenten die dem Gegenstand zugewandte Linse)

ob|jek|ti|vie|ren (vergegenständlichen; von subjektiven Einflüssen befreien); Ob|jek|ti|vi|tät, die; - (Vorurteilslosigkeit)

Ob|la|te [österr. 'ɔp...], die; -, -n (ungeweihte Hostie; dünnes, rundes Gebäck)

ob|lie|gen [auch 'ɔp...]; es obliegt, oblag mir, es ist mir oblegen; zu obliegen, veraltend auch es liegt, lag mir ob; es hat mir obgelegen; obzuliegen

ob|li|gat (unerlässlich, unentbehrlich)

Ob|li|ga|ti|on, die; -, -en (Rechtsspr. persönl. Haftung für eine Verbindlichkeit; Wirtsch. festverzinsliches Wertpapier); ob|li|ga|to-risch (verbindlich; auch svw. obligat); obligatorische Stunden (Pflichtstunden)

Ob|mann Plur. ...männer u. ...leute

Oboe [österr. auch 'o:...], die; -, -n (ein Holzblasinstrument); Obo|ist, der; -en, -en (Oboebläser); Obo|is|tin

Obo|lus, der; -, Plur. - u. -se (kleine Münze im alten Griechenland; übertr. für kleine Geldspende)

Ob|rig|keit (Träger der Macht, der Regierungsgewalt); Ob|rig|keits|den|ken

ob|schon (obwohl)

Ob|ser|va|to|ri|um, das; -s, ...ien ([astron., meteorolog., geophysikal.] Beobachtungsstation); ob|ser|vie|ren (auch für polizeilich überwachen); Ob|ser|vie|rung

Ob|ses|si|on, die; -, en; ob|ses|siv (zwanghaft)

ob|sie|gen [auch 'ɔp...] (veraltend für siegen, siegreich sein); ich obsieg[t]e, habe obsiegt, zu obsiegen (österr. nur so); auch ich sieg[t]e ob, habe obgesiegt, obzusiegen

ob|s|kur (verdächtig; fragwürdig); Ob|s|ku-ri|tät, die; -, -en (Dunkelheit, Unklarheit)

of|fen

– *ein offener Brief, das offene Meer*
– *Tag der offenen Tür*
– *offene Handelsgesellschaft* (Abk. *OHG*)

Schreibung in Verbindung mit Verben:

– *die Tür wird offen sein*
– *das Fenster muss offen bleiben, das Fenster offen lassen, die Tür offen stehen lassen*
– *die Augen offen halten*
– *jmdm. etwas offen sagen*

Aber:

– *sie mussten ihre Vermögensverhältnisse offenlegen*
– Vgl. auch *offenbleiben, offenhalten, offenlassen, offenstehen*

In Verbindung mit einem adjektivisch gebrauchten Partizip kann bei nicht übertragener Bedeutung getrennt oder zusammengeschrieben werden:

– *ein offen gebliebenes* od. *offengebliebenes Fenster*
– *eine offen stehende* od. *offenstehende Tür*
Aber nur:
– *eine noch offenstehende Frage*

Getrennt schreibt man üblicherweise die adverbialen Fügungen *offen gesagt* und *offen gestanden*.

---

ob|so|let (nicht mehr üblich; veraltet)
Obst, das; -[e]s; **Obst|baum**
ob|s|zön (unanständig, schamlos, schlüpfrig); **Ob|s|zö|ni|tät,** die; -, -en
ob|wohl; ob|zwar *(veraltend)*
Och|se, der; -n, -n; **och|sen** (*ugs.* für angestrengt arbeiten); du ochst
Ocker, der *od.,* österr. nur, *das;* -s, - (zur Farbenherstellung verwendete Tonerde; gelbbraune Malerfarbe); in Ocker; **ocker|far|ben, ocker|far|big; ocker|gelb**
Ode, die; -, -n (feierliches Gedicht)
öde, öd; die ödeste Gegend; **Öde,** die; -, -n
Odem, der; -s (*geh.* für Atem)
Ödem, das; -s, -e (*Med.* Gewebewassersucht)
Ode|on, das; -s, -s (*svw.* Odeum)
oder (Abk. *od.*); *vgl.* ähnlich *u.* entweder
Oder-Nei|ße-Gren|ze, die; -
Ode|um, das; -s, Odeen (im Altertum rundes, theaterähnliches Gebäude für Musik- u. Theateraufführungen)
Öd|land, das; -[e]s; **Öd|nis,** die; - (*geh.*)
Odys|see, die; -, ...sseen (*nur Sing.:* griech. Heldengedicht; *übertr.* für Irrfahrt)
OECD, die; - (Organisation für wirtschaftliche Zusammenarbeit u. Entwicklung)
Ofen, der; -s, Öfen; **Ofen|hei|zung**

off (*bes. Film, Fernsehen* nicht sichtbar [von einer/einem Sprechenden]; *Ggs.* on); **Off,** das; -[s]; im, aus dem Off sprechen
of|fen s. Kasten
of|fen|bar [*auch* ...'ba:ɐ̯]
of|fen|ba|ren [*österr. u. schweiz.* 'ɔf...]; du offenbarst, hast offenbart *od.* geoffenbart; zu offenbaren; sich offenbaren
Of|fen|ba|rung; Of|fen|ba|rungs|eid
of|fen|blei|ben; es ist keine Frage offengeblieben; *vgl. aber* offen
of|fen|hal|ten; wir werden uns mehrere Möglichkeiten offenhalten; *vgl. aber* offen
Of|fen|heit, die; -
of|fen|her|zig
of|fen|kun|dig [*auch* ...'kʊn...]
of|fen|las|sen; sie hat sich alle Möglichkeiten offengelassen; wen ich meine, möchte ich noch offenlassen; *vgl.* offen
of|fen|le|gen; seine Vermögensverhältnisse offenlegen; **Of|fen|le|gung**
of|fen|sicht|lich [*auch* ...'zɪçt...]
of|fen|siv (angreifend); **Of|fen|si|ve,** die; -, -n ([militär.] Angriff)
of|fen|ste|hen; Ihnen stehen alle Möglichkeiten offen; noch offenstehende Fragen klären wir später; *vgl. aber* offen
öf|fent|lich; im öffentlichen *od.* Öffentli-

chen Dienst; öffentliche und Privatmittel, *aber* Privat- und öffentliche Mittel; **Öf|fent|lich|keit**; **Öf|fent|lich|keits|ar|beit, die; -; öf|fent|lich|keits|wirk|sam; öf|fent|lich-recht|lich;** die öffentlich-rechtlichen Rundfunkanstalten

of|fe|rie|ren (anbieten); **Of|fer|te, die; -, -n**

¹Of|fice [...fıs], das; -[s], -s (*engl. Bez. für* Büro)

²Of|fice [...fıs], das; -, -s (*schweiz. für* Anrichteraum im Gasthaus)

of|fi|zi|ell (amtlich; verbürgt; förmlich)

Of|fi|zier [*österr. auch* ...'si:ɐ̯], der; -s, -e; **Of|fi|zie|rin; Of|fi|ziers|rang**

off|line [...laɪn] (*EDV* getrennt von der Datenverarbeitungsanlage arbeitend)

öff|nen; sich öffnen; **Öff|nung; Öff|nungs|zeit**

Off|spre|cher, **Off-Spre|cher** (*Fernsehen, Film, Theater*); **Off|spre|che|rin**, **Off-Spre|che|rin**

o-för|mig, O-för|mig

oft; öfter (*vgl. d.*); wie oft; so oft, *vgl. aber* sooft; **öf|ter;** öfter als ...; öfter mal was Neues; des Öfter[e]n

öf|ters (*landsch. für* öfter); **oft|mals**

OGH, der; -[s] = Oberster Gerichtshof

oh!; oh, das ist schade; ein überraschtes Oh; *(in Verbindung mit anderen Wörtern oft ohne h geschrieben:)* oh ja! od. o ja

Oheim, der; -s, -e (*veraltet für* Onkel)

Ohm, das; -[e]s, -e (früheres Flüssigkeitsmaß); 3 Ohm; **ohmsch;** das **ohmsche** *od.* Ohm'sche Gesetz

oh|ne; *Präp. mit Akk.:* ohne ihren Willen; ohne dass; ohne Weiteres *od.* weiteres; oben ohne (*ugs. für* busenfrei); zweifelsohne

oh|ne|dies (ohnehin)

oh|ne|ei|n|an|der; ohneeinander auskommen; *aber:* ohne einander zu sehen

oh|ne|glei|chen

oh|ne|hin

Ohn|macht, die; -, -en; ohn|mäch|tig; Ohn-machts|an|fall

Ohr, das; -[e]s, -en; zu Ohren kommen

Öhr, das; -[e]s, -e (Nadelloch)

Ohr|clip, **Ohr|klipp** (Ohrschmuck)

Oh|ren|arzt; Oh|ren|ärz|tin; oh|ren|be|täu-bend

Ohr|fei|ge; ohr|fei|gen; er hat mich geohrfeigt; **Ohr|klipp** *vgl.* Ohrclip; **Ohr|läpp-chen; Ohr|ring; Ohr|wurm** (*ugs. auch für* leicht eingängige Melodie)

okay [o'ke:] (*ugs. für* richtig, in Ordnung; *Abk.* o. k. *od.* O. K.); **Okay, das; -[s], -s;** sein Okay geben

ok|kult (verborgen; heimlich, geheim)

Ok|ku|pa|ti|on, die; -, -en (Besetzung [fremden Gebietes]; Aneignung herrenlosen Gutes); **ok|ku|pie|ren**

öko (*ugs.; kurz für* ökologisch); **Öko, der; -s, -s** (*ugs. scherzhaft für* Anhänger der Ökologiebewegung); **Öko|lo|gie, die; -** (Lehre von den Beziehungen der Lebewesen zur Umwelt); **öko|lo|gisch;** ökologische Nische; ökologisches Gleichgewicht

Öko|nom, der; -en, -en (Wirtschaftswissenschaftler; *veraltend für* [Land]wirt); **Öko-no|mie, die; -, ...ien** (Wirtschaftlichkeit, sparsame Lebensführung *[nur Sing.];* Lehre von der Wirtschaft; *veraltet für* Landwirtschaft[sbetrieb]); **Öko|no|min; öko|no-misch**

Öko|steu|er (*ugs. für* an ökologischen Gesichtspunkten orientierte Steuer, z. B. auf Energie); **Öko|strom, der; -[e]s** (*ugs. für* Strom, der nur aus umweltfreundlichen Energiequellen stammt); **Öko|sys|tem** (zwischen Lebewesen u. ihrem Lebensraum bestehende Wechselbeziehung)

Ok|ta|ve, die; -, ...ven (*Musik* achter Ton [vom Grundton an]; ein Intervall)

Ok|to|ber, der; -[s], - (Gilbhard, Weinmonat; *Abk.* Okt.); **Ok|to|ber|fest** (in München)

Ok|to|ber|re|vo|lu|ti|on (1917 in Russland)

Öku|me|ne, die; -, -n (Gesamtheit der Christen); **öku|me|nisch** (allgemein; die ganze bewohnte Erde betreffend, Welt...); ökumenische Bewegung (zwischen- u. überkirchl. Bestrebungen christlicher Kirchen u. Konfessionen)

Ok|zi|dent [*auch* ...'dɛnt], der; -s (Abend-
land; Westen; *vgl.* Orient)

Öl, das; -[e]s, -e; Öl|baum; Öl|bild

Ol|die [...di], der; -s, -s (alter, beliebt geblie-
bener Schlager; *auch scherzh.* für Angehöriger einer älteren Generation)

Old|ti|mer [...tai...], der; -s, - (altes Modell
eines Fahrzeugs [bes. Auto]; *auch scherzh.*
für langjähriges Mitglied, älterer Mann)

ölen; öl *od.* öle das Rad!

Öl|feld; Öl|film (dünne Ölschicht); Öl|fleck;
Öl|för|de|rung; Öl|ge|mäl|de; ölig

Oli|g|arch, der; -en, -en (Anhänger der Oli-
garchie)

Öl|in|dus|t|rie

oliv (olivenfarben); ein oliv[farbenes], olives
Kleid; *vgl. auch* beige; Oliv, das; -[s], -[s];
eine Hose in Oliv

Oli|ve [...və, *österr.* ...fə], die; -, -n (Frucht
des Ölbaumes); Oli|ven|baum; Oli|ven|öl

Öl|kon|zern

oll (*landsch. für* alt); olle Kamellen (*vgl. d.*)

Öl|pest, die; - (Verschmutzung [von Meeres-
küsten] durch Rohöl); Öl|preis; Öl|quel|le

Olymp, der; -s (Gebirgsstock in Griechen-
land; Wohnsitz der Götter; *scherzh. für*
Galerieplätze im Theater); Olym|pia, das;
-[s] (*geh. für* Olympische Spiele)

Olym|pi|a|de, die; -, -n (Olympische Spiele;
regional für Wettbewerb)

Olym|pia|dorf; Olym|pia|hal|le; Olym|pia-
sieg; Olym|pia|sie|ger; Olym|pia|sie|ge-
rin; Olym|pia|sta|di|on; olym|pisch

Oma, die; -, -s (*fam. für* Großmutter)

Om|buds|frau (Frau, die die Rechte der Bür-
ger[innen] gegenüber den Behörden wahr-
nimmt); Om|buds|mann *Plur.* ...männer,
selten ...leute

Ome|ga, das; -[s], -s (griech. Buchstabe [lan-
ges O]; Ω, ω); *vgl.* Alpha

Ome|lett [ɔm(ə)'lɛt], das; -[e]s, *Plur.* -e *u.* -s
(Eierkuchen)

Omen, das; -s, *Plur.* - *u.* Omina (Vorzeichen)

omi|nös (unheilvoll; anrüchig)

Om|ni|bus, der; -ses, -se (*Kurzw.* Bus)

om|ni|prä|sent (allgegenwärtig)

on (*bes. Fernsehen* sichtbar [von einer/einem
Sprechenden]); On, das; -[s] (das Sichtbar-
sein der/des Sprechenden); im On

Ona|nie, die; - (geschlechtl. Selbstbefriedi-
gung); ona|nie|ren

On|kel, der; -s, *Plur.* -, *ugs. auch* -s

On|ko|lo|gie, die; - (*Med.* Lehre von den
Geschwülsten)

on|line [...lain] (*EDV* ans Datennetz, Internet
angeschlossen; im Datennetz, Internet zur
Verfügung stehend); On|line|dienst; On-
line|shop; On|line|zei|tung

¹OP [o'pe:], der; -[s], -[s] (Operationssaal)

²OP [o'pe:], die; -, -s (Operation)

Opa, der; -s, -s (*fam. für* Großvater)

OPEC ['o:pɛk], die; - = Organization of the
Petroleum Exporting Countries (Organisation der Erdöl exportierenden Länder)

Open-Air-Fes|ti|val (Musikveranstaltung im
Freien)

open end (ohne festgesetztes Ende)

Oper, die; -, -n

Ope|ra|ti|on, die; -, -en (chirurg. Eingriff,
Abk. OP; [militärische] Unternehmung;
Rechenvorgang); ope|ra|ti|o|nal (sich
durch bestimmte Verfahren vollziehend)

ope|ra|tiv (*Med.* auf chirurgischem Wege,
durch Operation); operativer Eingriff

Ope|ra|tor [*auch* 'ɔpəre:tɐ], der; -s, *Plur.*
...oren, *auch* -s ['ɔpəre:tɐs] (jmd., der eine
EDV-Anlage überwacht u. bedient)

Ope|ret|te, die; -, -n (heiteres musikal. Büh-
nenwerk)

ope|rie|ren (eine Operation durchführen; in
best. Weise vorgehen; mit etwas arbeiten)

Opern|ball *vgl.* ²Ball; Opern|haus; Opern-
sän|ger; Opern|sän|ge|rin

Op|fer, das; -s, -; Opfer des Faschismus
(*Abk.* OdF); op|fer|be|reit; Op|fer|be|reit-
schaft, die; -; Op|fer|ga|be; Op|fer|lamm

op|fern; ich opfere; sich opfern

Opi|um, das; -s (ein Betäubungsmittel u.
Rauschgift); Opi|um|han|del *vgl.* Handel

ÖPNV, der; - = öffentlicher Personennahver-
kehr

op|po|nie|ren (sich widersetzen)

O

op|por|tun (passend, nützlich, angebracht; zweckmäßig); Op|por|tu|nis|mus, der; - (prinzipienloses Anpassen an die jeweilige Lage; Handeln nach Zweckmäßigkeit); Op|por|tu|nist, der; -en, -en; Op|por|tu|nis|tin; op|por|tu|nis|tisch

Op|po|si|ti|on, die; -, -en; op|po|si|ti|o|nell (gegensätzlich; gegnerisch; zum Widerspruch neigend); Op|po|si|ti|ons|par|tei

Op|tik die; -, -en Plur. selten (Lehre vom Licht; Linsensystem eines opt. Gerätes; optischer Eindruck, optische Wirkung); Op|ti|ker (Hersteller od. Verkäufer von Brillen u. optischen Geräten); Op|ti|ke|rin

op|ti|mal (bestmöglich); op|ti|mie|ren (optimal gestalten); Op|ti|mie|rung

Op|ti|mis|mus, der; - (Ggs. Pessimismus); Op|ti|mist, der; -en, -en; Op|ti|mis|tin; op|ti|mis|tisch

Op|ti|mum, das; -s, ...tima (höchster erreichbarer Wert)

Op|ti|on, die; -, -en ([Wahl]möglichkeit; Rechtsspr., Wirtsch. Voranwartschaft auf Erwerb od. zukünftige Lieferung einer Sache); op|ti|o|nal (nicht zwingend; nach eigener Wahl); Op|ti|ons|schein (Wirtsch. Urkunde, die die Option garantiert u. an der Börse gehandelt wird)

op|tisch (die Optik, das Sehen betreffend); optische Täuschung

opu|lent (reich[lich], üppig); Opu|lenz, die; -

Opus [auch 'ɔ...], das; -, Opera ([musikal.] Werk; Abk. in der Musik op.)

Ora|kel, das; -s, - (rätselhafte Weissagung; auch Ort, an dem Seherinnen od. Priester Weissagungen verkünden); ora|keln (in dunklen Andeutungen sprechen); ich orak[e]le; Ora|kel|spruch

oral (Med. den Mund betreffend, durch den Mund; mit dem Mund)

oran|ge [o'rā:ʒə, auch, bes. österr. o'rā:ʃ] (goldgelb; orangenfarbig); ein orange[farbenes], oranges (ugs. auch orangenes) Kleid; vgl. beige; ¹Oran|ge, die; -, -n (bes. südd., österr. u. schweiz. für Apfelsine);

²Oran|ge, das; -, Plur. -, ugs. -s (orange Farbe); in Orange

Oran|geat [...'ʒa:t], das; -s, Plur. (Sorten:) -e (eingezuckerte Apfelsinenschalen)

Oran|gen|baum; oran|ge[n]|far|ben, oran|ge[n]|far|big; Oran|gen|saft

Oran|ge|rie [orāʒə'ri:], die; -, ...ien (Gewächshaus zum Überwintern von empfindlichen Pflanzen)

Orang-Utan, der; -s, -s (ein Menschenaffe)

Ora|to|ri|um, das; -s, ...ien (episch-dramat. Komposition für Solostimmen, Chor u. Orchester; kath. Kirche Andachtsraum)

Or|bit, der; -s, -s (Raumfahrt Umlaufbahn)

Or|ches|ter [...'kɛs..., österr. auch ...'çɛs...], das; -s, - (Vereinigung einer größeren Zahl von Instrumentalmusiker[inne]n); Or|ches|ter|gra|ben

Or|ches|t|ra [ɔr'çɛs...], die; -, ...stren (Tanzraum des Chors im altgriech. Theater)

or|ches|t|ral [...kɛs..., österr. auch ...çɛs...] (zum Orchester gehörend)

Or|chi|dee, die; -, -n (eine Zierpflanze)

Or|den, der; -s, - ([klösterliche] Gemeinschaft mit best. Regeln; Ehrenzeichen)

or|dent|lich; ordentliches (zuständiges) Gericht; ordentliche Professorin, ordentlicher Professor (Abk. o. P.)

Or|der, die; -, Plur. -n od. (Kaufmannsspr. nur:) -s (Befehl; Kaufmannsspr. Bestellung, Auftrag); or|dern (bestellen); ich ordere

Or|di|nal|zahl (Ordnungszahl, z. B. »zweite«)

or|di|när (gewöhnlich, unfein, unanständig)

Or|di|na|ri|at, das; -[e]s, -e (ordentliche Hochschulprofessur; eine kirchl. Behörde)

Or|di|na|ri|us, der; -, ...ien (Inhaber eines Lehrstuhls an einer Hochschule)

Or|di|na|te, die; -, -n (Math. auf der Ordinatenachse abgetragene zweite Koordinate eines Punktes)

ord|nen; Ord|ner; Ord|ne|rin

Ord|nung; Ordnung halten; Ord|nungs|amt; ord|nungs|ge|mäß

Ord|nungs|hü|ter (scherzh. für Polizist); Ord|nungs|hü|te|rin; Ord|nungs|kraft *meist Plur.* (jmd., der für die Wahrung u. Wiederherstellung der öffentlichen Ordnung u. Sicherheit zuständig ist)

ord|nungs|wid|rig; Ord|nungs|wid|rig|keit

Ord|nungs|zahl *(für Ordinalzahl)*

Or|gan, das; -s, -e (Körperteil; Stimme; Beauftragter; Fachblatt, Vereinsblatt); Or|gan|bank *Plur.* ...banken *(Med.)*

Or|ga|ni|sa|ti|on, die; -, -en (Aufbau, planmäßige Gestaltung, Einrichtung, Gliederung *[nur Sing.]*; Gruppe, Verband mit best. Zielen); Or|ga|ni|sa|ti|ons|form; Or|ga|ni|sa|ti|ons|ko|mi|tee; Or|ga|ni|sa|ti|ons|struk|tur; Or|ga|ni|sa|ti|ons|ta|lent

Or|ga|ni|sa|tor, der; -s, ...oren; Or|ga|ni|sa|to|rin; or|ga|ni|sa|to|risch

or|ga|nisch (belebt, lebendig; auf ein Organ od. auf den Organismus bezüglich); organische Verbindung *(Chemie)*

or|ga|ni|sie|ren *(auch ugs. für* auf unredliche Weise beschaffen); sich organisieren; or|ga|ni|siert; die Arbeiter sind gewerkschaftlich organisiert

Or|ga|nis|mus, der; -, ...men (Gefüge; gegliedertes [lebendiges] Ganzes)

Or|ga|nist, der; -en, -en (Orgelspieler); Or|ga|nis|tin

Or|ga|ni|zer ['ɔ:gənaize], der; -s, - (als Terminkalender u. Ä. nutzbarer Mikrocomputer)

Or|gan|spen|de; Or|gan|spen|der; Or|gan|spen|de|rin

Or|gas|mus, der; -, ...men (Höhepunkt der geschlechtl. Erregung)

Or|gel, die; -, -n; Or|gel|kon|zert

Or|gie, die; -, -n (ausschweifendes Gelage)

Ori|ent *[auch* o'riɛnt], der; -s (die vorder- u. mittelasiat. Länder; östl. Welt; *veraltet für* Osten; *vgl.* Okzident); der Vordere Orient; ori|en|ta|lisch (den Orient betreffend, östlich); orientalische Sprachen, *aber das* Orientalische Institut (in Rom)

ori|en|tie|ren; sich orientieren; auf etw. orientieren *(regional)*; Ori|en|tie|rung; Ori|en|tie|rungs|hil|fe; ori|en|tie|rungs|los; Ori|en|tie|rungs|lo|sig|keit, die; -

ori|gi|nal (ursprünglich, echt; urschriftlich); original Lübecker Marzipan

Ori|gi|nal, das; -s, -e (Urschrift; Urtext; eigentümlicher Mensch); Ori|gi|nal|auf|nah|me; Ori|gi|nal|fas|sung; ori|gi|nal|ge|treu; Ori|gi|na|li|tät, die; -, -en *Plur. selten* (Echtheit; Besonderheit, wesenhafte Eigentümlichkeit); Ori|gi|nal|text, der; Ori|gi|nal|ti|tel; Ori|gi|nal|ton

ori|gi|när (grundlegend neu; eigenständig)

ori|gi|nell (in seiner Art neu, schöpferisch; *ugs. auch für* komisch)

Ori|on, der; -[s] (ein Sternbild)

Or|kan, der; -[e]s, -e (stärkster Sturm)

Or|na|ment, das; -[e]s, -e (Verzierung; Verzierungsmotiv); or|na|men|tal (schmückend, zierend)

Or|nat, der, *auch* das; -[e]s, -e (feierl. Amtstracht)

Or|phe|um, das; -s, ...een (Konzertsaal)

¹Ort, der; -[e]s, *Plur.* -e, *bes. Seemannsspr. u. Math.* Örter (Ortschaft; Stelle); am angeführten *od.* angegebenen Ort *(Abk.* a. a. O.); ; allerorten, allerorts

²Ort, der *od.* das; -[e]s, -e *(schweiz. früher für* Bundesglied, Kanton); die 13 Alten Orte

Ört|chen; das stille Örtchen

or|ten (die Position ermitteln)

or|tho|dox (recht-, strenggläubig); Or|tho|do|xie, die; -, ...ien

Or|tho|gra|fie, Or|tho|gra|phie, die; -, ...ien (Rechtschreibung); or|tho|gra|fisch, or|tho|gra|phisch (rechtschreiblich)

Or|tho|pä|de, der; -n, -n; Or|tho|pä|die, die; - (Lehre u. Behandlung von Fehlbildungen u. Erkrankungen der Bewegungsorgane); Or|tho|pä|din; or|tho|pä|disch

ört|lich

Orts|an|ga|be; orts|an|säs|sig; Orts|bei|rat; Ort|schaft; Orts|ge|spräch; Orts|grup|pe; Orts|kern; orts|kun|dig; Orts|na|me; Orts|netz *(Telefonwesen)*; Orts|teil, der; Orts|ter|min *(Amtsspr., Rechtsspr.)*; orts|üb|lich;

O

Orts|ver|band; Orts|ver|ein; Orts-
wech|sel; Orts|zeit

Os|car, der; -[s], -s (volkstüml. Name der
Statuette, die als Academy Award [amerik.
Filmpreis] verliehen wird)

os|car|no|mi|niert; oscarnominierte Filme

Öse, die; -, -n

os|ma|nisch; osmanische Literatur, aber das
Osmanische Reich (das türk. Reich bis
1922)

¹Os|si, der; -s, -s (ugs. für Ostdeutscher); ²Os-
si, die; -, -s

Ost (Himmelsrichtung; Abk. O); Ost und
West; fachspr. der Wind kommt aus Ost;
Autobahnausfahrt Saarbrücken-Ost od.
Saarbrücken Ost; vgl. Osten

ost|asi|a|tisch; Ost|block, der; -[e]s (früher
für Gesamtheit der Staaten des War-
schauer Pakts); ost|deutsch

os|ten (Bauw. nach Osten [aus]richten)

Os|ten, der; -s (Himmelsrichtung; Abk. O);
der Ferne, Nahe, Mittlere Osten; vgl. Ost

Os|teo|po|ro|se, die; -, -n (Med. Knochen-
schwund)

Os|ter|ei; Os|ter|fe|ri|en Plur.; Os|ter|ha-
se; ös|ter|lich; Os|ter|mon|tag

Os|tern, das; -, -; zu Ostern (bes. nordd. u.
österr.) an Ostern; Ostern fällt früh; landschaftlich auch Plural: die od. diese Ostern
fallen früh; fröhliche, frohe Ostern!

Ös|ter|rei|cher; Ös|ter|rei|che|rin; ös|ter-
rei|chisch; aber die Österreichischen Bun-
desbahnen (Abk. ÖBB); ös|ter|reich|weit

Os|ter|sonn|tag

Ost|er|wei|te|rung; Ost|eu|ro|pä|er; ost-
eu|ro|pä|isch; osteuropäische Zeit (Abk.
OEZ); ost|frie|sisch; aber die Ostfriesi-
schen Inseln; Ost|küs|te; öst|lich; östlich
des Waldes; Ost|po|li|tik

Ös|t|ro|gen, das; -s, -e (Med. w.
Geschlechtshormon)

Ost|see|in|sel; Ost|teil, der; ost|wärts

OSZE, die; - = Organisation für Sicherheit
und Zusammenarbeit in Europa

¹Ot|ter, der; -s, - (eine Marderart)

²Ot|ter, die; -, -n (eine Schlange)

out [aut] (österr., schweiz., sonst veraltet für
aus, außerhalb des Spielfeldes; ugs. für
unzeitgemäß); Out, das; -[s], -[s]

ou|ten [ˈautn̩]; jmdn. outen (jmds. Homose-
xualität o. Ä. [ohne dessen Zustimmung]
öffentlich bekannt machen); sie hat sich
geoutet

Out|fit [ˈaut...], das; -s, -s (Kleidung; Aus-
rüstung)

Out|put [ˈaut...], der, auch das; -s, -s
(Wirtsch. Produktion[smenge]; EDV
Arbeitsergebnisse einer Rechenanlage)

Out|si|der [ˈautsai...], der; -s, - (Außensei-
ter); Out|si|de|rin

out|sour|cen [ˈautzoːɐsn̩] (Wirtsch. ausglie-
dern, nach außen verlegen, fremdverge-
ben); ich source out; du, er, ihr sourct out;
der Vertrieb wird outgesourct; outzusour-
cen; Out|sour|cing [...sɪŋ], das; -s
(Wirtsch. Übergabe von bestimmten Fir-
menbereichen an spezialisierte Dienstleis-
tungsunternehmen)

Ou|ver|tü|re [u...], die; -, -n (instrumentales
Eröffnungsstück)

oval (eirund, länglich rund); Oval, das; -s, -e

Ova|ti|on, die; -, -en (begeisterter Beifall)

Ove|r|all [ˈoːvərɔːl, auch ...ral], der; -s, -s
(einteiliger [Schutz]anzug)

Over|head|pro|jek|tor [ˈoːvɐhɛt...] (Projek-
tor, der transparente Vorlagen auf eine Fläche projiziert)

Oxer, der; -s, - (Pferdesport Hindernis beim
Springreiten)

Oxid, Oxyd, das; -[e]s, -e (Sauerstoffverbin-
dung); Oxi|da|ti|on, Oxy|da|ti|on, die; -,
-en; **oxi|die|ren**, oxy|die|ren (Chemie sich
mit Sauerstoff verbinden; bewirken, dass
sich eine Substanz mit Sauerstoff verbindet)

Oze|an, der; -s, -e (Weltmeer); der große
(endlose) Ozean, aber der Große (Pazifi-
sche) Ozean; Oze|an|damp|fer

Ozon, der od. (fachspr. nur:) das; -s (beson-
dere Form des Sauerstoffs); Ozon|loch
(Zerstörung der Ozonschicht in der Strato-
sphäre); Ozon|schicht, die; - (Meteorol.)

P*p*

P (Buchstabe); das P; des P, die P, *aber* das p in hupen; der Buchstabe P, p

Paar, das; -[e]s, -e (zwei zusammengehörende Personen oder Dinge); ein glückliches Paar; ein Paar Schuhe, ein Paar Strümpfe; ein Paar neue, *selten* neuer Schuhe; mit einem Paar Schuhe[n]

¹paar; es hatten sich viele angemeldet, aber es kamen nur ein paar (nur wenige); ein paar (einige) Leute; für ein paar Euro; ein paar Dutzend *od.* dutzend Mal[e]; diese paar Mal[e]; ein paar Male; ein paarmal *od. (bei besonderer Betonung)* ein paar Mal

²paar *(Biol. selten für* paarig); paare Blätter

paa|ren; sich paaren

Paar|hu|fer *(Zool.);* paa|rig (paarweise vorhanden)

Paar|lauf *(Sport)*

paar|mal; ein paarmal *od. (bei besonderer Betonung)* paar Mal; *vgl.* paar u. Mal

Paa|rung; paar|wei|se

Pace [pe:s], die; - (Gangart des Pferdes; Renntempo)

Pacht, die; -, -en; pach|ten; Päch|ter; Päch|te|rin; Pacht|land, das; -[e]s; Pacht|ver|trag

¹Pack, der; -[e]s, *Plur.* -e *u.* -s (Gepacktes)

²Pack, das; -[e]s *(abwertend für* Gesindel, Pöbel)

Pa|ckage ['pɛkɪtʃ], das; -s, -s (Paket)

Päck|chen; Pack|eis ([übereinandergeschobenes] Scholleneis); pa|cken; sich packen *(ugs. für* sich fortscheren); Pa|cken, der; -s, -; pa|ckend; ein packender Film; Pa|cker; Pa|cke|rin; Pa|ckung *(ugs. auch für* hohe Niederlage im Sport)

Pad [pɛd], das; -s, -s *(kurz für* Mauspad)

Pä|d|a|go|ge, der; -n, -n (Erzieher; Lehrer; Erziehungswissenschaftler); Pä|d|a|go|gik, die; -, -en (Erziehungslehre, -wissenschaft);

Pä|d|a|go|gin; pä|d|a|go|gisch (erzieherisch); pädagogische Fähigkeit; [eine] pädagogische Hochschule, *aber* die Pädagogische Hochschule *(Abk.* PH) Heidelberg

Pad|del, das; -s, -; Pad|del|boot

pad|deln; ich padd[e]le

pä|do|phil; Pä|do|phi|lie, die; - (auf Kinder gerichteter Sexualtrieb Erwachsener)

Pa|d|re, der; -, ...dri *u.* -s (ital. od. span. Ordenspriester)

paf|fen *(ugs. für* rauchen)

Pa|ge [...ʒə], der; -n, -n (livrierter junger [Hotel]diener; *früher* Edelknabe)

Pa|go|de, die; -, -n (Tempel in Ostasien)

Pail|let|te [pa'jɛ...], die; -, -n (glitzerndes Metallblättchen zum Aufnähen)

Pa|ket, das; -[e]s, -e; Pa|ket|kar|te

Pakt, der; -[e]s, -e (Vertrag; Bündnis)

pak|tie|ren (einen Vertrag schließen; gemeinsame Sache machen)

Pa|lais [...'lɛ:], das; - [pa'lɛ:(s)], - [pa'lɛ:s] (Palast, Schloss)

Pa|last, der; -[e]s, Paläste (Schloss; Prachtbau)

Pa|läs|ti|nen|ser; Pa|läs|ti|nen|se|rin

Pa|la|ver, das; -s, - (Ratsversammlung afrik. Stämme; *ugs. für* endloses Gerede u. Verhandeln); pa|la|vern *(ugs.);* ich palavere; sie haben palavert

Pa|laz|zo, der; -[s], ...zzi *(ital. Bez. für* Palast)

Pal|le, die; -, -n *(nordd. für* Schote, Hülse)

Pa|let|te, die; -, -n (Farbenmischbrett; genormtes Lademittel für Stückgüter; *übertr. für* bunte Mischung)

pa|let|ti; alles paletti *(ugs. für* in Ordnung)

Pa|li|sa|de, die; -, -n (aus Pfählen bestehendes Hindernis)

Pa|li|san|der, der; -s, - (bras. Edelholz)

¹Pal|la|di|um, das; -s, ...ien (Bild der Pallas; schützendes Heiligtum)

²Pal|la|di|um, das; -s (chemisches Element, Metall; *Zeichen* Pd)

Palm, der; -s, -e (altes Maß zum Messen von Rundhölzern); 10 Palm

Pal|me, die; -, -n

Palm|öl; Palm|sonn|tag [*auch* 'palm...]

Pam|pa die; -, -s *meist Plur.* (baumlose Grassteppe in Südamerika)

Pam|pel|mu|se [*auch* 'pam...], die; -, -n (eine Zitrusfrucht)

Pam|ph|let, das; -[e]s, -e (Streitschrift)

pam|pig (*nordd., md. für* breiig; *ugs. für* frech, patzig)

Pa|na|de, die; -, -n (Weißbrotbrei zur Bereitung von Füllungen)

Pa|na|ma|ka|nal, Pa|na|ma-Ka|nal, der; -s

Pan|da, der; -s, -s (asiat. Bärenart)

Pan|de|mie, die; -, ...ien (*Med.* Epidemie größeren Ausmaßes)

Pa|nel ['pɛnl], das; -s, -s (repräsentative Personengruppe für die Meinungsforschung)

pan|eu|ro|pä|isch

Pan|flö|te ([antike] Hirtenflöte aus aneinandergereihten Pfeifen)

pa|nie|ren (in Ei u. Semmelbröseln wenden); Pa|nier|mehl

Pa|nik, die; -, -en (plötzlich entstehende unkontrollierbare [Massen]angst); Pa|nik|ma|che; Pa|nik|stim|mung

pa|nisch (lähmend); panischer Schrecken

Pan|ne, die; -, -n (Schaden, techn. Störung; Missgeschick); Pan|nen|dienst

Pa|n|o|ra|ma, das; -s, ...men (Rundblick; Rundgemälde; [fotograf.] Rundbild); Pa|n|o|ra|ma|fens|ter

pan|schen, pant|schen (*ugs. für* mischen; verfälschen; [im Wasser] planschen, patschen); du pan[t]schst

Pan|sen, der; -, - (Magenteil der Wiederkäuer)

Pans|flö|te *vgl.* Panflöte

Pan|ter *vgl.* Panther

Pan|the|on, das; -s, -s (antiker Tempel für alle Götter)

Pan|ther, Pan|ter, der; -s, - (*svw.* Leopard)

Pan|ti|ne die; -, -n *meist Plur.* (*nordd. für* Holzschuh, -pantoffel)

Pan|tof|fel, der; -s, -n (Hausschuh)

¹Pan|to|mi|me, die; -, -n (Darstellung einer Szene nur mit Gebärden u. Mienenspiel)

²Pan|to|mi|me, der; -n, -n (Darsteller einer Pantomime); Pan|to|mi|min; pan|to|mi|misch

pant|schen *vgl.* panschen

Pan|zer (Kampffahrzeug; feste Hülle; *früher* Rüstung); pan|zern; ich panzere; Pan|zer|schrank

¹Pa|pa [*veraltend, geh.* ...'pa:], der; -s, -s (Vater)

²Pa|pa, der; -s (kirchl. Bez. des Papstes; *Abk.* P.)

Pa|pa|gei [*österr. u. schweiz. auch* 'pa...], der; *Gen.* -en *u.* -s, *Plur.* -en, *seltener* -e

Pa|pa|raz|zo, der; -s, ...zzi

Pa|per ['pe:pɐ], das; -s, -s (Schriftstück; schriftl. Unterlage); Pa|per|back [...bɛk], das; -s, -s (kartoniertes [Taschen]buch)

Pa|pi, der; -s, -s (Koseform von ¹Papa)

Pa|pier, das; -s, -e; Pa|pier|fa|b|rik; Pa|pier|geld, das; -[e]s; Pa|pier|korb; pa|pier|los; papierloses Büro; Pa|pier ver|ar|bei|tend, pa|pier|ver|ar|bei|tend

Papp|be|cher; Papp|de|ckel, Pap|pen|de|ckel; Pap|pe, die; -, -n (steifes, papierähnliches Material)

Pap|pel, die; -, -n (ein Laubbaum); Pap|pel|al|lee

pap|pen (*ugs. für* kleistern, kleben); der Schnee pappt

Pap|pen|de|ckel, Papp|de|ckel; Papp|kar|ton; Papp|ma|schee, Papp|ma|ché [...je:]

¹Pa|p|ri|ka, der; -s, -[s] (ein Gewürz; ein Gemüse); ²Pa|p|ri|ka, der *od.* die; -, -[s]

Papst, der; -[e]s, Päpste (Oberhaupt der kath. Kirche; *auch übertr.* für anerkannte Autorität); päpst|lich; *aber* das Päpstliche Bibelinstitut; Papst|na|me; Papst|wahl

Pa|py|rus, der; -, ...ri (Papierstaude; Papyrusrolle)

Par, das; -[s], -s (*Golf* festgesetzte Anzahl von Schlägen für ein Loch)

Pa|ra, der; -s, -s (*kurz für* parachutiste = franz. Fallschirmjäger)

Pa|ra|bel, die; -, -n (Gleichnis[rede]; *Math.* Kegelschnittkurve)

Pa|ra|bol|an|ten|ne, die; -, -n (Antenne in der Form eines Parabolspiegels)

Pa|ra|de, die; -, -n (prunkvoller Aufmarsch; *Sport* Abwehrbewegung); **Pa|ra|de|bei|spiel**

Pa|ra|dies, das; -es, -e (*nur Sing.:* der Garten Eden, Himmel; *übertr. für* Ort der Seligkeit; *Archit.* Portalvorbau an mittelalterl. Kirchen); **Pa|ra|dies|ap|fel** (*landsch. für* Tomate; *auch* Zierapfel); **pa|ra|die|sisch** (himmlisch)

Pa|ra|dig|ma, das; -s, *Plur.* ...men, *auch* -ta (Beispiel, Muster); **Pa|ra|dig|men|wech|sel** (Wechsel von einer [wissenschaftlichen] Grundauffassung zur anderen)

pa|ra|dox ([scheinbar] widersinnig; *ugs. für* sonderbar); **Pa|ra|dox**, das; -es, -e (etwas, was einen Widerspruch in sich enthält); **pa|ra|do|xer|wei|se**; **Pa|ra|do|xie**, die; -, ...ien (Widersinnigkeit)

Pa|r|af|fin, das; -s, -e (wachsähnlicher Stoff; *meist Plur.:* Chemie gesättigter, aliphatischer Kohlenwasserstoff)

Pa|ra|glei|ter, **Pa|ra|gli|der** [...glaide], der; -s, - (Gleitschirm; Gleitschirmflieger)

Pa|ra|graf, **Pa|ra|graph**, der; -en, -en (fortlaufend nummerierter Absatz, Abschnitt; *Zeichen* §, *Plur.* §§); §5-Schein (*Amtsspr.* Wohnberechtigungsschein)

pa|r|al|lel; [mit etwas] parallel laufen; parallel verlaufen; parallel laufende *od.* parallellaufende Geraden; zwei Systeme parallel schalten; zwei parallel geschaltete *od.* parallelgeschaltete Systeme; **Pa|r|al|le|le**, die; -, -n (Gerade, die zu einer anderen Geraden in stets gleichem Abstand verläuft; vergleichbarer Fall); vier Parallele[n]

Pa|r|al|lel|ge|sell|schaft (größere, nicht integrierte Gruppe innerhalb einer Gesellschaft); **Pa|r|al|le|li|tät**, die; - (Eigenschaft zweier paralleler Geraden); **pa|r|al|lel lau|fend**, **pa|r|al|lel|lau|fend**; **Pa|r|al|lel|li|nie**; **Pa|r|al|le|lo|gramm**, das; -s, -e (*Math.* Viereck mit paarweise parallelen Seiten); **Pa|r|al|lel|schal|tung** (*Elektrot.*)

Pa|ra|lym|pics [*auch* pɛrəˈlɪmpɪks] *Plur.*

(*internationale Bez. für* die Weltspiele der Menschen mit Behinderung)

Pa|ra|me|ter, der; -s, - (*Math.* konstante *od.* unbestimmt gelassene Hilfsvariable; *Technik* die Leistungsfähigkeit einer Maschine charakterisierende Kennziffer)

pa|ra|mi|li|tä|risch (militärähnlich)

Pa|ra|no|ia, die; - (*Med.* geistig-seelische Funktionsstörung mit Wahnvorstellungen)

pa|ra|no|id (an Paranoia leidend)

Pa|ra|nuss; Nuss des Paranussbaumes

Pa|ra|sit, der; -en, -en (Schmarotzer[pflanze, -tier]); **pa|ra|si|tär** (schmarotzerhaft)

pa|rat (bereit; fertig); etwas parat haben

Pär|chen

Par|cours [...ˈkuːɐ̯], der; -, - (*Reitsport* Hindernisbahn für Springturniere; *Sport schweiz.* Renn-, Laufstrecke)

Par|don [...ˈdõː, *österr. auch* ...ˈdoːn], der, *auch* das; -s (*veraltend für* Verzeihung; Nachsicht); Pardon geben; um Pardon bitten; Pardon! (*landsch. für* Verzeihung!)

Par|fum [...ˈfœ̃ː], das; -s, -s, **Par|füm**, das; -s, *Plur.* -e *u.* -s (wohlriechender Duft); **Par|fü|me|rie**, die; -, ...ien (Geschäft; Betrieb zur Herstellung von Parfüm)

Par|fum|fla|sche, **Par|füm|fla|sche**; **par|fü|mie|ren**; sich parfümieren

¹**pa|rie|ren** ([einen Hieb] abwehren; *Reiten* [ein Pferd] in eine andere Gangart *od.* zum Stehen bringen; *Kochkunst* [Fleisch] von Sehnen, Haut, Fett befreien)

²**pa|rie|ren** (gehorchen)

¹**Pa|ri|ser**; Pariser Verträge (von 1954)

²**Pa|ri|ser**, der; -s, - (*ugs. für* Präservativ)

Pa|ri|tät, die; -, -en (Gleichstellung, -berechtigung; *Wirtsch.* Austauschverhältnis zwischen zwei *od.* mehreren Währungen)

pa|ri|tä|tisch (gleichgestellt, -berechtigt); paritätisch getragene Kosten; *aber* Deutscher Paritätischer Wohlfahrtsverband

Park, der; -[e]s, *Plur.* -s, *seltener* -e, *schweiz.* Pärke (großer Landschaftsgarten; Depot, z. B. Wagenpark)

Par|ka, der; -s, -s *od.* die; -, -s (knielanger, warmer Anorak mit Kapuze)

P

Park|an|la|ge; Park|bank *Plur.* ...bänke

par|ken (ein Kraftfahrzeug abstellen)

Par|kett, das; -[e]s, *Plur.* -e u. -s (im Theater meist vorderer Raum zu ebener Erde; getäfelter Fußboden); Par|kett|bo|den

Par|kett|han|del *(Börsenw.)*

Park|haus

Park|kin|son (kurz für Parkinsonkrankheit)

Park|platz; Park|uhr; Park|ver|bot

Par|la|ment, das; -[e]s, -e (gewählte Volksvertretung); Par|la|men|ta|ri|er, der; -s, - (Abgeordneter, Mitglied des Parlamentes); Par|la|men|ta|ri|e|rin; par|la|men|ta|risch (das Parlament betreffend); die parlamentarische Anfrage; aber der Parlamentarische Rat (Versammlung, die 1948/49 das Grundgesetz ausarbeitete)

Par|la|ments|be|schluss; Par|la|ments|ge|bäu|de; Par|la|ments|mit|glied; Par|la|ments|prä|si|dent; Par|la|ments|prä|si|den|tin; Par|la|ments|sitz; Par|la|ments|wahl *meist Plur.*

Par|me|san, der; -[s] (kurz für Parmesankäse)

Pa|ro|die, die; -, ...ien (komische Umbildung ernster Dichtung; scherzh. Nachahmung); pa|ro|die|ren (auf scherzhafte Weise nachahmen); pa|ro|dis|tisch

Pa|ro|le, die; -, -n (Kennwort; Losung; auch für Leit-, Wahlspruch)

Pa|ro|li; nur in Paroli bieten (Widerstand entgegensetzen)

Part, der; -s, *Plur.* -s, selten -e (Anteil; Stimme eines Musikstücks)

Par|tei, die; -, -en; Par|tei|ba|sis; Par|tei|buch; Par|tei|chef; Par|tei|che|fin; Par|tei|en|ge|setz; Par|tei|füh|rung; Par|tei|gän|ger; Par|tei|gän|ge|rin; par|tei|in|tern; par|tei|isch (nicht neutral, nicht objektiv; der einen od. der anderen Seite zugeneigt); par|tei|los; Par|tei|mit|glied; Par|tei|nah|me, die; -, -n; Par|tei|po|li|tik; par|tei|po|li|tisch; parteipolitisch neutral sein; Par|tei|pro|gramm; Par|tei|spit|ze; Par|tei|tag; par|tei|über|grei|fend; Par|tei|vor|sitz; Par|tei|vor|stand

par|terre [...'tɛr] (zu ebener Erde; *Abk.* part.); parterre wohnen

Par|ter|re [...'tɛr(ə)], das; -, -s (Erdgeschoss [*Abk.* Part.]; Saalplatz im Theater; Plätze hinter dem Parkett); Par|ter|re|woh|nung

Par|tie, die; -, ...ien (Teil, Abschnitt; Bühnenrolle; *Kaufmannsspr.* Posten, größere Menge einer Ware; *Sport* Durchgang, Spiel; veraltend für Ausflug); eine gute Partie machen (reich heiraten)

par|ti|ell (teilweise [vorhanden]); partielle Sonnenfinsternis

¹Par|ti|kel [auch ...'tɪ...], die; -, -n (kath. Kirche Teilchen der Hostie, Kreuzreliquie; *Sprachwiss.* unflektierbares Wort, z. B. Präposition)

²Par|ti|kel, das; -s, -, auch die; -, -n (Physik Elementarteilchen)

Par|ti|kel|fil|ter *(Kfz-Technik)*

par|ti|ku|lar, par|ti|ku|lär (einen Teil betreffend, einzeln)

Par|ti|san, der; Gen. -s u. -en, *Plur.* -en (bewaffneter Widerstandskämpfer); Par|ti|sa|nen|krieg; Par|ti|sa|nin

Par|ti|ti|on, die; -, -en (geh. für Teilung, Einteilung; *Logik* Zerlegung des Begriffsinhaltes in seine Teile od. Merkmale)

Par|ti|tur, die; -, -en (Zusammenstellung aller zu einem Musikstück gehörenden Stimmen)

Par|ti|zip, das; -s, -ien (*Sprachwiss.* Mittelwort); Partizip I (Partizip Präsens, Mittelwort der Gegenwart, z. B. »sehend«); Partizip II (Partizip Perfekt, Mittelwort der Vergangenheit, z. B. »gesehen«)

Par|ti|zi|pa|ti|on, die; -, -en (das Teilhaben)

par|ti|zi|pie|ren (Anteil haben, teilnehmen)

Part|ner, der; -s, - (Gefährte; Teilhaber; Teilnehmer; Mitspieler); Part|ne|rin; Part|ner|schaft; part|ner|schaft|lich; Part|ner|stadt; Part|ner|su|che

par|tout [...'tu:] (ugs. für durchaus; um jeden Preis)

Par|ty [...ti], die; -, -s (zwangloses Fest)

Par|ty|ser|vice, der, österr. auch das (Unternehmen, das Speisen u. Getränke für Festlichkeiten ins Haus liefert)

Par|zel|le, die; -, -n (vermessenes Stück Land, Baustelle)

Pas [pa], der; -, - ([Tanz]schritt)

Pas|cal, das; -s, - (Einheit des Drucks; *Zeichen* Pa)

Pasch, der; -[e]s, *Plur.* -e u a. Päsche (Wurf mit gleicher Augenzahl auf mehreren Würfeln; *Domino* Stein mit Doppelzahl)

¹**Pas|cha** ['pasça] *vgl.* Passah

²**Pa|scha,** der; -s, -s (früherer oriental. Titel; *ugs.* für rücksichtsloser Mann, der sich [von Frauen] bedienen lässt)

Pass, der; -es, Pässe (Bergübergang; Ausweis [für Reisende]; gezielte Ballabgabe beim Fußball)

pas|sa|bel (annehmbar; leidlich); eine passable Note

Pas|sa|ge [...ʒə], die; -, -n (Durchfahrt, -gang; Überfahrt mit Schiff od. Flugzeug; *Musik* schnelle Tonfolge; fortlaufender Teil einer Rede od. eines Textes)

Pas|sa|gier, der; -s, -e (Schiffsreisender, Fahrgast, Fluggast); **Pas|sa|gier|flugzeug; Pas|sa|gie|rin**

Pas|sah, ¹**Pas|cha** ['pasça], das; -[s] (jüd. Fest zum Gedenken an den Auszug aus Ägypten; das beim Passahmahl gegessene Lamm); *vgl. auch* Pessach

Pas|sant, der; -en, -en (Fußgänger; Vorübergehender); **Pas|san|tin**

Pas|sat, der; -[e]s, -e (Tropenwind)

pas|sé, pas|see (*ugs.* für vorbei, abgetan); das ist passé od. passee

pas|sen ([auf ein Spiel] verzichten; *bes.* Fußball den Ball zuspielen); du passt; gepasst; passe! u. pass!; das passt sich nicht (*ugs.*)

pas|send; etwas Passendes

Pas|se|par|tout [paspar'tu:], das, *schweiz.* der; -s, -s (Umrahmung aus leichter Pappe für Grafiken o. Ä.; *schweiz. auch* für Dauerkarte; Hauptschlüssel)

Pass|fo|to

pas|sier|bar (überschreitbar)

pas|sie|ren (vorübergehen, -fahren; durch-

queren, überqueren; geschehen; *Gastron.* durch ein Sieb drücken); **Pas|sier|schein**

Pas|si|on, die; -, -en (*nur Sing.:* Leidensgeschichte Christi; Leidenschaft); **pas|sio|niert** (leidenschaftlich)

pas|siv [*auch* ...'si:f] (untätig; duldend); passives Wahlrecht (Recht, gewählt zu werden); **Pas|siv** das; -s, -e *Plur. selten* (*Sprachwiss.* Leideform); **Pas|si|vi|tät,** die; -

Pass|kon|t|rol|le

Pas|sus, der; -, - (Schriftstelle, Absatz)

Pass|wort *Plur.* ...wörter (*EDV* Kennwort)

¹**Pas|ta** *vgl.* Paste

²**Pas|ta,** die; - (*ital. Bez. für* Teigwaren)

Pas|te, *selten* ¹**Pas|ta,** die; -, ...sten (streichbare Masse; Teigmasse als Grundlage für Arzneien u. kosmetische Mittel)

Pas|tell|far|be

Pas|te|te, die; -, -n (Fleisch-, Fischspeise u. a. [in Teighülle])

pas|teu|ri|sie|ren; pasteurisierte Milch

Pas|til|le, die; -, -n (Kügelchen, Pille)

Pas|tor [*auch* ...'to:ɐ̯], der; -s, *Plur.* ...oren, *auch* ...ore, *landsch. auch* ...öre (ev. od. kath. Geistlicher; *Abk.* P.); **pas|to|ral** (seelsorgerisch; feierlich); **Pas|to|rin**

Patch [pɛtʃ], der; -[es], -es, *selten* das; -[s], -s (*EDV* Software zur Behebung von Programmfehlern)

Pa|te, der; -n, -n (Taufzeuge, *auch für* Patenkind); **Pa|ten|kind; Pa|ten|schaft**

pa|tent (*ugs.* für tüchtig, brauchbar)

Pa|tent, das; -[e]s, -e (Urkunde über die Berechtigung, eine Erfindung allein zu verwerten; *schweiz. auch für* amtliche Bewilligung zum Ausüben einer Tätigkeit, eines Berufes); **Pa|tent|amt; pa|tent|geschützt; pa|ten|tie|ren** (durch ein Patent schützen); **Pa|tent|recht; Pa|tent|re|zept** (*ugs.*); **Pa|tent|schutz,** der; -es

Pa|ter, der; -s, *Plur.* - u. Pa|t|res (kath. Ordensgeistlicher; *Abk.* P., *Plur.* PP.)

Pa|the|tik, die; - (übertriebene Feierlichkeit); **pa|the|tisch** ([übertrieben] feierlich)

Pa|tho|lo|ge, der; -n, -n; **Pa|tho|lo|gie,** die;

-, ...ien (*nur Sing.:* allgemeine Lehre von den Krankheiten; pathologisches Institut); **Pa|tho|lo|gin; pa|tho|lo|gisch** (die Pathologie betreffend; krankhaft)

Pa|thos, das; - ([übertriebene] Gefühlserregung; feierliche Ergriffenheit)

Pa|ti|ent, der; -en, -en (vom Arzt behandelte od. betreute Person); **Pa|ti|en|ten|ver|fü|gung; Pa|ti|en|tin**

Pa|tin; *zu* Pate

Pa|ti|na, die; - (ein grünlicher Überzug auf Kupfer; Edelrost)

Pa|t|ri|arch, der; -en, -en (Stammvater im A. T.; Ehren-, Amtstitel einiger Bischöfe; Titel hoher orthodoxer Geistlicher); **pa|t|ri|ar|cha|lisch** (ehrwürdig; väterlich-bestimmend; männlich-autoritativ); **Pa|t|ri|ar|chat,** das, *in der Theol. auch* der; -[e]s, -e (Amtsbereich eines Patriarchen; Vaterherrschaft, -recht); **Pa|t|ri|ar|chin**

¹**Pa|t|ri|ot,** der; -en, -en (jmd., der für sein Vaterland eintritt)

²**Pa|t|ri|ot** ['pɛtriət], die; -, -s (eine amerik. Flugabwehrrakete)

Pa|t|ri|o|tin; pa|t|ri|o|tisch; Pa|t|ri|o|tis|mus, der; -

Pa|t|ri|zi|er (Angehöriger des Patriziats); **Pa|t|ri|zi|e|rin**

¹**Pa|t|ron,** der; -s, -e (Schutzherr, -heiliger; Stifter einer Kirche; *ugs. für* übler Kerl)

²**Pa|t|ron** [pa'trõː], der; -, -s (*schweiz. für* Betriebsinhaber)

Pa|t|ro|ne, die; -, -n (Geschoss u. Treibladung enthaltende [Metall]hülse; Behälter [z. B. für Tinte]); **Pa|t|ro|nen|hül|se**

Pa|t|ro|nin (Schutzherrin, Schutzheilige)

Pa|t|rouil|le [...'trʊljə, *österr.* ...'truːjə], die; -, -n (Spähtrupp; Kontrollgang)

pa|t|rouil|lie|ren [...trʊl'jiː..., *auch, österr. nur,* ...tru'jiː...] (auf Patrouille gehen; [als Posten] auf u. ab gehen)

¹**Pat|sch,** der; -[e]s, -e (klatschendes Geräusch)

²**Pat|sch,** der; -en, -en (*österr. ugs. für* Tollpatsch)

pat|schen (*ugs.*); du patschst

patsch|nass (*ugs. für* klatschnass)

patt (*Schach* nicht mehr in der Lage, einen Zug zu machen, ohne seinen König ins Schach zu bringen); patt sein; den Gegner patt setzen *od.* pattsetzen

Patt, das; -s, -s (*auch für* Situation, in der keine Partei einen Vorteil erringen kann)

Pat|tern ['pɛ...], das; -s, -s (*Psychol.* [Verhaltens]muster, [Denk]schema)

pat|zen (*ugs. für* kleinere Fehler machen; *bayr., österr. für* klecksen); du patzt

Pat|zen, der; -s, - (*bayr. u. österr. für* Klecks, Klumpen)

Pat|zer (*ugs. für* jmd., der patzt; Fehler)

pat|zig (*ugs. für* frech, grob; *südd. auch für* klebrig, breiig)

Pau|ke, die; -, -n; auf die Pauke hauen (*ugs. für* ausgelassen sein); **pau|ken** (die Pauke schlagen; *ugs. für* angestrengt lernen); **Pau|ken|schlag; Pau|ker** (*Schülerspr. auch für* Lehrer); **Pau|ke|rin**

paus|ba|ckig, paus|bä|ckig

pau|schal (alles zusammen; rund); **Pau|scha|le,** die; -, -n (geschätzte Summe; Gesamtbetrag); **Pau|schal|preis; Pau|schal|rei|se; Pau|schal|ur|teil**

¹**Pau|se,** die; -, -n (Ruhezeit; Unterbrechung); die große Pause (in der Schule, im Theater)

²**Pau|se,** die; -, -n (Kopie mittels Durchzeichnung); **pau|sen** (durchzeichnen); du paust; er paus|te

Pau|sen|brot (bes. für Schüler); **Pau|sen|hof; pau|sen|los**

pau|sie|ren (innehalten, zeitweilig aufhören)

Pa|vi|an, der; -s, -e (ein Affe)

Pa|vil|lon ['pavɪljõ, *österr.* pavi'jõː], der; -s, -s (kleiner, frei stehender, meist runder Bau; Ausstellungsgebäude; Festzelt)

pa|zi|fisch; pazifische Inseln; *aber* der Pazifische (Große, Stille) Ozean

Pa|zi|fis|mus, der; - (Ablehnung des Krieges aus religiösen od. ethischen Gründen); **Pa|zi|fist,** der; -en, -en; **Pa|zi|fis|tin; pa|zi|fis|tisch**

¹**PC,** der; -[s], -s, *selten* - (Personal Computer)

²**PC** [*auch* pi:'si:], die; - (Political Correctness)

PCB, das; -[s], -[s] = polychloriertes Biphenyl (bestimmte giftige, krebserregende chem. Verbindung)

PDA [*auch* pi:di:'|eɪ], der; -[s], -s = Personal Digital Assistant (*svw.* Organizer)

PDF, das; -s, -s = Portable Document Format (*EDV* ein Dateiformat; in diesem Format erstellte Datei); **PDF-Da|tei**

Pea|nuts ['pi:nats̲] *Plur.* (*ugs. für* Kleinigkeiten; unbedeutende Geldsumme)

Pẹch, das; *Gen.* -s, *seltener* -es, *Plur. (Arten:)* -e (*südd. u. österr. auch für* Harz); **pẹch|schwarz** (*ugs.*); **Pẹch|sträh|ne** (*ugs.*)

Pe|dạl, das; -s, -e (Fußhebel; Teil an der Fahrradtretkurbel)

Pe|dạnt, der; -en, -en (ein in übertriebener Weise genauer, kleinlicher Mensch); **Pe|dan|tin; pe|dan|tisch**

Pe|di|kü̱|re, die; -, -n (*nur Sing.*: Fußpflege; Fußpflegerin)

Peer|group ['pɪ:e̯gru:p], die; -, -s (*Päd.* Gruppe von gleichaltrigen Kindern od. Jugendlichen)

Pẹ|ga|sos, Pẹ|ga|sus, der; - (geflügeltes Ross der griech. Sage; Dichterross)

Pe|gel, der; -s, - (Wasserstandsmesser); **Pe|gel|stand**

pei|len (die Richtung, Entfernung, Wassertiefe bestimmen); **Pei|lung**

Pein, die; - (Schmerz, Qual); **pei|ni|gen; Pei|ni|ger; Pei|ni|ge|rin; Pei|ni|gung**

pein|lich; *(Rechtsspr. veraltet):* peinliches Recht (Strafrecht); **Pein|lich|keit**

Peit|sche, die; -, -n; **peit|schen**; du peitschst; **Peit|schen|hieb**

pe|ku|ni|är (geldlich; in Geld bestehend)

Pe|li|kan [*auch* ...'ka:n], der; -s, -e (ein Vogel)

Pẹl|le, die; -, -n (*landsch. für* Haut, Schale); jmdm. auf die Pelle rücken (*ugs. für* energisch zusetzen); **pẹl|len** (*landsch. für* schälen); **Pẹll|kar|tof|fel**

Pẹlz, der; -es, -e; jmdm. auf den Pelz rücken (*ugs. für* jmdn. drängen); **pẹl|zig**

Pe|nal|ty ['pɛnti], der; -[s], -s (*Sport, bes.* Eishockey Strafstoß; *schweiz. Fußball* Elfmeter)

Pen|dant [pã'dã:], das; -s, -s (Gegenstück)

Pen|del, das; -s, - (um eine Achse od. einen Punkt frei schwingender Körper); **pen|deln**; ich pend[e]le; **Pend|ler; Pend|le|rin; Pend|ler|pau|scha|le** (steuerliche Vergünstigung für Berufspendler)

pe|ne|t|rạnt (durchdringend; aufdringlich)

Pe|ne|t|rạnz, die; -, -en (Aufdringlichkeit)

pe|ni|bel (sehr genau, fast kleinlich; *landsch. für* peinlich); ...i|b|le Lage

Pe|ni|cil|lịn *vgl.* Penizillin

Pe̱|nis, der; -, *Plur.* -se *u.* Penes (m. Glied)

Pe|ni|zil|lịn, *fachspr. u. österr.* Pe|ni|cil|lịn, das; -s, -e (ein Antibiotikum)

Pẹn|ne, die; -, -n (*ugs. für* behelfsmäßiges Nachtquartier); **pẹn|nen** (*ugs. für* schlafen)

Pẹn|ner (*ugs. für* Stadt-, Landstreicher; *auch*: Schimpfwort); **Pẹn|ne|rin**

Pẹn|ny [...ni], der; -s, *Plur.* (für einige Stücke:) Pennys *u.* (*bei* Wertangabe:) Pence [pɛns] (engl. Münze; Untereinheit des brit. Pfunds; *Abk.* p, *früher* d [= denạrius])

Pen|si|on [pã..., *bes. südd., österr., schweiz.* pɛn...], die; -, -en (Ruhestand *[nur Sing.];* Ruhegehalt für Beamte u. Beamtinnen; kleineres Hotel); **Pen|si|o|nạ̈r**, der; -s, -e (Ruheständler; *bes. schweiz. für* Kostgänger, Gast einer Pension); **Pen|si|o|nạ̈|rin**; **pen|si|o|nie|ren** (in den Ruhestand versetzen); **pen|si|o|niert; Pen|si|o|nie|rung; Pen|si|o|nịst** [pɛn...], der; -en, -en (*österr. für* Ruheständler); **Pen|si|o|nịs|tin**

Pẹn|sum, das; -s, *Plur.* ...sen *u.* ...sa (zugeteilte Arbeit; Lehrstoff)

¹**Pẹn|ta|gon**, das; -s, -e (Fünfeck)

²**Pẹn|ta|gon**, das; -s (amerik. Verteidigungsministerium)

Pẹn|ti|um®, der; -[s], -s (besonders schneller Mikroprozessor)

Pẹp, der; -[s] (Elan, Schwung)

Peperone, der; -, ...ni, *häufiger* **Pe|pe|ro|ni** die; -, - *meist Plur.* (scharfe, kleine [in Essig eingemachte] Paprikaschote)

P

per (durch, mit, gegen, für); per Gesetz; per Post

Per|cus|sion [pə'kaʃn], die; -, -s (Gruppe von Schlaginstrumenten); *vgl. auch* Perkussion

per|fekt (vollkommen; abgemacht); einen Vertrag, eine Vereinbarung perfekt machen

Per|fekt [*auch* ...'fɛkt] das; -s, -e *Plur. selten* (*Sprachwiss.* vollendete Gegenwart)

Per|fek|ti|on, die; - (Vollendung, Vollkommenheit); **per|fek|ti|o|nie|ren**

Per|fek|ti|o|nis|mus, der; - (übertriebenes Streben nach Vervollkommnung); **per|fek|ti|o|nis|tisch**

per|fid *österr. nur so,* **per|fi|de** (niederträchtig, gemein)

Per|fo|ra|ti|on, die; -, -en (Lochung; Reiß-, Trennlinie; Zähnung [bei Briefmarken]); **per|fo|rie|ren**

Per|for|mance [...'fɔ:məns, *auch* ...fɔr...], die; -, -s [...sɪs] (einem Happening ähnliche künstlerische Aktion; *Finanzw.* Wertentwicklung einer Kapitalanlage; *EDV* Leistungsstärke eines Rechners); **per|for|men** [...'fɔ:..., *auch* ...'fɔrm...] (darbieten, vorführen; *Finanzw.* sich wertmäßig entwickeln); **Per|for|mer** [...'fɔ:..., *auch* ...'fɔr...], der; -s, - (Künstler, der Performances zeigt); **Per|for|me|rin**

Per|ga|ment, das; -[e]s, -e (bearbeitete Tierhaut; alte Handschrift)

Pe|ri|o|de, die; -, -n (Zeit[abschnitt]; Menstruation; unendlicher Dezimalbruch)

Pe|ri|o|den|sys|tem (*Chemie*)

pe|ri|o|disch (regelmäßig auftretend, wiederkehrend); in periodischen Abständen

pe|ri|pher (am Rande befindlich, Rand...)

Pe|ri|phe|rie, die; -, ...ien ([Kreis]umfang; Umkreis; Stadtrand, Randgebiet)

Per|kus|si|on, die; -, -en (Zündung durch Stoß od. Schlag; ärztl. Organuntersuchung durch Beklopfen der Körperoberfläche; Anschlagvorrichtung beim Harmonium); *vgl. auch* Percussion

Per|le, die; -, -n

¹**per|len** (tropfen; Bläschen bilden)

²**per|len** (aus Perlen); **Per|len|ket|te**

Perl|mutt [*auch* ...'mʊt], das; -s, **Perl|mut|ter** [*auch* ...'mʊt...], die; - *od.* das; -s (glänzende Innenschicht von Perlmuschel- u. Seeschneckenschalen)

Per|lon®, das; -s (eine synthet. Textilfaser)

per|ma|nent (dauernd, ununterbrochen, ständig); **Per|ma|nenz**, die; - (Dauer[haftigkeit]); in Permanenz (dauernd, ständig)

per|plex (*ugs. für* verwirrt, bestürzt)

Per|ser|tep|pich; **per|sisch**; persischer Teppich; *aber* der Persische Golf

Per|son, die; -, -en (Mensch; Wesen); *vgl.* in persona; **per|so|nal** (persönlich; Persönlichkeits...); im personalen Bereich

Per|so|nal, das; -s (Belegschaft, alle Angestellten [eines Betriebes]); **Per|so|nal|ab|tei|lung**; **Per|so|nal|auf|wand**; **Per|so|nal|aus|weis**; **Per|so|nal|be|ra|tung**

Per|so|nal Com|pu|ter ['pø:ɐ̯ʂənɛl kɔm'pju:tɐ], der; --s, -- (*Abk.* PC)

Per|so|na|lie, die; -, -n ([allgemeine] Information, Einzelheit zu einer Person; *nur Plur.:* Ausweispapiere; [bes. behördliche] Angaben über Lebenslauf u. Verhältnisse eines Menschen; Mitteilungen zu Einzelpersonen einer Firma); **Per|so|na|li|en**

Per|so|nal|kos|ten *Plur.;* **Per|so|nal|mangel**; **Per|so|nal|po|li|tik**; **Per|so|nal|pro|no|men** (*Sprachwiss.* persönliches Fürwort, z. B. »er, wir«); **Per|so|nal|rat** *Plur.* ...räte; **Per|so|nal|we|sen**

per|so|nell (das Personal betreffend)

per|so|nen|be|zo|gen; personenbezogene Daten; **Per|so|nen|ge|sell|schaft** (*Wirtsch.*); **Per|so|nen|kreis**; **Per|so|nen|nah|ver|kehr**; öffentlicher Personennahverkehr (*Abk.* ÖPNV); **Per|so|nen|zug**

per|sön|lich (in [eigener] Person; eigen; selbst); persönliches Fürwort (*für* Personalpronomen); **Per|sön|lich|keit**; **Per|sön|lich|keits|recht**; **Per|sön|lich|keits|stö|rung**

Per|s|pek|tiv, das; -s, -e (kleines Fernrohr)

Per|s|pek|ti|ve, die; -, -n (Darstellung von Raumverhältnissen in der ebenen Fläche; Blickwinkel; Aussicht [für die Zukunft]);

per|s|pek|ti|visch (die Perspektive betreffend); perspektivische Verkürzung

Pe|rü|cke, die; -, -n

per|vers (abartig, widernatürlich); Per|versi|on, die; -, -en; Per|ver|si|tät, die; -, -en

pe|sen (ugs. für eilen, rennen); du pest; er/sie pes|te

Pe|so, der; -[s], -[s] (Währungseinheit in Mittel- u. Südamerika u. auf den Philippinen)

Pes|sach, das; -s (vgl. Passah)

Pes|si|mis|mus, der; - (seelische Gedrücktheit; Schwarzseherei; Ggs. Optimismus)

Pes|si|mist, der; -en, -en; Pes|si|mis|tin; pes|si|mis|tisch

Pest, die; - (eine Seuche); Pest|beu|le

Pes|ti|zid, das; -s, -e (Schädlingsbekämpfungsmittel)

Pe|ter|si|lie, die; -, -n (ein Küchenkraut)

Pe|ti|ti|on, die; -, -en (Gesuch)

Pe|t|ri vgl. Petrus

Pe|t|ro|le|um, das; -s (auch veraltet für Erdöl)

Pe|t|rus (Apostel); Petri Heil! (Anglergruß!) Petri Kettenfeier (kath. Fest)

Pet|ting, das; -[s], -s (sexuelles Liebesspiel ohne eigentlichen Geschlechtsverkehr)

pet|zen (Schülerspr. abwertend für jmdn. verraten); du petzt

Pfad, der; -[e]s, -e; Pfad|fin|der; Pfad|finde|rin

Pfahl, der; -[e]s, Pfähle; Pfahl|bau Plur. …bauten

Pfalz, die; -, -en ([kaiserl.] Palast; Hofburg für kaiserl. Hofgericht; Gebiet, auch Burg des Pfalzgrafen)

Pfand, das; -[e]s, Pfänder; Pfand|brief (Bankw.); pfän|den; Pfand|fla|sche; Pfand|geld; Pfand|pflicht; Pfän|dung

Pfan|ne, die; -, -n; jmdn. in die Pfanne hauen (ugs. für jmdn. zurechtweisen, erledigen, ausschalten); Pfann|ku|chen

Pfarr|amt; Pfar|rei; Pfar|rer; Pfar|re|rin; Pfarr|ge|mein|de (kath. Kirche); Pfarrhaus; Pfarr|heim; Pfarr|kir|che

Pfau, der; -[e]s, -e[n], österr. auch der; -en, -en (ein Vogel); Pfau|en|fe|der

Pfef|fer, der; -s, Plur. (Sorten:) - (eine Pflanze; Gewürz); weißer, schwarzer Pfeffer; Pfef|fer|minz [auch …'mın…], das; -es, -e (Bonbon, Plätzchen mit Pfefferminzgeschmack); Pfef|fer|min|ze [auch …'mın…] (eine Heil- u. Gewürzpflanze); Pfef|fer|müh|le; pfef|fern; ich pfeffere

Pfei|fe, die; -, -n (ugs. auch für ängstlicher Mensch; Versager); pfei|fen; du pfiffst; du pfiffest; gepfiffen; pfeif[e]!; auf etwas pfeifen (ugs. für an etwas nicht interessiert sein); Pfei|fer; Pfei|fe|rin

Pfeil, der; -[e]s, -e

Pfei|ler, der; -s, -

pfeil|ge|ra|de; pfeil|schnell

Pfen|nig, der; -s, -e (Untereinheit der Mark; Abk. Pf.); 6 Pfennig

Pferch, der; -[e]s, -e (eingezäunte Fläche)

Pferd, das; -[e]s, -e; zu Pferde; Pfer|de|gebiss (ugs.); Pfer|de|ren|nen; Pfer|deschwanz (auch für eine Frisur); Pfer|desport; Pfer|de|stär|ke (frühere techn. Maßeinheit; Abk. PS; vgl. HP)

pfiff vgl. pfeifen; Pfiff, der; -[e]s, -e

Pfif|fer|ling (ein Pilz); keinen Pfifferling wert sein (ugs.)

pfif|fig; Pfif|fi|kus, der; -[ses], -se (ugs. für schlauer Mensch)

Pfings|ten, das; -, -; Pfingst|fest; Pfingstmon|tag; Pfingst|ro|se (Päonie); Pfingstsonn|tag

Pfir|sich, der; -s, -e

Pfis|ter (veraltet für [Hof-, Kloster]bäcker)

Pflänz|chen; Pflan|ze, die; -, -n; pflanzenfressende od. Pflanzen fressende Tiere

pflan|zen (österr. ugs. auch für zum Narren halten); du pflanzt; Pflan|zen|fres|ser; Pflan|zen|schutz|mit|tel, das; Pflan|zer; Pflan|ze|rin; pflanz|lich; pflanzliche Kost; Pflan|zung (auch für Plantage)

Pflas|ter, das; -s, - (Heil- od. Schutzverband; Straßenbelag); ein teures Pflaster (ugs. für Stadt mit teuren Lebensverhältnissen)

pflas|tern, landsch. u. schweiz. pfläs|tern; ich pflastere, landsch. u. schweiz. pflästere; Pflas|ter|stein

Pfl**au**|me, die; -, -n; Pfl**au**|men|mus

Pfl**e**|ge, die; -; pfle|ge|be|dürf|tig; Pfle|ge-dienst; Pfle|ge|fall, der; Pfle|ge|fa|mi-lie; Pfle|ge|heim; Pfle|ge|kraft

pfle|ge|leicht; pflegeleichte Kleidung

pfl**e**|gen; du pflegtest; gepflegt; pfleg[e]!; *in der Wendung* »der Ruhe pflegen« *auch* du pflogst; du pflögest; gepflogen

Pfl**e**|ge|per|so|nal; Pfl**e**|ger (*auch für* Vormund); Pfl**e**|ge|rin; Pfl**e**|ge|ver|si|che-rung; pfl**e**g|lich; sie geht mit ihren Büchern pfleglich um

Pfl**i**cht, die; -, -en; pfl**i**cht|be|wusst; Pfl**i**cht|fach; pfl**i**cht|ge|mäß; Pfl**i**cht|lek-tü|re; Pfl**i**cht|ver|let|zung

Pfl**o**ck, der; -[e]s, Pflöcke

pfl**ü**|cken; Pfl**ü**|cker; Pfl**ü**|cke|rin

Pfl**u**g, der; -[e]s, Pflüge; pfl**ü**|gen; Pfl**ü**|ger; Pfl**ü**|ge|rin; Pfl**u**g|schar, die; -, -en, *land-wirtschaftl. auch das*; -[e]s, -e

Pf**o**r|te, die; -, -n; die Burgundische Pforte

Pf**ö**rt|ner; Pf**ö**rt|ne|rin

Pf**o**s|ten, der; -s, -; Pf**o**s|ten|schuss (*Sport*)

Pf**o**|te, die; -, -n

Pfr**o**p|fen, der; -s, - (Kork, Stöpsel)

Pfr**ü**n|de, die; -, -n (Einkommen durch ein Kirchenamt; *auch scherzh. für* [fast] mühe-loses Einkommen)

Pf**u**hl, der; -[e]s, -e (große Pfütze; Sumpf)

pf**u**i!; pfui Teufel!; Pf**u**i, das; -s, -s; Pfui *od.* pfui rufen; ein verächtliches Pfui ertönte

Pf**u**nd, das; -[e]s, -e (Gewichtseinheit; *Abk.* Pfd.; *Zeichen:* ℔; Währungseinheit in Groß-britannien [*Währungscode* GBP] u. ande-ren Staaten); 4 Pfund Butter; pf**u**n|dig (*ugs. für* großartig, toll)

Pf**u**nds|spaß, *österr. auch* Pf**u**nds|spass (*ugs.*); pf**u**nd|wei|se

Pf**u**sch, der; -[e]s (Pfuscherei; *österr. auch für* Schwarzarbeit); pf**u**|schen (*ugs. für* lie-derlich arbeiten; *österr. u. landsch. für* schwarzarbeiten); du pfuschst

Pf**u**|scher; Pf**u**|sche|rei; Pf**u**|sche|rin

Pf**ü**t|ze, die; -, -n

PH, die; -, -s = pädagogische Hochschule; *vgl.* pädagogisch

Ph**a**|lanx, die; -, ...langen (geschlossene Schlachtreihe; *Med.* Finger-, Zehenglied)

phal|lisch (den Phallus betreffend); Ph**a**l-lus, der; -, *Plur.* ...lli *u.* ...llen, *auch* -se ([erigiertes] m. Glied)

Phä|n**o**|men, das; -s, -e ([Natur]erscheinung; seltenes Ereignis; Wunder[ding]; *übertr. für* Genie); phä|no|me|n**a**l (außerordent-lich, außergewöhnlich, erstaunlich)

Phan|ta|s**ie** usw. *vgl.* Fantasie usw.

Phan|t**o**m, das; -s, -e (Trugbild)

Phan|t**o**m|bild (*Kriminalistik* nach Zeugen-aussagen gezeichnetes Porträt)

Pha|r**a**o, der; -[s], ...onen (altägypt. König)

Pha|ri|s**ä**|er (Angehöriger einer altjüd., die religiösen Gesetze streng einhaltenden Partei; *übertr. für* hochmütiger, selbstge-rechter Heuchler); pha|ri|s**ä**|er|haft

Phar|ma|in|d**u**s|t|rie (Arzneimittelindustrie); Phar|ma|kon|zern; Phar|ma|un|ter|neh-men; phar|ma|z**eu**|tisch

Phar|ma|z**ie**, die; - (Lehre von der Arzneimit-telzubereitung, Arzneimittelkunde)

Ph**a**|se, die; -, -n (Abschnitt einer [stetigen] Entwicklung, [Zu]stand; *Physik* Schwin-gungszustand beim Wechselstrom); ph**a**-sen|wei|se

ph**a**tt [fɛt], phat (*Jugendspr.* hervorragend); der Film war richtig phatt *od.* phat; *aber nur* phatte Beats

Phil|an|thr**o**p, der; -en, -en (Menschen-freund)

Phil|har|mo|n**ie**, die; -, ...ien (Name von musikalischen Gesellschaften, von Orches-tern u. ihren Konzertsälen); Phil|har|m**o**-ni|ker [*österr. auch* 'fıl...] (Künstler, der in einem philharmonischen Orchester spielt); Phil|har|m**o**|ni|ke|rin; phil|har|m**o**|nisch

Phi|lo|l**o**|ge, der; -n, -n (Sprach- u. Literatur-forscher); Phi|lo|lo|g**ie**, die; -, ...ien (Sprach- u. Literaturwissenschaft); Phi|lo-l**o**|gin

Phi|lo|s**o**ph, der; -en, -en (jmd., der sich mit Philosophie beschäftigt); Phi|lo|so|ph**ie**, die; -, ...ien (Streben nach Erkenntnis des Zusammenhanges der Dinge in der Welt);

phi|lo|so|phie|ren; Phi|lo|so|phin; philo|so|phisch

Phi|shing ['fɪʃɪŋ], das; -[s] (*EDV* das Erschleichen von persönlichen Daten mit gefälschten E-Mails o. Ä.); **Phi|shing|mail**, **Phishing-Mail** ['...meɪl], die; -, -s, *auch, bes. südd., österr., schweiz.:* das; -s, -s

Phleg|ma, das; -s (Ruhe, [Geistes]trägheit, Schwerfälligkeit); **Phleg|ma|ti|ker** (träger, geistig wenig regsamer Mensch); **Phleg|ma|ti|ke|rin**; **phleg|ma|tisch**

Pho|bie, die; -, ...ien (*Med.* krankhafte Angst)

Phon, **Fon**, das; -s, -s (Maßeinheit für die Lautstärke); 50 Phon *od.* Fon

Pho|ne|tik, **Fo|ne|tik**, die; - (Lehre von der Lautbildung); **pho|ne|tisch**, fo|ne|tisch

Phö|nix, der; -[es], -e (Vogel der altägypt. Sage, der sich im Feuer verjüngt)

Pho|no|thek, Fo|no|thek, die; -, -en (svw. Diskothek)

Phos|phat, das; -[e]s, -e (Salz der Phosphorsäure); **phos|phat|hal|tig**

Phos|phor, der; -s (chem. Element; *Zeichen* P); **phos|pho|res|zie|rend**; phosphoreszierende Ziffern

Phot, das; -s, - (alte Leuchtstärkeeinheit; *Zeichen* ph)

Pho|to *alte Schreibung für* Foto; **Pho|to|album** *alte Schreibung für* Fotoalbum; **pho|to|gen** *vgl.* fotogen; **Pho|to|graph** usw. *vgl.* Fotograf usw.; **Pho|to|gra|phie** *vgl.* Fotografie; **pho|to|gra|phie|ren** *alte Schreibung für* fotografieren

Pho|ton, Fo|ton [*auch* fo'to:n], das; -s, ...onen (*Physik* kleinstes Energieteilchen einer elektromagnetischen Strahlung)

Pho|to|syn|the|se [*auch* 'fo:...] *vgl.* Fotosynthese

Pho|to|vol|ta|ik *vgl.* Fotovoltaik

Phra|se, die; -, -n (leere Redensart, nichtssagende Äußerung; Redewendung; *Musik* selbstständige Tonfolge); **phra|sen|haft**

pH-Wert (Maßzahl für die Konzentration der Wasserstoffionen in einer Lösung)

Phy|sik, die; - (Wissenschaft von der Struktur u. der Bewegung der unbelebten Materie); **phy|si|ka|lisch**; physikalische Gesetze; **Phy|si|ker**; **Phy|si|ke|rin**

Phy|si|o|gno|mie, die; -, ...ien (äußere Erscheinung eines Lebewesens)

Phy|sio|lo|gie, die; -, -n (Lehre von den Lebensvorgängen); **phy|sio|lo|gisch** (die Physiologie betreffend)

Phy|sio|the|ra|peut (jmd., der die Physiotherapie anwendet; Berufsbez.); **Phy|sio|the|ra|peu|tin**; **Phy|sio|the|ra|pie** (Heilbehandlung mit Wärme, Wasser, Strom usw. sowie Krankengymnastik u. Massage)

phy|sisch (natürlich; körperlich)

¹**Pi**, das; -[s], -s (griech. Buchstabe: Π, π)

²**Pi**, das; -[s] (*Math.* Zahl, die das Verhältnis von Kreisumfang zu Kreisdurchmesser angibt; $\pi = 3{,}1415...$); der π-fache Durchmesser, *aber* das π-Fache

Pi|a|nist, der; -en, -en (Klavierspieler, -künstler); **Pi|a|nis|tin**

pi|a|no (*Musik* leise; *Abk.* p)

¹**Pi|a|no**, das; -s, *Plur.* -s *u.* ...ni (leises Spielen, Singen)

²**Pi|a|no**, das; -s, -s (*kurz für* Pianoforte)

Pi|az|za, die; -, ...zze ([Markt]platz)

pi|cheln (*ugs. für* trinken); ich pich[e]le

¹**Pi|ckel**, der; -s, - (Spitzhacke)

²**Pi|ckel**, der; -s, - (Hautpustel, Mitesser)

pi|cke|lig, pick|lig

pi|cken (*österr. ugs. auch für* kleben, haften)

Pick|nick, das; -s, *Plur.* -e *u.* -s (Essen im Freien); **pick|ni|cken**; gepicknickt; **Pick|nick|korb**

Pick-up [pɪk'lap, *auch* 'pɪkap], der; -s, -s (elektr. Tonabnehmer für Schallplatten; kleinerer Lieferwagen mit Pritsche)

pi|co|bel|lo (*ugs. für* tadellos)

PID = Präimplantationsdiagnostik

piek|fein (*ugs. für* besonders fein)

pien|sen, **pien|zen** (*landsch. für* jammern; quälend bitten)

pie|pe (*ugs. für* gleichgültig); das ist mir piepe *od.* piepegal; **piep|egal**

pie|pen; es ist zum Piepen (*ugs. für* es ist zum Lachen)

P

piep|sen; du piepst; **piep|sig** (*ugs. für* hoch u. dünn [von der Stimme]; winzig)

Pier, der; -s, *Plur.* -e *od.* -s, *Seemannsspr.* die; -, -s (Hafendamm; Landungsbrücke)

pier|cen (die Haut zur Anbringung von Körperschmuck durchstechen); du pierct; gepierct; **Pier|cing,** das; -s, -s

pie|sa|cken (*ugs. für* quälen); gepiesackt

Pi|e|tät, die; - (Respekt, Rücksichtnahme)

piet|schen (*landsch. für* ausgiebig Alkohol trinken); du pietschst

Pig|ment, das; -[e]s, -e (Farbstoff, -körper)

¹Pik, der; -s, *Plur.* -e u. -s (Bergspitze)

²Pik, das; -[s], -, *österr. auch* die; -, - (Spielkartenfarbe)

pi|kant (scharf [gewürzt]; schlüpfrig); pikantes Abenteuer; **pi|kan|ter|wei|se**

Pi|ke, die; -, -n (Spieß [des Landsknechts]); von der Pike auf dienen (*ugs. für* im Beruf bei der untersten Stellung anfangen)

pi|ken (*ugs. für* stechen); du pikst

pi|kiert (ein wenig beleidigt, gekränkt)

pik|sen *vgl.* piken

Pil|ger (Wallfahrer; *auch* Wanderer); **Pil|ger|fahrt; Pil|ge|rin; pil|gern;** ich pilgere

Pil|le, die; -, -n ([kugelförmiges] Arzneimittel; *nur Sing., meist mit bestimmtem Artikel: kurz für* Antibabypille)

Pil|ler, Pil|ler|mann *Plur.* ...männer (*ugs. für* Penis)

Pi|lot, der; -en, -en (Flugzeugführer; Rennfahrer; Lotsenfisch; *veraltet für* Lotse, Steuermann); **Pi|lot|film** (Testfilm für eine geplante Fernsehserie); **Pi|lo|tin; Pi|lot|pro|jekt; Pi|lot|ver|such** *vgl.* Pilotstudie

Pils, das; -, -; 3 Pils

Pilz, der; -es, -e; **Pilz|ver|gif|tung**

Pin, der; -s, -s (*fachspr. für* [Verbindungs]stift; Kegel beim Bowling)

PIN, die; -, -s = personal identification number (persönl. Geheimzahl)

Pi|na|ko|thek, die; -, -en (Bilder-, Gemäldesammlung)

pin|ge|lig (*ugs. für* kleinlich; empfindlich)

Pin|gu|in, der; -s, -e (ein Vogel der Antarktis)

pink (rosa); ein pink Kleid; *vgl. auch* beige

Pink, das; -s, -s (kräftiges Rosa); ein Kleid in Pink

Pin|ke, Pin|ke|pin|ke, die; - (*ugs. für* Geld)

pin|keln (*ugs. für* urinieren); ich pink[e]le

Pin|kel|pau|se (*ugs.*)

pink|far|ben (ein pinkfarbenes Kleid)

pin|nen (*bes. nordd. für* mit Pinnen versehen, befestigen)

PIN-Num|mer *vgl.* PIN

Pinn|wand (Tafel zum Anheften von Merkzetteln u. Ä.)

Pin|scher, der; -s, - (eine Hunderasse)

¹Pin|sel, der; -s, - (*ugs. für* Dummkopf)

²Pin|sel, der; -s, -; **pin|seln;** ich pins[e]le; **Pin|sel|strich**

Pin|zet|te, die; -, -n (kleine Greifzange)

Pi|o|nier, der; -s, -e (Soldat der techn. Truppe; *übertr. für* Wegbereiter; *DDR* Angehöriger einer Kinderorganisation); **Pi|o|nier|geist,** der; -[e]s; **Pi|o|nie|rin**

¹Pi|pe, die; -, -n, **Pip|pe** (*österr. für* Fass-, Wasserhahn)

²Pipe [paip], das *od.* die; -, -s (engl. u. amerik. Hohlmaß für Wein u. Branntwein)

Pipe|line ['paiplain], die; -, -s (Rohrleitung [für Gas, Erdöl])

Pi|pet|te, die; -, -n (Saugröhrchen)

Pi|rat, der; -en, -en (Seeräuber); **Pi|ra|te|rie,** die; -, ...ien; **Pi|ra|tin**

Pi|rou|et|te [...'rʏ...], die; -, -n (*Tanz, Eiskunstlauf* Drehung um die eigene Achse)

Pirsch, die; -, -en (Schleichjagd); auf der Pirsch sein

PISA-Stu|die, Pi|sa-Stu|die (Studie, in der die Schülerleistungen verglichen werden)

Pis|se, die; - (*derb für* Harn); **pis|sen** (*derb*); du pisst

Pis|soir, das; -s, *Plur.* -e u. -s (öffentl. Toilette für Männer)

Pis|ta|zie, die; -, -n (ein Baum mit essbaren Samen; der Samenkern dieses Baumes)

Pis|te, die; -, -n (Ski-, Rad- od. Autorennstrecke; Rollbahn auf Flugplätzen; unbefestigter Verkehrsweg; Rand der Manege)

Pis|ten|row|dy (*abwertend für* rücksichtsloser Skifahrer)

¹Pis|to|le, die; -, -n (alte Goldmünze)

²Pis|to|le, die; -, -n; jmdm. die Pistole auf die Brust setzen (*ugs. für* jmdn. zu einer Entscheidung zwingen); wie aus der Pistole geschossen (*ugs. für* spontan, sofort)

Pis|ton [...'tõ:], das; -s, -s (Pumpenkolben; Zündstift bei Perkussionswaffen; Pumpenventil der Blechinstrumente)

Pi|ta, Pit|ta, die; -, -s *od.* die; -, -s ([gefülltes] Fladenbrot); **Pi|ta|brot**, Pit|ta|brot

pit|to|resk (malerisch)

Pi|xel, das; -s, - (*EDV* kleinstes Element bei der gerasterten, digitalisierten Darstellung eines Bildes; Bildpunkt); mit 20 000 Pixeln

Piz|za, die; -, Plur. -s, *auch* Pizzen *od.* Pizze (Hefebackwerk mit pikantem Belag); **Piz|ze|ria**, die; -, Plur. ...rien, *auch* -s (Lokal, in dem Pizzas angeboten werden)

Pkw, **PKW**, der; -[s], -[s] = Personenkraftwagen

Pla|ce|bo, das; -s, -s (*Med.* Scheinmedikament ohne Wirkstoffe)

Pla|ce|ment [plasə'mã:], das; -s, -s (*Wirtsch.* Anlage von Kapitalien; Absatz von Waren)

pla|cken, sich (*ugs. für* sich abmühen)

Pla|cke|rei (*ugs.*)

plä|die|ren; auf schuldig plädieren

Plä|do|yer [...doa'je:], das; -s, -s (zusammenfassende Rede des Strafverteidigers *od.* Staatsanwaltes vor Gericht)

Pla|ge, die; -, -n; **pla|gen** (sich plagen

Pla|gi|at, das; -[e]s, -e (Diebstahl geistigen Eigentums); **Pla|gi|a|tor**, der; -s, ...oren; **Pla|gi|a|to|rin**

Pla|kat, das; -[e]s, -e (großformatiger öffentlicher Aushang *od.* Anschlag); **pla|ka|tie|ren** (Plakate ankleben; durch Plakate bekannt machen); **pla|ka|tiv** (sehr auffällig); **Pla|kat|säu|le**; **Pla|kat|wand**; **Pla|kat|wer|bung**

Pla|ket|te, die; -, -n (kleine Platte mit einer Reliefdarstellung; Abzeichen); Umweltplakette

plan (flach, eben); etwas plan schleifen *od.*

planschleifen; eine plan geschliffene *od.* plangeschliffene Fläche

¹Plan, der; -[e]s, Pläne (*veraltet für* Ebene; Kampfplatz); *noch in* auf den Plan rufen (zum Erscheinen veranlassen)

²Plan, der; -[e]s, Pläne (Grundriss, Entwurf, Karte; Absicht); **plan|bar**

Pla|ne, die; -, -n ([Wagen]decke)

pla|nen; **Pla|ner**; **Pla|ne|rin**; **pla|ne|risch**

Pla|net, der; -en, -en (sich um eine Sonne bewegender Himmelskörper); **Pla|ne|ta|ri|um**, das; -s, ...ien ([Gebäude mit einem] Instrument zur Darstellung der Bewegung der Gestirne); **Pla|ne|ten|bahn**

Plan|ke, die; -, -n (starkes Brett, Bohle)

plän|keln (sich streiten); ich plänk[e]le

Plank|ton, das; -s (*Biol.* Gesamtheit der im Wasser schwebenden niederen Lebewesen)

plan|los; **plan|mä|ßig**

Plansch|be|cken, Plantsch|be|cken; **plan|schen**, plant|schen; du planschst *od.* plantschst

Plan|spiel; **Plan|stel|le**

Plan|ta|ge [...ʒə], die; -, -n (Pflanzung, landwirtschaftl. Betrieb [in den Tropen])

Plantsch|be|cken, Plansch|be|cken; **plantsch|en** *vgl.* planschen

Pla|nung; **Pla|nungs|re|fe|rat** (Abteilung einer Behörde); **Pla|nungs|si|cher|heit**

Plan|wirt|schaft (zentral geleitete Wirtschaft)

plap|pern (*ugs. für* viel u. gerne reden); ich plappere

plär|ren (*ugs.*)

Plas|ma, das; -s, ...men (Protoplasma; flüssiger Bestandteil des Blutes; leuchtendes, elektr. leitendes Gasgemisch)

Plas|ma|bild|schirm

¹Plas|tik, die; -, -en (*nur Sing.:* Bildwerk; *übertr. für* Körperlichkeit; *Med.* operativer Ersatz von Gewebs- u. Organteilen)

²Plas|tik, das; -s (Kunststoff); **Plas|tik|be|cher**; **Plas|tik|beu|tel**; **Plas|tik|tü|te**

plas|tisch (knetbar; deutlich hervortretend; anschaulich; einprägsam)

Pla|ta|ne, die; -, -n (ein Laubbaum)

Pla|teau [...'to:], das; -s, -s (Hochebene, Hochfläche; Tafelland)

Pla|tin [*österr.* ...'ti:n], das; -s (chemisches Element, Edelmetall; *Zeichen* Pt); pla|tin|blond (weißblond)

Pla|ti|ne, die; -, -n (Montageplatte für elektrische Bauteile)

Pla|ti|tude [...'ty:d(ə)] *vgl.* Plattitüde

pla|to|nisch; platonische (geistige) Liebe; die platonischen Schriften

plät|schern; ich plätschere

platt (flach)

Platt, das; -[s] (das Niederdeutsche; Dialekt)

platt|deutsch *vgl.* deutsch/Deutsch

platt drü|cken, platt|drü|cken

¹Plat|te, die; -, -n (*österr. ugs. auch für* [Gangster]bande)

²Plat|te, der; -n, -n (*ugs. für* Reifen ohne Luft)

plät|ten (*landsch. für* bügeln)

Plat|ten|bau *Plur.* ...bauten

Plat|ten|fir|ma; Plat|ten|la|bel; Plat|ten|la|den; Plat|ten|spie|ler

Platt|form

Plat|ti|tü|de, Pla|ti|tude [...'ty:d(ə)], die; -, -n (*geh. für* Plattheit, Seichtheit)

platt|ma|chen (*ugs. für* zerstören, dem Erdboden gleichmachen)

Platz, der; -es, Plätze (*landsch. auch für* Kuchen, Plätzchen); Platz finden, greifen, haben; Platz machen, nehmen; am Platz[e] sein; Platz sparen; *vgl.* platzsparend

Plätz|chen

plat|zen; du platzt; einen Ballon platzen lassen; *aber* eine Veranstaltung platzen lassen *od.* platzenlassen

Platz|hirsch (stärkster Hirsch eines Brunftplatzes)

plat|zie|ren (aufstellen, an einen bestimmten Platz stellen, bringen; *Kaufmannsspr.* [Kapitalien] anlegen); sich platzieren (*Sport* einen vorderen Platz erreichen); plat|ziert (*Sport* genau gezielt); ein platzierter Schuss, Schlag; Plat|zie|rung

Platz|kar|te

Platz|re|gen

platz|spa|rend, Platz sparend; eine platz-

sparende *od.* Platz sparende Lösung; *aber nur* eine viel Platz sparende Lösung; einenoch platzsparendere Lösung

Platz|ver|weis (*Sport*)

Plau|de|rei; plau|dern; ich plaudere

Plausch, der; -[e]s, *Plur.* -e u. Pläusche (*bes. südd., österr. für* gemütliche Plauderei; *schweiz. mundartl. für* Vergnügen, Spaß)

plau|si|bel (einleuchtend, begreiflich); plausi|b|le Gründe

Play-back, Play|back ['ple:bɛk, ...'bɛk], das; -[s], -s (*Film u. Fernsehen* Verfahren der synchronen Bildaufnahme zu einer bereits vorliegenden Tonaufzeichnung; Bandaufzeichnung); Play-back-Ver|fah|ren, Play|back|ver|fah|ren

Play|boy ['ple:...], der; -s, -s (Mann, der vor allem für sein Vergnügen lebt)

Play|er ['ple:ɐ], der; -s, - (*Jargon* Gerät zur Wiedergabe von Datenträgern; Programm zum Abspielen von Audio- od. Videodateien)

Play|girl ['ple:...], das; -s, -s (leichtlebige, attraktive jüngere Frau)

Play-off, Play|off [ple:'ɔf, *auch* 'ple:ɔf], das; -[s], -s (*Sport* System von Ausscheidungsspielen); Play-off-Run|de, Play|off|run|de

Play|sta|tion® ['ple:ste:ʃn], die; -, -s (eine Spielkonsole)

Pla|zen|ta, die; -, *Plur.* -s u. ...ten (*Med., Biol.* Mutterkuchen, Nachgeburt)

Ple|bis|zit, das; -[e]s, -e (Entscheidung durch Volksabstimmung)

plei|te (*ugs. für* zahlungsunfähig); pleite sein, werden; ich bin pleite; Plei|te, die; -, -n; das ist, wird ja eine Pleite (ein Reinfall); Pleite machen, wir machten Pleite; vor der Pleite stehen; plei|te|ge|hen (*ugs. für* Bankrott machen); die Firma ging pleite

plem|pern (*landsch. für* spritzen, [ver]schütten; seine Zeit mit nichtigen Dingen vertun); ich plempere

Ple|nar|saal; Ple|nar|ver|samm|lung (Vollversammlung)

Ple|num, das; -s, ...nen (Vollversammlung)

Ple|xi|glas® (ein glasartiger Kunststoff)
Plom|be, die; -, -n (Bleisiegel, -verschluss; [Zahn]füllung); **plom|bie|ren**
Plot, der, *auch* das; -s, -s (*Literaturwiss.* Handlung[sablauf]; *EDV* grafische Darstellung); **Plot|ter** (*EDV*)
plötz|lich
plump; eine plumpe Falle
Plumps, der; -es, -e (*ugs.*); **plump|sen** (*ugs. für* dumpf fallen); du plumpst
Plun|der, der; -s, -n (*nur Sing.: ugs. für* altes Zeug; Backwerk aus Blätterteig)
Plün|de|rer, Plünd|rer; **Plün|de|rin,** Plündre|rin; **plün|dern;** ich plündere; **Plün|de|rung**
plu|ral (*bildungsspr. für* pluralistisch)
Plu|ral, der; -s, -e (*Sprachwiss.* Mehrzahl; *Abk.* pl., Pl., Plur.); **Plu|ral|en|dung**
Plu|ra|lis|mus, der; - (philosophische Meinung, dass die Wirklichkeit aus vielen selbstständigen Weltprinzipien besteht; Vielgestaltigkeit gesellschaftlicher u. anderer Phänomene); **plu|ra|lis|tisch**
plus (und; *Zeichen* + [positiv]; *Ggs.* minus); drei plus drei ist, macht, gibt (*nicht:* sind, machen, geben) sechs; plus 15 Grad *od.* 15 Grad plus; mit einer Genauigkeit von plus/minus 5 Prozent; eine Drei plus in Mathe schreiben; die Generation 70 plus (der über 70-Jährigen); **Plus,** das; -, - (Mehr, Gewinn; Vorteil); die Firma hat im letzten Jahr [ein] Plus gemacht
Plüsch [plyʃ, *auch* plyːʃ], der; -[e]s, -e (Florgewebe); **Plüsch|tier**
Plus|punkt
Plus|quam|per|fekt, das; -s, -e (*Sprachwiss.* Vorvergangenheit)
Plus|zei|chen (*Zeichen* +)
Plu|to|ni|um, das; -s (chem. Element, Transuran; *Zeichen* Pu)
Po, der; -s, -s (*kurz für* Popo)
Pö|bel, der; -s (Gesindel); **Pö|be|lei; pö|bel|haft; pö|beln** (*ugs. für* durch beleidigende Äußerungen provozieren); ich pöb[e]le
po|chen; poch[e] auf dein Recht!
po|chie|ren [...ʃiː...] (*Gastron.* Speisen, bes.

aufgeschlagene Eier, in kochendem Wasser gar werden lassen)
Po|cken *Plur.* (eine Infektionskrankheit); **Po|cken|imp|fung; po|cken|nar|big**
Pod|cast [ˈpɔtkaːst], der; -s, -s (Reportage, [Radio]beitrag o. Ä. zum Herunterladen als Audiodatei aus dem Internet)
Po|dest, das, *österr. nur so, auch* der; -[e]s, -e ([Treppen]absatz; kleines Podium)
Po|di|um, das; -s, ...ien (trittartige Erhöhung [für Redner]); **Po|di|ums|dis|kus|si|on**
Po|e|sie, die; -, ...ien (Dichtung; Dichtkunst; dichterischer Stimmungsgehalt, Zauber); **Po|e|sie|al|bum; po|e|sie|los**
Po|et, der; -en, -en (*oft scherzh. für* [lyrischer] Dichter); **Po|e|tik,** die; -, -en ([Lehre von der] Dichtkunst); **Po|e|tin; po|e|tisch**
Po|g|rom, der *od.* das; -s, -e (Ausschreitungen gegen nationale, religiöse, ethnische Minderheiten); **Po|g|rom|op|fer**
Point [poɛ̃ː], der; -s, -s (*Würfelspiel* Auge; *Kartenspiel* Stich; *Kaufmannsspr.* Notierungseinheit von Warenpreisen)
Poin|te [ˈpoɛ̃ː...], die; -, -n (überraschender Schlusseffekt [bes. eines Witzes]); **poin|tiert** (betont; zugespitzt)
Po|kal, der; -s, -e (Trinkgefäß mit Fuß; Sportpreis); **Po|kal|sie|ger; Po|kal|spiel**
Pö|kel|fleisch; pö|keln; ich pök[e]le
Po|ker, das; -s (ein Kartenglücksspiel); **po|kern;** ich pokere
Pol, der; -s, -e (Drehpunkt; Endpunkt der Erdachse; *Math.* Bezugspunkt; *Elektrot.* Aus- u. Eintrittspunkt des Stromes); **po|lar** (die Pole betreffend; entgegengesetzt wirkend; polare Luftmassen
po|la|ri|sie|ren (der Polarisation unterwerfen); sich polarisieren (in seiner Gegensätzlichkeit immer stärker hervortreten); **Po|la|ri|sie|rung**
Po|lar|kreis
Po|la|ro|id|ka|me|ra® [...ˈrɔyt..., *auch* ...roˈit...] (Fotoapparat, der kurz nach der Aufnahme das fertige Bild liefert)
Pol|der, der; -s, - (eingedeichtes Land)
Po|le|mik, die; -, -en (wissenschaftliche, lite-

rarische Fehde, Auseinandersetzung; [unsachlicher] Angriff); po|le|misch

po|len (an einen elektr. Pol anschließen)

Po|len|ta, die; -, Plur. -s u. ...ten (ein Maisgericht)

Po|len|te, die; - (ugs. für Polizei)

Pole|po|si|tion, Pole-Po|si|tion ['po:lpəzɪʃn], die; -, -s (beste Startposition beim Autorennen; Jargon für Marktführerschaft)

Po|li|ce [...sə], die; -, -n (Versicherungsschein)

Po|lier, der; -s, -e (Vorarbeiter der Maurer u. Zimmerleute; Bauführer); po|lie|ren; Po|lie|rer; Po|lie|re|rin; Po|lie|rin

Po|lio, die; - (kurz für Poliomyelitis); Po|lio|mye|li|tis, die; -, ...iti|den (Med. Kinderlähmung)

Po|lit|bü|ro (Führungsorgan von kommunistischen Parteien)

Po|li|tik die; -, Politiken Plur. selten ([Lehre von der] Staatsführung; zielgerichtetes Verhalten); Po|li|ti|ker; Po|li|ti|ke|rin

Po|li|ti|kum, das; -s, ...ka (Tatsache, Vorgang von politischer Bedeutung)

Po|li|tik|ver|dros|sen|heit; Po|li|tik|wis|sen|schaft; Po|li|tik|wis|sen|schaft|ler; Po|li|tik|wis|sen|schaft|le|rin

po|li|tisch (die Politik betreffend); politische Karte (Staatenkarte); politische Ökonomie; sich politisch korrekt äußern; politisch-gesellschaftlich

po|li|ti|sie|ren (von Politik reden; politisch behandeln); Po|li|ti|sie|rung

Po|li|to|lo|ge, der; -n, -n; Po|li|to|lo|gin

Po|li|tur, die; -, -en (Glätte, Glanz; Poliermittel; nur Sing.: äußerer Anstrich, Lebensart)

Po|li|zei, die; -, -en; Po|li|zei|ak|ti|on; Po|li|zei|au|to; Po|li|zei|be|am|te; Po|li|zei|be|am|tin; Po|li|zei|be|hör|de; Po|li|zei|chef; Po|li|zei|che|fin; Po|li|zei|ein|satz; Po|li|zei|ge|wahr|sam; Po|li|zei|in|spek|ti|on; Po|li|zei|kon|t|rol|le

po|li|zei|lich; polizeiliches Führungszeugnis; der polizeiliche Gesuchte

Po|li|zei|prä|si|dent; Po|li|zei|prä|si|den|tin; Po|li|zei|prä|si|di|um; Po|li|zei|re-

vier; Po|li|zei|spre|cher; Po|li|zei|spre|che|rin; Po|li|zei|strei|fe; Po|li|zei|wa|che

Po|li|zist, der; -en, -en; Po|li|zis|tin

Pol|lack, der; -s, -s (eine Schellfischart)

Pol|len, der; -s, - (Blütenstaub); Pol|len|al|l|er|gie

Po|lo, das; -s (Ballspiel vom Pferd aus)

Po|lo|hemd (kurzärmeliges Trikothemd)

Po|lo|nai|se [...'nɛ:...], Po|lo|nä|se, die; -, -n (ein Reihentanz)

Pols|ter, das, österr. der; -s, Plur. -, österr. Pölster (österr. auch für Kissen); pols|tern; ich polstere; Pols|ter|ses|sel

Pol|ter|abend; pol|tern; ich poltere

Po|ly|es|ter, der; -s, - (ein Kunststoff)

po|ly|fon, po|ly|phon (Musik mehrstimmig); po|ly|fone od. po|ly|pho|ne Klingeltöne

po|ly|gam (mehrehig, vielehig); Po|ly|ga|mie, die; - (Mehr-, Vielehe)

po|ly|glott (vielsprachig)

po|ly|mer (Chemie aus größeren Molekülen bestehend); Po|ly|mer, das; -s, -e, Po|ly|me|re das; -n, -n meist Plur. (Chemie eine Verbindung aus Riesenmolekülen)

Po|lyp, der; -en, -en (ein Nesseltier mit Fangarmen; Med. Nasenwucherung)

po|ly|phon vgl. polyfon

Po|ma|de, die; -, -n ([Haar]fett); po|ma|dig (mit Pomade eingerieben; ugs. für blasiert)

Pom|mes Plur. (ugs. für Pommes frites); **Pommes frites** [pɔm 'frit] Plur. (in Fett gebackene Kartoffelstäbchen)

Pomp, der; -[e]s (prachtvolle Ausstattung; [übertriebener] Prunk); pom|pös ([übertrieben] prächtig; prunkhaft)

Pon|cho [...tʃo], der; -s, -s (capeartiger [Indio]mantel)

Pon|te, die; -, -n (landsch. für breite Fähre)

Pon|ti|fi|kat, das od. der; -[e]s, -e (Amtsdauer u. Würde des Papstes od. eines Bischofs)

Pon|ton [põ'tõ:, österr. pɔn'to:n], der; -s, -s (Brückenschiff); Pon|ton|brü|cke

[1]Po|ny [...ni, 'po:...], das; -s, -s (Kleinpferd)

[2]Po|ny, der; -s, -s (fransenartig in die Stirn gekämmtes Haar); Po|ny|fri|sur

Pool [puːl], der; -s, -s (*kurz für* Swimming-pool)

Pop, der; -[s] (*kurz für* Popmusik, Pop-Art u. a.); **Pop-Art**, die; - (eine moderne Kunstrichtung)

Pop|corn, das; -s (Puffmais)

Po|pel, der; -s, - (*ugs. für* verhärteter Nasenschleim); **po|pe|lig**, **pop|lig** (*ugs. für* armselig, schäbig; knauserig); **po|peln** (in der Nase bohren); ich pop[e]le

Pop|kul|tur; **Pop|mu|sik**

Po|po, der; -s, -s (*fam. für* Gesäß)

pop|pen (*ugs. für* koitieren); wir poppten

Pop|per, der; -s, - (Jugendlicher [bes. in den 80er-Jahren], der sich durch modisches, gepflegtes Äußeres bewusst abheben will)

pop|pig (mit Stilelementen der Pop-Art; auffallend); ein poppiges Plakat; poppige Farben; **Pop|sän|ger**; **Pop|sän|ge|rin**; **Popstar** vgl. ²Star; **Pop|sze|ne**

po|pu|lär (volkstümlich; beliebt; gemeinverständlich); **Po|pu|la|ri|tät**, die; - (Volkstümlichkeit, Beliebtheit)

Po|pu|la|ti|on, die; -, -en (*Biol.* Gesamtheit der Individuen einer Art in einem eng begrenzten Bereich; *veraltet für* Bevölkerung)

Po|pu|lis|mus, der; - (opportunistische Politik, die die Gunst der Massen zu gewinnen sucht); **Po|pu|list**, der; -en, -en; **po|pu|lis|tisch**

Pop-up-Fens|ter (*EDV* rechteckiges Feld mit Informationen, das sich durch Mausklick auf eine bestimmte Fläche öffnet)

Po|re, die; -, -n (feine [Haut]öffnung)

Por|no, der; -s, -s (*ugs.; kurz für* pornografischer Film, Roman u. Ä.); **Por|no|gra|fie**, **Por|no|gra|phie**, die; -, ...ien (einseitig das Sexuelle darstellende Schriften od. Bilder); **por|no|gra|fisch**, **por|no|gra|phisch**

po|rös (durchlässig, löchrig)

Por|ree, der; -s, -s (eine Gemüsepflanze)

Port, der; -[e]s, -e (*veraltet für* Hafen, Zufluchtsort)

por|ta|bel; portable DVD-Player

Por|tal, das; -s, -e ([Haupt]eingang, [prunk-

volles] Tor; *auch EDV* Website, die als Einstieg ins Internet dient)

Por|te|feuille [...ˈfœj], das; -s, -s (*veraltet für* Brieftasche; Mappe; *Wirtsch.* Bestand an Wertpapieren)

Por|te|mon|naie [pɔrtmɔˈneː, *auch* ˈpɔrt...], **Port|mo|nee**, das; -s, -s (Geldtäschchen)

Por|ter, der, *auch* das; -s, - (starkes Bier)

Port|fo|lio, das; -s, -s (Mappe mit Grafiken; *Wirtsch.* Wertpapierbestand)

Por|ti|er [...ˈtie̯ː, *österr.* ...ˈtie̯], der; -s, *Plur.* -s, *österr.* -e (Pförtner; Hauswart)

Por|ti|e|re, die; -, -n (Türvorhang)

por|tie|ren (*schweiz. für* zur Wahl vorschlagen); **Por|ti|e|rin**; *zu* Portier

Por|ti|on, die; -, -en ([An]teil, abgemessene Menge); er ist nur eine halbe Portion (*ugs. für* er ist sehr klein); **por|ti|ons|wei|se**

Port|mo|nee *vgl.* Portemonnaie

Por|to, das; -s, *Plur.* -s *u.* ...ti (Beförderungsentgelt für Postsendungen); **por|to|frei**

Por|t|rät [...ˈtrɛː], das; -s, -s (Bildnis eines Menschen); **Por|t|rät|auf|nah|me**; **por|t|rä|tie|ren**

Por|zel|lan, das; -s, -e; Meißner Porzellan

Po|sau|ne, die; -, -n (ein Blechblasinstrument); **Po|sau|nen|chor**, der

Po|se, die; -, -n (Körperhaltung); **po|sen** (*svw.* posieren); er pos|te; **po|sie|ren** (eine Pose einnehmen, schauspielern)

Po|si|ti|on, die; -, -en ([An]stellung, Lage; Einzelposten [*Abk.* Pos.]; grundsätzliche Auffassung); **po|si|ti|o|nie|ren** (in eine bestimmte Position bringen; ein Produkt auf dem Markt einordnen); **Po|si|ti|o|nie|rung**; **Po|si|ti|ons|pa|pier** (*bes. Politik*)

po|si|tiv [*auch* ...ˈtiːf] (zustimmend; günstig; bestimmt, gewiss; *auch kurz für* HIV-positiv); (*Math.*:) positive Zahlen; im Positiven wie im Negativen

¹Po|si|tiv [*auch* ...ˈtiːf], das; -s, -e (kleine Standorgel ohne Pedal; *Fotogr.* vom Negativ gewonnenes, seitenrichtiges Bild)

²Po|si|tiv [*auch* ...ˈtiːf], der; -s, -e (*Sprachwiss.* Grundstufe, nicht gesteigerte Form, z. B. »schön«)

Pos|se, die; -, -n (derb-komisches Bühnenstück); pos|sen|haft

Pos|ses|siv|pro|no|men (*Sprachwiss.* besitzanzeigendes Fürwort, z. B. »mein«)

pos|sier|lich (spaßhaft, drollig)

Post die; -, -en *Plur. selten;* pos|ta|lisch (die Post betreffend, durch die Post, Post...)

Post|amt *(früher);* Post|bank *Plur.* ...banken; Post|bo|te *(ugs.);* Post|bo|tin

pos|ten (*EDV* sich mit Fragen, Antworten, Kommentaren an Newsgroups beteiligen)

Pos|ten, der; -s, - (bestimmte Menge einer Ware; Rechnungsbetrag; Amt; Wache); ein Posten Kleider; [auf] Posten stehen

Pos|ter, das, *seltener* der; -s, *Plur.* -, *bei engl. Ausspr.* -s (plakatartiges, großformatig gedrucktes Bild)

Post|fach; Post|fi|li|a|le

post|hum, pos|tum (nach jmds. Tod; nachgelassen)

postieren (aufstellen)

Post|kar|te

post|kom|mu|nis|tisch (nach dem Zusammenbruch eines kommunistischen Regierungssystems)

Post|kut|sche; post|la|gernd; postlagernde Sendungen; Post|leit|zahl (*Abk.* PLZ)

post|mo|dern; postmoderne Architektur; Post|mo|der|ne, die; - ([umstrittene] Bez. für verschiedene Strömungen der gegenwärtigen Architektur, Kunst u. Kultur)

Pos|tu|lat, das; -[e]s, -e (Forderung); pos|tu|lie|ren

pos|tum *vgl.* posthum

post|wen|dend

¹Pot, das; -s *(ugs. für* Marihuana)

²Pot, der; -s *(ugs. für* Summe aller Gewinneinsätze)

po|tent (mächtig, einflussreich; zahlungskräftig, vermögend; *Med.* zum Geschlechtsverkehr fähig, zeugungsfähig)

po|ten|ti|al *vgl.* potenzial; Po|ten|ti|al *vgl.* Potenzial; po|ten|ti|ell *vgl.* potenziell

Po|tenz, die; -, -en *(nur Sing.:* Fähigkeit des Mannes, den Geschlechtsverkehr auszuüben, Zeugungsfähigkeit; Leis-

tungsfähigkeit; *Math.* Produkt aus gleichen Faktoren)

po|ten|zi|al, po|ten|ti|al (möglich; die [bloße] Möglichkeit bezeichnend)

Po|ten|zi|al, Po|ten|ti|al, das; -s, -e (Leistungsfähigkeit)

po|ten|zi|ell, po|ten|ti|ell (möglich [im Gegensatz zu wirklich]; der Anlage nach); ein potenzieller *od.* potentieller Käufer

po|ten|zie|ren (verstärken, erhöhen, steigern; *Math.* zur Potenz erheben, mit sich selbst vervielfältigen)

Pot|pour|ri [...puri, *österr.* ...'ri:], das; -s, -s (Allerlei; aus populären Melodien zusammengesetztes Musikstück)

Pott, der; -[e]s, Pötte *(bes. nordd. ugs. für* Topf; [altes] Schiff); zu Potte kommen *(ugs. für* zurechtkommen)

pott|häss|lich *(ugs. für* sehr hässlich)

po|wer *(landsch. für* armselig); pow[e]re Leute

Po|w|er ['pau...], die; - *(ugs. für* Stärke, Leistung, Wucht); po|w|ern (große Leistung entfalten; mit großem Einsatz unterstützen); ich powere; Po|w|er|play, das; -[s] *(bes. Eishockey* anhaltender gemeinsamer Ansturm auf das gegnerische Tor)

Prä|am|bel, die; -, -n (feierliche Einleitung; Vorrede)

Pracht, die; -; präch|tig; pracht|voll

prä|de|s|ti|nie|ren; prä|de|s|ti|niert (vorherbestimmt; wie geschaffen für etw.)

Prä|di|kat; das; -[e]s, -e ([gute] Zensur, Beurteilung; *kurz für* Adelsprädikat; *Sprachwiss.* Satzaussage)

Prä|fekt, der; -en, -en (hoher Beamter im alten Rom; oberster Verwaltungsbeamter eines Departements in Frankreich, einer Provinz in Italien; Leiter des Chors als Vertreter des Kantors); Prä|fek|tur; die; -, -en (Amt, Bezirk, Amtsräume eines Präfekten)

Prä|fe|renz, die; -, -en (Vorzug, Vorrang; Bevorzugung); prä|fe|rie|ren (den Vorzug geben)

Prä|fix [*auch* ...'fiks], das; -es, -e (*Sprachwiss.* vorn an den Wortstamm angefügtes

Wortbildungselement, z. B. »be-« in »beladen«)

prä|gen; Prä|ger; Prä|ge|rin

Prag|ma|ti|ker; Prag|ma|ti|ke|rin; prag|ma|tisch (auf praktisches Handeln gerichtet; sachbezogen); pragmatische Angaben (Gebrauchsangaben im Wörterbuch); **Pragma|tis|mus,** der; - (philos. Richtung, die alles Denken u. Handeln vom Standpunkt des prakt. Nutzens aus beurteilt)

präg|nant (knapp u. treffend); **Prä|gung**

prä|his|to|risch (vorgeschichtlich)

prah|len; Prah|le|rei; prah|le|risch; Prahlhans, der; -es, ...hänse (ugs. für jmd., der gern prahlt)

Prak|tik, die; -, -en (Art der Ausübung von etwas; Handhabung; meist Plur.: nicht einwandfreies [unerlaubtes] Vorgehen)

prak|ti|ka|bel (brauchbar; zweckmäßig); eine praktika|b|le Einrichtung

Prak|ti|ka|bel, das; -s, - (Theater fest gebauter, begehbarer Teil der Bühnendekoration)

Prak|ti|kant, der; -en, -en (jmd., der ein Praktikum absolviert); **Prak|ti|kan|tin**

Prak|ti|ker (Mensch mit Erfahrung u. Geschick; Ggs. Theoretiker); **Prak|ti|ke|rin**

Prak|ti|kum, das; -s, ...ka (praktische Übung an der Hochschule; im Rahmen einer Ausbildung außerhalb der [Hoch]schule abzuleistende praktische Tätigkeit); **Prak|tikums|platz**

prak|tisch (auf die Praxis bezüglich; zweckmäßig; geschickt; tatsächlich); praktische Ärztin/praktischer Arzt (Ärztin/Arzt für Allgemeinmedizin; Abk. prakt. Ärztin/prakt. Arzt); praktisches Jahr (einjähriges Praktikum); etwas Praktisches schenken; sie hat praktisch (ugs. für so gut wie) kein Geld

prak|ti|zie|ren (in der Praxis anwenden; als Arzt usw. tätig sein; ein Praktikum machen)

Prä|lat, der; -en, -en (ein geistlicher Würdenträger); **Prä|la|tin**

Pra|li|ne, die; -, -n (mit Schokolade überzogene Süßigkeit); **Pra|li|nen|schach|tel**

prall (voll; stramm); einen Sack prall füllen od. prallfüllen

Prall, der; -[e]s, -e (heftiges Auftreffen); **pral|len**

Prä|mie, die; -, -n (Belohnung, Preis; [Zusatz]gewinn; Versicherungsbeitrag)

prä|mie|ren, prä|mi|ie|ren

Prä|mis|se, die; -, -n (Voraussetzung; Vordersatz eines logischen Schlusses)

pran|gen

Pran|ger, der; -s, - (MA. für Schandpfahl)

Pran|ke, die; -, -n (Klaue, Tatze; ugs. für große, derbe Hand)

Prä|pa|rat, das; -[e]s, -e (zubereitete Substanz, z. B. Arzneimittel; Biol. zu Lehrzwecken konservierter Pflanzen- od. Tierkörper); **prä|pa|rie|ren;** sich präparieren (vorbereiten); Körper- od. Pflanzenteile präparieren (haltbar machen)

Prä|po|si|ti|on, die; -, -en (Sprachwiss. Verhältniswort, z. B. auf, bei, in, vor)

Prä|rie, die; -, ...ien (Grasebene in Nordamerika); **Prä|rie|wolf**

Prä|sens, das; -, Plur. ...sentia od. ...senzien (Sprachwiss. Gegenwart)

prä|sent (anwesend; gegenwärtig)

Prä|sent, das; -[e]s, -e (Geschenk)

Prä|sen|ta|ti|on, die; -, -en ([öffentliche] Vorstellung, Vorführung); **prä|sen|tie|ren** (vorstellen; vorlegen [bes. einen Wechsel]; militär. Ehrenbezeigung [mit dem Gewehr] machen); sich präsentieren (sich zeigen)

Prä|senz, die; -, -en (Gegenwart, Anwesenheit; Ausstrahlung); **Prä|senz|bi|b|lio|thek** (Bibliothek, deren Bücher nicht nach Hause mitgenommen werden dürfen)

prä|ser|va|tiv (vorbeugend, verhütend); **Präser|va|tiv,** das; -s, -e (Gummischutz für das männliche Glied zur Empfängnisverhütung u. zum Schutz vor Infektionen)

Prä|ses, der u. die; -, Plur. ...sides u. ...siden (kath. u. ev. Kirche Vorsitzende[r], Vorstand)

Prä|si|dent, der; -en, -en (Vorsitzender; Staatsoberhaupt in einer Republik); **Prä|siden|ten|amt; Prä|si|den|ten|wahl; Prä-**

si|den|tin; Prä|si|dent|schaft; Prä|si-
dent|schafts|kan|di|dat; Prä|si|dent-
schafts|kan|di|da|tin
prä|si|di|al (den Präsidenten, das Präsidium
betreffend); prä|si|die|ren (den Vorsitz
führen, leiten); einem (*schweiz.* einen) Aus-
schuss präsidieren
Prä|si|di|um, das; -s, ...ien (leitendes Gre-
mium; Vorsitz; Amtsgebäude eines [Poli-
zei]präsidenten); Prä|si|di|ums|mit|glied
pras|seln; sie sagt, der Regen prass[e]le
pras|sen (schlemmen); du prasst, er/sie
prasst; du prasstest; er/sie hat geprasst;
prasse! *u.* prass!; Pras|se|rei
prä|ten|ti|ös (anspruchsvoll; anmaßend)
Prä|te|ri|tum, das; -s, ...ta (*Sprachwiss.*
Vergangenheit)
Prä|ven|ti|on, die; -, -en (Vorbeugung, Ver-
hütung); prä|ven|tiv; Prä|ven|tiv|maß-
nah|me
Pra|xis, die; -, ...xen (*nur Sing.:* Tätigkeit,
Ausübung, Erfahrung, *Ggs.* Theorie; Räum-
lichkeiten für die Berufsausübung
bestimmter Berufsgruppen); *vgl.* in praxi
pra|xis|be|zo|gen; Pra|xis|be|zug; pra|xis-
fern; Pra|xis|ge|bühr, die; - (*früher für*
von Kassenpatienten vierteljährlich zu ent-
richtende Gebühr beim Arztbesuch)
pra|xis|nah; pra|xis|ori|en|tiert
Prä|ze|denz|fall, der
prä|zis österr., schweiz. meist so, auch prä-
zi|se (genau; pünktlich; eindeutig)
prä|zi|sie|ren (genau[er] angeben); Prä|zi-
sie|rung; Prä|zi|si|on, die; - (Genauigkeit);
Prä|zi|si|ons|ar|beit
pre|di|gen; Pre|di|ger; Pre|di|ge|rin; Pre-
digt, die; -, -en
Preis, der; -es, -e (Geldbetrag; Belohnung;
geh. für Lob); um jeden, keinen Preis; Preis
freibleibend (*Kaufmannsspr.*); Preis|ab-
spra|che; Preis|an|stieg; Preis|aus-
schrei|ben, das; -s, -; Preis|bin|dung
Prei|sel|bee|re
prei|sen; du preist, er preist; du priesest, sie
pries; gepriesen; preis[e]!
Preis|ent|wick|lung; Preis|er|hö|hung

Preis|ga|be; preis|ge|ben; du gibst preis;
preisgegeben; preiszugeben
preis|ge|krönt; Preis|geld; preis|güns|tig;
Preis|kampf; Preis|klas|se; Preis-Leis-
tungs-Ver|hält|nis; preis|lich; Preis-
nach|lass; Preis|ni|veau; Preis|po|li|tik;
Preis|sen|kung; Preis|sta|bi|li|tät; Preis-
stei|ge|rung; Preis|sys|tem; Preis|trä-
ger; Preis|trä|ge|rin; Preis|ver|fall;
Preis|ver|gleich; Preis|ver|lei|hung;
Preis|vor|teil; preis|wert
pre|kär (misslich, schwierig, bedenklich)
Pre|ka|ri|at, das; -s (*Politik, Soziol.* in Armut
lebender Bevölkerungsteil)
Prell|bock (*Eisenbahn*)
prel|len; Prel|lung
Pre|mi|er [prə'mie:, pre...], der; -s, -s (Pre-
mierminister); Pre|mi|e|re [*österr.*
...'mie:ə], die; -, -n (Erst-, Uraufführung)
Pre|mi|er|mi|nis|ter; Pre|mi|er|mi|nis|te|rin
pre|mi|um (von besonderer, bester Qualität)
Pre|paid|kar|te ['pri:pe:t...] (wiederauflad-
bare Guthabenkarte [für Handys])
pre|schen (*ugs. für* eilen); du preschst
Pres|se, die; -, -n (*kurz für* Druck-, Ölpresse
usw.; *nur Sing.:* Gesamtheit der periodi-
schen Druckschriften; *nur Sing.:* Zeitungs-,
Zeitschriftenwesen); die freie Presse; Pres-
se|agen|tur; Pres|se|be|richt; Pres|se-
dienst; Pres|se|er|klä|rung; Pres|se|fo-
to; Pres|se|frei|heit, die; -; Pres|se|kon-
fe|renz; Pres|se|mel|dung
pres|sen; du presst, er/sie presst; du press-
test; gepresst; presse! *u.* press!
Pres|se|rat *Plur. selten*; Pres|se|re|fe|rent;
Pres|se|re|fe|ren|tin; Pres|se|schau;
Pres|se|spre|cher; Pres|se|spre|che|rin;
Pres|se|stel|le; Pres|se|text, der
pres|sie|ren (*bes. südd., österr. u. schweiz.*
für drängen, eilig sein; sich beeilen); es
pressiert
Pres|sing, das; -s (*Fußball* eine Spieltaktik)
Press|luft|ham|mer; Press-Schlag (*Fußball*)
Pres|ti|ge [...'ti:ʒə, ...'ti:ʃ], das; -s (Anse-
hen, Geltung); Pres|ti|ge|ob|jekt; pres|ti-
ge|träch|tig

Preu|ße, der; -n, -n; **Preu|ßin; preu|ßisch;** preußische Reformen; *aber* der Preußische Höhenrücken

Pre|view ['pri:vju:], die; -, -s, *auch* der *u.* das; -s, -s (Voraufführung [eines Films]; *EDV* Vorschau)

pri|ckeln; sie sagt, es prick[e]le; ein Prickeln auf der Haut empfinden; **pri|ckelnd;** etwas Prickelndes für den Gaumen

Priel, der; -[e]s, -e (schmaler Wasserlauf im Wattenmeer)

Pries|ter, der; -s, -; **Pries|te|rin; Pries|ter-se|mi|nar; Pries|ter|wei|he**

pri|ma (*Kaufmannsspr. veraltend für* vom Besten, erstklassig; *Abk.* Ia; *ugs. für* ausgezeichnet, großartig); prima Essen

Pri|ma, die; -, ...men (*veraltende Bez. für* die beiden oberen Klassen eines Gymnasiums)

Pri|ma|ner (Schüler der Prima); **Pri|ma|ne|rin**

pri|mär (die Grundlage bildend; erst...)

¹Pri|mat, der *od.* das; -[e]s, -e (Vorrang, bevorzugte Stellung; [Vor]herrschaft)

²Pri|mat der; -en, -en *meist Plur.* (*Biol.* Angehöriger einer Menschen, Affen u. Halbaffen umfassenden Ordnung der Säugetiere)

Pri|me, die; -, -n (*Musik* Intervall im Einklang)

Pri|mel, die; -, -n (eine Frühjahrsblume)

Prime|time, die; -, -s, **Prime Time,** die; -, -, -s ['praɪmtaɪm] (abendliche Hauptsendezeit [beim Fernsehen])

pri|mi|tiv (einfach, dürftig; *abwertend für* von geringem geistig-kulturellem Niveau)

Pri|mus, der; -, *Plur.* ...mi *u.* -se (Klassenbester)

Prim|zahl (nur durch 1 u. durch sich selbst teilbare Zahl)

Print, der; -[s], -s (*Buchw., Fotogr.* Druck; *nur Sing. u. meist ohne Artikel* Printmedien); im Print sein; die Sparten Funk, Fernsehen und Print

Prin|te, die; -, -n (ein Gebäck); Aachener Printen

Prin|ter, der; -s, - (automatisches Kopiergerät; Drucker); **Print|me|di|um** *meist Plur.* (z. B. Zeitung, Zeitschrift, Buch)

Prinz, der; -en, -en; **Prin|zes|sin**

Prin|zip, das; -s, *Plur.* -ien, *selten* -e (Grundlage; Grundsatz); **prin|zi|pi|ell** (grundsätzlich); **prin|zi|pi|en|treu**

Prinz|re|gent

Pri|on, das; -s, ...onen (*Med.* Eiweißpartikel, das Erreger einer Gehirnerkrankung sein könnte)

Pri|or, der; -s, Prioren ([Kloster]oberer, -vorsteher; *auch für* Stellvertreter eines Abtes); **Pri|o|rin** [*auch* 'pri:...]

Pri|o|ri|tät, die; -, -en (Vor[zugs]recht, Erstrecht, Vorrang; *nur Sing.:* zeitliches Vorhergehen); Prioritäten setzen

Pri|se, die; -, -n (kleine Menge, die zwischen Daumen u. Zeigefinger zu greifen ist)

Pris|ma, das; -s, ...men (*Math.* Polyeder; *Optik* lichtbrechender Körper)

Prit|sche, die; -, -n (flaches Schlagholz; hölzerne Liegestatt; Ladefläche eines Lkw)

pri|vat (persönlich; außeramtlich, nicht öffentlich; vertraut); **Pri|vat|ad|res|se; Pri|vat|an|le|ger** (*Finanzw.*); **Pri|vat|an|le|ge|rin; Pri|vat|bank** *Plur.* ...banken; **Pri|vat|be|sitz,** der; -es; **Pri|vat|de|tek|tiv; Pri|vat|de|tek|ti|vin; Pri|vat|do|zent** (Hochschullehrer ohne Beamtenstelle); **Pri|vat|do|zen|tin; Pri|vat|ei|gen|tum; Pri|vat|fern|se|hen; Pri|vat|haus|halt; Pri|vat|heit** die; -, -en *Plur. selten*

pri|va|ti|sie|ren (staatliches Vermögen in Privatvermögen umwandeln; als Rentner[in] *od.* als Privatperson vom eigenen Vermögen leben); **Pri|va|ti|sie|rung**

Pri|vat|kli|nik; Pri|vat|kun|de, der; **Pri|vat|kun|din; Pri|vat|le|ben; Pri|vat|pa|ti|ent; Pri|vat|pa|ti|en|tin; Pri|vat|per|son; pri|vat|recht|lich; Pri|vat|sa|che; Pri|vat-schu|le; Pri|vat|sphä|re; Pri|vat|ver|mö-gen; pri|vat ver|si|chert, pri|vat|ver|si-chert; Pri|vat|wirt|schaft; pri|vat|wirt-schaft|lich; Pri|vat|woh|nung**

Pri|vi|leg, das; -[e]s, *Plur.* -ien, *auch* -e (Vor-, Sonderrecht); **pri|vi|le|giert**

Prix [pri:], der; -, - (*franz. Bez. für* Preis)

pro (für, je); pro Stück; pro gefahrenen *od.*

gefahrenem Kilometer; pro Angestellten od. Angestelltem; **Pro**, das; -s (Für); das Pro und Kontra (das Für und Wider)

Pro|band, der; -en, -en (Testperson); **Pro|ban|din**

pro|bat (erprobt; bewährt); ein probates Mittel

Pro|be, die; -, -n; **Pro|be|fahrt**; **Pro|be|lauf**; **pro|ben**; **pro|be|wei|se**; **Pro|be|zeit**

pro|bie|ren (versuchen, kosten, prüfen); probieren od. Probieren geht über Studieren od. studieren

Pro|b|lem, das; -s, -e (zu lösende Aufgabe; Schwierigkeit); **Pro|b|le|ma|tik**, die; -, -en (Gesamtheit von Problemen; Schwierigkeit [etwas zu klären]); **pro|b|le|ma|tisch**

Pro|b|lem|be|wusst|sein; **Pro|b|lem|fall**, der; **pro|b|lem|los**; **Pro|b|lem|lö|sung**; **Pro|b|lem|stel|lung**; **Pro|b|lem|zo|ne**

Pro|ce|de|re vgl. Prozedere

Pro|du|cer [...'dju:se], der; -s, - (engl. Bez. für Hersteller, [Film]produzent, Fabrikant); **Pro|du|ce|rin**

Pro|dukt, das; -[e]s, -e (Erzeugnis; Ertrag; Folge, Ergebnis [Math. der Multiplikation])

Pro|duk|ti|on, die; -, -en (Herstellung, Erzeugung); **Pro|duk|ti|ons|ka|pa|zi|tät**; **Pro|duk|ti|ons|kos|ten** Plur.; **Pro|duk|ti|ons|pro|zess**; **Pro|duk|ti|ons|stät|te**

pro|duk|tiv (ergiebig; fruchtbar, schöpferisch); **Pro|duk|ti|vi|tät**, die; -, -en; **Pro|duk|ti|vi|täts|stei|ge|rung**

Pro|dukt|li|nie (Wirtsch.); **Pro|dukt|ma|na|ger**; **Pro|dukt|ma|na|ge|rin**; **Pro|dukt|pa|let|te** (Werbespr.); **Pro|dukt|pi|ra|te|rie** (rechtswidriges Nachahmen u. Vertreiben von Markenprodukten)

Pro|du|zent, der; -en, -en (Hersteller, Erzeuger); **Pro|du|zen|tin**

pro|du|zie|ren ([Güter] hervorbringen, [er]zeugen, schaffen); sich produzieren (die Aufmerksamkeit auf sich lenken)

pro|fan (unheilig, weltlich; alltäglich)

Pro|fes|si|on, die; -, -en (veraltet für Beruf; Gewerbe)

Pro|fes|sio|nal [prə'fɛʃ(ə)nəl], der; -s, -s (Berufssportler; Kurzw. Profi)

Pro|fes|si|o|na|li|sie|rung; **Pro|fes|si|o|na|li|tät**, die; - (das Professionellsein); **pro|fes|si|o|nell** (fachmännisch)

Pro|fes|sor, der; -s, ...oren (Hochschullehrer; Titel für verdiente Lehrkräfte, Forscher u. Künstler; österr. auch für definitiv angestellter Lehrer an höheren Schulen; Abk. Prof.); ordentlicher Professor (Abk. o. P.)

Pro|fes|so|rin [auch ...'fɛ...] (im Titel u. in der Anrede auch Frau Professor)

Pro|fes|sur, die; -, -en (Lehrstuhl, -amt)

Pro|fi, der; -s, -s (jmd., der etwas fachmännisch betreibt); **Pro|fi|fuß|ball**

Pro|fil, das; -s, -e (Seitenansicht; Längs- od. Querschnitt; Riffelung bei Gummireifen; charakteristisches Erscheinungsbild)

Pro|fi|ler [pro'faile, auch 'pro:...], der; -s, - (Fachmann für die Erstellung eines psychologischen Profils eines gesuchten Täters); **Pro|fi|le|rin**

pro|fi|lie|ren (im Querschnitt darstellen); sich profilieren (sich ausprägen, hervortreten); **pro|fi|liert** (auch für gerillt, geformt; scharf umrissen; von ausgeprägter Art)

Pro|fi|li|ga (Sport)

Pro|fit [auch ...'fɪt], der; -[e]s, -e (Nutzen; Gewinn; Vorteil); ein Profit bringendes od. profitbringendes Geschäft; aber nur ein äußerst profitbringendes Geschäft; ein großen Profit bringendes Geschäft

pro|fi|ta|bel (gewinnbringend); ein pro|fi|tab|les Geschäft; **Pro|fi|ta|bi|li|tät**, die; -, -en

Pro|fit brin|gend, pro|fit|brin|gend vgl. Profit

Pro|fi|teur [...'tøːɐ], der; -s, -e; **Pro|fi|teu|rin**; **pro|fi|tie|ren** (Nutzen ziehen)

pro for|ma (der Form wegen, zum Schein)

pro|fund (tief, gründlich; Med. tief liegend)

Pro|g|no|se, die; -, -n (Vorhersage); **pro|g|nos|tisch**; **pro|g|nos|ti|zie|ren**

Pro|gramm, das; -[e]s, -e (Plan; Darlegung von Grundsätzen; EDV Folge von Anweisungen für einen Computer); Pro|gramm|ab|lauf; Pro|gramm|än|de|rung

Pro|gram|ma|tik, die; -, -en (Zielsetzung, -vorstellung); pro|gram|ma|tisch

Pro|gramm|di|rek|tor *(bes. Fernsehen)*; Pro|gramm|di|rek|to|rin; Pro|gramm|hin|weis; pro|gram|mier|bar; pro|gram|mie|ren ([im Ablauf] festlegen; ein Programm [für einen Computer] schreiben); Pro|gram|mie|rer *(EDV)*; Pro|gram|mie|re|rin; Pro|gram|mier|spra|che; Pro|gram|mie|rung; Pro|gramm|ki|no; Pro|gramm|punkt; Pro|gramm|zeit|schrift

Pro|gress, der; -es, -e (Fortschritt; Fortgang); Pro|gres|si|on, die; -, -en (das Fortschreiten; [Stufen]folge, Steigerung; *Steuerwesen* unverhältnismäßige Zunahme des Steuersatzes bei geringfügig steigendem Einkommen); kalte Progression; pro|gres|siv (sich entwickelnd; fortschrittlich)

Pogrom
Das Substantiv stammt aus dem Russischen und ist nicht mit der lateinischen Vorsilbe *Pro-* (wie etwa in *Programm, Produkt, Profit*) gebildet worden.

Pro|hi|bi|ti|on, die; -, -en (Verbot, bes. von Alkoholherstellung u. -abgabe)

Pro|jekt, das; -[e]s, -e (Plan[ung], Entwurf, Vorhaben); Pro|jekt|ent|wick|lung; Pro|jekt|grup|pe (Arbeitsgruppe für ein bestimmtes Projekt)

pro|jek|tie|ren (ein Projekt entwerfen)

Pro|jek|til, das; -s, -e (Geschoss)

Pro|jek|ti|on, die; -, -en (Darstellung auf einer Fläche; Vorführung mit dem Bildwerfer); Pro|jek|ti|ons|flä|che *(bes. Psychol.)*

Pro|jekt|lei|ter, der; Pro|jekt|lei|te|rin; Pro|jekt|ma|nage|ment

Pro|jek|tor, der; -s, ...oren (Bildwerfer)

pro|ji|zie|ren (auf einer Fläche darstellen; mit dem Projektor vorführen)

Pro|kla|ma|ti|on, die; -, -en (amtliche Bekanntmachung, Verkündigung; Aufruf); pro|kla|mie|ren

Pro-Kopf-Ver|brauch

Pro|ku|ra, die; -, ...ren (Handlungsvollmacht); in Prokura; Pro|ku|rist, der; -en, -en (Inhaber einer Prokura); Pro|ku|ris|tin

Pro|let, der; -en, -en *(abwertend für ungebildeter, ungehobelter Mensch)*; Pro|le|ta|ri|at, das; -[e]s, -e (Gesamtheit der Proletarier); Pro|le|ta|ri|er, der; -s, - (Angehöriger der wirtschaftlich unselbstständigen, besitzlosen Klasse); pro|le|ta|risch; Pro|le|tin

Pro|lo, der; -s, -s *(ugs. für Prolet)*

Pro|log, der; -[e]s, -e (Einleitung; Vorwort, -spiel, -rede; *Radsport* Rennen zum Auftakt einer Etappenfahrt)

Pro|me|na|de, die; -, -n (Spazierweg; Spaziergang); Pro|me|na|den|mi|schung *(ugs. scherzh. für nicht reinrassiger Hund)*

pro|me|nie|ren (spazieren gehen)

Pro|mi, der; -s, -s u. die; -, -s *(ugs. kurz für Prominente[r])*

pro mil|le (für tausend, für das Tausend, vom Tausend; *Abk.* p. m., v. T.; *Zeichen* ‰); er hat 1,8 pro mille Alkohol im Blut

Pro|mil|le, das; -[s], - (Tausendstel); 2 Promille; Pro|mil|le|gren|ze

pro|mi|nent (hervorragend, bedeutend, maßgebend); Pro|mi|nen|te, die u. der; -n, -n (bekannte Persönlichkeit); Pro|mi|nenz, die; -, -en (Gesamtheit der Prominenten; *veraltet für* [hervorragende] Bedeutung)

pro|mo|ten (für etwas Werbung machen); er/sie promotet, hat promotet; Pro|mo|ter, der; -s, - (Veranstalter von Berufssportwettkämpfen); Pro|mo|te|rin

¹Pro|mo|ti|on, die; -, -en (Erlangung, Verleihung der Doktorwürde)

²Pro|mo|tion [...ʃn], die; -, -s (Förderung durch gezielte Werbemaßnahmen)

Pro|mo|tor, der; -s, ...oren (Förderer, Manager)

pro|mo|vie|ren (die Doktorwürde erlangen, verleihen); ich habe promoviert; ich bin [von der ... Fakultät zum Doktor ...] promoviert worden

pro̱mpt (sofort); prompte Lieferung

Pro|no̱|men, das; -s, Plur. -, älter ...mina (Sprachwiss. Fürwort, z. B. »ich, mein«); pro|no|mi|nal (fürwörtlich)

¹Proof [pru:f], das; -, - (Maß für den Alkoholgehalt von Getränken)

²Proof, der, auch das; -s, -s (Druckw. Probeabzug)

Pro|pa|ga̱n|da, die; - (Werbung für politische Grundsätze, kulturelle Belange od. wirtschaftliche Zwecke); Pro|pa|gan|da|ma|te|ri|al; pro|pa|gan|di̱s|tisch; pro|pa|gie̱|ren (verbreiten, werben für etwas)

Pro|pa̱n, das; -s (ein Brenn-, Treibgas); Pro|pa̱n|gas, das; -es

Pro|pe̱l|ler, der; -s, -

pro̱|per (sauber, ordentlich)

Pro|phe̱t, der; -en, -en (Weissager, Seher; Mahner); die Großen Propheten (z. B. Jesaja), die Kleinen Propheten (z. B. Hosea); Pro|phe̱|tin; pro|phe̱|tisch (seherisch); pro|phe|zei̱|en (voraussagen); er hat prophezeit; Pro|phe|zei̱|ung

pro|phy|la̱k|tisch (vorbeugend, verhütend)

Pro|phy|la̱|xe, die; -, -n (Maßnahme[n] zur Vorbeugung, [Krankheits]verhütung)

Pro|por|ti|o̱n, die; -, -en ([Größen]verhältnis; Math. Verhältnisgleichung); pro|por|ti|o|na̱l (verhältnismäßig; entsprechend)

Pro|por|ti|o|na|li|tä̱t, die; -, -en (Verhältnismäßigkeit, proportionales Verhältnis)

Pro|po̱rz, der; -es, -e (Sitz- u. Amtsverteilung nach dem Stimmenverhältnis; bes. österr. u. schweiz. für Verhältniswahlsystem)

pro|p|ri|e|tä̱r (EDV nur für ein spezielles herstellereigenes Computermodell verwendbar); Pro|p|ri|e|tä̱r, der; -s, -e (veraltet für Eigentümer); Pro|p|ri|e|tä̱|rin

Pro̱pst, der; -[e]s, Pröpste (Kloster-, Stiftsvorsteher; Superintendent)

Pro̱|sa, die; - (Rede [Schrift] in ungebundener Form; übertr. für Nüchternheit)

pro|sa̱|isch (in Prosa; übertr. für nüchtern)

Pro|se̱c|co, der; -[s], -s (ein italienischer Schaum-, Perl- od. Weißwein)

pro̱|sit! (wohl bekomms!); pros[i]t Neujahr!; pros[i]t allerseits!; prost Mahlzeit! (ugs.)

Pro̱|sit, das; -s, -s (Zutrunk); ein Prosit der Gemütlichkeit!

Pro|s|pe̱kt, der, österr. auch das; -[e]s, -e (Werbeschrift; Ansicht [von Straßen u. a.]; Bühnenhintergrund)

Pro|s|pe|ri|tä̱t, die; - (Wohlstand, wirtschaftlicher Aufschwung)

Pro̱s|ta̱|ta, die; -, ...tae (Vorsteherdrüse); Pro̱s|ta|ta|krebs

pro̱s|ten (ein Prost ausbringen); prost!

Pro|s|ti|tu|ie̱r|te, der u. die; -n, -n; Pro|s|ti|tu|ti|o̱n, die; - (gewerbsmäßige Ausübung sexueller Handlungen)

Pro|t|a|go|ni̱st, der; -en, -en (altgriech. Theater erster Schauspieler; zentrale Gestalt; Vorkämpfer); Pro|t|a|go|ni̱s|tin

Pro|te|i̱n, das; -s, -e (vorwiegend aus Aminosäuren aufgebauter Eiweißkörper)

Pro|tek|ti|o̱n, die; -, -en (Förderung; Schutz)

Pro|tek|ti|o|ni̱s|mus, der; - (Politik, die z. B. durch Schutzzölle die inländische Wirtschaft begünstigt); pro|tek|ti|o|ni̱s|tisch

Pro|te̱k|tor, der; -s, ...oren (Beschützer; Förderer; Schutz-, Schirmherr); Pro|tek|to|ra̱t, das; -[e]s, -e (Schirmherrschaft; Schutzherrschaft; das unter Schutzherrschaft stehende Gebiet); Pro|tek|to̱|rin

Pro|te̱st, der; -[e]s, -e (Einspruch; Missfallensbekundung; Wirtsch. Verweigerung der Annahme od. der Zahlung eines Wechsels od. Schecks); zu Protest gehen (von Wechseln); Pro|te̱st|ak|ti|on

Pro|te̱s|tant, der; -en, -en (Angehöriger des Protestantismus); Pro|te̱s|tan|tin; pro|tes|tan|tisch (Abk. prot.); Pro|tes|tan|ti̱s|mus, der; - (Gesamtheit der auf die Reformation zurückgehenden evangelischen Kirchengemeinschaften)

pro|tes|tie̱|ren (Einspruch erheben, Verwahrung einlegen); einen Wechsel protestieren (Wirtsch. zu Protest gehen lassen); Pro|te̱st|kund|ge|bung; Pro|te̱st|marsch

Pro|the̱|se, die; -, -n (künstlicher Ersatz eines fehlenden Körperteils; Zahnersatz)

Pro|to|koll, das; -s, -e (förmliche Niederschrift, Tagungsbericht; Beurkundung einer Aussage, Verhandlung u. a.; *nur Sing.:* Gesamtheit der im diplomatischen Verkehr gebräuchlichen Formen; zu Protokoll geben; Pro|to|koll|ant, der; -en, -en ([Sitzungs]schriftführer); Pro|to|kol|lan|tin; pro|to|kol|la|risch; pro|to|kol|lie|ren (ein Protokoll aufnehmen; beurkunden)

Pro|ton, das; -s, ...onen (*Kernphysik* ein Elementarteilchen)

Pro|to|nen|be|schleu|ni|ger

Pro|to|typ [*selten* ...'ty:p], der; -s, -en (Muster; Urbild; Inbegriff); pro|to|ty|pisch

Protz, der; *Gen.* -es, *älter* -en, *Plur.* -e, *älter* -en (*ugs. für* Angeber; *landsch. für* Kröte)

prot|zen (*ugs.*); du protzt; prot|zig

Pro|ve|ni|enz, die; -, -en (Herkunft)

Pro|vi|ant der; -s, -e *Plur. selten* ([Mund]vorrat; Wegzehrung; Verpflegung)

Pro|vi|der [pro'vaɪdɐ], der; -s, - (*EDV* Anbieter eines Zugangs zum Internet o. Ä.)

Pro|vinz, die; -, -en (Land[esteil]; das Land im Gegensatz zur Hauptstadt; *abwertend für* [kulturell] rückständige Gegend; *Abk.* Prov); Pro|vinz|haupt|stadt

pro|vin|zi|ell (die Provinz betreffend; *abwertend für* hinterwäldlerisch)

Pro|vi|si|on, die; -, -en (Vergütung, [Vermittlungs]gebühr)

pro|vi|so|risch (vorläufig); Pro|vi|so|ri|um, das; -s, ...ien (Übergangslösung)

pro|vo|kant (provozierend); Pro|vo|ka|teur [...'tø:ɐ̯], der; -s, -e (jmd., der provoziert); Pro|vo|ka|teu|rin; Pro|vo|ka|ti|on, die; -, -en (Herausforderung; Aufreizung); provo|ka|tiv (herausfordernd)

pro|vo|zie|ren (herausfordern; auslösen)

Pro|ze|de|re, Pro|ce|de|re, das; -[s], - (Verfahrensordnung, -weise; Prozedur)

Pro|ze|dur, die; -, -en (Verfahren, [schwierige, unangenehme] Behandlungsweise)

Pro|zent, das; -[e]s, -e ([Zinsen, Gewinn] vom Hundert, Hundertstel; *Abk.* p. c., v. H.; *Zeichen* %); 5 Prozent *od.* 5 %; Pro|zentpunkt (Prozent [als Differenz zweier Prozentzahlen]); Pro|zent|rech|nung; Prozent|satz; pro|zen|tu|al (im Verhältnis zum Hundert, in Prozenten ausgedrückt)

Pro|zess, der; -es, -e (Vorgang, Ablauf; Entwicklung; gerichtliche Durchführung von Rechtsstreitigkeiten); Pro|zess|be|ginn; pro|zes|sie|ren (einen Prozess führen)

Pro|zes|si|on, die; -, -en ([feierlicher kirchlicher] Umzug, Bitt- od. Dankgang)

Pro|zess|kos|ten *Plur.*; Pro|zess|kos|ten|hilfe (*Rechtsspr.*)

Pro|zes|sor, der; -s, ...oren (zentraler Teil einer Datenverarbeitungsanlage)

pro|zes|su|al (auf einen Rechtsstreit bezüglich)

prü|de (zimperlich, spröde); Prü|de|rie, die; - (Zimperlichkeit, Ziererei)

Prüf|be|richt

prü|fen; Prü|fer; Prü|fe|rin; Prüf|ling; Prüf|stand; Prüf|stein

Prü|fung; Prü|fungs|auf|ga|be

¹Prü|gel, der; -s, - (Stock)

²Prü|gel *Plur.* (*ugs. für* Schläge); Prü|ge|lei

prü|geln; ich prüg[e]le; sich prügeln

Prunk, der; -[e]s; prun|ken; Prunk|sit|zung (im Karneval); Prunk|stück; prunk|voll

prus|ten (stark schnauben)

PS = Pferdestärke; Postskript[um]

PSA = Personal-Service-Agentur

Psalm, der; -[e]s, -en (geistliches Lied); Psalter, der; -s, - (Buch der Psalmen im A. T.)

pseu|d|o|nym (unter einem Decknamen [verfasst]); Pseu|d|o|nym, das; -s, -e (Deck-, Künstlername)

¹Psi, das; -[s], -s (griech. Buchstabe: Ψ, ψ)

²Psi, das; -[s] *meist ohne Artikel* (bestimmendes Element parapsychologischer Vorgänge)

Psy|che, die; -, -n (Seele; *österr. veraltend auch für* mit Spiegel versehene Frisiertoilette); psy|che|de|lisch (in einem [durch Rauschmittel hervorgerufenen] euphorischen, tranceartigen Gemütszustand befindlich; Glücksgefühle hervorrufend)

Psy|ch|i|a|ter, der; -s, - (Facharzt für Psychiatrie); Psy|ch|i|a|te|rin

Psy|chi|a|t|rie, die; -, ...ien (*nur Sing.*: Lehre von den seelischen Störungen, von den Geisteskrankheiten; *ugs. für* psychiatrische Klinik); psy|ch|i|a|t|risch; psy|chisch (seelisch); psychische Krankheiten

Psy|cho, der; -s, -s (*Jargon* psychisch kranke Person)

Psy|cho|ana|ly|se, die; - (Verfahren zur Untersuchung unbewusster seelischer Vorgänge); Psy|cho|ana|ly|ti|ker (die Psychoanalyse vertretender od. anwendender Psychologe, Arzt); Psy|cho|ana|ly|ti|ke|rin; psy|cho|ana|ly|tisch

Psy|cho|gramm, das; -s, -e (grafische Darstellung von Fähigkeiten u. Eigenschaften einer Persönlichkeit; psychologische Persönlichkeitsstudie)

Psy|cho|lo|ge, der; -n, -n; Psy|cho|lo|gie, die; -, -n (Wissenschaft von den psychischen Vorgängen); Psy|cho|lo|gin; psy|cho|lo|gisch

Psy|cho|path, der; -en, -en; Psy|cho|pa|thin

Psy|cho|phar|ma|kon, das; -s, ...ka (auf die Psyche einwirkendes Arzneimittel)

Psy|cho|se, die; -, -n (krankhafte geistig-seelische Störung)

psy|cho|so|ma|tisch (auf psychisch-körperlichen Wechselwirkungen beruhend)

psy|cho|so|zi|al (durch psychische u. soziale Gegebenheiten bestimmt); psychosoziale Entwicklung

Psy|cho|the|ra|peut [*auch* 'psy:ço...], der; -en, -en (die Psychotherapie anwendender Arzt od. Psychologe); Psy|cho|the|ra|peu|tin; psy|cho|the|ra|peu|tisch

Psy|cho|the|ra|pie, die; -, ...ien (Heilbehandlung für psychische Störungen)

Psy|cho|thril|ler (mit psychologischen Effekten spannend gemachter Kriminalfilm od. -roman)

psy|cho|tisch

Pub [pap], das, *auch* der; -s, -s (Wirtshaus im englischen Stil, Bar)

pu|ber|tär (mit der Geschlechtsreife zusammenhängend); Pu|ber|tät, die; - ([Zeit der eintretenden] Geschlechtsreife; Reifezeit);

pu|ber|tie|ren (in die Pubertät eintreten, sich in ihr befinden)

Pu|b|li|ci|ty [pa'blısiti], die; - (Öffentlichkeit; Reklame, [Bemühung um] öffentliches Aufsehen); pu|b|li|ci|ty|scheu

Pu|b|lic Re|la|tions ['pablık ri'leıʃns] *Plur.* (Öffentlichkeitsarbeit; *Abk.* PR)

pu|b|lik (öffentlich; offenkundig; allgemein bekannt); publik werden

Pu|b|li|ka|ti|on, die; -, -en (Veröffentlichung)

pu|b|lik ma|chen, pu|b|lik|ma|chen

Pu|b|li|kum, das; -s; Pu|b|li|kums|er|folg

Pu|b|li|kums|lieb|ling; Pu|b|li|kums|ma|g|net; pu|b|li|kums|wirk|sam

pu|b|li|zie|ren (veröffentlichen, herausgeben); Pu|b|li|zist, der; -en, -en (polit. Schriftsteller; Tagesschriftsteller; Journalist); Pu|b|li|zis|tik, die; -; Pu|b|li|zis|tin; pu|b|li|zis|tisch; Pu|b|li|zi|tät, die; - (Öffentlichkeit, Bekanntheit)

Puck, der; -s, -s (Kobold; Hartgummischeibe beim Eishockey)

Pud|ding, der; -s, *Plur.* -e u. -s (eine Süß-, Mehlspeise); Pud|ding|pul|ver

Pu|del, der; -s, - (eine Hunderasse; *ugs. für* Fehlwurf [beim Kegeln])

Pu|del|müt|ze; pu|del|nass (*ugs.*)

pu|del|wohl (*ugs.*); sich pudelwohl fühlen

Pu|der, der; -s, *auch* das; -s, -; pu|dern; ich pudere; Pu|der|zu|cker, der; -s

¹Puff, der, *auch* das; -s, -s (*ugs. für* Bordell)

²Puff, der; -[e]s, *Plur.* Püffe, *seltener* Puffe (*ugs. für* Stoß)

puf|fen (bauschen; *ugs. für* stoßen); er pufft ihn, *auch* ihm in die Seite

Puf|fer (federnde, Druck u. Aufprall abfangende Vorrichtung); Puf|fer|zo|ne

Puff|mais; Puff|reis, der; -es

pul|len (*nordd. für* bohren, herausklauben)

Pulk, der; -[e]s, *Plur.* -s, *selten auch* -e (Verband von Kampfflugzeugen od. militär. Kraftfahrzeugen; Anhäufung)

Pul|le, die; -, -n (*ugs. für* Flasche)

Pul|li, der; -s, -s (*ugs. für* leichter Pullover)

Pul|l|o|ver, der; -s, -

Pul|l|un|der, der; -s, - (kurzer, ärmelloser
   Pullover)
Pulp, der; -s, -en (Fruchtmasse zur Herstel-
   lung von Obstsaft od. Konfitüre)
Puls, der; -es, -e (Aderschlag; Pulsader am
   Handgelenk); **Puls|ader**
pul|sie|ren (rhythmisch schlagen, klopfen;
   an- u. abschwellen)
Puls|schlag
Pult, das; -[e]s, -e
Pul|ver [...f..., *auch* ...v...], das; -s, -; **Pul-
   ver|fass; pul|ve|rig**, pulv|rig
pul|ve|ri|sie|ren (zu Pulver zerreiben)
Pu|ma, der; -s, -s (ein Raubtier)
pum|me|lig, pumm|lig (*ugs.* für dicklich)
Pump, der; -s, -e; auf Pump leben (*ugs.* für
   von Geborgtem leben)
Pum|pe, die; -, -n; **pum|pen** (*ugs. auch* für
   borgen)
Pum|per|ni|ckel, der, *auch* das; -s, - (ein
   Schwarzbrot)
Pumps [pœmps], der; -, - (ausgeschnittener
   Damenschuh mit höherem Absatz)
Punk [paŋk], der; -[s], -s (*nur Sing.:* bewusst
   primitiv-exaltierte Rockmusik; Punker)
Pun|ker (Jugendlicher, der durch Verhalten
   u. spezielle Aufmachung seine antibürgerli-
   che Einstellung ausdrückt); **Pun|ke|rin;
   Punk|rock** , Punk-Rock, der; -[s]
Punkt, der; -[e]s, -e (*Abk.* Pkt.); Punkt 8 Uhr;
   typografischer Punkt; 2 Punkt Durchschuss
   (Zeilenabstand); der Punkt auf dem i;
   Punkt|ab|zug, Punk|te|ab|zug
Pünkt|chen
punk|ten; punkt|ge|nau; Punkt|ge|winn
   (Sport); **punkt|gleich** *(Sport)*
punk|tie|ren (mit Punkten versehen, tüpfeln;
   Med. eine Punktion ausführen); punktierte
   Note *(Musik)*
pünkt|lich; Pünkt|lich|keit, die; -
punkt|schwei|ßen; *nur im Infinitiv u. im
   Partizip II gebräuchlich;* punktgeschweißt
Punkt|spiel; punk|tu|ell (punktweise; ein-
   zelne Punkte betreffend); **Punkt|zahl**
Punsch, der; -[e]s, *Plur.* -e, *auch* Pünsche
   (ein alkohol. Getränk)

Pup, der; -[e]s, -e (*ugs.* für abgehende Blä-
   hung); **pu|pen** (*ugs.* für eine Blähung
   abgehen lassen); du pupst
Pu|pil|le, die; -, -n (Sehöffnung im Auge)
Pup|pe, die; -, -n; **Pup|pen|spiel; Pup|pen-
   the|a|ter; Pup|pen|wa|gen**
Pups *vgl.* Pup; **pup|sen** *vgl.* pupen; **Pup|ser**
   vgl. Pup
pur (rein, unverfälscht); Whisky pur
Pü|ree, das; -s, -s (Brei, breiförmige Speise);
   pü|rie|ren (zu Püree machen)
Pu|rist, der; -en, -en; **pu|ris|tisch; Pu|ri|ta-
   ner** (Anhänger des Puritanismus); **Pu|ri|ta-
   ne|rin; pu|ri|ta|nisch** (sittenstreng)
Pur|pur, der; -s (hochroter Farbstoff; prächti-
   ges, purpurfarbiges Gewand); **pur|pur|far-
   ben, pur|pur|far|big; pur|purn; pur|pur-
   rot**
Pur|zel|baum; pur|zeln; ich purz[e]le
pu|schen; du puschst; *vgl.* pushen
Pu|schen [*auch* 'pu:...], der; -s, - (*nordd.*
   bequemer Hausschuh)
pu|shen [...ʃ...], pu|schen (mit Rauschgift
   handeln; *auch* für in Schwung bringen,
   propagieren); du pushst
Pus|te, die; - (*ugs.*); aus der Puste (außer
   Atem) sein; [ja,] Puste od. Pustekuchen!
   (*ugs.* für aber nein, gerade das Gegenteil)
Pus|te|blu|me (abgeblühter Löwenzahn)
Pus|tel, die; -, -n (Eiterbläschen, ²Pickel)
pus|ten (*landsch.* für blasen; heftig atmen)
Pusz|ta ['pʊs...], die; -, ...ten (Grassteppe,
   Weideland in Ungarn)
Pu|te, die; -, -n (Truthenne); **Pu|ter** (Trut-
   hahn); **pu|ter|rot;** puterrot werden
Putsch, der; -[e]s, -e (politischer Hand-
   streich); **put|schen;** du putschst; **Put-
   schist**, der; -en, -en; **Put|schis|tin;
   Putsch|ver|such**
Putz, der; -es, -e
put|zen; du putzt; sich putzen; ein Kleid put-
   zen lassen (*österr.* für chemisch reinigen
   lassen); **Putz|frau**
put|zig (*ugs.* für drollig)
Putz|lap|pen; Putz|mann
putz|mun|ter (*ugs.* für sehr munter)

P

Putz|sucht, die; -; **putz|süch|tig**
Putz|tuch Plur. ...tücher
puz|zeln ['pasl̩n, *auch* 'pʊ...] (ein Puzzle zusammensetzen); ich puzz[e]le; **Puz|zle** [...sl̩], das; -s, -s (ein Geduldsspiel)
PVC, das; -[s] (ein Kunststoff)
Pyg|mäe, der; -n, -n (Angehöriger einer kleinwüchsigen Bevölkerungsgruppe in Afrika); **pyg|mä|en|haft**; **Pyg|mä|in**
Py|ja|ma [pydʒ..., *österr.* pidʒ...], der; *österr. u. schweiz. auch* das; -s, -s (Schlafanzug)
Py|lon, der; *Gen.* -en, *auch* -s, *Plur.* -en, *auch* -e (Brückenpfeiler; kegelförmige Absperrmarkierung auf Straßen)
Py|ra|mi|de, die; -, -n (ägyptischer Grabbau; geometrischer Körper)
Py|ro|ma|ne, der; -n, -n (an Pyromanie Leidender); **Py|ro|ma|nin**
Py|ro|tech|nik [*auch* 'py:...], die; - (Herstellung u. Gebrauch von Feuerwerkskörpern)
Py|thon, der; -s, -s (eine Riesenschlange)

Q q

Q [ku:, *österr., außer Math.,* kve:] (Buchstabe); das Q; des Q, die Q, *aber* das q in verquer; der Buchstabe Q, q
Qi, Chi [tʃi:], das; -[s] (die Lebensenergie in der chin. Philosophie)
qua ([in der Eigenschaft] als; gemäß); qua amtliche, *auch* amtlicher Befugnis
Quack|sal|ber (*svw.* Kurpfuscher); **Quacksal|be|rin**
Quad|del, die; -, -n (juckende Anschwellung der Haut)
Qua|der, der; -s, - *od.* die; -, -n (*Math.* ein von sechs Rechtecken begrenzter Körper; behauener [viereckiger] Bruchsteinblock)
Qua|d|rat, das; -[e]s, -e (Viereck mit vier rechten Winkeln u. vier gleichen Seiten; zweite Potenz einer Zahl)

qua|d|ra|tisch; quadratische Gleichung (Gleichung zweiten Grades)
Qua|d|rat|ki|lo|me|ter (*Zeichen* km²); **Quad|rat|me|ter** (*Zeichen* m²); **Qua|d|rat|me|ter|preis**
Qua|d|ra|tur, die; -, -en (Verfahren zur Flächenberechnung)
Qua|d|rat|zahl; **qua|d|rie|ren** (*Math.* [eine Zahl] in die zweite Potenz erheben)
qua|ken; der Frosch quakt
Quä|ker, der; -s, - (Angehöriger einer christl. Glaubensgemeinschaft); **Quä|ke|rin**
Qual, die; -, -en; **quä|len**; sich quälen; **Quäle|rei**; **Quäl|geist** Plur. ...geister (*ugs.*)
¹Qua|li, die; -, -s (*ugs. kurz für* Qualifikation)
²Qua|li, der; -s, -s (*ugs. kurz für* qualifizierter [Schul]abschluss)
Qua|li|fi|ka|ti|on, die; -, -en (Befähigung[snachweis]; Teilnahmeberechtigung für sportliche Wettbewerbe)
qua|li|fi|zie|ren (als etw. bezeichnen, klassifizieren; befähigen); sich qualifizieren (sich eignen; sich als geeignet erweisen; eine Qualifikation erwerben); **qua|li|fi|ziert**; qualifizierte Mehrheit; qualifiziertes Vergehen (*Rechtsspr.* Vergehen unter erschwerenden Umständen); **Qua|li|fi|zie|rung** (*auch für* fachl. Aus- u. Weiterbildung); **Qua|li|fi|zie|rungs|maß|nah|me**
Qua|li|fy|ing ['kvɔlifaɪɪŋ], das; -s, -s (*Rennsport* Qualifikation u. Festlegung der Startreihenfolge für ein [Auto]rennen)
Qua|li|tät, die; -, -en (Beschaffenheit, Güte, Wert); erste, zweite, mittlere Qualität
qua|li|ta|tiv [*auch* 'kva...] (dem Wert, der Beschaffenheit nach)
qua|li|täts|be|wusst; **Qua|li|täts|ma|nagement** (*Wirtsch.* Gesamtheit der Maßnahmen zur Absicherung einer Mindestqualität von Produkten u. Dienstleistungen); **Qua|li|täts|si|che|rung**; **Qua|li|täts|stan|dard**
Quäl|le, die; -, -n (ein Nesseltier)
Qualm, der; -[e]s; **qual|men**
qual|voll
Quänt|chen (eine kleine Menge); ein Quäntchen Glück

P

Quan|ten|sprung (*übertr. auch für* [durch eine Erfindung o. Ä. ermöglichter] entscheidender Fortschritt)

Quan|ti|tät, die; -, -en (Menge, Größe)

quan|ti|ta|tiv [*auch* 'kvan...] (mengenmäßig)

Quan|tum, das; -s, ...ten (Menge, Maß)

Qua|ran|tä|ne [ka...], die; -, -n (vorübergehende Isolierung von Personen od. Tieren, die eine ansteckende Krankheit haben [könnten]); **Qua|ran|tä|ne|sta|ti|on**

¹Quark, der; -[e]s (aus saurer Milch hergestelltes Nahrungsmittel; *ugs. auch für* Wertloses); red nicht solchen Quark!

²Quark ['kvoːɐk], das; -s, -s (*Physik* Elementarteilchen)

Quart, die; -, -en, **Quar|te,** die; -, -n (*Musik* vierter Ton der diatonischen Tonleiter; Intervall im Abstand von 4 Stufen)

Quar|ta, die; -, ...ten (*veraltende Bez. für* die dritte Klasse eines Gymnasiums)

Quar|tal, das; -s, -e (Vierteljahr)

Quar|ta|ner (Schüler der Quarta); **Quar|ta|ne|rin**

Quar|te *vgl.* Quart

Quar|ter ['kvoːɐ...], der; -s, - (altes engl. u. amerik. Hohlmaß u. Gewicht)

Quar|ter|back ['kvoːɐtɛbɛk], der; -[s], -s (Spielmacher im amerik. Football)

Quar|tett, das; -[e]s, -e (Musikstück für vier Stimmen od. vier Instrumente; *auch für* die vier Ausführenden; ein Kartenspiel)

Quar|tier, das; -s, -e (Unterkunft, bes. von Truppen; *schweiz. auch für* Stadtviertel)

Quarz, der; -es, -e (ein Mineral); **quarz|hal|tig; Quarz|uhr** (*in Werbetexten oft mit der englischen tz-Schreibung*)

qua|si (gewissermaßen, sozusagen)

Quas|se|lei (*ugs. für* [dauerndes] Quasseln); **quas|seln** (*ugs. für* unaufhörlich u. schnell reden, schwatzen); ich quass[e]le

Quas|sel|strip|pe, die; -, -n (*ugs. für* Telefon; *auch für* jmd., der viel redet)

Quast, der; -[e]s, -e (*nordd. für* [Borsten]büschel, breiter Pinsel)

Quas|te, die; -, -n (Troddel, Schleife)

¹Quatsch, der; -[e]s (*landsch. für* Matsch)

²Quatsch, der; -[e]s (*ugs. für* dummes Gerede, Unsinn; *auch für* Alberei); Quatsch reden; das ist ja Quatsch!; ach Quatsch!

¹quat|schen [*auch* kva:...] (*landsch.*); der Boden quatscht unter den Füßen

²quat|schen (*ugs.*); du quatschst

Que|cke, die; -, -n (eine Graspflanze)

Queck|sil|ber (chemisches Element, Metall; *Zeichen* Hg); **queck|silb|rig,** queck|sil|be|rig ([unruhig] wie Quecksilber)

Queen [kviːn], die; -, -s (*nur Sing.:* jeweils regierende englische Königin)

Quell, der; -[e]s, -e *Plur. selten* (*geh. für* Quelle); **Quell|code** (*EDV* ursprünglicher Programmcode eines Computerprogramms); **Quel|le,** die; -, -n; Nachrichten aus amtlicher, erster Quelle

¹quel|len (schwellen, größer werden; hervordringen); du quillst, du quollst; du quöllest; gequollen; quill!; Wasser quillt

²quel|len (im Wasser weichen lassen); du quellst, du quelltest; gequellt; quell[e]!; ich quelle Bohnen

Quel|len|an|ga|be; Quel|len|steu|er, die (Steuer, die in dem Staat erhoben wird, wo der Gewinn, die Einnahme erwirtschaftet wurde); **Quell|text** (*svw.* Quellcode); **Quell|was|ser** *Plur.* ...wasser

Quen|ge|lei

quen|ge|lig, queng|lig

quen|geln (*ugs. für* weinerlich nörgelnd immer wieder um etwas bitten, keine Ruhe geben [meist von Kindern]); ich queng[e]le; **queng|lig,** quen|ge|lig

quer; kreuz und quer; quer [über die Straße] gehen; sich quer [ins Bett] legen; ein Ast hatte sich quer gelegt; *aber* sich querlegen, querstellen (*ugs. für* sich widersetzen); ein quer gestreifter oder quergestreifter Rock; **quer|beet** (*ugs. für* ohne festgelegte Richtung)

Quer|den|ker (jmd., der unkonventionell u. originell denkt); **Quer|den|ke|rin**

quer|durch; er ist einfach querdurch gelaufen, *aber* sie läuft quer durch die Felder

Q

Que|re, die; - (ugs.); meist in in die Quere
    kommen; in die Kreuz und [in die] Quer[e]
Quer|ein|stei|ger; Quer|ein|stei|ge|rin
Que|re||le die; -, -n meist Plur. (Streiterei)
que|ren (überschreiten, überschneiden)
quer|feld|ein
Quer|flö|te
quer ge|streift, quer|ge|streift vgl. quer
Quer|kopf (ugs. für jmd., der sich immer
    widersetzt); quer|köp|fig
quer|le|gen vgl. quer
quer|schie|ßen
Quer|schiff (Teil einer Kirche)
Quer|schlä|ger (abprallendes od. quer auf-
    schlagendes Geschoss)
Quer|schnitt; quer|schnitt[s]|ge|lähmt
quer|stel|len vgl. quer; Quer|sum|me
Que|ru|lant, der; -en, -en (Nörgler, Queng-
    ler); Que|ru|lan|tin
Quer|ver|weis
que|sen (nordd. für quengeln); du quest
quet|schen; du quetschst; Quet|schung
Queue [kø:], das, auch der; -s, -s (Billard-
    stock)
Quiche [kɪʃ], die; -, -s (Speckkuchen aus
    Mürbe- od. Blätterteig)
quick (landsch., bes. nordd. für rege,
    schnell); quick|le|ben|dig
quie|ken; du quiekst
quiet|schen; du quietschst
quietsch|ver|gnügt (ugs. für sehr vergnügt)
quil|len (veraltet, noch landsch. für ¹quel-
    len)
Quint, die; -, -en, Quin|te, die; -, -n (Musik
    Intervall im Abstand von 5 Stufen)
Quin|ta, die; -, ...ten (veraltend für zweite
    Klasse eines Gymnasiums)
Quin|te vgl. Quint
Quin|ten|zir|kel, der; -s (Musik)
Quin|tes|senz, die; -, -en ([als Ergebnis] das
    Wesentliche einer Sache)
Quin|tett, das; -[e]s, -e (Musikstück für fünf
    Stimmen od. fünf Instrumente; auch für
    die fünf Ausführenden)
Quirl, der; -[e]s, -e; quir|len; quir|lig (ugs.
    für lebhaft)

quitt (ausgeglichen, fertig, befreit); wir sind
    quitt (ugs.); mit jmdm. quitt sein
Quit|te, die; -, -n (ein Obstbaum; dessen
    Frucht); quit|te|gelb, quit|ten|gelb; Quit-
    ten|ge|lee
quit|tie|ren ([den Empfang] bescheinigen;
    veraltend für [ein Amt] niederlegen)
Quit|tung (Empfangsbescheinigung); Quit-
    tungs|block vgl. Block
Quiz [kvɪs], das; -, Plur. -, ugs. auch -ze (Fra-
    ge-und-Antwort-Spiel); Quiz|mas|ter (Fra-
    gesteller u. Moderator bei einer Quizveran-
    staltung); Quiz|mas|te|rin; Quiz|show
Quo|rum, das; -s, ...ren (bes. südd., schweiz.
    für die zur Beschlussfassung in einer Kör-
    perschaft erforderliche Zahl anwesender
    Mitglieder)
Quo|te, die; -, -n (Anteil [von Personen], der
    bei Aufteilung eines Ganzen auf den Ein-
    zelnen od. eine Einheit entfällt; auch kurz
    für Einschaltquote); Quo|ten|re|ge|lung
    (Festlegung eines angemessenen Anteils
    von Frauen in [politischen] Gremien)
Quo|ti|ent, der; -en, -en (Math. Ergebnis
    einer Division)

R r

R (Buchstabe); das R; des R, die R, aber das r
    in fahren; der Buchstabe R, r
Ra|batt, der; -[e]s, -e (Preisnachlass)
Ra|bat|te, die; -, -n ([Rand]beet)
Ra|batz, der; -es (ugs. für Krawall, Unruhe);
    Rabatz machen
Ra|bau|ke, der; -n, -n (ugs. für Rüpel,
    gewalttätiger Mensch); Ra|bau|kin
Rab|bi, der; -[s], Plur. -s u. ...inen (nur
    Sing.: Ehrentitel jüdischer Gesetzeslehrer
    u. a.; Träger dieses Titels); Rab|bi|ner,
    der; -s, - (jüdischer Gesetzes-, Religions-
    lehrer, Geistlicher, Prediger); Rab|bi|ne-
    rin

Ra|be, der; -n, -n; **Ra|ben|el|tern** Plur. (lieblose Eltern); **ra|ben|schwarz** (ugs.)
ra|bi|at (wütend; grob, gewalttätig)
Ra|che, die; -; [an jmdm.] Rache nehmen; **Ra|che|akt**
Ra|chen, der; -s, -
rä|chen; gerächt; sich rächen; **Rä|cher; Rä|che|rin**
Rach|gier; rach|gie|rig
Ra|cker, der; -s, - (fam. für Schlingel)
ra|ckern (ugs. für sich abarbeiten); ich rackere
Ra|cket ['rɛ...], Ra|kett, das; -s, -s ([Tennis]schläger)
Ra|c|lette [...klɛt, auch ...'klɛt], die; -, -s, auch das; -s, -s (ein Walliser Käsegericht)
Rad, das; -[e]s, Räder; Rad fahren, ich fahre Rad, um Rad zu fahren, aber beim Radfahren, das Radfahren; die Rad fahrenden od. radfahrenden Kinder; ein Rad schlagen
Ra|dar [auch, österr. nur 'ra:...], das, nicht fachspr. auch der; -s, -e (Verfahren zur Ortung von Gegenständen; Radargerät); **Ra|dar|kon|t|rol|le; Ra|dar|schirm**
Ra|dau, der; -s (ugs. für Lärm); Radau machen
ra|de|bre|chen; du radebrechst; du radebrechtest; geradebrecht; zu radebrechen
ra|deln (Rad fahren); ich rad[e]le
Rä|dels|füh|rer; Rä|dels|füh|re|rin
Rad|fah|ren, das; -s; vgl. Rad
Rad|fah|rer; Rad|fah|re|rin
ra|di|al (auf den Radius bezogen; strahlenförmig; von einem Mittelpunkt ausgehend)
ra|die|ren; Ra|dier|gum|mi, der, ugs. auch das; **Ra|die|rung** (mit einer geätzten Platte gedruckte Grafik)
Ra|dies|chen (eine Pflanze)
ra|di|kal ([ideologisch] extrem; gründlich)
Ra|di|kal, das; -s, -e (Chemie Atom, Molekül od. Ion mit einem ungepaarten Elektron); freie Radikale; **Ra|di|ka|li|sie|rung** (Entwicklung zum Radikalen); **Ra|di|ka|lis|mus**, der; -, ...men (rücksichtslos bis zum Äußersten gehende [politische, religiöse usw.] Richtung); **Ra|di|ka|li|tät**, die; -, -en

Ra|dio, das (südd., österr. ugs., schweiz. für das Gerät auch der); -s, -s (Rundfunk[gerät])
ra|dio|ak|tiv; radioaktiver Niederschlag; Ra|dio|ak|ti|vi|tät, die; -
Ra|dio|ap|pa|rat; Ra|dio|pro|gramm; Ra|dio|sen|der; Ra|dio|sen|dung
Ra|di|um, das; -s (radioaktives chemisches Element, Metall; Zeichen Ra)
Ra|di|us, der; -, ...ien (Halbmesser des Kreises; Abk. r, R); die Berechnung des Radius
¹**Rad|ler** (Radfahrer)
²**Rad|ler**, das, auch der; -s, - (landsch., bes. südd., für Getränk aus Bier u. Limonade)
Rad|le|rin; Rad|pro|fi (Profi im Radsport); **Rad|ren|nen; Rad|sport**, der; -[e]s; **Rad|tour; Rad|weg**
RAF, die; - = Rote-Armee-Fraktion
raf|fen; Raff|gier; raff|gie|rig
Raf|fi|na|de, die; -, -n (gereinigter Zucker)
Raf|fi|ne|rie, die; -, ...ien (Anlage zum Reinigen von Zucker od. zur Verarbeitung von Rohöl)
Raf|fi|nes|se, die; -, -n (Durchtriebenheit, Schlauheit)
raf|fi|nie|ren (Zucker reinigen; Rohöl zu Brenn- od. Treibstoff verarbeiten); **raf|fi|niert** (gereinigt; durchtrieben, schlau); raffinierter Zucker; ein raffinierter Betrüger
Raf|ter; Raf|te|rin; Raf|ting, das; -s (das Wildwasserfahren einer Gruppe im Schlauchboot)
Ra|ge [...ʒə], die; - (ugs. für Wut, Raserei); in der Rage; in Rage bringen
ra|gen
Ra|gout [...'gu:], das; -s, -s (Gericht aus Fleisch-, Geflügel- od. Fischstückchen in pikanter Soße)
Rah, Ra|he, die; -, Rahen (Seemannsspr. Querstange am Mast für das Rahsegel)
Rahm, der; -[e]s (landsch. für Sahne)
rah|men; Rah|men, der; -s, -
Rah|men|be|din|gung meist Plur.
rah|mig (landsch. für sahnig); **Rahm|kä|se**
Rai, der; -[s] (populärer arab. Musikstil)
Raiff|ei|sen|bank Plur. ...banken

Rain, der; -[e]s, -e (Ackergrenze; *schweiz. u. südd. für* Abhang)

rä|keln *vgl.* rekeln

Ra|ke|te, die; -, -n (ein Feuerwerkskörper; ein Flugkörper); **Ra|ke|ten|ab|wehr|sys|tem; Ra|ke|ten|an|trieb**

Ra|kett *vgl.* Racket

Ral|lye [...li, *auch* 'rɛli], die; -, -s, *schweiz. auch* das; -s, -s (Autorennen [in einer od. mehreren Etappen] mit Sonderprüfungen)

RAM, das; -[s], -[s] (*EDV* Informationsspeicher mit wahlfreiem Zugriff)

Ra|ma|dan, der; -[s], -e (Fastenmonat der Moslems)

Ram|bo, der; -s, -s (*ugs. für* brutaler Kraftprotz)

Ram|me, die; -, -n (Fallklotz); **ram|men**

Ram|pe, die; -, -n (schiefe Ebene zur Überwindung von Höhenunterschieden; Auffahrt; *Theater* Vorbühne); **Ram|pen|licht**

ram|po|nie|ren (*ugs. für* stark beschädigen); **ram|po|niert** (*ugs.*)

Ramsch der; -[e]s, -e *Plur. selten* (*ugs. für* wertloses Zeug; minderwertige Ware); **ram|schen** (*ugs. für* Ramschware billig aufkaufen); du ramschst; **Ramsch|la|den**

ran (*ugs. für* heran)

Ranch [ra:ntʃ], die; -, -[e]s (landwirtschaftlicher Betrieb mit Viehzucht in Nordamerika); **Ran|cher,** der; -s, -[s]; **Ran|che|rin**

¹**Rand,** der; -[e]s, Ränder; außer Rand und Band sein (*ugs.*); zurande *od.* zu Rande kommen

²**Rand** [rɛnt], der; -, -[s] (Währungseinheit der Republik Südafrika; *Abk.* R; *Währungscode* ZAR); 5 Rand

Ran|da|le, die; -, -n; *meist in der Wendung* Randale machen (*ugs. für* randalieren); **ran|da|lie|ren**

Rand|grup|pe (*bes. Soziol.*)

rand|voll; ein randvolles Glas

rang *vgl.* ringen

Rang, der; -[e]s, Ränge (jmdm. den Rang ablaufen (*jmdn. überflügeln);* der erste, Rang; eine Schauspielerin ersten Ranges, von Rang)

Ran|ge|lei; ran|geln (*für* sich balgen, raufen); ich rang[e]lle

Ran|ger ['rɛ:ndʒɐ], der; -s, -[s] (Soldat mit Spezialausbildung; Aufseher in Nationalparks); **Ran|ge|rin**

Rang|fol|ge; rang|hoch; ranghohe, ranghöhere, ranghöchste Militärs

Ran|gier|bahn|hof [rã'ʒi:ɐ..., *österr.* ran-'ʒi:ɐ...]; **ran|gie|ren** (einen Rang innehaben [vor, hinter jmdm.]; *Eisenbahn* verschieben)

Rang|lis|te; Rang|ord|nung

ran|hal|ten, sich (*ugs. für* sich beeilen)

rank (*geh. für* schlank; geschmeidig); rank und schlank

Rank, der; -[e]s, Ränke (*schweiz. für* Wegbiegung; Kniff, Trick); *vgl.* Ränke

Ran|ke, die; -, -n (Pflanzenteil)

Rän|ke *Plur.* (*veraltend für* Intrigen, Machenschaften); Ränke schmieden; *vgl.* Rank

¹**ran|ken,** sich ranken

²**ranken** ['rɛŋkn̩] (in einem Ranking einen bestimmten Platz belegen); **Ran|king** ['rɛŋkɪŋ], das; -s, -s

ran|las|sen (*ugs. für* jmdm. die Gelegenheit geben, seine Fähigkeiten zu beweisen; sich zum Geschlechtsverkehr bereitfinden)

ran|ma|chen, sich (*ugs. für* sich heranmachen)

Ran|zen, der; -s, - (Schultasche; *ugs. für* dicker Bauch)

ran|zig; ranziges Öl

Rap [rɛp], der; -[s], -s (auf rhythmischem Sprechgesang basierender Musikstil)

ra|pid, ra|pi|de (überaus schnell)

Rap|pe, der; -n, -n (schwarzes Pferd)

Rap|pel, der; -s, - (*ugs. für* plötzlicher Zorn; Verrücktheit); **rap|pe|lig, rapp|lig** (*ugs.*)

rap|peln (*ugs. für* klappern; *österr. für* verrückt sein); ich rapp[e]lle

rap|pen ['rɛp...] (einen Rap singen, spielen); ich rappe; gerappt

Rap|pen, der; -s, - (schweiz. Münze; *Abk.* Rp.; 100 Rappen = 1 Schweizer Franken)

Rap|per ['rɛp...], der; -s, - (Rapsänger); **Rap|pe|rin; Rap|ping,** das; -[s] (*svw.* Rap)

rapp|lig vgl. rappelig

Rap|port, der; -[e]s, -e (Bericht, dienstl. Meldung)

Raps, der; -es, Plur. (Sorten:) -e (eine Ölpflanze)

rar (selten); Ra|ri|tät, die; -, -en (seltenes Stück, seltene Erscheinung); rar|ma|chen, sich (ugs. für sich selten sehen lassen)

Ras, der; -, - (Vorgebirge; Berggipfel)

ra|sant (ugs. für sehr schnell; schnittig; schwungvoll); Ra|sanz, die; -

rasch; ra|scher; am ra|sches|ten

ra|scheln; ich rasch[e]le

ra|sen (wüten; sehr schnell fahren, rennen); du rast; er ras|te

Ra|sen, der; -s, -; ich muss Rasen mähen

ra|send (wütend; schnell); sie hat mich rasend gemacht; rasend werden

Ra|sen|flä|che; Ra|sen|mä|her

Ra|ser (ugs. für unverantwortlich schnell Fahrender); Ra|se|rei; Ra|se|rin

Ra|sier|ap|pa|rat; ra|sie|ren; sich rasieren

Rä|son [rɛˈzõː], die; - (veraltend für Vernunft, Einsicht); jmdn. zur Räson bringen

rä|so|nie|ren (sich wortreich äußern)

Rasp|el, die; -, -n (ein Werkzeug); ras|peln; ich rasp[e]le

Ras|se, die; -, -n

Ras|sel, die; -, -n (Knarre, Klapper); Ras|sel|ban|de, die; -, -n (ugs. scherzh. für übermütige, zu Streichen aufgelegte Kinderschar); ras|seln; ich rass[e]le

ras|sig (von ausgeprägter Art)

ras|sisch (der Rasse entsprechend, auf die Rasse bezogen)

Ras|sis|mus, der; - (Rassendenken u. die daraus folgende Diskriminierung von Personen aufgrund bestimmter biologischer Merkmale); Ras|sist, der; -en, -en (Vertreter des Rassismus); Ras|sis|tin; ras|sis|tisch

Rast, die; -, -en; ohne Rast und Ruh; ras|ten

¹Ras|ter, der; -s, - (enges Liniennetz zum Zerlegen eines Bildes)

²Ras|ter, das; -s, - (Gesamtheit der Lichtpunkte eines Fernsehbildschirms; [Denk]system)

Ras|ter|fahn|dung (Überprüfung vieler Personen mithilfe von Computern)

rast|los; Rast|lo|sig|keit, die; -

Rast|platz; Rast|stät|te

Ra|sur, die; -, -en (das Rasieren)

Rat, der; -[e]s, Plur. (für Personen und Institutionen) Räte; sich Rat holen; bei jmdm. Rat suchen; sich Rat suchend od. ratsuchend an jmdn. wenden; einen Ratsuchenden od. Rat Suchenden nicht abweisen; zurate od. zu Rate ziehen; der Große Rat (schweiz. Bez. für Kantonsparlament)

Ra|ta|touille [...ˈtuj], die; -, -s u. das; -s, -s (Gastron. Gemüse aus Tomaten, Auberginen, Paprika usw.)

Ra|te, die; -, -n (Teilzahlung; Teilbetrag)

¹ra|ten; du rätst, er rät; du rietest; du rietest, er riet; geraten; rat[e]!

²raten [ˈreɪtn̩] (Wirtsch. hinsichtlich der Bonität einstufen)

ra|ten|wei|se; Ra|ten|zah|lung

Rat|ge|ber; Rat|ge|be|rin; Rat|haus

Ra|ti|fi|ka|ti|on, die; -, -en (Anerkennung eines völkerrechtlichen Vertrages); ra|ti|fi|zie|ren; Ra|ti|fi|zie|rung

Rä|tin (Titel)

Ra|ting [ˈreɪtɪŋ], das; -s, -s (Psychol., Soziol. Verfahren zur Einschätzung; auch Bankw. Einstufung der Zahlungsfähigkeit eines internationalen Schuldners); Ra|ting-agen|tur (Agentur, die die Bonität von Unternehmen u. Ä. einschätzt)

Ra|tio, die; - (Vernunft; logischer Verstand); die Ultima Ratio (letztes Mittel)

Ra|ti|on, die; -, -en (zugeteilte Menge); die eiserne Ration

ra|ti|o|nal (vernünftig; begrifflich fassbar); rationale Zahlen (Math.); ra|ti|o|na|li|sie|ren (zweckmäßiger u. wirtschaftlicher gestalten); Ra|ti|o|na|li|sie|rung; Ra|ti|o|na|li|tät, die; -, -en (Vernünftigkeit)

ra|ti|o|nell (zweckmäßig, wirtschaftlich)

ra|ti|o|nie|ren (einteilen); Ra|ti|o|nie|rung

rat|los; Rat|lo|sig|keit, die; -; rat|sam

Rat|schlag, der; -[e]s, ...schläge

Rät|sel, das; -s, -; Rätsel raten; aber das

Rätselraten; rät|sel|haft; rät|seln; ich
räts[e]le

Rats|prä|si|dent; Rats|prä|si|den|tin; Rats-
sit|zung

Rat su|chend, rat|su|chend; Rat|su|chen-
de, der u. die; -n, -n, Rat Su|chen|de, der
u. die; - -n, - -n; vgl. Rat

Rat|te, die; -, -n; Rat|ten|fän|ger; Rat|ten-
fän|ge|rin

rat|tern; ich rattere

rau; ein raues Wesen; ein rauer Ton; ein
noch raueres Klima; die rau[e]sten Sitten

Raub, der; -[e]s, -e; Raub|bau, der; -[e]s;
Raubbau treiben; rau|ben

Räu|ber; Räu|be|rin; räu|be|risch; räu-
bern; ich räubere; Raub|ko|pie; Raub-
tier; Raub|über|fall; Raub|vo|gel (ältere
Bez. für Greifvogel); Raub|zug

Rauch, der; -[e]s; rau|chen; Rau|cher; Rau-
cher|ecke; Rau|che|rin; räu|chern; ich
räuchere; rauch|frei; rau|chig; Rauch-
ver|bot; Rauch|ver|gif|tung; Rauch|wol-
ke

Räu|de, die; - (Krätze, Grind); räu|dig

Raue, die; -, -n (landsch. für Leichen-
schmaus)

rau|en (rau machen)

rauf (ugs. für herauf)

Rauf|bold, der; -[e]s, -e (jmd., der gern mit
anderen rauft); rau|fen (auch für mit
jmdm. [prügelnd u. ringend] kämpfen)

rauf|ge|hen (ugs. für heraufgehen, hinauf-
gehen)

rauf|lus|tig

Rau|haar|da|ckel; Rau|heit

Raum, der; -[e]s, Räume; vgl. raumgreifend;
Raum|an|zug

räu|men

Raum|fäh|re; Raum|fahrt

raum|grei|fend; raumgreifende Schritte

räum|lich; Räum|lich|keit

Raum|schiff; Raum|sta|ti|on

Räu|mung; Räu|mungs|ver|kauf

rau|nen (dumpf, leise sprechen; flüstern)

Rau|pe, die; -, -n; Rau|pen|schlep|per

Rau|reif, der; -[e]s

raus (ugs. für heraus)

Rausch, der; -[e]s, Räusche; rau|schen; du
rauschst; rau|schend; ein rauschendes
Fest

Rausch|gift, das; rausch|gift|süch|tig

raus|flie|gen (ugs.)

raus|kom|men (ugs.)

räus|pern, sich; ich räuspere mich

raus|rut|schen (ugs.)

raus|wer|fen (ugs.); Raus|wurf

Rau|te, die; -, -n (Rhombus)

Rave [re:f], der od. das; -[s], -s (größere
Tanzveranstaltung zu Technomusik); ra-
ven; in der Disco wurde geravt; Ra|ver;
Ra|ve|rin

Ra|vi|o|li Plur. (gefüllte kleine Nudelteigta-
schen)

Raz|zia, die; -, Plur. ...ien, seltener -s (über-
raschende Fahndung der Polizei in einem
Gebäude od. Gebiet)

Re, das; -s, -s (Kartenspiele Erwiderung auf
ein Kontra)

Rea|der ['ri:...], der; -s, - (Buch mit Auszü-
gen aus der [wissenschaftlichen] Literatur;
kurz für E-Book-Reader)

Re|a|genz|glas Plur. ...gläser (Prüfglas für
[chemische] Versuche); re|agie|ren (eine
Wirkung zeigen); auf etwas reagieren

Re|ak|ti|on, die; -, -en (Rück-, Gegenwir-
kung; chemische Umwandlung)

re|ak|ti|o|när (Gegenwirkung erstrebend od.
ausführend; abwertend für nicht fort-
schrittlich); Re|ak|ti|o|när, der; -s, -e
(abwertend für jmd., der sich der Entwick-
lung entgegenstellt); Re|ak|ti|o|nä|rin

re|ak|ti|ons|schnell; Re|ak|ti|ons|ver|mö-
gen, das; -s; Re|ak|ti|ons|zeit

re|ak|ti|vie|ren (wieder in Tätigkeit setzen;
wieder anstellen)

Re|ak|tor, der; -s, ...oren (Vorrichtung, in
der eine chemische od. eine Kernreaktion
abläuft); Re|ak|tor|si|cher|heit, die; -

re|al (wirklich; dinglich; sachlich)

Re|al, der; -[s], Reais [ri'aïs] (Währungsein-
heit in Brasilien); 50 Reais od. 50 Real

re|a|li|sier|bar; re|a|li|sie|ren (verwirkli-

recht / Recht

Kleinschreibung:

- *ein rechter Winkel*
- *der rechte Ort; der rechte Zeitpunkt*
- *zur rechten Hand, rechter Hand (rechts)*
- *jetzt erst recht*
- *das ist [mir] recht; das ist nicht recht von dir; das geschieht ihm recht*
- *es ist recht und billig; alles, was recht ist*
- *man kann ihm nichts recht machen*
- *gehe ich recht in der Annahme, dass ...*

Großschreibung:

- *das Recht, des Recht[e]s, die Rechte*
- *bürgerliches Recht, öffentliches Recht*
- *im Recht sein; von Rechts wegen*
- *mit Recht, ohne Recht*
- *etwas für Recht erkennen*
- *nach Recht und Gewissen*

- *Recht finden, Recht sprechen; sein Recht suchen, bekommen*
- *das Recht anwenden, vertreten, verletzen*
- *sein Recht fordern; auf sein Recht pochen; zu seinem Recht kommen*
- *zu Recht; zu Recht bestehen, erkennen; sie ist zu Recht auf den zweiten Platz gekommen, aber sie ist allein gut zurechtgekommen, kommt allein gut zurecht*

Vgl. auch *rechtens* u. *zurechtfinden* usw.

Groß- oder Kleinschreibung:

- *du hast recht* od. *Recht daran getan*
- *recht* od. *Recht haben; aber nur: wie recht sie hat!*
- *recht* od. *Recht behalten*
- *recht* od. *Recht bekommen*
- *jmdm. recht* od. *Recht geben*

---

chen; erkennen, begreifen; *Wirtsch.* in Geld umwandeln); **Re|a|li|sie|rung**

Re|a|lis|mus, der; - ([nackte] Wirklichkeit; Kunstdarstellung des Wirklichen; Bedachtsein auf die Wirklichkeit, den Nutzen); **Re|a|list,** der; -en, -en; **Re|a|lis|tin;** re|a|lis|tisch; **Re|a|li|tät,** die; -, -en (Wirklichkeit, Gegebenheit)

Re|a|li|ty-TV [ri'ɛlɪti:...], das; -[s] (Sparte des Fernsehens, in der Realityshows o. Ä. produziert werden)

Re|a|lo, der; -s, -s (ugs. für Realpolitiker [bes. bei den Grünen]); **Re|al|po|li|tik** (Politik auf realen Grundlagen)

Re|al|schul|ab|schluss; Re|al|schu|le (Schule, die mit der mittleren Reife abschließt); **Re|al|schü|ler; Re|al|schü|le|rin**

re|ani|mie|ren (wiederbeleben)

Re|be, die; -, -n

Re|bell, der; -en, -en (Aufrührer, Aufständischer); **Re|bel|len|füh|rer; Re|bel|len|füh|re|rin; re|bel|lie|ren; Re|bel|lin; Re|bel|li|on,** die; -, -en; **re|bel|lisch**

Reb|huhn [österr. nur so, sonst auch 'rɛp...]

Reb|laus (ein Insekt)

Re|bound [ri'baunt, auch 'ri:baunt], der; -s, -s (Basketball vom Brett od. Korbring abprallender Ball)

Reb|sor|te; Reb|stock Plur. ...stöcke

Re|bus, der od. das; -, -se (Bilderrätsel)

Re|cei|ver [ri'si:vɐ], der; -s, - (Hochfrequenzteil für Satellitenempfang; Empfänger u. Verstärker für Hi-Fi-Wiedergabe)

re|chen (südd., österr., schweiz. für harken); gerecht; **Re|chen,** der; -s, - (südd., österr., schweiz. für Harke)

Re|chen|auf|ga|be; Re|chen|buch; Re|chen|leis|tung (EDV)

Re|chen|schaft, die; -; **Re|chen|schafts|be|richt**

Re|chen|schie|ber; Re|chen|zen|t|rum

Re|cher|che [...'ʃɛrʃə] die; -, -n meist Plur. (Nachforschung); **re|cher|chie|ren**

rech|nen; gerechnet; Rech|nen, das; -s; **Rech|ner; rech|ne|risch**

Rech|nung; einer Sache Rechnung tragen

Rech|nungs|hof; Rech|nungs|le|gung; Rech|nungs|we|sen, das; -s

recht / Recht s. Kasten

R

Rech|te, die; -n, -n (rechte Hand; rechte Seite; *Politik* die rechts stehenden Parteien); zur Rechten; in, mit meiner Rechten; die gemäßigte Rechte

Recht|eck; recht|eckig

rech|tens (rechtmäßig); er wurde rechtens verurteilt; die Kündigung war rechtens

recht|fer|ti|gen; gerechtfertigt; Recht|fer|ti|gung

Recht|ha|be|rei; recht|ha|be|risch

recht|lich; rechtliche Fragen; recht|mä|ßig; Recht|mä|ßig|keit die; -, -en *Plur. selten*

rechts; (*Abk.* r.) rechts von mir; rechts der Isar; von, gegen, nach rechts; von rechts nach links; mit rechts (mit der rechten Hand) schreiben; Protest gegen rechts; an der Kreuzung gilt rechts vor links, *aber* der Rechtsaußen; politisch rechts stehende *od.* rechtsstehende Parteien

Rechts|ab|tei|lung; Rechts|an|spruch; Rechts|an|walt; Rechts|an|wäl|tin; Rechts|aus|schuss *(Politik)*

Rechts|au|ßen, der; -, -

Rechts|be|helf *(Rechtsspr.);* Rechts|bei|stand; Rechts|be|ra|tung; Rechts|be|schwer|de; Rechts|bruch, der

rechts|bün|dig

recht|schaf|fen *(veraltend);* Recht|schaf|fen|heit, die; -

recht|schrei|ben *nur im Inf. gebräuchlich;* er kann nicht rechtschreiben, *aber* er kann nicht recht schreiben (er schreibt unbeholfen); Recht|schreib|feh|ler; Recht|schreib|re|form; Recht|schrei|bung

Rechts|ex|per|te; Rechts|ex|per|tin

rechts|ex|t|rem; Rechts|ex|t|re|mis|mus, der; -; Rechts|ex|t|re|mist; Rechts|ex|t|re|mis|tin; rechts|ex|t|re|mis|tisch

rechts|frei; ein rechtsfreier Raum

rechts|ge|rich|tet

Rechts|grund|la|ge; Rechts|gut|ach|ten

rechts|hän|dig; Rechts|hän|dig|keit, die; -

rechts|he|r|um; rechtsherum drehen, *aber* nach rechts herumdrehen

rechts|kräf|tig; Rechts|la|ge *(Rechtswiss.);*

Rechts|mit|tel, das; Rechts|ord|nung; Rechts|pfle|ge, die; -

rechts|po|li|tisch; Rechts|po|pu|list; Rechts|po|pu|lis|tin; rechts|po|pu|lis|tisch

Recht|spre|chung

rechts|ra|di|kal; Rechts|ra|di|ka|le, der *u.* die; -n, -n; Rechts|ra|di|ka|lis|mus

Rechts|schutz, der; -es; Rechts|si|cher|heit; Rechts|staat *Plur.* ...staaten; rechts|staat|lich; Rechts|streit; Rechts|strei|tig|keit; Rechts|sys|tem; rechts|ver|bind|lich; Rechts|weg; rechts|wid|rig; Rechts|wis|sen|schaft

recht|win|k|lig

recht|zei|tig

Reck, das; -[e]s, *Plur.* -e, *auch* -s (ein Turngerät)

Re|cke, der; -n, -n ([Sagen]held)

re|cken; sich recken und strecken

Re|cor|der *vgl.* Rekorder

re|cy|cel|bar, re|cy|c|le|bar [ri'sai̯k|...]

re|cy|celn, re|cy|c|len (einem Recycling zuführen); das Altglas wird recycelt *od.* recyclet; ich recyc[e]le

Re|cy|c|ling, das; -s (Wiederverwendung bereits benutzter Rohstoffe); re|cy|c|ling|fä|hig; Re|cy|c|ling|pa|pier

Re|dak|teur [...'tø:ɐ̯], der; -s, -e (jmd., der im Verlagswesen, Rundfunk od. Fernsehen Manuskripte be- u. ausarbeitet); Re|dak|teu|rin [...'tø:...]; Re|dak|ti|on, die; -, -en (Tätigkeit des Redakteurs; Gesamtheit der Redakteure u. deren Arbeitsraum); re|dak|ti|o|nell; Re|dak|ti|ons|mit|glied

Re|de, die; -, -n; Rede und Antwort stehen; zur Rede stellen; re|de|ge|wandt; Re|de|kunst; re|den; gut reden haben; von sich reden machen; jmdn. zum Reden bringen; Reden ist Silber, Schweigen ist Gold

Re|dens|art; Re|de|wen|dung

red|lich; Red|lich|keit, die; -

Red|ner; Red|ne|rin; Red|ner|pult

red|se|lig; Red|se|lig|keit, die; -

Re|duk|ti|on, die; -, -en

re|d|un|dant (weitschweifig, üppig)

re|du|zie|ren (herabsetzen, einschränken); Re|du|zie|rung

Ree|de, die; -, -n (Ankerplatz vor dem Hafen); Ree|der (Schiffseigner); Ree|de|rei (Schifffahrtsunternehmen); Ree|de|rin

re|ell (anständig, ehrlich; wirklich)

Ree|per|bahn (nordd. für Seilerbahn; Straße in Hamburgs Vergnügungsviertel)

Re|fe|rat, das; -[e]s, -e (Abhandlung, Vortrag; Sachgebiet eines Referenten); Re|fe|rats|lei|ter, der; Re|fe|rats|lei|te|rin

Re|fe|ree [refə'ri:, auch 'refəri], der; -s, -s (Sport Schieds-, Ringrichter)

Re|fe|ren|dar, der; -s, -e (Anwärter auf die höhere Beamtenlaufbahn nach der ersten Staatsprüfung); Re|fe|ren|da|rin

Re|fe|ren|dum, das; -s, Plur. ...den u. ...da (Volksabstimmung, -entscheid)

Re|fe|rent, der; -en, -en (Berichterstatter; Sachbearbeiter); vgl. aber Reverend; Re|fe|ren|tin

Re|fe|renz, die; -, -en (Beziehung, Empfehlung; auch für jmd., der eine Referenz erteilt); vgl. aber Reverenz

re|fe|rie|ren (berichten, vortragen)

ref|fen (Segel durch Einrollen verkleinern)

re|fi|nan|zie|ren (Finanzw. fremde Mittel aufnehmen, um damit selbst Kredit zu geben); Re|fi|nan|zie|rung

re|flek|tie|ren (zurückstrahlen, widerspiegeln; nachdenken, bedenken); Re|flek|tor, der; -s, ...oren ([Hohl]spiegel; Rückstrahler)

Re|flex, der; -es, -e (Widerschein, unwillkürliches Ansprechen auf einen Reiz); re|flex|ar|tig; Re|fle|xi|on, die; -, -en (Rückstrahlung; prüfendes Denken)

re|fle|xiv (durch [Nach]denken u. Erwägen; Sprachwiss. rückbezüglich); reflexives Verb (rückbezügliches Verb, z. B. »sich schämen«); Re|fle|xiv|pro|no|men (Sprachwiss. rückbezügliches Fürwort, z. B. »sich« in »er wäscht sich«)

Re|form, die; -, -en (Umgestaltung; Verbesserung des Bestehenden; Neuordnung)

Re|for|ma|ti|on, die; -, -en (Umgestaltung; nur Sing.: Glaubensbewegung des 16. Jh.s, die zur Bildung der ev. Kirchen führte)

Re|for|ma|tor, der; -s, ...oren; Re|for|ma|to|rin; re|form|be|dürf|tig

Re|for|mer (Verbesserer, Erneuerer); Re|for|me|rin

re|for|mie|ren; re|for|miert (Abk. ref., reform.); reformierte Kirche; Re|form|kurs; Re|form|po|li|tik; Re|form|pro|gramm; Re|form|stau

Re|f|rain [...'frɛ:], der; -s, -s (Kehrreim)

Re|fu|gi|um [...gium], das; -s, ...ien (Zufluchtsort)

¹Re|gal, das; -s, -e ([Bücher-, Waren]gestell mit Fächern)

²Re|gal, das; -s, -e (kleine, nur aus Zungenstimmen bestehende Orgel)

Re|gat|ta, die; -, ...tten (Bootswettfahrt)

re|ge; re|ger, regs|te; rege sein, werden; er ist körperlich und geistig rege

Re|gel, die; -, -n; Re|gel|fall, der; -[e]s; re|gel|los; re|gel|mä|ßig; regelmäßige Verben (Sprachwiss.); Re|gel|mä|ßig|keit

re|geln; ich reg[e]le; sich regeln

re|gel|recht; Re|gel|satz (Richtsatz für die Bemessung von Sozialhilfeleistungen); Re|ge|lung, Reg|lung; Re|gel|werk

re|gel|wid|rig; Re|gel|wid|rig|keit

re|gen; sich regen bringt Segen

Re|gen, der; -s, -; saurer Regen (Niederschlag, der schweflige Säure enthält)

Re|gen|bo|gen|fa|mi|lie (Familie mit gleichgeschlechtlichem Elternpaar)

Re|gen|cape

Re|ge|ne|ra|ti|on, die; -, -en (Neubildung; Neubelebung; Wiederherstellung); Re|ge|ne|ra|ti|ons|zeit; re|ge|ne|ra|tiv; re|ge|ne|rie|ren (erneuern, neu beleben); sich regenerieren

Re|gen|schau|er; Re|gen|schirm

Re|gent, der; -en, -en (Staatsoberhaupt; Herrscher); Re|gen|tin

Re|gen|trop|fen

Re|gent|schaft, die; -, -en

Re|gen|wald; der tropische Regenwald

Re|gen|was|ser, das; -s; Re|gen|zeit

R

Reg|gae [...|ge], der; -[s] (Stilrichtung der Popmusik)

Re|gie [...'ʒi:], die; - (Spielleitung [bei Theater, Film, Fernsehen usw.])

re|gie|ren (lenken; [be]herrschen; *Sprachwiss.* einen bestimmten Fall fordern); Regierender Bürgermeister (*im Titel, sonst:* regierender Bürgermeister)

Re|gie|rung; Re|gie|rungs|ar|beit, die; -; Re|gie|rungs|be|am|te; Re|gie|rungs|betei|li|gung; Re|gie|rungs|be|zirk (*Abk.* Reg.-Bez.); Re|gie|rungs|chef; Re|gie|rungs|che|fin; Re|gie|rungs|ko|a|li|ti|on; Re|gie|rungs|la|ger *Plur.* ...lager; Re|gie|rungs|mit|glied; Re|gie|rungs|par|tei; Re|gie|rungs|prä|si|di|um; Re|gie|rungs|sitz; Re|gie|rungs|spre|cher; Re|gie|rungs|spre|che|rin; Re|gie|rungs|sys|tem; Re|gie|rungs|ver|tre|ter; Re|gie|rungs|ver|tre|te|rin; Re|gie|rungs|vier|tel; Re|gie|rungs|wech|sel

Re|gime [...'ʒi:m], das; -s, *Plur.* - [...'ʒi:mə], *auch* -s [...'ʒi:ms] (*abwertend für* [diktatorische] Regierungsform; Herrschaft); Re|gime|geg|ner; Re|gime|geg|ne|rin

Re|gi|ment, das; -[e]s, *Plur.* -e *u.* (*für Truppeneinheiten:*) -er (Regierung; Herrschaft; größere Truppeneinheit)

Re|gime|wech|sel [...'ʒi:m...]

Re|gi|on, die; -, -en (Gegend; Bereich); re|gi|o|nal (gebietsweise; eine Region betreffend); Re|gi|o|nal|ex|press® (schneller Zug des Personennahverkehrs; *Abk.* RE)

Re|gi|o|na|li|sie|rung

Re|gi|o|nal|li|ga (*Sport*); Re|gi|o|nal|li|gist

Re|gis|seur [...ʒɪ'sø:ɐ̯], der; -s, -e; Re|gis|seu|rin

Re|gis|ter, das; -s, - (ein Verzeichnis; Gruppe von Orgelpfeifen)

re|gis|tered [...d͡ʒɪstət] (in ein Register eingetragen; patentiert; gesetzlich geschützt; *Abk.* reg.)

re|gis|t|rie|ren ([in ein Register] eintragen; selbsttätig aufzeichnen; einordnen; bewusst wahrnehmen; *bei Orgel u. Harmonium* Register ziehen); Re|gis|t|rie|rung

Re|g|le|ment [...'mã:, ...'mɛnt], das; -s, *Plur.* -s *u.* (bei deutscher Aussprache) -e (Bestimmungen; [Dienst]vorschrift); re|g|le|men|tie|ren (durch Vorschriften regeln); Re|g|le|men|tie|rung

Reg|ler (*Technik*)

reg|los

Reg|lung, Re|ge|lung

reg|nen; reg|ne|risch

Re|gress, der; -es, -e (*Rechtsspr.* Ersatzanspruch, Rückgriff auf den Hauptschuldner)

Re|gres|si|on, die; -, -en (Rückgang); re|gres|siv (rückläufig; rückschrittlich)

re|gu|lär (vorschriftsmäßig, üblich); reguläre Truppen (gemäß dem Wehrgesetz eines Staates aufgestellte Truppen)

Re|gu|la|ti|on, die; -, -en (*Biol., Med.* die Regelung der Organsysteme eines lebendigen Körpers); re|gu|la|to|risch; re|gu|lie|ren (regeln, ordnen); Re|gu|lie|rung

Re|gung; re|gungs|los

Reh, das; -[e]s, -e

Re|ha, die; -, -s (*kurz für* Rehabilitation)

Re|ha|bi|li|ta|ti|on, die; -, -en (Wiedereingliederung einer behinderten Person in das berufliche u. gesellschaftliche Leben; *auch für* Rehabilitierung); re|ha|bi|li|tie|ren; sich rehabilitieren (sein Ansehen wiederherstellen); Re|ha|bi|li|tie|rung (Wiedereinsetzung [in die ehemaligen Rechte]; Ehrenrettung)

Reh|bock; Reh|kitz

Rei|be, die; -, -n; rei|ben; du riebst; du riebest; gerieben; reib[e]!; durch kräftiges Reiben säubern

Rei|bung; rei|bungs|los

reich; Arm und Reich (*veraltet für* jedermann); jmdn. reich machen *od.* reichmachen

Reich, das; -[e]s, -e; von Reichs wegen; das Deutsche Reich; das Römische Reich

rei|chen (geben; sich erstrecken; genügen)

reich ge|schmückt, reich|ge|schmückt

reich|hal|tig; reich|lich

Reichs|kanz|ler (leitender dt. Reichsminister [1871 bis 1945]); Reichs|mark (dt. Währungseinheit [1924 bis 1948]; *Abk.* RM); Reichs|tag (*Geschichte*)

Reich|tum, der; -s, ...tümer
reich ver|ziert, <u>rei</u>ch|ver|ziert
Reich|wei|te
reif (voll entwickelt; geeignet)
¹Reif, der; -[e]s (gefrorener Tau)
²Reif, der; -[e]s, -e (geh. für Ring; Spielzeug)
Rei|fe, die; - (z. B. von Früchten); mittlere Reife (Abschluss der Realschule od. der 10. Klasse der höheren Schule)
¹rei|fen (reif werden); gereift sein; eine gereifte Persönlichkeit
²rei|fen (¹Reif ansetzen); es hat gereift
Rei|fen, der; -s, -; Rei|fen|pan|ne
Rei|fe|prü|fung; Rei|fe|zeug|nis
reif|lich; nach reiflicher Überlegung
Rei|fung, die; - (das Reifwerden); Rei|fungs|pro|zess
Rei|gen, der; -s, - (ein Tanz)
Rei|he, die; -, -n; in, außer der Reihe; der Reihe nach; an der Reihe sein
¹rei|hen (in Reihen ordnen); sie reihte, hat gereiht
²rei|hen (lose, vorläufig nähen); sie reihte, hat gereiht, landsch. u. fachspr. auch rieh, hat geriehen
Rei|hen|fol|ge; rei|hen|wei|se
Rei|her, der; -s, - (ein Vogel)
reih|um; es geht reihum
Rei|hung
Reim, der; -[e]s, -e; ein stumpfer (männlicher) Reim, ein klingender (weiblicher) Reim; rei|men; sich reimen
Re|im|port, der; -[e]s, -e (Wiedereinfuhr bereits ausgeführter Güter); re|im|por|tie|ren
¹rein; reine Luft; jmdm. reinen Wein einschenken (jmdm. die volle Wahrheit sagen); ins Reine bringen, schreiben; mit jmdm. im Reinen sein; die Wäsche <u>rein waschen</u> od. reinwaschen; aber sich reinwaschen (seine Unschuld beweisen); das Zimmer <u>rein machen</u> od. reinmachen (vgl. aber reinemachen); ein reingoldener Ring
²rein (ugs. für herein, hinein); vgl. reinfeiern, ¹reinmachen

³rein (ugs. für durchaus, ganz, gänzlich); er ist rein toll; sie war rein weg (ganz hingerissen)
Rein, die; -, -en (bayr. u. österr. ugs. für flacher Kochtopf, Kuchenform)
rei|ne|ma|chen (landsch. für putzen)
Rein|fall (ugs.); rein|fal|len (ugs.)
rein|fei|ern (ugs. für bis in den kommenden Tag feiern)
Rein|ge|winn; Rein|heit, die; -
rei|ni|gen; Rei|ni|gung; Rei|ni|gungs|mit|tel, das
rein|lich
rein ma|chen, ²<u>rein</u>|ma|chen vgl. ¹rein
¹rein|ma|chen; den Ball reinmachen (ugs. für ins Tor schießen)
rein|ras|sig
Rein|schrift
rein|sei|den
rein|wa|schen; sich von jeder Schuld reinwaschen wollen; vgl. ¹rein
¹Reis, das; -es, -er (ein Zweiglein)
²Reis, der; -es, Plur. (für Reisarten:) -e (ein Getreide); Reis|brei
Rei|se, die; -, -n; Rei|se|be|richt; Rei|se|bü|ro; Rei|se|bus; rei|se|fer|tig; Rei|se|füh|rer; Rei|se|grup|pe; Rei|se|kos|ten Plur.; Rei|se|lei|ter, der; Rei|se|lei|te|rin; rei|se|lus|tig; rei|sen; du reist; du reis|test; gereist; reis[e]!; Rei|sen|de, der u. die; -n, -n; Rei|se|pass; Rei|se|ziel
Rei|sig, das; -s; Rei|sig|be|sen; Rei|sig|bün|del
Reiß|aus; nur in Reißaus nehmen (ugs. für davonlaufen)
Reiß|brett (Zeichenbrett)
rei|ßen; du reißt, er/sie reißt; du rissest, er/sie riss; gerissen; reiß[e]!; reißende (wilde) Tiere; Rei|ßen, das; -s (ugs. auch für Rheumatismus); rei|ßend; reißender Strom; reißender Absatz
Rei|ßer (ugs. für besonders spannender, effektvoller Film, Roman u. a.)
rei|ße|risch; reißerische Schlagzeilen
Reiß|na|gel (svw. Reißzwecke)
Reiß|ver|schluss; Reiß|ver|schluss|sys-

tem, Reiß|ver|schluss-Sys|tem (*Straßen-
verkehr* Einordnungsverfahren)
Reiß|zwe|cke
rei|ten; du reitest; du rittst (rittest) er/sie
ritt; du rittest; geritten; reit[e]!; Rei|ter,
der; -s, -; Rei|te|rin; Reit|pferd
Reiz, der; -es, -e; der Reiz des Neuen
reiz|bar; rei|zen; du reizt
rei|zend; am rei|zends|ten
Reiz|stoff; Reiz|the|ma
reiz|voll; reizvolle Landschaft
Re|ka|pi|tu|la|ti|on, die; -, -en (Wiederho-
lung); re|ka|pi|tu|lie|ren
re|keln, rä|keln, sich (sich behaglich recken
u. dehnen); ich rek[e]le *od.* räk[e]le mich
Re|kla|ma|ti|on, die; -, -en (Beanstandung)
Re|kla|me, die; -, -n (Werbung; Anpreisung
von Waren)
re|kla|mie|ren (beanstanden)
re|kon|s|t|ru|ie|ren ([den ursprünglichen
Zustand] wiederherstellen); Re|kon-
s|t|ruk|ti|on, die; -, -en
Re|kord, der; -[e]s, -e
Re|kor|der, Re|cor|der (Gerät zur elektro-
magnetischen Speicherung u. Wiedergabe
von Bild- u. Tonsignalen)
Re|kord|er|geb|nis; Re|kord|hö|he; Re-
kord|jahr; Re|kord|mar|ke; Re|kord|um-
satz; re|kord|ver|däch|tig; Re|kord|zeit
Re|k|rut, der; -en, -en (Soldat in der ersten
Zeit der Ausbildung); re|k|ru|tie|ren; sich
rekrutieren (sich zusammensetzen, sich bil-
den); Re|k|ru|tie|rung; Re|k|ru|tin
Rek|tor, der; -s, ...oren (Leiter einer
[Hoch]schule); Rek|to|rat, das; -[e]s, -e
(Amt[szimmer], Amtszeit eines Rektors);
Rek|to|rin
Re|kurs, der; -es, -e (das Zurückgehen,
Zuflucht)
Re|lais [rə'lɛ:], das; -, - (*Elektrot.* Schaltein-
richtung)
Re|la|ti|on, die; -, -en (Beziehung, Verhält-
nis)
re|la|tiv (verhältnismäßig; bedingt); relative
(einfache) Mehrheit
re|la|ti|vie|ren (zu etw. anderem in Bezie-

hung setzen; einschränken); Re|la|ti|vie-
rung
Re|la|ti|vi|tät, die; -, -en (Bezüglichkeit,
Bedingtheit; *nur Sing.:* das Relativsein)
Re|la|ti|vi|täts|the|o|rie, die; - (von Einstein
begründete physikalische Theorie)
Re|la|tiv|pro|no|men (*Sprachwiss.* bezügli-
ches Fürwort, z. B. »das« in »ein Buch, das
ich kenne«); Re|la|tiv|satz
Re|launch ['ri:b:ntʃ, ri'b:ntʃ], der *u.* das;
-[e]s, -[e]s (Neugestaltung eines [alten]
Produkts od. der Werbung dafür)
re|laxed, re|laxt [ri'lɛkst] (*ugs. für* ent-
spannt); relaxed *od.* relaxt sein; *aber nur*
ein relaxter Typ; sie war die Relaxteste von
allen; re|la|xen (*ugs. für* sich entspannen);
wir haben relaxt, waren ganz relaxt
Re|lease, das *od.* der; -[s], -s [...sıs], *(selten:)*
die; -, -s (*bes. EDV* [Neu]veröffentlichung)
Re|le|ga|ti|on, die; -, -en (Verweisung von
der [Hoch]schule; *Sport* Relegations-
spiele)
re|le|vant (wichtig); Re|le|vanz, die; -, -en
Re|li|ef, das; -s, *Plur.* -s *u.* -e (über eine Flä-
che erhaben hervortretendes Bildwerk)
Re|li|gi|on, die; -, -en; Re|li|gi|ons|frei|heit,
die; -; Re|li|gi|ons|ge|mein|schaft
re|li|gi|ös; Re|li|gi|o|si|tät, die; -
Re|likt, das; -[e]s, -e (Rest; Überbleibsel)
Re|ling, die; -, *Plur.* -s, *seltener* -e
([Schiffs]geländer, Brüstung)
Re|li|quie, die; -, -n (Überrest der Gebeine,
Kleider o. Ä. eines Heiligen als Gegenstand
religiöser Verehrung); Re|li|qui|en|schrein
Re|make ['ri:me:k], das; -s, -s (Neufassung
einer künstlerischen Produktion)
Re|mi|nis|zenz, die; -, -en (Erinnerung;
Anklang)
re|mis [rə'mi:] (unentschieden)
Re|mix ['ri:...], der; -[es], -e (neu gestaltete
Tonaufnahme)
Re|mou|la|de [...mu...], die; -, -n (eine Kräu-
termayonnaise); Re|mou|la|den|so|ße,
Re|mou|la|den|sau|ce
Rem|pe|lei (*ugs.*); rem|peln (*ugs. für*
absichtlich stoßen); ich remp[e]le

Ren [reːn, rɛn], das; -s, Plur. Rene u. -s [rɛns] (ein nordländ. Hirsch)

Re|nais|sance [rənɛˈsãːs], die; -, -n (nur Sing.: auf der Antike aufbauende kulturelle Bewegung vom 14. bis 16. Jh.; erneutes Aufleben); **Re|nais|sance|stil**, der; -[e]s

Ren|dez|vous [rãdeˈvuː], das; -, - (Verabredung, Begegnung)

Ren|di|te, die; -, -n (Wirtsch. Verzinsung, Ertrag)

re|ni|tent (widerspenstig, widersetzlich)

Renn|bahn; ren|nen; du ranntest, selten: du renntest; gerannt; renn[e]!; **Ren|nen**, das; -s, -; **Ren|ner** (ugs. auch für etwas, was erfolgreich, beliebt ist); **Renn|fah|rer; Renn|fah|re|rin; Renn|rad; Renn|sport**, der; -[e]s; **Renn|stall; Renn|wa|gen**

Re|nom|mee, das; -s, -s ([guter] Ruf); **re|nom|mie|ren** (prahlen); **re|nom|miert** (berühmt, angesehen, namhaft)

re|no|vie|ren (erneuern, instand setzen); **Re|no|vie|rung**

ren|ta|bel (zinstragend; einträglich); ein ren|ta|b|les Geschäft; **Ren|ta|bi|li|tät**, die; - (Wirtsch. Einträglichkeit)

Ren|te, die; -, -n (regelmäßiges Einkommen [aus Vermögen od. rechtl. Ansprüchen])

Ren|ten|al|ter; Ren|ten|bei|trag; Ren|ten|fonds (Wirtsch. Investmentfonds für festverzinsliche Wertpapiere); **Ren|ten|kas|se; Ren|ten|re|form; Ren|ten|sys|tem; Ren|ten|ver|si|che|rung**

¹Ren|tier [auch ˈrɛn...] (svw. Ren)

²Ren|ti|er [...ˈti̯eː], der; -s, -s (veraltend für Rentner; jmd., der von den Erträgen seines Vermögens lebt)

ren|tie|ren (Gewinn bringen); sich rentieren (sich lohnen)

Rent|ner; Rent|ne|rin

Re|or|ga|ni|sa|ti|on die; -, -en Plur. selten (Neugestaltung)

Rep, der; -s, Plur. -s u. (ugs.) Repse (kurz für Republikaner [Mitglied einer rechtsgerichteten Partei])

re|pa|ra|bel (sich reparieren lassend); repara|b|le Schäden; **Re|pa|ra|ti|on**, die; -, -en (Wiederherstellung); nur Plur.: Kriegsentschädigung); **Re|pa|ra|tur**, die; -, -en; **re|pa|ra|tur|be|dürf|tig; re|pa|rie|ren**

Re|per|toire [...ˈto̯aːɐ̯], das; -s, -s (Vorrat einstudierter Stücke usw., Spielplan)

re|pe|tie|ren (wiederholen); **Re|pe|ti|ti|on**, die; -, -en (Wiederholung)

Re|plik, die; -, -en (Gegenrede, Erwiderung; Nachbildung eines Originals)

Re|port, der; -[e]s, -e u. -s (Bericht, Mitteilung); **Re|por|ta|ge** [...ʒə], die; -, -n (Bericht[erstattung] über ein aktuelles Ereignis); **Re|por|ter**, der; -s, - (Zeitungs-, Fernseh-, Rundfunkberichterstatter); **Re|por|te|rin**

Re|por|ting [auch rɪˈpoːɐ̯...], das; -s, -s ([informierendes] Berichten)

Re|prä|sen|tant, der; -en, -en (Vertreter, Abgeordneter); **Re|prä|sen|tan|ten|haus; Re|prä|sen|tan|tin; Re|prä|sen|tanz**, die; -, -en ([geschäftl.] Vertretung)

Re|prä|sen|ta|ti|on, die; -, -en (standesgemäßes Auftreten; gesellschaftlicher Aufwand); **re|prä|sen|ta|tiv** (vertretend; typisch; wirkungsvoll); repräsentative Demokratie; **re|prä|sen|tie|ren** (vertreten; standesgemäß auftreten)

Re|pres|sa|lie die; -, -n meist Plur. (Vergeltungsmaßnahme, Druckmittel)

Re|pres|si|on, die; -, -en (Unterdrückung [von Kritik]); **re|pres|siv** (unterdrückend)

Re|pro|duk|ti|on, die; -, -en (Wiedergabe, Nachbildung; Vervielfältigung; Fortpflanzung); **re|pro|du|zie|ren**

Rep|til, das; -s, Plur. -ien, selten -e (Kriechtier)

Re|pu|b|lik, die; -, -en; die Berliner Republik; die Erste Republik (in Österreich)

Re|pu|b|li|ka|ner; Re|pu|b|li|ka|ne|rin; re|pu|b|li|ka|nisch

re|pu|b|lik|weit

Re|pu|ta|ti|on, die; - ([guter] Ruf)

Re|qui|em, das; -s, Plur. -s, österr. ...quien (kath. Kirche Totenmesse; Musik ¹Messe)

Re|qui|sit, das; -s, -en (Zubehör, besonders bei Bühne und Film)

R

Re|search [ri'zø:ɐ̯tʃ], das; -[s], -s, *auch* die; -, -s (Markt-, Meinungsforschung)

Re|ser|vat, das; -[e]s, -e (Freigehege; *auch für* Reservation)

Re|ser|ve, die; -, -n (Vorrat; Ersatz; Zurückhaltung); in Reserve (vorrätig)

re|ser|vie|ren (aufbewahren; vormerken); **re|ser|viert** (*auch für* zurückhaltend, kühl); **Re|ser|viert|heit**; **Re|ser|vie|rung**

Re|ser|vist, der; -en, -en (Soldat der Reserve); **Re|ser|vis|tin**

Re|ser|voir [...'vo̯a:ɐ̯], das; -s, Plur. -e u. -s (Sammelbecken, Behälter)

Re|si|dent, der; -en, -en (jmd., der seinen [zweiten] Wohnsitz im [südlichen] Ausland hat); **Re|si|denz**, die; -, -en (Wohnsitz des Staatsoberhauptes, eines Fürsten, eines hohen Geistlichen); **Re|si|denz|the|a|ter**; **re|si|die|ren** (seinen Wohnsitz haben [bes. von regierenden Fürsten])

Re|si|gna|ti|on, die; -, -en Plur. selten (Ergebung in das Schicksal); **re|si|g|nie|ren**; **re|si|g|niert** (mutlos, niedergeschlagen)

re|sis|tent (widerstandsfähig); **Re|sis|tenz**, die; -, -en (Widerstand[sfähigkeit])

re|so|lut (entschlossen, beherzt, tatkräftig)

Re|so|lu|ti|on, die; -, -en (Beschluss, Entschließung); **Re|so|lu|ti|ons|ent|wurf**

Re|so|nanz, die; -, -en (*Musik, Physik* Mittönen, -schwingen; Widerhall, Zustimmung)

Re|sort [*auch* rɪ'zo:ɐ̯t], das; -s, -s

Re|so|zi|a|li|sie|rung (Wiedereingliederung von Straffälligen in die Gesellschaft)

Re|s|pekt, der; -[e]s (Rücksicht, Achtung); Respekt einflößend; **re|s|pek|ta|bel** (ansehnlich; angesehen); re|s|pek|ta|b|le Größe; **re|s|pek|tie|ren** (achten, in Ehren halten)

re|s|pek|ti|ve (beziehungsweise; oder; und; Abk. resp.)

re|s|pekt|los; **re|s|pekt|voll**

Re|s|pons, der; -es, -e (auf eine Initiative o. Ä. hin erfolgende Reaktion)

Res|sen|ti|ment [...säti'mã:], das; -s, -s (gefühlsmäßige Abneigung)

Res|sort [...'so:ɐ̯], das; -s, -s (Geschäfts-, Amtsbereich)

Res|sour|ce [...'sʊrsə] die; -, -n meist Plur. (Rohstoff-, Erwerbsquelle; Geldmittel)

Rest, der; -[e]s, Plur. -e u. (Kaufmannsspr., bes. von Schnittwaren:) -er, schweiz. -en

Re|s|tau|rant [...to'rã:], das; -s, -s (Gaststätte); **Re|s|tau|rant|be|such**

Re|s|tau|ra|ti|on, die; -, -en (seltener für Wiederherstellung; geh. für Gastwirtschaft); **Re|s|tau|ra|tor**, der; -s, ...oren (Wiederhersteller [von Kunstwerken]); **Re|s|tau|ra|to|rin**; **re|s|tau|rie|ren** (wieder in den ursprünglichen Zustand bringen, ausbessern); **Re|s|tau|rie|rung**

Re|s|ti|tu|ti|on, die; -, -en (Wiederherstellung, Rechtsspr.: Entschädigung)

Rest|lauf|zeit

rest|lich; das restliche Geld; aber: alles Restliche erledigen wir später

rest|los; sie war restlos begeistert

Re|s|t|rik|ti|on, die; -, -en (Einschränkung, Vorbehalt); **re|s|t|rik|tiv** (ein-, beschränkend, einengend); restriktive Konjunktion (Sprachwiss., z. B. »insofern«)

Re|struk|tu|rie|rung (Neuordnung)

Re|sul|tat, das; -[e]s, -e (Ergebnis); **re|sul|tie|ren** (sich [als Schlussfolgerung] ergeben; folgen)

Re|sü|mee, das; -s, -s (Zusammenfassung); **re|sü|mie|ren**

Re|tor|te, die; -, -n (Destillationsgefäß)

re|tour [re'tu:ɐ̯] (landsch., österr., schweiz., sonst veraltet für zurück)

re|t|ro|s|pek|tiv (rückschauend); **Re|t|ro|s|pek|ti|ve**, die; -, -n (svw. Retrospektion; auch für Präsentation des [Früh]werks eines Künstlers o. Ä.)

ret|ten; **Ret|ter**; **Ret|te|rin**

Ret|tung (nur Sing.: österr. auch kurz für Rettungsdienst); **Ret|tungs|ak|ti|on**; **Ret|tungs|dienst**; **Ret|tungs|hub|schrau|ber**; **Ret|tungs|leit|stel|le**; **ret|tungs|los**; **Ret|tungs|pa|ket** (Politikjargon); **Ret|tungs|wa|gen**

¹**Re|turn** [rɪ'tø:ɐ̯n], der; -s, -s (Tennis, Tisch-

tennis nach dem Aufschlag des Gegners zurückgeschlagener Ball)

²**Re|turn** *ohne Artikel gebr.* (*kurz für* Returntaste)

Re|tu|sche, die; -, -n (Nachbesserung [bes. von Fotografien]); **re|tu|schie|ren**

Reue, die; -; **reu|en;** es reut mich

reue|voll; reu|ig; reu|mü|tig

Reu|se, die; -, -n (Korb zum Fischfang)

re|üs|sie|ren (gelingen; Erfolg, Glück haben)

Re|van|che [rə̍vã:ʃ(ə)], die; -, -n (Vergeltung; Rache); **re|van|chie|ren,** sich (sich rächen; einen Gegendienst erweisen)

Re|ve|rend, der; -s, -s (*nur Sing.:* Titel der Geistlichen in England u. Amerika)

Re|ve|renz, die; -, -en (Ehrerbietung; Verbeugung); *vgl.* Referenz

¹**Re|vers** [rə̍vɛːɐ̯], das, *österr.* der; -, - (Umschlag od. Aufschlag an Kleidungsstücken)

²**Re|vers** [re̍vɛrs], der; -es, -e (schriftliche Erklärung rechtlichen Inhalts)

re|ver|si|bel (umkehrbar; *Med.* heilbar); **re|ver|si|b|le** Prozesse; **Re|ver|si|bi|li|tät,** die; -

re|vi|die|ren (durchsehen, überprüfen); sein Urteil revidieren

Re|vier [re̍viːɐ̯], das; -s, -e (Bezirk, Gebiet; *kurz für* Forst-, Jagd-, Polizeirevier)

¹**Re|view** [ri̍vjuː], die; -, -s (Titel[bestandteil] englischer u. amerikanischer Zeitschriften)

²**Re|view,** das *od.* der; -s, -s, *auch* die; -, -s (Besprechung eines Buchs, Films u. a.)

Re|vi|si|on, die; -, -en (Nachprüfung; Änderung); **Re|vi|si|ons|ver|fah|ren; Re|vi|sor,** der; -s, ...oren (Wirtschaftprüfer); **Re|vi|so|rin**

Re|vi|ta|li|sie|rung

Re|vi|val [ri̍vaɪvl̩], das; -s, -s (Wiederbelebung)

Re|vol|te, die; -, -n (Empörung, Aufruhr); **re|vol|tie|ren**

Re|vo|lu|ti|on, die; -, -en; **re|vo|lu|ti|o|när** ([staats]umwälzend); **Re|vo|lu|ti|o|när,** der; -s, -e; **Re|vo|lu|ti|o|nä|rin; re|vo|lu|ti|o|nie|ren**

Re|vol|ver, der; -s, - (kurze Handfeuerwaffe; drehbarer Ansatz an Werkzeugmaschinen)

Re|vue [rə̍vyː], die; -, -n […̍vyːən] (Zeitschrift mit allgemeinen Überblicken; musikalisches Ausstattungsstück); Revue passieren lassen (sich intensiv erinnern)

Re|zen|sent, der; -en, -en (Verfasser einer Rezension); **Re|zen|sen|tin; re|zen|sie|ren; Re|zen|si|on,** die; -, -en (kritische Besprechung von Büchern u. a.)

Re|zept, das; -[e]s, -e ([Arznei-, Koch]vorschrift, Verordnung); **re|zept|frei**

Re|zep|ti|on, die; -, -en (Aufnahme [eines Textes]; Empfangsbüro im Hotel)

Re|zep|tor, der; -s, ...oren (*Biol., Physiol.* reizaufnehmende Zelle als Bestandteil z. B. der Haut od. eines Sinnesorgans)

Re|zep|tur, die; -, -en (Anfertigung von Rezepten; Arbeitsraum in der Apotheke)

Re|zes|si|on, die; -, -en (*Wirtsch.* Rückgang der Konjunktur)

re|zi|p|rok (wechselseitig, gegenseitig, aufeinander bezüglich); (*Sprachwiss.* wechselbezügliches Fürwort, z. B. »einander«); **Re|zi|p|ro|zi|tät,** die; - (Wechselseitigkeit)

Re|zi|ta|ti|on, die; -, -en (künstlerischer Vortrag einer Dichtung); **Re|zi|ta|tor,** der; -s, ...oren; **Re|zi|ta|to|rin; re|zi|tie|ren**

Rha|bar|ber, der; -s, -

Rhap|so|die, die; -, ...ien (erzählendes Gedicht, Heldenlied; Musikstück)

Rhe|sus|fak|tor (*Med.* erbl. Merkmal der roten Blutkörperchen; *kurz* Rh-Faktor; *Zeichen* Rh = Rhesusfaktor positiv, rh = Rhesusfaktor negativ)

Rhe|to|rik, die; - (Redekunst); **rhe|to|risch;** rhetorische Frage (Frage, auf die keine Antwort erwartet wird)

Rheu|ma, das; -s (*kurz für* Rheumatismus); **rheu|ma|tisch; Rheu|ma|tis|mus,** der; -, ...men (schmerzhafte Erkrankung der Gelenke, Muskeln, Nerven, Sehnen)

Rhi|no|ze|ros, das; *Gen.* - u. -ses, *Plur.* -se (Nashorn)

Rho|do|den|d|ron, der, *auch* das; -s, ...ren (eine Zierpflanze)

rich|tig

Großschreibung der Substantivierung:

- *das Richtige tun*
- *er wartet noch auf die Richtige*
- *es wäre das Richtigste, wenn ...;* aber *es wäre am richtigsten, wenn ...*

Schreibung in Verbindung mit Verben und Partizipien:

- *eine Uhr, die richtig geht*
- *wenn ich das richtig sehe, gibt es keine größeren Probleme*

- *die Uhrzeiger richtig stellen* od. *richtigstellen;* aber *eine Behauptung richtigstellen*
- *wenn er doch einmal etwas richtig machen würde!;* aber *die Rechnung endlich richtigmachen* (ugs. für begleichen)
- *mit einer Annahme richtigliegen* (ugs.)
- *eine richtig gehende* od. *richtiggehende Uhr;* aber nur *es war eine richtiggehende Verschwörung*

Rhọm|bus, der; -, ...ben (Raute; *Math.* gleichseitiges Parallelogramm)

Rhyth|mik, die; - (Art des Rhythmus; *auch* Lehre vom Rhythmus); **rhyth|misch** (den Rhythmus betreffend, taktmäßig); rhythmische Sportgymnastik; **Rhyth|mus,** der; -, ...men (regelmäßige Wiederkehr; taktmäßige Gliederung)

rich|ten; sich richten; richt euch! (militärisches Kommando); **Rich|ter; Rich|te|rin; rich|ter|lich; Rich|ter|spruch**

rich|tig s. Kasten

rich|ti|ger|wei|se

rich|tig|ge|hend; das war eine richtiggehende (durchaus so zu nennende) Blamage; *vgl.* richtig

Rich|tig|keit, die; -

rich|tig|lie|gen (ugs. für sich nicht irren); *vgl.* richtig

rich|tig|stel|len (berichtigen); *vgl.* richtig

Richt|li|nie meist Plur.; **Richt|schnur** Plur. ...schnuren

Rich|tung; rich|tungs|wei|send

Rick, das; -[e]s, Plur. -e, auch -s (landsch. für Stange; Gestell)

Rị|cke, die; -, -n (weibliches Reh)

Ri|cọt|ta, der; -s (ital. Frischkäse)

rie|chen; du rochst; du röchest; gerochen; riech[e]!

¹Ried, das; -[e]s, -e (Schilf, Röhricht)

²Ried, die; -, -en (österr. für Nutzfläche in den Weinbergen)

Rie|ge, die; -, -n (Turnerabteilung)

Rie|gel, der; -s, -; **rie|geln** (veraltet, noch landsch. für verriegeln); ich rieg[e]le

Rie|men, der; -s, - (Lederstreifen); **Rie|mer** (landsch. für Riemenmacher); **Rie|me|rin**

Ries, das; -es, -e (Papiermaß); 4 Ries Papier

Rie|se, der; -n, -n (außergewöhnlich großer Mensch; Märchengestalt)

rie|seln; ich ries[e]le

Rie|sen|er|folg; rie|sen|groß; Rie|sen|rad

rie|sig (gewaltig groß; toll); riesig große Wellen; die Wellen waren riesig groß

Rie|sin

Ries|ling, der; -s, -e (eine Reb- u. Weinsorte)

Ries|ter, der; -s, - (veraltend für Lederflicken auf dem Schuh)

Ries|ter-Ren|te , Ries|ter|ren|te (staatl. geförderte private Zusatzrente)

¹Riff, das; -[e]s, Plur. -e u. -s (Felsenklippe; Sandbank)

²Riff, der; -s, -s (bes. Jazz, Popmusik ständig wiederholte, rhythmische Tonfolge)

rif|feln ([Flachs] kämmen; aufrauen; mit Riefen versehen); ich riff[e]le

ri|gid, ri|gi|de (streng; steif, starr)

ri|go|rọs ([sehr] streng); **Ri|go|ro|si|tät,** die; -

Rik|scha, die; -, -s (zweirädriger Wagen, der von einem Menschen gezogen wird u. zur Beförderung von Personen dient)

Ril|le, die; -, -n

Rịnd, das; -[e]s, -er

Rin|de, die; -, -n
Rin|der|seu|che; Rind|fleisch
Ring, der; -[e]s, -e; Ring|buch
rin|geln; ich ring[e]le [mich]; Rin|gel|nat|ter
rin|gen; du rangst; du rängest; gerungen; ring[e]!; Rin|ger; Rin|ge|rin
Ring|fin|ger; ring|för|mig
Ring|rich|ter *(Boxen);* Ring|rich|te|rin
rings *vgl.* ringsum; rings|he|r|um; rings|um; ringsum (rundherum) läuft ein Geländer; ringsum (überall) stehen Sträucher, *aber* die Kinder standen rings um ihren Lehrer; rings um den See standen Bäume
Rink, der; -en, -en, Rin|ke, die; -, -n *(landsch. für* Schnalle)
Rin|ne, die; -, -n; rin|nen; es rann; es ränne, *selten* rönne; geronnen; rinn[e]!; Rinn|sal, das; -[e]s, -e *(geh. für* kleines fließendes Gewässer); Rinn|stein
Rip|pe, die; -, -n; rip|pen (mit Rippen versehen; *ugs. für* stehlen; *EDV* Einlesen der Daten einer CD o. Ä. in ein Anwendungsprogramm); gerippt; Rip|pen|bruch, der
Ri|si|ko, das; -s, ...ken, *selten* -s; Ri|si|ko|fak|tor; ri|si|ko|freu|dig; Ri|si|ko|grup|pe *(Med., Soziol.);* Ri|si|ko|ka|pi|tal *(Wirtsch.);* ri|si|ko|los; Ri|si|ko|ma|nage|ment *(Wirtsch.* Unternehmensstrategie zur Erkennung, Bewältigung u. Ausschaltung von Risiken); ri|si|ko|reich
ris|kant (gewagt)
ris|kie|ren (wagen, aufs Spiel setzen)
Ri|sot|to, der; -[s], -s, *auch, österr. nur* das; -s, -[s] (Reisspeise)
Ris|pe, die; -, -n (Blütenstand)
riss *vgl.* reißen
Riss, der; -es, -e; riss|fest; ris|sig
Rist, der; -[e]s, -e (Fuß-, Handrücken)
ritt *vgl.* reiten; Ritt, der; -[e]s, -e
Rit|ter; arme *od.* Arme Ritter (eine Süßspeise)
Rit|ter|burg; rit|ter|lich; Rit|ter|or|den
ritt|lings; rittlings auf dem Stuhl sitzen
Ri|tu|al, das; -s, *Plur.* -e u. -ien (religiöser Brauch; Zeremoniell)
ri|tu|ell (zum Ritus gehörend; durch den

Ritus geboten); Ri|tus, der; -, ...ten (gottesdienstlicher [Fest]brauch; Zeremoniell)
Ritz, der; -es, -e (Kerbe, Schramme; *auch für* Ritze); Rit|ze, die; -, -n (sehr schmale Spalte od. Vertiefung)
rit|zen; du ritzt; Rit|zer (*ugs. für* kleine Schramme; jmd., der sich absichtlich ritzt)
Ri|va|le, der; -n, -n (Mitbewerber); Ri|va|lin
ri|va|li|sie|ren (um den Vorrang kämpfen)
Ri|va|li|tät, die; -, -en
Ri|vi|e|ra die; -, ...ren *Plur. selten* (Küstengebiet am Mittelmeer)
Ri|zi|nus|öl
RNA, die; - (Ribonukleinsäure)
Road|map ['ro:tmep], die; -, -s *(EDV* Plan für die zukünftige Entwicklung von Technologien u. Produkten)
Road|mo|vie ['ro:tmu:vi], das (Spielfilm, dessen Handlung sich unterwegs, bei einer Autofahrt abspielt)
Roads|ter ['ro:tʂte], der; -s, - (offener, zweisitziger Sportwagen)
Roa|ming ['ro:mɪŋ], das; -s *(EDV, Telefonie* Verbindungsübergabe zwischen verschiedenen [Mobilfunk]netzen)
Roast|beef ['ro:stbi:f, 'rɔ...], das; -s, -s (Rostbraten)
Rob|be, die; -, -n (Seesäugetier); rob|ben (robbenartig kriechen); sie robbt
Ro|be, die; -, -n (Amtstracht, bes. für Richter, Anwälte, Geistliche)
Ro|bo|ter (elektronisch gesteuerter Automat)
ro|bust (stark, widerstandsfähig)
Ro|cha|de [...x..., *auch* ...ʃ...], die; -, -n *(Schach* Doppelzug von König u. Turm; *schweiz. auch für* [Ämter]tausch)
rö|cheln; ich röch[e]le
Ro|chen, der; -s, - (ein Seefisch)
¹Rock, der; -[e]s, Röcke
²Rock, der; -[s] (Stilrichtung der Popmusik)
Rock|band [...bɛnt], die (*svw.* Rockgruppe); ro|cken (²Rock spielen)
Ro|cken, der; -s, - (Spinngerät)
Ro|cker, der; -s, - (Angehöriger einer [jugendlichen] Motorradbande; Rockmusi-

ker); Ro|cke|rin; ro|ckig; Rock|kon|zert;
Rock|mu|sik; Rock|star vgl. ²Star

¹Ro|del, der; -s, - (bayr. für Schlitten)

²Ro|del, die; -, -n (österr. für kleiner Schlitten; landsch. für Kinderrassel); Ro|del|bahn

ro|deln; ich rod[e]le

ro|den; rode das Waldstück!

Ro|deo, der od. das; -s, -s (Reiterschau der Cowboys in den USA)

Ro|dung

Ro|gen, der; -s, - (Fischeier)

Rog|gen, der; -s, Plur. (Sorten:) - (ein Getreide); Rog|gen|brot

roh; rohe Gewalt; roh behauener od. rohbehauener Stein; im Rohen fertig

Roh|bau Plur. ...bauten; Roh|heit; Roh|kost; Roh|ling; Roh|ma|te|ri|al; Roh|öl

Rohr, das; -[e]s, -e (österr. auch für Backofen)

Röh|re, die; -, -n

röh|ren (brüllen [vom Hirsch zur Brunftzeit])

Röh|richt, das; -s, -e (Rohrdickicht)

Rohr|zu|cker

Roh|stoff; Roh|stoff|markt

Ro|ko|ko [auch ...'ko..., österr. ...'ko:], das; Gen. -s, fachspr. auch - (Stil des 18. Jh.s)

Roll|bahn

Rol|le, die; -, -n; rol|len; der Wagen kommt ins Rollen

Rol|len|spiel (Soziol.); Rol|len|ver|tei|lung

Rol|ler (Motorroller; Kinderfahrzeug; österr. für Rollbraten); [mit dem] Roller fahren, aber das Rollerfahren

Rol|ler|blade® [...ble:d], der; -s, -s meist Plur. (ein Inlineskate); Rol|ler|skate [...ske:t], der; -s, -s (Rollschuh)

rol|lig ([von Katzen] brünstig)

Roll|kra|gen|pul|l|o|ver

Roll|la|den, Roll-La|den, der; -s, Plur. ...läden, seltener ...laden

Roll|mops (gerollter eingelegter Hering)

Rol|lo [auch, österr. nur, ...'lo:], das; -s, -s (aufrollbarer Vorhang)

Roll|schuh; Rollschuh laufen; aber das Rollschuhlaufen

Rolls-Royce® [rɔls'rɔys, 'ro:ls'rɔys], der; -, -[s] (britische Kraftfahrzeugmarke)

Roll|stuhl; Roll|stuhl|fah|rer; Roll|stuhl|fah|re|rin

Roll|trep|pe

Rom, der; -, -a (das als diskriminierend empfundene Wort »Zigeuner« ersetzende Bezeichnung; vgl. Sinto)

ROM, das; -[s], -[s] (EDV Informationsspeicher, dessen Inhalt nur gelesen, aber nicht verändert werden kann)

Ro|ma (Plur. von Rom)

Ro|man, der; -s, -e; historische Romane

Ro|man|ci|er [...mã'sie:], der; -s, -s (Romanschriftsteller)

Ro|man|fi|gur; ro|man|haft

Ro|ma|nik, die; - (Kunststil vom 11. bis 13. Jh.; Zeit des romanischen Stils)

ro|ma|nisch (zu den Romanen gehörend; im Stil der Romanik, die Romanik betreffend; schweiz. auch für rätoromanisch [vgl. romantsch]); romanische Sprachen

Ro|man|tik, die; - (Kunst- u. Literaturrichtung von etwa 1800 bis 1830; gefühlsbetonte Stimmung); Ro|man|ti|ker (Anhänger, Dichter usw. der Romantik; abwertend für Fantast, Schwärmer); Ro|man|ti|ke|rin; ro|man|tisch (zur Romantik gehörend; gefühlsbetont, schwärmerisch)

Ro|man|ze, die; -, -n (romantisches Liebeserlebnis)

¹Rö|mer (Einwohner Roms)

²Rö|mer, der; -s (das alte Rathaus in Frankfurt am Main)

³Rö|mer (bauchiges Kelchglas für Wein)

Rö|me|rin; rö|misch; römische Zahlen; aber das Römische Reich

rö|misch-ka|tho|lisch (Abk. r.-k., röm.-kath.); die römisch-katholische Kirche

Rom|mé, Rom|mee ['rɔme, auch ...'me:], das; -s, -s (ein Kartenspiel; vgl. Rummy)

Ron|dell, das; -s, -e (Rundteil; Rundbeet)

Ron|do, das; -s, -s (mittelalterliches Tanzlied)

rönt|gen (mit Röntgenstrahlen durchleuchten); du röntgst; sie wurde geröntgt; Rönt|gen|bild; Rönt|gen|strah|len Plur.

rot

rö|ter, rötes|te, *seltener* ro|ter, rotes|te

I. Kleinschreibung:

– *rote Farbe; der rote Teppich*
– *er wirkt auf sie wie ein rotes Tuch*
– *jetzt ist [es] rot (an der Ampel)*

II. Großschreibung
a) der Substantivierung:

– *die Roten (ugs. für die Sozialisten, Kommunisten u. a.); Alarmstufe Rot*

b) in Namen und bestimmten namenähnlichen Fügungen, z. B.:

– *das Rote Meer; der Rote Planet (Mars)*
– *die Rote Liste (der vom Aussterben bedrohten Tier- und Pflanzenarten)*
– *das Rote Kreuz; der Rote Halbmond*
– *Rote Be[e]te*
– *die Rote od. rote Karte (bes. Fußball)*

III. Schreibung in Verbindung mit Verben und adjektivisch gebrauchten Partizipien:

– *vor Verlegenheit rot werden*
– *sich die Haut rot scheuern od. rotscheuern*
– *sich die Augen rot weinen od. rotweinen*
– *aber rotsehen (ugs. für vor Wut die Kontrolle verlieren) als der Junge frech wurde, hat sie plötzlich rotgesehen*
– *rot glühendes od. rotglühendes Eisen*
– *ein rot gestreifter od. rotgestreifter Pulli*
– *rot geweinte od. rotgeweinte Augen*

Vgl. aber *rotbraun* u. *rot-grün*, *rotgrün*

---

ro|sa (rosenfarbig, blassrot); ein rosa (*ugs. auch* rosa[n]es) Kleid; *vgl.* blau; **Ro|sa,** das; -[s], -[s] (rosa Farbe); *vgl.* Blau
ro|sa|far|ben, ro|sa|far|big; ro|sa|rot
rösch [*auch* rø:ʃ] (*Bergmannsspr.* grob; *bes. südd., auch schweiz. mundartl. für* knusprig)
Ro|se, die; -, -n
ro|sé (zartrosa); rosé Spitze; *vgl.* beige
Ro|sen|kranz; Ro|sen|mon|tag (Fastnachtsmontag)
Ro|set|te, die; -, -n (Verzierung in Rosenform)
ro|sig; eine rosig weiße Blüte
Ro|si|ne, die; -, -n
Ros|ma|rin [*auch* ...'ri:n], der; -s (eine Gewürzpflanze)
Ross, das; -es, *Plur.* Rosse u. Rösser (*südd., österr., schweiz., sonst geh. für* Pferd)
¹Rost [*schweiz., landsch.* ro:st], der; -[e]s, -e (Gitter; *landsch. für* Stahlmatratze)
²Rost, der; -[e]s (Zersetzungsschicht auf Eisen); **ros|ten** (Rost ansetzen)

rös|ten (braten; bräunen [Kaffee, Brot u. a.]); **Rös|te|rei**
rost|far|ben, rost|far|big; rost|frei; rostfreier Stahl; **ros|tig;**
rot s. Kasten
Rot, das; -[s], -[s] (rote Farbe); bei Rot ist das Überqueren der Straße verboten; die Ampel steht auf, zeigt Rot; er spielte Rot aus (*Kartenspiel*)
Ro|ta|ti|on, die; -, -en (Drehung, Umlauf)
rot|ba|ckig, rot|bä|ckig
rot|blond; rot|braun
Rö|te, die; -, -n
Ro|te-Au|gen-Ef|fekt (*Fotogr.*)
Rö|teln *Plur.* (eine Infektionskrankheit)
rö|ten; sich röten
rot ge|streift, rot|ge|streift *vgl.* rot
rot-grün, rot|grün; ein rot-grünes *od.* rotgrünes Bündnis (zwischen Sozialdemokraten u. Grünen); die Forderungen von Rot-Grün *od.* Rotgrün
rot|haa|rig
ro|tie|ren (sich drehen)

R

röt|lich; rötlich braun usw.

Rot|licht, das; -[e]s

Ro|tor, der; -s, ...oren (sich drehender Teil von [elektrischen] Maschinen)

rot-rot, rot|rot; *vgl.* rot-grün

rot|se|hen (*ugs. für* vor Wut die Beherrschung verlieren; *vgl.* rot)

Rot|stift *vgl.* ¹Stift

Rot|te, die; -, -n (Gruppe von Menschen); rot|ten (*veraltet für* eine Rotte bilden)

Rö|tung

Rot|wein; **rot-weiß**, rot|weiß; ein rot-weißes *od.* rotweißes Band; eine rot-weiß *od.* rotweiß karierte Bluse; sie spielen in Rot-Weiß *od.* Rotweiß; Rot|wild

Rotz, der; -es ([Tier]krankheit; *derb für* Nasenschleim)

Rouge [ruːʃ], das; -s, -s (rote Schminke)

Rou|la|de [ru...], die; -, -n (gerollte u. gebratene Fleischscheibe)

Rou|lette, das; -s, -s, Rou|lett, das; -s, *Plur.* -e u. -s [ru'lɛt] (ein Glücksspiel)

Rou|te ['ruːtə], die; -, -n (festgelegte Wegstrecke); Rou|ten|pla|ner

Rou|ti|ne [ru...], die; -, -n (Übung, Gewandtheit; Erfahrung; gewohnheitsmäßige Ausführung); rou|ti|ne|mä|ßig

Rou|ting ['ruːtɪŋ], das; -s, -s (*EDV* das Ermitteln eines geeigneten Wegs für die Übertragung von Daten in einem Netzwerk)

Rou|ti|ni|er [...'nje:], der; -s, -s (jmd., der Routine hat); Rou|ti|ni|e|rin; rou|ti|niert (erfahren, gewandt)

Row|dy ['raʊdi], der; -s, -s ([jüngerer] gewalttätiger Mensch)

ro|y|al (königlich; königstreu); Ro|y|al ['rɔyəl] der; -s, -s *meist Plur.* (*Jargon* Mitglied der [engl.] Königsfamilie)

rub|beln (kräftig reiben); ich rubb[e]le

Rü|be, die; -, -n

Ru|bel, der; -s, - (Währungseinheit in Belarus [*Währungscode* BYR] u. in der Russischen Föderation [RUB]; *Abk.* Rbl)

rü|ber (*ugs. für* herüber, hinüber); rü|ber-brin|gen (*ugs.*)

Ru|bin, der; -s, -e (ein Edelstein); ru|bin|rot

Ru|b|rik, die; -, -en (Spalte, Kategorie)

ru|b|ri|zie|ren (einordnen, einstufen)

ruch|los [*auch* 'rʊx...] (*geh. für* niedrig, gemein, böse)

ruck!; hau ruck!, ho ruck!; Ruck, der; -[e]s, -e; mit einem Ruck; ruck|ar|tig

Rück|bank

rück|be|züg|lich; rückbezügliches Fürwort (Reflexivpronomen)

Rück|blen|de (*Film*)

Rück|blick; rück|bli|ckend

ru|ckeln (*ugs. für* leicht, ein wenig rucken); sie sagt, der Wagen ruck[e]le

rü|cken; jmdm. zu Leibe rücken

Rü|cken, der; -s, -; Rü|cken|mark, das; Rücken|schmerz *meist Plur.*; Rü|cken-schwim|men, das; -s; Rü|cken|wind

Rück|er|stat|tung; Rück|fahrt; Rück|fall, der; rück|fäl|lig; Rück|flug; Rück|fra|ge; Rück|ga|be; Rück|ga|be|recht; Rück-gang, der; rück|gän|gig; rückgängige Geschäfte; etw. rückgängig machen; Rück-grat, das; -[e]s, -e; rück|halt|los; Rück-hand, die; - (*bes. Tennis, Tischtennis*); Rück|kauf; Rück|kehr, die; -; Rück|la|ge (zurückgelegter Betrag); Rück|lauf; rück-läu|fig; rückläufige Bewegung; rückläufige Entwicklung; Rück|licht *Plur.* ...lichter

rück|lings; er lehnte rücklings am Schrank

Rück|mel|dung; Rück|nah|me, die; -, -n; Rück|rei|se; Rück|ruf|ak|ti|on

Ruck|sack; Ruck|sack|tou|ris|mus

Rück|schlag; Rück|schluss; Rück|schritt; Rück|sei|te

Rück|sicht, die; -, -en; ohne, in, mit Rücksicht auf; Rücksicht nehmen; Rück|sicht-nah|me, die; -, -n; rück|sichts|los; Rück-sichts|lo|sig|keit; rück|sichts|voll; sie ist ihm gegenüber *od.* gegen ihn immer sehr rücksichtsvoll

Rück|sitz; Rück|spiel (*Sport*; Ggs. Hinspiel); Rück|spra|che; mit jmdm. Rücksprache halten, nehmen; Rück|stän|dig; Rück|stel-lung (*Wirtsch.*); Rück|stoß; Rück|tritt; Rück|tritt|brem|se; Rück|ver|si|che|rung; rück|wär|tig; rückwärtige Verbindungen rück|wärts; rückwärts einparken, *aber* beim Rückwärtseinparken; *vgl.* abwärts, vorwärts; Rück|wärts|gang, der; rück|wärts|ge|hen; manche Kinder können heute nicht einmal mehr rückwärtsgehen; mit dem Umsatz ist es immer mehr rückwärtsgegangen (er hat sich verschlechtert); rück|wärts|ge|rich|tet

Rück|weg

rück|wir|kend

Rück|zah|lung

Rück|zie|her; einen Rückzieher machen (*ugs. für* zurückweichen; *Fußball* den Ball über den Kopf nach hinten spielen)

ruck, zuck! (*ugs.*)

rü|de (roh, grob, ungesittet)

Rü|de, der; -n, -n (m. Hund)

Ru|del, das; -s, -; ru|del|wei|se

Ru|der, das; -s, -; ans Ruder (*ugs. für* in eine leitende Stellung) kommen; Ru|der|boot

Ru|de|rer, Rud|rer; Ru|de|rin, Rud|re|rin; ru|dern; ich rudere

Ru|di|ment, das; -[e]s, -e (Überbleibsel); ru|di|men|tär (nicht ausgebildet; verkümmert)

Rud|rer *vgl.* Ruderer; Rud|re|rin *vgl.* Ruderin

Ruf, der; -[e]s, -e; ru|fen; du rufst; du riefst; du riefest; gerufen; ruf[e]!

Rüf|fel, der; -s, - (*ugs. für* Verweis, Tadel)

Ruf|na|me; Ruf|num|mer

Rug|by ['rakbi]; das; -[s] (ein Ballspiel)

Rü|ge, die; -, -n; rü|gen

Ru|he, die; -; jmdn. zur [letzten] Ruhe betten (*geh. für* beerdigen); sich zur Ruhe setzen; ru|he|los; ru|hen; ru|hend; er ist der ruhende Pol; der ruhende Verkehr

ru|hen las|sen, ru|hen|las|sen

Ru|he|pau|se; Ru|he|stand, der; -[e]s; im Ruhestand (*Abk.* i. R.); Ru|he|ständ|ler; Ru|he|stö|rung; Ru|he|tag; Ru|he|zeit

ru|hig; ruhig Blut bewahren; ruhig sein, werden, bleiben; ein Gelenk ruhig stellen *od.* ruhigstellen; ru|hig|stel|len (durch Medikamente beruhigen); einen Patienten ruhigstellen; *vgl.* ruhig

Ruhm, der; -[e]s; rüh|men; sich seines Wissens rühmen; nicht viel Rühmens machen; rühm|lich; ruhm|los; ruhm|reich

Ruhr die; -, -en *Plur. selten* (Infektionskrankheit des Darmes)

Rühr|ei

rüh|ren; etwas schaumig rühren; den Teig glatt rühren *od.* glattrühren

rüh|rend; eine rührende Szene; am rührends|ten; rüh|rig; rühr|se|lig

Ru|in, der; -s (Zusammenbruch)

Ru|i|ne, die; -, -n (zerfallen[d]es Bauwerk); ru|i|nie|ren (zerstören, verwüsten); sich ruinieren; ru|i|nös (zum Ruin führend)

rülp|sen (*ugs.*); du rülpst; Rülp|ser

rum (*ugs. für* herum)

Rum [*südd. u. österr. auch, schweiz. meist* ru:m], der; -s, *Plur.* -s, *österr.* -e (Branntwein [aus Zuckerrohr])

Rum|ba, die; -, -s, *ugs. auch, österr. u. schweiz. nur,* der; -s, -s (ein Tanz)

rum|krie|gen (*ugs. für* zu etwas bewegen; hinter sich bringen)

Rum|mel, der; -s (*ugs.*)

ru|mo|ren; er hat rumort

rum|peln (*ugs.*); ich rump[e]lle

Rumpf, der; -[e]s, Rümpfe

rümp|fen; die Nase rümpfen

Rump|steak, das; -s, -s ([gebratene] Rindfleischscheibe)

Run [ran], der; -s, -s (Ansturm [auf etwas Begehrtes])

rund ([*im Sinne von* etwa] *Abk.* rd.); Gespräch am runden Tisch; rund um die Welt, *aber* rundum; rund um einen Stein rund machen *od.* rundmachen; *vgl.* rundmachen; Rund, das; -[e]s, -e

Run|de, die; -, -n; die Runde machen; die erste Runde; run|den; sich runden

Rund|fahrt

Rund|funk, der; -s; Rund|funk|ge|bühr

Rund|gang, der

rund|ge|hen; es geht rund (*ugs. für* es ist viel Betrieb); es ist rundgegangen

rund|he|r|aus; etwas rundheraus sagen

rund|he|r|um

rund|lich

rund|ma|chen (*ugs. für* tadeln; *seltener für* überarbeiten)

Rund|rei|se; Rund|schau; Rund|schrei|ben

rund|um; Rund|um|schlag

Run|dung

rund|weg; etwas rundweg ablehnen

Ru|ne, die; -, -n (germanisches Schriftzeichen); Ru|nen|al|pha|bet

run|ter (*ugs. für* herunter, hinunter); run|ter|fal|len (*ugs.*)

Run|zel, die; -, -n; run|ze|lig, runz|lig; run|zeln; ich runz[e]le

Rü|pel, der; -s, -; rü|pel|haft

rup|fen; Gras, Geflügel rupfen

Rup|fen, der; -s, - (Jutegewebe)

Ru|pie, die; -, -n (Währungseinheit in Indien [*Währungscode* INR], Pakistan [PKR], Sri Lanka [LKR] u. anderen Staaten)

rup|pig

Rü|sche, die; -, -n (gefältelter [Stoff]besatz)

Rush|hour ['raʃˌaʊ̯ɐ], die; -, -s (Hauptverkehrszeit)

Ruß, der; -es, *Plur. (fachspr.)* -e

Rüs|sel, der; -s, -; rüs|sel|för|mig

ru|ßen (*schweiz. auch für* entrußen); du rußt; es rußt; Ruß|fil|ter; ru|ßig

rus|sisch-or|tho|dox; russisch-orthodoxe Kirche

rüs|ten; sich rüsten (*geh.*); Gemüse rüsten (*schweiz. für* putzen, vorbereiten)

rüs|tig; eine rüstige alte Dame

rus|ti|kal (ländlich, bäuerlich)

Rüs|tung; Rüs|tungs|in|dus|t|rie; Rüstungs|kon|zern; Rüst|zeug

Ru|te, die; -, -n (Gerte; männliches Glied bei Tieren; *Jägerspr.* Schwanz)

Rutsch, der; -[e]s, -e; guten Rutsch [ins neue Jahr]!; Rut|sche, die; -, -n; rut|schen; du rutschst; rutsch|fest; rut|schig

rüt|teln; ich rütt[e]le

Rhythmus
Das Substantiv ist über das Lateinische aus dem Griechischen ins Deutsche entlehnt worden. Wie das Herkunftswort wird es am Wortanfang mit *Rhy-* geschrieben.

S s

S (Buchstabe); das S; des S, die S, *aber* das s in Hase; der Buchstabe S, s

Saal, der; -[e]s, Säle; *aber* Sälchen (*vgl. d.*)

Saat, die; -, -en; Saat|gut, das; -[e]s

Sab|bat, der; -s, -e (Samstag, jüdischer Feiertag)

sab|bern (*ugs. für* Speichel ausfließen lassen; schwatzen); ich sabbere

Sä|bel, der; -s, -

Sa|bo|ta|ge [...ʒə], die; -, -n (vorsätzliche Schädigung von wirtschaftl. u. militär. Einrichtungen); Sa|bo|teur [...'tøːɐ̯], der; -s, -e; Sa|bo|teu|rin; sa|bo|tie|ren

Sa|b|ra, die; -, -s (w. Form zu Sabre)

Sa|b|re, der; -[s], -s (in Israel geborener Nachkomme jüdischer Einwanderer)

Sa|cha|rin, Sac|cha|rin, das; -s (ein Süßstoff)

Sach|be|ar|bei|ter; Sach|be|ar|bei|te|rin; Sach|be|schä|di|gung; Sach|buch; sach|dien|lich

Sa|che, die; -, -n; in Sachen Meyer [gegen Müller]; in Sachen (zum Thema) neuer Trainer; zur Sache kommen

Sach|fra|ge; sach|ge|mäß; sach|ge|recht; Sach|kennt|nis; sach|kun|dig; Sach|la|ge; Sach|leis|tung

sach|lich (zur Sache gehörend; *auch für* objektiv); sachliche Kritik; sachliche Angaben

säch|lich; sächliches Geschlecht (*Sprachwiss.*)

Sach|lich|keit; die Neue Sachlichkeit (*Kunstwiss.*); Sach|preis; Sach|scha|den

sacht, sach|te

Sach|ver|halt; Sach|ver|stand; sach|ver|stän|dig; Sach|ver|stän|di|ge, der u. die; -n, -n; Sach|ver|stän|di|gen|rat; Sach|wal|ter; Sach|wal|te|rin; Sach|zwang *meist Plur.*

Sack, der; -[e]s, Säcke; 5 Sack Mehl; mit Sack und Pack; Sack|bahn|hof

Sä|ckel, der; -s, - (*landsch. für* Hosentasche; Geldbeutel)

¹**sa|cken** (*landsch. für* in Säcke füllen)

²**sa|cken** (sich senken; sinken)

Sack|gas|se; Sack|hüp|fen, das; -s

sack|wei|se

Sa|dis|mus, der; -, *Plur.* (*für* Handlungen:) ...men (Lust am Quälen, an Grausamkeiten); **Sa|dist,** der; -en, -en; **Sa|dis|tin;** sa|dis|tisch

sä|en; du säst, er/sie sät; du sätest; gesät; säe!

Sa|fa|ri, die; -, -s (Gesellschaftsreise zum Jagen, Fotografieren [in Afrika])

Safe [ze:f], der, *auch* das; -s, -s (Geldschrank, Stahlkammer); **Sa|fer Sex** ['ze:... '-], der; - -[es] (die Gefahr einer Aidsinfektion minderndes Sexualverhalten)

Sa|f|ran, der; -s, -e (Krokus; Farbstoff; *nur Sing.*: ein Gewürz); **sa|f|ran|gelb**

Saft, der; -[e]s, Säfte (*österr. auch für* Bratensoße); **saf|tig** (*ugs. auch für* derb)

Sa|ge, die; -, -n

Sä|ge, die; -, -n

sa|gen; es kostet sage und schreibe (tatsächlich) zwanzig Euro; ich habe mir sagen lassen, dass ...; ich will mir von ihm nichts sagen (befehlen) lassen; sie hat das Sagen

sä|gen

sa|gen|haft (*ugs. auch für* unvorstellbar); **sa|gen|um|wo|ben**

Sa|ger (*österr. ugs. für* Ausspruch)

Sä|ge|spä|ne *Plur.;* **Sä|ge|werk**

Sa|ha|ra [*auch* 'za:...], die; - (Wüste in Nordafrika)

Sah|ne, die; -; süße, saure Sahne; **Sah|ne|eis; Sah|ne|häub|chen; sah|nig**

Sai|son [zɛ'zõ:, *auch, bes. südd., österr.,* zɛ'zo:n], die; -, *Plur.* -s, *auch, bes. südd., österr.,* ...onen (Hauptbetriebs-, Hauptreise-, Hauptgeschäftszeit, Theaterspielzeit); **sai|so|nal; Sai|son|ar|beit; Sai|son|auf|takt; Sai|son|be|ginn,** der; -[e]s; **sai|son|be|rei|nigt** (*Amtsspr.*); **Sai|son|en|de; Sai|son|start; Sai|son|ziel** (*Sport*)

Sai|te, die; -, -n (Bespannung von Musikinstrumenten); andere Saiten aufziehen; *vgl. aber* Seite; **Sai|ten|in|s|t|ru|ment**

Sak|ko [*österr.* ...'ko:], das, *österr. nur so, auch* der; -s, -s (Herrenjackett)

sa|k|ral (den Gottesdienst betreffend)

Sa|k|ra|ment, das; -[e]s, -e (eine gottesdienstliche Handlung)

Sa|k|ri|leg, das; -s, -e (Vergehen gegen Heiliges)

Sa|k|ris|tei (Kirchenraum für den Geistlichen u. die gottesdienstlichen Geräte)

sa|k|ro|sankt (unverletzlich)

sä|ku|lar (alle hundert Jahre wiederkehrend; weltlich); **Sä|ku|la|ri|sa|ti|on,** die; -, -en (Einziehung geistl. Besitzungen; Verweltlichung); **Sä|ku|la|ri|sie|rung** (Lösung der Bindungen an die Kirche)

Sa|lam (arabisches Grußwort); Salam alaikum! (Heil, Friede mit euch!)

Sa|la|man|der, der; -s, - (ein Schwanzlurch)

Sa|la|mi, die; -, -[s], *schweiz. auch* der; -s, - (eine Dauerwurst)

Sa|lär, das; -s, -e (*schweiz. für* Gehalt, Lohn)

Sa|lat, der; -[e]s, -e; gemischter Salat; **Sa|lat|öl; Sa|lat|so|ße, Sa|lat|sau|ce**

Sal|be, die; -, -n

Sal|bei [*österr. nur so, sonst auch* ...'bai], der; -s, *österr. nur so, sonst auch* die; - (eine Heil- u. Gewürzpflanze); **Sal|bei|tee**

sal|ben; Sal|bung

sal|bungs|voll (übertrieben würdevoll)

Säl|chen (kleiner Saal)

Sal|do, der; -s, *Plur.* ...den, -s *u.* ...di (Unterschied der beiden Seiten eines Kontos)

Sa|li|ne, die; -, -n (ein Salzwerk)

¹**Salm,** der; -[e]s, -e (ein Fisch)

²**Salm,** der; -s, -e (*ugs. für* umständliches Gerede)

Sal|mi|ak [*auch, österr. nur,* 'zal...], der, *auch* das; -s (eine Ammoniakverbindung)

Sal|mo|nel|len *Plur.* (Darmkrankheiten hervorrufende Bakterien)

sa|lo|mo|nisch; salomonische Schriften; salomonisches (weises) Urteil

Sa|lon [za'lõ:, *südd., österr.* za'lo:n], der; -s, -s

(Gesellschafts-, Empfangszimmer; Friseur-, Mode-, Kosmetikgeschäft; [Kunst]ausstellung); sa|lon|fä|hig

Sa|loon [səˈluːn], der; -s, -s (Lokal im Stil der Westernfilme)

sa|lopp (ungezwungen; nachlässig)

Sal|pe|ter, der; -s (Bez. für einige Salze der Salpetersäure); Sal|pe|ter|säu|re, die; -

Sal|sa, die; -, -s, ugs. auch der; -[s], -s (Art der lateinamerik. Popmusik; ein Tanz)

Sal|to, der; -s, Plur. -s u. ...ti (freier Überschlag; Luftrolle); Sal|to mor|ta|le, der; - -, Plur. - - u. ...ti ...li (meist dreifacher Salto in großer Höhe)

Sa|lut, der; -[e]s, -e ([militär.] Ehrengruß); sa|lu|tie|ren (militärisch grüßen)

Sal|ve [...və], die; -, -n (gleichzeitiges Schießen von mehreren Feuerwaffen)

Salz, das; -es, -e; salz|arm

sal|zen; du salzt; gesalzen (in übertr. Bedeutung nur so, z. B. die Preise sind gesalzen), auch gesalzt

salz|hal|tig; sal|zig

Salz|säu|re; Salz|was|ser

Sä|mann Plur. ...männer

Sa|ma|ri|ter (Bewohner von Samaria; Krankenpfleger); barmherziger Samariter; Sa|ma|ri|ter|dienst; Sa|ma|ri|te|rin

Sam|ba, die; -, -s, auch u. österr. nur der; -s, -s (ein Tanz)

Sa|me, der; -ns, -n (seltener für Samen); Sa|men, der; -s, -

sä|mig (seimig; dickflüssig)

Sam|mel|band, der; Sam|mel|kla|ge; sam|meln; ich samm[e]le; Sam|mel|stel|le; Sam|mel|su|ri|um, das; -s, ...ien (ugs. für angesammelte Menge verschiedenartigster Dinge); Samm|ler; Samm|le|rin; Samm|ler|stück; Samm|lung

Sam|ple [ˈsɛmpl], das; -[s], -s (Stichprobe; Muster); Sam|p|ler [ˈsɛmple, ˈzamplɐ] (CD o. Ä. mit einer Auswahl von [bereits früher veröffentlichten] Titeln; Gerät zum Durchführen von Samplings)

Sams|tag, der; -[e]s, -e (Abk. Sa.); langer Samstag; vgl. Dienstag; Sams|tag|abend vgl. Dienstagabend; sams|tags vgl. dienstags

samt; samt und sonders; Präp. mit Dat.: samt dem Geld

Samt, der; -[e]s, -e (ein Gewebe); samt|ar|tig; sam|ten (aus Samt); sam|tig (samtartig); eine samtige Haut

sämt|lich; sie waren sämtlich (vollzählig) gekommen; sämtliche Stimmberechtigten, auch: Stimmberechtigte

Sa|mu|rai, der; -[s], -[s] (Angehöriger des jap. Adels)

Sa|na|to|ri|um, das; -s, ...ien (Heilanstalt)

Sand, der; -[e]s, -e

San|da|le, die; -, -n (leichte Fußbekleidung)

San|da|let|te, die; -, -n (sandalenartiger Sommerschuh)

Sand|dorn Plur. ...dorne (eine Pflanzengattung)

sand|far|ben, sand|far|big (für beige)

san|dig; sandiger Boden

Sand|kas|ten

Sand|ler (österr. für Obdachloser); Sand|le|rin

Sand|mann (eine Märchengestalt); Sand|männ|chen; Sand|pa|pier; Sand|sack; Sand|stein; Sand|strand; Sand|sturm

Sand|wich [ˈzɛntvɪtʃ], das od. der; Gen. -[e]s od. -, Plur. -[e]s, auch -e (belegte Weißbrotschnitte)

sanft; sanfter Tourismus

Sänf|te, die; -, -n (Tragstuhl)

Sanft|mut, die; -; sanft|mü|tig

Sang, der; -[e]s, Sänge (veraltet); mit Sang und Klang; Sän|ger; fahrender Sänger; Sän|ger|bund, der; Sän|ge|rin

sang|los; nur in sang- u. klanglos (ugs. für ohne viel Aufhebens, unbemerkt)

sa|nie|ren (gesund machen; durch Renovierung u. Modernisierung den neuen Lebensverhältnissen anpassen; wieder rentabel machen); sich sanieren (ugs. für wirtschaftlich gesunden); Sa|nie|rung; sa|nie|rungs|be|dürf|tig; Sa|nie|rungs|fall, der; Sa|nie|rungs|maß|nah|me; Sa|nie|rungs|plan; Sa|nie|rungs|pro|gramm

sa|ni|tär (gesundheitlich); sanitäre Anlagen
Sa|ni|tä|ter (Krankenpfleger); **Sa|ni|tä|te|rin**; **Sa|ni|täts|dienst**
Sank|ti|on, die; -, -en (geh. für Billigung; meist Plur.: Zwangsmaßnahme); **sank|ti|o|nie|ren** (Sanktionen verhängen)
Sans|k|rit [auch, österr. u. schweiz. nur, ...'krıt], das; -[s] (Literatur- u. Gelehrtensprache des Altindischen)
Sa|phir [auch, österr. nur, ...'fi:ɐ̯], der; -s, -e (ein Edelstein)
Sar|del|le, die; -, -n (ein Fisch)
Sar|di|ne, die; -, -n (ein Fisch)
Sarg, der; -[e]s, Särge
Sar|kas|mus, der; -, ...men (nur Sing.: [beißender] Spott; sarkastische Äußerung); **sar|kas|tisch** (spöttisch)
Sar|ko|phag, der; -[e]s, -e (Steinsarg, [Prunk]sarg)
Sas|se, die; -, -n (Jägerspr. Hasenlager)
Sa|tan, der; -s, -e (nur Sing.: Teufel; boshafter Mensch); **sa|ta|nisch** (teuflisch)
Sa|tel|lit, der; -en, -en (Astron. Mond der Planeten; kurz für Satellitenstaat); **Sa|tel|li|ten|bild**; **Sa|tel|li|ten|schüs|sel** (ugs.); **Sa|tel|li|ten|stadt** (Trabantenstadt)
Sa|tin [...'tɛ̃], der; -s, -s (ein Gewebe mit glänzender Oberfläche); **Sa|tin|blu|se**
Sa|ti|re, die; -, -n (ironisch-witzige literarische od. künstlerische Darstellung u. Kritik menschlicher Schwächen u. Laster); **Sa|ti|ri|ker** (Verfasser von Satiren); **Sa|ti|ri|ke|rin**; **sa|ti|risch**
Sa|tis|fak|ti|on, die; -, -en (Genugtuung)
satt; ein sattes Blau; sich satt essen, trinken; satt sein (ugs. auch für völlig betrunken sein); weil ich deine Launen satt bin (ugs.); vgl. aber satthaben; die hungrigen Kinder satt bekommen; vgl. aber sattbekommen; Bier kann richtig satt machen od. sattmachen
Sat|tel, der; -s, Sättel; **sat|tel|fest** (auch für kenntnisreicher, -reich); **sat|teln**; ich satt[e]lle; **Sat|tel|schlep|per**
satt|ha|ben (ugs. für nicht mehr mögen); weil ich deine Launen satthabe; vgl. satt

sät|ti|gen; eine gesättigte Lösung (Chemie); **Sät|ti|gung**
satt|sam (hinlänglich)
¹Sa|turn, der; -[s] (ein Planet)
²Sa|turn, die; -, -s (kurz für Saturnrakete)
Sa|tyr, der; Gen. -s u. -n, Plur. -n (Waldgeist u. Begleiter des Dionysos in der griech. Sage); **Sa|tyr|spiel**
Satz, der; -es, Sätze; ein verkürzter, elliptischer Satz; **Satz|aus|sa|ge** (svw. Prädikat); **Satz|glied**; **Satz|teil**, der
Sat|zung; **Sat|zungs|än|de|rung**
Satz|zei|chen
Sau, die; -, Plur. Säue u. (bes. von Wildschweinen:) -en
sau|ber; saub[r]er od. sau|be|rer; am saubers|ten; sauber halten; das hast du sauber (ugs., oft ironisch für sehr gut) gemacht! sauber machen od. saubermachen (reinigen); wir haben das Zimmer sauber gemacht od. saubergemacht
Sau|ber|keit, die; -; **säu|ber|lich**
sau|ber ma|chen, **sau|ber|ma|chen** vgl. sauber; **Sau|ber|mann** Plur. ...männer (scherzh.; auch für jmd., der auf die Wahrung der Moral achtet)
säu|bern; ich säubere; **Säu|be|rung**
Sau|ce ['zo:sə, österr. zo:s] vgl. Soße
sau|er; saure Gurken; saurer Regen; er ist gleich sauer (ugs. für verärgert) geworden; gib ihm Saures! (ugs. für prügle ihn!)
Sau|er|amp|fer
Sau|e|rei (derb)
Sau|er|kraut, das; -[e]s
säu|er|lich; **säu|ern** (sauer machen; auch für sauer werden); ich säu[e]re; das Brot wird gesäuert
Sau|er|stoff, der; -[e]s (chemisches Element, Gas; Zeichen O); **Sau|er|stoff|fla|sche**, **Sau|er|stoff-Fla|sche**
Sau|er|teig
sau|fen (derb in Bezug auf Menschen, bes. für Alkohol trinken); du säufst; du soffst; du söffst; gesoffen; sauf[e]!; **Säu|fer** (derb); **Sau|fe|rei** (derb); **Säu|fe|rin**
sau|gen; du saugst; du sogst, auch saugtest;

du sögest; gesogen, *auch* gesaugt (*Technik nur* saugte, gesaugt); saug[e]!

säu|gen; Säu|ge|tier; Säug|ling (Kind im 1. Lebensjahr); **Säug|lings|schwes|ter**

Säu|le, die; -, -n; säu|len|för|mig

¹**Saum, der; -[e]s, Säume** (*veraltet für* Last)

²**Saum, der; -[e]s, Säume** (Rand; Besatz)

sau|mä|ßig (*derb*)

¹**säu|men** (mit einem Rand, Besatz versehen)

²**säu|men** (*geh. veraltend für* zögern)

säu|mig; Säu|mig|keit

saum|se|lig; Saum|se|lig|keit

Sau|na, die; -, Plur. -s od. ...nen (Heißluftbad); **Sau|na|gang, der**

Säu|re, die; -, -n; säu|re|be|stän|dig

Sau|ri|er, der; -, - (urweltliche Echse)

Saus; nur in in Saus und Braus (prassend)

säu|seln; ich säus[e]le

sau|sen; du saust; er/sie saus|te; sausen lassen od. sausenlassen (*ugs. für* aufgeben)

Sau|vi|g|non [sovin'jõː], **der; -s, -s** (eine Rebsorte); **Sauvignon blanc**

Sa|van|ne, die; -, -n (Steppe mit einzeln od. gruppenweise stehenden Bäumen)

Sax, das; -, -e (*Kurzw. für* Saxofon)

Sa|xo|fon, Sa|xo|phon, das; -s, -e (ein Blasinstrument); **Sa|xo|fo|nist, Sa|xo|pho|nist, der; -en, -en** (Saxofonbläser); **Sa|xo|fo|nis|tin, Sa|xo|pho|nis|tin**

S-Bahn® ['ɛs...], **die; -, -en** (Schnellbahn); **S-Bahn|hof; S-Bahn-Wa|gen, der; -s, -**

Sca|la, die; -; Mailänder Scala (Mailänder Opernhaus); *vgl.* Skala

Scan [skɛn], **der** *od. das;* **-s, -s** (das Scannen); **scan|nen** ['skɛn...] (mit einem Scanner abtasten); **Scan|ner, der; -s, -** (ein elektronisches Eingabegerät)

Scha|be, die; -, -n (ein Insekt)

scha|ben; schab *od.* schabe die Möhren!

Scha|ber|nack, der; -[e]s, -e (übermütiger Streich, Possen)

schä|big (*abwertend*)**; Schä|big|keit**

Scha|b|lo|ne, die; -, -n (ausgeschnittene Vorlage; Muster); **scha|b|lo|nen|haft**

Schach, das; -s, -s; Schach spielen, bieten;

in Schach halten (nicht gefährlich werden lassen); Schach und matt!; **Schach|brett**

scha|chern (*abwertend für* feilschend handeln); ich schachere

schach|matt (*ugs. auch für* sehr matt); jmdn. schachmatt setzen; **Schach|spiel; Schach|spie|ler; Schach|spie|le|rin**

Schacht, der; -[e]s, Schächte; Schacht kriegen (*nordd. für* Prügel bekommen)

Schach|tel, die; -, -n

Schäch|ter; Schäch|te|rin

Schach|zug

scha|de (es ist schade um jmdn. *od.* um etwas; schade, dass ...; ich bin mir dafür zu schade; o wie schade!; jammerschade!)

Scha|de, der (*veraltet für* Schaden); *nur noch in* es soll, wird dein Schade nicht sein

Schä|del, der; -s, -; Schä|del|bruch, der; *vgl.* ¹Bruch

scha|den; jmdm. schaden; **Scha|den, der; -s, Schäden;** zu Schaden kommen (*Amtsspr.*); **Scha|den|er|satz,** *fachspr.* meist Scha|dens|er|satz; **Scha|den|er|satz|an|spruch; Scha|den|freu|de, die; -; scha|den|froh; Scha|dens|be|gren|zung,** Schadenbegrenzung; **Scha|dens|er|satz** (*im BGB für* Schadenersatz); **Scha|dens|fall; schad|haft**

schä|di|gen; Schä|di|ger; Schä|di|gung

schäd|lich

Schäd|ling; Schäd|lings|be|kämp|fung

schad|los; sich schadlos halten

Schad|stoff; schad|stoff|arm; Schad|stoff|aus|stoß; Schad|stoff|pla|ket|te

Schaf, das; -[e]s, -e; Schäf|chen (seine Schäfchen ins Trockene bringen (*ugs. auch für* sich großen Gewinn verschaffen))

Schäf|chen|wol|ke *meist Plur.*

Schä|fer; Schä|fer|hund; Schä|fe|rin

Schaf|fen, das; -s

¹**schaf|fen** (schöpferisch gestalten, hervorbringen); Schiller hat »Wilhelm Tell« geschaffen; sie schuf, *auch* schaffte [endlich] Abhilfe; es muss [endlich] Abhilfe geschaffen, *selten* geschafft werden

²**schaf|fen** (vollbringen; *landsch. für* arbei-

ten; in [reger] Tätigkeit sein; *Seemannsspr.*
essen); du schafftest; geschafft; schaff[e]!
sie hat den ganzen Tag geschafft
(landsch.); sie haben es geschafft; ich
möchte damit nichts zu schaffen haben
Schäff|ler (*bayr. für* Böttcher); **Schäff|le|rin**
Schaff|ner (jmd., der in öffentlichen Ver-
kehrsmitteln Fahrscheine kontrolliert; *ver-*
altet für Verwalter); **Schaff|ne|rin**
Schaf|fung, die; -
Schaf|gar|be (eine Heilpflanze); **Schaf|her-**
de; Schaf|kopf, der; -[e]s (ein Kartenspiel)
Scha|fott, das; -[e]s, -e (Gerüst für Hinrich-
tungen)
¹Schaft, der; -[e]s, Schäfte (z. B. Lanzenschaft)
²Schaft, der; -[e]s, Schäfte (*südd. u. schweiz.*
für Gestell[brett], Schrank)
Schah, der; -s, -s (persischer Herrschertitel;
meist kurz für Schah-in-Schah)
Scha|kal, der; -s, -e (hundeartiges Raubtier)
schä|kern (scherzen); ich schäkere
schal; schales (abgestandenes) Bier
Schal, der; -s, *Plur.* -s, *auch* -e
¹Scha|le, die; -, -n (flaches Gefäß; *österr.*
auch für Tasse)
²Scha|le, die; -, -n (Hülle)
schä|len
Schalk, der; -[e]s, *Plur.* -e u. Schälke (Spaß-
vogel, Schelm); **schalk|haft**
Schall, der; -[e]s, *Plur.* -e od. Schälle;
Schall|dämp|fer; schall|dicht
schal|len; es schallt; es schallte, *seltener*
scholl; es schallte, *seltener* schölle;
geschallt; schall[e]!; schallendes Geläch-
ter; **Schall|ge|schwin|dig|keit; Schall-**
mau|er; Schall|plat|te; Schall|schutz
Schal|mei, die; -, -en (ein Holzblasinstrument)
Scha|lot|te, die; -, -n (eine kleine Zwiebel)
schal|ten; er hat geschaltet (beim Autofah-
ren den Gang gewechselt; *ugs. für* begriffen, verstanden, reagiert); sie hat damit
nach Belieben geschaltet; **Schal|ter**
Schalt|flä|che *(EDV);* **Schalt|jahr; Schalt-**
kreis; Schalt|tag; Schal|tung
Scha|lup|pe, die; -, -n (Küstenfahrzeug;
auch für größeres [Bei]boot)

Scham, die; -
Scha|ma|ne, der; -n, -n (Zauberpriester bei
[asiat.] Naturvölkern)
schä|men, sich; sie schämte sich ihres Ver-
haltens, *heute meist* wegen ihres Verhal-
tens; **scham|haft; scham|los**
scham|po|nie|ren, schampunieren (mit
Shampoo einschäumen, waschen)
scham|rot; Scham|rö|te
Schan|de die; -, -n *Plur. selten;* jmdm.
Schande machen; *aber* zuschanden *od.* zu
Schanden gehen, machen, werden
schän|den
Schand|fleck
schänd|lich; schändliche Taten
Schand|tat
Schän|dung
Schän|ke *vgl.* Schenke
¹Schan|ze, die (*veraltet für* Glückswurf,
-umstand); *nur noch in* in die Schanze
schlagen (aufs Spiel setzen)
²Schan|ze, die; -, -n (*Militär früher für*
geschlossene Verteidigungsanlage; *kurz*
für Sprungschanze); **schan|zen** (*früher*
für an einer ²Schanze arbeiten); du
schanzt
¹Schar, die; -, -en (größere Anzahl, Gruppe)
²Schar, die; -, -en, *fachspr.* das; -[e]s, -e
(Pflugschar)
Scha|ra|de, die; -, -n (Worträtsel, bei dem
das zu erratende Wort pantomimisch dargestellt wird)
Schä|re, die; -, -n *meist Plur.* (kleine, der
Küste vorgelagerte Felsinsel)
scha|ren; sich scharen; **scha|ren|wei|se**
scharf; schär|fer, am schärfs|ten; scharfes s
(*für* Eszett);er ist ein Scharfer (*ugs. für* ein
strenger Polizist, Beamter u. Ä.); etwas
aufs, auf das Schärfs|te *od.* schärfs|te ver-
urteilen; scharf durchgreifen, sehen usw.;
das Objektiv scharf stellen *od.* scharfstel-
len, *aber nur* das Objektiv scharf einstel-
len; das Messer, eine Bombe scharf
machen *od.* scharfmachen; *vgl. aber*
scharfmachen; **Scharf|blick,** der; -[e]s
Schär|fe, die; -, -n; **schär|fen**

scharf|kan|tig; scharfkantige Möbel
scharf|ma|chen (*ugs. für* aufhetzen, sexuell erregen); um den Hund scharfzumachen; ein scharfgemachter Hund; *vgl.* scharf
Scharf|rich|ter (*für* Henker); Scharf|rich|te|rin; Scharf|schüt|ze; Scharf|schüt|zin
Scharf|sinn; der; -[e]s; scharf|sin|nig
Scha|ria, die; -, Scheria (religiöses Gesetz des Islams)
¹Schar|lach, der, *österr. das*; -s (lebhaftes Rot)
²Schar|lach, der; -s (eine Infektionskrankheit)
schar|lach|rot
Schar|la|tan, der; -s, -e (Schwindler, Kurpfuscher); Schar|la|ta|nin
Schar|müt|zel; das; -s, - (kurzes, kleines Gefecht, Plänkelei)
Schar|nier, das; -s, -e (Drehgelenk)
Schär|pe, die; -, -n (um Schulter od. Hüften getragenes breites Band)
schar|ren
Schar|ren, der; -s, -, Scharn (*landsch. für* Verkaufsstand für Fleisch od. Brot)
Schar|te, die; -, -n (Einschnitt; [Mauer]lücke; schadhafte Stelle); eine Scharte auswetzen (*ugs. für* einen Fehler wiedergutmachen)
schar|tig; eine schartige Klinge
schar|wen|zeln (*ugs. für* sich dienernd hin u. her bewegen; herumscharwenzeln); ich scharwenz[e]le, er hat scharwenzelt
Schasch|lik, der *od. das*; -s, -s (am Spieß gebratene od. gegrillte Fleischstückchen mit Zwiebeln, Paprika u. Speck)
schas|sen (*ugs. für* [von der Schule, der Lehrstätte, aus dem Amt] jagen); du schasst, er/sie schasst; du schasstest; geschasst; schasse! *u.* schass!
schat|ten (*geh. für* Schatten geben); geschattet; Schat|ten, der; -s, -; Schatten spenden; ein Schatten spendender *od.* schattenspendender Baum
Schat|ten|da|sein; Schat|ten|sei|te; Schat|ten|spiel; Schat|ten|wirt|schaft (Gesamtheit der wirtschaftlichen Betätigungen, die nicht amtlich erfasst werden können)
schat|tie|ren ([ab]schatten); Schat|tie|rung

schat|tig; ein schattiges Plätzchen
Scha|tul|le, die; -, -n (Geld-, Schmuckkästchen; *früher für* Privatkasse eines Fürsten)
Schatz, der; -es, Schätze; Schätz|chen
schät|zen; du schätzt; schätzen lernen; sie haben sich [zu] schätzen gelernt
Schatz|kam|mer; Schatz|kanz|ler (in Großbritannien); Schatz|kanz|le|rin; Schatz|meis|ter; Schatz|meis|te|rin
Schät|zung; schät|zungs|wei|se
Schau, die; -, -en (Ausstellung, Überblick; Vorführung); zur Schau stellen, tragen; jmdm. die Schau stehlen (*ugs. für* ihn um die Anerkennung der anderen bringen)
Schaub, der; -[e]s, Schäube (*südd., österr. für* Garbe, Strohbund); 3 Schaub
Schau|bild; Schau|büh|ne
Schau|der, der; -s, -; Schauder erregen; schau|der|haft; schau|dern; ich schaudere; mir *od.* mich schaudert
schau|en (*bes. südd., österr.*); schau, sieh dir das an! *aber nur* ich habe dich gestern im Kino gesehen
¹Schau|er, der; -s, - (Schreck; Regenschauer)
²Schau|er, der *od. das*; -s, - (*landsch. für* Schutzdach; *auch für* offener Schuppen)
Schau|er|ge|schich|te; schau|er|lich
Schau|fel, die; -, -n; schau|feln; ich schauf[e]le
Schau|fens|ter
Schau|kel, die; -, -n; schau|keln; ich schauk[e]le
Schau|kel|pferd; Schau|kel|stuhl
schau|lau|fen *nur im Infinitiv u. Partizip gebr.*
schau|lus|tig; eine schaulustige Menge; Schau|lus|ti|ge, der *u.* die; -n, -n
Schaum, der; -[e]s, Schäume; schäu|men
Schaum|gum|mi, der, *auch das*; -s, -[s]
schau|mig; Eiweiß schaumig schlagen
Schaum|stoff
Schau|platz
schau|rig; schaurig-schön
Schau|spiel; Schau|spie|ler; Schau|spie|le|rei; Schau|spie|le|rin; schau|spie|le|risch; schau|spie|lern; ich schauspielere;

geschauspielert; zu schauspielern; **Schauspiel|haus**; **Schau|spiel|schu|le**
Schau|stel|ler; **Schau|stel|le|rin**
¹**Scheck**, *schweiz. auch* Check, Cheque [ʃɛk], der; -s, -s (Zahlungsanweisung)
²**Scheck**, der; -en, -en; *vgl.* Schecke
Sche|cke, die; -, -n (scheckige Stute od. Kuh)
sche|ckig; das Pferd ist scheckig braun
Scheck|kar|te
scheel (*ugs. für* missgünstig, geringschätzig); scheel blicken; ein scheel blickender *od.* scheelblickender Mensch
Schef|fel, der; -s, - (ein altes Hohlmaß)
schef|feln (*ugs. für* [geizig] zusammenraffen); ich scheff[e]le
Schei|be, die; -, -n; **schei|ben|för|mig**; **Schei|ben|wi|scher**
Scheich, der; -s, *Plur.* -e *u.* -s (Oberhaupt in arabischen Ländern); **Scheich|tum**
Schei|de, die; -, -n
schei|den; du schiedst; du schiedest; geschieden; scheid[e]!; **Schei|de|weg**
Schei|dung; **Schei|dungs|pro|zess**
Schein, der; -[e]s, -e; **schein|bar** (nur dem Scheine nach)
schei|nen; du schienst; du schienest; geschienen; schein[e]!; die Sonne schien, hat geschienen; sie kommt scheints (*ugs. für* anscheinend) erst morgen
schein|hei|lig
Schein|selbst|stän|dig|keit, **Schein|selbstän|dig|keit**
Schein|tod; **schein|tot**
Schein|wer|fer; **Schein|wer|fer|licht**
Scheiß, der; - (*derb für* unangenehme Sache; Unsinn); **Scheiß|dreck**
schei|ße (*derb*); das sieht scheiße aus; **Schei|ße**, die; - (*derb*); **scheiß|egal** (*derb*); **schei|ßen** (*derb*); ich schiss; du schissest; geschissen; scheiß[e]!
Scheit, das; -[e]s, *Plur.* -e, *bes. österr. u. schweiz.* -er (Holzscheit; *landsch. für* Spaten)
Schei|tel, der; -s, -; **schei|teln**; ich scheit[e]le
Schei|ter|hau|fen

schei|tern; ich scheitere
Schelf, der *od.* das; -s, -e (*Geogr.* Festlandsockel; Flachmeer entlang der Küste)
Schel|le, die; -, -n (Glöckchen; *landsch. für* Ohrfeige); **schel|len**
Schelm, der; -[e]s, -e (Spaßvogel); **Schelmen|streich**; **Schel|min**; **schel|misch**
Schel|te, die; -, -n (scharfer Tadel; ernster Vorwurf); **schel|ten** (schimpfen, tadeln); du schiltst, er schilt; du schaltst, er schalt; du schöltest; gescholten; schilt!
Sche|ma, das; -s, *Plur.* -s *u.* -ta, *auch* Schemen (Muster, Aufriss; Konzept); nach Schema F (gedankenlos u. routinemäßig); **sche|ma|tisch**; eine schematische Zeichnung; **sche|ma|ti|sie|ren** (nach einem Schema behandeln; vereinfachen)
Sche|mel, der; -s, -
Sche|men, der; -s, - (Schatten[bild]; *landsch. für* Maske); **sche|men|haft**
Schenk, der; -en, -en (*veraltet für* Diener; Wirt); **Schen|ke**, **Schän|ke**, die; -, -n
Schen|kel, der; -s, -
schen|ken (als Geschenk geben; *älter für* einschenken); **Schen|ker** (*veraltet für* Bierwirt; *Rechtsspr.* jmd., der eine Schenkung macht); **Schen|ke|rin**; **Schen|kung**
schep|pern (*ugs. für* klappern, klirren); ich scheppere
Scher|be, die; -, -n (Bruchstück aus Glas, Ton o. Ä.); **Scher|ben**, der; -s, - (*südd., österr. für* Scherbe; *Keramik* gebrannter, noch nicht glasierter Ton)
Scher|ben|hau|fen
Sche|re, die; -, -n; ¹**sche|ren** (abschneiden); du scherst, er schert die Schafe; du schorst, *selten* schertest; du schörest, *selten* schertest; geschoren, *selten* geschert; scher[e]!
²**sche|ren**, sich (*ugs. für* sich fortmachen; sich um etwas kümmern); scher dich zum Teufel!; er hat sich nicht darum geschert
Sche|ren|schnitt
Sche|re|rei *meist Plur.* (*ugs. für* Unannehmlichkeit)
Scherf|lein (*veraltet für* kleiner Geldbetrag; Spende); sein Scherflein beitragen

schief

– *in ein schiefes Licht geraten (falsch beurteilt werden)*
– *die schiefe Ebene; ein schiefer Winkel*
– aber: *der Schiefe Turm von Pisa*

Schreibung in Verbindung mit Verben:

– *schief sein; schief werden; schief sitzen, liegen, stehen, gehen, laufen*
– *schief halten*
– *jmdn. schief ansehen*
– *schief denken*
– *den Mund schief ziehen* od. *schiefziehen*

– *sie hat die Absätze schief getreten* od. *schiefgetreten*
– *ein schief gewickelter* od. *schiefgewickelter Verband*

Aber:

– *da bist du aber schiefgewickelt (ugs. für sehr im Irrtum)*
– *die Sache ist [total] schiefgegangen (ugs. für misslungen)*
– *wir haben uns schiefgelacht (ugs. für heftig gelacht)*

Scher|ge, der; -n, -n (Handlanger, Vollstrecker eines Machthabers); **Scher|gin**
Scherz, der; -es, -e; aus, im Scherz; **scherzen**; du scherzt, du scherztest; **scherz|haft**
scheu; scheu sein, werden; **Scheu**, die; - (Angst, banges Gefühl); ohne Scheu
scheu|chen
scheu|en; das Pferd hat gescheut; ich habe mich vor dieser Arbeit gescheut
scheu|ern; ich scheu[e]re; **Scheu|er|tuch** *Plur.* ...tücher
Scheu|klap|pe *meist Plur.*
scheu ma|chen, **scheu|ma|chen**
Scheu|ne, die; -, -n; **Scheu|nen|tor**, das
Scheu|sal, das; -s, *Plur.* -e, ugs. ...säler
scheuß|lich; **Scheuß|lich|keit**
Schi usw. *vgl.* **Ski** usw.
Schicht, die; -, -en (Gesteinsschicht; Überzug; Arbeitszeit, bes. des Bergmanns; Belegschaft); die führende Schicht; Schicht arbeiten; zur Schicht gehen; **schich|ten**; **schicht|wei|se**, **schich|ten|wei|se**
schick (modisch, elegant); ein schicker Mantel; *vgl.* chic; **Schick**, der; -[e]s; *vgl.* Chic
schi|cken; Grüße schicken; es schickt sich nicht; er hat sich schnell in diese Verhältnisse geschickt (sich damit abgefunden)
schi|cker (ugs. für leicht betrunken)
schick|lich (geh.); ein schickliches Betragen
Schick|sal, das; -s, -e; **schick|sal|haft**; **Schick|sals|schlag**

schie|ben; du schobst; du schöbest; geschoben; schieb[e]!; **Schie|ber** (Riegel)
Schie|be|tür
Schie|bung (ugs. für betrügerischer Handel, Betrug)
Schieds|ge|richt; **Schieds|rich|ter**; **Schieds|rich|te|rin**; **Schieds|spruch**
schief *s. Kasten*
Schie|fer, der; -s, - (ein Gestein; *landsch. auch für* Holzsplitter); **Schie|fer|ta|fel**
schief|ge|hen (ugs. für misslingen); *vgl.* schief; **schief|ge|wi|ckelt** *vgl.* schief; **schief|la|chen**, sich (ugs. für heftig lachen); *vgl.* schief; **Schief|la|ge**; **schief|lau|fen** (ugs. für misslingen); *vgl.* schief; **schief|lie|gen** (ugs. für einen falschen Standpunkt vertreten; sich irren); *vgl.* schief
schie|len; sie schielt
Schien|bein; **Schie|ne**, die; -, -n; **schie|nen**; **Schie|nen|netz**; **Schie|nen|ver|kehr**
¹schier (fast, gar); das ist schier unmöglich
²schier (landsch. für rein); schieres Fleisch
Schi|er (*Plur. von* Schi)
Schier|ling (eine Giftpflanze)
Schieß|bu|de
schie|ßen (südd., österr. auch für verbleichen); du schießt, er schießt; du schossest, er schoss; du schössest; geschossen; schieß[e]!
Schie|ßen, das; -s, -; es ist zum Schießen

(*ugs. für* es ist zum Lachen); **Schie|ße|rei**; **Schieß|schar|te**; **Schieß|stand**

Schiff, das; -[e]s, -e; **schiff|bar**; schiffbar machen; **Schiff|bau** *vgl.* Schiffsbau; **Schiff|bruch**, der; **schiff|brü|chig**; **Schiff-brü|chi|ge**, der u. die; -n, -n

Schif|fer; **Schif|fe|rin**; **Schiff|fahrt**, **Schiff-Fahrt**; **Schiffs|bau**, Schiff|bau, der; -[e]s; **Schiff|schau|kel**, Schiffs|schau|kel (große Jahrmarktsschaukel); **Schiffs|rei|se**

Schi|it, der; -en, -en (Angehöriger einer der beiden Hauptrichtungen des Islams); **Schi-i|tin**; **schi|i|tisch**

Schi|ka|ne, die; -, -n (böswillig bereitete Schwierigkeit); **schi|ka|nie|ren**; **schi|ka-nös**

Schi|lauf usw. *vgl.* Skilauf usw.

¹**Schild**, das; -[e]s, -er (Erkennungszeichen, Aushängeschild)

²**Schild**, der; -[e]s, -e (Schutzwaffe)

Schild|bür|ger|streich (Handlung, deren eigentlicher Zweck in törichter Weise verfehlt wird)

Schild|drü|se

schil|dern; ich schildere; **Schil|de|rung**

Schild|krö|te

Schild|wa|che (*veraltet für* militärischer Wachposten [vor einem Eingang])

Schilf, das; -[e]s, -e; **Schilf|gras**

Schill, der; -[e]s, -e (ein Flussfisch, Zander)

Schil|ler, der; -s, - (Farbenglanz)

schil|lern; das Kleid schillert in vielen Farben; ich schillere; **schil|lernd**; ein schillernder (verschwommener) Begriff

Schil|ling, der; -s, -e (frühere österr. Währungseinheit); 6 Schilling

Schi|mä|re, Chi|mä|re, die; -, -n (Trugbild, Hirngespinst)

¹**Schim|mel**, der; -s (weißlicher Pilzüberzug auf organischen Stoffen)

²**Schim|mel**, der; -s, - (weißes Pferd)

schim|me|lig, schimm|lig; **schim|meln**; er sagt, das Brot schimm[e]le

Schim|mel|pilz

Schim|mer; **schim|mern**; er sagt, ein Licht schimmere

Schim|pan|se, der; -n, -n (ein Menschenaffe)

Schimpf, der; -[e]s; *meist in* mit Schimpf und Schande; **schimp|fen**; **schimpf|lich** (schändlich, entehrend); **Schimpf|na|me**; **Schimpf|wort** *Plur.* ...worte u. ...wörter

Schin|del, die; -, -n; **Schin|del|dach**

schin|den; du schindetest, *seltener* schund[e]st; du schündest; geschunden; schind[e]!; **Schin|der** (jmd., der andere quält; *veraltet für* Abdecker); **Schin|de|rei**; **Schin|de|rin**; **Schind|lu|der**; *nur in* mit jmdm. Schindluder treiben (*ugs. für* jmdn. schmählich behandeln)

Schin|ken, der; -s, -; **Schin|ken|speck**

Schip|pe, die; -, -n (*nordd., md. für* Schaufel; *ugs. scherzh. für* unmutig aufgeworfene Unterlippe); **schip|pen**

schip|pern (*ugs. für* mit dem Schiff fahren); ich schippere

Schirm, der; -[e]s, -e; **Schirm|herr**; **Schirm-her|rin**; **Schirm|herr|schaft**

Schi|rok|ko, der; -s, -s (ein warmer Mittelmeerwind)

Schi|sprin|gen *vgl.* Skispringen

Schiss der; -es, -e *Plur. selten* (*derb für* Kot; *nur Sing.: ugs. für* Angst); Schiss haben

schi|zo|phren [*auch* sçi...] (an Schizophrenie erkrankt); **Schi|zo|phre|nie**, die; -, ...ien (*Med.* eine schwere Psychose)

schlab|be|rig, schlabb|rig; **schlab|bern** (*ugs. für* schlürfend trinken u. essen; *landsch. für* reden); ich schlabbere

Schlacht, die; -, -en

schlach|ten; **Schlach|ter**, **Schläch|ter** (*nordd. für* Fleischer); **Schlach|te|rei**, **Schläch|te|rei** (*nordd. für* Fleischerei; Gemetzel); **Schlach|te|rin**, **Schläch|te|rin**; **Schlacht|feld**; **Schlacht|hof**; **Schlacht-ruf**; **Schlacht|schiff**; **Schlach|tung**

Schla|cke, die; -, -n (Rückstand beim Verbrennen, besonders von Koks)

schla|ckern (*landsch. für* schlenkern); ich schlackere; mit den Ohren schlackern

Schlaf, der; -[e]s; **Schlaf|an|zug**

Schlä|fe, die; -, -n (Schädelteil)

schla|fen; du schläfst; du schliefst; du schliefest; geschlafen; schlaf[e]!; schlafen gehen; [sich] schlafen legen

Schlä|fer (*auch für noch nicht aktiver Agent od. Terrorist*); **Schlä|fe|rin**

schlaff

Schla|fitt|chen; jmdn. am od. beim Schlafittchen packen (*ugs. für jmdn. packen*)

schlaf|los; Schlaf|lo|sig|keit, die; -

Schlaf|mit|tel; Schlaf|müt|ze (*auch scherzh. für Viel-, Langschläfer; träger, schwerfälliger Mensch*); **Schlaf|platz**

schläf|rig

Schlaf|sack; Schlaf|stö|rung *meist Plur.;* **schlaf|trun|ken; Schlaf|wa|gen; schlaf-wan|deln;** ich schlafwand[e]le; sie schlafwandelte; er hat (*auch* ist) geschlafwandelt; zu schlafwandeln; **Schlaf|wand|ler; Schlaf|wand|le|rin; Schlaf|zim|mer**

¹Schlag, der; -[e]s, Schläge; Schlag 2 Uhr; Schlag auf Schlag

²Schlag, der; -[e]s (*österr.*); Kaffee mit Schlag

Schlag|ab|tausch (*Sport, auch übertr.*); **Schlag|ader; Schlag|an|fall; schlag|ar-tig; Schlag|ball; Schlag|baum**

schla|gen (du schlägst; du schlugst; du schlügest; er hat geschlagen; schlag[e]!; er schlägt ihn (*auch ihm*) ins Gesicht; Alarm schlagen; Rad schlagen)

Schla|ger ([Tanz]lied, das in Mode ist; etwas, das großen Erfolg hat)

Schlä|ger (Raufbold; Fechtwaffe; Sportgerät); **Schlä|ge|rei; Schlä|ge|rin**

Schlag|ger|sän|ger; Schla|ger|sän|ge|rin

schlag|fer|tig; Schlag|fer|tig|keit

Schlag|ho|se (*Schneiderei, Mode*); **schlag-kräf|tig; Schlag|licht** *Plur.* ...lichter; **Schlag|loch; Schlag|sah|ne; Schlag|sei-te; Schlag|stock; Schlag|wort** *Plur.* ...worte u. (*bes. für Stichwörter eines Schlagwortkatalogs:*) ...wörter; **Schlag-zei|le; Schlag|zeug** (Gruppe von Schlaginstrumenten)

schlak|sig

Schla|mas|sel, der, *auch, österr. nur,* das; -s (*ugs. für Unglück, verfahrene Situation*)

Schlamm, der; -[e]s, *Plur.* -e u. Schlämme; **schlam|mig; Schlamm|schlacht** (mit herabsetzenden u. unsachlichen Äußerungen geführter Streit)

Schlam|pe, die; -, -n, **Schlam|pen** (*ugs. abwertend für unordentliche Frau*)

schlam|pen (*ugs. für unordentlich sein*); **Schlam|pe|rei** (*ugs. für Unordentlichkeit*)

Schlam|per|mäpp|chen (*ugs. für Federmäppchen*); **schlam|pig** (*ugs. für unordentlich; schluderig*); **Schlam|pig|keit**

Schlan|ge, die; -, -n; Schlange stehen

schlän|geln, sich; ich schläng[e]le mich durch die Menge

Schlan|gen|li|nie; in Schlangenlinien fahren

schlank; auf die schlanke Linie achten; Kleider, Fitnessprogramme, die **schlank machen** od. schlankmachen; **Schlank-heit,** die; -; **Schlank|heits|kur**

schlapp (*ugs. für schlaff, müde, abgespannt*); die Hitze hat uns **schlapp gemacht** od. schlappgemacht; *vgl.* schlappmachen

Schlap|pe, die; -, -n (Niederlage); **schlapp-ma|chen** (*ugs. für nicht durchhalten*); sie haben schlappgemacht; *vgl.* schlapp

Schla|raf|fen|land, das; -[e]s

schlau; ein schlaues Kerlchen; *vgl.* schlau-machen; **Schlau|ber|ger** (*ugs. für pfiffiger Mensch*); **Schlau|ber|ge|rin**

Schlauch, der; -[e]s, Schläuche; ein Schlauch sein (*ugs. für sehr anstrengend sein*); **Schlauch|boot**

schlau|chen (*ugs. für sehr anstrengend sein; landsch. für auf jmds. Kosten leben*)

Schläue, die; - (Schlauheit)

Schlau|fe, die; -, -n (Schleife)

schlau|ma|chen, sich (*ugs. für sich informieren*); **Schlau|mei|er** (*svw. Schlauberger*); **Schlau|mei|e|rin**

Schla|wi|ner (*ugs. für Nichtsnutz, pfiffiger, durchtriebener Mensch*); **Schla|wi|ne|rin**

schlecht *s. Kasten Seite 367*

schlecht be|zahlt, schlecht|be|zahlt

schlech|ter|dings (geradezu); das ist schlechterdings unmöglich

schlecht

I. Kleinschreibung:
- *schlechtes Wetter*
- *schlecht (schlicht) und recht*

II. Großschreibung:
- *etwas, nichts, viel, wenig Schlechtes*
- *im Guten und im Schlechten*

III. Schreibung in Verbindung mit Verben und Partizipien:
- *schlecht sein, schlecht werden, schlecht singen, schlecht spielen usw.*
- *auf einem Bein kann man schlecht stehen*
- *jmdn. schlecht beraten; schlecht beraten sein (unklug handeln)*

- *du hast die Aufgabe schlecht gemacht (schlecht ausgeführt)*
  aber sie hat ihn überall schlechtgemacht (herabgesetzt)
- *ich kann in diesen Schuhen schlecht gehen; aber es wird ihr sicher [sehr] schlecht gehen* od. *schlechtgehen (sie befindet sich in einer üblen Lage)*
- *weil die Chancen schlecht stehen* od. *schlechtstehen*
- *der schlecht gelaunte* od. *schlechtgelaunte Besucher*
- *eine schlecht bezahlte* od. *schlechtbezahlte Tätigkeit*
- *die neue Vereinbarung wird sie nicht schlechterstellen (benachteiligen)*

---

schlẹcht ge|hen, **schlẹcht|ge|hen** vgl. schlecht; **schlẹcht ge|launt**, **schlẹcht|ge-launt** vgl. schlecht; **Schlẹcht|heit**
schlẹcht|hin (in typischer Ausprägung; an sich; geradezu)
Schlẹch|tig|keit
schlẹcht|ma|chen (herabsetzen); vgl. schlecht; **schlẹcht|re|den** (durch überzogene Kritik abwerten); vgl. schlecht
schlẹcht|weg (geradezu, einfach)
schlẹ|cken; Schlẹ|cker (ugs. für Schleckermaul; österr. landsch. für Lutscher); **Schle-cke|rẹi; Schlẹ|cke|rin; Schlẹ|cker|maul** (ugs. für jmd., der gern nascht)
Schlẹ|gel, der; -s, - (landsch. u. österr., schweiz. für [Kalbs-, Reh]keule)
Schlẹh|dorn Plur. ...dorne (ein Strauch)
Schlẹi, der; -[e]s, -e
schlei|chen; du schlichst; du schlichest; geschlichen; schleich[e]!; schlei|chend (fast unbemerkt beginnend u. allmählich fortschreitend); schleichende Inflation
Schlei|cher (svw. Leisetreter); **Schlei|che-rin; Schleich|weg**; auf Schleichwegen; **Schleich|wer|bung**
Schlei|er, der; -s, -; **Schlei|er|eu|le**

schlei|er|haft (ugs. für rätselhaft)
Schlei|fe, die; -, -n (Schlinge)
¹schlei|fen (schärfen); du schleifst; er schleift; er schliff; ge|schlif|fen; schlei|f[e]!
²schlei|fen (über den Boden ziehen); du schleifst; er schleif|te; ge|schleift; schlei-f[e]!
schlei|fen las|sen, **schlei|fen|las|sen** (ugs. für sich nicht mehr kümmern)
Schlei|f|stein
Schleim, der; -[e]s, -e; **schlei|men**
Schleim|haut
schlei|mig
schleim|lö|send; schleimlösende Mittel
schlẹm|men (gut essen); **Schlẹm|mer; Schlem|me|rẹi; Schlẹm|me|rin**
schlẹn|dern; ich schlendere; Schlẹn|d|ri|an, der; -[e]s (ugs. für Schlamperei)
Schlẹn|ker (schlenkernde Bewegung; kurzer Umweg); **schlẹn|kern; ich schlenkere die Arme, mit den Armen schlenkern**
Schlẹp|pe, die; -, -n; **schlẹp|pen; schlẹp-pend**
Schlẹp|per (auch für jmd., der Illegale über die Grenze bringt); **Schlẹp|pe|rin**

S

Schlepp|tau, das; -[e]s, -e; im Schlepptau

schle|sisch; der schlesische Dialekt; *aber* der Erste Schlesische Krieg

Schleu|der, die; -, -n; schleu|dern; ich schleudere; Schleu|der|sitz

schleu|nig (schnell)

schleu|nigst (auf dem schnellsten Wege)

Schleu|se, die; -, -n; schleu|sen; du schleust; Schleu|sen|tor, das

Schleu|ser (*svw.* Schlepper); Schleu|se|rin

schlich *vgl.* schleichen

Schlich, der; -[e]s, -e (feinkörniges Erz; *nur Plur.: ugs. für* List, Trick)

schlicht; schlichte Eleganz

schlich|ten (vermittelnd beilegen; *auch für* mit Schlichte behandeln; *österr., bayr. auch für* stapeln); einen Streit schlichten

Schlich|ter; Schlich|te|rin

Schlicht|heit

Schlich|tung

schlicht|weg

Schlick, der; -[e]s, -e (an organischen Stoffen reicher Schlamm am Boden von Gewässern; Schwemmland)

Schlie|re, die; -, -n (streifige Stelle [im Glas])

schlie|ßen; du schließt, sie schließt (*veraltet* sie schleußt); du schlossest, er schloss; du schlössest; geschlossen; schließ[e]! (*veraltet* schleuß!); Schließ|fach

schließ|lich; schließlich und endlich

Schlie|ßung

schliff *vgl.* schleifen; Schliff, der; -[e]s, -e (geschliffene Fläche [im Glas]; das Schleifen; *nur Sing.:* das Geschliffensein; *nur Sing.: ugs. für* gute Umgangsformen)

schlimm; schlimms|ten|falls

Schlin|ge, die; -, -n

Schlin|gel, der; -s, - (*scherzh. für* übermütiger Junge; freches Kerlchen)

schlin|gen; du schlangst; du schlängest; sie hat geschlungen; schling[e]!

schlin|gern (um die Längsachse schwanken [von Schiffen]); das Schiff schlingert; ich schlingere; ins Schlingern kommen

Schling|pflan|ze

Schlips, der; -es, -e (Krawatte)

schlit|ten (*landsch.*); Schlit|ten, der; -s, -; Schlitten fahren; ich bin Schlitten gefahren; Schlit|ten|fah|ren, das; -s

schlit|tern ([auf Eis] gleiten); ich schlittere

Schlitt|schuh; Schlittschuh laufen; ich bin Schlittschuh gelaufen; Schlitt|schuh|lau|fen, das; -s

Schlitz, der; -es, -e; Schlitz|ohr (*ugs. für* gerissene Person)

schloh|weiß (ganz weiß)

schloss *vgl.* schließen

Schloss, das; Schlosses, Schlösser

Schlo|ße die; -, -n *meist Plur.* (*landsch. für* Hagelkorn)

Schlos|ser; Schlos|se|rei; Schlos|se|rin

Schloss|ge|spenst; Schloss|park

Schlot, der; -[e]s, *Plur.* -e, *seltener* Schlöte (*ugs. auch für* Nichtsnutz)

schlot|te|rig, schlott|rig; schlot|tern; ich schlottere

Schlucht, die; -, -en

schluch|zen; du schluchzt; Schluch|zer

Schluck, der; -[e]s, *Plur.* -e, *selten* Schlücke

Schluck|auf, der; -s; schlu|cken; Schlu|cker (*ugs.*); *meist in* armer Schlucker (mittelloser, bedauernswerter Mensch); Schlu|cke|rin; Schluck|imp|fung; schluck|wei|se

schlu|de|rig, schlud|rig (*ugs. für* nachlässig); schlu|dern (*ugs. für* nachlässig arbeiten); ich schludere

schlum|mern; ich schlummere

Schlumpf, der; -[e]s, Schlümpfe (zwergenhafte Comicfigur)

Schlund, der; -[e]s, Schlünde

schlup|fen (*südd., österr.*), *häufiger* schlüp|fen; Schlüp|fer ([Damen]unterhose); Schlupf|loch

schlüpf|rig (*auch für* zweideutig, anstößig)

Schlupf|wes|pe; Schlupf|win|kel

schlur|fen (schleppend gehen); er hat geschlurft; er ist dorthin geschlurft

schlür|fen ([Flüssigkeit] geräuschvoll in den Mund einsaugen; *landsch. für* schlurfen)

Schluss, der; Schlusses, Schlüsse

Schlüs|sel, der; -s, -; Schlüs|sel|bein; Schlüs|sel|bund, der, *österr. nur so,* od.

das; -[e]s, -e; **Schlüs|sel|fer|tig** (bezugs-
fertig [von Neubauten]); **Schlüs|sel|fi|gur;
Schlüs|sel|loch; Schlüs|sel|po|si|ti|on;
Schlüs|sel|rol|le; Schlüs|sel|wort** Plur.
...wörter u. ...worte
schluss|end|lich (landsch. für schließlich)
schlüs|sig; schlüssig sein; [sich] schlüssig
werden; ich schlussfolgere; du
schlussfolgerst; geschlussfolgert; um zu
schlussfolgern; **Schluss|fol|ge|rung**
schlüs|sig; schlüssig sein; [sich] schlüssig
werden; ich wurde mir darüber schlüssig;
ein schlüssiger Beweis
Schluss|kurs (Börse); **Schluss|licht;
Schluss|mi|nu|te; Schluss|pfiff** (Sport);
**Schluss|pha|se; Schluss|punkt; Schluss-
satz, Schluss-Satz; Schluss|strich,
Schluss-Strich; Schluss|ver|kauf;
Schluss|wort** Plur. ...worte
Schmach, die; -
schmäch|ten (geh.)
schmäch|tig
schmach|voll (geh.)
schmack|haft
schmä|hen; schmäh|lich; Schmä|hung
schmal; schmaler u. schmäler, schmalste,
auch schmälste
schmä|lern (verringern); ich schmälere
Schmalz, das; -es, -e; **schmal|zig** (abwer-
tend für übertrieben gefühlvoll)
Schman|kerl, das; -s, -[n]; vgl. Pickerl (bayr.,
österr. für Leckerbissen)
schma|rot|zen (auf Kosten anderer leben);
du schmarotzt; du schmarotztest; er hat
schmarotzt; **Schma|rot|zer; Schma|rot-
ze|rin**
Schmar|ren, Schmarrn, der; -s, - (bayr. u.
österr. für eine Mehlspeise; ugs. für wertloses Zeug; Unsinn)
Schmatz, der; -es, Plur. -e, auch Schmätze
(ugs. für Kuss); **schmat|zen;** du schmatzt
Schmaus, der; -es, Schmäuse (veraltend,
noch scherzh. für reichhaltiges u. gutes
Mahl); **schmau|sen** (scherzh., sonst veral-
tend für mit Genuss essen); du schmaust
schme|cken
Schmei|che|lei; schmei|chel|haft; schmei-

cheln; ich schmeich[e]le; **Schmeich|ler;
Schmeich|le|rin; schmeich|le|risch**
¹**schmei|ßen** (ugs. für werfen; auch für auf-
geben); du schmeißt; du schmissest, er/sie
schmiss; geschmissen; schmeiß[e]!
²**schmei|ßen** (Jägerspr. Kot auswerfen); der
Habicht schmeißt, schmeißte, hat
geschmeißt; **Schmeiß|flie|ge**
Schmelz, der; -es, -e
¹**schmel|zen** (flüssig werden); du schmilzt, es
schmilzt; du schmolzest; du schmölzest;
geschmolzen; schmilz!
²**schmel|zen** (flüssig machen); du schmilzt,
veraltend schmelzt; es schmilzt, veraltend
schmelzt; du schmolzest, veraltend
schmelztest; du schmölzest, veraltend
schmelzest; geschmolzen, veraltend
geschmelzt; schmilz!, veraltend schmelze!
Schmelz|ofen; Schmelz|punkt
Schmer|bauch (ugs. svw. Fettbauch)
Schmerz, der; -es, -en; schmerzlindernd,
aber den Schmerz lindernd; schmerzstil-
lend, aber den Schmerz stillend
schmerz|emp|find|lich
schmer|zen; du schmerzt; die Füße schmerz-
ten ihr od. sie; es schmerzt mich, dass sie
nicht geschrieben hat
Schmer|zens|geld
schmerz|frei; der Patient ist heute schmerz-
frei; **Schmerz|gren|ze; schmerz|haft;**
eine schmerzhafte Operation; **schmerz-
lich;** ein schmerzlicher Verlust; **schmerz-
lin|dernd;** ein schmerzlinderndes Medika-
ment; vgl. Schmerz; **schmerz|los;
Schmerz|mit|tel; schmerz|stil|lend;**
schmerzstillende Tabletten, vgl. Schmerz
Schmet|ter|ball (Sport)
Schmet|ter|ling; Schmet|ter|lings|stil, der;
-[e]s (Schwimmstil)
schmet|tern; ich schmettere
Schmied, der; -[e]s, -e; **Schmie|de,** die; -,
-n; **schmie|de|ei|sern; schmie|den;
Schmie|din**
schmie|gen; sich schmiegen; **schmieg|sam**
¹**Schmie|re,** die; -, -n (abwertend auch für
schlechtes Theater)

S

²**Schmie**|re, die; - (*Gaunerspr.* Wache);
Schmiere stehen
schmie|ren (*ugs. auch für* bestechen)
Schmie|re|rei; **Schmier**|fink, der; *Gen.* -en,
auch -s, *Plur.* -en (*ugs. abwertend*)
Schmier|geld *meist Plur.* (*ugs.*); **schmie**|rig
Schmin|ke, die; -, -n; **schmin**|ken
schmir|geln; ich schmirg[e]le; **Schmir**|gel-
pa|pier
Schmiss, der; -es, -e
schmis|sig; eine schmissige Musik
Schmitz, der; -es, -e (*landsch. für* [leichter]
Hieb, Schlag)
Schmö|ker, der; -s, - (*nordd. für* anspruchs-
loses, aber fesselndes Buch); **schmö**|kern
(*ugs. für* [viel] lesen); ich schmökere
schmol|len; **Schmoll**|win|kel (*ugs.*)
Schmor|bra|ten; **schmo**|ren; jmdn. schmo-
ren lassen *od.* schmorenlassen (*ugs. für* im
Ungewissen lassen)
Schmu, der; -s (*ugs. für* leichter Betrug);
Schmu machen
schmuck; eine schmucke Uniform
Schmuck der; -[e]s, -e *Plur. selten*
schmü|cken
schmuck|los; **Schmuck**|stück
Schmud|de|lei (*ugs. für* Sudelei); **schmud**-
de|lig, schmuddlig (*ugs. für* unsauber)
Schmud|del|wet|ter (*ugs. für* nasskaltes,
regnerisches Wetter)
Schmug|gel, der; -s; **schmug**|geln; ich
schmugg[e]le; **Schmug**|gel|wa|re;
Schmugg|ler; **Schmugg**|le|rin
schmun|zeln; ich schmunz[e]le
Schmus, der; -es (*ugs. für* leeres Gerede)
schmu|sen (*ugs.*); du schmust; er schmuste
Schmutz, der; -es (*südwestd. auch für* Fett,
Schmalz); ein Schmutz abweisendes *od.*
schmutzabweisendes Material, *aber nur*
jeden Schmutz abweisend, sehr schmutz-
abweisend; **schmut**|zen; du schmutzt
Schmutz|fink, der; *Gen.* -en, *auch* -s, *Plur.*
-en (*ugs. für* jmd., der schmutzig ist)
schmut|zig; sich schmutzig machen;
schmutzig grau usw.
Schna|bel, der; -s, Schnäbel

schnä|beln (*ugs. auch für* küssen); ich
schnäb[e]le; sich schnäbeln
schna|bu|lie|ren (*ugs. für* mit Behagen
essen)
Schnack, der; -[e]s, *Plur.* -s *u.* Schnäcke
(*nordd. ugs. für* Plauderei; Gerede);
schna|cken (*nordd. für* plaudern)
Schna|ke, die; -, -n (eine langbeinige Mücke;
landsch. für Stechmücke); **Schna**|ken|stich
Schnal|le, die; -, -n (*österr. auch svw.*
Klinke); **schnal**|len (*südd. auch für* schnal-
zen); etwas schnallen (*ugs. für* verstehen)
schnal|zen; du schnalzt
Schnäpp|chen (*ugs. für* vorteilhafter Kauf)
Schnäpp|chen|jä|ger; **Schnäpp**|chen|jä|ge-
rin
schnap|pen; **Schnapp**|schuss
Schnaps, der; -es, Schnäpse; **Schnaps**|idee
(*ugs. für* verrückte Idee); **Schnaps**|zahl
(*scherzh. für* Zahl aus gleichen Ziffern)
schnar|chen; **Schnar**|cher; **Schnar**|che|rin
schnar|ren
schnat|tern; ich schnattere
schnau|ben; du schnaubst; du schnaubtest
(*veraltend* schnobst); du schnaubtest (*veraltend* schnöbest); geschnaubt (*veraltend*
geschnoben); schnaub[e]!
schnau|fen
Schnauz|bart; **schnauz**|bär|tig
Schnau|ze, die; -, -n (*auch derb für* Mund);
schnau|zen; du schnauzt
schnäu|zen; du schnäuzt; sich schnäuzen
Schnau|zer, der; -s, - (Hund einer bestimm-
ten Rasse; *ugs. kurz für* Schnauzbart)
Schneck, der; -s, -en (*bes. südd., österr. für*
Schnecke); **Schne**|cke, die; -, -n; **Schne**-
cken|tem|po, das; -s (*ugs.*)
Schnee, der; -s; im Jahre, anno Schnee
(*österr. für* vor langer Zeit); **Schnee**|ball;
schnee|be|deckt; **Schnee**|be|sen (ein
Küchengerät); **Schnee**|de|cke; **Schnee**-
fall; **Schnee**|flo|cke; **Schnee**|ge|stö|ber;
schnee|ig; schneeige Hänge; **Schnee**|ket-
te *meist Plur.*; **Schnee**|mann *Plur.* ...män-
ner; **Schnee**|pflug; **schnee**|si|cher; ein
schneesicheres Skigebiet; **Schnee**|sturm

vgl. Sturm; **Schnee|trei|ben; schnee-weiß; Schnee|witt|chen,** das; -s (dt. Märchengestalt)

Schneid, der; -[e]s, *bayr., österr.* die; - (*ugs. für* Mut; Tatkraft)

Schneid|bren|ner

Schnei|de, die; -, -n; **schnei|den;** du schnittst; du schnittest; ich habe mir, *auch* mich in den Finger geschnitten; schneid[e]!

Schnei|der; Schnei|de|rin; schnei|dern; ich schneidere; **Schnei|der|sitz**

Schnei|de|zahn

schnei|dig (forsch)

schnei|en

Schnei|se, die; -, -n ([gerader] Durchhieb [Weg] im Wald)

schnell; schnells|tens; so schnell wie (*älter als*) möglich; ihr müsst jetzt schnell machen (euch beeilen); ein Fahrzeug schnell machen *od.* schnellmachen; auf die schnelle Tour (*ugs.*); auf die Schnelle (*ugs. für* rasch, schnell); schneller Brüter (ein Kernreaktor); Schnelle Medizinische Hilfe; *Abk.* SMH; **Schnell|boot**

¹Schnel|le, die; - (Schnelligkeit)

²Schnel|le, die; -, -n (Stromschnelle)

schnel|len; Schnel|lig|keit

Schnell|im|biss; schnell|le|big; Schnell|le-big|keit; Schnell|schuss (*ugs. für* schnelle Maßnahme, Reaktion)

schnells|tens; schnellst|mög|lich

Schnell|stra|ße; Schnell|ver|fah|ren; Schnell|zug (*svw.* D-Zug)

Schnep|fe, die; -, -n (ein Vogel)

schnie|fen (*bes. md. für* hörbar durch die Nase einatmen)

schnie|geln (*ugs. für* übertrieben herausputzen); sich schniegeln; ich schnieg[e]le [mich]

Schnipp|chen; *nur noch in* jmdm. ein Schnippchen schlagen (*ugs. für* einen Streich spielen)

schnip|peln; ich schnipp[e]le

schnip|pen; mit den Fingern schnippen

schnip|pisch; eine schnippische Antwort

Schnip|sel, der *od.* das; -s, - (*ugs. für* kleines [abgeschnittenes] Stück)

schnip|sen (*svw.* schnippen); du schnipst

schnitt *vgl.* schneiden; **Schnitt,** der; -[e]s, -e (*ugs. auch für* Durchschnitt, Gewinn); **Schnitt|blu|me**

Schnit|te, die; -, -n ([Brot]scheibe)

schnit|tig (*auch für* rassig); ein schnittiges Auto

Schnitt|lauch, der; -[e]s

Schnitt|men|ge (*Math.*); **Schnitt|mus|ter; Schnitt|punkt; Schnitt|stel|le** (*EDV* Verbindungsstelle zweier Geräte- *od.* Anlagenteile)

Schnit|zel, das; -s, - (dünne Fleischscheibe zum Braten); Wiener Schnitzel

Schnit|zel|jagd; schnit|zeln (*landsch. auch für* schnitzen); ich schnitz[e]le

schnit|zen; du schnitzt

Schnit|zer (*ugs. auch für* Fehler)

Schnit|zler (*schweiz. für* jmd., der schnitzt); **Schnitz|le|rin; Schnitz|mes|ser,** das

schnöd (*bes. südd., österr., schweiz. für* schnöde)

schnod|de|rig, schnodd|rig (*ugs. für* unverschämt); schnodd[e]rige Bemerkungen

schnö|de; schnöder Gewinn, Mammon

Schnor|chel, der; -s, - (Luftrohr für das U-Boot; Teil eines Sporttauchgerätes); **schnor|cheln;** ich schnorch[e]le

Schnör|kel, der; -s, -; **schnör|ke|lig, schnörk|lig; schnör|kel|los** (schlicht)

schnor|ren (*ugs. für* [er]betteln); **Schnorrer; Schnor|re|rin**

Schnö|sel, der; -s, - (*ugs. für* dummer u. frecher junger Mensch)

schnu|cke|lig, schnuck|lig (*ugs. für* nett, süß; lecker, appetitlich)

Schnüf|fe|lei; schnüf|feln (*auch für* spionieren); ich schnüff[e]le; **Schnüff|ler; Schnüff|le|rin**

Schnul|ler (Gummisauger für Kleinkinder)

Schnul|ze, die; -, -n (*ugs. für* rührseliger Film o. Ä.); **schnul|zig** (*ugs.*)

schnup|fen; Tabak schnupfen

Schnup|fen, der; -s, -; **Schnupf|ta|bak**

schön

I. Kleinschreibung:
– *die schöne Literatur*
– *das schöne (weibliche) Geschlecht*
– *eine schöne Bescherung (ugs. iron.)*
– *am schönsten*

II. Großschreibung
a) der Substantivierung:
– *etwas Schönes; nichts Schöneres*
– *der Schönste der Schönen*
– *das Gefühl für das Schöne und Gute*
– *auf das, aufs Schönste* od. *schönste über-*
  einstimmen

b) in Namen:
– *Philipp der Schöne*

III. Schreibung in Verbindung mit Verben
a) Getrenntschreibung:
– *schön sein, schöner sein*
– *es kann noch schöner werden*
– *das Bild ist schön geworden*
– *die Eier schön, schöner färben*
– *den Brief [besonders] schön schreiben*

b) Nur in Zusammenschreibung:
– *schönfärben (günstig darstellen)*
– *schönreden (beschönigen)*
– *schönschreiben (Schönschrift schreiben)*
– *schöntun (schmeicheln)*

c) Getrennt- oder Zusammenschreibung:
– *sich für das Fest schön machen* od. *schön-*
  machen

---

schnup|pe (*ugs. für* gleichgültig); es ist mir schnuppe
schnup|pern; ich schnuppere
Schnur, die; -, *Plur.* Schnüre, *seltener* Schnuren (Bindfaden); **schnü|ren**
schnur|ge|ra|de, *ugs.* **schnur|gra|de**
schnur|los; schnurlos telefonieren
Schnurr|bart
¹**schnur|ren** (ein brummendes Geräusch von sich geben)
²**schnur|ren** usw. (*landsch. für* schnorren usw.)
Schnür|schuh; Schnür|sen|kel
schnur|stracks (*ugs.*)
schnurz (*ugs. für* egal); das ist mir schnurz
Schnu|te, die; -, -n (*bes. nordd. für* Mund; *ugs. für* [Schmoll]mund)
Scho|ah, Sho|ah [*auch* 'ʃo:...], die; - (Verfolgung u. Ermordung der Juden zur Zeit des Nationalsozialismus)
Scho|ber, der; -s, - (Scheune; *südd., österr. für* geschichteter Heu-, Getreidehaufen)
¹**Schock**, das; -[e]s, -e (ein altes Zählmaß = 60 Stück); 3 Schock Eier
²**Schock**, der; -[e]s, *Plur.* -s, *veraltet* -e (plötzliche nervliche od. seelische Erschütterung; akutes Kreislaufversagen)

scho|cken (*ugs. für* schockieren); **scho|ckie|ren** (einen Schock verursachen)
scho|fel, scho|fe|lig (*ugs. für* gemein; geizig); ein schof[e]les od. schof[e]liges Verhalten
Schöf|fe, der; -n, -n; **Schöf|fen|ge|richt; Schöf|fin**
Scho|ko|kuss (mit Schokolade überzogenes Schaumgebäck); **Scho|ko|la|de**, die; -, -n; **Scho|ko|la|de[n]|fa|b|rik; Scho|ko|la|de[n]|pud|ding; scho|ko|la|dig**
Schol|le, die; -, -n (flacher [Erd-, Eis]klumpen; [Heimat]boden; ein Fisch)
schon; obschon; wennschon; wennschon – dennschon; schon mal (*ugs.*)
schön s. Kasten
scho|nen; sich schonen
schö|nen (schöner erscheinen lassen; *fachspr. für* [Färbungen] verschönern, [Flüssigkeiten] künstlich klar machen)
¹**Scho|ner** (Schutzdeckchen)
²**Scho|ner**, der; -s, - (ein mehrmastiges Segelschiff)
schön|fär|ben ([zu] günstig darstellen); ich färbe schön; schöngefärbt; schönzufärben;

aber das Kleid wurde [besonders] schön gefärbt; *vgl.* schön; **Schön|fär|be|rei**

Schon|frist

Schön|heit; Schön|heits|feh|ler; Schön-heits|ide|al; Schön|heits|ope|ra|ti|on

schön|re|den; er hat das Ergebnis schön-geredet; *aber* die Vortragende hat schön geredet; *vgl.* schön

schön|schrei|ben (Schönschrift schreiben); sie haben in der Schule schöngeschrie-ben; *vgl.* schön; **Schön|schrift**

schön|tun (*ugs. für* schmeicheln); er hat ihr immer schöngetan

Scho|nung (Nachsicht, das Schonen; junger geschützter Baumbestand); **scho|nungs-los; Schon|zeit** *(Jägerspr.)*

Schopf, der; -[e]s, Schöpfe (Haarbüschel; *kurz für* Haarschopf; *landsch. u. schweiz. auch für* Wetterdach; Nebengebäude)

¹schöp|fen (Flüssigkeit entnehmen)

²schöp|fen (*veraltet für* erschaffen)

¹Schöp|fer (Schöpfgefäß)

²Schöp|fer (Erschaffer, Urheber; *nur Sing.:* Gott); **Schöp|fe|rin; schöp|fe|risch**

Schöp|fung; Schöp|fungs|ge|schich|te

schop|pen (*bayr., österr. u. schweiz. mundartl. für* hineinstopfen, nudeln, zustecken)

Schop|pen, der; -s, - (altes Flüssigkeitsmaß); **schop|pen|wei|se**

Schorf, der; -[e]s, -e; **schor|fig**

Schor|le (Getränk aus Wein od. Saft u. Mine-ralwasser)

Schorn|stein|fe|ger; Schorn|stein|fe|ge|rin

¹Schoß, der; -es, Schöße (*geh. für* Mutter-leib; Teil der Kleidung)

²Schoß, die; -, *Plur.* Schoßen *u.* Schöße (*österr. für* Frauenrock)

Schoß|hund

Schöss|ling (Ausläufer, Trieb einer Pflanze)

Scho|te, die; -, -n (Fruchtform)

Schott, das; -[e]s, *Plur.* -en, *auch* -e (See-mannsspr. wasserdichte Wand im Schiff)

Schot|ten|rock

Schot|ter, der; -s, - (zerkleinerte Steine); **Schot|ter|stra|ße**

schraf|fie|ren (stricheln); **Schraf|fie|rung, Schraf|fur,** die; -, -en

schräg; schräg halten, laufen, liegen, ste-hen; den Schrank schräg stellen *od.* schrägstellen; schräg laufende *od.* schräg-laufende Linien; schräg gegenüber; schräge Musik (*ugs. bes. für* Jazzmusik)

Schrä|ge, die; -, -n; **schrä|gen** (schräg abkanten); **schräg lau|fend, schräg|lau-fend** *vgl.* schräg; **Schräg|strich**

Schram|me, die; -, -n; **schram|men**

Schrank, der; -[e]s, Schränke

Schrän|ke, die; -, -n; **schrän|ken|los**

Schrank|wand

Schranz, der; -es, Schränze (*südd., schweiz. mundartl. für* Riss)

Schrat, Schratt, der; -[e]s, -e (zottiger Waldgeist)

Schrau|be, die; -, -n; **schrau|ben**

Schrau|ben|dre|her (*fachspr. für* Schrauben-zieher); **Schrau|ben|schlüs|sel; Schrau-ben|zie|her; Schraub|stock** *Plur.* ...stöcke

Schre|ber|gar|ten (Kleingarten in Gartenko-lonien)

Schreck, der; -[e]s, -e, **Schre|cken,** der; -s, -; Schrecken erregen

¹schre|cken (in Schrecken [ver]setzen; abschrecken); schreckst; schreckte; schreck[e]! sie hat ihn geschreckt; der Reh-bock hat geschreckt

²schre|cken (in Schrecken geraten); schrickst, schreck|test; schrakst, scheck|test; schrä-kest, scheck|test; schrick, schreck[e]! du bist zurückgeschreckt

schre|cken|er|re|gend, Schre|cken er|re-gend; eine schreckenerregende *od.* Schre-cken erregende Nachricht; *aber* nur noch schreckenerregender, besonders schrecken-erregend, großen Schrecken erregend

schre|ckens|blass; Schreck|ge|spenst; schreck|haft; schreck|lich

Schrei, der; -[e]s, -e

Schreib|block

Schrei|be, die; - (*ugs. für* Geschriebenes; Schreibgerät; Schreibstil)

schrei|ben; du schriebst; du schriebest;

S

geschrieben; schreib[e]!; er hat mir sage und schreibe (tatsächlich) zwanzig Euro abgenommen; **Schrei|ben**, das; -s, - (Schriftstück); **Schrei|ber; Schrei|be|rin**

schreib|faul; Schreib|feh|ler; Schreib|ma|schi|ne; Schreib|schrift; Schreib|tisch; Schrei|bung; Schreib|wei|se, die

schrei|en; du schriest; geschrien; schrei[e]!; die schreiends|ten Farben; **Schrei|er; Schrei|e|rin; Schrei|hals** *(abwertend)*

Schrein, der; -[e]s, -e ([Reliquien]behältnis)

Schrei|ner *(bes. südd., westd., schweiz. für* Tischler); **Schrei|ne|rin**

schrei|nern; ich schreinere

schrei|ten; du schrittst; du schrittest; geschritten; schreit[e]!

Schrift, die; -, -en; die deutsche, gotische, lateinische, griechische, kyrillische Schrift

Schrift|form; Schrift|füh|rer; Schrift|füh|re|rin; Schrift|ge|lehr|te (im N. T.)

schrift|lich; schriftliche Arbeit; schriftliche Prüfung; jmdm. etwas schriftlich geben; jmdm. etwas Schriftliches geben

Schrift|satz; Schrift|spra|che; Schrift|stel|ler; Schrift|stel|le|rin; schrift|stel|le|risch; Schrift|stück; Schrift|tum, das; -s; **Schrift|zei|chen; Schrift|zug**

schrill; schril|len; das Telefon schrillt

Schrimp *vgl.* Shrimp

Schritt, der; -[e]s, -e; 5 Schritt weit; auf Schritt und Tritt; Schritt fahren, halten; **Schritt|ma|cher; Schritt|tem|po, Schritt-Tem|po,** das; -s; **schritt|wei|se**

schroff

Schroff, der; Gen. -[e]s u. -en, Plur. -en, **Schroffen,** der; -s, - *(österr., sonst landsch. für* Felsklippe)

schröp|fen

Schrot, der od. das; -[e]s, -e (grob gemahlene Getreidekörner; kleine Bleikügelchen)

schro|ten (grob zerkleinern); geschrotet, *älter* geschroten

Schrot|flin|te

Schrott der; -[e]s, -e Plur. selten (Altmetall)

Schrott|platz; schrott|reif

schrub|ben (mit einer Bürste o. Ä. reinigen); **Schrub|ber** ([Stiel]scheuerbürste)

Schrul|le, die; -, -n (seltsame Laune; *ugs. auch für* eigensinnige alte Frau); **schrul|lig**

schrump|fen; Schrump|fung

schrump|lig, schrum|pe|lig *(landsch. für* faltig u. eingetrocknet)

Schub, der; -[e]s, Schübe; **Schub|kar|re; Schub|kar|ren; Schub|kraft; Schub|la|de**

Schubs, der; -es, -e (*ugs. für* Stoß)

schub|sen (*ugs. für* [an]stoßen); du schubst

schub|wei|se

schüch|tern; Schüch|tern|heit

Schuft, der; -[e]s, -e *(abwertend)*

schuf|ten (*ugs. für* hart arbeiten); **Schuf|te|rei** (*ugs.*)

schuf|tig (niederträchtig, gemein)

Schuh, der; -[e]s, -e; 3 Schuh lang

Schuh|creme, Schuh|crème; Schuh|grö|ße; Schuh|ma|cher; Schuh|ma|che|rin; Schuh|platt|ler (ein Volkstanz); **Schuh|soh|le; Schuh|werk,** das; -[e]s

Schul|ab|gän|ger; Schul|ab|gän|ge|rin; Schul|ab|schluss; Schul|amt; Schul|ar|beit (Hausaufgabe; *österr. auch svw.* Klassenarbeit); **Schul|auf|ga|ben** Plur.; **Schulbank** Plur. ...bänke; **Schul|be|hör|de; Schul|bil|dung; Schul|buch; Schul|bus**

Schuld, die; -, -en; es ist meine Schuld; [bei jmdm.] Schulden haben, machen; [an etwas] Schuld *od.* die Schuld haben; jmdm. Schuld *od.* die Schuld geben; an etwas Schuld tragen; *aber* schuld sein; du hast dir etwas zuschulden *od.* zu Schulden kommen lassen

schuld|be|la|den *(geh.);* **schuld|be|wusst**

schul|den; er schuldet ihr Geld

Schul|den|berg (*ugs.*); **Schul|den|er|lass; Schul|den|fal|le** (*ugs.*); **schul|den|frei** (ohne Schulden); **Schul|den|last**

Schuld|fä|hig|keit, die; -; **Schuld|fra|ge; Schuld|ge|fühl; schuld|haft**

Schul|dienst, der; -[e]s

schul|dig; auf schuldig plädieren (Schuldigsprechung beantragen); eines Verbrechens schuldig sein; jmdn. für schuldig erklären;

jmdn. schuldig sprechen od. schuldigspre-
chen (verurteilen); Schul|di|ge, der u. die;
-n, -n; schuld|los
Schuld|ner; Schuld|ner|be|ra|tung;
Schuld|ne|rin
Schuld|spruch; Schuld|zu|wei|sung
Schu|le, die; -, -n; Schule machen (Nachah-
mer finden); die Hohe od. hohe Schule
(Reitsport); die höhere Schule; vgl. höher
schu|len
Schü|ler; Schü|le|rin; Schü|ler|lot|se (Schü-
ler, der als Verkehrshelfer eingesetzt ist);
Schü|ler|ver|tre|tung (Abk. SV); Schü|ler-
zahl; Schü|ler|zei|tung
Schul|fach; Schul|fe|ri|en Plur.; Schul-
form; schul|frei vgl. hitzefrei; Schul-
freund; Schul|freun|din; Schul|ge|bäu-
de; Schul|geld; Schul|ge|setz; Schul|hof;
schu|lisch; Schul|jahr; Schul|ka|me|rad;
Schul|ka|me|ra|din; Schul|kind; Schul-
klas|se; Schul|lei|ter, der; Schul|lei|te-
rin; Schul|lei|tung; Schul|me|di|zin, die;
-; Schul|pflicht; schul|pflich|tig; schul-
pflichtiges Alter; Schul|po|li|tik; Schul-
ran|zen; Schul|re|form; Schul|spre|cher;
Schul|spre|che|rin; Schul|stun|de; Schul-
sys|tem; Schul|tag; Schul|ta|sche
Schul|ter, die; -, -n; Schul|ter|blatt; schul-
ter|lang; schulterlanges Haar
schul|tern; ich schultere
Schul|ter|schluss (das Zusammenhalten
[von Interessengruppen u. a.])
Schul|tü|te (am ersten Schultag); Schu-
lung; Schul|un|ter|richt; Schul|we|sen
Schul|ze, der; -n, -n (veraltet für Gemeinde-
vorsteher)
Schul|zeit; Schul|zen|t|rum; Schul|zeug|nis
schum|meln (ugs. für [leicht] betrügen); ich
schumm[e]le
schum|me|rig, schumm|rig (ugs. für däm-
merig, halbdunkel)
Schund, der; -[e]s (Wertloses)
schun|keln ([sich] hin u. her wiegen;
landsch. für schaukeln); ich schunk[e]le
Schup|pe, die; -, -n (Haut-, Hornplättchen)
¹schup|pen (landsch. für stoßen, schieben)

²schup|pen (Schuppen entfernen, bilden)
Schup|pen, der; -s, - (Raum für Holz u. a.)
schup|pig
Schur, die; -, -en (Scheren [der Schafe])
schü|ren
schür|fen; Schür|fung
Schur|ke, der; -n, -n (abwertend); Schur-
ken|staat (abwertend); Schur|kin; schur-
kisch
Schurz, der; -es, -e
Schür|ze, die; -, -n; schür|zen; du schürzt
Schuss, der; -es, Schüsse; 2 Schuss Rum;
2 Schuss (auch Schüsse) abgeben; in
Schuss (ugs. für in Ordnung) halten, haben
Schus|sel, der; -s, - od. die; -, -n (ugs. für
unkonzentrierter, vergesslicher Mensch)
Schüs|sel, die; -, -n
schus|se|lig, schuss|lig (ugs. für unkonzen-
triert, vergesslich)
Schuss|waf|fe; Schuss|wech|sel
Schus|ter; Schus|te|rin
Schutt, der; -[e]s; Schutt|ab|la|de|platz
Schüt|te, die; -, -n (kleiner Behälter;
landsch. für Bund); eine Schütte Stroh
Schüt|tel|frost; schüt|teln; ich schütt[e]le
schüt|ten
schüt|ter (spärlich; schwach)
Schutt|hau|fen
Schutz, der; -es, Plur. (Technik:) -e; zu
Schutz und Trutz
¹Schütz, der; -en, -en (veraltet für ¹Schütze)
²Schütz, das; -es, -e (bewegliches Wehr)
Schutz|an|zug; Schutz|blech
¹Schüt|ze, der; -n, -n (Schießender)
²Schüt|ze, die; -, -n (svw. ²Schütz)
schüt|zen; du schützt
Schüt|zen|fest
Schutz|en|gel
Schüt|zen|hil|fe (ugs.)
schüt|zens|wert
Schüt|zen|ver|ein
Schutz|ge|biet; Schutz|ge|bühr; Schutz-
ge|mein|schaft; Schutz|hei|li|ge (kath.
Rel.); Schutz|helm; Schutz|imp|fung
Schüt|zin; Schütz|ling
schutz|los; Schutz|mann Plur. ...männer u.

...leute (ugs. für [Schutz]polizist); **Schutz|mas|ke**; **Schutz|maß|nah|me**; **Schutz|pa|t|ron** (svw. Schutzheilige); **Schutz|pa|t|ro|nin**; **Schutz|schild**, der; **Schutz|trup|pe**; **Schutz|wall**; **schutz|wür|dig**; **Schutz|zoll**; **Schutz|zo|ne**

schwach; eine schwache Hoffnung; das Recht des Schwachen; durch die lange Krankheit ist sie ganz schwach geworden; *aber* schwach werden oder schwachwerden (nachgeben); die schwach bevölkerte oder schwachbevölkerte Gegend;

Schwä|che, die; -, -n; **Schwä|che|an|fall**

schwä|cheln; ich schwächl[e]le

schwä|chen

schwach ent|wi|ckelt, schwach|ent|wi|ckelt

schwäch|lich; **Schwäch|ling**

Schwach|punkt; **Schwach|sinn**, der; -[e]s (Med. veraltet; ugs. abwertend); **schwach|sin|nig** (Med. veraltet; ugs. abwertend); **Schwach|stel|le**; **Schwach|strom** der Plur. selten

Schwä|chung

schwach wer|den, schwach|wer|den vgl. schwach

Schwa|de, die; -, -n, **Schwa|den**, der; -s, - (Dampf, Dunst)

Schwa|d|ron, die; -, -en (kleinste Einheit der Kavallerie); **schwa|d|ro|nie|ren** (wortreich u. prahlerisch schwatzen)

schwa|feln; ich schwaf[e]le (ugs.)

Schwa|ger, der; -s, Schwäger (veraltet auch für Postkutscher); **Schwä|ge|rin**

Schwal|be, die; -, -n (ugs. auch für absichtliches Hinfallen im Fußballspiel)

Schwall, der; -[e]s, -e (Welle, Guss)

schwamm vgl. schwimmen

Schwamm, der; -[e]s, Schwämme (bayr., österr., schweiz. auch für Pilz); Schwamm drüber! (ugs. für vergessen wir das!)

schwam|mig

Schwan, der; -[e]s, Schwäne

schwa|nen (ugs.); mir schwant (ich ahne) etwas

schwan|ger; **Schwan|ger|schaft**; **Schwan|**ger|schafts|ab|bruch; **Schwan|ger|**schafts|test (Test zum Nachweis einer bestehenden Schwangerschaft)

schwank (geh. für biegsam); schwanke Gestalten; **Schwank**, der; -[e]s, Schwänke

schwan|ken; **Schwan|kung**

Schwanz, der; -es, Schwänze

schwän|zeln (ugs. iron. für geziert gehen); ich schwänz[e]le

schwän|zen (ugs. für [am Schulunterricht o. Ä.] nicht teilnehmen); du schwänzt

schwap|pen (ugs. für in schwankender Bewegung sein, klatschend überfließen)

Schwarm, der; -[e]s, Schwärme

schwär|men; **Schwär|mer** (auch ein Feuerwerkskörper; ein Schmetterling); **Schwär|me|rin**; **schwär|me|risch**

Schwar|te, die; -, -n (dicke Haut [z. B. des Schweins]; ugs. für dickes [altes] Buch)

schwarz s. Kasten Seite 377

Schwarz, das; -[es], - (Farbe); ein Abendkleid in Schwarz; er spielte Schwarz aus (Kartenspiel); Schwarz (schwarze Kleidung, Trauerkleidung) tragen; vgl. Blau

Schwarz|ar|beit, die; -; **schwarz|ar|bei|ten**; ich arbeite schwarz; schwarzgearbeitet; schwarzzuarbeiten; **Schwarz|ar|bei|ter**; **Schwarz|ar|bei|te|rin**; **schwarz|är|gern**, sich (ugs. für sich sehr ärgern); **schwarz|braun**; **Schwarz|buch** (Zusammenstellung von Dokumenten über Gräueltaten)

¹**Schwar|ze**, der u. die; -n, -n (dunkelhäutiger, -haariger Mensch)

²**Schwar|ze**, das; -n; ins Schwarze treffen

Schwär|ze, die; -, -n (nur Sing.: das Schwarzsein; Farbe zum Schwarzmachen)

schwär|zen (schwarz färben; südd., österr. veraltend für schmuggeln); du schwärzt

schwarz|fah|ren (ohne Berechtigung ein [öffentl.] Verkehrsmittel benutzen); sie ist schwarzgefahren; schwarz fär|ben, schwarz|fär|ben vgl. schwarz

schwarz-gelb, **schwarz|gelb**; eine schwarz-gelbe od. schwarzgelbe Koalition (aus Christdemokraten u. Liberalen); die Politik von Schwarz-Gelb od. Schwarzgelb

schwạrz

schwär|zer, schwär|zes|te

I. Kleinschreibung:
- *schwarz in schwarz; schwarz auf weiß*
- *schwarzer Tee; schwarzer Humor*
- *ein schwarzes (illegales) Konto; die schwarze Liste; der schwarze Markt*
- *ein schwarzer Tag; ein schwarzer Freitag (vgl. aber der Schwarze Freitag)*

II. Großschreibung
a) der Substantierung:
- *ein Schwarzer (dunkelhäutiger, -haariger Mensch); das Schwarze*
- *die Farbe Schwarz; ein Kleid in Schwarz*
- *das kleine Schwarze anziehen*
- *ins Schwarze treffen*

b) in Namen und bestimmten namenähnlichen Fügungen, z. B.:
- *das Schwarze Meer*
- *der Schwarze Erdteil (Afrika)*
- *die Schwarze Hand (ehemaliger serbischer Geheimbund)*
- *Schwarze Witwe (eine Spinne)*
- *der Schwarze Freitag (Name eines Freitags mit großen Börsenstürzen in den USA)*

III. Groß- oder Kleinschreibung bei bestimmten festen Verbindungen mit neuer Gesamtbedeutung und bei einigen fachsprachlichen Verbindungen:
- *das Schwarze* od. *schwarze Brett (Anschlagbrett)*
- *das schwarze* od. *Schwarze Gold (Kohle, Erdöl)*
- *schwarzes* od. *Schwarzes Loch (Astron.)*

IV. Schreibung in Verbindung mit Verben
a) Zusammen- und Getrenntschreibung:
- *sich schwarz kleiden*
- *ihre Hände waren schwarz geworden*
- *sich die Haare schwarz färben* od. *schwarzfärben*
- *sie können warten, bis sie schwarz werden* od. *schwarzwerden (ugs. für bis in alle Ewigkeit)*

b) Zusammenschreibung, wenn eine idiomatische Verbindung mit einem einfachen Verb vorliegt:

schwarzarbeiten, schwarzärgern, schwarzbrennen, schwarzfahren, schwarzgehen, schwarzhören, schwarzkopieren, schwarzmalen, schwarzschlachten, schwarzsehen
Aber:
Waren schwarz exportieren, schwarz verkaufen

V. In Verbindung mit adjektivisch gebrauchten Partizipien:
- *ein schwarz gestreifter* od. *schwarzgestreifter Stoff*
- *schwarz gerändertes* od. *schwarzgerändertes Papier*

S

Schwạrz|geld (illegale Einnahme)
schwạrz|hö|ren (*Rundfunk* ohne Genehmigung mithören); sie hat schwarzgehört
schwạrz|ma|len (pessimistisch darstellen)
Schwạrz|markt
schwạrz-rọt-gọl|den, schwạrz|rọt|gọl|den; eine schwarz-rot-gold[e]ne od. schwarzrotgold[e]ne Fahne

schwạrz|se|hen (*ugs. für* ohne Anmeldung fernsehen; pessimistisch sein); für seine Zukunft hat er [ziemlich] schwarzgesehen; *aber* das sollte man nicht zu schwarz sehen
Schwạrz|wald, der; -[e]s (dt. Gebirge)
schwạrz-weiß, schwạrz|weiß; schwarz-weiß malen od. **schwarzweiß malen** (undifferenziert, einseitig positiv od. negativ dar-

stellen); eine Fotografie in Schwarz-Weiß
od. Schwarzweiß

Schwarz-Weiß-Film, Schwarz|weiß|film

schwat|zen, *bes. südd.* **schwät|zen**; du
schwatzt, *bes. südd.* du schwätzt; **Schwät-**
zer; **Schwät|ze|rin**; **schwatz|haft**

Schwe|be, die; -; *nur in* in der Schwebe
(*auch für* unentschieden, noch offen)

Schwe|be|bahn; **schwe|ben**

schwe|disch; hinter schwedischen Gardinen
(*ugs. für* im Gefängnis)

Schwe|fel, der; -s (chemisches Element,
Nichtmetall; *Zeichen* S); **schwe|fe|lig**,
schwef|lig; **Schwe|fel|säu|re**, die; -

Schweif, der; -[e]s, -e; **schwei|fen** (*geh. für*
ziellos [durch die Gegend] ziehen)

Schwei|ge|mi|nu|te; **schwei|gen** (still sein);
du schwiegst; du schwiegest; geschwie-
gen; schweig[e]!; die schweigende Mehr-
heit; **Schwei|ge|pflicht**; **schweig|sam**

Schwein, das; -[e]s, -e (*nur Sing.: ugs. auch*
für Glück); kein Schwein (*ugs. für* nie-
mand); **Schwei|ne|fleisch**; **Schwei|ne-**
hund (*ugs. abwertend*); der innere Schwei-
nehund (*ugs. für* Feigheit, Bequemlichkeit)

Schwei|ne|rei (*derb für* Schmutz; ärgerliche
Sache, Anstößiges); **Schwei|ne|stall**

Schweiß der; -es, -e *Plur. selten*; **Schweiß-**
aus|bruch; **schweiß|be|deckt**

Schweiß|bren|ner; **schwei|ßen** (Werkstoffe
durch Wärme, Druck fest miteinander verbinden); du schweißt; du schweißtest;
geschweißt; **Schwei|ßer** (Facharbeiter für
Schweißarbeiten); **Schwei|ße|rin**

schweiß|ge|ba|det; **schweiß|trei|bend**;
schweiß|trie|fend; **Schweiß|trop|fen**

Schwei|zer (Bewohner der Schweiz; *auch*
für Melker; *landsch. für* Küster in kath. Kir-
chen); Schweizer Käse; **schwei|zer-**
deutsch (schweizerisch mundartlich);
Schwei|ze|rin

schwe|len (langsam flammenlos brennen)

schwel|gen; in Erinnerungen schwelgen;
schwel|ge|risch

Schwel|le, die; -, -n

¹schwel|len (größer, stärker werden; sich

ausdehnen); du schwillst; er/sie schwillt;
du schwollst; du schwöllest; geschwollen;
schwill!; ihr Hals ist geschwollen; die Brust
schwoll ihm vor Freude

²schwel|len (größer, stärker machen; ausdeh-
nen); du schwellst; du schwelltest;
geschwellt; schwell[e]!; der Wind
schwellte die Segel; der Stolz hat seine
Brust geschwellt; mit geschwellter Brust

Schwel|len|land *Plur.* ...länder (relativ weit
industrialisiertes Entwicklungsland)

Schwel|len|wert (*Psychol.*); **Schwel|lung**

Schwem|me, die; -, -n (flache Stelle eines
Gewässers als Badeplatz für das Vieh;
überreichl. Warenangebot)

Schwemm|land, das; -[e]s

Schwenk, der; -[e]s, *Plur.* -s, *selten* -e (*Film*
durch Schwenken der Kamera erzielte Ein-
stellung); **schwen|ken**; Fahnen schwen-
ken; **Schwenk|grill**; **Schwen|kung**

schwer *s. Kasten*

Schwer|ath|le|tik

schwer|be|hin|dert, schwer be|hin|dert
(durch eine schwere körperliche Behinderung dauernd geschädigt); *aber nur* schwe-
rer, am schwers|ten behindert; der Gipsver-
band hat ihn schwer behindert; **Schwer-**
be|hin|der|te, der u. die; -n, -n

schwer be|la|den, schwer|be|la|den;
schwer be|waff|net, schwer|be|waff-
net *vgl.* schwer

Schwe|re, die; - (Gewicht); die Schwere der
Schuld; **schwe|re|los**; **Schwe|re|lo|sig-**
keit

Schwe|re|nö|ter (charmanter, durchtriebe-
ner Mann)

schwer er|zieh|bar, schwer|er|zieh|bar
vgl. schwer; **schwer|fal|len** (Schwierigkei-
ten bereiten, nicht leicht sein); *vgl.* schwer

schwer|fäl|lig

Schwer|ge|wicht (*bes. Sport* eine Körperge-
wichtsklasse); **schwer|ge|wich|tig**

schwer|hö|rig; **Schwer|kraft**, die; -

schwer krank, schwer|krank *vgl.* schwer

Schwer|kran|ke, der u. die; -n, -n, **schwer**
Kran|ke, der u. die; - -n, - -n

schwer

schwe|rer, schwers|te

Kleinschreibung:

- *schweres (großkalibriges) Geschütz*
- *ein schwerer Junge (ugs. für Gewaltverbrecher)*
- *ihr Tod war ein schwerer Schlag (großer Verlust)*

Getrennt- und Zusammenschreibung in Verbindung mit Verben, Adjektiven und Partizipien:

- *das lässt sich nur schwer machen*
- *dabei kann man sich schwer verletzen*
- *er ist auf der Treppe sehr schwer gefallen*
- *diese Aufgabe ist ihr schwergefallen, aber viel zu schwer gefallen*
- *du darfst den Vorwurf nicht so schwernehmen (ernst nehmen); aber das solltest du nicht allzu schwer nehmen*

- *ich habe mich,* seltener *mir damit schwergetan (ugs.)*
- *er hat ihr das Leben schwer gemacht* od. *schwergemacht; sie hat es im Leben schwer gehabt* od. *schwergehabt*
- *ein schwer erziehbares* od. *schwererziehbares Kind; die schwer kranken* od. *schwerkranken Patienten*
- *ein schwer bewaffneter* od. *schwerbewaffneter Polizist*
- *schwer verwundet* od. *schwerverwundet*
- *schwerwiegend* od. *schwer wiegend*
- *schwer verletzte* od. *schwerverletzte Opfer*
- *die Schwerverletzten* od. *schwer Verletzten*

Aber nur:

- *sehr schwer verdauliche Speisen*
- *die äußerst schwer verwundeten Soldaten*

Vgl. auch *schwerbehindert, schwer behindert*

---

schwer|lich (kaum)

schwer ma|chen, schwer|ma|chen *vgl.* schwer

Schwer|me|tall

Schwer|mut, die; -; schwer|mü|tig

schwer|neh|men (als bedrückend empfinden); *vgl.* schwer

Schwer|punkt; schwer|punkt|mä|ßig

schwer|reich (*ugs. für* sehr reich); eine schwerreiche Frau; er ist schwerreich

Schwert, das; -[e]s, -er; Schwert|fisch

schwer|tun, sich; *vgl.* schwer; Schwer|ver|bre|cher; Schwer|ver|bre|che|rin

schwer ver|letzt, schwer|ver|letzt *vgl.* schwer; Schwer|ver|letz|te, der *u.* die; -n, -n, schwer Ver|letz|te, der *u.* die; -, - -n; schwer ver|ständ|lich, schwer|ver|ständ|lich; schwer|wie|gend; schwerer wiegende od. schwerwiegendere Bedenken, am schwers|ten wiegende od. schwerwiegends|te Bedenken

Schwes|ter, die; -, -n (*Abk.* Schw.); schwes|ter|lich; Schwes|ter|par|tei

Schwie|ger|el|tern *Plur.;* Schwie|ger|mut|ter *Plur.* ...mütter; Schwie|ger|va|ter

Schwie|le, die; -, -n; schwie|lig

schwie|rig; Schwie|rig|keit; Schwie|rig|keits|grad

Schwimm|bad; Schwimm|be|cken

schwim|men; du schwammst; du schwömmest, *auch* schwämmest; geschwommen; schwimm[e]!

Schwim|mer; Schwim|me|rin

Schwimm|flos|se; Schwimm|meis|ter, Schwimm-Meis|ter; Schwimm|meis|te|rin, Schwimm-Meis|te|rin; Schwimm|sport; Schwimm|wes|te

Schwin|del, der; -s (*ugs. auch für* Lüge; Täuschung); schwin|del|er|re|gend, Schwin|del er|re|gend; in schwindelerregender od. Schwindel erregender Höhe; *aber nur in* äußerst schwindelerregender Höhe

schwin|del|frei; schwin|de|lig, schwind|lig

schwin|deln; ich schwind[e]le; es schwindelt mir, *seltener* mich

schwin|den; du schwandst; du schwändest; geschwunden; schwind[e]!

Schwind|ler; Schwind|le|rin

schwind|lig, schwin|de|lig

Schwind|sucht, die; - *(veraltet)*

Schwin|ge, die; -, -n; schwin|gen *(schweiz. auch für* in besonderer Weise ringen); hin und her schwingen; du schwangst; du schwängest; geschwungen; schwing[e]!; Schwin|gen, das; -s *(schweiz. für* eine Art des Ringens); Schwin|ger *(Boxschlag mit gestrecktem Arm; schweiz. für* jmd., der das Schwingen betreibt); Schwin|gung

Schwips, der; -es, -e *(ugs.)*

schwir|ren

schwit|zen; du schwitzt; du schwitztest; geschwitzt

schwo|fen *(ugs. für* tanzen)

schwö|ren; du schworst, *veraltet* schwurst; du schwürest; geschworen; schwör[e]!

schwul *(ugs. u. Selbstbez. für* homosexuell)

schwül; schwüles Wetter

Schwu|le, der; -n, -n *(ugs. u. Selbstbez. für* Homosexueller)

Schwü|le, die; -

Schwulst, der; -[e]s, Schwülste; schwuls|tig (aufgeschwollen, aufgeworfen, *österr. für* schwülstig); schwüls|tig (überladen)

Schwund, der; -[e]s

Schwung, der; -[e]s, Schwünge; Schwung|kraft; schwung|voll

Schwur, der; -[e]s, Schwüre; Schwur|ge|richt

Sci|ence-Fic|tion , Sci|ence|fic|tion ['saiəns'fɪkʃn], die; - (wissenschaftlich-utopische Literatur); Sci|ence-Fic|tion-Film , Sci|ence|fic|tion-Film, Sci|ence-Fic|tion-Film

Sci|en|to|lo|ge [saiɛnto...], der; -n, -n (Angehöriger der Scientology); Sci|en|to|lo|gin; Sci|en|to|lo|gy® [saiən'tɔlədʒi] (eine Religionsgemeinschaft)

Scoo|ter ['sku:te], der; -s, - (Motorroller)

Score [sko:ɐ], der; -s, -s *(Sport* Spielstand, Spielergebnis)

Scot|land Yard [...lɛnt 'ja:ɐt], der; - - (Londoner Polizei[gebäude])

Scout [skaut], der; -s, -s (Pfadfinder; jmd., der etwas aufspüren soll)

Scrat|ching ['skrɛtʃ...], das; -s (das Hervorbringen akustischer Effekte durch Manipulation der laufenden Schallplatte)

Scree|ning ['skri:nɪŋ], das; -s, -s *(Fachspr.* Verfahren zur Reihenuntersuchung)

Screen|shot ['skri:nʃɔt], der; -s, -s *(EDV* Abbildung einer Bildschirmanzeige)

scrol|len ['skro:lən] *(EDV* die Bildschirmdarstellung gleitend verschieben)

Seal [zi:l], der *od.* das; -s, -s (Fell der Pelzrobbe; ein Pelz)

Sé|an|ce [ze'ã:s(ə)], die; -, -n ([spiritistische] Sitzung)

Se|ces|si|on, die; - (österr. Form des Jugendstils; Ausstellungsgebäude in Wien)

Sech, das; -[e]s, -e (messerartiges Teil am Pflug)

sechs; wir sind zu sechsen *od.* zu sechst, wir sind sechs; *vgl.* acht; Sechs, die; -, -en (Zahl); er hat eine Sechs gewürfelt; sie hat in Latein eine Sechs geschrieben; *vgl.* ¹Acht

sechs|ein|halb; sechs|fach; sechs|jäh|rig *vgl.* achtjährig; sechs|köp|fig *vgl.* achtköpfig; sechs|mal *vgl.* achtmal; sechs|mo|na|tig (sechs Monate dauernd); sechs|stel|lig

sechst *vgl.* sechs; sechs|te; sie hat den sechsten Sinn (ein Gespür) dafür; *vgl.* achte; sechs|tel *vgl.* achtel; Sechs|tel, das, *schweiz. meist* der; -s, -; *vgl.* Achtel; sechs|tens

sechs|wö|chig (sechs Wochen dauernd)

sech|zig *vgl.* achtzig; sech|zi|ger *vgl.* achtziger; Sech|zi|ger *vgl.* Achtziger

Se|cond|hand|shop ['sekənt'hɛntʃɔp], der; -s, -s (Laden, in dem gebrauchte Kleidung u. a. verkauft wird)

Se|cu|ri|ty [sɪ'kju:riti], die; -, -s *(engl. Bez. für* Sicherheit; Sicherheitsdienst)

SED, die; - = Sozialistische Einheitspartei Deutschlands (Staatspartei der DDR)

Se|di|ment, das; -[e]s, -e (Ablagerung, Schicht)

¹See, der; -s, Se|en (stehendes Binnengewässer)

²See, die; -, Se|en (*nur Sing.:* Meer; Seegang; *Seemannsspr.* [Sturz]welle)

See|ad|ler; **See|bad**; **See|büh|ne**; **See-Elefant**, **See|ele|fant**, der; -en, -en (große Robbe); **See|fah|rer**; **See|fahrt**; **See|gang**, der; -[e]s; **See|hund**; **see|krank**

See|le, die; -, -n (*südd. ugs. auch für* mit Salz u. Kümmel bestreutes kleines Weißbrot); **see|len|los** (*geh.*); **see|len|ru|hig**

See|leu|te (*Plur. von* Seemann)

see|lisch; das seelische Gleichgewicht; die seelischen Kräfte; **Seel|sor|ge**, die; -; **Seel|sor|ger**; **Seel|sor|ge|rin**

See|mann *Plur.* ...leute; **See|mei|le** (*Zeichen* sm); **See|not**, die; -; **See|pferd|chen**; **See|räu|ber**; **See|räu|be|rin**; **See|rei|se**; **See|ro|se**; **See|stern**; **see|tüch|tig**; **See|ufer**

Se|gel, das; -s, -; **Se|gel|boot**; **Se|gel|flug**; **Se|gel|flug|zeug**; **Se|gel|jacht**, Se|gel|yacht

se|geln; ich seg[e]le; **Se|gel|re|gat|ta**; **Se|gel|schiff**; **Se|gel|yacht**, Se|gel|jacht

Se|gen, der; -s, -; Segen bringen; die Segen bringende *od.* segenbringende Weihnachtszeit; **se|gens|reich**

Seg|ler; **Seg|le|rin**

Seg|ment, das; -[e]s, -e (Abschnitt)

seg|nen; gesegnete Mahlzeit!; **Seg|nung**

Seg|way® [...ve:], der; -s, -s (Stehroller)

seh|be|hin|dert

se|hen; du siehst, er/sie sieht; ich sah, du sahst; du sähest; gesehen; sieh[e]!; sieh[e] da!; ich habe es gesehen, *aber* ich habe es kommen sehen, *selten* gesehen; ich kenne ihn nur vom Sehen; ihm wird Hören u. Sehen *od.* hören u. sehen vergehen (*ugs.*); ihr solltet euch mal wieder zu Hause sehen lassen; ihre Leistungen können sich sehen lassen *od.* sehenlassen (sind beachtlich)

se|hens|wert

Se|hens|wür|dig|keit, die; -, -en

Se|her (*österr. auch für* Fernsehzuschauer); **Se|he|rin**

Seh|ne, die; -, -n

seh|nen, sich; stilles Sehnen; **sehn|lichst**

Sehn|sucht, die; -, ...süchte; **sehn|süch|tig**

sehr; so sehr; zu sehr; gar sehr; sehr fein (*Abk.* ff); sehr viel, sehr vieles; sehr bedauerlich; er hat die Note »sehr gut« erhalten

Seh|ver|mö|gen, das; -s

sei|bern, sei|fern; ich seibere, seifere

seicht

Sei|de, die; -, -n

Sei|del, das; -s, - (Gefäß); 3 Seidel Bier

sei|den (aus Seide); **sei|den|weich**; **sei|dig**

Sei|fe, die; -, -n (Waschmittel; *Geol.* Ablagerung); grüne Seife; **Sei|fen|bla|se**; **Sei|fen|oper** (*ugs. für* triviale Rundfunk- od. Fernsehserie); **Sei|fen|spen|der**; **sei|fig**

sei|hen (*landsch. für* durch ein Sieb gießen)

Seil, das; -[e]s, -e; auf dem Seil laufen, tanzen (*vgl. aber* seiltanzen); über das Seil hüpfen, springen (*vgl. aber* seilspringen); [am] Seil ziehen

Seil|bahn; **Sei|ler**; **Sei|le|rin**; **Seil|schaft** (die durch ein Seil verbundenen Bergsteiger; *übertr. für* Gruppe von Personen, die eng zusammenarbeiten)

seil|sprin|gen *vorwiegend im Infinitiv u. im Partizip II gebräuchlich*; seilgesprungen; *vgl.* Seil

seil|tan|zen *vorwiegend im Infinitiv u. im Partizip II gebräuchlich*; seilgetanzt; *vgl.* Seil; **Seil|tän|zer**; **Seil|tän|ze|rin**

¹sein; seine Schwester, sein Kind; *aber* Seine (*Abk.* S[e].), Seiner (*Abk.* Sr.) Exzellenz; *vgl.* dein u. seine

²sein *s. Kasten Seite 382*

Sein, das; -s; das Sein und das Nichtsein; das wahre Sein

sei|ne, sei|ni|ge; wir wollen jedem das Seine *od.* das seine zukommen lassen; er muss das Seine *od.* das seine dazu beitragen, tun; sie ist die Seine *od.* die seine; er sorgte für die Seinen *od.* die seinen

sei|ner|seits; **sei|ner|zeit** (damals, dann; *Abk.* s. Z.); **sei|ner|zei|tig**

sei|nes|glei|chen; Leute seinesgleichen; er

S

²sein

– ich bin, du bist, er/sie/es ist, wir sind, ihr seid, sie sind – ich sei, du seist, er/sie/es sei, wir seien, ihr seiet, sie seien – ich war, du warst, er/sie/es war, wir waren, ihr wart, sie waren – ich wäre, du wärst, er/sie/es wäre, wir wären, ihr wärt, sie wären – das wars, auch war's – seiend; gewesen – sei, seid ruhig! – Seien Sie bitte so freundlich ...	Verbindungen mit dem Verb »sein« werden getrennt geschrieben: – da sein; hier sein; zusammen sein – sie wollte ihn Sieger sein lassen Aber: – ich möchte das lieber sein lassen od. sein-lassen (ugs. für nicht tun) – das Dasein, das Sosein, das Zusammensein – das So-oder-anders-Sein

hat nicht seinesgleichen; **sei|net|we|gen**;
sei|net|wil|len; *nur in* um seinetwillen
sei|ni|ge *vgl.* seine
sein las|sen, sein|las|sen *vgl.* ²sein
seit; *Präp. mit Dat.:* seit dem Zusammenbruch; seit alters; seit heute; seit Kurzem *od.* kurzem; seit Langem *od.* langem; *Konjunktion:* seit ich hier bin

seit

Im Gegensatz zur mit *d* geschriebenen Verbform *seid (ihr seid)* enden die Präposition und die Konjunktion *seit (seit drei Jahren; ihr geht es besser, seit sie Sport treibt)* mit *t*.

seit|dem; seitdem ist sie gesund; seitdem ich hier bin; *aber* seit dem Tag, an dem ...
Sei|te, die; -, -n; jmdm. zur Seite stehen; aufseiten *od.* auf Seiten; vonseiten *od.* von Seiten; *vgl. aber* Saite; **Sei|ten|blick; Sei|ten|ein|gang; Sei|ten|hieb; sei|ten-lang**; seitenlange Briefe, *aber* ein vier Seiten langer Brief; **Sei|ten|li|nie**
sei|tens; *Präp. mit Gen. (Amtsspr.):* seitens des Angeklagten
Sei|ten|sprung; Sei|ten|ste|chen, das; -s; **sei|ten|ver|kehrt; Sei|ten|wech|sel**
seit|her
seit|lich; seit|wärts *vgl.* abwärts
Se|kan|te, die; -, -n (Gerade, die eine Kurve schneidet)

Se|kret, das; -[e]s, -e (*Med.* Absonderung)
Se|kre|tär, der; -s, -e (Beamter des mittleren Dienstes; Funktionär in einer Partei, Gewerkschaft o. Ä.; Schreibschrank); **Se|kre|ta|ri|at**, das; -[e]s, -e (Kanzlei, Geschäftsstelle); **Se|kre|tä|rin**
Sekt, der; -[e]s, -e
Sek|te, die; -, -n ([kleinere] Glaubensgemeinschaft); **Sek|ten|we|sen**, das; -s
Sek|tie|rer (jmd., der von einer politischen, religiösen o. ä. Richtung abweicht); **Sek-tie|re|rin; sek|tie|re|risch**
Sek|ti|on, die; -, -en (Abteilung, Gruppe, Fachbereich; *Med.* Leichenöffnung)
Sek|tor, der; -s, ...oren ([Sach]gebiet, Bezirk; *Math.* Ausschnitt)
se|kun|där (zweitrangig)
Se|kun|dar|stu|fe (ab dem 5. Schuljahr)
Se|kun|de, die; -, -n ($^1/_{60}$ Minute, *Abk.* Sek. [*Zeichen* s; *veraltet* sec, sek]; *Geom.* $^1/_{60}$ Minute [*Zeichen* ''])
se|kun|den|lang; sekundenlanges Zögern, *aber* ein vierzig Sekunden langer Herzstillstand; **Se|kun|den|schnel|le**, die; -; in Sekundenschnelle; **Se|kun|den|zei|ger**
se|kun|die|ren (beistehen [im Zweikampf]; helfen, schützen); jmdm. sekundieren
Se|lam *vgl.* Salam
sel|ber (*meist ugs. für* selbst)
sel|big (*veraltet);* zu selbiger Stunde
selbst; von selbst; selbst wenn; selbst

backen; selbst gebackenes oder selbstge-
backenes Brot; **Selbst**, das; -; ein Stück
meines Selbst; **Selbst|ach|tung**, die; -
selb|stän|dig usw. *vgl.* selbstständig usw.
Selbst|an|zei|ge; Selbst|aus|lö|ser
(Fotogr.); **Selbst|be|die|nung** *Plur. selten*
(Abk. SB); **Selbst|be|frie|di|gung** (Mastur-
bation); **Selbst|be|herr|schung**
selbst|be|stimmt (eigenverantwortlich);
Selbst|be|stim|mungs|recht
Selbst|be|tei|li|gung *(Versicherungsw.)*
selbst|be|wusst; **Selbst|be|wusst|sein**
Selbst|bild *(Psychol.);* **Selbst|bild|nis**
**Selbst|ein|schät|zung; selbst|ent|zünd-
lich; Selbst|er|kennt|nis**
selbst er|nannt, selbst|er|nannt
Selbst|fin|dung *(geh.)*
selbst ge|ba|cken, selbst|ge|ba|cken *vgl.*
selbst; **selbst|ge|fäl|lig; selbst|ge|recht;
Selbst|ge|spräch; selbst|herr|lich;
Selbst|hil|fe|grup|pe; Selbst|iro|nie;
selbst|kle|bend; selbst|kri|tisch**
Selbst|läu|fer (etw., was wie von selbst
Erfolg hat); **Selbst|laut** (Vokal); **selbst-
los; Selbst|mit|leid; Selbst|mord;
Selbst|mord|at|ten|tat; Selbst|mord|at-
ten|tä|ter; Selbst|mord|at|ten|tä|te|rin;
Selbst|mör|der; Selbst|mör|de|rin;
Selbst|mord|ver|such; Selbst|por|t|rät;
selbst|re|dend; selbst|si|cher**
selbst|stän|dig, selb|stän|dig; sich selbst-
ständig od. selbständig machen; **Selbst-
stän|di|ge**, Selb|stän|di|ge, der u. die; -n,
-n; **Selbst|stän|dig|keit**, Selb|stän|dig-
keit
**Selbst|über|schät|zung; Selbst|ver|ant-
wor|tung**, die; -
selbst|ver|ges|sen; selbst|ver|liebt
selbst ver|schul|det, selbst|ver|schul|det
selbst|ver|ständ|lich; **Selbst|ver|ständ-
lich|keit; Selbst|ver|ständ|nis; Selbst-
ver|such** *(Med.);* **Selbst|ver|tei|di|gung;
Selbst|ver|trau|en; Selbst|ver|wal-
tung; Selbst|ver|wirk|li|chung; Selbst-
wert|ge|fühl** *(Psychol.);* **Selbst|zweck**
Plur. selten; **Selbst|zwei|fel**

se|lek|tie|ren (auswählen); **Se|lek|ti|on,**
die; -, -en (Auswahl; *Biol.* Auslese); **se|lek-
tiv** (auswählend; mit Auswahl)
se|lig *(Abk.* sel.); selige Weihnachtszeit;
selig sein; selig werden; jmdn. **selig
machen** *od.* seligmachen (beglücken); *vgl.*
seligpreisen, seligsprechen; **Se|lig|keit**
se|lig|prei|sen; wir können uns seligpreisen,
noch immer so erfolgreich zu sein
se|lig|spre|chen *(kath. Kirche);* der Mönch
wurde vom Papst seliggesprochen
Sel|le|rie [...ri, österr. auch ...'ri:], der; -s,
-[s] *od.,* österr. auch, die; -, *Plur.* -, österr.
...ien (eine Gemüsepflanze)
sel|ten; sel|te|ner, sel|tens|te; seltene Pflan-
zen; selten gut *(ugs.* für besonders gut);
ein seltener Vogel *(ugs. auch für* sonderba-
rer Mensch); **Sel|ten|heit**
Sel|ters|was|ser, Sel|ter|was|ser
selt|sam; **selt|sa|mer|wei|se**
Semantik, die; - (Lehre von der Bedeutung
sprachlicher Zeichen); se|man|tisch
Se|mes|ter, das; -s, - ([Studien]halbjahr);
Se|mes|ter|fe|ri|en *Plur.*
Se|mi|fi|na|le *(Sport)*
Se|mi|ko|lon, das; -s, *Plur.* -s u. ...la (Strich-
punkt)
Se|mi|nar, das; -s, *Plur.* -e, österr. u.
schweiz. auch -ien (Übungskurs an Hoch-
schulen; kirchl. Institut zur Ausbildung von
Geistlichen [z. B. Priestern]; *schweiz.* für
Lehrerbildungsanstalt)
Sem|mel, die; -, -n *(bes. österr.,* bayr.)
Sen, der; -[s], -[s] (Währungseinheit in
Japan, Kambodscha, Indonesien u. Malay-
sia)
Se|nat, der; -[e]s, -e (Rat [der Alten] im alten
Rom; Teil der Volksvertretung, z. B. in den
USA; Regierungsbehörde in Hamburg, Bre-
men u. Berlin; akademische Verwaltungs-
behörde; Richterkollegium bei Obergerich-
ten); **Se|na|tor**, der; -s, ...oren (Mitglied
des Senats; Ratsherr); **Se|na|to|rin; Se-
nats|spre|cher; Se|nats|spre|che|rin**
¹sen|den (schicken); du sendest mir einen
Brief; sie sendet mir einen Brief; sie

sandte, *auch* sendete mir einen Brief; er hat mir einen Brief gesandt, *auch* gesendet

²sen|den (übertragen); der Rundfunk sendet; der Rundfunk sendete; der Rundfunk hat Musik gesendet

Sen|de|platz (Zeit, zu der eine Sendung [regelmäßig] ausgestrahlt wird); Sen|der; Sen|de|ter|min; Sen|de|zeit; Sen|dung

Senf, der; -[e]s, -e

sen|gen (anbrennen)

se|nil ([geistig] greisenhaft)

Se|ni|li|tät, die; -

se|ni|or (*hinter Namen der Ältere; Abk.* sen.); Karl Meyer senior; Se|ni|or, der; -s, ...oren (Ältester; Vorsitzender; Sportler etwa zwischen 20 u. 30 Jahren; *meist Plur.:* ältere Menschen); Se|ni|o|ren|heim; Se|ni|o|ren|treff; Se|ni|o|rin

Senk|blei, das *(Bauw.)*

Sen|ke, die; -, -n

Sen|kel, der; -s, - (*kurz für* Schnürsenkel; *schweiz. auch für* Senkblei); etwas, jmdn. in den Senkel stellen (*schweiz. für* etwas zurechtrücken, jmdn. zurechtweisen)

sen|ken

senk|recht; senkrecht [herunter]fallen, stehen; das ist das einzig Senkrechte (*ugs. für* Richtige); Senk|rech|te, die; -n, -n; zwei -[n]

Sen|kung

Senn, der; -[e]s, -e, *schweiz. auch* der; -en, -en (*bayr., österr., schweiz. für* Bewirtschafter einer Sennhütte); Sen|ne|rin

Sen|sa|ti|on, die; -, -en (aufsehenerregendes Ereignis); sen|sa|ti|o|nell

Sen|se, die; -, -n; [jetzt ist] Sense! (*ugs. für* jetzt ist es genug!); Sen|sen|mann (*veraltet für* Schnitter; *verhüllend für* Tod)

sen|si|bel (reizempfindlich; feinfühlig); sen|si|b|le Nerven; sensible (nicht für die Öffentlichkeit bestimmte) Daten

sen|si|bi|li|sie|ren (empfindlich machen); Sen|si|bi|li|sie|rung; Sen|si|bi|li|tät, die; -, -en (Empfindsamkeit); sen|si|tiv (sehr empfindlich; leicht reizbar; feinnervig)

Sen|sor, der; -s, Sensoren (*Technik* Messfühler); sen|so|risch (die Sinne betreffend)

sen|ti|men|tal [zɛntimɛn...] (*oft abwertend für* [übertrieben] empfindsam; rührselig)

Sen|ti|men|ta|li|tät, die; -, -en (*oft abwertend für* Empfindsamkeit, Rührseligkeit)

se|pa|rat (abgesondert; einzeln); Se|pa|ra|tist, der; -en, -en; se|pa|ra|tis|tisch

Se|pa|ree, Séparée [zepaˈre:], das; -s, -s (Sonderraum, Nische in einem Lokal)

Sep|tem|ber, der; -[s], - (*Abk.* Sept.)

Sep|ti|me, die; -, -n (*Musik* ein Intervall im Abstand von sieben Stufen)

Se|quenz, die; -, -en (Aufeinanderfolge, Reihe)

Se|re|na|de, die; -, -n (Abendmusik)

Ser|geant [...ʒant, *engl.* ˈsaːʤənt], der; -en, -en, *bei engl. Ausspr.* der; -[s], -s (Unteroffizier)

Se|rie, die; -, -n; se|ri|ell (serienmäßig; in Reihen); serielle Musik

se|ri|en|mä|ßig; Se|ri|en|mör|der; Se|ri|en|mör|de|rin; Se|ri|en|pro|duk|ti|on; Se|ri|en|schal|tung (*Elektrot.* Reihenschaltung); se|ri|en|wei|se

se|ri|ös (ernsthaft, [vertrauens]würdig); Se|ri|o|si|tät

Ser|pen|ti|ne, die; -, -n (Straßenwindung, Kehrschleife)

Se|rum, das; -s, Plur. ...ren u. ...ra (*Med.* Bestandteil des Blutes; Impfstoff)

Ser|ve|lat|wurst *vgl.* Zervelatwurst

Ser|ver [ˈzøːɐ̯ve], der; -s, - (*EDV* Rechner mit bestimmten Aufgaben in einem Netzwerk)

¹Ser|vice [...ˈviːs], das; *Gen.* - u. -s, *Plur.* - ([Tafel]geschirr)

²Ser|vice [ˈzøːɐ̯vɪs], der, *österr. auch* das; -[s], -s [...vɪs(ɪs)] ([Kunden]dienst, Bedienung; *Tennis* Aufschlag[ball]); Ser|vice|leis|tung

ser|vie|ren [zɛr...] (bei Tisch bedienen; auftragen; *Tennis* den Ball aufschlagen)

Ser|vi|et|te, die; -, -n

Ser|vo|len|kung

ser|vus! (*bes. bayr. u. österr.* freundschaftlicher Gruß)

Se|sam, der; -s, -s (eine Pflanze mit ölhaltigem Samen); Sesam, öffne dich! (Zauberformel [im Märchen])

Ses|sel, der; -s, - ([gepolsterter] Stuhl mit Armlehnen; *österr. für* Stuhl); Ses|sel|lift
sess|haft; Sess|haf|tig|keit
Ses|si|on, die; -, -en (Sitzung[szeit])
¹Set, das, *auch* der; -[s], -s (Satz [= Zusammengehöriges]; Platzdeckchen)
²Set, der; -[s], -s (*Film, Fernsehen* Drehort; Szenenaufbau, Dekoration); am Set
Set-up, Set|up ['set|ap], das; -s, -s (*EDV* Hilfsprogramm, das neue Software auf dem Computer installiert)
set|zen; du setzt; sich setzen; sich ein Denkmal setzen; sich setzen lassen; sie sollten die Kinder sich setzen lassen; wir müssen das Gesagte sich erst einmal setzen lassen *od.* setzenlassen (es erst einmal verarbeiten)
Set|zer (Schriftsetzer); Set|ze|rei; Set|ze|rin
Setz|ling (junge Pflanze; Zuchtfisch)
Seu|che, die; -, -n
seuf|zen; du seufzt; Seuf|zer
Sex, der; -[es] (Geschlecht[lichkeit]; Geschlechtsverkehr); Sex-Ap|peal, Sex|ap|peal [...|əpi:l], der; -s (sexuelle Anziehungskraft); Sex|film
Se|xis|mus, der; - ([Diskriminierung aufgrund der] Vorstellung, dass eines der beiden Geschlechter dem anderen von Natur aus überlegen sei); se|xis|tisch
Sex|tett, das; -[e]s, -e (Musikstück für sechs Stimmen *od.* sechs Instrumente; *auch für* die sechs Ausführenden)
Se|xu|al|de|likt; Se|xu|a|li|tät, die; - (Geschlechtlichkeit); Se|xu|al|kun|de, die; -; Se|xu|al|trieb; se|xu|ell (die Sexualität betreffend, geschlechtlich)
se|xy [...ksi] (*ugs. für* erotisch-attraktiv); sexy Wäsche
Se|zes|si|on, die; -, -en (Absonderung; Abfall der nordamerikanischen Südstaaten)
se|zie|ren (anatomisch zerlegen)
SFOR, Sfor ['esfɔ:ɐ̯], die; - (ehem. internationale Truppe unter NATO-Führung in Bosnien u. Herzegowina)
Shake [ʃe:k] (ein Mischgetränk)
Sham|poo ['ʃampu, *österr.* ...'po:], Shampoon [ʃɛm'pu:n, *auch, österr. nur* ʃam-

'po:n], das; -s, -s (flüssiges Haarwaschmittel); shampoonieren *vgl.* schamponieren
Share [ʃe:ɐ̯], der; -, -s (*engl. Bez. für* Aktie)
Share|ware [...ve:ɐ̯], die; -, -s (*EDV* zu Testzwecken kostengünstig angebotene Software)
She|riff [ʃ...], der; -s, -s (oberster Vollzugsbeamter einer amerikanischen Stadt)
Sher|pa [ʃ...], der; -[s], -s (Angehöriger eines tibetischen Volksstammes)
Sher|ry ['ʃeri], der; -s, -s (spanischer Wein)
Shirt [ʃø:ɐ̯t], das; -s, -s ([kurzärmeliges] Hemd)
Sho|ah [*auch* 'ʃo:...] *vgl.* Schoah
Shoo|ting ['ʃu:tɪŋ], das; -s, -s (Aufnahme von Werbefotos o. Ä.); Shoo|ting|star ['ʃu:...], der; -s, -s (Person *od.* Sache, die schnell an die Spitze gelangt)
Shop [ʃ...], der; -s, -s (Laden, Geschäft)
Sho|p|a|ho|lic [ppə'hɔlɪk], der; -s, -s (jmd., der zwanghaft ständig etwas kauft)
shop|pen (einen Einkaufsbummel machen); Shop|per, der; -s, - (jmd., der einkauft; größere [Hand]tasche); Shop|pe|rin
Shop|ping, das; -s, -s (Einkaufsbummel)
Shop|ping|cen|ter, Shop|ping-Cen|ter, das; -s, - (Einkaufszentrum)
Shorts [ʃ...] *Plur.* (kurze sportl. Hose)
Short Sto|ry, die; - -, - -s, Short|sto|ry, die; -, -s [*auch* 'ʃɔ:t 'stɔ:ri] (*angelsächs. Bez. für* Kurzgeschichte)
Show [ʃo:], die; -, -s (Schau, Vorführung; buntes, aufwendiges Unterhaltungsprogramm); Show|busi|ness ['ʃo:bɪznɪs], das; - (Unterhaltungsindustrie)
Show|down, Show-down [ʃo:'daun], der; -[s] (Entscheidungskampf)
Show|ge|schäft; Show|mas|ter, der; -s, - (Unterhaltungskünstler, der eine Show präsentiert); Show|mas|te|rin
Shrimp [ʃr...], Schrimp der; -s, -s *meist Plur.* (kleine Krabbe)
Shut|tle ['ʃatl], der *od.* das; -s, -s ([Fahrzeug im] Pendelverkehr; *kurz für* Spaceshuttle)
sic! [zi:k, zɪk] (so!, wirklich so!)
sich

---

si|cher

si|che|rer, si|chers|te

I. Groß- oder Kleinschreibung
a) Kleinschreibung:

– es ist am sichersten, wenn wir hier verschwinden; auf Nummer sicher gehen

b) Großschreibung:

– wir suchen etwas Sicheres
– das Sicherste sind Gürtelreifen
– es ist das Sicherste, sofort zu verschwinden

II. Schreibung in Verbindung mit Verben:

– du kannst sicher sein, dass sie dir helfen
wird; ein Arzneimittel, das sicher wirkt
– die Polizei will die Straßen auch nachts
wieder *sicher machen* od. *sichermachen*

– in diesen Schuhen kann man sicher gehen
Aber:
– sie will in dieser Sache [ganz] sichergehen
(Gewissheit haben)
– ein Beweisstück sicherstellen

III. In Verbindung mit adjektivisch gebrauchten Partizipien:

– ein *sicher wirkendes* od. *sicherwirkendes*
Arzneimittel
Aber nur:
– die sichergestellten Beweismittel

Si|chel, die; -, -n; si|chel|för|mig
si|cher s. Kasten
si|cher|ge|hen (Gewissheit haben)
Si|cher|heit; Si|cher|heits|ab|stand; Si-
cher|heits|dienst; Si|cher|heits|gurt; si-
cher|heits|hal|ber; Si|cher|heits|lü|cke;
Si|cher|heits|man|gel *meist Plur.;* si|cher-
heits|po|li|tisch; Si|cher|heits|rat, der;
-[e]s (UN-Behörde); Si|cher|heits|stan-
dard; Si|cher|heits|vor|keh|rung
si|cher|lich
si|chern; ich sichere
si|cher|stel|len (sichern; in [polizeilichen]
Gewahrsam geben od. nehmen); ein
Beweisstück sicherstellen; um sicherzustel-
len, dass nichts passiert; Si|cher|stel|lung
Si|che|rung; Si|che|rungs|ver|wah|rung
(Rechtsspr.)
si|cher wir|kend, si|cher|wir|kend *vgl.*
sicher
Sicht, die; -, -en; auf lange Sicht; in Sicht
kommen; in Sicht sein
sicht|bar; etwas sichtbar machen
¹sich|ten (auswählen, durchsehen)
²sich|ten (erblicken)
sicht|lich (offenkundig)

¹Sich|tung (das Auswählen)
²Sich|tung, die; - (das Erblicken)
Sicht|wei|se
Sicht|wei|te
Si|cker|gru|be; si|ckern; er sagt, das Wasser
sickere
sie; sie kommt, sie kommen; Mode für sie
und ihn
¹Sie; *(Höflichkeitsanrede an eine Person od.*
mehrere Personen gleich welchen
Geschlechts:) kommen Sie bitte!; jmdn. mit
Sie anreden; das steife Sie; *(veraltete*
Anrede an eine Person weiblichen
Geschlechts:) höre Sie!
²Sie, die; -, -[s] *(ugs. für* Mensch od. Tier
weiblichen Geschlechts); es ist eine Sie; ein
Er u. eine Sie
Sieb, das; -[e]s, -e
¹sie|ben; die sieben Weltwunder; sieben auf
einen Streich; wir sind zu sieben od. zu
siebt (älter siebent); wir sind sieben; sie
kommt mit sieben[en]
²sie|ben (durchsieben)
Sie|ben, die; -, Plur. -, auch -en (Zahl); eine
böse Sieben; *vgl.* ¹Acht; sie|ben|ein|halb;
sie|ben|fach *(mit Ziffer:* 7-fach, 7fach);

sie|ben|jäh|rig; *aber* der Siebenjährige Krieg; sie|ben|mal vgl. achtmal
Sie|ben|mei|len|stie|fel Plur.
Sie|ben|schlä|fer (Nagetier; *volkstüml.* für 27. Juni als Lostag für eine Wetterregel)
sie|bent (*älter für* siebt); sie|ben|te, siebt|te; Sie|ben|tel vgl. Siebtel; sie|ben|tens, siebt|tens; sieb|te, sie|ben|te vgl. achte; Sieb|tel, das, *schweiz. meist* der; -s, -; siebt|tens, sie|ben|tens; sieb|zehn vgl. acht; sieb|zig vgl. achtzig; sieb|zi|ger vgl. achtziger; Sieb|zi|ger vgl. Achtziger
siech (*veraltend für* krank, hinfällig); sie|chen; Siech|tum, das; -s
sie|deln; ich sied[e]le
sie|den; du sottest u. siedetest; du söttest u. siedetest; gesotten u. gesiedet; sied[e]!; siedend heiß; Sie|de|punkt
Sied|ler; Sied|le|rin; Sied|lung
Sieg, der; -[e]s, -e
Sie|gel, das; -s, - (Stempelabdruck; [Brief]verschluss); Sie|gel|lack
sie|geln; ich sieg[e]le
sie|gen; Sie|ger; Sie|ger|eh|rung; Sie|ge|rin
sie|ges|ge|wiss; Sie|ges|säu|le; Sie|ges|se|rie (Sport); sie|ges|si|cher; Sie|ges|zug
sieg|los; Sieg|prä|mie; sieg|reich; Sieg|tref|fer
sie|he; siehe oben (Abk. s. o.); siehe unten (Abk. s. u.)
Siel, der od. das; -[e]s, -e (*nordd. u. fachspr.* für Abwasserleitung; kleine Deichschleuse)
Sie|mens, das; -, - (elektrischer Leitwert; *Zeichen* S)
si|e|na (rotbraun); ein siena Muster; vgl. blau u. beige
Si|er|ra, die; -, Plur. ...rren u. -s (Gebirgskette)
Si|es|ta, die; -, Plur. ...sten u. -s ([Mittags]ruhe)
sie|zen (mit »Sie« anreden); du siezt
Si|gel [...g...], das; -s, - (festgelegtes Abkürzungszeichen)
Sight|see|ing ['saɪtsiːɪŋ], das; -s, -[s] (Besichtigung von Sehenswürdigkeiten);

Sight|see|ing|tour, Sight|see|ing-Tour (Besichtigungsfahrt)
Si|g|nal, das; -s, -e; si|g|na|li|sie|ren (Signal[e] übermitteln); Si|g|nal|wir|kung
Si|g|na|tur, die; -, -en (Unterschrift; Buchnummer in einer Bibliothek); si|g|nie|ren [...'gniː...] (mit einer Signatur versehen)
si|g|ni|fi|kant (bedeutsam, kennzeichnend)
Si|g|num, das; -s, ...na (Zeichen)
Sil|be, die; -, -n
Sil|ben|rät|sel; Sil|ben|tren|nung
Sil|ber, das; -s (chemisches Element, Edelmetall; *Zeichen* Ag); vgl. Argentum; Silber|hoch|zeit; sil|be|rig, silb|rig; Sil|ber|me|dail|le
sil|bern; silbern färben; silberne Hochzeit, *aber* Silbernes Lorbeerblatt (eine Auszeichnung für besondere Sportleistungen)
silb|rig, sil|be|rig
Sil|hou|et|te [zi'lʏɛ...], die; -, -n (Umriss; Schattenriss, Scherenschnitt)
Si|li|kon, fachspr. Silicon (sehr wärme- u. wasserbeständiger Kunststoff)
Si|li|zi|um, das; -s, fachspr. Silicium (chemisches Element, Nichtmetall; *Zeichen* Si)
Si|lo, der od. das; -s, -s (Großspeicher [für Getreide, Erz u. a.]; Gärfutterbehälter)
Sil|ves|ter, der, auch das; -s, - meist ohne Artikel (letzter Tag im Jahr)
Si|ma, das; -[s] (Geol. Teil der Erdkruste)
SIM-Kar|te (Speicherchip von Mobiltelefonen)
sim|pel (einfach, einfältig); sim|p|le Frage
Sims, der od. das; -es, -e (waagerechter [Wand]vorsprung; Leiste)
sim|sen (ugs. für eine SMS versenden); du simst, hast gesimst
Si|mu|lant, der; -en, -en (jmd., der eine Krankheit vortäuscht); Si|mu|lan|tin
Si|mu|la|ti|on, die; -, -en (Vortäuschung; Nachahmung im Simulator o. Ä.)
Si|mu|la|tor, der; -s, ...oren (Gerät, in dem bestimmte Bedingungen u. [Lebens]verhältnisse realistisch herstellbar sind)
si|mu|lie|ren (sich verstellen)
si|mul|tan (gleichzeitig)

S

Si|nai [...nai], der; -[s] (Gebirgsmassiv auf der gleichnamigen ägyptischen Halbinsel)

Sin|fo|nie, Sym|pho|nie, die; -, ...ien (groß angelegtes Orchesterwerk in meist vier Sätzen); **Sin|fo|nie|or|ches|ter, Sym|pho|nie|or|ches|ter; sin|fo|nisch, sym|pho|nisch;** sinfonische, symphonische Dichtung

sin|gen; du sangst; du sängest; gesungen; sing[e]!; die Singende *od.* singende Säge (ein Musikinstrument)

sin|g|le [...n|l] (alleinstehend); wir sind alle jung und single

¹**Sin|g|le,** die; -, -s (kleine Schallplatte)

²**Sin|g|le,** der; -[s], -s (alleinstehender Mensch)

Sing|spiel; Sing|stim|me; Sing|stun|de

Sin|gu|lar, der; -s, -e (*Sprachwiss.* Einzahl; *Abk.* Sing.)

sin|gu|lär (vereinzelt; selten)

sin|ken; er/sie/es sinkt; ich sank, du sankst; du sänkest; gesunken; sink[e]!; sinkende Unfallzahlen; **Sink|flug** (*Flugw.*)

Sinn, der; -[e]s, -e; bei, von Sinnen sein

sinn|be|to|nend; *aber* das gegen den Sinn betonende Ableisen von Texten

Sinn|bild

sin|nen; du sannst; du sännest, *veraltet* sönnest; gesonnen; sinn[e]!; *vgl.* gesinnt *u.* gesonnen

Sin|nes|or|gan; Sin|nes|täu|schung; Sin|nes|wan|del

sinn|fäl|lig; sinn|ge|mäß; Sinn|haf|tig|keit, die; -

sin|nie|ren (*ugs. für* in Nachdenken versunken sein); **sin|nig** (*meist iron. für* sinnvoll; *veraltet für* nachdenklich)

sinn|lich; Sinn|lich|keit

sinn|los; Sinn|lo|sig|keit; sinn|ver|wandt; sinn|voll

Sint|flut (*A. T.*); **sint|flut|ar|tig**

Sin|ti und Ro|ma (*Plur.*); **Sin|to,** der; -, ...ti (das als diskriminierend empfundene Wort »Zigeuner« ersetzende Selbstbezeichnung für einen in Deutschland lebenden Angehörigen der Gruppe; *vgl.* Rom)

Si|nus, der; -, *Plur.* - *u.* -se (*Math.* eine Winkelfunktion, *Zeichen* sin)

Si|phon [...fô, *österr.* ziˈfoːn], der, *auch* das; -s, -s (Geruchsverschluss bei Wasserausgüssen; Gefäß, bei dem die Flüssigkeit durch Kohlensäure herausgedrückt wird)

Sip|pe, die; -, -n; **Sipp|schaft** (*abwertend für* Verwandtschaft; Gesindel)

Sir [søːɐ̯], der; -s, -s (*engl. Anrede [ohne Namen]* »Herr«; *vor Vorn.* engl. Adelstitel)

Si|re|ne, die; -, -n (Nebelhorn, Warngerät; verführerische Frau; *Zool.* Seekuh)

Si|ri|us, der; - (ein Stern)

Si|rup, der; -s, -e *od.* -s (dickflüssiger Rübenod. Obstsaft); **Si|rup|glas**

Si|sal, der; -s; **Si|sal|tep|pich**

Si|sy|phus|ar|beit (vergebliche Arbeit)

Sit|com, die; -, -s (Situationskomödie)

Site [saɪt], die; -, -s (*EDV* Website)

Sit-in, Sit|in [sɪtˈʔɪn], das; -[s], -s (Sitzstreik)

Sit|te, die; -, -n; **sit|ten|los; sit|ten|wid|rig**

Sit|tich, der; -s, -e (ein Papagei)

sitt|lich; sitt|sam (*veraltend*)

Si|tu|a|ti|on, die; -, -en

Sitz, der; -es, -e; **Sitz|bank** *Plur.* ...bänke

sit|zen; du sitzt, du saßest; ich meinte, du säßest bereits; ich habe (*südd., österr., schweiz.* bin) gesessen; sitz[e]!; einen sitzen haben

sit|zen blei|ben, sit|zen|blei|ben (*ugs. für* in der Schule nicht versetzt werden); *aber nur* wir sind auf der Bank sitzen geblieben

sit|zend; sitzende Tätigkeit

sit|zen las|sen, sit|zen|las|sen; ich habe ihn sitzen lassen *od.* sitzenlassen *od.* sitzengelassen, *seltener* sitzengelassen (*ugs. für* im Stich gelassen); *aber nur* er hätte das Kind ruhig auf seinem Platz sitzen lassen können

Sitz|ge|le|gen|heit; Sitz|platz; Sitz|rei|he

Sit|zung; Sit|zungs|saal

Six|pack [...pɛk], das *od.* der; -s, -s (*engl. Bez. für* Sechserpackung)

Ska, der; -[s] (jamaikanischer Musikstil)

Ska|la, die; -, *Plur.* ...len, *selten* -s (Maßeinteilung; Stufenfolge); *vgl.* Scala

ska|lie|ren (in eine Skala einstufen)

Skalp, der; -s, -e (*früher* abgezogene behaarte Kopfhaut des Gegners als Siegeszeichen)

Skal|pell, das; -s, -e (chirurgisches Messer)

Skan|dal, der; -s, -e; **skan|da|lös** (unerhört)

skan|die|ren (taktmäßig nach Versfüßen lesen; rhythmisch sprechen, rufen)

Skat, der; -[e]s, *Plur.* -e *u.* -s (ein Kartenspiel)

Skate|board [ˈskeːtboːɐ̯t], das; -s, -s (Rollerbrett)

¹ska|ten (*ugs. für* Skat spielen)

²ska|ten [ˈskeːtn̩] (Rollschuh laufen)

²Ska|ter [ˈskeːtɐ] (Rollschuhläufer)

²Ska|te|rin [ˈskeːtə...]

Ske|lett, das; -[e]s, -e (Knochengerüst, Gerippe; tragendes Grundgerüst)

Skep|sis, die; - (Zweifel; kritisch prüfende Haltung); **Skep|ti|ker** (Zweifler; Vertreter des Skeptizismus); **Skep|ti|ke|rin**

skep|tisch (misstrauisch; streng prüfend)

Sketch [skɛtʃ], der; -[e]s, -e (kurze, effektvolle Bühnenszene im Kabarett od. Varieté)

Ski [ʃiː], **Schi**, der; -s, *Plur.* -, *auch* -er; Ski alpin, Ski fahren, Ski laufen; *aber* jmdm. das Skilaufen beibringen; Ski und eislaufen, eis- und Ski laufen; *aber* das Ski- und Eislaufen, das Eis- und Skilaufen

Ski|ge|biet, Schi|ge|biet; **Ski|lauf**, Schi|lauf; **Ski|lau|fen**, Schi|lau|fen, das; -s; **Ski|läu|fer**, Schi|läu|fer; **Ski|läu|fe|rin**, Schi|läu|fe|rin

Skin|head [...hɛt], der; -s, -s ([aggressiver] Jugendlicher mit kahl rasiertem Kopf)

Skip, der; -s, -s (Mannschaftsführer beim Curling)

Skip|per (Kapitän einer Jacht); **Skip|pe|rin**

Ski|sport, Schisport; **Ski|sprin|gen**, Schisprin|gen, das; -s, -

Skiz|ze, die; -, -n; **Skiz|zen|block** vgl. Block

skiz|zie|ren (entwerfen; andeuten)

Skla|ve, der; -n, -n (unfreier, rechtloser Mensch); **Skla|ve|rei**; **Skla|vin**; **skla|visch**

Skle|ro|se, die; -, -n (*Med.* krankhafte Verhärtung von Geweben u. Organen)

Skon|to, der *od.* das; -s, *Plur.* ...ti, *seltener* -s ([Zahlungs]abzug, Preisnachlass)

Skor|pi|on, der; -s, -e (ein Spinnentier)

Skript, das; -[e]s, *Plur.* -e[n] *u.* (*bes. für* Drehbücher:) -s (schriftliche Ausarbeitung; Nachschrift einer Hochschulvorlesung; Drehbuch; *EDV* kleines Programm)

Skru|pel der; -s, - *meist Plur.* (Bedenken; Gewissensbiss); **skru|pel|los**

Skulp|tur, die; -, -en (plastisches Bildwerk; *nur Sing.:* Bildhauerkunst); **skulp|tu|ral** (in der Art, der Form einer Skulptur)

skur|ril (verschroben, eigenwillig; drollig)

Sky|line [ˈskaɪlaɪn], die; -, -s (Silhouette einer Stadt)

sky|pen [ˈskaɪpn̩] (über das Internet telefonieren); ich skype; geskypt

Sla|lom, der; -s, -s (*Ski- u. Kanusport* Torlauf); Slalom fahren, Slalom laufen

Slang [slɛŋ], der; -s, -s (saloppe Umgangssprache; Jargon)

Slap|stick [ˈslɛpstɪk], der; -s, -s (grotesk-komischer Gag, vor allem im [Stumm]film)

Slip, der; -s, -s (beinlose Unterhose)

Slip|per, der; -s, -[s] (Schlupfschuh mit niedrigem Absatz)

Slo|gan [ˈsloːgn̩], der; -s, -s (Schlagwort)

Slot, der; -s, -s (*EDV* Steckplatz; *Flugw.* Zeitfenster für die Starts u. Landungen)

Slum [slam] der; -s, -s *meist Plur.* (Elendsviertel)

small [smɔːl] (Kleidergröße: klein; *Abk.* S)

Small Talk [ˈsmoːltoːk], der; - -s, - -s, **Smalltalk**, der, *auch* das; -s, -s (beiläufige Konversation)

Sma|ragd, der; -[e]s, -e (ein Edelstein)

smart (modisch elegant, schneidig; clever)

Smart|phone [...foːn], das; -s, -s, **Smart Phone**, das; - -s, - -s (Handy, das auch Adressen u. Termine verwalten, Fotos aufnehmen usw. kann)

Smi|ley [ˈsmaɪli], das; -s, -s (*EDV* Emoticon in Form eines lächelnden Gesichts)

Smog, der; -[s], -s (mit Abgasen, Rauch u. a. gemischter Dunst über Industriestädten)

S

Smo|king, der; -s, -s (Gesellschaftsanzug mit seidenen Revers für Herren)

SMS, die; -, - (*ugs. auch* SMSen), *bes. österr. u. schweiz. auch:* das; -, - (Textnachricht); eine SMS erhalten; **SMS-Nach|richt**

Snack [snɛk], der; -s, -s (Imbiss)

Snea|ker ['sni:...], der; -s, *Plur.* -s u. - (sportlich wirkender Schuh)

Snob, der; -s, -s (vornehm tuender, eingebildeter Mensch); **sno|bis|tisch**

Snow|board ['snoʊbo:ɐ̯t], das; -s, -s (als Sportgerät dienendes Brett zum Gleiten auf Schnee); **snow|boar|den**

so; so sein, so werden, so bleiben; *vgl.* sobald; sodass; sogenannt; solang; soviel; soweit, sowenig; sowie, sowieso; so was

Soap [soʊp], die; -, -s (Seifenoper)

so|bald; *Konjunktion:* sobald ich komme, *aber (Adverb):* ich komme so bald nicht; kommt so bald wie od. als möglich

Soc|cer ['sɔkɐ], das, *auch* der; -s (*amerik. Bez. für* Fußball)

So|ci|e|ty [sə'saɪ̯əti], die; - (*kurz für* High Society)

So|cke, die; -, -n

So|ckel, der; -s, -

So|cken, der; -s, - (*landsch. für* Socke)

So|da, die; - u. das; -s (Natriumcarbonat)

so|dann

so|dass, so dass; er arbeitete Tag und Nacht, sodass od. so dass er krank wurde; *aber* er arbeitete so, dass er krank wurde

Sod|bren|nen, das; -s (brennendes Gefühl im Magen u. in der Speiseröhre)

so|eben; sie kam soeben herein; *aber* sie hat es so eben (gerade) noch geschafft

So|fa, das; -s, -s

so|fern (falls); sofern er seine Pflicht getan hat, ...; *aber* die Sache liegt mir so fern, dass ...

so|fort; er soll sofort kommen; *aber* immer so fort (immer so weiter); **So|fort|hil|fe**

so|for|tig; sofortige Hilfe

So|fort|maß|nah|me; **So|fort|pro|gramm**

soft (*ugs. für* sanft, zärtlich); ein softer Typ

Soft|drink, der; -s, -s, **Soft Drink**, der; - -s,

- -s (alkoholfreies Getränk); **Soft|eis**, das; -es (sahniges, weiches Speiseeis)

Soft|ware [...vɛ:ɐ̯], die; -, -s (*EDV* die zum Betrieb einer Datenverarbeitungsanlage benötigten Programme); **Soft|ware|fir|ma**; **Soft|ware|her|stel|ler**; **Soft|ware|pa|ket** (*EDV* mehrere Programme, die aufeinander abgestimmt sind)

Sog, der; -[e]s, -e (Meeresstrom; saugende Luftströmung)

so|gar; er kam sogar zu mir nach Hause; *aber* sie hat so gar kein Vertrauen zu mir

so|ge|nannt, so ge|nannt (*Abk.* sog.); die sogenannten od. so genannten Schwellenländer

so|gleich (sofort); er soll sogleich kommen; *aber* sie sind sich alle so gleich, dass ...

Soh|le, die; -, -n (Fuß-, Talsohle)

soh|len (*landsch. auch für* lügen)

Sohn, der; -[e]s, Söhne

So|ja, die; -, ...jen od. das; -s, ...jen (eiweißhaltige Nutzpflanze); **So|ja|boh|ne**

so|lang, **so|lan|ge**; solang[e] ich krank war, bist du bei mir geblieben; *aber* du hast so lange gefehlt; ich warte so lang[e] wie od. als möglich

so|lar (die Sonne betreffend)

So|lar|an|la|ge; **So|lar|ener|gie**

So|la|ri|um, das; -s, ...ien (Anlage für künstliche Sonnenbäder unter UV-Bestrahlung)

So|lar|kraft|werk; **So|lar|strom**, der; -[e]s; **So|lar|tech|nik**, die; -; **So|lar|zel|le**

solch; solcher, solche, solches; solch ein Widersinn, ein solcher Widersinn; solch feiner Stoff od. solcher feine Stoff; solche Gefangenen, *auch* Gefangene; das Leben solch frommer Leute od. solcher frommen, *auch* frommer Leute; **sol|cher|art** Dinge; *aber* Dinge solcher Art; **sol|cher|lei**

Sold, der; -[e]s, -e (*Militär*)

Sol|dat, der; -en, -en; **Sol|da|tin**

Söld|ner; **Söld|ne|rin**

So|le, die; -, -n (kochsalzhaltiges Wasser)

¹**So|li** (*Plur. von* Solo)

²**So|li**, der; -s (*ugs.; kurz für* Solidaritätszuschlag)

so|lid *österr. nur so,* so|li|de (fest; haltbar)

so|li|da|risch (gemeinsam, übereinstimmend, eng verbunden); **so|li|da|ri|sie|ren,** sich (sich solidarisch erklären); **So|li|da|ri|tät,** die; - (Zusammengehörigkeitsgefühl, Gemeinsinn); **So|li|da|ri|täts|zu|schlag; So|li|dar|pakt** *(Politik)*

so|li|de *vgl.* solid; **So|li|di|tät,** die; - (Festigkeit, Haltbarkeit; Zuverlässigkeit)

So|list, der; -en, -en (Einzelsänger, -spieler); **So|lis|tin; so|lis|tisch**

¹**So|li|tär,** der; -s, -e (einzeln gefasster Edelstein)

²**So|li|tär,** das; -s (Brettspiel für eine Person)

¹**Soll,** das; -s, Sölle *(Geol.* runder See eiszeitlicher Herkunft)

²**Soll,** das; -[s], -[s]; das Soll und [das] Haben; das Soll und das Muss

Soll|be|trag, Soll-Be|trag; **Soll|bruch|stel|le,** Soll-Bruch|stel|le *(Technik)*

sol|len; ich habe gesollt, *aber* ich hätte das nicht tun sollen

so|lo *(bes. Musik* als Solist; *ugs. für* allein); ganz solo; solo tanzen; **So|lo,** das; -s, *Plur.* -s *u.* ...li (Einzelvortrag, -spiel, -tanz); ein Solo singen, spielen, tanzen; **So|lo|al|bum**

So|lu|ti|on, die; -, -en (Arzneimittellösung)

sol|vent (zahlungsfähig); **Sol|venz,** die; -, -en

so|mit *[auch* 'zo:...] (also); somit bist du der Aufgabe enthoben; *aber* ich nehme es so (in dieser Form, auf diese Weise) mit

Som|mer, der; -s, -; Sommer wie Winter; sommers *(vgl. d.);* sommersüber *(vgl. d.)*

Som|mer|abend; Som|mer|an|fang; Som|mer|fe|ri|en *Plur.;* som|mer|lich; **Som|mer|loch** *(ugs. für* Saure-Gurken-Zeit)

Som|mer|mär|chen; Som|mer|nachts|traum (Komödie von Shakespeare); **Som|mer|pau|se; Som|mer|sai|son; Som|mer|spros|se** *meist Plur.;* **Som|mer|tag; Som|mer|ur|laub; Som|mer|zeit** (Jahreszeit; um meist eine Stunde vorverlegte Zeit)

So|na|te, die; -, -n (aus drei od. vier Sätzen bestehendes Musikstück)

Son|de, die; -, -n *(Med.* Instrument zum Einführen in Körper- od. Wundkanäle; *auch kurz für* Raumsonde)

Son|der|ab|schrei|bung *(Wirtsch.);* **Son|der|ak|ti|on** *(bes. Kaufmannsspr.);* **Son|der|an|ge|bot; Son|der|aus|ga|be**

son|der|bar; etwas Sonderbares

Son|der|fall, der; **Son|der|ge|neh|mi|gung**

son|der|glei|chen

Son|der|heft; Son|der|kom|mis|si|on; Son|der|kon|di|ti|on *meist Plur. (bes. Kaufmannsspr.)*

son|der|lich; nichts Sonderliches (Ungewöhnliches); **Son|der|ling**

Son|der|müll (gefährliche Stoffe enthaltender Müll)

¹**son|dern;** *Konjunktion:* nicht nur der Bruder, sondern auch die Schwester

²**son|dern;** ich sondere

Son|der|par|tei|tag; Son|der|preis; Son|der|pro|gramm; Son|der|recht; Son|der|re|ge|lung, Son|der|reg|lung

son|ders; samt und sonders

Son|der|schau; Son|der|schu|le (Förderschule); **Son|der|sit|zung; Son|der|stel|lung; Son|der|weg; Son|der|zug**

son|die|ren ([mit der Sonde] untersuchen; vorfühlen); **Son|die|rungs|ge|spräch**

So|nett, das; -[e]s, -e (eine Gedichtform)

Song, der; -s, -s (Lied [oft mit sozialkritischem Inhalt]); **Song|wri|ter,** der; -s, - (jmd., der Songs schreibt)

Sonn|abend, der; -s, -e; *Abk.* Sa.; *vgl.* Dienstag; **sonn|abends;** *vgl.* dienstags

Son|ne, die; -, -n; son|nen; sich sonnen

Son|nen|auf|gang; Son|nen|bad; Son|nen|blu|me; Son|nen|brand; Son|nen|bril|le; Son|nen|ener|gie; Son|nen|fins|ter|nis; Sonnenflecken; son|nen|klar *(ugs.);* **Son|nen|kö|nig,** der; -s (Beiname Ludwigs XIV. von Frankreich)

Son|nen|licht, das; -[e]s; **Son|nen|schein,** der; -[e]s; **Son|nen|schirm; Son|nen|schutz|mit|tel,** das; **Son|nen|stich; Son|nen|strahl; Son|nen|sys|tem; Son|nen|uhr; Son|nen|un|ter|gang; Son|nen|wen|de,** die; son|nig

Sonn|tag, der; -[e]s, -e (*Abk.* So.); des Sonntags, *aber* sonntags, sonn- und alltags, sonn- und feiertags, sonn- und festtags, sonn- und werktags; *vgl.* Dienstag

Sonn|tag|abend *vgl.* Dienstagabend; **sonntäg|lich**; **Sonn|tag|mor|gen** *vgl.* Dienstagabend; **Sonn|tag|nach|mit|tag** *vgl.* Dienstagabend

sonn|tags; *vgl.* dienstags; Sonntag; **Sonntags|re|de**; **Sonn|tags|zei|tung**

Sonn|tag|vor|mit|tag *vgl.* Dienstagabend

so|nor (klangvoll, volltönend)

sonst; sonst jemand; sonst etwas; sonst wie; sonst wo; **sons|tig**; die sonstigen Möglichkeiten; über Sonstiges wurde nicht gesprochen; das, alles Sonstige; Essen, Kleidung und Sonstiges (*vgl.* übrig)

so|oft; sooft du zu mir kommst, immer ...; *aber* ich habe es dir so oft gesagt, dass ...

So|p|ran, der; -s, -e (höchste Frauen- od. Knabenstimme; Sopransänger[in]); **So|p|ra|nis|tin**

Sor|ge, die; -, -n; Sorge tragen; **sor|gen**; sich sorgen; **Sor|gen|kind**; **sor|gen|voll**

Sor|ge|recht (*Rechtsspr.*); gemeinsames Sorgerecht; **Sorg|falt**, die; -; **sorg|fäl|tig**; **Sorg|falts|pflicht**; **sorg|los**; **sorg|sam**

sor|ry! (*ugs.* für Entschuldigung!)

Sor|te, die; -, -n (Art, Gattung; Wert, Güte)

sor|tie|ren (sondern, auslesen, sichten)

sor|tiert (*auch für* hochwertig)

Sor|ti|ment, das; -[e]s, -e (Warenangebot, -auswahl eines Kaufmanns)

SOS [ɛslo:'ɛs] (internationales Seenotzeichen, *gedeutet als* save our ship = rette[t] unser Schiff! *od.* save our souls = rette[t] unsere Seelen!)

so|sehr; sosehr ich diesen Plan auch billige, ...; *aber* er lief so sehr, dass ...

SOS-Ruf

So|ße [*österr.* zo:s], Sau|ce ['zo:sə, *österr.* zo:s], die; -, -n (Brühe, Tunke)

Sou [zu:], der; -, -s (frühere französische Münze im Wert von 5 Centimes)

Souf|f|lé, **Souf|f|lee** [zu...], das; -s, -s (*Gastron.* Eierauflauf)

Souf|f|leur [zuˈfløːɐ̯], der; -s, -e (*Theater* jmd., der souffliert); **Souf|f|leu|se**, die; -, -n; **souf|f|lie|ren** (flüsternd vorsprechen)

Soul [soul], der; -[s] (Jazz od. Popmusik mit starker Betonung des Expressiven)

Sound [saunt], der; -s, -s (*Musik* Klang; musikalische Stilrichtung); **Sound|check** ['saunt...]; **Sound|kar|te** (*EDV*)

so|und|so (*ugs.* für unbestimmt wie ...); soundso breit, groß, viel usw.; Seite soundso; *aber* etwas so und so (so und wieder anders) erzählen; Herr Soundso

Sound|track ['sauntrɛk], der; -s, -s (Tonspur eines Films; Filmmusik)

Sou|ta|ne [zu..., *auch* su...], die; -, -n (Gewand der kath. Geistlichen)

Sou|ter|rain [zuteˈrɛ̃:, *auch* 'zu:...], das; -s, -s (Kellergeschoss)

Sou|ve|nir [zuvə...], das; -s, -s (Andenken, Erinnerungsstück); **Sou|ve|nir|la|den**

sou|ve|rän [zuvə...] (überlegen; uneingeschränkt); **Sou|ve|rän**, der; -s, -e (Herrscher; *bes. schweiz.* für Gesamtheit der Wähler); **Sou|ve|rä|ni|tät**, die; -, -en (Unabhängigkeit; Landes-, Oberhoheit)

so|viel; *Konjunktion:* soviel ich weiß, ist es umgekehrt; sie hat Urlaub, soviel ich weiß; **so viel**; *Getrenntschreibung bei allen anderen Verbindungen:* so viel für heute; er hat doppelt so viel Geld wie (*seltener:* als) du

so was, **so|was** (*ugs.* für so etwas)

so|weit; *Konjunktion:* soweit ich es beurteilen kann; sie ist gesund, soweit mir bekannt ist; **so weit**; *Getrenntschreibung bei allen anderen Verbindungen:* ich bin [noch nicht] so weit; es geht ihm so weit gut, nur ...; so weit, so gut

so|we|nig; *Konjunktion:* sowenig ich mich daran gewöhnen kann, dass ...; **so we|nig**; *Getrenntschreibung bei allen anderen Verbindungen:* ich kann es so wenig wie du; ich habe so wenig Geld, dass ...

so|wie; *Konjunktion:* sowie (sobald) er kommt, soll er anrufen; wissenschaftliche und technische sowie (und, und auch) schöne Literatur; **so w**i**e**; *Getrenntschreibung beim Vergleich:* es kam so, wie ich es erwartet hatte; wir machen es so wie immer

so|wie|so

So|w|je**t** [*auch* 'zɔ...], der; -s, -s (Form der Volksvertretung *[in der Sowjetunion]; nur Plur.:* Sowjetbürger); **so|w|j**e**|tisch**

so|w**o**hl; sowohl die Eltern als [auch] *od.* wie [auch] die Kinder

So|zi, der; -s, -s *u.* Sozen (*abwertend kurz für* Sozialdemokrat)

so|zi**|**al (die Gemeinschaft betreffend, gesellschaftlich; gemeinnützig, wohltätig); sozial schwach; der *od.* die sozial Schwache; sozialer Wohnungsbau; soziale Netzwerke

So|zi|al|ab|bau, der; -[e]s; **So|zi|al|amt**; **So|zi|al|ar|bei|ter**; **So|zi|al|ar|bei|te|rin**

So|zi|al|de|mo|krat; **So|zi|al|de|mo|kra|tie** (Sozialdemokratische Partei; Gesamtheit der sozialdemokratischen Parteien); **So|zi|al|de|mo|kra|tin**; **so|zi|al|de|mo|kra|tisch**; *aber* die Sozialdemokratische Partei Deutschlands (*Abk.* SPD)

So|zi|al|ge|richt; **So|zi|al|hil|fe**; **So|zi|al|hil|fe|emp|fän|ger**; **So|zi|al|hil|fe|emp|fän|ge|rin**

So|zi|a|li|sa|tio**n**, die; - (Prozess der Einordnung des Individuums in die Gesellschaft)

So|zi|a|li**s|mus**, der; -, ...men (Gesamtheit der Theorien, politischen Bewegungen u. Staatsformen, die auf gemeinschaftlichen od. staatlichen Besitz der Produktionsmittel u. eine gerechte Verteilung der Güter hinzielen); **So|zi|a|l**i**st**, der; -en, -en; **So|zi|a|l**i**s|tin**; so|zi|a|l**i**s|tisch

so|zi|al|kri|tisch; **So|zi|al|kun|de**, die; **So|zi|al|leis|tung** *meist Plur.;* so|zi**|**al|li|be**|**ral, so|zi**|**al-li|be|ral

So|zi|al|pä|d|a|go|ge; **So|zi|al|pä|d|a|go|gin**; so|zi|al|pä|d|a|go|gisch

So|zi|al|part|ner (*Politik*); **So|zi|al|part|ner|schaft**; **So|zi|al|plan**; **So|zi|al|po|li|tik**; so|zi|al|po|li|tisch; **So|zi|al|pro|dukt** (*Wirtsch.*); **So|zi|al|re|form**; **So|zi|al|staat** *Plur.* ...staaten; **So|zi|al|sta|ti**o**n**; **So|zi|al-**

sys|tem; **So|zi|al|ver|hal|ten**; **So|zi|al|ver|si|che|rung** (*Abk.* SV)

so|zi**|**al ver|träg|lich, so|zi**|**al|ver|träg|lich

So|zi|al|we|sen; **So|zi|al|woh|nung**

So|zi|e|tä**t**, die; -, -en (Gesellschaft; Genossenschaft)

so|zio|kul|tu|r**e**ll (die soziale Gruppe u. ihr Wertesystem betreffend)

So|zio|lo|ge, der; -n, -n; **So|zio|lo|g**i**e**, die; -, ...i**e**n (Gesellschaftswissenschaft); **So|zio|lo|gin**; so|zio|lo|gisch

So|zi|us, der; -, *Plur.* ...zien, ...zii, *auch* -se (*Wirtsch.* Teilhaber; Beifahrer[sitz])

so|zu|sa|gen (gewissermaßen); *aber* er versucht, es so zu sagen, dass es verständlich ist

Spa, das, *auch* der; -[s], -s (Wellnessbad)

Space|lab ['spe:slεp], das; -[s], -s (von ESA u. NASA entwickeltes Raumlabor)

Space|shut|tle [...∫atl], der *od.* das; -s, -s (Raumfähre)

Spa**ch|tel**, der; -s, - *od.*, österr. nur, die; -, -n; **Sp**a**ch|tel|mas|se**; sp**a**ch|teln (*ugs. auch für* [tüchtig] essen); ich spacht[e]le

Spa|gat, der, *österr. nur so, od.* das; -[e]s, -e (*Gymnastik* Körperhaltung, bei der die Beine so weit gespreizt sind, dass sie eine Gerade bilden)

Spa|ghet|ti [...'gε...], die; -, - (ugs. auch -s), Spa|g**e**t|ti *meist Plur., bes. fachspr.* **Spa|ghet|to** [...'gε...], der; -[s], Spaghetti; Spaghetti bolognese

sp**ä**|hen; Sp**ä**|her; Sp**ä**|he|rin

Spä**h|trupp** (*für* Patrouille)

Spa|li**er**, das; -s, -e (Gitterwand; Doppelreihe von Personen als Ehrengasse); Spalier stehen; Spa|l**i**er|obst

Spa**lt**, der; -[e]s, -e

sp**a**lt|breit; eine spaltbreite Öffnung; **Spalt**-**breit**, der; -, Sp**a**lt breit, der; --; die Tür einen Spaltbreit *od.* Spalt breit öffnen

Spa**l|te**, die; -, -n (*auch für* Schnitz, Scheibe; *Abk. [Buchw.]* Sp.)

sp**a**l|ten; gespalten *u.* gespaltet; *in adjektivischem Gebrauch fast nur* gespalten;

gespaltenes Holz, eine gespaltene Zunge;
Spal|tung

Spam [spɛm], der od. das; -s, -s od. die; -, -s
(unerwünscht zugesandte E-Mail)

Span, der; -[e]s, Späne

Span|fer|kel (noch nicht entwöhntes Ferkel)

Span|ge, die; -, -n

spa|nisch; das kommt mir spanisch (*ugs. für*
seltsam) vor; spanische Wand (*svw.* Para-
vent); *aber* die Spanische Reitschule (in
Wien)

Spann, der; -[e]s, -e (oberer Teil des Fußes)

Span|ne, die; -, -n (ein altes Längenmaß);
span|nen

span|nend; das span|nends|te Buch

Span|ner (*ugs. auch für* Voyeur); **Span|ne|**
rin

Span|nung; **Span|nungs|bo|gen** (Spannung
erzeugende Abfolge von Ereignissen);
Span|nungs|feld

Spann|wei|te

Spar|buch; **Spar|büch|se**; **Spar|ein|la|ge;**
spa|ren; **Spa|rer**; **Spa|rer|frei|be|trag**
(*Steuerw.*); **Spa|re|rin**

Spar|gel, der; -s, -, *schweiz. auch* die; -, -n

Spar|kas|se; **Spar|kurs**

spär|lich; ein spärliches Einkommen

Spar|maß|nah|me *meist Plur.;* **Spar|pa|ket;**
Spar|plan; **Spar|po|li|tik**; **Spar|pro|**
gramm; **Spar|quo|te**

Spar|ren, der; -s, -

Spar|ring, das; -s (Boxtraining); **Spar|rings|**
part|ner; **Spar|rings|part|ne|rin**

spar|sam; **Spar|sam|keit**, die; -

spar|ta|nisch; spartanische (strenge) Zucht

Spar|te, die; -, -n (Fachgebiet, Abteilung)

Spaß, der; -es, Späße, *österr. auch* **Spass**,
der; -es, Spässe; Spaß (*österr. auch* Spass)
machen; **spa|ßen**; du spaßt; **Spaß|ge|sell|**
schaft; **spa|ßig**; **Spaß|ver|der|ber**; **Spaß|**
vo|gel (*scherzh.*)

Spas|ti|ker [ʃp..., *auch* sp...] (an einer spas-
mischen Krankheit Leidender); **Spas|ti|ke|**
rin; **spas|tisch** (mit Erhöhung des Muskel-
tonus einhergehend)

spät; spä|ter, spä|tes|te, spä|tes|tens, am

spä|tes|ten; von [morgens] früh bis
[abends] spät; spät sein, werden; zu spät
kommen; die zu spät Kommenden; das
Zuspätkommen od. Zu-spät-Kommen; eine
spät vollendete od. spätvollendete Oper

spät|abends; *aber* eines Spätabends

Spät|aus|sied|ler; **Spät|aus|sied|le|rin**

Spa|tel, der; -s, - *(österr. nur so)* u. die; -, -n
(*svw.* Spachtel)

Spa|ten, der; -s, -

spä|ter; bis später; **spä|tes|tens**

Spät|fol|ge; **Spät|herbst**; **Spät|nach|mit-**
tag; eines Spätnachmittags; **spät|nach|**
mit|tags; **Spät|nach|rich|ten** *Plur.;* **Spät-**
som|mer; **Spät|werk**

Spatz, der; Gen. -en, *auch* -es, Plur. -en

Spätz|le Plur. (schwäbische Mehlspeise)

spa|zie|ren; spazieren fahren, führen, gehen
usw.; spazieren gegangen; spazieren zu
fahren; spazieren gehende od. spazieren-
gehende Menschen; **Spa|zier|gang**, der;
Spa|zier|gän|ger; **Spa|zier|gän|ge|rin**

Specht, der; -[e]s, -e (ein Vogel)

Spe|cial ['spɛʃl], das; -s, -s (Sondersendung,
Sonderbericht zu einem Thema)

Speck, der; -[e]s, Plur. (Sorten:) -e; **spe|ckig**

Spe|di|teur [...'tøːɐ], der; -s, -e (Transport-
unternehmer); **Spe|di|teu|rin**; **Spe|di|ti-**
on, die; -, -en (Transportunternehmen;
Versand[abteilung]); **Spe|di|ti|ons|fir|ma**

¹**Speed** [spiːt], der; -[s], -s (*bes. Sport*
Geschwindigkeit)

²**Speed**, das; -[s] (*Jargon* Rauschmittel)

Speer, der; -[e]s, -e; den Speer werfen;
Speer|wer|fen, das; -s

Spei|che, die; -, -n

Spei|chel, der; -s; **Spei|chel|drü|se**; **Spei|**
chel|le|cker (*abwertend*); **Spei|chel|le|**
cke|rin; **Spei|chel|pro|be**

Spei|cher, der; -s, -; **Spei|cher|ka|pa|zi|tät;**
Spei|cher|kar|te (*EDV*); **Spei|cher|me|di-**
um (*EDV*); **spei|chern**; ich speichere;
Spei|cher|platz (*bes. EDV*); **Spei|che|rung**

spei|en; du spiest; gespien

¹**Speis**, der; -es (*landsch. für* Mörtel)

²**Speis**, die; -, -en (*bayr. u. österr. für* Speise-

kammer); **Spei|se**, die; -, -n (*auch für Mörtel*); [mit] Speis und Trank; **Spei|se|eis**; **Spei|se|kam|mer**; **Spei|se|kar|te**, Speisen|kar|te; **spei|sen**; du speist; er/sie speis|te; gespeist (*schweiz. übertr. od. mundartl.* gespiesen); **Spei|sen|kar|te**, Spei|se|kar|te; **Spei|se|röh|re**; **Spei|sesaal**; **Spei|se|wa|gen** (bei der Eisenbahn)
spei|übel
¹**Spek|ta|kel**, das; -s, - (*veraltet für* Schauspiel)
²**Spek|ta|kel** [ʃp...], der; -s, - (*ugs. für* Krach, Lärm)
spek|ta|ku|lär (aufsehenerregend)
Spek|t|ral|far|be
Spek|t|rum, das; -s, *Plur.* ...tren u. ...tra (durch Lichtzerlegung entstehendes farbiges Band; *übertr. für* Vielfalt)
Spe|ku|lant, der; -en, -en (jmd., der spekuliert); **Spe|ku|lan|tin**; **Spe|ku|la|ti|on**, die; -, -en (auf Mutmaßungen beruhende Erwartung; auf Gewinne aus Preisveränderungen abzielende Geschäftstätigkeit)
Spe|ku|la|ti|us, der; -, - (ein Gebäck)
spe|ku|la|tiv (auf Mutmaßungen beruhend; auf Gewinne aus Preisveränderungen abzielend; *Philos.* in reinen Begriffen denkend); **spe|ku|lie|ren** (Spekulationsgeschäfte machen; mit etwas rechnen)
Spe|lun|ke, die; -, -n (verrufene Kneipe)
Spel|ze, die; -, -n (Getreidekornhülse; Teil des Gräserblütenstandes)
spen|da|bel (*ugs. für* freigebig); **spen|da|b|le** Laune
Spen|de, die; -, -n; **spen|den**; **Spen|den|affä|re**; **Spen|den|ak|ti|on**; **Spen|den|konto**; **Spen|der**; **Spen|de|rin**
spen|die|ren (freigebig für jmdn. bezahlen)
Sper|ber, der; -s, - (ein Greifvogel)
Spe|renz|chen, **Spe|ren|zi|en** *Plur.* (*ugs. für* Umschweife, Schwierigkeiten); [keine] Sperenzchen *od.* Sperenzien machen
Sper|ling, der; -s, -e (Spatz)
Sper|ma [ʃp..., *auch* sp...], das; -s, *Plur.* ...men u. -ta (*Biol.* männliche Samenzellen enthaltende Flüssigkeit)

sperr|an|gel|weit (*ugs.*)
Sper|re, die; -, -n; **sper|ren** (*südd., österr. auch für* schließen); sich sperren
Sperr|frist (*Rechtsspr.*); **Sperr|ge|biet**
Sperr|holz
sper|rig
Sperr|mi|no|ri|tät (*Wirtsch.*)
Sperr|müll
Sperr|stun|de
Sper|rung; **Sperr|zeit** (Polizeistunde)
Spe|sen *Plur.* ([Un]kosten; Auslagen)
spe|zi|al (*Werbespr., sonst veraltet für* speziell); **Spe|zi|al**, das; -s, -e; *vgl.* Special
Spe|zi|al|ef|fekt; **Spe|zi|al|ein|heit**; **Spe|zial|ge|biet**
spe|zi|a|li|sie|ren; sich spezialisieren; **Spezi|a|li|sie|rung**; **Spe|zi|a|list**, der; -en, -en (Fachmann); **Spe|zi|a|lis|tin**; **Spe|zi|a|lität**, die; -, -en (Besonderheit; Fachgebiet)
spe|zi|ell (besonders; eigens; hauptsächlich); im Speziellen (im Einzelnen)
Spe|zi|es [ʃp..., *auch* sp...], die; -, - (besondere Art einer Gattung, Tier-, Pflanzenart)
Spe|zi|fi|ka|ti|on, die; -, -en (Einzelaufstellung, -aufzählung)
spe|zi|fisch ([art]eigen; kennzeichnend, eigentümlich); spezifisches Gewicht
spe|zi|fi|zie|ren (einzeln aufführen)
Sphä|re, die; -, -n ([Gesichts-, Wirkungs]kreis; [Macht]bereich)
¹**Sphinx**, die; - (geflügelter Löwe mit Frauenkopf in der griechischen Sage)
²**Sphinx**, die; -, -e, *in der archäol. Fachspr. meist* der; -, *Plur.* -e u. Sphingen (ägyptisches Steinbild in Löwengestalt, meist mit Männerkopf)
¹**spi|cken** (Fleisch zum Braten mit Speckstreifen durchziehen)
²**spi|cken** (*Schülerspr.* in der Schule abschreiben); **Spick|zet|tel** (*Schülerspr.* zum Spicken vorbereiteter Zettel)
Spi|der ['spai...], der; -s, - (offener Sportwagen; *EDV* Suchmaschine, die selbstständig Websites durchsucht u. diese indiziert)
Spie|gel, der; -s, -; **Spie|gel|bild**; **Spie|gelei**; **spie|gel|glatt**; **spie|geln**; ich

spieg[e]le; sich spiegeln; **Spie|gel|schrift;
Spie|ge|lung;** spie|gel|ver|kehrt
Spiel, das; -[e]s, -e; **Spiel|art; Spiel|ball**
vgl. ¹**Ball; Spiel|be|ginn; Spiel|bein**
(Sport, bild. Kunst; Ggs. Standbein); **Spiel-
be|trieb; Spiel|dau|er**
spie|len; spielen gehen; Schach spielen; die
Kinder spielen Fangen; sich mit etwas spie-
len *(südd., österr. für* etwas nicht ernsthaft
betreiben; etwas leicht bewältigen); die
Muskeln spielen lassen *od.* spielenlassen
spie|lend (mühelos)
Spiel|en|de; Spie|ler; Spie|le|rei; Spie|le|rin
spie|le|risch
**Spiel|feld; Spiel|film; Spiel|flä|che; Spiel-
ge|rät; Spiel|hal|le; Spiel|klas|se** *(Sport);*
Spiel|kon|so|le (Gerät für elektronische
Spiele); **Spiel|lei|ter,** der; **Spiel|lei|te|rin;
Spiel|ma|cher** *(Sport);* **Spiel|ma|che|rin;
Spiel|mann** *Plur.* ...leute; **Spiel|ort** *(bes.*
Theater, Sport); **Spiel|plan; Spiel|platz;
Spiel|raum; Spiel|re|gel; Spiel|sa|chen**
Plur.; **Spiel|stät|te** *(svw.* Spielort); **Spiel-
stra|ße; Spiel|tag; Spiel|trieb; Spiel|ver-
der|ber; Spiel|ver|der|be|rin; Spiel|ver-
lauf; Spiel|wa|ren|ge|schäft; Spiel|wie-
se; Spiel|zeit; Spiel|zeug**
Spieß, der; -es, -e (Kampf-, Jagd-, Bratspieß;
Soldatenspr. Kompaniefeldwebel)
Spieß|bür|ger, Spie|ßer *(abwertend für* eng-
stirniger Mensch); **Spieß|bür|ge|rin,** Spie-
ße|rin; **spieß|bür|ger|lich**
spie|ßen; du spießt; sich spießen *(österr. für*
klemmen, nicht vorangehen); die Sache
spießt sich
Spie|ßer *vgl.* Spießbürger; **Spie|ße|rin** *vgl.*
Spießbürgerin; **Spie|ßer|tum,** das; -s
spie|ßig; Spie|ßig|keit
Spike [ʃpaik, spaik], der; -s, -s (Dorn für
Laufschuhe od. Autoreifen; *nur Plur.:*
rutschfester Laufschuh, Spike[s]reifen)
Spin [spin], der; -s, -s *(Physik* Drehimpuls der
Elementarteilchen im Atom; *Sport* Effet)
Spi|nat, der; -[e]s, *Plur. (Sorten:)* -e (ein
Gemüse)
Spind, der *u.* das; -[e]s, -e (einfacher Schrank)

Spin|del, die; -, -n; **spin|del|dürr**
Spin|ne, die; -, -n; **spin|ne|feind** *(ugs.);* nur
in jmdm. spinnefeind sein; **spin|nen;** du
spinnst; du spannst; du spönnest, *auch*
spännest; gesponnen; spinn[e]!; **Spin|nen-
netz; Spin|ner; Spin|ne|rei; Spin|ne|rin;
Spinn|rad; Spinn|we|be** (Spinnennetz)
Spin-off [sp...], das *od.* der; -[s], -s *(Wirtsch.*
Ausgliederung einzelner Geschäftsberei-
che; von Universitätsangehörigen gegrün-
dete Firma, die auf den an der Universität
geleisteten Forschungen aufbaut)
Spi|on, der; -s, -e; **Spi|o|na|ge** [...ʒə], die; -
(Auskundschaftung von wirtschaftlichen,
politischen u. militärischen Geheimnissen);
Spi|o|na|ge|film; spi|o|nie|ren; Spi|o|nin
Spi|ra|le, die; -, -n (Schneckenlinie; *ugs. für*
spiralförmiges Pessar); **Spi|ral|fe|der**
spi|ral|för|mig, spi|ra|lig
Spi|rit [sp...], der; -s, -s (Geist [eines Ver-
storbenen]; Geist, Grundhaltung einer
bestimmten Sache, Epoche); **spi|ri|tis|tisch**
Spi|ri|tu|al [sp...tjuəl], das, *auch* der; -s, -s
(geistl. Lied der Afroamerikaner im Süden
der USA)
Spi|ri|tu|a|li|tät, die; - (Geistigkeit)
spi|ri|tu|ell (geistig; geistlich)
Spi|ri|tu|o|se die; -, -n *meist Plur.* (alkoholi-
sches Getränk); **Spi|ri|tus** [ʃp...], der; -,
Plur. (Sorten:) -se (Weingeist, Alkohol)
Spi|tal, das, *auch* der; -s, ...täler *(landsch.*
für Krankenhaus; *veraltet für* Altenheim)
spitz; eine spitze Zunge haben (gehässig
reden); ein Werkzeug spitz schleifen *od.*
spitzschleifen
Spitz, der; -es, -e (eine Hunderasse; *landsch.*
für leichter Rausch; *bayr., österr., schweiz.*
für Spitze); **spitz|be|kom|men** (spitzkrie-
gen *[vgl. d.]*)
Spitz|bu|be, *südd., österr. u. schweiz.* Spitz-
bub; **Spitz|bü|bin**
spit|ze *(ugs. für* hervorragend); ein spitze
Auto; die CD ist spitze; das finde ich spitze
Spit|ze, die; -, -n; an der Spitze stehen
Spit|zel, der; -s, -
spit|zen; du spitzt

Spit|zen|ge|spräch *(bes. Politik);* Spit|zen|grup|pe; Spit|zen|kan|di|dat; Spit|zen|kan|di|da|tin; Spit|zen|klas|se; Spit|zen|kraft; Spit|zen|platz; Spit|zen|po|li|ti|ker; Spit|zen|po|li|ti|ke|rin; Spit|zen|po|si|ti|on; Spit|zen|rei|ter; Spit|zen|spiel *(Sport);* Spit|zen|sport; Spit|zen|sport|ler; Spit|zen|sport|le|rin; Spit|zen|steu|er|satz; Spit|zen|ver|die|ner; Spit|zen|ver|die|ne|rin; Spit|zen|wert; Spit|zen|zeit

Spit|zer *(kurz für* Bleistiftspitzer)

spitz|fin|dig; Spitz|fin|dig|keit

spitz|krie|gen *(ugs. für* merken, durchschauen); Spitz|na|me

spitz|win|ke|lig, spitz|wink|lig

Spleen *[ʃpliːn],* der; -[e]s, *Plur.* -e *u.* -s (seltsamer Einfall; Schrulle, Marotte)

Split *[ʃp..., auch* sp...], der; -s, -s *(Wirtsch.* Aufteilung von Aktien in neue Aktien mit kleinerem Nennwert)

Splitt, der; -[e]s, -e (zerkleinertes Gestein für den Straßenbau)

Split|ter, der; -s, -; Split|ter|grup|pe

split|tern; ich splittere

split|ter|nackt *(ugs.)*

Spoi|ler *[ʃp..., auch* sp...], der; -s, - (Luftleitblech)

spon|sern *[ʃp...]* (als Sponsor fördern); ich sponsere, habe gesponsert; Spon|sor *[ʃp..., auch* 'sponsɐ], der; -s, *Plur.* ...oren *[...'zoː...] u.* -s ['sponsɐs] (Förderer; Geldgeber [im Sport]; Person, Gruppe, die Rundfunk- od. Fernsehsendungen [zu Reklamezwecken] finanziert); Spon|so|rin

Spon|so|ring *[auch* 'sponsə...], das; -s, -s (das Sponsern)

spon|tan *[ʃp..., auch* sp...]; Spon|ta|ne|i|tät, die; -, -en

Spor, der; -[e]s, -e *(landsch. für* Schimmel)

spo|ra|disch ([nur] gelegentlich)

Spo|re, die; -, -n; eine Sporen bildende *od.* sporenbildende Pflanze

Sporn, der; -[e]s, *Plur.* Sporen *u., bes. fachspr.,* -e; einem Pferd die Sporen geben

sporn|streichs (unverzüglich)

Sport, der; -[e]s, *Plur. (Arten:)* -e; Sport treibend *od.* sporttreibend

Sport|an|la|ge; Sport|art; sport|be|geistert; Sport|bund; Sport|er|eig|nis; Sport|fest; Sport|ge|rät; Sport|hal|le spor|tiv (sportlich)

Sport|klub, Sport|club; Sport|leh|rer; Sport|leh|re|rin; Sport|ler; Sport|le|rin; sport|lich; Sport|platz; Sport|schu|le; Sport|stät|te; Sport|un|fall; Sport|un|ter|richt; Sport|ver|an|stal|tung; Sport|ver|band; Sport|ver|ein; *Abk.* SV; Turn- u. Sportverein; *Abk.* TuS; Sport|wa|gen; Sport|zen|t|rum

Spot *[sp...],* der; -s, -s (kurzer Werbetext, -film; *kurz für* Spotlight)

Spott, der; -[e]s; spott|bil|lig *(ugs.)*

spot|ten; Spöt|ter; Spöt|te|rin; spöt|tisch

Spott|na|me

Spra|che, die; -, -n; Sprach|er|ken|nung *(EDV);* Sprach|feh|ler; Sprach|ge|brauch, der; -[e]s; Sprach|kurs; Sprach|la|bor

sprach|lich; sprach|los; Sprach|lo|sig|keit

Sprach|raum; Sprach|re|ge|lung; Sprach|rohr; Sprach|un|ter|richt

Spray *[ʃpreː, auch* spreː], der *od.* das; -s, -s (Flüssigkeitszerstäuber; in feinsten Tröpfchen versprühte Flüssigkeit); Spray|do|se

spray|en; gesprayt; Spray|er, der; -s, - (jmd., der [Graffiti an Wände o. Ä.] sprayt); Spray|e|rin

Sprech|bla|se (in Comics); Sprech|chor

spre|chen; du sprichst; du sprachst; du sprächest; gesprochen; sprich!; vor sich hin sprechen; das Kind lernt sprechen; das lange Sprechen strengt mich an; sie wollten die Gefangenen nicht miteinander sprechen lassen; *aber* die Fakten für sich sprechen lassen *od.* sprechenlassen

Spre|cher; Spre|che|rin; Sprech|er|zie|hung; Sprech|funk|ge|rät; Sprech|stunde; Sprech|zeit; Sprech|zim|mer

sprei|zen; du spreizt; gespreizt

Spren|gel, der; -s, - (Amtsgebiet eines Bischofs, Pfarrers; *österr. für* Amtsbezirk)

S

spren|gen; Spreng|kopf; Spreng|kör|per; Spreng|kraft; Spreng|la|dung; Sprengsatz; Spreng|stoff; Spreng|stoff|anschlag; Spren|gung

Spreu, die; -

Sprich|wort Plur. ...wörter; sprich|wörtlich; sprichwörtliche Redensart

¹sprie|ßen (Bauw. stützen); du sprießt; du sprießtest; gesprießt; sprieß[e]!

²sprie|ßen (hervorwachsen); es sprießt; es spross; es sprösse; gesprossen; sprieß[e]!

Spring, der; -[e]s, -e (landsch. für Quelle)

Spring|brun|nen

sprin|gen; du springst; du sprangst; du sprängest; gesprungen; spring[e]!; ein paar Euro springen lassen od. springenlassen (ugs.); Sprin|ger; Sprin|ge|rin

Spring|flut

Spring|rei|ter; Spring|rei|te|rin

Sprink|ler, der; -s, - (Berieselungsgerät); Sprink|ler|an|la|ge (Feuerlöschanlage)

Sprint, der; -s, -s (Sport Kurzstreckenlauf)

sprin|ten; Sprin|ter, der; -s, -; Sprin|te|rin

Sprit der; -s, -e Plur. selten (kurz für Spiritus; ugs. für Treibstoff)

Sprit|preis (ugs.); sprit|spa|rend, Sprit spa|rend; eine spritsparende od. Sprit sparende Fahrweise; aber nur eine besonders spritsparende, noch spritsparendere Fahrweise; Sprit|ver|brauch (ugs.)

Sprit|ze, die; -, -n

sprit|zen; du spritzt; Sprit|zer; sprit|zig

Sprit|tour (ugs.)

spröd, sprö|de

Sprö|de, die; - (älter für Sprödigkeit)

Spross, der; -es, -e[n] (Nachkomme; Pflanzentrieb; Jägerspr. Teil des Geweihs)

Spros|se, die; -, -n (Querholz der Leiter; Hautfleck; auch für Spross [Geweihteil])

spros|sen (sprießen); du sprosst, er/sie/es sprosst; du sprosstest; gesprosst; sproß[e]!; Spros|sen|wand (ein Turngerät); Spröss|ling (scherzh.)

Sprot|te, die; -, -n (ein Fisch)

Spruch, der; -[e]s, Sprüche; Spruch|band, das; Plur. ...bänder; spruch|reif

Spru|del, der; -s, -; spru|deln (österr. auch für quirlen); ich sprud[e]le

Sprüh|do|se; sprü|hen; Sprüh|re|gen

Sprung, der; -[e]s, Sprünge; auf dem Sprung sein; Sprung|bein; sprung|bereit; Sprung|brett; Sprung|ge|lenk; sprung|haft; Sprung|schan|ze (Skisport); Sprung|tuch Plur. ...tücher; Sprung|turm

Spu|cke, die; - (ugs. für Speichel)

spu|cken (speien); Spuck|napf

Spuk, der; -[e]s, -e (Gespenst); spu|ken (gespensterhaftes Unwesen treiben); Spuk|ge|schich|te

Spül|be|cken

Spu|le, die; -, -n

Spü|le, die; -, -n

spu|len

spü|len; Spül|ma|schi|ne; Spül|mit|tel, das; Spü|lung

¹Spund, der; -[e]s, Plur. Spünde u. -e (Fassverschluss; Tischlerei Feder)

²Spund, der; -[e]s, -e (junger Mann)

Spur, die; -, -en

spür|bar

spu|ren (ugs. für gefügig sein)

spü|ren

Spu|ren|ele|ment meist Plur. (für den Organismus unentbehrliches, aber nur in sehr geringen Mengen benötigtes Element)

Spu|ren|si|che|rung; Spu|ren|su|che Plur. selten

Spür|hund

spur|los

Spür|sinn, der; -[e]s

Spurt, der; -[e]s, Plur. -s, selten -e; spur|ten

Spur|wech|sel

spu|ten, sich (sich beeilen)

Sput|nik [ʃp..., auch sp...], der; -s, -s (Bez. für die ersten sowjetischen Erdsatelliten)

Square [skve:ɐ], der od. das; -[s], -s (engl. Bez. für Quadrat; Platz)

Squash [skvɔʃ], das; -[s] (Fruchtsaft mit Fruchtfleisch; ein Ballspiel)

¹Staat, der; -[e]s, -en; Staaten bildende od. staatenbildende Insekten

²**Staat**, der; -[e]s (ugs. für Prunk); Staat machen (prunken)

Staa|ten|ge|mein|schaft; staa|ten|los

staat|lich; Staats|amt; Staats|an|ge|hö|rig|keit, die; -, -en; **Staats|an|lei|he**

Staats|an|walt; Staats|an|wäl|tin; Staats|an|walt|schaft; staats|an|walt|schaft|lich; Staats|ap|pa|rat; Staats|ar|chiv; Staats|aus|ga|be meist Plur.; **Staats|bank** Plur. ...banken; **Staats|be|such; Staats|be|trieb; Staats|bi|b|lio|thek**

Staats|bür|ger; Staats|bür|ge|rin; staats|bür|ger|lich; Staats|bür|ger|schaft

Staats|chef; Staats|die|ne|r; Staats|die|ne|rin; Staats|ex|a|men; Staats|feind; Staats|fein|din; staats|feind|lich

Staats|fi|nan|zen Plur.; **Staats|füh|rung; Staats|gast; Staats|ge|biet; Staats|ge|heim|nis; Staats|ge|walt; Staats|gren|ze; Staats|haus|halt; Staats|kanz|lei; Staats|kas|se; Staats|macht; Staats|mann** Plur. ...männer; **staats|män|nisch**

Staats|mi|nis|ter; Staats|mi|nis|te|rin; Staats|mi|nis|te|ri|um; Staats|ober|haupt; Staats|oper; staats|po|li|tisch; Staats|prä|si|dent; Staats|prä|si|den|tin

Staats|rä|son; Staats|rat Plur. ...räte; **Staatsregierung; Staats|schul|den** Plur.; **Staats|schutz**, der; -es; **Staats|se|kre|tär; Staats|se|kre|tä|rin; Staats|si|cher|heit; Staats|streich; Staats|the|a|ter; Staats|ver|schul|dung; Staats|ver|trag**

Stab, der; -[e]s, Stäbe; 25 Stab Roheisen

Stäb|chen

Stab|hoch|sprung

sta|bil (haltbar; fest); stabil machen (stabilisieren); **sta|bi|li|sie|ren** (stabil machen); **Sta|bi|li|sie|rung**

Sta|bi|li|tät, die; -, -en; **Sta|bi|li|täts|pakt**

Stabs|chef; Stabs|che|fin

Sta|chel, der; -s, -n; **Sta|chel|bee|re**

Sta|chel|draht; Sta|chel|draht|zaun

sta|che|lig, stach|lig; **Sta|chel|schwein**

Stack, das; -[e]s, Plur. -e u. -s (Seew. Buhne)

Sta|di|on, das; -s, ...ien (auch altgrie-

chisches Wegmaß); **Sta|di|on|spre|cher; Sta|di|on|spre|che|rin**

Sta|di|um, das; -s, ...ien ([Zu]stand, Entwicklungsstufe, Abschnitt)

Stadt, die; -, Städte [auch 'ʃtɛ...]; **Stadt|ar|chiv; stadt|aus|wärts; Stadt|bahn; Stadt|bau|rat; Stadt|bau|rä|tin; stadt|be|kannt; Stadt|be|zirk; Stadt|bi|b|lio|thek; Stadt|bild; Stadt|bü|che|rei**

Städt|chen [auch 'ʃtɛ...]; **Städ|te|bau** [auch 'ʃtɛ...], der; -[e]s; **städ|te|bau|lich; stadt|ein|wärts; Stadt|ent|wick|lung** (Politik)

Städ|te|part|ner|schaft [auch 'ʃtɛ...]

Städ|ter [auch 'ʃtɛ...]; **Städ|te|rin**

Stadt|fest; Stadt|füh|rung; Stadt|ge|biet; Stadt|ge|schich|te; Stadt|gren|ze; Stadt|hal|le; Stadt|haus

städ|tisch [auch 'ʃtɛ...]

Stadt|käm|me|rer; Stadt|käm|me|rin

Stadt|kas|se; Stadt|kern; Stadt|mar|ke|ting; Stadt|mau|er; Stadt|mit|te; Stadt|mu|se|um; Stadt|park; Stadt|par|la|ment; Stadt|plan; Stadt|pla|ner; Stadt|pla|ne|rin; Stadt|pla|nung

Stadt|rand; Stadt|rat Plur. ...räte; **Stadt|rä|tin; Stadt|rund|fahrt; Stadt|staat; Stadt|teil; Stadt|the|a|ter; Stadt|tor; Stadt|ver|wal|tung; Stadt|vier|tel; Stadt|wer|ke** Plur.; **Stadt|zen|t|rum**

Sta|fet|te, die; -, -n (Staffellauf, -läufer)

Staf|fel, die; -, -n; 4×100-m-Staffel od. 4-mal-100-Meter-Staffel

Staf|fe|lei

Staf|fel|lauf (Sport); **staf|feln;** ich staff[e]le

Stag, das; -[e]s, -e[n] (Seemannsspr. [Stahl]tau zum Verspannen eines Mastes)

Sta|g|na|ti|on [ʃt..., auch st...], die; -, -en (Stillstand); **sta|g|nie|ren**

Stahl, der; -[e]s, Plur. Stähle, selten Stahle; **Stahl|be|ton; stäh|len; stäh|lern** (aus Stahl); **stahl|hart; Stahl|in|dus|t|rie; Stahl|plat|te; Stahl|werk**

Stake|hol|der ['steɪkhoʊldɐ], der; -s, - (Wirtsch. Person, für die es von Belang ist, wie ein bestimmtes Unternehmen sich verhält (z. B. Aktionär, Lieferant)

S

stak|sen (ugs. für mit steifen Schritten gehen); du stakst

Sta|lag|mit [|t..., auch st...], der; Gen. -s u. -en, Plur. -e[n] (Tropfstein vom Boden her)

Sta|lak|tit, der; Gen. -s u. -en, Plur. -e[n] (nach unten wachsender Tropfstein)

Sta|li|nis|mus, der; - (von Stalin geprägte Interpretation des Marxismus u. die von ihm danach geprägte Herrschaftsform); sta|li|nis|tisch

stal|ken ['stɔ:kŋ] (jmdn. durch fortwährende Nachstellungen terrorisieren); Stal|ker ['stɔ:ke], der; -s, - (jmd., der eine andere Person fortgesetzt beleidigt, verfolgt od. ihr auflauert); Stal|ke|rin

Stall, der; -[e]s, Ställe; Stal|lung

Stamm, der; -[e]s, Stämme

Stamm|ak|tie; Stamm|baum; Stamm|buch

stam|meln; ich stamm[e]le

stam|men; Stamm|form

Stamm|gast Plur. ...gäste; Stamm|haus

stäm|mig; stämmige Beine

Stamm|ka|pi|tal; Stamm|kun|de, der; Stamm|kun|din; Stamm|kund|schaft; Stamm|platz; Stamm|sil|be; Stamm|sitz; Stamm|spie|ler (Sport); Stamm|spie|le|rin; Stamm|tisch; Stamm|va|ter

Stamm|zel|le (Med. undifferenzierte, d. h. keinem endgültigen Zelltyp angehörende Zelle); Stamm|zel|len|for|schung, Stamm|zell|for|schung

stamp|fen; Stamp|fer

stand vgl. stehen

Stand; der; -[e]s, Stände; einen schweren Stand haben; außerstande od. außer Stande sein; imstande od. im Stande sein; instand od. in Stand halten; zustande od. zu Stande kommen

Stan|dard [|t..., auch st...], der; -s, -s (Maßstab; Qualitäts- od. Leistungsniveau)

Stan|dard|deutsch, Stan|dard|deut|sche, das

stan|dar|di|sie|ren (normen); Stan|dar|di|sie|rung

stan|dard|mä|ßig; Stan|dard|si|tu|a|ti|on (z. B. Freistoß, Eckstoß im Fußball); Stan-

dard|soft|ware; Stan|dard|werk (mustergültiges Sach- od. Fachbuch)

Stan|dar|te, die; -, -n (kleine [quadratische] Fahne [als Hoheitszeichen]; Jägerspr. Schwanz des Fuchses u. des Wolfes)

Stand|bein (Sport, bild. Kunst; Ggs. Spielbein); Stand|bild

Stand-by, **Stand|by** ['stɛntbai], das; -[s], -s (Form der Flugreise ohne feste Platzbuchung; Elektronik Bereitschaftsschaltung)

Ständ|chen; jmdm. ein Stänchen bringen

Stän|der, der; -s, -

Stän|de|rat, der; -[e]s, ...räte (in der Schweiz Vertretung der Kantone in der Bundesversammlung u. deren Mitglied)

Stan|des|amt; stan|des|amt|lich; standesamtliche Eheschließung; Stan|des|be|am|te; Stan|des|be|am|tin

stan|des|ge|mäß

stand|fest; Stand|fes|tig|keit, die; -

stand|haft

stand|hal|ten; er hält stand; sie hat standgehalten; standzuhalten

stän|dig (dauernd); ständiges Mitglied, ständige Vertretung, aber Ständige Konferenz der Kultusminister der Länder

Stan|ding ['stɛndiŋ], das; -s (Ansehen)

Stand|ort, der; -[e]s, -e (Militär auch svw. Garnison); Stand|ort|be|stim|mung; Stand|ort|fak|tor (Wirtsch.); Stand|ort-vor|teil

Stand|punkt

Stand|spur

Stan|ge, die; -, -n; von der Stange kaufen (Konfektionsware kaufen)

Stän|gel, der; -s, - (Teil der Pflanze)

stän|kern (ugs. für Gestank verbreiten; für Ärger, Unruhe sorgen); ich stänkere

Stan|ni|ol, das; -s, -e (eine silberglänzende Zinnfolie, ugs. auch für Aluminiumfolie)

stan|zen; du stanzt; Stanz|ma|schi|ne

Sta|pel, der; -s, -; vom Stapel gehen, lassen, laufen; Sta|pel|lauf

sta|peln; ich stap[e]le

Stap|fe, die; -, -n, Stap|fen, der; -s, - (Fußspur); stap|fen

¹**Star**, der; -[e]s, -e (Augenkrankheit); der
graue, grüne, schwarze Star

²**Star** [ʃt..., *auch* st...], der; -s, -s (berühmte
Persönlichkeit [beim Theater, Film])

³**Star**, der; -[e]s, -e (ein Vogel)

stark; stär|ker, stärks|te; starke Nerven; das
Recht des Starken; August II., der Starke;
stark sein, werden; sie hat sich für den
Plan starkgemacht (*ugs. für* sehr eingesetzt); taktische Fehler hatten den Gegner
stark gemacht *od.* starkgemacht; eine
stark behaarte *od.* starkbehaarte Brust

Stär|ke, die; -, -n; **stär|ken**

Stark|strom *Plur. selten*

Stär|kung

starr; ein starres Prinzip; **Star|re**, die; -
star|ren; von *od.* vor Schmutz starren

Starr|kopf (*abwertend für* eigensinniger
Mensch); **Starr|sinn**, der; -[e]s

Start, der; -[e]s, Plur. -s, *selten* -e; fliegen-
der Start; stehender Start; **Start|bahn**

Start|block *Plur. ...*blöcke *(Sport)*

star|ten; **Star|ter** (*Sport* Person, die das Zei-
chen zum Start gibt; jmd., der startet;
Anlasser eines Motors); **Star|te|rin**

Start|gut|ha|ben; **Start|hil|fe**; **Start|ka|pi-
tal**; **start|klar**; **Start|loch**; **Start|num-
mer**; **Start|platz**; **Start|schuss**; **Start|sei-
te** (*EDV* Homepage)

Start-up ['staːtɐtap], das, selten: der; -s, -s
(neu gegründetes Wirtschaftsunterneh-
men)

Sta|si, die, *selten* der; - (*ugs. kurz für* Staats-
sicherheitsdienst der DDR); **Sta|si|ak|te**

State|ment ['steɪtmɛnt], das; -s, -s (Verlaut-
barung)

Sta|tik [ʃt..., *auch* st...], die; -, -en (Lehre
von den Kräften im Gleichgewicht); **Sta|ti-
ker** (Bauingenieur mit speziellen Kenntnis-
sen in der Statik); **Sta|ti|ke|rin**

Sta|ti|on, die; -, -en; **sta|ti|o|när** (an einen
festen Standort gebunden; die Behand-
lung, den Aufenthalt in einem Krankenhaus betreffend); stationäre Behandlung

sta|ti|o|nie|ren (an bestimmte Plätze stellen;
aufstellen); **Sta|ti|o|nie|rung**

Sta|ti|ons|arzt; **Sta|ti|ons|ärz|tin**

sta|tisch [ʃt..., *auch* st...] (die Statik betref-
fend; stillstehend, ruhend)

Sta|tist, der; -en, -en (*Theater u. übertr.*
stumme Person; Nebenfigur)

Sta|tis|tik, die; -, -en (zahlenmäßige Analyse
u. Darstellung von Massenerscheinungen);
Sta|tis|ti|ker; **Sta|tis|ti|ke|rin**

Sta|tis|tin; *zu* Statist

sta|tis|tisch (zahlenmäßig); das Statistische
Bundesamt (in Wiesbaden)

Sta|tiv, das; -s, -e ([dreibeiniges] Gestell für
Apparate)

statt; *Präp. mit Gen.:* statt eines Rates; an
meiner statt; an Eides statt; *veraltet od.
ugs. mit Dat.:* statt dem Vater *od. wenn
der Gen. nicht erkennbar wird:* mit Worten
statt mit Taten; *Konjunktion:* statt mit Drohungen versucht er es mit Ermahnungen;
statt dass ...; statt zu ...

statt|des|sen; die Kanzlerin konnte nicht
kommen, stattdessen (dafür) schickte sie
einen Minister

Stät|te, die; -, -n

statt|fin|den; es findet statt; es hat stattge-
funden; stattzufinden

statt|ge|ben; *zur Beugung vgl.* stattfinden

Statt|hal|ter (*früher für* Stellvertreter);
Statt|hal|te|rin

statt|lich (ansehnlich)

Sta|tue [...tuə], die; -, -n (Standbild, Bild-
säule); **sta|tu|ie|ren** (aufstellen; festset-
zen; bestimmen); ein Exempel statuieren
(ein warnendes Beispiel geben)

Sta|tur [ʃt...], die; -, -en (Gestalt; Wuchs)

Sta|tus [ʃt..., *auch* st...], der; -, - (Zustand,
Stand; Lage, Stellung); die Beschreibung
des Status; die wirtschaftlichen Status ver-
schiedener Länder; **Sta|tus quo**, der; - -
(gegenwärtiger Zustand)

Sta|tus|sym|bol [ʃt..., *auch* st...]

Sta|tut [ʃt...], das; -[e]s, -en (Gesetz)

Stau, der; -[e]s, Plur. -s *od.* -e

Staub, der; -[e]s, Plur. (Technik:) -e u.
Stäube; Staub saugen *od.* staubsaugen; ein
Staub abweisendes *od.* staubabweisendes

Gewebe; *aber nur* ein noch staubabwei-
senderes Gewebe; **staub|be|deckt;** ein
staubbedecktes Regal; **Staub|beu|tel;**
stau|ben; es staubt; **Staub|fa|den** *(Bot.);*
staub|frei; Staub|ge|fäß *(Bot.)*
stau|big
staub|sau|gen, Staub sau|gen; er staub-
saugte *od.* saugte Staub; er hat [den Tep-
pich] gestaubsaugt; er hat Staub gesaugt;
um zu staubsaugen *od.* Staub zu saugen
Staub|sau|ger; Staub|tuch *Plur.* ...tücher
stau|chen; Stau|chung
Stau|de, die; -, -n
stau|en (hemmen; *Seemannsspr.* [Ladung
auf Schiffen] unterbringen); sich stauen
stau|nen; Stau|nen, das; -s; Staunen erre-
gen; **stau|nens|wert**
Stau|raum; Stau|see; Stau|ung
Steak [ste:k] das; -s, -s (kurz gebratene
Fleischschnitte)
Ste|a|rin [ʃt..., *auch* st...], das; -s, -e (Roh-
stoff für Kerzen)
ste|chen; du stichst; du stachst; du stächest;
gestochen; stich!; er sticht ihn/sie, *auch*
ihm/ihr ins Bein
Ste|chen, das; -s, - *(Sport)*
ste|chend; ein stechender Geruch
Stech|mü|cke
Steck|brief; steck|brief|lich
Steck|do|se
¹**ste|cken** (sich irgendwo, in etwas befinden,
dort festsitzen, befestigt sein); du steckst;
du stecktest; *älter u. geh.* stakst; du stecktest, *älter u. geh.* stäkest; der Nagel ist
stecken geblieben; *aber* sie ist während
des Vortrags **stecken geblieben** *od.* ste-
ckengeblieben
²**ste|cken** (etwas in etwas einfügen, hinein-
bringen, etwas festheften); du stecktest;
gesteckt; steck[e]!
Ste|cken, der; -s, - (¹Stock)
ste|cken blei|ben, ste|cken|blei|ben *vgl.*
stecken; **ste|cken las|sen, ste|cken|las-**
sen *vgl.* stecken
Ste|cken|pferd
Ste|cker

Steck|ling (abgeschnittener Pflanzenteil, der
neue Wurzeln bildet)
Steck|na|del
Steg, der; -[e]s, -e
Steg|reif; aus dem Stegreif (unvorbereitet)
Steh|auf|männ|chen; Steh|ca|fé
ste|hen; du stehst; du stand[e]st; du stün-
dest *od.* ständest; gestanden; steh[e]! das
wird dich, *auch* dir teuer zu stehen kommen; das Auto zum Stehen bringen; man
hat die Angeklagten stehen lassen (sie
durften sich nicht hinsetzen); *aber* man hat
ihn einfach am Bahnhof **stehen lassen** *od.*
stehenlassen, *seltener* **stehen gelassen** *od.*
stehengelassen; *vgl. auch* stehen bleiben
ste|hen blei|ben, ste|hen|blei|ben
ste|hend; das stehende Heer (Miliz); alles
in ihrer Macht Stehende
ste|hen las|sen, ste|hen|las|sen *vgl.* stehen
Steh|lam|pe; Steh|lei|ter, die
steh|len; du stiehlst; er stiehlt; du stahlst;
du stählest, *selten* stöhlest; gestohlen;
stiehl!
Steh|platz
steif; ein steifer Hals; steif sein, werden; du
musst das Bein steif halten, *aber* die Ohren
steifhalten; Sahne **steif schlagen** *od.* steif-
schlagen; **Steif|heit**
steif schla|gen, steif|schla|gen *vgl.* steif
Steig, der; -[e]s, -e (steiler, schmaler Weg)
Steig|bü|gel; Steig|ei|sen
stei|gen; du stiegst; du stiegest; gestiegen;
steig[e]!; das Steigen der Kurse; einen Dra-
chen steigen lassen; eine Party **steigen las-**
sen *od.* steigenlassen *(ugs.)*
stei|gern; ich steigere; du steigerst dich
Stei|ge|rung (*auch für* Komparation;
schweiz. auch für Versteigerung); **Stei|ge-**
rungs|ra|te *(Wirtsch.)*
Stei|gung
steil; Steil|hang; Steil|küs|te
Stein, der; -[e]s, -e; eine zwei Stein starke
Mauer *(Bauw.);* **stein|alt** (sehr alt)
Stein|bock; Stein|bruch
stei|nern (aus Stein); ein steinernes Kreuz
Stein|gut, das; -[e]s, *Plur. (Sorten:)* -e

stein|hart; Stein|haus
stei|nig; stei|ni|gen
Stein|koh|le; Stein|metz, der; -en, -e[n];
Stein|met|zin; Stein|obst; Stein|pilz
stein|reich; steinreiche Familien
Stein|schlag; Stein|wurf; Stein|zeit
Steiß, der; -es, -e; Steiß|bein
Stel|le [st..., auch ʃt...], die; -, -n (Grabsäule
od. -tafel)
Stell|dich|ein, das; -[s], -[s] (veraltend für
Verabredung)
Stel|le, die; -, -n; zur Stelle sein; er kam an
Stelle od. anstelle seines Bruders
stel|len
Stel|len|ab|bau, der; -[e]s; Stel|len|an|ge-
bot; Stel|len|ge|such; Stel|len|markt
(svw. Arbeitsmarkt)
stel|len|wei|se; Stel|len|wert
Stell|platz
Stel|lung (österr. auch für Musterung); Stel-
lung nehmen; Stel|lung|nah|me, die; -, -n
stell|ver|tre|tend; die stellvertretende Vor-
sitzende; Stell|ver|tre|ter; Stell|ver|tre-
te|rin
Stell|werk (Eisenbahn)
Stel|ze, die; -, -n; Stelzen laufen
stel|zen (meist iron.); du stelzt
Stemm|ei|sen; stem|men
Stem|pel, der; -s, -; stem|peln; ich
stemp|e|le; stempeln gehen (ugs. für
Arbeitslosenunterstützung beziehen)
Ste|no|gra|fie, Ste|no|gra|phie, die; -, ...ien
(Kurzschrift); ste|no|gra|fie|ren, ste|no-
gra|phie|ren; Ste|no|ty|pist, der; -en, -en;
Ste|no|ty|pis|tin
Stent [st...], der; -s, -s (Med. eine Gefäßpro-
these, die in verengte Gefäße eingebracht
wird, um diese zu dehnen)
Step [ʃt..., auch st...] alte Schreibung für
Stepp
Stepp|de|cke
Step|pe, die; -, -n (wasserarme Ebene)
¹step|pen (nähen)
²step|pen [st..., ʃt...] (Stepp tanzen)
Ster|be|hil|fe; ster|ben; du stirbst; du
starbst, du stürbst; gestorben (vgl. d.);

stirb!; jmdn. in Würde sterben lassen; ein
Projekt sterben lassen od. sterbenlassen
(ugs.)
Ster|ben, das; -s; im Sterben liegen; das
große Sterben (die Pest); es ist zum Sterben langweilig (ugs. für sehr langweilig)
ster|bens|krank; sterb|lich; Sterb|lich|keit
ste|reo [ʃt..., auch st...] (kurz für stereofon);
das Lied wurde stereo aufgenommen; Stereo, das; -s, -s (kurz für Stereofonie); Ste-
reo|an|la|ge
ste|reo|fon, ste|reo|phon; Ste|reo|fo|nie,
Ste|reo|pho|nie, die; - (Technik der räum-
lich wirkenden Tonübertragung); Ste|reo-
ton Plur. ...töne (räumlich wirkender ²Ton)
ste|reo|typ ([fest]stehend, unveränderlich;
übertr. für ständig [wiederkehrend], leer,
abgedroschen); Ste|reo|typ, das; -s, -e
(Psychol. stereotypes Urteil)
ste|ril [ʃt..., auch st...] (unfruchtbar; keim-
frei); ste|ri|li|sie|ren (keimfrei machen;
zeugungsunfähig machen)
Ster|ling ['ʃtɛr..., auch 'stɛr..., 'støːɐ̯...],
der; -s, -e (vgl. Pfund Sterling)
¹Stern, der; -s, -e (Seemannsspr. Heck des
Schiffes)
²Stern, der; -[e]s, -e (Himmelskörper)
Stern|bild; Ster|ne|koch (mit einem od.
mehreren Sternen ausgezeichneter Koch);
Ster|nen|him|mel; ster|nen|klar, stern-
klar; Stern|him|mel; Stern|schnup|pe;
Stern|stun|de (glückliche Schicksals-
stunde); Stern|war|te; Stern|zei|chen
Ste|ro|id das; -[e]s, -e meist Plur. (Biochemie
eine organische Verbindung)
stet (veraltet); stete Vorsicht
Ste|tho|s|kop [ʃt..., auch st...], das; -s, -e
(Med. Hörrohr)
ste|tig (fortwährend); Ste|tig|keit
stets
¹Steu|er, das; -s, - (Lenkvorrichtung)
²Steu|er, die; -, -n (Abgabe); direkte, indi-
rekte Steuer; Steu|er|auf|kom|men; Steu-
er|aus|fall meist Plur.
¹steu|er|bar (Amtsspr. steuerpflichtig)
²steu|er|bar (sich steuern lassend)

Steu|er|be|frei|ung; Steu|er|be|ra|ter;
Steu|er|be|ra|te|rin; Steu|er|be|scheid

Steu|er|bord, das; -[e]s, -e (rechte Schiffs-
seite)

Steu|er|ein|nah|me *meist Plur.;* Steu|er|er-
hö|hung; Steu|er|er|klä|rung; Steu|er|er-
leich|te|rung; Steu|er|ex|per|te; Steu|er-
ex|per|tin; Steu|er|fahn|der; Steu|er-
fahn|de|rin; Steu|er|fahn|dung; steu|er-
frei; Steu|er|frei|heit; Steu|er|fuß
(*schweiz.* für jährlich festgelegter Steuer-
satz); Steu|er|geld; Steu|er|ge|setz;
Steu|er|hin|ter|zie|hung; Steu|er|klas|se

Steu|er|knüp|pel (im Flugzeug)

Steu|er|last; steu|er|lich

Steu|er|mann *Plur.* ...leute, *auch* ...männer

steu|ern; ich steu[e]re; ein Boot steuern

Steu|er|oa|se (Land mit bes. günstigen steu-
erlichen Verhältnissen); Steu|er|pa|ra|dies
(*ugs.*); Steu|er|pflicht; steu|er|pflich|tig;
Steu|er|po|li|tik; Steu|er|recht; steu|er-
recht|lich; Steu|er|re|form

Steu|er|ru|der

Steu|er|satz; Steu|er|schuld; Steu|er|sen-
kung; Steu|er|sün|der (*ugs.*); Steu|er-
sün|de|rin; Steu|er|sys|tem

Steu|e|rung

Steu|er|ver|güns|ti|gung; Steu|er|vor|teil;
Steu|er|zah|ler; Steu|er|zah|le|rin

Ste|ward ['stju:ət], der; -s, -s (Betreuer an
Bord von Flugzeugen, Schiffen); Ste|war-
dess ['stju:e..., *auch* ...'dɛs], die; -, -en

sti|bit|zen (*ugs.* für sich listig aneignen); du
stibitzt

Stich, der; -[e]s, -e; im Stich lassen; etwas
hält Stich (erweist sich als einwandfrei)

Sti|chel, der; -s, - (ein Werkzeug)

Sti|che|lei (*auch* für Neckerei; Boshaftigkei-
ten); sti|cheln (*auch* für boshafte Bemer-
kungen machen); ich stich[e]le; er kann
das Sticheln nicht lassen

Stich|flam|me

stich|hal|tig

Stich|pro|be; stich|pro|ben|ar|tig

Stich|tag; Stich|wahl; Stich|wort *Plur.* (für
Wort, das in einem Wörterbuch, Lexikon

o. Ä. behandelt wird:) ...wörter u. (für Ein-
satzwort für Schauspieler *od.* für kurze
Aufzeichnung aus einzelnen wichtigen
Wörtern:) ...worte; stich|wort|ar|tig

Stick [stɪk], der; -s, -s (*kurz für* Joystick,
USB-Stick u. a.)

sti|cken

Sti|cker [*auch* st...], der; -s, - (Aufkleber);
Sti|cker|al|bum

Sti|cke|rei

sti|ckig

Stick|oxid, Stick|oxyd; Stick|stoff, der;
-[e]s (chemisches Element, Gas; *Zeichen* N;
vgl. Nitrogenium); stick|stoff|hal|tig

Stief|bru|der

Stie|fel, der; -s, - (Fußbekleidung; Trinkglas
in Stiefelform); stie|feln (*ugs.* für gehen,
stapfen, trotten); ich stief[e]le

Stief|el|tern *Plur.;* Stief|kind; Stief|mut|ter
Plur. ...mütter; Stief|müt|ter|chen (Zier-
pflanze); stief|müt|ter|lich; Stief|schwes-
ter; Stief|va|ter

Stie|ge, die; -, -n (Verschlag; Zählmaß
[20 Stück]; enge Holztreppe)

Stiel, der; -[e]s, -e (Griff; Stängel); stiel|los;
ein stielloses Glas; *vgl. aber* stillos

stier (starr; *österr., schweiz. mundartl. auch*
für ohne Geld)

Stier, der; -[e]s, -e

stie|ren (starr blicken)

Stier|kampf

¹Stift, der; -[e]s, -e (Bleistift; Nagel)

²Stift, der; -[e]s, -e (*ugs.* für Junge, Lehrling)

³Stift, das; -[e]s, -e, *selten* -er (fromme Stiftung; *veraltet* für Altenheim)

¹stif|ten (spenden; gründen; bewirken)

²stif|ten; *nur in* stiften gehen (*ugs.* für aus-
reißen, fliehen)

Stif|ter; Stif|te|rin; Stif|ter|ver|band; Stif-
terverband für die Deutsche Wissenschaft

Stif|tung; Stif|tungs|rat *Plur.* ...räte (*kath.*
Kirche)

Stig|ma [ʃt..., *auch* st...], das; -s, *Plur.*
...men u. -ta ([Wund-, Brand]mal; *Bot.*
Narbe der Blütenpflanzen; *Zool.* äußere
Öffnung der Tracheen; *Biol.* Augenfleck);

still

Kleinschreibung:	Schreibung in Verbindung mit Verben:
– *stiller Teilhaber, stille Reserven* (Kaufmannsspr.), *das stille Örtchen* (ugs. scherzh. für *Toilette*)	– *still sein, still werden, still bleiben* – *wir sollen ganz still (ruhig) sitzen* – *die Kinder sollten lernen, still zu sitzen* od. *stillzusitzen (sich zu konzentrieren)* – *du musst den Kopf ganz still (ruhig) halten*
Großschreibung:	
– *im Stillen (unbemerkt)* – *der Stille Ozean* – *der Stille Freitag (Karfreitag)*	Vgl. aber *stillhalten, stilllegen, stillschweigen*

stig|ma|ti|sie|ren (brandmarken, zeichnen); Stig|ma|ti|sie|rung

Stil [ʃt..., *auch* st...], der; -[e]s, -e (Einheit der Ausdrucksformen [eines Kunstwerkes, eines Menschen, einer Zeit]; Darstellungsweise, Art [Bau-, Schreibart usw.]); alten Stils (*Abk.* a. St.), neuen Stils (*Abk.* n. St.)

Stil|blü|te

sti|li|sie|ren (nur in den wesentlichen Grundstrukturen darstellen); sti|li|siert

sti|lis|tisch

still *s. Kasten*

Still [st...], das; -s, -s ([Video]standfoto)

stil|le (*ugs. für* still); Stil|le, die; -; in aller Stille

stil|len

still|ge|legt *vgl.* stilllegen

still|hal|ten (alles geduldig ertragen; nichts tun); du musst stillhalten; wir haben lange genug stillgehalten; *vgl. aber* still

Still|le|ben, Still-Le|ben, das; -s, - (*Malerei* bildl. Darstellung von Gegenständen in künstl. Anordnung)

still|le|gen (außer Betrieb setzen); ich lege still; stillgelegt; stillzulegen; eine stillgelegte Fabrik; **Still|le|gung**, Still-Le|gung

still|lie|gen (außer Betrieb sein); die Fabrik hat stillgelegen; *aber* das Kind hat ganz still (ruhig) gelegen

stil|los; ein stilloses Verhalten; *vgl. aber* stillos

still|schwei|gen (schweigen, nichts verraten); er hat lange stillgeschwiegen; **Still-schwei|gen;** jmdm. Stillschweigen auferlegen; **still|schwei|gend**

Still|stand; still|ste|hen (in der Bewegung aufhören); sein Herz hat stillgestanden; die Zeit schien stillzustehen; stillgestanden! *(Militär); aber* das Kind hat lange ganz still (ruhig) gestanden

still|ver|gnügt

Stil|mit|tel, das

Stil|rich|tung; stil|si|cher; stil|voll

Stimm|ab|ga|be; Stimm|band, das; *Plur.* ...bänder; stimm|be|rech|tigt; Stimm-bruch, der; -[e]s; Stim|me, die; -, -n

stim|men; diese Rechnung stimmt; er stimmte die Geige; das hat ihn froh gestimmt; stimme für den Kandidaten!

Stim|men|an|teil

Stimm|ga|bel; stimm|haft (*Sprachwiss.* weich auszusprechen)

stim|mig ([überein]stimmend)

Stimm|la|ge; stimm|lich; stimm|los (*Sprachwiss.* hart auszusprechen)

Stimm|recht

Stim|mung; stim|mungs|voll

Stimm|zet|tel

sti|mu|lie|ren; Sti|mu|lus, der; -, ...li (Reiz, Antrieb)

Stin|ke|fin|ger (*ugs. für* eine obszöne Geste)

stin|ken; du stankst; du stänkest; gestunken; stink[e]!; stink|faul (*ugs.*); stin|kig; stink|lang|wei|lig (*ugs.*); Stink|tier

Sti|pen|di|at, der; -en, -en (jmd., der ein Stipendium erhält); Sti|pen|di|a|tin

Sti|pen|di|um, das; -s, ...ien (Geldbeihilfe für Schüler[innen], Studierende, Gelehrte)

S

stip|pen (ugs. für tupfen, tunken)

Stipp|vi|si|te (ugs. für kurzer Besuch)

Stirn, die; -, -en

stö|bern (ugs. für suchen, [wühlend] herumsuchen; Jägerspr. aufjagen; flockenartig umherfliegen; landsch. auch für sauber machen); ich stöbere

sto|chern (ugs. für stochere

¹Stock, der; -[e]s, Stöcke (Stab u. Ä., Baumstumpf); über Stock und Stein

²Stock, der; -[e]s, - (Stockwerk); das Haus hat zwei Stock; es ist drei Stock hoch

³Stock [st...], der; -s, -s (Wirtsch. Vorrat, Warenlager; Grundkapital)

stock|dun|kel (ugs.)

stö|ckeln (ugs. für auf Stöckeln laufen); ich stöck[e]le

sto|cken (nicht vorangehen; bayr. u. österr. auch für gerinnen); ins Stocken geraten, kommen; gestockte Milch (bayr. u. österr. für Dickmilch)

stock|fins|ter (ugs. für völlig finster)

Sto|ckung; Stock|werk

Stoff, der; -[e]s, -e; Stoff|far|be, Stoff-Far|be; stoff|lich (materiell)

Stoff|wech|sel; Stoff|wech|sel|krank|heit

stöh|nen; leises Stöhnen

sto|isch (unerschütterlich, gleichmütig)

Sto|la [ft..., auch st...], die; -, ...len (Gewand, Umhang)

Stol|le, die; -, -n, ¹Stollen, der; -s, - (ein Weihnachtsgebäck)

²Stol|len, der; -s, - (Zapfen am Hufeisen, an [Fußball]schuhen; Bergmannsspr. waagerechter Grubenbau)

stol|pern; ich stolpere

Stol|per|stein (Schwierigkeit, an der etwas, jmd. scheitern kann)

stolz; Stolz, der; -es

stol|zie|ren (stolz einherschreiten)

stop! [ft..., st...] (auf Verkehrsschildern halt!); vgl. stopp!

stop|fen; Stop|fen, der; -s, - (landsch. für Stöpsel, Kork); Stopf|garn

stopp! (halt!); vgl. stop!; Stopp, der; -s, -s (Unterbrechung; bes. Tennis Stoppball)

Stop|pel, die; -, -n; stopp|pe|lig, stopp|lig

stop|pen (anhalten; mit der Stoppuhr messen); Stopp|licht Plur. ...lichter

stopp|lig vgl. stoppelig

Stopp|schild; Stopp|stra|ße; Stopp|uhr

Stöp|sel, der; -s, -

Stör, der; -[e]s, -e (ein Fisch)

Storch, der; -[e]s, Störche; Stor|chen|nest, Storch|nest; Storch|schna|bel (eine Pflanze; Gerät zum mechanischen Verkleinern od. Vergrößern von Zeichnungen)

¹Store [fto:g, auch st..., schweiz. 'fto:rə], der; -s, -s, schweiz. meist die; -, -n (Fenstervorhang; schweiz. für Markise)

²Store [sto:g], der; -s, -s (engl. Bez. für Vorrat, Lager; Laden)

stö|ren (südd. u. österr. für auf der Stör arbeiten); stö|rend

Stö|ren|fried, der; -[e]s, -e (abwertend); Stö|rer (jmd., der stört); Stö|re|rin

Stör|fak|tor; Stör|fall (bes. in einem Kernkraftwerk)

stor|nie|ren [ft..., auch st...] (Kaufmannsspr. rückgängig machen; Buchungsfehler berichtigen); Stor|nie|rung

Stor|no, der u. das; -s, ...ni (Berichtigung; Rückbuchung, Löschung)

stör|rig (seltener für störrisch); stör|risch

Stö|rung; stö|rungs|frei (bes. Technik)

Sto|ry ['sto:ri], die; -, -s (Geschichte, Bericht)

Stoß, der; -es, Stöße (Bergmannsspr. auch für seitliche Begrenzung eines Grubenbaus); sto|ßen; du stößt, er/sie/es stößt; du stießest; gestoßen; stoß[e]!; er stößt ihr, auch sie in die Seite

stoß|fest; Stoß|rich|tung; Stoß|seuf|zer; stoß|si|cher; Stoß|stan|ge; stoß|wei|se; Stoß|zahn; Stoß|zeit (Verkehrsw.)

Stot|te|rer; Stot|te|rin; stot|tern; ich stottere; ins Stottern geraten; etwas auf Stottern (ugs. für auf Ratenzahlung) kaufen

Strac|cia|tel|la [stratfa...], das; -[s] (eine Speiseeissorte)

strack (landsch. für gerade, straff, steif; faul, träge; auch für völlig betrunken)

stracks (geradeaus; sofort)
Straf|an|stalt; Straf|an|trag; Straf|an|zei-
ge; Straf|ar|beit; straf|bar; Straf|be-
fehl; Stra|fe, die; -, -n; stra|fen
straff (glatt; fest gespannt)
straff|fäl|lig
straf|fen (straff machen)
straf|frei; Straf|frei|heit, die; -
Straf|fung
Straf|ge|fan|ge|ne; Straf|ge|richt; Straf-
ge|setz|buch (Abk. StGB); Straf|kam|mer
sträf|lich; sträflicher Leichtsinn; Sträf|ling
Straf|maß, das; Straf|maß|nah|me; Straf-
mi|nu|te (Sport); Straf|pro|zess|ord|nung
(Abk. StPO); Straf|raum (Sport); Straf-
recht; straf|recht|lich; Straf|sa|che;
Straf|stoß (Sport); Straf|tat; Straf|tä|ter;
Straf|tä|te|rin; Straf|ver|fah|ren; Straf-
ver|fol|ger (Mitarbeiter einer Strafverfol-
gungsbehörde); Straf|ver|fol|ge|rin;
Straf|ver|tei|di|ger; Straf|ver|tei|di|ge-
rin; Straf|voll|zug; Straf|zet|tel
Strahl, der; -[e]s, -en; strah|len
Strah|len|be|las|tung
strah|lend; ihr strah|lends|tes Lächeln
Strah|len|schutz, der; -es
Strahl|kraft, die; Strah|lung
Strähn|chen Plur. (getönte od. gefärbte
Haarsträhnen)
Sträh|ne, die; -, -n; sträh|nig
straight [streit] (Jargon heterosexuell)
stramm; ein strammer Junge; strammer od.
Strammer Max (Spiegelei u. Schinken auf
Brot); stramm|ste|hen; ich stehe stramm;
strammgestanden; strammzustehen
stramm zie|hen, stramm|zie|hen; jmdm.
den Hosenboden stramm ziehen od.
strammziehen; ein Seil stramm ziehen od.
strammziehen
stram|peln; ich stramp[e]le
Strand, der; -[e]s, Strände; Strand|bad;
stran|den; Strand|pro|me|na|de
Strang, der; -[e]s, Stränge; über die Stränge
schlagen (ugs.); Stran|ge, die; -, -n
(schweiz. neben Strang); eine Strange
Garn, Wolle

Stra|pa|ze, die; -, -n ([große] Anstren-
gung)
stra|pa|zie|ren (übermäßig anstrengen,
beanspruchen); stra|pa|zier|fä|hig
Stra|ße, die; -, -n (Abk. Str.); Stra|ßen-
bahn; Stra|ßen|bau Plur. -ten; Stra|ßen-
bild; Stra|ßen|ecke; Stra|ßen|fest; Stra-
ßen|kampf; Stra|ßen|lärm; Stra|ßen|la-
ter|ne; Stra|ßen|schild, das; Stra|ßen-
sei|te; Stra|ßen|sper|re; Stra|ßen|ver-
kehr, der; -s; Stra|ßen|ver|kehrs|ord-
nung (Abk. StVO); Stra|ßen|zug
Stra|te|ge [[t..., st...], der; -n, -n (jmd., der
strategisch vorgeht); Stra|te|gie, die; -,
...ien (Kriegskunst; genau geplantes Vor-
gehen); Stra|te|gie|pa|pier; Stra|te|gin
stra|te|gisch; strategische Verteidigung
sträu|ben; sich sträuben
Strauch, der; -[e]s, Sträucher
strau|cheln; ich strauch[e]le
¹Strauß, der; -es, -e (ein Vogel); Vogel Strauß
²Strauß, der; -es, Sträuße (Blumenstrauß;
geh. veraltend für Kampf)
strea|men ['stri:...] (EDV); gestreamt;
Strea|ming, das; -[s] (EDV Verfahren zur
Übertragung von Bild u. Ton an Endgeräte
in Echtzeit)
Stre|be, die; -, -n (schräge Stütze)
stre|ben; das Streben nach Geld; Stre|ber;
stre|ber|haft; Stre|be|rin; streb|sam
Stre|cke, die; -, -n; zur Strecke bringen
stre|cken; jmdn. zu Boden strecken
Stre|cken|ab|schnitt; Stre|cken|füh|rung;
stre|cken|netz; stre|cken|wei|se
Streck|mus|kel
Street|work ['stri:tvø:ɐ̯k], die; - (Hilfe u.
Beratung für Drogenabhängige u. a. inner-
halb ihres Wohnbereichs); Street|wor|ker,
der; -s, -; Street|wor|ke|rin
Streich, der; -[e]s, -e
strei|cheln; ich streich[e]le
strei|chen; du strichst; du strichest; gestri-
chen; streich[e]!; Strei|cher (Spieler eines
Streichinstrumentes); Strei|che|rin
Streich|holz (Zündholz); Streich|holz-
schach|tel

**Streich|in|s|t|ru|ment; Streich|quar|tett
Strei|chung
Strei|fe,** die; -, -n (Kontrolle eingesetzte Militär- od. Polizeieinheit, *auch für* Fahrt, Gang einer solchen Einheit); auf Streife gehen
strei|fen; Strei|fen, der; -s, -
**Strei|fen|wa|gen
Streif|licht** *Plur.* ...lichter; **Streif|schuss; Streif|zug
Streik,** der; -[e]s, -s (Arbeitsniederlegung)
strei|ken; Strei|ken|de, der u. die; -n, -n
**Streik|recht
Streit,** der; -[e]s, -e; **streit|bar; strei|ten;** du strittst; du strittest; gestritten; streit[e]!; **Strei|te|rei; Streit|fall; Streit|fra|ge; Streit|ge|spräch; Streit|hahn** (*ugs. für* streitsüchtiger Mensch)
strei|tig; die Sache ist streitig (*Rechtsspr. nur so*) *od.* strittig; *aber nur* jmdm. etwas streitig machen; **Strei|tig|keit** *meist Plur.*
Streit|kräf|te *Plur.* (der mögliche Singular »Streitkraft« wird nur selten gebraucht)
**Streit|punkt; Streit|sa|che; Streit|sucht; streit|süch|tig; Streit|wert
streng** am strengs|ten; strengs|tens; auf das, aufs Strengste *od.* auf das, aufs strengste; streng sein; streng riechen; streng urteilen; eine streng genommene *od.* strenggenommene Wertung; streng genommen[,] ist das nicht ganz zutreffend; **Stren|ge,** die; -; *vgl. aber* Strang
stren|gen (*veraltet für* straff anziehen)
**strengs|tens
Stress,** der; -es, -e (*Med.* starke körperliche u. seelische Belastung; *ugs. auch für* Ärger); Stress auslösende *od.* stressauslösende Faktoren; **Stress|ab|bau,** der; -[e]s
stres|sen (*ugs. für* als Stress wirken; überbeanspruchen); der Lärm stresst; ich bin gestresst; **stres|sig** (*ugs. für* anstrengend)
Stret|ching ['strɛtʃɪŋ], das; -s (Gymnastik in Form von Dehnungsübungen)
Streu die; -, -en *Plur. selten*
Streu|be|sitz, der; -es
streu|en; Streu|er (Streubüchse)
streu|nen (sich herumtreiben)

Streu|sel der *od.* das; -s, - *meist Plur.;* **Streu|sel|ku|chen
Streu|ung
strich** *vgl.* streichen
Strich, der; -[e]s, -e (*südd. u. schweiz. mundartl. auch für* Zitze; *ugs. auch für* Straßenprostitution); **stri|cheln;** ich strich[e]le; **Strich|punkt** (Semikolon)
Strick, der; -[e]s, -e
stri|cken; Strick|ja|cke; Strick|lei|ter, die; **Strick|na|del
Strie|gel,** der; -s, - (Gerät mit Zacken; harte Bürste); **strie|geln;** ich strieg[e]le
Strie|men, der; -s, -
Strike [straik], der; -s, -s (das Abräumen mit dem ersten Wurf beim Bowling)
strikt [ʃt..., *auch* st...] (streng; genau)
String [st...], der; -s, -s (*EDV* Zeichenkette; *auch kurz für* Stringtanga)
strin|gent [ʃt..., *auch* st...] (bündig, zwingend); **Strin|genz,** die; -
String|tan|ga ['st...] (Tanga[slip], dessen rückwärtiger Teil nur aus einem schnurförmigen Stück Stoff besteht)
Strip [ʃt..., *auch* st...], der; -s, -s (*kurz für* Striptease; [Wundpflaster]streifen)
Strip|pe, die; -, -n (*landsch. für* Bindfaden; Band; *ugs. scherzh. für* Fernsprechleitung)
Strip|pen|zie|her (*ugs. für* Drahtzieher)
Strip|tease ['ʃtrɪptiːs, *auch* 'st...], der, *auch* das; -, -s [...tiːzəs] (Entkleidungsvorführung [in Nachtlokalen])
strit|tig *vgl.* streitig
Stro|bel, der; -s, - (*landsch. für* struppiger Haarschopf)
Stroh, das; -[e]s; **Stroh|dach; stroh|dumm** (sehr dumm); **Stroh|feu|er; Stroh|halm; Stroh|hut,** der
stro|hig (*auch für* wie Stroh; trocken)
Stroh|mann *Plur.* ...männer u. ...leute (vorgeschobene Person); **Stroh|wit|we** (*ugs. für* Ehefrau, die vorübergehend ohne ihren Mann lebt); **Stroh|wit|wer** (*ugs.*)
Strolch, der; -[e]s, -e; **strol|chen
Strom,** der; -[e]s, Ströme; es regnet in Strömen; ein Strom führendes *od.* stromfüh-

rendes Kabel; ein stromsparendes od.
Strom sparendes Gerät
strom|ab|wärts; strom|auf|wärts
Strom|aus|fall
strö|men
Strö|mer (ugs. für Herumtreiber, Landstrei-
cher; meist Plur.: Wirtsch. Stromerzeuger);
Strö|me|rin; stro|mern; ich stromere
Strom|er|zeu|ger; Strom|er|zeu|gung;
Strom füh|rend, strom|füh|rend; vgl.
Strom; Strom|kon|zern; Strom|kos|ten;
Strom|lei|tung; strom|li|ni|en|för|mig;
Strom|markt; Strom|netz; Strom|preis;
Strom|rech|nung; Strom|schnel|le
strom|spa|rend, Strom spa|rend
Strö|mung
Strom|ver|brauch; Strom|ver|sor|ger;
Strom|ver|sor|gung; Strom|wirt|schaft
Stro|phe, die; -, -n
strot|zen; du strotzt; das Kind strotzt vor
od. von Energie
strub|be|lig, strubb|lig (ugs.)
Stru|del, der; -s, - ([Wasser]wirbel; landsch.,
bes. südd. u. österr. für ein Gebäck)
stru|deln; ich strud[e]le
Struk|tur [ʃt..., auch st...], die; -, -en
([Sinn]gefüge; Gliederung); struk|tu|rell
struk|tu|rie|ren (mit einer Struktur ver-
sehen); Struk|tu|rie|rung
Struk|tur|po|li|tik; Struk|tur|re|form;
struk|tur|schwach (industriell nicht entwi-
ckelt); Struk|tur|wan|del
Strumpf, der; -[e]s, Strümpfe; Strumpf|hal|
ter; Strumpf|ho|se
Strunk, der; -[e]s, Strünke (als Rest übrig
gebliebener Pflanzenstiel od. Baumstumpf)
strun|zen (landsch., bes. westd. angeben,
prahlen); du strunzt
strup|pig
Struw|wel|pe|ter, der; -s, - (fam. für Gestalt
aus einem Kinderbuch)
Stu|be, die; -, -n; Stu|ben|ar|rest; Stu|ben|
flie|ge; Stu|ben|ho|cker (ugs.); Stu|ben|
ho|cke|rin; stu|ben|rein
Stuck, der; -[e]s (aus Gips hergestellte Orna-
mentik)

Stück, das; -[e]s, -e (Abk. St.); 5 Stück
Zucker; ein Stück weit
Stu|cka|teur [...'tø:ɐ̯], der; -s, -e (Stuck-
arbeiter, -künstler); Stu|cka|teu|rin
Stück|de|cke
stü|ckeln; ich stück[e]le
Stück|preis; stück|wei|se; Stück|zahl
Stu|dent, der; -en, -en (Hochschüler); Stu-
den|ten|be|we|gung; Stu|den|ten|
werk; Stu|den|tin; stu|den|tisch; Stu-
di, der; -s, -s u. die; -, -s (ugs. für Stu-
dent[in])
Stu|die, die; -, -n (Entwurf, kurze [skizzen-
hafte] Darstellung; Vorarbeit); Stu|di|en-
ab|schluss; Stu|di|en|an|fän|ger; Stu|di-
en|an|fän|ge|rin; Stu|di|en|fach; Stu|di-
en|gang, der; Stu|di|en|ge|bühr; Stu|di-
en|jahr; Stu|di|en|platz; stu|die|ren; eine
studierte Kollegin; Probieren od. probieren
geht über Studieren od. studieren
Stu|dio, das; -s, -s (Atelier; Film- u. Rund-
funk Aufnahmeraum; Versuchsbühne);
Stu|dio|büh|ne; Stu|dio|gast
Stu|di|um, das; -s, ...ien (wissenschaftl.
[Er]forschung; Hochschulbesuch, -ausbil-
dung; [kritisches] Durchlesen, -arbeiten)
Stu|fe, die; -, -n; stu|fen; Stu|fen|bar|ren
(Turnen); Stu|fen|heck; stu|fen|wei|se
Stuhl, der; -[e]s, Stühle (auch kurz für Stuhl-
gang); elektrischer Stuhl; der Heilige Stuhl;
Stuhl|bein; Stuhl|gang, der; -[e]s
Stul|le, die; -, -n (nordd., bes. berlin. für
Brotschnitte)
Stul|pe, die; -, -n (Aufschlag an Ärmeln u. a.)
stül|pen; Stul|pen|stie|fel
stumm; stumm sein; stumm werden
Stum|me, der u. die; -n, -n
Stum|mel, der; -s, -
Stumm|film
Stüm|per (abwertend für Nichtskönner);
Stüm|pe|rei; stüm|per|haft; Stüm|pe|rin
stumpf; Stumpf, der; -[e]s, Stümpfe; mit
Stumpf und Stiel (restlos); stumpf|sin|nig
stumpf|win|ke|lig, stumpf|wink|lig
Stun|de, die; -, -n; Abkürzung Std., St.; Zei-
chen h; eine viertel Stunde od. eine Vier-

S

telstunde; ich habe zwei Stunden lang telefoniert; *aber* ich habe stundenlang telefoniert

stun|den (Frist zur Zahlung geben)

Stun|den|ki|lo|me|ter (*ugs.* für Kilometer je Stunde); **stun|den|lang**; ich habe stundenlang gewartet; *aber* sie lag eine Stunde lang, ganze Stunden lang wach; **Stun|den|lohn; Stun|den|plan**

stünd|lich (jede Stunde)

Stunk, der; -s (*ugs.* für Zank, Unfrieden)

Stunt [stant], der; -s, -s (gefährliches, akrobatisches Kunststück [als Filmszene]); **Stunt|frau; Stunt|man** [...men], der; -s, ...men [...mən] (*Film* Double für Stunts)

stu|pid [*auch* st..., ʃtu...], **stu|pi|de** (dumm, stumpfsinnig)

stup|sen (*ugs.* für stoßen); du stupst; **Stups|na|se** (*ugs.*)

stur (*ugs.* für unbeweglich, hartnäckig); auf stur schalten; **Stur|heit** (*ugs.*)

sturm (*südwestd. u. schweiz. mundartl.* für verworren, schwindelig); mir ist sturm

Sturm, der; -[e]s, Stürme; Sturm laufen; Sturm läuten; **stür|men; Stür|mer; Stür|me|rin; Sturm|flut; stür|misch**

Sturz, der; -es, *Plur.* Stürze, *auch* (für Träger:) Sturze (jäher Fall)

stür|zen; du stürzt; **Sturz|flug; Sturz|helm**

Stuss, der; -es (*ugs.* für Unsinn); Stuss reden

Stu|te, die; -, -n

Stu|ten, der; -s, - (*landsch.* für Weißbrot)

Stütz, der; -es, -e; **Stüt|ze,** die; -, -n

stut|zen; du stutzt

Stut|zen, der; -s, - (kurzes Gewehr; Wadenstrumpf; Ansatzrohrstück; *bayr., österr. auch* für Kniestrumpf)

stüt|zen; du stützt

stut|zig; stutzig werden

Stütz|pfei|ler; Stütz|punkt; Stüt|zung

Style [stail], der; -s, -s (*engl. Bez.* für Stil); **sty|len** [ˈstai...] (entwerfen, gestalten); gestylt; **Sty|ling,** das; -s, -s (Formgebung; äußere Gestaltung)

Sty|ro|por® [ʃt..., *auch* st...], das; -s (ein Kunststoff)

Sub|jekt, das; -[e]s, -e (*Sprachwiss.* Satzgenstand; *Philos.* wahrnehmendes, denkendes Wesen); **sub|jek|tiv** [*auch* ʼzʊ...] (dem Subjekt angehörend, in ihm begründet; persönlich; einseitig, parteiisch, unsachlich); **Sub|jek|ti|vi|tät,** die; - (persönl. Auffassung; Einseitigkeit)

Sub|kon|ti|nent (geografisch geschlossener, relativ eigenständiger Teil eines Kontinents); der indische Subkontinent

Sub|kul|tur (bes. Kulturgruppierung innerhalb eines übergeordneten Kulturbereichs)

Sub|skrip|ti|on, die; -, -en (Vorausbestellung von später erscheinenden Büchern)

sub|s|tan|ti|ell *vgl.* substanziell

Sub|s|tan|tiv, das; -s, -e (*Sprachwiss.* Hauptwort, Dingwort, Nomen, z. B. »Haus, Wald, Ehre«); **sub|s|tan|ti|viert; Sub|s|tan|ti|vie|rung** (z. B. »das Schöne, das Laufen«)

Sub|s|tanz, die; -, -en ([körperl.] Masse, Stoff, Bestand[teil]; *nur Sing.: Philos.* das Dauernde, das Wesentliche; *auch* für Materie); **sub|s|tan|zi|ell,** sub|s|tan|ti|ell (wesentlich; stofflich; materiell)

Sub|s|ti|tu|ti|on, die; -, -en (*fachspr.* für Stellvertretung, Ersetzung)

Sub|s|t|rat, das; -[e]s, -e (*fachspr.* für [materielle] Grundlage; Substanz; *Landwirtsch.* Nährboden)

sub|su|mie|ren (ein-, unterordnen; unter einem Thema zusammenfassen)

sub|til (zart, fein, sorgsam; spitzfindig)

Sub|tra|hend, der; -en, -en (abzuziehende Zahl); **sub|tra|hie|ren** (*Math.* abziehen); **Sub|trak|ti|on,** die; -, -en (das Abziehen)

Sub|tro|pen *Plur.* (*Geogr.* Gebiete des Übergangs von den Tropen zur gemäßigten Klimazone)

Sub|un|ter|neh|mer (*Wirtsch.*); **Sub|un|ter|neh|me|rin**

Sub|ven|ti|on, die; -, -en *meist Plur.* (*Wirtsch.* zweckgebundene Unterstützung aus öffentl. Mitteln); **sub|ven|ti|o|nie|ren; Sub|ven|ti|o|nie|rung**

Sub|ver|si|on, die; -, -en (Umsturz); **sub|ver|siv** (zerstörend, umstürzlerisch)

Such|ak|ti|on; Such|dienst

Su|che, die; -, -n; su|chen; Su|cher

Such|funk|ti|on *(EDV);* Such|ma|schi|ne *(EDV* Programmsystem zur Informationsrecherche im Internet)

Sucht, die; -, *Plur.* Süchte *od.* Suchten

Sucht|ge|fahr; sucht|ge|fähr|det

süch|tig

Sud, der; -[e]s, -e (Flüssigkeit, in der etwas gekocht wurde)

Süd (Himmelsrichtung; *Abk.* S); Nord und Süd; *fachspr.* der Wind kommt aus Süd; Autobahnausfahrt Frankfurt-Süd *od.* Frankfurt Süd; *vgl.* Süden

süd|af|ri|ka|nisch; die Südafrikanische Union *(ehem. Bez. für* Republik Südafrika)

süd|deutsch *vgl.* deutsch/Deutsch

Su|de|lei *(ugs.);* su|deln (ugs. für Schmutz verursachen; schmieren); ich sud[e]le

Sü|den, der; -s (Himmelsrichtung; *Abk.* S); der Wind kommt aus Süden; sie zogen gen Süden; *vgl.* Süd

su|de|ten|deutsch *vgl.* deutsch/Deutsch

Süd|küs|te; süd|län|disch

süd|lich; südlicher Breite *(Abk.* s[üdl]. B.); südlich des Meeres; südlich von Köln, *selten:* südlich Kölns

Su|do|ku *[auch* zu'do:ku], das; -[s], -s (ein Rätselspiel mit Zahlenquadraten)

Süd|ost (Himmelsrichtung; *Abk.* SO); Süd|os|ten, der; -s *(Abk.* SO); gen Südosten; *vgl.* Südost; süd|öst|lich

Süd|pol; Süd|see, die; - (Pazifischer Ozean, bes. der südl. Teil); süd|wärts

Süd|west (Himmelsrichtung; *Abk.* SW); Süd|wes|ten, der; -s *(Abk.* SW); gen Südwesten; süd|west|lich

Suff, der; -[e]s (ugs. für das Betrunkensein)

süf|fig *(ugs. für* gut trinkbar)

süf|fi|sant

Suf|fix *[auch* ...'fɪks], das; -es, -e *(Sprachwiss.* hinten an den Wortstamm angefügtes Wortbildungselement)

sug|ge|rie|ren (seelisch beeinflussen; einreden); Sug|ges|ti|on, die; -, -en (seelische

Beeinflussung); sug|ges|tiv (seelisch beeinflussend; verfänglich)

Suh|le, die; -, -n (feuchte Bodenstelle); suh|len, sich; das Schwein suhlt sich im Dreck

Süh|ne, die; -, -n; süh|nen

Sui|te ['svi:t(ə)], die; -, -n (zusammengehörende Zimmer in einem [luxuriösen] Hotel; *Musik* Folge von [Tanz]sätzen)

Su|i|zid, der, *auch* das; -[e]s, -e (Selbstmord)

Su|jet [zyˈʒe:], das; -s, -s (Gegenstand künstlerischer Darstellung; Stoff)

suk|zes|siv (allmählich [eintretend]); ein sukzessiver Abwärtstrend

Sul|ky [...ki, *auch* 'za...], der, *auch* das; -s, -s (zweirädriger Wagen für Trabrennen)

Sul|tan, der; -s, -e (Titel islam. Herrscher)

Sul|ta|ni|ne, die; -, -n (große Rosine)

Sül|ze, die; -, -n (Fleisch, Fisch u. a. in Gallert); sül|zen (zu Sülze verarbeiten; *ugs. auch für* [dummes Zeug] reden, quatschen); du sülzt; gesülzt

sum|ma cum lau|de (höchstes Prädikat bei Doktorprüfungen)

Sum|mand, der; -en, -en *(Math.* hinzuzuzählende Zahl); sum|ma|risch (kurz zusammengefasst); sum|ma sum|ma|rum (alles in allem); Sum|me, die; -, -n; in Summe *(österr. für* insgesamt)

sum|men; eine Melodie summen; Sum|mer (Vorrichtung, die Summtöne erzeugt)

sum|mie|ren (zusammenzählen); sich summieren (anwachsen); Sum|mie|rung

Sumpf, der; -[e]s, Sümpfe; Sumpf|fie|ber (Malaria); sump|fig

Sun|blo|cker ['san...], der; -s, - (Sonnenschutzmittel mit hohem Lichtschutzfaktor)

Sund, der; -[e]s, -e (Meerenge [zwischen Ostsee u. Kattegat])

Sün|de, die; -, -n

Sün|den|bock *(ugs.);* Sün|den|fall, der

Sün|der; Sün|de|rin

sünd|haft; sündhaft teuer *(ugs.);* sün|dig

sün|di|gen

Sun|nit, der; -en, -en (Angehöriger der orthodoxen Hauptrichtung des Islams); Sun|ni|tin; sun|ni|tisch

su|per (*ugs. für* hervorragend, großartig); das war super, eine super Schau; er hat super gespielt; **Su|per**, das; -s *meist ohne Artikel* (kurz für Superbenzin)

Su|per-G [...dʒiː], der; -[s], -[s] (ein Skiwettbewerb)

Su|per|held

Su|pe|ri|or, der; -s, ...oren (Oberer, Vorgesetzter, bes. in Klöstern)

Su|per|la|tiv, der; -s, -e (*Sprachwiss.* 2. Steigerungsstufe, z. B. »schönste«)

Su|per|macht; Su|per|markt; Su|per|mo|del, das (*ugs. für* bes. berühmtes Fotomodell); **Su|per|star** (*ugs. für* bes. großer, berühmter Star); *vgl.* ²Star

Sup|pe, die; -, -n; **Sup|pen|löf|fel**

sup|plie|ren (*veraltet, österr. noch für* Schulstunden vertretungsweise halten)

Sup|port, der; -[e]s, -e (*EDV* Unterstützung)

Surf|brett ['zø:ɐf...]; **sur|fen** ['zø:ɐfn] (auf dem Surfbrett fahren; im Internet nach Informationen suchen); **Sur|fer; Sur|fe|rin; Sur|fing**, das; -s (Wellenreiten, Brandungsreiten; Windsurfen)

sur|re|al [*auch* 'zy...] (unwirklich)

Sur|re|a|lis|mus [*auch* zyre...], der; - (Kunstu. Literaturrichtung, die das Traumhaft-Unbewusste künstlerisch darstellen will); **Surre|a|list**, der; -en, -en; **sur|re|a|lis|tisch**

sur|ren; das Rad surrt

Sur|ro|gat, das; -[e]s, -e (Ersatz, Behelf)

Su|shi ['zu:ʃi], das; -[s], -[s] (aus rohem Fisch [Fleisch, Krustentieren, Gemüse, Pilzen u. a.] auf einer Unterlage aus Reis bestehendes Gericht)

su|s|pekt (verdächtig)

sus|pen|die|ren (zeitweilig entlassen, aufheben); **Sus|pen|die|rung**

süß; am sü|ßes|ten; **Sü|ße**, die; -; **sü|ßen**; du süßt

Sü|ßig|keit

süß|lich; süß|sau|er

Süß|spei|se; Süß|stoff; Süß|was|ser

SUV [*auch* zʊf, ɛsjuˈviː], das *od.* der; -[s], -[s] = sport utility vehicle (Geländewagen)

Swap [svɔp], der; -s, -s (*Bankw., Börse* Austausch bestimmter Rechte o. Ä; Differenz zwischen Kassakurs u. Terminkurs)

Sweat|shirt ['svɛ...] (weit geschnittener Pullover)

Swim|ming|pool, der; -s, -s (Schwimmbecken)

Swing, der; -[s] (ein Stil des Jazz; *Wirtsch.* Kreditgrenze bei bilateralen Handelsverträgen); **swin|gen**; swingte; geswingt

Sym|bi|o|se, die; -, -n (»Zusammenleben« ungleicher Lebewesen zu gegenseitigem Nutzen); **sym|bi|o|tisch** (in Symbiose lebend)

Sym|bol, das; -s, -e (Wahrzeichen; Sinnbild; Zeichen); **Sym|bol|fi|gur; sym|bol|haft**

Sym|bo|lik, die; - (sinnbildliche Bedeutung od. Darstellung; Bildersprache)

sym|bo|lisch; sym|bo|li|sie|ren (sinnbildlich darstellen); **sym|bol|träch|tig**

Sym|me|t|rie, die; -, ...ien (spiegelbildliche Übereinstimmung); **Sym|me|t|rie|ach|se** (*Math.* Spiegelachse); **sym|me|t|risch**

Sym|pa|thie, die; -, ...ien ([Zu]neigung; Wohlgefallen); **Sym|pa|thie|trä|ger** (jmd., der die Sympathie anderer auf sich zieht)

Sym|pa|thi|sant, der; -en, -en (jmd., der einer Gruppe od. einer Anschauung wohlwollend gegenübersteht)

sym|pa|thisch (anziehend; ansprechend)

sym|pa|thi|sie|ren (gleiche Anschauungen haben); mit jmdm. sympathisieren

Sym|pho|nie *vgl.* Sinfonie

Sym|po|si|on, Sym|po|si|um, das; -s, ...ien (wissenschaftl. Tagung; Trinkgelage im alten Griechenland)

Sym|p|tom, das; -s, -e (Anzeichen; Merkmal; Krankheitszeichen); **sym|p|to|ma|tisch** (anzeigend, warnend; bezeichnend)

Sy|n|a|go|ge, die; -, -n (gottesdienstl. Versammlungsort der jüd. Gemeinde)

Sy|n|ap|se, die; -, -n (*Biol.* Verbindung zwischen Zellen zur Reizübertragung)

syn|chron [...k...] (gleichzeitig, zeitgleich, gleichlaufend; *auch für* synchronisch)

Syn|chro|ni|sa|ti|on, die; -, -en u. Syn|chroni|sie|rung (Zusammenstimmung von Bild,

Sprechton u. Musik im Film; bild- u. bewegungsechte Übertragung fremdsprachiger Partien eines Films); **syn|chro|ni|sie|ren**

Syn|di|kat, das; -[e]s, -e (*Wirtsch.* Verkaufskartell; *Bez. für* geschäftlich getarnte Verbrecherorganisation in den USA)

Syn|drom, das; -s, -e (*Med.* Krankheitsbild); depressives Syndrom

Sy|n|er|gie, die; -, ...ien (Zusammenwirken); **Sy|n|er|gie|ef|fekt** (positive Wirkung, die sich aus einer Zusammenarbeit ergibt)

Syn|ko|pe ['zʏnkope, *Musik nur* ...'ko:pə], die; -, ...open (*Sprachwiss.* Ausfall eines unbetonten Vokals zwischen zwei Konsonanten im Wortinnern; *Musik* Betonung eines unbetonten Taktwertes)

Sy|n|o|de, die; -, -n (Kirchenversammlung, bes. die evangelische)

sy|n|o|nym (*Sprachwiss.* sinnverwandt); synonyme Wörter; **Sy|n|o|nym**, das; -s, *Plur.* -e, *auch* Synonyma (*Sprachwiss.* sinnverwandtes Wort)

Sy|n|op|se, **Sy|n|op|sis**, die; -, ...opsen (knappe Zusammenfassung; vergleichende Übersicht); **sy|n|op|tisch** ([übersichtlich] zusammengestellt, nebeneinandergereiht); synoptische Evangelien

syn|tak|tisch (die Syntax betreffend); syntaktische Fügung; **Syn|tax**, die; -, -en (*Sprachwiss.* Lehre vom Satzbau; Satzlehre)

Syn|the|se, die; -, -n (Zusammenfügung [einzelner Teile zu einem Ganzen])

Syn|the|si|zer [...təsaize, *engl.* 'sɪnθɪsaɪzə], der; -s, - (*Musik* Gerät zur elektron. Klangerzeugung)

Syn|the|tics [zʏn'te:tɪks] *Plur.* (*Sammelbez. für* synthet. erzeugte Kunstfasern u. Produkte daraus); **Syn|the|tik**, das; -s *meist ohne Artikel;* **syn|the|tisch** (zusammensetzend; *Chemie* künstlich hergestellt); synthetisches Urteil (*Philos.*); synthetische Edelsteine; **syn|the|ti|sie|ren** (*Chemie* aus einfacheren Stoffen herstellen)

Sy|phi|lis, die; - (*Med.* eine Geschlechtskrankheit)

Sy|ri|en (Staat im Vorderen Orient)

Sys|tem, das; -s, -e; **Sys|te|ma|tik**, die; -, -en (planmäßige Darstellung, einheitl. Gestaltung); **sys|te|ma|tisch** (das System betreffend; in ein System gebracht; planmäßig); **sys|te|ma|ti|sie|ren** (in ein System bringen); **Sys|tem|feh|ler** (*EDV*)

sys|te|misch (*Biol., Med.* den gesamten Organismus betreffend; *auch übertr. für* ein Gesamtsystem beeinflussend)

Sze|na|rio, das; -s, -s, *auch* ...ien (Entwurf eines Films; Modell möglicher Ereignisse)

Sze|na|ri|um, das; -s, ...ien (Übersicht über Szenenfolge u. a. eines Theaterstücks)

Sze|ne, die; -, -n (Schauplatz; Auftritt als Unterabteilung des Aktes; Vorgang, Anblick; Zank, Vorhaltungen; charakteristischer Bereich für bestimmte Aktivitäten); **Sze|nen|wech|sel**; **Sze|ne|rie**, die; -, ...ien (Bühnen-, Landschaftsbild); **Sze|ne|treff** (*ugs.*); **sze|nisch** (bühnenmäßig)

T *t*

T (Buchstabe); das T; des T, die T, *aber* das t in Rate; der Buchstabe T, t

¹**Tab** [tɛp], der; -s, -s (*EDV* Dialogfeld)

²**Tab**, der; -s, -s (*kurz für* Tabulator)

Ta|bak [*auch* 'ta:... *u., bes. österr.,* ...'bak], der; -s, *Plur.* (Sorten:) -e; **Ta|bak|in|dust|rie**; **Ta|baks|pfei|fe**; **Ta|bak|steu|er**, die

ta|bel|la|risch (in der Anordnung einer Tabelle); **Ta|bel|le**, die; -, -n

Ta|bel|len|füh|rer; **Ta|bel|len|füh|re|rin**; **Ta|bel|len|füh|rung**; **Ta|bel|len|kal|ku|la|ti|on** (*EDV*); **Ta|bel|len|platz**

Ta|ber|na|kel, das, *auch, bes. in der kath. Kirche,* der; -s, - (*kath. Kirche* Aufbewahrungsort der Eucharistie [auf dem Altar]; Ziergehäuse in der gotischen Baukunst)

Ta|b|leau [...'blo:], das; -s, -s (wirkungsvoll gruppiertes Bild, bes. im Schauspiel; *veraltet für* Gemälde)

Ta|b|let ['tɛblət], das; -s, -s (*EDV* durch Berühren des Bildschirms mit dem Finger bedienbarer, kleiner flacher Computer)

Ta|b|lett, das; -[e]s, *Plur.* -s, *auch* -e (Servierbrett)

Ta|b|let|te, die; -, -n

ta|bu (unantastbar); *nur prädikativ:* das ist tabu; **Ta|bu**, das; -s, -s (*Völkerkunde* Gebot bei [Natur]völkern, bes. geheiligte Personen, Tiere, Pflanzen, Gegenstände zu meiden; *allg. für* etwas, das man nicht tun darf); es ist ein Tabu; **Ta|bu|bruch**; **ta|bu|i|sie|ren**, tabu|ie|ren (für tabu erklären, als ein Tabu behandeln); **Ta|bu|the|ma**

Ta|che|les; nur in Tacheles reden *(ugs. für* offen miteinander reden

Ta|cho, der; -s, -s (*ugs.; kurz für* Tachometer); **Ta|cho|me|ter**, der, *auch* das; -s, - ([Fahr]geschwindigkeitsmesser)

Tack|ling ['tɛk...], das; -s, -s (*Fußball* Verteidigungstechnik, bei der der Verteidigende in die Füße des Gegners hineinrutscht)

Ta|del, der; -s, -; **ta|del|los**

ta|deln; ich tad[e]le

Tae|k|won|do [tɛ...], das; -[s] (koreanisches System der Selbstverteidigung)

Ta|fel, die; -, -n; *Abk.* Taf.

ta|feln (*geh. für* speisen); ich taf[e]le

tä|feln (mit Steinplatten, Holztafeln verkleiden); ich täf[e]le

Ta|fel|sil|ber, das; -s (Tafelbesteck aus Silber)

taff *vgl.* tough

Tag, der; -[e]s, -e; am, bei Tage; Tag für Tag; Tag und Nacht; von Tag zu Tag; eines [schönen] Tags oder Tages; den ganzen Tag; unter Tags (den Tag über); über Tag, unter Tage *(Bergmannssprache);* wir wollen nur Guten oder guten Tag sagen; zu Tage *od.* zutage bringen, kommen; *aber nur:* tags; tags darauf; tags zuvor; tagsüber; tagtäglich; tagelang; heutzutage

tag|aus, **tag|ein**

Ta|ge|bau *Plur.* ...baue

Ta|ge|buch; **ta|ge|lang**; *aber* ganze, mehrere, zwei Tage lang

ta|gen (eine Tagung, Sitzung abhalten)

Ta|ges|ab|lauf; **Ta|ges|ak|tu|ell**; **Ta|ges|aus|flug**; **Ta|ges|geld** *(Bankw.);* **Ta|ges|ge|schäft**; **Ta|ges|ge|spräch**; **Ta|ges|kar|te**; **Ta|ges|licht**, das; -[e]s; **Ta|ges|licht|pro|jek|tor** (für Overheadprojektor); **Ta|ges|mut|ter** *Plur.* ...mütter; **Ta|ges|ord|nung**; **Ta|ges|ord|nungs|punkt** (*Abk.* TOP); **Ta|ges|satz**; **Ta|ges|stät|te**; **Ta|ges|zeit**; **Ta|ges|zei|tung**

täg|lich (alle Tage)

tags; tags darauf, tags zuvor; *vgl.* Tag

tags|über

tag|täg|lich

Tag|traum; **Tag|und|nacht|glei|che**, **Tag-und-Nacht-Glei|che**, die; - (*selten* -n), -n; Frühjahrs-Tagundnachtgleiche

Ta|gung; **Ta|gungs|ort** *Plur.* ...orte

Tai *vgl.* Thai

Tai|fun, der; -s, -e (trop. Wirbelsturm)

Tai|ga die; -, -s *Plur. selten* (sibirischer Waldgürtel)

Tail|le ['taljə, *österr.* 'tailjə], die; -, -n (schmalste Stelle des Rumpfes); **tail|liert**

Take [te:k], der *od.* das; -s, -s (*Film, Fernsehen* einzelne Szenenaufnahme)

Take-away, **Take|away** ['te:k|əve:], der *u.* das; -s, -s (Imbisslokal, in dem Speisen u. Getränke vor allem zum Mitnehmen verkauft werden)

Ta|ke|la|ge [...ʒə], die; -, -n (Segelausrüstung eines Schiffes)

Take-off, **Take|off** ['te:k...], das *od.* der; -[s], -s (Start eines Flugzeugs o. Ä.; Beginn)

¹Takt, der; -[e]s, -e (*nur Sing.:* Zeit-, Tonmaß; Zeiteinheit in einem Musikstück); Takt halten

²Takt, der; -[e]s (Feingefühl; Zurückhaltung)

Takt|fre|quenz (*EDV*)

Takt|ge|fühl, das; -[e]s

¹tak|tie|ren (den ¹Takt angeben)

²tak|tie|ren (taktisch vorgehen)

Tak|tik, die; -, -en (geschicktes Vorgehen, planmäßige Ausnutzung einer Lage); **Tak|ti|ker**; **Tak|ti|ke|rin**; **tak|tisch**

takt|los; **Takt|lo|sig|keit**

Takt|stock *Plur.* ...stöcke; Takt|strich *(Musik)*

takt|voll

Tal, das; -[e]s, Täler; zu Tal[e] fahren

Ta|lar, der; -s, -e (langes Amtskleid)

Ta|lent, das; -[e]s, -e (Begabung; jmd., der [auf einem bestimmten Gebiet] besonders begabt ist); ta|len|tiert (begabt)

Ta|ler, der; -s, - (frühere Münze)

Talg, der; -[e]s, -e ([Rinder-, Hammel]fett); Talg|drü|se

Ta|li|ban der; -[s], - *meist Plur.* (Angehöriger einer radikalen islamischen Miliz in Afghanistan)

Ta|lis|man, der; -s, -e (Glücksbringer)

¹Talk, der; -[e]s (ein Mineral)

²Talk [tɔːk], der; -s, -s (*ugs. für* Unterhaltung, Plauderei, [öffentliches] Gespräch)

tal|ken ['tɔːkn̩] (*ugs. für* sich in einer Talkshow unterhalten)

Talk|mas|ter ['tɔːk...] (Moderator einer Talkshow); Talk|mas|te|rin; Talk|show ['tɔːkʃoː], die; -, -s (Fernsehsendung, in der ein Moderator od. eine Moderatorin u. geladene Gäste miteinander sprechen)

Tal|soh|le; Tal|sper|re

tal|wärts; talwärts fahren

Tam|bu|rin [*auch* ...'riːn], das; -s, -e (kleine Hand-, Schellentrommel; Stickrahmen)

Tam|pon [*auch* ...'pôː, *österr. nur* ...'poːn], der; -s, -s (*Med.* [Watte-, Mull]bausch)

Tand, der; -[e]s (wertloses Zeug)

Tän|de|lei; tän|deln; ich tänd[e]le

Tan|dem, das; -s, -s (zweisitziges Fahrrad)

Tang, der; -[e]s, -e (Bezeichnung mehrerer größerer Arten der Braunalgen)

Tan|ga, der; -s, -s (sehr knapper Bikini od. Slip)

Tan|gens ['taŋɡɛns], der; -, - (*Math.* eine Winkelfunktion im Dreieck; *Zeichen* tan)

Tan|gen|te, die; -, -n (Gerade, die eine gekrümmte Linie in einem Punkt berührt)

tan|gie|ren (berühren)

Tan|go, der; -s, -s (ein Tanz)

Tank, der; -s, *Plur.* -s, *seltener* -e; tan|ken; Tan|ker

Tan|ki|ni, der; -s, -s (Bikini mit einem ärmellosen T-Shirt als Oberteil)

Tank|stel|le; Tank|wart; Tank|war|tin

Tan|ne, die; -, -n; Tan|nen|baum; Tan|nen|zap|fen

Tan|te, die; -, -n

Tan|ti|e|me [*auch* tã...], die; -, -n (*Kaufmannsspr.* Gewinnbeteiligung an einem Unternehmen)

Tanz, der; -es, Tänze; Tanz|bar, die

tän|zeln; ich tänz[e]le

tan|zen; du tanzt; die Puppen tanzen lassen

Tän|zer; Tän|ze|rin; tän|ze|risch

Tanz|flä|che; Tanz|grup|pe; Tanz|the|a|ter

Tao [*auch* tau], das; - (das absolute, vollkommene Sein in der chin. Philosophie)

Ta|pa die; -, -s *od.* der; -s, -s *meist Plur.* (in Bars o. Ä. angebotener Appetithappen)

Tape [teːp], das, *auch* der; -[s], -s (Band, Tonband); Tape|deck, das; -s, -s (Tonbandgerät ohne Verstärker u. Lautsprecher)

ta|pen ['teɪpn̩] (*ugs. für* einen Tapeverband anlegen)

Ta|pet, das; *nur noch in* etwas aufs Tapet (*ugs. für* zur Sprache) bringen

Ta|pe|te, die; -, -n

ta|pe|zie|ren; Ta|pe|zier|tisch

tap|fer; Tap|fer|keit

Ta|pir [*österr.* ...'piːɐ̯], der; -s, -e (südamerik. u. asiat. Tier mit dichtem Fell u. kurzem Rüssel)

tap|pen

täp|pisch (ungeschickt, unbeholfen)

tap|sen (*ugs.*); du tapst

Ta|ran|tel, die; -, -n (südeurop. Wolfsspinne)

Ta|rif, der; -[e]s, -e (Lohn-, Preisstaffel; Gebührenordnung)

Ta|rif|ab|schluss; Ta|rif|au|to|no|mie; Ta|rif|er|hö|hung; Ta|rif|kom|mis|si|on; Ta|rif|kon|flikt; ta|rif|lich; Ta|rif|lohn; Ta|rif|par|tei *meist Plur.*; Ta|rif|part|ner; Ta|rif|po|li|tik; Ta|rif|streit; Ta|rif|ver|hand|lung; Ta|rif|ver|trag; Tarifvertrag für den öffentlichen Dienst (*Abk.* TVöD)

tar|nen; sich tarnen; Tar|nung

Ta|rock, das, *österr. nur so, od.* der; -s, -s (ein Kartenspiel)

Tar|tu|fo, das; -s, -s (mit Schokolade überzogene Halbkugel aus Speiseeis)

Tar|zan, der; -[s], -e

Ta|sche, die; -, -n; Ta|schen|buch; Ta|schen|dieb; Ta|schen|die|bin; Ta|schen|geld; Ta|schen|lam|pe; Ta|schen|rech|ner; Ta|schen|tuch *Plur.* ...tücher

Tas|se, die; -, -n

Tas|ta|tur, die; -, -en

Tas|te, die; -, -n; tas|ten (*Druckw. auch* für den Taster bedienen); Tast|sinn, der; -[e]s

tat *vgl.* tun; Tat, die; -, -en; in der Tat

Tat|be|stand; Tat|ein|heit, die; -; in Tateinheit mit ... (*Rechtsspr.*)

Ta|ten|drang, der; -[e]s; ta|ten|los

Tä|ter; Tä|te|rin; Tä|ter|schaft

Tat|her|gang

tä|tig; tä|ti|gen (*Kaufmannsspr.*); ein Geschäft, einen Kauf tätigen (*dafür besser:* abschließen); Tä|tig|keit; Tä|tig|keits|feld

Tat|kraft, die; -; tat|kräf|tig

tät|lich; tätlich werden; tätlicher Angriff; Tät|lich|keit *meist Plur.*

Tat|ort, der; -[e]s, ...orte

tä|to|wie|ren (Zeichnungen mit Farbstoffen in die Haut einritzen); Tä|to|wie|rung (Hautzeichnung)

Tat|sa|che; tat|säch|lich [*auch* ...'zɛ...]

tät|scheln; ich tätsch[e]le

Tat|ter|greis (*ugs.*); Tat|ter|grei|sin

tat|te|rig, tatt|rig (*ugs.*)

Tat|too [tɛ'tu:], der *od.* das; -s, -s (*engl. Bez. für* Tätowierung)

tatt|rig *vgl.* tatterig

Tat|ver|dacht; tat|ver|däch|tig

Tat|waf|fe

Tat|ze, die; -, -n (Pfote, Fuß der Raubtiere)

Tat|zeit

¹Tau, der; -[e]s (Niederschlag)

²Tau, das; -[e]s, -e (starkes [Schiffs]seil)

³Tau, das; -[s], -s (griech. Buchstabe: T, τ)

taub; sich taub stellen; taube (leere) Nuss

¹Tau|be, die; -, -n

²Tau|be, der *u.* die; -n, -n

Tau|ben|schlag

Tau|be|rich, Täu|be|rich, der; -s, -e

Taub|heit, die; -

Taub|nes|sel (eine Pflanze)

taub|stumm (*veraltend; bes. von Gehörlosen oft als diskriminierend empfunden*)

tau|chen; Tau|cher; Tau|che|rin

Tauch|sie|der

¹tau|en; es taut

²tau|en (*nordd. für* mit einem Tau vorwärtsziehen; schleppen)

Tau|fe, die; -, -n; tau|fen; Täu|fer

Tauf|kir|che; Tauf|kleid

Tauf|pa|te; Tauf|pa|tin

tau|frisch

tau|gen; das taugt nichts; das taugt mir (*österr. für* gefällt mir)

Tau|ge|nichts, der; *Gen.* - *u.* -es, *Plur.* -e

taug|lich; Taug|lich|keit

Tau|mel, der; -s; tau|meln; ich taum[e]le

Tausch, der; -[e]s, *Plur.* -e *u.* Täusche; Tausch|bör|se; tau|schen; du tauschst

täu|schen; du täuschst; täuschend ähnlich

Täu|schung

tau|send; [acht] von tausend; bis tausend zählen; tausend Dank; ein paar tausend oder Tausend [Menschen]; einige, mehrere, viele tausende oder Tausende [von Reisenden]; die Besucher kamen zu tausenden oder Tausenden; tausend und abertausend oder Tausend und Abertausend Sterne; tausende und abertausende oder Tausende und Abertausende bunter Laternen; [ein]tausend[und]ein Euro

¹Tau|send, der (*veraltet für* Teufel); *nur noch in* ei der Tausend!, potztausend!

²Tau|send, die; -, -en (Zahl); *vgl.* ¹Acht

³Tau|send, das; -s, -e (Maßeinheit; *Abk.* Tsd.); das ist ein Tausend Zigarren (eine Kiste mit einem Tausend Zigarren); [fünf] vom Tausend (*Abk.* v. T., p. m.; *Zeichen* ‰); in Tausend oder tausend (in Listen, Tabellen u. Ä.); *vgl.* tausend

tau|send|ein, tau|send|und|ein (*vgl. d.*); tau|send|eins, tau|send|und|eins

Tau|sen|der *vgl.* Achter; tau|sen|der|lei

tau|send|fach; Tau|send|fü|ßer, Tau|send-
  füß|ler; tau|send|jäh|rig; eine tausend-
  jährige Tradition; *aber* das Tausendjährige
  Reich *(biblisch)*
tau|send|mal *vgl.* achtmal, hundertmal
tau|sends|te *vgl.* achte, hundertste; **Tau-**
  sends|tel, das, *schweiz. meist* der; -s, -;
  vgl. Achtel
tau|send|und|ein; *vgl.* hundert[und]ein; ein
  Märchen aus Tausendundeiner Nacht; **tau-**
  send|und|eins *vgl.* tausendeins
Tau|trop|fen; Tau|wet|ter
Tau|zie|hen, das; -s *(übertr. auch für* Hin u.
  Her*)*
Ta|ver|ne, die; -, -n (italienisches Wirtshaus)
¹Ta|xe, die; -, -n ([Wert]schätzung; [amtlich]
  festgesetzter Preis; Gebühr)
²Ta|xe, die; -, -n *(svw.* Taxi*)*
Ta|xi, das, *schweiz. auch* der; -s, -s
ta|xie|ren (schätzen, den Wert ermitteln)
Ta|xi|fah|rer; Ta|xi|fah|re|rin
Tb, Tbc *od.* Tbk = Tuberkulose
Teak [ti:k], das; -s
Team [ti:m], das; -s, -s (Arbeitsgruppe; *Sport*
  Mannschaft, *österr. auch für* National-
  mannschaft); **Team|ar|beit; Team|chef;**
  Team|che|fin; team|fä|hig; Team|fä|hig-
  keit; Team|geist, der; *-[e]s;* **Team|ma|na-**
  ger; Team|ma|na|ge|rin; Team|work
  [...vø:ɐ̯k], das; -s, -s (Gemeinschaftsarbeit)
TecDAX® (Aktienindex, der die 30 größten
  an der Frankfurter Wertpapierbörse notier-
  ten Technologieunternehmen umfasst)
Tech|nik, die; -, -en; Tech|ni|ker; Tech|ni-
  ke|rin; tech|nisch; technischer Zeichner;
  aber Technisches Hilfswerk; Technischer
  Überwachungs-Verein *(Abk.:* TÜV*)*
Tech|no ['tɛk...], das *od.* der; -[s] (elektroni-
  sche, von bes. schnellem Rhythmus
  bestimmte Tanzmusik)
Tech|no|krat, der; -en, -en; Tech|no|kra|tin
Tech|no|lo|gie, die; -, ...ien (Gesamtheit der
  techn. Prozesse in einem Fertigungsbe-
  reich; techn. Verfahren)
Tech|no|lo|gie|park (Gelände, auf dem Fir-
  men moderne Technologien entwickeln)

Tech|no|lo|gie|trans|fer (Weitergabe tech-
  nologischer Forschungsergebnisse); **Tech-**
  no|lo|gie|zen|t|rum; tech|no|lo|gisch
Tech|tel|mech|tel [*auch* 'tɛ...], das; -s, -
  (ugs. für Liebelei, Flirt)
Te|ckel, der; -s, - *(fachspr. für* Dackel)
TED [tɛt], der; -s (Computer, der telefoni-
  sche Stimmabgaben annimmt u. hoch-
  rechnet)
Ted|dy [...di], der; -s, -s (Stoffbär als Kinder-
  spielzeug); Ted|dy|bär; der; -en, -en
¹Tee, der; -s, -s; schwarzer, grüner, russischer
  Tee
²Tee [ti:], das; -s, -s *(Golf* kleiner Stift, der in
  den Boden gedrückt u. auf den der Golfball
  vor dem Abschlag aufgesetzt wird)
Tee-Ei, Tee|ei; Tee|kan|ne; Tee|löf|fel
Teen [ti:n] der; -s, -s *meist Plur. (ugs. für*
  Junge od. Mädchen im Alter zwischen 13
  u. 19 Jahren); Teen|ager ['ti:n|e:dʒe] *vgl.*
  Teen; **Tee|nie,** Tee|ny ['ti:ni], der; -s, -s
  ([jüngerer, bes. w.] Teen)
Teer, der; -[e]s, -e; tee|ren; teeren und
  federn (früher als Strafe); tee|rig
Te|gel, der; -s (kalkreicher Ton)
Teich, der; -[e]s, -e (Gewässer)
teig *(landsch. für* überreif, weich)
Teig, der; -[e]s, -e; den Teig gehen lassen;
  tei|gig; Teig|wa|ren *Plur.*
Teil, der *od.* das; -[e]s, -e; zum Teil; ein großer Teil des Gebietes; sie prüfte jedes Teil
  (Stück); ein gut Teil; sein[en] Teil dazu bei-
  tragen; ich für mein[en] Teil; *aber* teils;
  einesteils; größtenteils; *vgl. auch* teilha-
  ben; teilnehmen; zuteilwerden
teil|bar; eine durch drei teilbare Zahl
Teil|be|reich
Teil|chen
tei|len; geteilt; zehn geteilt durch fünf ist,
  macht, gibt (*nicht:* sind, machen, geben)
  zwei; Tei|ler; größter gemeinsamer Teiler
  (Abk. g. g. T., ggT)
Teil|er|folg
Teil|ha|be, die; -; teil|ha|ben; du hast teil
  aber du hast keinen Teil; teilgehabt; teilzu-
  haben; Teil|ha|ber; Teil|ha|be|rin

teil|haf|tig [*auch* ...'ha...]; einer Sache teil-
haftig sein, werden
Teil|men|ge *(Math.)*
Teil|nah|me, die; -; Teil|nah|me|ge|bühr;
teil|nahms|los
teil|neh|men; du nimmst teil; teilgenom-
men; teilzunehmen; teil|neh|mend
Teil|neh|mer; Teil|neh|me|rin
teils; es lief teils gut, teils schlecht
Teil|stück
Teil|lung
teil|wei|se
Teil|zah|lung
Teil|zeit, die; -; Teilzeit arbeiten; ich arbeite
Teilzeit; weil sie Teilzeit arbeitet; du hast
Teilzeit gearbeitet; Teilzeit zu arbeiten;
Teilzeit arbeitende *od.* teilzeitarbeitende
Frauen; in Teilzeit arbeiten
Teil|zeit|ar|beit; Teil|zeit|stel|le
Teint [tɛ̃:], der; -s, -s (Gesichtsfarbe;
Beschaffenheit der Gesichtshaut)
Te|le das; -[s], -[s] *Plur. selten* (*Jargon* Tele-
objektiv)
Te|le|fax, das; -, -e (Fernkopie; Fernkopie-
rer); te|le|fa|xen (fernkopieren); du tele-
faxt, hast getelefaxt
Te|le|fon [*auch* 'teːləfɔːn], das; -s, -e
Te|le|fon|an|la|ge; Te|le|fon|an|ruf; Te|le-
fon|an|schluss; Te|le|fo|nat, das; -[e]s, -e
(Telefongespräch, Anruf); Te|le|fon|buch;
Te|le|fon|ge|sell|schaft; Te|le|fon|ge-
spräch; Te|le|fon|hö|rer
Te|le|fo|nie, die; - (Sprechfunk; Fernmelde-
wesen); te|le|fo|nie|ren; te|le|fo|nisch
Te|le|fo|nist, der; -en, -en (Angestellter im
Fernsprechverkehr); Te|le|fo|nis|tin
Te|le|fon|kar|te; Te|le|fon|kon|fe|renz; Te-
le|fon|lei|tung; Te|le|fon|netz; Te|le|fon-
num|mer; Te|le|fon|rech|nung; Te|le|fon-
über|wa|chung; Te|le|fon|zel|le
te|le|gen (für Fernsehaufnahmen geeignet)
Te|le|graf, Te|le|graph, der; -en, -en (Appa-
rat zur Übermittlung von Nachrichten
durch vereinbarte Zeichen); Te|le|gra|fie,
Te|le|gra|phie, die; - (elektrische Fernüber-
tragung von Nachrichten mit vereinbarten

Zeichen); te|le|gra|fie|ren, te|le|gra|phie-
ren; te|le|gra|fisch, te|le|gra|phisch
Te|le|gramm, das; -s, -e
Te|le|graph usw. *vgl.* Telegraf usw.
Te|le|kol|leg (unterrichtende Sendereihe im
Fernsehen); Te|le|kom|mu|ni|ka|ti|on
(Kommunikation mithilfe elektronischer
Medien); Te|le|lear|ning [...ləːnɪŋ], das; -s
(Unterricht mithilfe der Telekommunika-
tion); Te|le|ma|tik, die; - (auf die Verbin-
dung von Datenverarbeitung u. Telekom-
munikation gerichteter Forschungsbereich);
Te|le|no|ve|la, die; -, -s (Fernsehfilm in
vielen, fast täglichen Fortsetzungen); Te-
le|ob|jek|tiv (Linsenkombination für Fern-
aufnahmen)
Te|le|pa|thie, die; - (Fernfühlen ohne körper-
liche Vermittlung); te|le|pa|thisch
Te|le|shop|ping [...ʃɒpɪŋ], das; -s (Bestellung
von Waren, die in elektronischen Medien
angeboten werden)
Te|le|s|kop, das; -s, -e (Fernrohr)
Te|le|text, der; -[e]s (System zur elektron.
Übermittlung von Texten auf dem Bild-
schirm eines Fernsehgeräts)
Te|le|tub|bies® [...tabiːs] *Plur.* (Figuren
einer Fernsehserie für kleine Kinder)
Te|le|vi|si|on, die; - (Fernsehen; *Abk.* TV)
Te|lex, das, *schweiz.* der; -, -e (Fernschrei-
ben, Fernschreiber)
Tel|ler, der; -s, -; Tel|ler|rand
Tem|pel, der; -s, -; Tem|pel|rit|ter
Tem|pe|ra|ment, das; -[e]s, -e (Wesens-,
Gemütsart; *nur Sing.:* lebhafte Wesensart,
Feuer); tem|pe|ra|ment|voll
Tem|pe|ra|tur, die; -, -en (Wärme[grad,
-zustand]; [leichtes] Fieber)
tem|pe|rie|ren (die Temperatur regeln)
Tem|p|late [...leːt] (*EDV* [Dokument]vor-
lage)
Tem|po, das; -s, *Plur.* -s u. ...pi; Tem|po|li-
mit (Geschwindigkeitsbegrenzung)
Tem|po|ral|satz (*Sprachwiss.* Umstandssatz
der Zeit)
tem|po|rär (zeitweilig, vorübergehend)
tem|po|reich; eine temporeiche Komödie

Tem|po-30-Zo|ne

Tem|pus, das; -, ...pora (*Sprachwiss.* Zeitform [des Verbs])

Ten|denz, die; -, -en (Hang, Neigung; Entwicklungsrichtung); **ten|den|zi|ell** (der Tendenz nach, entwicklungsmäßig)

ten|den|zi|ös (etwas bezweckend, beabsichtigend; parteilich gefärbt)

Ten|der, der; -s, - (Vorratswagen der Dampflokomotive; *Seew.* Begleitschiff)

ten|die|ren ([zu etwas] hinneigen)

Ten|ne, die; -, -n

Ten|nis, das; - (ein Ballspiel); Tennis spielen; **Ten|nis|ball** vgl. ¹Ball; **Ten|nis|klub,** Tennis|club; **Ten|nis|platz; Ten|nis|pro|fi; Ten|nis|schlä|ger; Ten|nis|spie|ler; Ten|nis|spie|le|rin; Ten|nis|tur|nier**

¹**Te|nor,** der; -s (Haltung; Sinn, Wortlaut)

²**Te|nor,** der; -s, ...nöre (hohe Männerstimme; Tenorsänger)

Tep|pich, der; -s, -e; **Tep|pich|bo|den**

Term, der; -s, -e (*Math.* Glied einer Formel)

Ter|min, der; -[e]s, -e (festgesetzter Tag, Zeitpunkt)

ter|mi|nal (*veraltet für* die Grenze, das Ende betreffend; *Math.* am Ende stehend)

Ter|mi|nal ['tø:əminl], der, *auch,* EDV nur, das; -s, -s (Abfertigungshalle für Fluggäste; Zielbahnhof für Containerzüge; *EDV* Datenendstation, Abfragestation)

Ter|min|bör|se (*Börsenw.*); **ter|min|ge|recht; Ter|min|ge|schäft** (*Kaufmannsspr.* Lieferungsgeschäft)

ter|mi|nie|ren (befristen; zeitlich festlegen)

Ter|min|ka|len|der; ter|min|lich; Ter|min|markt (*Börsenw.*)

Ter|mi|no|lo|gie, die; -, ...ien (Gesamtheit, Systematik eines Fachwortschatzes)

Ter|min|plan

Ter|mi|nus, der; -, ...ni (Fachausdruck)

Ter|mi|te, die; -, -n (ein Insekt)

Ter|pen|tin, das, *österr. meist* der; -s, -e (ein Harz)

Ter|rain [...'rɛ̃:], das; -s, -s ([Bau]gelände, Grundstück)

Ter|ra|ri|um, das; -s, ...ien (Behälter für die Haltung kleiner Lurche u. Ä.)

Ter|ras|se, die; -, -n; **Ter|ras|sen|tür**

ter|res|t|risch (die Erde betreffend; Erd...; *Fernsehen* nicht über Kabel od. Satellit)

Ter|ri|er, der; -s, - (kleiner bis mittelgroßer engl. Jagdhund)

Ter|ri|ne, die; -, -n ([Suppen]schüssel)

ter|ri|to|ri|al (zu einem Gebiet gehörend, ein Gebiet betreffend); **Ter|ri|to|ri|um,** das; -s, ...ien [...jən] (Grund; Bezirk; [Staats-, Hoheits]gebiet)

Ter|ror, der; -s (Gewaltherrschaft, Gewalttaktionen); **Ter|ror|akt; Ter|ror|an|griff; Ter|ror|an|schlag; Ter|ror|be|kämp|fung; Ter|ror|grup|pe; ter|ro|ri|sie|ren** (Terror ausüben; unter Druck setzen)

Ter|ro|ris|mus, der; - (Ausübung von [polit. motivierten] Gewaltaten); **Ter|ro|rist,** der; -en, -en; **Ter|ro|ris|tin; ter|ro|ris|tisch**

Ter|ror|netz|werk; Ter|ror|or|ga|ni|sa|ti|on; ter|ror|ver|däch|tig; Ter|ror|zel|le

Terz, die; -, -en (ein Fechthieb; *Musik* Intervall im Abstand von 3 Stufen); Terz machen (*ugs. für* sich lautstark beschweren)

Ter|zett, das; -[e]s, -e (dreistimmiges Gesangstück; *auch für* Gruppe von drei Personen; dreizeilige Strophe des Sonetts)

Te|sa|film® (ein Klebeband)

Tes|sin, das; -s (schweiz. Kanton)

Test, der; -[e]s, *Plur.* -s, *auch* -e (Probe; Prüfung)

Tes|ta|ment, das; -[e]s, -e (letztwillige Verfügung; Bund Gottes mit den Menschen); Altes Testament (*Abk.* A. T.), Neues Testament (*Abk.* N. T.); **tes|ta|men|ta|risch** (durch letztwillige Verfügung)

tes|ten; Tes|ter (jmd., der testet)

Tes|ter|geb|nis; Tes|te|rin; Test|fahrt; Test|fall, der; **Test|feld; Test|kan|di|dat; Test|kan|di|da|tin; Test|lauf**

Tes|to|s|te|ron, das; -s (*Med.* m. Keimdrüsenhormon)

Test|per|son; Test|pha|se; Test|sie|ger; Test|sie|ge|rin; Test|ver|fah|ren

T

Te|ta|nus [*auch* 'tɛ...], der; - (*Med.* Wundstarrkrampf); Te|ta|nus|imp|fung

Tête-à-Tête, Tete-a-Tete [tɛta'tɛːt], das; -[s], -s (zärtliches Beisammensein)

teu|er; teu|rer, teu|ers|te; ein teures Kleid; das kommt mir *od.* mich teuer zu stehen

Teu|e|rung; Teu|e|rungs|ra|te

Teu|fel, der; -s, -; zum Teufel jagen *(ugs.)*; auf Teufel komm raus *(ugs. für* ohne Vorsicht, bedenkenlos); Teu|fe|lin; Teu|fels|kreis; teuf|lisch; ein teuflischer Plan

Text, der; -[e]s, -e (Wortlaut; [Buch]stelle)

tex|ten (einen [Schlager-, Werbe]text gestalten); Tex|ter; Tex|te|rin

tex|til (die Textiltechnik, die Textilindustrie betreffend; Gewebe...)

Tex|ti|li|en *Plur.* (Gewebe, Faserstofferzeugnisse [außer Papier]); Tex|til|in|dus|t|rie

Tex|tur, die; -, -en (*Chemie, Technik* Gewebe, Verbindung; Struktur)

Text|ver|ar|bei|tung (*EDV*)

Te|zett [...'tsɛt], das; -, - (Buchstabenverbindung »tz«)

TGV [teʒe've:], der; -[s], -[s] = train à grande vitesse (franz. Hochgeschwindigkeitszug)

Thai, Tai, der; -[s], -[s] (Bewohner Thailands)

The|a|ter, das; -s, - (*ugs. auch für* Aufregung; Vortäuschung); The|a|ter|abend; The|a|ter|auf|füh|rung; The|a|ter|grup|pe; The|a|ter|ma|cher *(ugs.);* The|a|ter|ma|che|rin; The|a|ter|pro|gramm; The|a|ter|saal; The|a|ter|stück; the|at|ra|lisch (bühnenmäßig; gespreizt, pathetisch)

The|ke, die; -, -n (Schanktisch; Ladentisch)

The|ma, das; -s, *Plur.* ...men, *auch* -ta (Gegenstand; Gesprächsstoff; Leitgedanke)

The|ma|tik, die; -, -en (Themenstellung; Ausführung eines Themas); the|ma|tisch

the|ma|ti|sie|ren (zum Thema machen)

The|men|be|reich, der; The|men|kom|plex

Theo|lo|ge, der; -n, -n (jmd., der Theologie studiert hat, auf dem Gebiet der Theologie beruflich tätig ist); Theo|lo|gie, die; -, ...ien (systematische Auslegung u. Erforschung einer Religion); Theo|lo|gin; theo|lo|gisch

The|o|re|ti|ker (Ggs. Praktiker); The|o|re|ti|ke|rin; the|o|re|tisch; die theoretische Physik; The|o|rie, die; -, ...ien

The|ra|peut, der; -en, -en (behandelnder Arzt, Heilkundiger); The|ra|peu|tin; the|ra|peu|tisch

The|ra|pie, die; -, ...ien (Heilbehandlung); the|ra|pie|ren (einer Therapie unterziehen)

Ther|mal|bad; Ther|me, die; -, -n (warme Quelle; Thermalbad)

Ther|mik, die; -, -en (*Meteorol.* aufwärtsgerichtete Warmluftbewegung); ther|misch (die Wärme betreffend; Wärme...)

Ther|mo|me|ter, das; -s, - (ein Temperaturmessgerät)

Ther|mos|fla|sche® (Warmhaltegefäß)

Ther|mo|s|tat, der; *Gen.* -[e]s *u.* -en, *Plur.* -e[n] *u.* das; *Gen.* -[e]s, *Plur.* -e (automat. Temperaturregler)

The|se, die; -, -n (aufgestellter [Leit]satz, Behauptung)

Thing, das; -[e]s, -e (germ. Volks-, Gerichts- u. Heeresversammlung); *vgl.* Ding

Thon, der; -s, *Plur.* -s *u.* -e (*schweiz. für* Thunfisch)

Thread [θrɛt], der; -[s], -s (Folge von Beiträgen in einem Internetforum)

Thril|ler, der; -s, - (Film, Roman o. Ä., der Spannung u. Nervenkitzel erzeugt)

Throm|bo|se, die; -, -n (*Med.* Verstopfung von Blutgefäßen durch Blutgerinnsel)

Thron, der; -[e]s, -e; thro|nen

Thron|fol|ger; Thron|fol|ge|rin

Thun|fisch, Tun|fisch

Thy|mi|an, der; -s, -e (eine Gewürz- u. Heilpflanze)

[1]Ti|bet, der; -[e]s, -e (ein Wollgewebe)

[2]Ti|bet [...'be:t] (Hochland in Zentralasien)

Tick, der; -s, -s (wunderliche Eigenart); ti|cken; du tickst wohl nicht ganz richtig *(ugs.)*

Ti|cket, das; -s, -s (Fahrkarte, Flugkarte, Eintrittskarte; *ugs. auch für* Strafmandat)

<u>tief</u>

– *zutiefst*
– *tiefblau, tiefrot, tiefschwarz*
– *tiefernst, tieftraurig, tiefgründig*
Groß- und Kleinschreibung:
– *etwas Tiefes, alles Hohe und Tiefe*
– *etwas auf das, aufs Tiefste* od. *auf das, aufs tiefste beklagen*
Schreibung in Verbindung mit Verben und adjektivisch gebrauchten Partizipien:
– *tief sein, tief atmen, tief graben, tief liegen*
– *wenn die Schwalben tief fliegen, tieffliegen*
– *mit tief bewegter* od. *tiefbewegter Stimme*

– *tief gehende, tiefer gehende* od. *tiefgehende, tiefgehendere Untersuchungen*
– *tief greifende, tiefer greifende* od. *tiefgreifende, tiefgreifendere Veränderungen*
– *tief liegende* od. *tiefliegende Augen; aber nur tiefer liegende Augen*
Vgl. auch
– *tieferlegen, tiefgekühlt*

Ti|de, die; -, -n (*nordd. für* regelmäßig wechselnde Bewegung der See; Flut)
Tie|break, **Tie-Break** ['tai...], der *od.* das; -s, -s (*Tennis* Satzverkürzung [beim Stand von 6:6])
tief *s. Kasten*
Tief, das; -s, -s (Fahrrinne; *Meteorol.* Gebiet tiefen Luftdrucks); **Tief|bau**
tief be|wegt, **tief|be|wegt** *vgl.* tief
tief|blau
Tie|fe, die; -, -n
Tief|ebe|ne
Tie|fen|mes|sung
tie|fer|le|gen; ein tiefergelegtes Auto
tief er|schüt|tert, **tief|er|schüt|tert**
Tief|gang, der (*Schiffbau*); **Tief|ga|ra|ge**; **tief|ge|kühlt**; das Obst ist tiefgekühlt; **tief grei|fend**, **tief|grei|fend** *vgl.* tief; **tief|grün|dig**; **Tief|punkt**; **tief|rot**; **Tief-schlaf**; **Tief|schlag** (Hieb unterhalb der Gürtellinie); **tief|schwarz**; **Tief|see**, die; -; **tief|sin|nig**; **Tief|stand**
Tiefst|stand
Tie|gel, der; -s, -
Tier, das; -[e]s, -e; **Tier|art**; **Tier|arzt**; **Tier-ärz|tin**; **tier|ärzt|lich**; **Tier|freund**; **Tier-fut|ter** *vgl.* ¹Futter; **Tier|gar|ten**; **Tier|hal-tung**; **Tier|heim**
tie|risch (*ugs. auch für* sehr)
Tier|kli|nik; **Tier|mehl**; **Tier|park**; **Tier|quä-**

le|rei; **Tier|reich**; **Tier|schutz**, der; -es; **Tier|schüt|zer**; **Tier|schüt|ze|rin**; **Tier-schutz|ver|ein**; **Tier|ver|such**; **Tier|welt**
Ti|ger, der; -s, -; **ti|gern** (streifig machen; *ugs. für* irgendwohin gehen); ich tigere
til|gen; **Til|gung**
Tim|b|re ['tɛ̃:brə], das; -s, -s (Klangfarbe der Gesangsstimme)
ti|men ['tai...] (*Sport* zeitlich abstimmen); ein gut getimter Ball
Time-out ['taim|aut], das; -[s], -s (*Basket-ball, Volleyball* Auszeit)
Ti|mer ['taime], der; -s, - (Zeitschaltuhr; Terminkalender)
Times [taims], die; - (engl. Zeitung)
Time|sha|ring ['taimʃɛ:ɐ...], das; -[s] (gekauftes Wohnrecht an einer Ferienwohnung während einer bestimmten Zeit)
Ti|ming ['tai...], das; -s, -s (zeitl. Abstimmen von Abläufen)
tin|geln (*ugs. für* [mal hier, mal dort] im Tingeltangel auftreten); ich ting[e]le
Tink|tur, die; -, -en ([Arznei]auszug)
Tin|nef, der; -s (*ugs. für* Schund)
Tin|te, die; -, -n
Tin|ten|fass; **Tin|ten|fisch**; **Tin|ten|klecks**; **Tin|ten|ku|li**
Tipp, der; -s, -s (nützlicher Hinweis)
Tip|pel|bru|der (*ugs. für* Landstreicher)

tip|peln (*ugs. für* zu Fuß gehen, wandern); ich tipp[e]le

¹tip|pen (leicht berühren; *ugs. für* auf einer Tastatur schreiben); er hat ihm, *auch* ihn auf die Schulter getippt

²tip|pen (wetten)

Tip|pen, das; -s (ein Kartenspiel)

Tipp|feh|ler (*ugs. für* Fehler beim ¹Tippen)

Tipp|schein

tipp|topp (*ugs. für* hochfein; tadellos)

Ti|ra|de, die; -, -n (Wortschwall)

Ti|ra|mi|su, das; -[s], -s (Süßspeise aus Mascarpone u. in Kaffee getränkten Biskuits)

Tisch, der; -[e]s, -e; bei Tisch (beim Essen) sein; zu Tisch gehen; Gespräch am runden Tisch; Tisch|de|cke

ti|schen (*schweiz. für* den Tisch decken); du tischst

Tisch|ler; Tisch|le|rei; Tisch|le|rin; tisch|lern; ich tischlere

Tisch|fuß|ball|spiel

Tisch|plat|te; Tisch|ten|nis

¹Ti|tan, Ti|ta|ne, der; ...nen, ...nen (einer der riesenhaften Götter der griech. Sage)

²Ti|tan, das; -s (chem. Element, Metall; *Zeichen* Ti)

Ti|ta|ne *vgl.* ¹Titan

Ti|ta|nic [...ık], die; - (engl. Passagierschiff, das 1912 unterging)

Ti|tel [*auch* 'tı...], der; -s, - (*Abk.* Tit.)

Ti|tel|bild; Ti|tel|blatt; Ti|tel|ge|schich|te; Ti|tel|ge|winn (*bes. Sport*); Ti|tel|kampf (*Sport*); ti|teln (mit Titel versehen); ich tit[e]le; Ti|tel|rol|le; Ti|tel|sei|te; Ti|tel|song; Ti|tel|trä|ger; Ti|tel|trä|ge|rin; Ti|tel|ver|tei|di|ger; Ti|tel|ver|tei|di|ge|rin

ti|tu|lie|ren (Titel geben, benennen)

Ti|vo|li, das; -[s], -s (Vergnügungsort; Gartentheater; italienisches Kugelspiel)

Toast [to:st], der; -[e]s, *Plur.* -e *u.* -s (geröstete Weißbrotschnitte; Trinkspruch)

toas|ten; Toas|ter (elektr. Gerät zum Rösten von [Weiß]brot)

to|ben; Tob|sucht, die; -; tob|süch|tig

Toc|ca|ta, Tok|ka|ta, die; -, ...ten (ein Musikstück)

Toch|ter, die; -, Töchter; Töch|ter|chen

Toch|ter|fir|ma; Toch|ter|ge|sell|schaft (*Wirtsch.*); Toch|ter|un|ter|neh|men (*Wirtsch.*)

Tod, der; -[e]s, -e; zu Tode erschrecken

tod|blass *vgl.* totenblass; tod|brin|gend; eine todbringende Seuche; *aber* eine den Tod bringende Seuche; tod|elend (*ugs. für* sehr elend); tod|ernst (*ugs. für* sehr ernst)

To|des|angst; To|des|an|zei|ge; To|des|fall, der; To|des|fol|ge *Plur. selten* (*Rechtsspr.*); to|des|mu|tig; To|des|op|fer; To|des|stra|fe; To|des|tag; To|des|ur|teil

Tod|feind; Tod|fein|din; tod|krank; tod|lang|wei|lig (*ugs.*)

töd|lich

tod|mü|de (*ugs.*); tod|si|cher (*ugs.*); tod|still *vgl.* totenstill; Tod|sün|de; tod|trau|rig; tod|un|glück|lich

Tof|fee [...fi, ...fe], das; -s, -s (eine Weichkaramelle)

To|hu|wa|bo|hu, das; -[s], -s (Wirrwarr)

To|i|let|te [toa...], die; -, -n (Frisiertisch; [feine] Kleidung; Klosett)

toi, toi, toi! ['tɔy 'tɔy 'tɔy] (*ugs. für* unberufen!)

Tok|ka|ta *vgl.* Toccata

tol|le|rant (duldsam; nachsichtig; weitherzig)

To|le|ranz, die; -, *Plur.* (*Technik:*) -en (Duldsamkeit; *Technik* zulässige Abweichung vom vorgegebenen Maß); to|le|rie|ren (dulden, gewähren lassen)

toll; die tollen Tage (Fastnacht)

Tol|le, die; -, -n (*ugs. für* Büschel; Haarschopf)

tol|len

Toll|heit; Toll|kir|sche; toll|kühn; Toll|kühn|heit

Toll|patsch, der; -[e]s, -e (*ugs. für* ungeschickter Mensch); toll|pat|schig (*ugs.*)

Toll|wut; toll|wü|tig

Töl|pel, der; -s, -; töl|pel|haft

To|ma|te, die; -, -n

Tom|bo|la, die; -, *Plur.* -s, *selten* ...bolen (Verlosung)

Tom|my [...mi], der; -[s], -s (m. Vorn.; Spitzname des engl. Soldaten)

¹Ton, der; -[e]s, Plur. (Sorten:) -e (Bodenart)

²Ton, der; -[e]s, Töne (Laut usw.); Ton in Ton gemustert; ton|an|ge|bend

Ton|art (Musik); Ton|band, das; Plur. ...bänder; Ton|band|ge|rät

¹tö|nen (färben)

²tö|nen (klingen)

tö|nern (aus ¹Ton); tönernes Geschirr

Ton|fall, der; Ton|film; Ton|ge|schlecht (Dur oder Moll); Ton|hö|he

To|ni, der; -s, -s (DDR ugs. für Funkstreifenwagen der Volkspolizei)

To|ni|ka, die; -, ...ken (Musik Grundton eines Tonstücks; der darauf aufgebaute Dreiklang)

To|ni|kum, das; -s, ...ka (Pharm. stärkendes Mittel)

Ton|la|ge; Ton|lei|ter, die

Ton|na|ge [...ʒə, österr. ...ʃ], die; -, -n (Rauminhalt eines Schiffes)

Ton|ne, die; -, -n (auch Maßeinheit für Masse = 1 000 kg; Abk. t)

ton|nen|schwer (sehr schwer); aber fünf Tonnen schwer; ton|nen|wei|se

Ton|spur (Film); Ton|stu|dio

Ton|sur, die; -, -en (früher für kahl geschorene Stelle auf dem Kopf kath. Geistlicher)

Ton|trä|ger

Tö|nung (Art der Farbgebung)

Tool [tu:l], das; -s, -s (EDV Programm, das zusätzliche Aufgaben innerhalb eines anderen Programms übernimmt)

top (von höchster Güte; hochmodern); er ist immer top gekleidet

Top, das; -s, -s ([ärmelloses] Oberteil)

TOP, der; -[s], -[s] mit Zahlen meist ohne Artikel u. ungebeugt = Tagesordnungspunkt

To|pas [österr. meist 'to:...], der; -es, -e (ein Schmuckstein)

Topf, der; -[e]s, Töpfe; Topf|blu|me

Töp|fer; Töp|fe|rei; Töp|fe|rin

töp|fern (Töpferwaren machen); ich töpfere

top|fit (in bester [körperlicher] Verfassung)

Top|ma|na|ger; Top|ma|na|ge|rin; Top|model vgl. Model

To|po|gra|fie, To|po|gra|phie, die; -, ...ien (Orts-, Lagebeschreibung, -darstellung); to|po|gra|fisch, to|po|gra|phisch

To|pos, der; -, ...poi (Sprachwiss. feste Wendung, immer wieder gebrauchte Formulierung, z. B. »wenn ich nicht irre«)

top|pen (übertreffen); ich toppe, du toppst, er/sie toppt, getoppt

Top|spiel (Sport); Top|star (Spitzenstar; vgl. ²Star); Top Ten Plur. od. die; - -, - -s (Hitparade [mit zehn Titeln, Werken u. a.])

¹Tor, das; -[e]s, -e (große Tür; Sport Angriffsziel)

²Tor, der; -en, -en (törichter Mensch)

Tor|chan|ce (Sport)

To|re|ro, der; -[s], -s (Stierkämpfer)

Torf, der; -[e]s, Plur. (Arten:) -e; Torf stechen; Torf|moor

Tor|fol|ge (Sport Reihenfolge der erzielten Tore); Tor|frau (Sport)

Tor|heit

Tor|hü|ter (bes. Sport); Tor|hü|te|rin

tö|richt

Tor|jä|ger (Sport); Tor|jä|ge|rin

tor|keln (ugs. für taumeln); ich tork[e]le

tor|los; torloses Unentschieden

Tor|mann Plur. ...männer, auch ...leute (svw. Torwart, -hüter)

Törn, der; -s, -s (Fahrt mit einem Segelboot)

Tor|na|do, der; -s, -s (Wirbelsturm in Nordamerika)

Tor|nis|ter, der; -s, - ([Fell-, Segeltuch]ranzen, bes. des Soldaten)

tor|pe|die|ren (mit Torpedo[s] beschießen, versenken; übertr. für stören, verhindern)

Tor|pe|do, der; -s, -s (Unterwassergeschoss)

Tor|schluss|pa|nik

Tor|schuss (Sport); Tor|schüt|ze (Sport); Tor|schüt|zin

Tor|so, der; -s, Plur. -s u. ...si (unvollständig erhaltene Statue; Bruchstück)

Tört|chen; Tor|te, die; -, -n

Tor|ten|bo|den; Tor|ten|he|ber

Tor|tur, die; -, -en (Folter, Qual)

Tor|wart *(Sport);* der Verein hat zwei Torwarte; **Tor|war|tin**

To|ry [...ri], der; -s, -s u. ...ies (Vertreter der konservativen Politik in Großbritannien)

to|sen; der Bach tos|te

Tos|ka|na, die; - (ital. Landschaft)

tot; tot sein; tot scheinen; sich tot stellen; das Opfer hat sich tot gestellt; ein tot geborenes *od.* totgeborenes Kind

to|tal (gänzlich, völlig; Gesamt...); **To|tal,** das; -s, -e *(schweiz.* für Gesamt, Summe)

to|ta|li|tär (diktatorisch, sich alles unterwerfend [vom Staat]; *selten für* ganzheitlich); **To|ta|li|ta|ris|mus,** der; -

To|ta|li|tät, die; -, -en (Gesamtheit)

To|tal|scha|den

tot|ar|bei|ten, sich *(ugs.);* ich arbeite mich tot; totgearbeitet; totzuarbeiten

To|te, der *u.* die; -n, -n

To|tem, das; -s, -s *(Völkerkunde* bei Naturvölkern Ahnentier u. Stammeszeichen der Sippe); **To|tem|pfahl**

tö|ten

To|ten|bah|re; to|ten|blass; To|ten|grä|ber; To|ten|grä|be|rin; To|ten|kopf; to|ten|still; To|ten|stil|le; To|ten|tanz

tot|fah|ren; er hat ihn totgefahren

tot ge|bo|ren, tot|ge|bo|ren; *vgl.* tot

tot|la|chen, sich *(ugs. für* heftig lachen); ich habe mich [fast, halb] totgelacht; das ist zum Totlachen

To|to, das, *auch* der; -s, -s (Kurzw. für Totalisator; Sport-, Fußballtoto); **To|to|schein**

Tot|schlag, der; -[e]s; **tot|schla|gen;** er wurde totgeschlagen; er hat seine Zeit totgeschlagen *(ugs. für* nutzlos verbracht)

tot|schwei|gen; sie hat den Vorfall totgeschwiegen

Tö|tung; fahrlässige Tötung; **Tö|tungs|de|likt**

Touch [tatʃ], der; -s, -s (Anstrich; Anflug, Hauch); **Touch|screen** [ˈtatʃskriːn], der; -s, -s (Computerbildschirm, der auf Antippen mit dem Finger o. Ä. reagiert)

tough [taf], **taff** *(ugs. für* robust, durchsetzungsfähig); eine toughe *od.* taffe Frau, ein tougher *od.* taffer Typ

Tou|pet [tuˈpeː], das; -s, -s (Haarersatz)

tou|pie|ren (dem Haar durch Auflockern ein volleres Aussehen geben)

Tour [tuːɐ̯], die; -, -en; in einer Tour *(ugs. für* ohne Unterbrechung); auf Touren kommen (eine hohe Geschwindigkeit erreichen; *übertr.* für in Schwung kommen)

tou|ren [ˈtuː...]; wir sind durch Asien getourt; **Tou|ren|zäh|ler** (Drehzahlmesser)

Tou|ris|mus, der; - (Fremdenverkehr); **Tou|ris|mus|bran|che; Tou|rist,** der; -en, -en (Urlaubsreisender); **Tou|ris|ten|at|trak|ti|on; Tou|ris|tik,** die; - (Gesamtheit der touristischen Einrichtungen u. Veranstaltungen); **Tou|ris|tin; tou|ris|tisch**

Tour|nee, die; -, Plur. -s u. ...neen (Gastspielreise von Künstlern)

To|w|er [ˈtaʊ...], der; -s, - (ehemalige Königsburg in London; Flughafenkontrollturm)

Town|ship [ˈtaʊnʃip], die; -, -s (von Farbigen bewohnte städtische Siedlung [in Südafrika])

to|xisch (giftig; durch Gift verursacht)

Trab, der; -[e]s; Trab laufen, rennen, reiten; jmdn. in Trab halten *(ugs.)*

¹**Tra|bant,** der; -en, -en (Astron. Mond; *Technik* künstl. Erdmond, Satellit)

²**Tra|bant®,** der; -s, -s (Kraftfahrzeug aus der DDR); **Tra|bi,** der; -s, -s *(kurz für* ²Trabant)

tra|ben; Trab|renn|bahn; Trab|ren|nen

Tracht, die; -, -en; eine Tracht Prügel *(ugs.)*

trach|ten; nach etwas trachten

träch|tig

Track [trɛk], der; -s, -s *(Schifffahrt* Schiffsroute; *EDV* abgegrenzter Bereich auf einem Datenträger; Musikstück, Nummer [bes. auf einer CD]); **Track|list,** die; -, -s, **Track|lis|te** [trɛk...] *(EDV)*

Trade|mark [ˈtreːt...], die; -, -s *(engl. Bez. für* Warenzeichen; *Abk.* TM); **tra|den** [ˈtreː...] *(Wirtsch., Börsenw.* handeln)

tra|die|ren (überliefern)

Tra|ding [ˈtreː...], das; -s *(Wirtsch., Börsenw.* Handel)

Tra|di|ti|on, die; -, -en (Überlieferung; Herkommen; Brauch); **Tra|di|ti|o|na|list**, der; -en, -en; **Tra|di|ti|o|na|lis|tin**

tra|di|ti|o|nell (überliefert, herkömmlich)

tra|di|ti|ons|ge|mäß; tra|di|ti|ons|reich

Tra|di|ti|ons|ver|ein

Tra|fo, der; -[s], -s (*kurz für* Transformator)

träg, trä|ge

Trag|bah|re; trag|bar; Tra|ge, die; -, -n

trä|ge, träg

tra|gen; du trägst, er trägt; du trugst; du trügest; getragen; trag[e]!; zum Tragen kommen; tragend; eine tragende (grundlegende) Rolle spielen

Trä|ger; Trä|ge|rin; Trä|ger|schaft

Tra|ge|ta|sche; trag|fä|hig; Trag|flä|che; Trag|flü|gel|boot

Träg|heit, die; -, -en

Tra|gik, die; - (Kunst des Trauerspiels; schweres, schicksalhaftes Leid); **tra|gi|ko|misch** (halb tragisch, halb komisch); **Tra|gi|ko|mö|die** (Schauspiel, in dem Tragisches u. Komisches miteinander verbunden sind); **tra|gisch; Tra|gö|die**, die; -, -n (Trauerspiel; [großes] Unglück)

Trag|wei|te

Trail [treːl], der; -s, -s (*engl. Bez. für* Wanderpfad)

Trai|ler ['treː...], der; -s, - (Anhänger [zum Transport von Booten, Containern u. a.]; als Werbung für einen Film gezeigte Ausschnitte)

Train [trɛ̃ː, *auch, österr. nur* trɛːn], der; -s, -s (*früher für* Tross, Heeresfuhrwesen)

Trai|nee [trɛˈniː, tre...], der; -s, -s (jmd., der für eine bestimmte Aufgabe vorbereitet wird)

Trai|ner ['treː..., *auch* 'treː...], der; -s, - (jemand, der Sportler systematisch auf Wettkämpfe vorbereitet); **Trai|ner|bank** *Plur.* ...bänke; **Trai|ne|rin; Trai|ner|wechsel**

trai|nie|ren; Trai|ning, das; -s, -s; **Trainings|an|zug; Trai|nings|ein|heit; Trainings|la|ger** *Plur.* ...lager; **Trai|nings|plan; Trai|nings|pro|gramm**

Trakt, der; -[e]s, -e (Gebäudeteil; *bes. Med.* Längsausdehnung, z. B. Darmtrakt)

Trak|tat, das *od.* der; -[e]s, -e ([wissenschaftl.] Abhandlung; religiöse Schrift)

trak|tie|ren (schlecht behandeln, quälen)

Trak|tor, der; -s, ...oren (Zugmaschine, Schlepper)

träl|lern; ich trällere

Tram, die; -, -s, *schweiz.* das; -s, -s (Straßenbahn); **Tram|bahn** (*südd. für* Straßenbahn)

tram|peln; ich tramp[e]le

Tram|pel|tier (zweihöckeriges Kamel; *ugs. für* plumper Mensch)

tram|pen ['trɛ...] (per Anhalter reisen); **Tram|per; Tram|pe|rin**

Tram|po|lin [*auch* ...'liːn], das; -s, -e (ein Sprunggerät)

Tran, der; -[e]s, *Plur. (Sorten:)* -e (flüssiges Fett von Seesäugetieren, Fischen)

Tran|ce ['trãːs(ə)], die; -, -n (schlafähnlicher Zustand [in Hypnose])

Tran|che ['trãːʃ(ə)], die; -, -n (fingerdicke Fleisch- od. Fischschnitte; *Wirtsch.* Teilbetrag einer Wertpapieremission)

tran|chie|ren [trãˈʃi...] ([Fleisch, Geflügel, Braten] zerlegen)

Trä|ne, die; -, -n; **trä|nen**

Trä|nen|gas, das; -es

tra|nig (voller Tran; wie Tran; *ugs. für* langweilig, langsam)

trank *vgl.* trinken

Trank, der; -[e]s, Tränke

Trän|ke, die; -, -n (Tränkplatz für Tiere); **trän|ken**

Trans|ak|ti|on, die; -, -en (größeres finanzielles Unternehmen)

trans|at|lan|tisch (überseeisch)

Trans|fer, der; -s, -s (*Wirtsch. Psychol., Päd.* Übertragung erlernter Vorgänge auf eine andere Aufgabe; *Sport* Wechsel eines Berufsspielers zu einem anderen Verein)

trans|fe|rie|ren (Geld in eine fremde Währung umwechseln)

Trans|fer|leis|tung (*svw.* Transfer)

Trans|for|ma|ti|on, die; -, -en (Umwandlung)

T

Trans|for|ma|tor, der; -s, ...oren (elektr. Umspanner; *Kurzw.* Trafo); **trans|for|mie|ren** (umformen, umwandeln; umspannen)

Trans|fu|si|on, die; -, -en

trans|gen (*Biol.* ein zusätzliches, eingeschleustes Gen von einer anderen Art in sich tragend)

Tran|sis|tor, der; -s, ...oren (*Elektronik* ein Halbleiterbauelement)

Tran|sit [*auch* ...'zɪt, 'tran...], der; -s, -e (*Wirtsch.* Durchfuhr von Waren; Durchreise von Personen)

tran|si|tiv (*Sprachwiss.* ein Akkusativobjekt fordernd; zielend); transitives Verb

Tran|sit|ver|kehr, der; -[e]s

Tran|skrip|ti|on, die; -, -en

Trans|la|ti|on, die; -, -en (*Fachspr.* Übertragung, Übersetzung)

trans|na|ti|o|nal (*Wirtsch.* übernational)

trans|pa|rent (durchscheinend; durchsichtig; durchschaubar); **Trans|pa|rent**, das; -[e]s, -e (Spruchband; durchscheinendes Bild); **Trans|pa|rent|pa|pier** (Pauspapier)

Trans|pa|renz, die; -, -en (Durchsichtigkeit; Durchschaubarkeit)

Tran|s|pi|ra|ti|on, die; - (Schweißbildung; Hautausdünstung); **trans|s|pi|rie|ren**

Trans|plan|ta|ti|on, die; -, -en (*Med.* Überpflanzung von Organen, Gewebeteilen od. lebenden Zellen; *Bot.* Pfropfung); **trans|plan|tie|ren** (*Med.*)

Trans|port, der; -[e]s, -e (Beförderung); **trans|por|ta|bel** (beförderbar); ...a|b|ler Ofen; **Trans|por|ter**, der; -s, - (Transportauto, -flugzeug, -schiff)

trans|port|fä|hig; **Trans|port|flug|zeug**

trans|por|tie|ren (befördern)

Trans|port|kos|ten *Plur.*; **Trans|port|mit|tel**, das; **Trans|port|un|ter|neh|men**

Trans|ra|pid®, der; -[s] (eine Magnetschwebebahn)

trans|se|xu|ell

Trans|ves|tit, der; -en, -en; **Trans|ves|ti|tin**

Tra|pez, das; -es, -e (Viereck mit zwei parallelen, aber ungleich langen Seiten; quer an zwei Seilen hängende Stange für akrobatische Übungen); **tra|pez|för|mig**

Trapp, der; -[e]s, -e (*Geol.* großflächiger, in mehreren Lagen treppenartig übereinanderliegender Basalt)

Trap|per, der; -s, - (nordamerik. Pelzjäger); **Trap|pe|rin**

Trash [trɛʃ], der; -[s] (Schund, Ramsch)

Tras|se, die; -, -n (Verlauf eines Verkehrsweges; Bahnkörper; Straßendamm)

Tratsch, der; -[e]s (*ugs. für* Geschwätz, Klatsch); **trat|schen**; du tratschst

Trau|be, die; -, -n; **Trau|ben|zu|cker**, der; -s

trau|en; der Pfarrer traut das Paar; jmdm. trauen (vertrauen); sich trauen; ich traue mich nicht (*selten* mir nicht), das zu tun

Trau|er, die; -; **Trau|er|fei|er**; **Trau|er|marsch**, der; **trau|ern**; ich trau[e]re; **Trau|er|spiel**; **Trau|er|wei|de**

Trau|fe, die; -, -n

träu|feln; ich träuf[e]le

Traum, der; -[e]s, Träume

Trau|ma, das; -s, *Plur.* ...men *u.* -ta (starke seelische Erschütterung; *Med.* Wunde); **trau|ma|tisch**; **trau|ma|ti|sie|ren** ([seelisch] verletzen); **Trau|ma|ti|sie|rung**

Traum|be|ruf; **Traum|deu|tung**

träu|men; ich träumte von meinem Bruder; mir träumte von ihm; es träumte mir (*geh.*); das hätte ich mir nicht träumen lassen (*ugs. für* hätte ich nie geglaubt)

Träu|mer; **Träu|me|rei**; **Träu|me|rin**; **träu|me|risch**

Traum|frau; **traum|haft**; **Traum|job**; **Traum|mann** *Plur.* ...männer; **Traum|paar**; **Traum|welt**

trau|rig; **Trau|rig|keit**

Trau|ring; **Trau|schein**

traut; trautes Heim; trauter Freund

Trau|ung

Tra|vel|ler|scheck ['trɛ...] (Reisescheck)

Tra|ves|tie, die; -, ...ien ([scherzhafte] Umgestaltung [eines Gedichtes])

Treat|ment ['tri:tmɛnt], das; -s, -s (*Film, Fernsehen* Vorstufe des Drehbuchs)

Treck, der; -s, -s (Zug von Menschen, Flüchtenden [mit Fuhrwerken])

Tre|cker (Traktor)

Tre|cking vgl. Trekking

¹Treff, das; -s, -s (Kreuz, Eichel [im Kartenspiel])

²Treff, der; -s, -s (ugs. für Zusammenkunft); **tref|fen;** du triffst; du trafst; du träfest; getroffen; triff!; **Tref|fen,** das; -s, -

tref|fend (vollkommen passend)

Tref|fer; Tref|fer|quo|te

treff|lich; ein trefflicher Wein

Treff|punkt; treff|si|cher; Treff|si|cher|heit

Treib|eis

trei|ben; du triebst; du triebest; getrieben; treib[e]!; zu Paaren treiben; sich vom Wind treiben lassen; aber man darf sich im Leben nicht einfach treiben lassen od. treibenlassen; **Trei|ben,** das; -s, -s, Plur. (für Treibjagden:) -; **Trei|ber; Treib|be|rin**

Treib|haus; Treib|haus|ef|fekt, der; -[e]s (Einfluss der Erdatmosphäre auf den Wärmehaushalt der Erde); **Treib|haus|gas** (Gas, das zum Treibhauseffekt beiträgt, z. B. Kohlendioxid)

Treib|stoff; Treib|stoff|preis

Trek|king, Tre|cking, das; -s, -s (mehrtägige Wanderung od. Fahrt [durch ein unwegsames Gebiet]

Trench|coat ['trɛntʃ...], der; -[s], -s (ein Wettermantel)

Trend, der; -s, -s (Grundrichtung einer Entwicklung); **tren|dig** (svw. trendy)

Trend|scout [...skaut] (jmd., der Trends nachspürt); **Trend|set|ter,** der; -s, - (jmd., der den Trend bestimmt; etwas, was einen Trend auslöst); **Trend|set|te|rin; Trend-wen|de; tren|dy** (ugs. für modisch)

trenn|bar; tren|nen; sich trennen

Trenn|kost (Trenndiät); **Trenn|li|nie**

Tren|nung; Tren|nungs|strich

Tren|se, die; -, -n (leichter Pferdezaum)

trepp|ab; trepp|auf; treppauf laufen

Trepp|chen; Trep|pe, die; -, -n; Treppen steigen; **Trep|pen|haus; Trep|pen|stu|fe**

Tre|sen, der; -s, - (nordd. u. md. für Laden-, Schanktisch)

Tre|sor, der; -s, -e (Panzerschrank; Stahlkammer)

Tres|se, die; -, -n (Borte)

tre|ten; du trittst; du tratst (tratest) du trätest; getreten; tritt!; er tritt ihn (auch ihm) auf den Fuß; **Tret|rol|ler**

treu; treu|er, am treus|ten; treu sein, bleiben; ein treu sorgender oder treusorgender Vater

Treue, die; -; in guten Treuen (schweiz. für im guten Glauben); auf Treu und Glauben; meiner Treu!

treu er|ge|ben, treu|er|ge|ben vgl. treu

Treu|hand, die; - (Rechtsspr. Treuhandgesellschaft); **Treu|hän|der** (jmd., dem etwas »zu treuen Händen« übertragen wird); **Treu|hän|de|rin; treu|hän|de|risch**

treu|her|zig; treu|los

treu sor|gend, treu|sor|gend vgl. treu

Tri|al ['traiəl], das; -s, -s (Geschicklichkeitsprüfung von Motorradfahrern)

Tri|an|gel (österr. ...'a...], der; -s, - od. die; -, -n, österr. das; -s, - (Musik ein Schlaggerät)

Tri|ath|let (jmd., der Triathlon betreibt); **Tri|ath|le|tin; Tri|ath|lon,** der u. das; -s, -s (Mehrkampf aus Schwimmen, Radfahren u. Laufen an einem Tag)

Tri|bun, der; Gen. -s u. -en, Plur. -e[n] ([altröm.] Volksführer)

Tri|bu|nal, das; -s, -e ([hoher] Gerichtshof)

Tri|bü|ne, die; -, -n

Tri|but, der; -[e]s, -e (Abgabe, Steuer); einer Sache Tribut zollen

Tri|chi|ne, die; -, -n (schmarotzender Fadenwurm); **tri|chi|nös** (mit Trichinen behaftet)

Trich|ter, der; -s, -

Trick, der; -s, -s (Kunstgriff; Kniff; List)

Trick|film; trick|reich

trick|sen (ugs. für mit Tricks arbeiten, bewerkstelligen); **Trick|se|rei** (ugs.)

trieb vgl. treiben; **Trieb,** der; -[e]s, -e; **Trieb|fe|der; trieb|haft; Trieb|tä|ter; Trieb|tä|te|rin; Trieb|wa|gen; Trieb-werk**

trie|fen; du triefst; du trieftest, geh. troffst;

T

du trieftest, *geh.* tröffest; getrieft, *selten noch* getroffen; trief[e]!

trie|zen (*ugs. für* quälen, plagen); du triezt

Trift, die; -, -en (Weide; Holzflößung; *auch svw.* Drift)

trif|tig ([zu]treffend); triftiger Grund

Tri|go|no|me|t|rie, die; - (Dreiecksmessung, -berechnung); **tri|go|no|me|t|risch**; trigonometrischer Punkt (*Zeichen* TP)

Tri|ko|lo|re, die; -, -n (dreifarbige [franz.] Fahne)

¹**Tri|kot** [...'ko:, *auch* 'tri...], der, *selten* das; -s, -s (eine Gewebeart)

²**Tri|kot**, das; -s, -s (Kleidungsstück)

Tril|ler; tril|lern; ich trillere; **Tril|ler|pfei|fe**

Tril|li|ar|de, die; -, -n (tausend Trillionen)

Tril|li|on, die; -, -en (eine Million Billionen)

Tri|lo|gie, die; -, ...ien (Folge von drei [zusammengehörenden] Dichtwerken, Kompositionen u. a.)

Trimm-dich-Pfad

trim|men (*bes. Seemannsspr.* in einen gewünschten Zustand bringen); ein auf alt getrimmter Schrank

Tri|ni|tät, die; - (*christl. Rel.* Dreieinigkeit, Dreifaltigkeit)

trink|bar

trin|ken; du trankst; du tränkest; getrunken; trink[e]!; **Trin|ker; Trin|ke|rin**

Trink|geld

Trink|was|ser Plur. meist ...wässer

Trio, das; -s, -s (Musikstück für drei Instrumente, *auch für* die drei Ausführenden; Gruppe von drei Personen)

Tri|o|le, die; -, -n (*Musik* Figur von 3 Tönen im Taktwert von 2 od. 4 Tönen)

Trip, der; -s, -s (Ausflug, Reise; Rauschzustand durch Drogeneinwirkung)

trip|peln; ich tripp[e]le; **Trip|pel|schritt**

Trip|per, der; -s, - (eine Geschlechtskrankheit)

trist (traurig, öde)

Tris|tesse [...'tes], die; -, -n (Traurigkeit)

tritt *vgl.* treten; **Tritt**, der; -[e]s, -e; Tritt halten; **Tritt|brett; Tritt|brett|fah|rer** (*ugs.*

für jmd., der von einer Sache zu profitieren versucht, ohne selbst etwas dafür zu tun)

tritt|fest; trittfeste Leitern

Tri|umph, der; -[e]s, -e (großer Sieg, Erfolg; *nur Sing.:* Siegesfreude, -jubel); **tri|um|phal; tri|um|phie|ren** (siegen; jubeln)

Tri|um|vi|rat, das; -[e]s, -e (Dreimännerherrschaft [im alten Rom])

tri|vi|al (platt, abgedroschen); **Tri|vi|a|li|tät**, die; -, -en; **Tri|vi|al|li|te|ra|tur** Plur. selten

tro|cken s. Kasten Seite 429

Tro|cken|heit

tro|cken|le|gen (entwässern; mit frischen Windeln versehen); **tro|cken rei|ben**, tro|cken|rei|ben (durch Reiben trocknen); *vgl.* trocken; **tro|cken schleu|dern**, tro|cken|schleu|dern (durch Schleudern trocknen); *vgl.* trocken; **tro|cken|sit|zen** (ohne Getränk sitzen); *vgl.* trocken

Tro|cken|zeit

trock|nen

Trod|del, die; -, -n (kleine Quaste)

Trö|del, der; -s (*ugs. für* alte, wertlose Gegenstände; Kram); **trö|deln** (*ugs. für* beim Arbeiten u. Ä. langsam sein; schlendern); ich tröd[e]le; **Tröd|ler; Tröd|le|rin**

Trog, der; -[e]s, Tröge

Tro|ja|ner (Bewohner von Troja; *EDV auch für* trojanisches Pferd [Computervirus]); **tro|ja|nisch,** tro|ia|nisch; das Trojanische *od.* Troianische Pferd (bei Homer); ein trojanisches *od.* troianisches Pferd (*EDV* ein besonderes Computervirus)

Troll, der; -[e]s, -e (Kobold)

trol|len, sich (*ugs.*)

Trom|mel, die; -, -n; **Trom|mel|fell; trom|meln;** ich tromm[e]le; **Trom|mel|re|vol|ver; Tromm|ler; Tromm|le|rin**

Trom|pe|te, die; -, -n; **trom|pe|ten;** er hat trompetet; **Trom|pe|ter; Trom|pe|te|rin**

Tro|pe, die; -, -n (Vertauschung des eigentlichen Ausdrucks mit einem bildlichen, z. B. »Bacchus« für »Wein«)

Tro|pen Plur. (heiße Zone zwischen den Wendekreisen); **Tro|pen|fie|ber**, das; -s

tro|cken

Kleinschreibung:

– *trockene Wäsche*
– *ein trockener Wein*
– *dieser Wein ist am trockensten*

Großschreibung:

– *auf dem Trockenen (auf trockenem Boden) stehen*
– *auf dem Trockenen sein/sitzen (ugs. für festsitzen, nicht weiterkommen; [aus finanziellen Gründen] in Verlegenheit sein; nichts mehr zu trinken haben)*
– *sein Schäfchen ins Trockene bringen, im Trockenen haben (ugs. für sich wirtschaftlich sichern, gesichert haben)*

Schreibung in Verbindung mit Verben:

– *die Haare trocken schneiden*
– *die Wäsche wird bald ganz trocken sein*
– *wir wollen trocken (im Trockenen) sitzen; aber sie ließen uns bei dieser Einladung trockensitzen (ohne Getränke sitzen)*

– *der Anzug darf nur trocken (in trockenem Zustand) gereinigt werden*
– *sich trocken rasieren*
– *die Wäsche trocken schleudern od. trockenschleudern (durch Schleudern trocknen)*
– *das Hemd trocken bügeln od. trockenbügeln (durch Bügeln trocknen) aber nur trocken (in trockenem Zustand) bügeln*
– *den Fußboden trocken wischen od. trockenwischen (durch Wischen trocknen); aber nur den Fußboden trocken (mit einem trockenen Tuch) wischen*
– *der Sumpf wird trockengelegt (ausgetrocknet, entwässert)*

---

¹Tropf, der; -[e]s, Tröpfe *(ugs. für einfältiger Mensch)*

²Tropf, der; -[e]s, -e *(Med. Vorrichtung für die Tropfinfusion)*

tröp|feln; ich tröpf[e]le

trop|fen; Trop|fen, der; -s, -; **trop|fen|wei|se; tropf|nass**

Tropf|stein; Tropf|stein|höh|le

Tro|phäe, die; -, -n *(Jagdbeute)*

tro|pisch *(zu den Tropen gehörend; heiß; Rhet. bildlich)*

Tro|po|sphä|re, die; - *(Meteorol. unterste Schicht der Erdatmosphäre)*

Tross, der; -es, -e *(Militär früher für die Truppe mit Verpflegung u. Munition versorgender Wagenpark)*

Tros|se, die; -, -n *(starkes Tau; Drahtseil)*

Trost, der; -[e]s; ein Trost bringender *od.* trostbringender Brief

trös|ten; sich trösten; **Trös|ter; Trös|te|rin**

tröst|lich

trost|los; eine trostlose Gegend

Trost|preis

Trott der; -[e]s, -e *Plur. selten (lässige Gangart; ugs. für langweiliger, routinemäßiger Gang; eingewurzelte Gewohnheit)*

Trot|tel, der; -s, - *(ugs. für einfältiger Mensch, Dummkopf);* **trot|te|lig**

trot|ten *(ugs. für schwerfällig gehen)*

Trot|toir […'to̯a:ɐ̯], das; -s, *Plur.* -e u. -s *(schweiz. für Bürgersteig)*

trotz; trotz all[e]dem, trotz allem; trotz des Regens; *bes. südd., österr. und schweiz. auch* trotz dem Regen

Trotz, der; -es; aus Trotz; dir zum Trotz; Trotz bieten

trotz|dem; trotzdem ist es falsch; *auch als Konjunktion:* trotzdem (*älter* trotzdem dass) du nicht rechtzeitig eingegriffen hast

trot|zen; du trotzt; **trot|zig; Trotz|kopf**

Trou|b|le ['trabl̩], der; -s *(ugs. für Ärger, Unannehmlichkeiten)*

trüb, trü|be; im Trüben fischen (*ugs.* unklare Zustände zum eigenen Vorteil ausnutzen)

Tru|bel, der; -s

trü|ben

Trüb|sal, die; -, -e; **trüb|se|lig**

Trüb|sinn, der; -[e]s; **trüb|sin|nig**

Truck [trak], der; -s, -s (*amerik. u. internat. Bez. für* Lastkraftwagen); **Tru|cker,** der; -s, - (Lastwagenfahrer); **Tru|cke|rin**

tru|deln (*Fliegerspr.* drehend niedergehen); ich trud[e]lle

Trüf|fel, die; -, -n, *ugs. meist* der; -s, - (ein Pilz; eine kugelförmige Praline)

Trug, der; -[e]s; Lug und Trug; **Trug|bild**

trü|gen; du trogst; du trögest; getrogen; trüg[e]!; **trü|ge|risch; Trug|schluss**

Tru|he, die; -, -n

Trul|lo, der; -s, Trulli (für Apulien typisches rundes Haus mit konischem Dach)

Trüm|mer *Plur.* ([Bruch]stücke); etwas in Trümmer schlagen; **Trüm|mer|hau|fen**

Trumpf, der; -[e]s, Trümpfe (eine der [wahlweise] höchsten Karten beim Kartenspielen, mit denen Karten anderer Farben gestochen werden können); **trump|fen** (mit einer Trumpfkarte stechen)

Trunk der -[e]s, Trünke *Plur. selten (geh.)*; **trun|ken;** sie ist trunken vor Freude

Trun|ken|heit, die; -

Trupp, der; -s, -s; **Trup|pe,** die; -, -n

Trup|pen|ab|zug; Trup|pen|übungs|platz; Trup|pen|ver|pfle|gung

Trust [trast], der; -[e]s, *Plur.* -e *u.* -s (Konzern)

Trut|hahn; Trut|hen|ne

Tsa|t|si|ki *vgl.* Zaziki

tschau !, ciao! [tʃau] (*ugs.* [Abschieds]gruß)

tschüs!, tschüss! (*ugs. für* auf Wiedersehen!); wir wollen dir tschüs *od.* Tschüs, tschüss *od.* Tschüss sagen

Tse|t|se|flie|ge (Stechfliege, die bes. die Schlafkrankheit überträgt)

T-Shirt [ˈtiːʃøːɐ̯t] ([kurzärmliges] Oberteil aus Trikot)

Tsu|na|mi [*auch* ˈtsu:...], der; -s, -[s] *od.* die;

-, -[s] ([durch Seebeben ausgelöste] Flutwelle)

TU, die; - = technische Universität

[1]Tu|ba, die; -, *Plur.* ...ben *u.* -s (Blechblasinstrument)

[2]Tu|ba, die; -, ...ben (*Med.* Eileiter, Ohrtrompete); **Tu|be,** die; -, -n (röhrenförmiger Behälter; *Med. auch für* Tuba)

Tu|ber|ku|lo|se, die; -, -n (eine Infektionskrankheit; *Abk.* Tb, Tbc, Tbk)

Tuch, das; -[e]s, *Plur.* Tücher *u.* (*Arten:*) -e

Tuch|fa|b|rik

Tuch|füh|lung, die; -; *nur in Wendungen wie* [mit jmdm.] Tuchfühlung haben; [mit jmdm.] auf Tuchfühlung sein, sitzen

tüch|tig; Tüch|tig|keit

Tü|cke, die; -, -n

tu|ckern; sie sagt, der Motor tuckere

tü|ckisch; eine tückische Krankheit

Tuff, der; -[e]s, -e (ein Gestein); **Tuff|stein**

tüf|teln (*ugs. für* eine knifflige Aufgabe mit Ausdauer zu lösen suchen); ich tüft[e]le;

Tüft|ler; Tüft|le|rin; tüft|lig

Tu|gend, die; -, -en; **tu|gend|haft**

Tüll, der; -s, *Plur.* (*Arten:*) -e (netzartiges Gewebe)

Tul|pe, die; -, -n

tumb (*altertümelnd scherzh. für* einfältig)

tum|meln (bewegen); sich tummeln ([sich be]eilen; *auch für* herumtollen); ich tumm[e]le [mich]; **Tum|mel|platz**

Tümm|ler (Delfin; eine Taube)

Tu|mor, der; -s, *Plur.* ...oren, *nicht fachspr. auch* ...ore (*Med.* Geschwulst)

Tüm|pel, der; -s, -

Tu|mult, der; -[e]s, -e (Lärm; Aufruhr)

tun; ich tue *od.* tu, du tust, er/sie tut, wir tun, ihr tut, sie tun; du tatst (tatest), er/sie tat; du tätest; tuend; getan; tu[e]!, tut!; *vgl.* dick[e]tun, guttun, schöntun, wohltun

Tun, das; -s; das Tun und Treiben

Tün|che, die; -, -n; **tün|chen**

Tun|d|ra, die; -, ...ren (baumlose Kältesteppe jenseits der arktischen Waldgrenze)

tu|nen [ˈtjuː...] (die Leistung [eines Kfz-Motors] nachträglich steigern); ein getunter Motor, Wagen

Tun|fisch vgl. Thunfisch

Tu|nicht|gut, der; Gen. - u. -[e]s, Plur. -e

Tun|ke, die; -, -n; **tun|ken**

tun|lich (veraltend für ratsam, angebracht); **tun|lichst** (svw. möglichst)

Tun|nel, der; -s, Plur. - u. -s; **Tun|nel|bau; Tun|nel|blick**

Tüp|fel|chen; das Tüpfelchen auf dem i; das i-Tüpfelchen; **tup|fen; Tup|fen,** der; -s, - (Punkt; [kreisrunder] Fleck)

Tür, die; -, -en; von Tür zu Tür; du kriegst die Tür nicht zu! (ugs. für das ist nicht zu fassen!)

Tur|ban, der; -s, -e (Kopfbedeckung)

Tur|bi|ne, die; -, -n (Technik eine Kraftmaschine); **Tur|bi|nen|an|trieb**

Tur|bo, der; -s, -s (Kfz-Technik)

tur|bu|lent (stürmisch, ungestüm)

Tur|bu|lenz, die; -, -en (turbulentes Geschehen; Physik Auftreten von Wirbeln in einem Luft-, Gas- od. Flüssigkeitsstrom)

tür|ken (ugs., oft als diskriminierend empfunden, für vortäuschen, fälschen)

Tür|ken, der; -s (österr. landsch. für Mais)

tür|kis (türkisfarben); ein türkis[farbenes], türkises Kleid

¹Tür|kis, der; -es, -e (ein Schmuckstein)

²Tür|kis, das; - (türkisfarbener Ton); in Türkis; **tür|kis|far|ben, tür|kis|far|big**

Tür|klin|ke

Turm, der; -[e]s, Türme

¹tür|men (aufeinanderhäufen)

²tür|men (ugs. für weglaufen, ausreißen)

Turm|sprin|gen, das; -s (Sport)

Turn [tø:ɐ̯n], der; -s, -s (Kehre im Kunstfliegen); vgl. aber Törn

Tur|n|a|round ['tə:nəraʊnd], der; -[s], -s (bes. Wirtsch. Umschwung in der wirtschaftlichen Situation eines Unternehmens)

tur|nen; Tur|nen, das; -s; **Tur|ner; Tur|ne|rin; Turn|hal|le; Turn|ho|se**

Tur|nier, das; -s, -e (früher für ritterliches, jetzt sportliches Kampfspiel; Wettkampf); **Tur|nier|sieg**

Turn|schuh; fit wie ein Turnschuh (ugs. für sehr fit); **Turn|übung; Turn|un|ter|richt**

Tur|nus, der; - u. -ses, - u. -se (Reihenfolge; Wechsel; Umlauf; österr. auch für Arbeitsschicht); im Turnus

tur|nus|ge|mäß; tur|nus|mä|ßig

Turn|ver|ein (Abk. TV)

Tür|öff|ner; Tür|rah|men; Tür|schloss

Tür|ste|her; Tür|ste|he|rin

tur|teln (girren); ich turt[e]le; **Tur|tel|tau|be**

Tusch, der; -[e]s, Plur. -e u. -s (Musikbegleitung bei einem Hochruf)

Tu|sche, die; -, -n

Tu|sche|lei; tu|scheln (heimlich [zu]flüstern); ich tusch[e]le

tu|schen (mit Tusche zeichnen); du tuschst; **Tusch|zeich|nung**

Tü|te, die; -, -n

tu|ten; von Tuten und Blasen keine Ahnung haben (ugs.)

Tü|ten|sup|pe (ugs. für Instantsuppe)

Tu|tor, der; -s, ...oren (jmd., der Studienanfänger betreut; im röm. Recht für Vormund); **Tu|to|rin; Tu|to|ri|um,** das; -s, ...rien (Übung an einer Hochschule)

Tut|si, der; -[s], -[s] u. die; -, -[s] (Angehörige[r] eines afrik. Volkes)

Tu|tu [ty'ty:], das; -[s], -s (Balletträckchen)

TÜV® [tʏf], der; -[s] = Technischer Überwachungs-Verein; **TÜV-ge|prüft; TÜV-Pla|ket|te®**

TV [te:'faʊ, auch ti:'vi:], das; -[s], -s = Television

Tweed [tvi:t], der; -s, Plur. -s u. -e (ein Gewebe)

Twen, der; -[s], -s (junger Mann, junge Frau in den Zwanzigern)

¹Twist, der; -[e]s, -e (mehrfädiges Baumwoll[stopf]garn)

²Twist, der; -s, -s (ein Tanz)

twit|tern (Kurznachrichten über das Internet senden u. empfangen); ich twittere, habe getwittert

¹Typ, der; -s, -en (Urbild; Modell; Bauart; Psychol. best. psychol. Ausprägung)

T

²**Typ**, der; _Gen._ -s, _auch_ -en, _Plur._ -en (_ugs._ _für_ Person)

Ty|pe, die; -, -n (gegossener Druckbuchstabe, Letter; _ugs. für_ komische Figur; _bes. österr. svw._ ¹Typ _[Technik]_)

ty|pen ([industrielle Artikel] nur in bestimmten notwendigen Größen herstellen)

Ty|phus, der; - (eine Infektionskrankheit)

ty|pisch; ty|pi|scher|wei|se

Ty|po|gra|fie, **Ty|po|gra|phie**, die; -, ...ien (Buchdruckerkunst; typografische Gestaltung); **ty|po|gra|fisch**, **ty|po|gra|phisch**

Ty|pus, der; -, Typen (_svw._ ¹Typ _[Philos., Psychol.]_)

Ty|rann, der; -en, -en (Gewaltherrscher; _auch_ herrschsüchtiger Mensch); **Ty|ran|nei**, die; -, -en (Willkür[herrschaft]); **Ty|ran|nin; ty|ran|nisch** (gewaltsam, willkürlich); **ty|ran|ni|sie|ren** (gewaltsam, willkürlich behandeln; unterdrücken)

Ty|ran|no|sau|rus, der; -, ...rier (ein Dinosaurier); **Ty|ran|no|sau|rus Rex**, der; - -

Tz _vgl._ Tezett

U u

U (Buchstabe); das U; des U, die U, _aber_ das u in Mut; der Buchstabe U, u

U-Bahn; U-Bahn|hof; U-Bahn-Netz; U-Bahn-Sta|ti|on; U-Bahn-Wa|gen

übel; üb|ler, übels|ten; üble Nachrede; wir wurden übelst beschimpft; er hatte nichts Übles getan; übel sein, riechen; ein übel beratener _od._ übelberatener Kunde; sie wird es uns nicht übel nehmen _od._ übelnehmen; _aber_ jmdm. übelwollen

Übel, das; -s, -; das ist von, _geh._ vom Übel

übel ge|launt, **übel|ge|launt** _vgl._ übel

Übel|keit

übel neh|men, **übel|neh|men** _vgl._ übel

Übel|tä|ter; Übel|tä|te|rin

¹**üben;** ein Klavierstück üben

²**üben** (_landsch. für_ drüben)

über; _Präp. mit Dat._ zur Angabe einer Position: das Bild hängt über dem Sofa; _mit Akk. bei Richtungsangaben:_ er hängt das Bild über das Sofa; _Adverb:_ über kurz oder lang; über und über; die ganze Zeit über; die über Siebzigjährigen; Kinder über 8 Jahre

über|all [_auch_ ...'|al]; **über|all|hin**

über|al|tert; Über|al|te|rung _Plur. selten_ (_bes. Statistik_)

Über|an|ge|bot

über|ant|wor|ten (_geh. für_ übergeben, überlassen); die Gelder wurden ihr überantwortet

über|ar|bei|ten; sich überarbeiten; du hast dich überarbeitet; sie hat den Aufsatz überarbeitet; **über|ar|bei|ten** (_landsch._); sie hat einige Stunden übergearbeitet

Über|ar|bei|tung

über|aus

¹**Über|bau**, der; -[e]s, _Plur._ -e u. -ten (vorragender Oberbau, Schutzdach)

²**Über|bau**, der; -[e]s, -e (nach Marx die auf den wirtschaftl. u. sozialen Grundlagen basierenden Anschauungen einer Gesellschaft u. die entsprechenden Institutionen)

über|be|legt

über|be|wer|ten; er überbewertet diese Vorgänge; er hat sie überbewertet; überzubewerten

über|bie|ten; sich überbieten; der Rekord wurde überboten

über|blei|ben (_landsch. für_ übrig bleiben)

Über|bleib|sel, das; -s, -

Über|blick; über|bli|cken; sie hat den Vorgang überblickt

über|bor|dend

über|brin|gen; er hat die Nachricht überbracht; **über|brü|cken;** sie hat den Gegensatz klug überbrückt; **über|da|chen;** der Bahnsteig wurde überdacht; **über|dau|ern;** die Altertümer haben Jahrhunderte überdauert

über|de|cken; mit Eis überdeckt; **über|de-**

cken *(ugs.);* ich habe das Tischtuch übergedeckt

über|den|ken; sie hat es lange überdacht

über|deut|lich

über|dies *[auch* 'y:...]

über|di|men|si|o|nal (übermäßig groß)

Über|do|sis; eine Überdosis Schlaftabletten

Über|druss, der; -es; **über|drüs|sig;** *mit Gen.:* des Lebens, des Freundes überdrüssig sein; seiner überdrüssig sein, *selten auch mit Akk.:* ich bin ihn überdrüssig

über|durch|schnitt|lich

über|eif|rig

über|ei|len; sich übereilen; du hast dich übereilt; **über|eilt** (verfrüht); ein übereilter Schritt

über|ei|n|an|der; über|ei|n|an|der|le|gen; über|ei|n|an|der|schla|gen; über|ei|n|an|der|stel|len

über|ein|kom|men; ich komme überein; übereingekommen; um übereinzukommen; **Über|ein|kom|men,** das; -s, - (Abmachung, Einigung); **Über|ein|kunft,** die; -, ...künfte (Übereinkommen)

über|ein|stim|men; wir stimmen überein, haben übereingestimmt; übereinzustimmen; **Über|ein|stim|mung**

über|fah|ren; das Kind ist überfahren worden; er hätte mich bei den Verhandlungen fast überfahren *(ugs. für* überrumpelt)

über|fah|ren; ich bin übergefahren (über den Fluss); **Über|fahrt**

Über|fall, der; **über|fal|len;** man hat sie überfallen

über|fäl|lig (zur erwarteten Zeit noch nicht eingetroffen); ein überfälliger (verfallener) Wechsel

über|flie|gen *(ugs. für* nach der anderen Seite fliegen); die Hühner sind übergeflogen; **über|flie|gen;** er hat die Alpen überflogen; ich habe das Buch überflogen

Über|flie|ger (jmd., der begabter, tüchtiger u. schneller erfolgreich ist als der Durchschnitt); **Über|flie|ge|rin**

über|flie|ßen; das Wasser ist übergeflossen; sie floss über vor Dankbarkeit

über|flü|geln; er hat alle überflügelt

Über|fluss, der; -es; **Über|fluss|ge|sell|schaft; über|flüs|sig**

über|flu|ten; das Wasser ist übergeflutet

über|flu|ten; der Strom hat die Dämme überflutet; **Über|flu|tung**

über|for|dern; er hat mich überfordert; **Über|for|de|rung**

über|fra|gen (Fragen stellen, auf die man nicht antworten kann)

über|füh|ren (einer Schuld); der Mörder wurde überführt; **über|füh|ren** (an einen anderen Ort bringen); man überführte ihn in eine Spezialklinik *od.* führte ihn in eine Spezialklinik über; die Leiche wurde nach ... übergeführt *od.* überführt

Über|füh|rung; Überführung einer Straße; Überführung eines Verbrechers

über|fül|len; über|füllt; überfüllte Züge

Über|ga|be

Über|gang, der; **Über|gangs|frist; übergangs|los; Über|gangs|lö|sung; Übergangs|pha|se; Über|gangs|re|ge|lung; Über|gangs|re|gie|rung; Über|gangs|zeit**

über|ge|ben; er hat die Festung übergeben; ich habe mich übergeben (erbrochen); **über|ge|ben;** ich habe ihm eins übergegeben *(ugs. für* einen Schlag, Hieb versetzt)

über|ge|hen (unbeachtet lassen); sie überging ihn; sie hat den Einwand übergangen; **über|ge|hen;** wir gingen zum nächsten Thema über; das Grundstück ist in andere Hände übergegangen; die Augen gingen ihr über (sie war überwältigt; *geh. auch für* sie hat geweint)

über|ge|ord|net

Über|ge|wicht, das; -[e]s; **über|ge|wich|tig**

über|gie|ßen; sie hat die Milch übergegossen; **über|gie|ßen** (oberflächlich gießen; oben begießen); sie hat die Blumen nur übergossen; mit etw. übergossen sein

über|glück|lich

über|grei|fen; die Seuche hat übergegriffen; **über|grei|fend**

Über|griff

über|groß; Über|grö|ße

U

über|hand|neh|men; etwas nimmt überhand; es hat überhandgenommen; überhandzunehmen

Über|hang

über|häu|fen; sie war mit Arbeit überhäuft; der Tisch ist mit Papieren überhäuft

über|haupt

über|heb|lich (anmaßend); Über|heb|lichkeit

über|hitzt; Über|hit|zung

über|höht (zu hoch); überhöhte Preise; Über|hö|hung

über|ho|len; er hat ihn überholt; die Maschine ist überholt worden; **über**|**ho-len** *(Seemannsspr.);* die Segel wurden übergeholt; das Schiff hat übergeholt (sich auf die Seite gelegt)

Über|hol|ma|nö|ver; Über|hol|spur

über|holt (nicht mehr aktuell, nicht mehr zeitgemäß); überholte Ansichten

Über|hol|ver|bot

über|hö|ren; das möchte ich überhört haben!; **über**|**hö**|**ren** *(ugs.);* ich habe mir den Schlager übergehört

über|ir|disch

Über|ka|pa|zi|tät *(Wirtsch.)*

über|kom|men *(Seemannsspr.* über das Deck spülen, spritzen; *landsch. für* etwas endlich geben od. sagen); die Brecher kommen über; er ist damit übergekommen; **über**|**kom**|**men;** Ekel überkam sie, hat sie überkommen; überkommene Bräuche

über Kreuz; über|kreu|zen; sich überkreuzen; mit überkreuzten Beinen dasitzen

¹über|la|den; der Anhänger wurde überladen; *vgl.* ¹laden

²über|la|den; überladener Stil

über|la|gern; sich überlagern

über|lang

über|las|sen *(landsch. für* übrig lassen); sie hat ihm etwas übergelassen

über|las|sen (abtreten; anvertrauen); sie hat mir das Haus überlassen; Über|las|sung

über|las|ten; über|las|tet; Über|las|tung

über|lau|fen; die Ärztin wird von Kranken überlaufen; es hat mich kalt überlaufen

über|lau|fen; das Wasser läuft über; er ist zum Feind übergelaufen; die Galle ist ihm übergelaufen; Über|läu|fer (Soldat, der zum Gegner überläuft; *Jägerspr.* Wildschwein im zweiten Jahr); Über|läu|fe|rin

über|le|ben; diese Vorstellungen sind überlebt; Über|le|bens|chan|ce; über|le|bens-fä|hig; über|le|bens|groß; eine überlebensgroße Abbildung; Über|le|bens-kampf; über|le|bens|wich|tig

über|le|gen *(ugs. für* darüberlegen); sie legte eine Decke über

¹über|le|gen (bedenken, nachdenken); er überlegte lange; nach reiflichem Überlegen

²über|le|gen; sie ist mir überlegen; Über|le-gen|heit

über|legt *(auch für* sorgsam); Über|le-gung; mit Überlegung

über|lie|fern; überlieferte Bräuche; Über|lie|fe|rung

über|lis|ten; er wurde überlistet

Über|macht, die; -, ...mächte; über|mäch-tig

Über|maß, das; -es; im Übermaß; über|mä-ßig

über|mit|teln; ich übermitt[e]le; er hat diese freudige Nachricht übermittelt; Über|mit-te|lung, Über|mitt|lung

über|mor|gen; übermorgen Abend

Über|mut; über|mü|tig

über|nächs|te; am übernächsten Tag

über|nach|ten; er hat hier übernachtet

über|näch|tigt

Über|nach|tung

Über|nah|me, die; -, -n; feindliche Übernahme *(Wirtsch.);* Über|nah|me|an|ge-bot; Über|nah|me|kan|di|dat; Über|nah-me|schlacht *(emotional)*

über|na|tür|lich

über|neh|men; sie hat die Tasche übergenommen *(ugs.);* über|neh|men; sie hat das Geschäft übernommen; ich habe mich übernommen

über|par|tei|lich

über|pro|por|ti|o|nal

über|prüf|bar; über|prü|fen; Über|prü|fung

über|que|ren

über|ra|gen (größer sein); sie hat alle überragt; über|ra|gen (hervorstehen); der Balken hat übergeragt

über|ra|gend (andere, anderes weit übertreffend); eine überragende Leistung

über|ra|schen; du überraschst; er wurde überrascht; über|ra|schend; über|ra|schen|der|wei|se; Über|ra|schung

über|re|den; sie hat mich dazu überredet; Über|re|dung; Über|re|dungs|kunst

über|re|gi|o|nal

über|reich (üppig)

über|rei|chen; überreicht

über|reif

über|ren|nen; sie wurde überrannt

Über|rest

über|rol|len; er wurde überrollt

über|rum|peln; der Feind wurde überrumpelt

über|run|den (im Sport)

übers (ugs. für über das)

über|sä|en (besäen); übersät (dicht bedeckt); der Himmel ist mit Sternen übersät

Über|schall|flug|zeug

Über|schall|ge|schwin|dig|keit

über|schät|zen; überschätzt

über|schau|bar; über|schau|en; überschaut

Über|schlag, der; -[e]s, ...schläge

über|schla|gen; die Stimme ist übergeschlagen

¹über|schla|gen; ich habe die Kosten überschlagen; er hat sich überschlagen

²über|schla|gen; das Wasser ist überschlagen (landsch. für lauwarm)

über|schnei|den, sich; Über|schnei|dung

über|schrei|ben; das Haus ist auf ihn überschrieben

über|schrei|ten; du hast die Grenze überschritten; das Überschreiten der Gleise ist verboten; Über|schrei|tung

Über|schrift

über|schul|det; Über|schul|dung

Über|schuss; über|schüs|sig

über|schüt|ten; sie hat etwas übergeschüttet; über|schüt|ten; sie hat mich mit Vorwürfen überschüttet

Über|schwang, der; -[e]s; im Überschwang der Gefühle; über|schwäng|lich; Über|schwäng|lich|keit

über|schwem|men; Über|schwem|mung

Über|see ohne Artikel; Waren von Übersee, aus Übersee; über|see|isch; überseeischer Handel

über|se|hen; ich habe den Fehler übersehen

über|se|hen (ugs.); du hast dir dieses Kleid übergesehen

über|sen|den; der Brief wurde ihr übersandt

über|set|zen (ans andere Ufer bringen od. gelangen); wir setzen über; er hat den Wanderer übergesetzt

über|set|zen (in eine andere Sprache übertragen); ich habe den Satz ins Englische übersetzt; Über|set|zer; Über|set|ze|rin

über|setzt (schweiz. für überhöht); übersetzte Preise, übersetzte Geschwindigkeit

Über|set|zung

Über|sicht, die; -, -en; über|sicht|lich (leicht zu überschauen); Über|sicht|lich|keit

über|sie|deln, über|sie|deln (den Wohnort wechseln); ich sied[e]le über od. ich übersied[e]le; ich bin damals übergesiedelt od. übersiedelt

über|sinn|lich; übersinnliche Kräfte

über|span|nen; ich habe den Bogen überspannt

über|spie|len; sie überspielte die peinliche Situation; er hat die Musik überspielt

über|spitzt (übermäßig)

über|sprin|gen; ich habe eine Klasse übersprungen; über|sprin|gen; der Funke ist übergesprungen

über|ste|hen; der Balken steht über

über|ste|hen; sie überstand die Operation; die Gefahr ist überstanden

über|stei|gen; sie hat den Grat überstiegen; das übersteigt meinen Verstand

über|stei|gen; sie ist übergestiegen

U

über|stel|len (*Amtsspr.* jmdn. einer anderen Stelle übergeben); er wurde überstellt

über|stim|men

über|strah|len

über|strei|fen

Über|stun|de; Überstunden machen

über|stür|zen (übereilen); er hat die Angelegenheit überstürzt; die Ereignisse überstürzten sich

über|tö|nen

Über|trag, der; -[e]s, ...träge; über|trag|bar

¹über|tra|gen; ich habe ihm das Amt übertragen; die Krankheit hat sich auf mich übertragen

²über|tra|gen; eine übertragene Bedeutung; übertragene (*österr. für* gebrauchte, abgetragene) Kleidung; Über|tra|gung

über|tref|fen; ihre Leistungen haben alles übertroffen

über|trei|ben; Über|trei|bung

über|tre|ten; er ist zur evangelischen Kirche übergetreten; sie hat, ist beim Weitsprung übergetreten (*Sport*); über|tre|ten; ich habe das Gesetz übertreten; ich habe mir den Fuß übertreten (*landsch. für* vertreten)

über|trie|ben

Über|tritt

über|trump|fen (überbieten, ausstechen); übertrumpft

über|tün|chen

Über|va|ter (Respekt einflößende, beherrschende Figur)

über|voll

über|vor|sich|tig

über|wach

über|wa|chen (beaufsichtigen); er wurde überwacht; Über|wa|chung; Über|wa|chungs|ka|me|ra

über|wäl|ti|gen; er wurde überwältigt; über|wäl|ti|gend

über|wei|sen; sie hat das Geld überwiesen

Über|wei|sung; Über|wei|sungs|auf|trag

über|wer|fen, sich; wir haben uns überworfen (verfeindet); über|wer|fen; sie hat den Mantel übergeworfen

über|wie|gen ([an Zahl od. Einfluss] stärker sein); die Mittelmäßigen haben überwogen; über|wie|gend [*auch* 'y:...]

über|win|den; die Schwierigkeiten wurden überwunden; Über|win|dung

über|win|tern; ich überwintere; das Getreide hat gut überwintert

Über|zahl, die; -; in der Überzahl sein; über|zäh|lig

über|zeich|nen (*ugs. für* über den vorgesehenen Rand zeichnen)

über|zeich|nen; die Anleihe ist überzeichnet; Über|zeich|nung

über|zeu|gen; sie hat ihn überzeugt; sich überzeugen; über|zeu|gend; das überzeugends|te Argument; über|zeugt; eine überzeugte Demokratin; Über|zeu|gung; Über|zeu|gungs|ar|beit, die; -; Über|zeu|gungs|kraft, die; -

über|zie|hen; er zieht eine Jacke über, hat eine Jacke übergezogen; über|zie|hen; sie überzieht den Kuchen mit einem Zuckerguss; er hat sein Konto überzogen; das Bett überziehen (*österr. für* beziehen)

über|zo|gen (übertrieben)

Über|zug

üb|lich; das Übliche; üb|li|cher|wei|se

U-Boot, *bundeswehramtlich* Uboot (Unterseeboot; *Abk.* U); U-Boot-Krieg

üb|rig *s. Kasten Seite 437*

üb|rig blei|ben, üb|rig|blei|ben *vgl.* übrig

üb|ri|gens; üb|rig|ha|ben; *in der Wendung* etwas für jmdn. übrighaben (jmdn. mögen); *vgl.* übrig

üb|rig las|sen, üb|rig|las|sen *vgl.* übrig

Übung; Übungs|lei|ter, der

UEFA, die; - = Union of European Football Associations (Europäischer Fußballverband)

Ufer, das; -s, -; Ufer|bö|schung; ufer|los; seine Pläne gingen ins Uferlose

Ufo, UFO, das; -[s], -s (unbekanntes Flugobjekt)

U-Haft (*kurz für* Untersuchungshaft)

Uhr, die; -, -en; Schlag acht Uhr; es ist ein

üb|rig

– *übriges Verlorenes*
– *übrige kostbare Gegenstände*

Großschreibung der Substantivierung:

– *ein Übriges tun (mehr tun, als nötig ist)*
– *im Übrigen (sonst, ferner)*
– *das, alles Übrige*
– *die, alle Übrigen*

Schreibung in Verbindung mit Verben und adjektivisch gebrauchten Partizipien:

– *von dem Kuchen wird nichts übrig bleiben*

– *ihr wolltet mir doch ein Stück Kuchen übrig lassen!*
– *solange wir etwas Geld übrig haben ...*
– *der übrig gebliebene* od. *übriggebliebene Kuchen*

Bei übertragener Bedeutung:

– *etwas für jmdn. übrighaben (jmdn. mögen)*
– *uns wird nichts anderes übrig bleiben* od. *übrigbleiben, als nachzugeben*

Uhr; *aber* es ist eins; um fünf [Uhr] aufstehen; **Uhr|ma|cher; Uhr|ma|che|rin; Uhr|werk; Uhr|zei|ger|sinn;** *nur in* im u. entgegen dem Uhrzeigersinn; **Uhr|zeit**

Uhu, der; -s, -s (ein Vogel)

UKW-Sen|der

Ulk, der; *Gen.* -s, *seltener* -es, *Plur.* -e (Spaß; Unfug); **ul|ken; ul|kig** *(ugs.)*

Ulm, ¹Ul|me, die; -, ...men *(Bergmannsspr.* seitliche Fläche im Bergwerksgang)

²Ul|me, die; -, -n (ein Laubbaum)

Uls|ter [*auch* 'al...], der; -s, - (weiter [Herren]mantel; schwerer Mantelstoff)

ul|ti|ma|tiv (in Form eines Ultimatums; nachdrücklich); **Ul|ti|ma|tum,** das; -s, ...ten (letzte, äußerste Aufforderung)

Ul|t|ra, der; -s, -s (polit. Fanatiker, [Rechts]extremist; [rechtsradikaler] fanatischer Fußballanhänger)

ul|t|ra|kon|ser|va|tiv

Ul|t|ra|kurz|wel|le (*Physik, Rundfunk* elektromagnetische Welle unter 10 m Länge; *Abk.* UKW)

Ul|t|ra|schall, der; -[e]s (mit dem menschlichen Gehör nicht mehr wahrnehmbarer Schall); **Ul|t|ra|schall|be|hand|lung**

ul|t|ra|vi|o|lett ([im Sonnenspektrum] über dem violetten Licht; *Abk.* UV); ultraviolette Strahlen (*kurz* UV-Strahlen)

um; um vieles größer; um alles in der Welt; um Rat fragen; er kommt, um zu helfen;

um sein, die Zeit ist um (*ugs. für* vorüber sein); *vgl. auch* umso

um|än|dern

um|ar|men; er hat sie umarmt; sie umarmten sich; **Um|ar|mung**

Um|bau, der; -[e]s, *Plur.* -e u. -ten; **Um|bau|ar|beit** *meist Plur.;* **um|bau|en** (anders bauen); das Theater wurde völlig umgebaut

um|bau|en (mit Bauten umschließen); er hat seinen Hof mit Ställen umbaut

um|be|nen|nen; Um|be|nen|nung

um|brin|gen; umgebracht

Um|bruch, der; -[e]s, ...brüche (grundlegende [polit.] Änderung, Umwandlung)

um|den|ken

um|deu|ten

um|dis|po|nie|ren (seine Pläne ändern)

um|dre|hen; sich umdrehen; er dreht jeden Pfennig, Cent um (ist sehr sparsam); sie hat den Spieß umgedreht (ist ihrerseits [mit denselben Mitteln] zum Angriff übergegangen); du hast dich umgedreht

Um|dre|hung

um|ei|n|an|der; sich umeinander kümmern; umeinander herumtanzen

um|fah|ren (fahrend umwerfen; *landsch. für* fahrend einen Umweg machen); er hat das Verkehrsschild umgefahren; ich bin [beinahe eine Stunde] umgefahren

um|fah|ren (um etwas herumfahren); er

umfuhr das Hindernis; er hat die Insel
umfahren; **Um|fah|rung** *(österr. u.
schweiz. auch svw. Umgehungsstraße)*
um|fal|len; sie ist tot umgefallen; bei der
Abstimmung ist er doch noch umgefallen
(ugs.); sie war zum Umfallen müde *(ugs.)*
Um|fang
um|fan|gen *(geh.);* die Nacht umfing uns;
ich halte ihn umfangen; **um|fäng|lich;**
um|fang|reich
um|fas|sen (umschließen; in sich begreifen);
ich habe ihn umfasst; die Sammlung
umfasst alles Wesentliche; **um|fas|sen**
(anders fassen; *landsch. auch für* den Arm
um jmdn. legen); der Schmuck wird umge-
fasst; er fasste die Frau um
um|fas|send
Um|feld; das soziale Umfeld
um|for|men; er formt den Satz um
Um|fra|ge; Umfrage halten; **Um|fra|ge|er-
geb|nis**
um|funk|ti|o|nie|ren (die Funktion von
etwas ändern; zweckentfremdet einset-
zen); die Veranstaltung wurde zu einer Pro-
testversammlung umfunktioniert
Um|gang; um|gäng|lich (freundlich, erträg-
lich); **Um|gangs|form** *meist Plur.*
Um|gangs|spra|che; um|gangs|sprach|lich
um|gar|nen; sie hat ihn umgarnt
um|ge|ben; er umgab das Haus mit einer
Hecke; sie war von Kindern umgeben; sich
umgeben mit …; **um|ge|ben** *(landsch.);* er
gab mir den Mantel um, hat mir den Mantel umgegeben (umgehängt)
Um|ge|bung
um|ge|hen; sie umgeht alle Fragen; er hat
das Gesetz umgangen; **um|ge|hen;** ein
Gespenst geht dort um; er ist umgegan-
gen *(landsch. für* hat einen Umweg
gemacht)
um|ge|hend; umgehend antworten
Um|ge|hung; Um|ge|hungs|stra|ße
um|ge|kehrt; es verhält sich umgekehrt, als
du denkst
um|ge|stal|ten; Um|ge|stal|tung
um|gra|ben

um|gu|cken, um|ku|cken, sich *(ugs. für* sich
umsehen)
Um|hang
um|hän|gen (hängend umgeben); das Bild
war mit Flor umhängt *od.* umhangen; *vgl.*
²hängen; **um|hän|gen;** ich hängte mir den
Mantel um; ich habe die Bilder umgehängt
(anders gehängt); *vgl.* ²hängen
um|her (im Umkreis); **um|her|ge|hen**
um|hin|kön|nen; *nur verneint:* ich kann
nicht umhin[,] es zu tun; ich habe nicht
umhingekonnt; nicht umhinzukönnen
um|hül|len; umhüllt mit …
um|kämp|fen *meist im 2. Part. gebr.;* die
Festung war hart umkämpft
Um|kehr, die; -; **um|keh|ren;** sich umkehren;
sie ist umgekehrt; sie hat die Tasche umge-
kehrt; **Um|kehr|schluss; Um|keh|rung**
um|kip|pen (der Stuhl kippte um; sie ist
plötzlich umgekippt *(ugs. für* ohnmächtig
geworden); der See ist umgekippt (biolo-
gisch abgestorben); **Um|kip|pen,** das; -s
um|klam|mern
Um|klei|de|ka|bi|ne
um|klei|den, sich; ich habe mich umgeklei-
det (anders gekleidet)
um|kom|men; er ist im Krieg umgekommen;
die Hitze ist ja zum Umkommen *(ugs.)*
Um|kreis, der; -es *Plur. (Geom.:)* -e
um|krei|sen; der Storch hat das Nest
umkreist
um|krem|peln *(ugs. auch für* völlig ändern)
Um|la|ge (Steuer; Beitrag)
Um|land, das; -[e]s (ländliches Gebiet um
eine [Groß]stadt)
Um|lauf *(auch für* Fruchtfolge; *Med.* eitrige
Entzündung an Finger od. Hand); in Umlauf
geben, sein (von Zahlungsmitteln)
Um|lauf|bahn; Um|lauf|ren|di|te *Plur. sel-
ten (Wirtsch.* Rendite festverzinslicher, im
Umlauf befindlicher Wertpapiere)
Um|laut (ä, ö, ü)
um|le|gen; ein Braten, umlegt mit Gemüse
um|le|gen *(derb auch für* erschießen); er
legte den Mantel um; er hat die Karten
umgelegt (gewendet od. anders gelegt)

um|lei|ten (anders leiten); der Verkehr wurde umgeleitet; Um|lei|tung

um|lie|gend; umliegende Häuser

um|mün|zen; die Niederlage wurde in einen Sieg umgemünzt (umgedeutet)

um|rah|men (mit Rahmen versehen, einrahmen); die Vorträge wurden von musikalischen Darbietungen umrahmt

um|rech|nen; sie hat Euro in Schweizer Franken umgerechnet; Um|rech|nung

um|rei|ßen (einreißen; zerstören); er hat den Zaun umgerissen

um|rei|ßen (im Umriss zeichnen; andeuten); sie hat die Situation kurz umrissen

um|rin|gen; von Kindern umringt

Um|riss

um|run|den

um|rüs|ten (für bestimmte Aufgaben technisch verändern); die Maschine wurde umgerüstet; Um|rüs|tung

ums (um das); es geht ums Ganze; ein Jahr ums od. um das andere

um|sat|teln (ugs. übertr. auch für einen anderen Beruf ergreifen)

Um|satz; Um|satz|an|stieg; Um|satz|ein|bu|ße; Um|satz|plus, das; -; Um|satz-rück|gang; um|satz|stark; Um|satz|stei|ge|rung; Um|satz|steu|er, die; Um|satz-ziel

um|schal|ten; die Ampel schaltet auf Rot um

Um|schau, die; -; Umschau halten; um|schau|en, sich (landsch.)

um|schich|ten; das Heu wurde umgeschichtet; Um|schich|tung

um|schif|fen (in ein anderes Schiff bringen); die Waren, die Passagiere wurden umgeschifft; um|schif|fen; er hat die Klippe umschifft (die Schwierigkeit umgangen)

Um|schlag (auch für Umladung)

um|schla|gen (umsetzen; umladen); die Güter wurden umgeschlagen; das Wetter ist, auch hat umgeschlagen; Um|schlag-platz

um|schlie|ßen; von einer Mauer umschlossen

um|schlin|gen; sie hielt ihn fest umschlungen; um|schlin|gen; ich habe mir das Tuch umgeschlungen

um|schrei|ben (neu, anders schreiben; übertragen); er hat den Aufsatz umgeschrieben; die Hypothek wurde umgeschrieben

um|schrei|ben (mit anderen Worten ausdrücken); sie hat unsere Aufgabe mit wenigen Worten umschrieben

Um|schrei|bung (Neuschreibung)

Um|schrei|bung (andere Form des Ausdrucks)

Um|schul|dung

um|schu|len; Um|schü|ler; Um|schü|le|rin; Um|schu|lung

Um|schwei|fe Plur.; ohne Umschweife (geradeheraus)

um|schwen|ken; er ist plötzlich umgeschwenkt

Um|schwung, der; -[e]s, ...schwünge (nur Sing.: schweiz. auch für Umgebung des Hauses)

um|se|hen, sich

um sein vgl. um

um|setz|bar

um|set|zen; sie setzte die Pflanzen um; er hat seinen Plan in die Tat umgesetzt; ich habe mich umgesetzt; Um|set|zung

Um|sicht, die; -; um|sich|tig

um|sie|deln; ich sied[e]le um; umgesiedelt; Um|sied|lung

um|so; umso besser; umso größer; umso schöner

um|sonst

um|sor|gen; der Kranke wurde umsorgt

um|sprin|gen; der Wind sprang um; er ist übel mit dir umgesprungen

um|sprin|gen; die Hunde umsprangen sie

Um|stand; unter Umständen (Abk. u. U.); in anderen Umständen (verhüllend für schwanger) sein; mildernde Umstände (Rechtsspr.); keine Umstände machen; gewisser Umstände halber, eines gewissen Umstandes halber, aber umständehalber, umstandshalber

um|stän|de|hal|ber vgl. Umstand

um|ständ|lich
Um|stands|wort Plur. ...wörter (Adverb)
um|ste|hend; im Umstehenden finden sich
die näheren Erläuterungen; er soll Umste-
hendes beachten; die Umstehenden (die
Zuschauer)
um|stei|gen; sie ist umgestiegen
um|stel|len; er stellte die Mannschaft um;
der Schrank wurde umgestellt; sich umstel-
len
um|stel|len (umgeben); die Polizei hat das
Haus umstellt; Um|stel|lung
Um|stel|lung (Anpassung)
Um|stieg, der; -[e]s, -e
um|stim|men; er hat sie umgestimmt
um|strit|ten
um|struk|tu|rie|ren; umstrukturiert; Um-
struk|tu|rie|rung
Um|sturz Plur. ...stürze; um|stür|zen; das
Gerüst ist umgestürzt
um|tau|fen; er wurde umgetauft
Um|tausch; um|tau|schen; sie hat das Kleid
umgetauscht
um|trei|ben (planlos herumtreiben); er
wurde von Angst umgetrieben
Um|trieb (Landwirtsch. Zeit vom Pflanzen
eines Baumbestandes bis zum Fällen; meist
Plur.: schweiz. für Aufwand [z. B. an Zeit,
Arbeit, Geld])
um|trie|big (rege, rührig)
UMTS = universal mobile telecommunica-
tion system (Mobilfunkstandard mit direk-
tem Zugang zum Internet u. vielen multi-
medialen Funktionen); UMTS-Han|dy
U-Mu|sik, die; -; Ggs. E-Musik
Um|ver|pa|ckung (für Verkauf od. Transport
einer Ware entbehrliche Verpackung)
um|ver|tei|len; Um|ver|tei|lung
um|wäl|zend; Um|wäl|zung
um|wan|deln (ändern); ich wand[e]le um;
sie war wie umgewandelt
um|wan|deln (geh. für um etwas herum-
wandeln); sie hat den Platz umwandelt
Um|wand|lung, seltener Um|wan|de|lung
(Änderung)
Um|weg

Um|welt; Um|welt|be|hör|de; Um|welt|be-
las|tung
um|welt|be|wusst; Um|welt|be|wusst|sein
Um|welt|bun|des|amt; um|welt|freund-
lich; um|welt|ge|recht; Um|welt|ka|ta-
s|t|ro|phe; Um|welt|mi|nis|ter; Um|welt-
mi|nis|te|rin; Um|welt|mi|nis|te|ri|um
Um|welt|or|ga|ni|sa|ti|on; Um|welt|pla-
ket|te (svw. Feinstaubplakette); Um|welt-
po|li|tik; um|welt|po|li|tisch; um|welt-
scho|nend
Um|welt|schutz, der; -es; Um|welt|schüt-
zer; Um|welt|schüt|ze|rin; Um|welt-
schutz|or|ga|ni|sa|ti|on
Um|welt|tech|nik Plur. selten; Um|welt|ver-
schmut|zung; um|welt|ver|träg|lich;
Um|welt|ver|träg|lich|keit; Um|welt|zer-
stö|rung; Um|welt|zo|ne (Gebiet, in dem
[bis auf bestimmte Ausnahmen] nur Kfz
mit Feinstaubplakette fahren dürfen)
um|wer|ben; eine viel umworbene od. viel-
umworbene Sängerin
um|wer|fen; er warf den Tisch um; diese
Nachricht hat ihn umgeworfen (ugs. für
aus der Fassung gebracht); um|wer|fend;
umwerfende Komik
um|wid|men (Amtsspr. für einen anderen
Zweck bestimmen); in Industriegelände
umgewidmetes Agrarland
um|zie|hen; der Himmel hat sich umzogen;
umzogen mit ...; um|zie|hen, sich umzie-
hen; ich habe mich umgezogen; wir sind
[nach Frankfurt] umgezogen
um|zin|geln; ich umzing[e]le; das Lager
wurde umzingelt
Um|zug
un|ab|än|der|lich [auch 'ʊ...]
un|ab|ding|bar [auch 'ʊ...]
un|ab|hän|gig; Un|ab|hän|gig|keit; Un|ab-
hän|gig|keits|er|klä|rung
un|ab|läs|sig [auch 'ʊ...]
un|ab|seh|bar [auch 'ʊ...]; unabsehbare Fol-
gen
un|ab|sicht|lich
un|acht|sam; Un|acht|sam|keit
un|ähn|lich

un|ak|zep|ta|bel

un|an|fecht|bar [*auch* ...'fɛ...]

un|an|ge|bracht

un|an|ge|foch|ten

un|an|ge|mel|det

un|an|ge|mes|sen; Un|an|ge|mes|sen|heit

un|an|ge|nehm

un|an|ge|passt; Un|an|ge|passt|heit

un|an|greif|bar [*auch* ...'graɪ...]

un|an|nehm|bar [*auch* ...'neː...]; Un|an-
nehm|lich|keit *meist Plur.*

un|an|sehn|lich

un|an|stän|dig; Un|an|stän|dig|keit

un|an|tast|bar [*auch* 'ʊ...]

un|ap|pe|tit|lich

un|ar|tig; Un|ar|tig|keit

un|äs|the|tisch (unschön)

un|at|trak|tiv

un|auf|dring|lich

un|auf|fäl|lig; Un|auf|fäl|lig|keit, die; -

un|auf|find|bar [*auch* 'ʊ...]

un|auf|ge|for|dert

un|auf|ge|regt

un|auf|halt|bar; un|auf|halt|sam

un|auf|hör|lich [*auch* 'ʊ...]

un|auf|merk|sam; Un|auf|merk|sam|keit

un|aus|ge|go|ren

un|aus|ge|schla|fen

un|aus|ge|spro|chen

un|aus|steh|lich [*auch* 'ʊ...]

un|aus|weich|lich [*auch* 'ʊ...]

un|bän|dig; unbändige Wut

un|barm|her|zig; Un|barm|her|zig|keit

un|be|ab|sich|tigt

un|be|ach|tet

un|be|ant|wor|tet

un|be|dacht (unüberlegt, vorschnell); eine
unbedachte Äußerung

un|be|darft (unerfahren; naiv)

un|be|denk|lich

un|be|deu|tend

un|be|dingt [*auch* ...'dı...]; unbedingte
Reflexe

un|be|ein|druckt

un|be|fan|gen

un|be|frie|di|gend

un|be|fris|tet; unbefristetes Darlehen

un|be|fugt; Un|be|fug|te, der *u.* die; -n, -n

un|be|greif|lich [*auch* 'ʊ...]

un|be|grenzt; unbegrenztes Vertrauen

un|be|grün|det

Un|be|ha|gen; un|be|hag|lich

un|be|han|delt; unbehandeltes Obst

un|be|hel|ligt [*auch* ...'hɛ...]

un|be|hol|fen

un|be|irr|bar [*auch* 'ʊ...]; un|be|irrt [*auch*
'ʊ...]

un|be|kannt; Un|be|kann|te

un|be|küm|mert [*auch* ...'kʏ...]

un|be|las|tet

un|be|lehr|bar [*auch* ...'leːɐ̯...]

un|be|liebt; Un|be|liebt|heit, die; -

un|be|mannt

un|be|merkt

un|be|ob|ach|tet

un|be|quem

un|be|re|chen|bar [*auch* 'ʊ...]; Un|be|re-
chen|bar|keit

un|be|rech|tigt

un|be|rück|sich|tigt [*auch* ...'rʏ...]

un|be|rühr|bar; un|be|rührt

un|be|scha|det; unbeschadet seines Rechtes
od. seines Rechtes unbeschadet

un|be|schä|digt

un|be|schränkt [*auch* ...'ʃrɛ...] (nicht einge-
schränkt)

un|be|schreib|lich [*auch* 'ʊ...]; unbeschreib-
lich schön

un|be|schrie|ben; ein unbeschriebenes Blatt
sein *(ugs.)*

un|be|schwert

un|be|setzt

un|be|sieg|bar [*auch* 'ʊ...]; un|be|siegt

un|be|sorgt

un|be|stän|dig; Un|be|stän|dig|keit

un|be|stä|tigt [*auch* ...'tɛː...]

un|be|stech|lich [*auch* ...'ʃtɛ...]

un|be|stimmt; unbestimmtes Fürwort (*für*
Indefinitpronomen)

un|be|streit|bar [*auch* 'ʊ...]; un|be|strit|ten
[*auch* ...'ʃtrı...]

un|be|tei|ligt [*auch* ...'taɪ...]

U

un|beug|sam; unbeugsamer Wille
un|be|waff|net
un|be|weg|lich; un|be|wegt
un|be|wohnt
un|be|wusst; Un|be|wuss|te, das; -n
un|be|zahl|bar [auch 'ʊ...]; un|be|zahlt
Un|bill, die; - (geh. für Unrecht); un|bil|lig
(geh.); unbillige (nicht angemessene) Härte
un|blu|tig
un|brauch|bar
un|bü|ro|kra|tisch
un|cool (Jugendspr.)
und (Abk. u., bei Firmen auch &); und
and[e]re, and[e]res (Abk. u. a.); und and[e]re
mehr, und and[e]res mehr (Abk. u. a. m.);
und Ähnliche[s] (Abk. u. Ä.); ... und, und,
und (ugs. für und dergleichen mehr)
Un|dank; un|dank|bar; eine undankbare
Aufgabe; Un|dank|bar|keit
un|de|mo|kra|tisch
un|denk|bar; man hielt es für undenkbar
un|der|co|ver ['andekave]; undercover (ver-
deckt) ermitteln
Un|der|dog ['andedɔk], der; -s, -s ([sozial]
Benachteiligter, Schwächerer)
Un|der|ground ['andegraunt], der; -[s]
Un|der|state|ment [ande'ste:tmɛnt], das;
-s, -s (Untertreibung)
un|deut|lich
un|dicht
un|dif|fe|ren|ziert
Un|ding, das; -[e]s, -e (Unmögliches; Unsin-
niges)
un|durch|dring|lich [auch 'ʊ...]
un|durch|schau|bar [auch 'ʊ...]
un|durch|sich|tig
un|echt; unechte Brüche (Math.)
un|ehe|lich; ein uneheliches Kind
un|ei|gen|nüt|zig
un|ein|ge|schränkt
un|ein|heit|lich
un|ei|nig; Un|ei|nig|keit
un|eins; uneins sein
un|ein|sich|tig
un|end|lich; von eins bis unendlich (Math.;
Zeichen ∞); bis ins Unendliche (unaufhör-

lich, immerfort); der Weg scheint bis ins
Unendliche zu führen; im, aus dem Unend-
lichen; unendliche Mal, unendliche Male;
aber unendlichmal
Un|end|lich|keit, die; -
un|ent|behr|lich [auch ...'be:ɐ...]
un|ent|deckt [auch ...'dɛ...]
un|ent|gelt|lich [auch ...'gɛlt...] (kostenlos)
un|ent|schie|den; Un|ent|schie|den, das;
-s, - (Sport u. Spiel)
un|ent|schlos|sen
un|ent|wegt [auch 'ʊ...]
un|er|bitt|lich [auch 'ʊ...]
un|er|fah|ren
un|er|find|lich [auch 'ʊ...]; aus unerfindli-
chen Gründen
un|er|freu|lich
un|er|füllt
un|er|gründ|lich [auch 'ʊ...] (geheimnisvoll,
rätselhaft)
un|er|heb|lich (bedeutungslos)
¹un|er|hört (unglaublich); sein Verhalten war
unerhört
²un|er|hört; ihre Bitte blieb unerhört
un|er|kannt
un|er|klär|lich [auch 'ʊ...]
un|er|läss|lich [auch 'ʊ...]
un|er|laubt; unerlaubte Handlung
un|er|mess|lich [auch 'ʊ...]; ins Unermessli-
che steigen
un|er|müd|lich [auch 'ʊ...]
un|er|reich|bar [auch 'ʊ...]; un|er|reicht
un|er|sätt|lich [auch 'ʊ...]
un|er|schöpf|lich [auch 'ʊ...]
un|er|schro|cken
un|er|schüt|ter|lich [auch 'ʊ...]
un|er|schwing|lich [auch 'ʊ...]; ein uner-
schwingliches Auto
un|er|setz|lich
un|er|träg|lich [auch 'ʊ...]
un|er|wähnt; nicht unerwähnt bleiben
un|er|war|tet [auch ...'va...]
un|er|wünscht
UNESCO, die; - (Organisation der Vereinten
Nationen für Erziehung, Wissenschaft u.
Kultur)

un|fä|hig; Un|fä|hig|keit
un|fair (regelwidrig, unerlaubt; unfein; ohne sportl. Anstand)
Un|fall, der; Un|fall|arzt; Un|fall|ärz|tin; Un|fall|flucht vgl. ²Flucht; Un|fall|op|fer; Un|fall|ort; Un|fall|stel|le; Un|fall|tod; Un|fall|ur|sa|che; Un|fall|ver|si|che|rung; Un|fall|wa|gen (Wagen, der einen Unfall hatte; Rettungswagen)
un|fass|bar [auch ˈʊ...]
un|fehl|bar [auch ˈʊ...]; Un|fehl|bar|keit, die; -
un|fer|tig
un|flä|tig; unflätige Beschimpfungen
un|fle|xi|bel; ein unflexibler Mensch
un|för|mig (ohne schöne Form; sehr groß)
un|frei|wil|lig
un|freund|lich; er war unfreundlich zu ihm, selten gegen ihn; Un|freund|lich|keit
Un|frie|de, der; -ns, Un|frie|den, der; -s
un|frucht|bar; Un|frucht|bar|keit, die; -
Un|fug, der; -[e]s
un|ge|ach|tet; Präp. mit Gen.: ungeachtet wiederholter Bitten od. wiederholter Bitten ungeachtet; dessen ungeachtet od. des ungeachtet; ungeachtet [dessen], dass ...
un|ge|ahnt [auch ...ˈaː...]
un|ge|bär|dig (geh. für ungezügelt)
un|ge|be|ten; ungebetener Gast
un|ge|bo|ren; ungeborenes Leben
un|ge|bremst
un|ge|bro|chen; ungebrochener Mut
un|ge|bühr|lich; ungebührliches Verhalten
un|ge|deckt; ungedeckter Scheck
Un|ge|duld; un|ge|dul|dig
un|ge|eig|net
un|ge|fähr [auch ...ˈfɛːɐ̯]; von ungefähr (zufällig); Un|ge|fähr, das; -s (veraltend für Zufall)
un|ge|fähr|det [auch ...ˈfɛːɐ̯...]
un|ge|fähr|lich
un|ge|fragt
un|ge|hal|ten (ärgerlich); un|ge|hemmt
un|ge|heu|er [auch ...ˈhɔy...]; un|ge|heu|rer, un|ge|heu|ers|te; ungeheure Verschwendung; die Kosten steigen ins Ungeheure;

Un|ge|heu|er, das; -s, -; un|ge|heu|er|lich [auch ˈʊ...]
un|ge|hin|dert
un|ge|ho|belt [auch ...ˈho:...] (auch für grob)
un|ge|hö|rig
un|ge|hor|sam; Un|ge|hor|sam
un|ge|hört
un|ge|klärt; ungeklärte Fragen
un|ge|le|gen; ihr Besuch kam mir ungelegen
un|ge|lenk, un|ge|len|kig
un|ge|lernt; ein ungelernter Arbeiter
un|ge|liebt
un|ge|löst; ungelöste Aufgaben
Un|ge|mach, das; -[e]s (geh.)
un|ge|mein [auch ...ˈmain] (außerordentlich)
un|ge|müt|lich
un|ge|nannt
un|ge|nau; Un|ge|nau|ig|keit
un|ge|niert [...ʒe...] (zwanglos)
un|ge|nieß|bar [auch ...ˈni:...]
un|ge|nü|gend vgl. ausreichend
un|ge|nutzt
un|ge|ord|net
un|ge|prüft
un|ge|ra|de; ungerade Zahl (Math.)
un|ge|recht; un|ge|recht|fer|tigt; Un|ge|rech|tig|keit
Un|ge|reimt|heit
un|gern
un|ge|rührt (unbeteiligt, gleichgültig)
Un|ge|schick; un|ge|schickt
un|ge|schla|gen (unbesiegt)
un|ge|schminkt
un|ge|scho|ren
un|ge|schrie|ben; ein ungeschriebenes Gesetz
un|ge|schützt
un|ge|si|chert
un|ge|stört
un|ge|straft; ungestraft davonkommen
un|ge|stüm (geh. für schnell, heftig); Un|ge|stüm, das; -[e]s
un|ge|sund
un|ge|teilt
un|ge|trübt; ungetrübte Freude

U

Ụn|ge|tüm, das; -[e]s, -e
ụn|ge|übt
ụn|ge|wiss; im Ungewissen bleiben, lassen,
sein; eine Fahrt ins Ungewisse; Ụn|ge-
wiss|heit
ụn|ge|wöhn|lich
ụn|ge|wohnt
ụn|ge|wollt; eine ungewollte Schwanger-
schaft
ụn|ge|zählt (auch für unzählig)
Ụn|ge|zie|fer, das; -s
ụn|ge|zo|gen; Ụn|ge|zo|gen|heit
ụn|ge|zü|gelt; ungezügelter Hass
ụn|ge|zwun|gen
ụn|gläu|big; ein ungläubiger Thomas (ugs.
für jmd., der an allem zweifelt)
ụn|glaub|lich; es geht ins, grenzt ans
Unglaubliche; ụn|glaub|wür|dig
ụn|gleich; Ụn|gleich|be|hand|lung; Ụn-
gleich|ge|wicht; Ụn|gleich|heit
Ụn|glei|chung (Math.)
Ụn|glück, das; -[e]s, -e
ụn|glück|lich; ụn|glück|li|cher|wei|se
Ụn|glücks|fall, der; Ụn|glücks|ort
Ụn|gna|de, die; -; [bei jmdm.] in Ungnade
fallen
ụn|gül|tig
ụn|güns|tig
ụn|gut; nichts für ungut (es war nicht böse
gemeint)
ụn|halt|bar [auch ...'ha...]; unhaltbare
Zustände
Ụn|heil; ein Unheil kündendes od. unheil-
kündendes Zeichen; ein Unheil verkünden-
des od. unheilverkündendes Zeichen; aber
nur: großes Unheil bringend, kündend, ver-
kündend; äußerst unheilbringend, unheil-
kündend, unheilverkündend
ụn|heil|bar [auch ...'hai...]
Ụn|heil brin|gend, ụn|heil|brin|gend vgl.
Unheil
ụn|hei|lig
Ụn|heil ver|kün|dend, ụn|heil|ver|kün-
dend vgl. Unheil; ụn|heil|voll
ụn|heim|lich [auch 'ʊ...] (ugs. auch für sehr)
ụn|höf|lich

Ụn|hold, der; -[e]s, -e (böser Geist; Wüst-
ling, Sittlichkeitsverbrecher); Ụn|hol|din
ụn|hy|gi|e|nisch
uni ['ʏni, auch y'ni:] (einfarbig); ein uni
Kleid; uni gefärbte od. unigefärbte Stoffe
¹Uni, das; -s, -s (einheitliche Farbe); in verschiedenen Unis
²Uni, die; -, -s (ugs.; kurz für Universität)
uni|form (gleich-, einförmig)
Uni|form [auch 'ʊ..., südd., österr. 'u:ni...],
die; -, -en (einheitl. Dienstkleidung); uni-
for|miert
Uni|kat, das; -[e]s, -e (einzige Ausfertigung);
Ụni|kum, das; -s, Plur. (für [in seiner Art]
Einziges:) ...ka, (für Sonderling:) -s, österr.
...ka
ụn|in|te|r|es|sant (langweilig, reizlos)
Uni|on, die; -, -en (Bund, Vereinigung); Euro-
päische Union (Abk. EU)
Uni|o|nist, der; -en, -en (Anhänger einer
Union, z. B. der amerikanischen im Unab-
hängigkeitskrieg 1776/83); Uni|o|nis|tin
Uni|ons|po|li|ti|ker; Uni|ons|po|li|ti|ke|rin;
uni|ons|re|giert
uni|so|no (Musik auf demselben Ton od. in
der Oktave [zu spielen]); Uni|so|no, das;
-s, Plur. -s u. ...ni (Musik)
uni|ver|sal, uni|ver|sell (allgemein, gesamt;
umfassend)
uni|ver|si|tär (die Universität betreffend)
Uni|ver|si|tät, die; -, -en; Uni|ver|si|täts|bi-
b|lio|thek; Uni|ver|si|täts|kli|nik; Uni-
ver|si|täts|pro|fes|sor; Uni|ver|si|täts-
stadt
Uni|ver|sum, das; -s, ...sen
UNIX® ['ju:nɪks], das; - (EDV ein Betriebssystem für vernetzte Computer)
ụn|kal|ku|lier|bar
Ụn|ke, die; -, -n (ein Froschlurch); ụn|ken
(ugs. für Unglück prophezeien)
ụn|kennt|lich; Ụn|kennt|lich|keit, die; -
Ụn|kennt|nis, die; -
Ụn|ken|ruf (auch für pessimistische Voraus-
sage)
ụn|klar; im Unklaren bleiben, lassen, sein;
Ụn|klar|heit

ụn|recht / Ụn|recht

Kleinschreibung:	– an den Unrechten kommen
– *in unrechte Hände gelangen*	– besser Unrecht leiden als Unrecht tun
– *unrecht sein*	– es geschieht ihm [ein] Unrecht
– *ihr habt unrecht* od. *Unrecht daran getan*	– ein Unrecht begehen
– *unrecht* od. *Unrecht bekommen, haben*	– im Unrecht sein
– *jmdm. unrecht* od. *Unrecht geben, tun*	– jmdm. ein Unrecht [an]tun
Großschreibung:	– zu Unrecht bestehen
– *das Unrecht*	Vgl. *recht / Recht*
– *des Unrecht[e]s*	

ụn|klug
ụn|kom|p|li|ziert
ụn|kon|t|rol|lier|bar [*auch* ...'li:ɐ̯...]; ụn-
    kon|t|rol|liert
ụn|kon|ven|ti|o|nell
ụn|kor|rekt
Ụn|kos|ten *Plur.;* sich in Unkosten stürzen
    (ugs.); Ụn|kos|ten|bei|trag
Ụn|kraut
ụn|kri|tisch
ụn|längst (vor Kurzem)
ụn|lau|ter; unlauterer Wettbewerb
ụn|lieb|sam; unliebsame Folgen
ụn|lo|gisch
ụn|lös|bar [*auch* ...'lø:...]
Ụn|mas|se (sehr große Menge)
Ụn|men|ge
Ụn|mensch, der; -en, -en (grausamer
    Mensch); ụn|mensch|lich [*auch* ...'mɛ...];
    Ụn|mensch|lich|keit
un|mẹrk|lich [*auch* 'ʊ...]
ụn|miss|ver|ständ|lich [*auch* ...'ʃtɛ...]
ụn|mit|tel|bar; Ụn|mit|tel|bar|keit
ụn|mög|lich [*auch* ...'mø:...]; nichts Unmög-
    liches verlangen; Ụn|mög|lich|keit
ụn|mo|ra|lisch
ụn|mün|dig; Ụn|mün|dig|keit
Ụn|mut, der; -[e]s
ụn|nach|ahm|lich [*auch* ...'a:...]
ụn|nach|gie|big
un|nạh|bar [*auch* 'ʊ...]; Un|nạh|bar|keit,
    die; -
ụn|na|tür|lich

ụn|nö|tig
ụn|nütz
UNO, Ụno, die; - = United Nations Organi-
    zation (Organisation der Vereinten Natio-
    nen)
ụn|or|dent|lich; Ụn|ord|nung, die; -
ụn|or|tho|dox
ụn|par|tei|isch (neutral, nicht parteiisch);
    ein unparteiisches Urteil
ụn|pas|send
ụn|päss|lich ([leicht] krank; unwohl); Ụn-
    päss|lich|keit
ụn|per|sön|lich; unpersönliches Fürwort (*für*
    Indefinitpronomen)
un|plugged ['ʌnplakt] (*Jargon* ohne elek-
    tron. Verstärkung gespielt od. gesungen)
ụn|po|li|tisch
ụn|po|pu|lär
ụn|prak|tisch
ụn|prä|ten|ti|ös (bescheiden)
ụn|pro|b|le|ma|tisch
ụn|pro|duk|tiv; unproduktive Arbeit
ụn|pro|fes|si|o|nell
ụn|pünkt|lich; Ụn|pünkt|lich|keit
ụn|qua|li|fi|ziert (*auch für* unangemessen,
    ohne Sachkenntnis); unqualifizierte Bemer-
    kungen
Ụn|rat, der; -[e]s (*geh. für* Schmutz); Unrat
    wittern (Schlimmes ahnen)
ụn|re|a|lis|tisch; unrealistische Vorstellun-
    gen haben
ụn|recht / Ụn|recht s. *Kasten*
ụn|recht|mä|ßig; unrechtmäßiger Besitz

U

un|re|gel|mä|ßig; unregelmäßige Verben *(Sprachwiss.)*; Un|re|gel|mä|ßig|keit

un|reif; Un|rei|fe

un|rein; ins Unreine schreiben; un|rein|lich

un|ren|ta|bel; ...a|b|ler Betrieb

un|rich|tig

Un|ruh, die; -, -en (Teil der Uhr, des Barometers usw.)

Un|ru|he (fehlende Ruhe; *ugs.* auch für Unruh); un|ru|hig

un|rühm|lich

uns

un|sag|bar [*auch* 'ʊ...]

un|säg|lich [*auch* 'ʊ...] (unsagbar)

un|sanft; jmdn. unsanft wecken

un|sau|ber

un|schäd|lich; ein unschädliches Mittel

un|scharf; un|schär|fer, un|schärfs|te; Un|schär|fe

un|schätz|bar [*auch* 'ʊ...]

un|schein|bar

un|schlag|bar [*auch* 'ʊ...]

un|schlüs|sig; ich bin mir noch unschlüssig

un|schön

Un|schuld, die; -; un|schul|dig; ein unschuldiges Mädchen; *aber* Unschuldige Kinder (kath. Fest); Un|schul|di|ge

Un|schulds|ver|mu|tung *(Rechtsspr.)*

un|schwer (leicht)

un|selbst|stän|dig, un|selb|stän|dig; Un|selbst|stän|dig|keit, Un|selb|stän|dig|keit

un|se|lig; unseliges Geschick

un|sen|ti|men|tal

¹un|ser; unsere, unsre Freundin; unser Freund; unserm, unserem, unsrem Freund; unser von allen unterschriebener Brief; unseres Wissens (*Abk.* u. W.); Unsere Liebe Frau (Maria, Mutter Jesu); Uns[e]rer Lieben Frau[en] Kirche

²un|ser (*Genitiv von* »wir«); unser sind drei; gedenke, erbarme dich unser (*nicht* unserer)

un|se|re, uns|re, uns|ri|ge; die Unser[e]n, Unsren, Unsrigen *od.* unser[e]n, unsren,

unsrigen; das Uns[e]re, Unsrige *od.* uns[e]re, unsrige; *vgl.* seine

un|ser|ei|ner, un|ser|eins

un|se|rer|seits, un|ser|seits, uns|rer|seits

un|se|ret|we|gen, *selten* un|sert|we|gen, uns|ret|we|gen

un|se|ri|ös; unseriöses Angebot

un|ser|seits *vgl.* unsererseits

un|sert|we|gen *vgl.* unseretwegen

un|si|cher; im Unsichern; Un|si|cher|heit; Un|si|cher|heits|fak|tor

un|sicht|bar

Un|sinn, der; -[e]s; un|sin|nig

un|so|zi|al; unsoziales Verhalten

un|spek|ta|ku|lär

un|sport|lich; Un|sport|lich|keit

uns|re *vgl.* unsere

uns|rer|seits *vgl.* unsererseits

uns|ret|we|gen *vgl.* unseretwegen

uns|ri|ge *vgl.* unsere

un|sterb|lich [*auch* 'ʊn...]; Un|sterb|lich|keit, die; -

un|stet; unstetes Leben

un|stim|mig; Un|stim|mig|keit

un|strei|tig [*auch* ...'ʃtrai...] (sicher, bestimmt); un|strit|tig [*auch* ...'ʃtrɪt...]

Un|sum|me (sehr große Summe)

un|sym|pa|thisch

un|sys|te|ma|tisch

un|ta|de|lig [*auch* ...'ta:...], un|tad|lig [*auch* ...'ta:t...]; ein untadeliges, untadliges Leben

Un|tat (Verbrechen)

un|tä|tig; Un|tä|tig|keit

un|taug|lich

un|teil|bar [*auch* 'ʊ...]

un|ten; nach unten, weiter unten, von unten her; man wusste kaum noch, was unten und was oben war; unten sein, bleiben; Untenstehendes *od.* unten Stehendes ist zu beachten; die unten liegenden *od.* untenliegenden Schichten

un|ten ge|nannt, un|ten|ge|nannt

un|ten ste|hend, un|ten|ste|hend *vgl.* unten

un|ter; *Präp. mit Akk. und Dat.:* unter dem Tisch stehen; unter den Tisch stellen; unter

anderem, unter Tage; *Adverb:* unter (noch
nicht) zwölf Jahre alte Kinder; die unter
Zwölfjährigen

Un|ter, der; -s, - (Spielkarte); Un|ter|arm;
Un|ter|aus|schuss; Un|ter|bau *Plur.*
...bauten

un|ter|be|wer|ten; er unterbewertet diese
Leistung; er hat sie unterbewertet

un|ter|be|wusst; Un|ter|be|wusst|sein

un|ter|bie|ten

un|ter|bin|den *(ugs.);* sie hat ein Tuch unter-
gebunden; un|ter|bin|den; der Handels-
verkehr ist unterbunden

un|ter|blei|ben

un|ter|bre|chen; Un|ter|bre|chung

un|ter|brei|ten (darlegen; vorschlagen); er
hat ihm einen Plan unterbreitet

un|ter|brin|gen; Un|ter|brin|gung

un|ter|des|sen

un|ter|drü|cken; sie hat ihren Unwillen
unterdrückt; Un|ter|drü|ckung

un|ter|durch|schnitt|lich

un|ter|ei|n|an|der; un|ter|ei|n|an|der-
schrei|ben; un|ter|ei|n|an|der|ste|hen

Un|ter|ein|heit

un|ter|ent|wi|ckelt; unterentwickelte Länder

un|ter|er|nährt; Un|ter|er|näh|rung

un|ter|fan|gen; du hast dich unterfangen[,]
einen Roman zu schreiben; die Mauer wird
unterfangen *(Bauw.* abgestützt); Un|ter-
fan|gen, das; -s, - (Vorhaben; Wagnis)

Un|ter|füh|rung

Un|ter|gang, der; -[e]s, ...gänge

un|ter|ge|ben

un|ter|ge|hen; die Sonne ist untergegangen;
sein Stern ist im Untergehen [begriffen]

un|ter|ge|ord|net

Un|ter|ge|schoss

un|ter|gra|ben; sie hat den Dünger unterge-
graben; un|ter|gra|ben; das hat ihre
Gesundheit untergraben

Un|ter|gren|ze

Un|ter|grund; Un|ter|grund|be|we|gung;
Un|ter|grund|or|ga|ni|sa|ti|on

Un|ter|grup|pe

un|ter|halb; *als Präp. mit Gen.:* der Neckar

unterhalb Heidelbergs (von Heidelberg aus
flussabwärts)

Un|ter|halt, der; -[e]s

un|ter|hal|ten; ich habe mich gut unterhal-
ten; er wird vom Staat unterhalten; un|ter-
hal|ten *(ugs.);* er hat die Hand untergehal-
ten, z. B. unter den Wasserhahn

un|ter|halt|sam (fesselnd)

Un|ter|halts|an|spruch; Un|ter|halts-
pflicht

Un|ter|hal|tung; Un|ter|hal|tungs|elek-
t|ro|nik; Un|ter|hal|tungs|in|dus|t|rie;
Un|ter|hal|tungs|pro|gramm; Un|ter|hal-
tungs|wert

Un|ter|händ|ler; Un|ter|händ|le|rin

Un|ter|haus (im Zweikammerparlament);
das britische Unterhaus

Un|ter|hemd

Un|ter|holz (niedriges Gehölz im Wald)

Un|ter|ho|se

un|ter|ir|disch

un|ter|kom|men; sie ist gut untergekom-
men; das ist mir noch nie untergekommen
*(landsch., bes. südd., österr. für vorgekom-
men);* Un|ter|kom|men, das; -s, -

un|ter|kühlt; Un|ter|küh|lung

Un|ter|kunft, die; -, ...künfte

Un|ter|la|ge

Un|ter|land, das; -[e]s (tiefer gelegenes
Land; Ebene)

Un|ter|lass, der; ohne Unterlass

un|ter|las|sen; sie hat es unterlassen; Un-
ter|las|sung; Un|ter|las|sungs|kla|ge

un|ter|lau|fen; er hat ihn unterlaufen *(Rin-
gen);* es sind einige Fehler unterlaufen, seltener untergelaufen

un|ter|le|gen; untergelegter Stoff; diese
Absicht hat man mir untergelegt

¹un|ter|le|gen; der Musik wurde ein anderer
Text unterlegt

²un|ter|le|gen *(Partizip II zu unterliegen [vgl.
d.]);* Un|ter|le|gen|heit, die; -

Un|ter|leib

un|ter|lie|gen; sie ist ihrer Gegnerin unterle-
gen; un|ter|lie|gen *(ugs.);* das Badetuch
hat, *südd.* ist untergelegen

Un|ter|lip|pe

un|term (*ugs. für* unter dem); unterm Dach

un|ter|ma|len; die Szene wurde durch Musik
untermalt

un|ter|mau|ern

Un|ter|mie|te; zur Untermiete wohnen; Un|ter|mie|ter; Un|ter|mie|te|rin

un|ter|mi|nie|ren

un|ter|neh|men; sie hat nichts unternommen; un|ter|neh|men (*ugs. für* unter den
Arm nehmen); er hat den Sack untergenommen

Un|ter|neh|men, das; -s, -; Un|ter|neh|mens|be|ra|ter; Un|ter|neh|mens|be|ra|te|rin; Un|ter|neh|mens|be|ra|tung;
Un|ter|neh|mens|be|reich; Un|ter|neh|mens|füh|rung; Un|ter|neh|mens|grün|der;
Un|ter|neh|mens|grün|de|rin; Un|ter|neh|mens|grün|dung; Un|ter|neh|mens|kul|tur; Un|ter|neh|mens|lei|tung; Un|ter|neh|mens|steu|er, die; Un|ter|neh|mens|stra|te|gie; Un|ter|neh|mens|ziel

Un|ter|neh|mer; Un|ter|neh|me|rin; un|ter|neh|me|risch; Un|ter|neh|mer|tum,
das; -s; Un|ter|neh|mer|ver|band

Un|ter|neh|mung; Un|ter|neh|mungs|geist,
der; -[e]s; un|ter|neh|mungs|lus|tig

Un|ter|of|fi|zier (*Abk.* Uffz., *in der Schweiz*
Uof)

un|ter|ord|nen; er ist ihr untergeordnet; Un|ter|ord|nung

un|ter|pri|vi|le|giert

un|ter|re|den, sich; du hast dich mit ihm
unterredet; Un|ter|re|dung

Un|ter|rich|t der; -[e]s, -e *Plur. selten;* un|ter|rich|ten; er ist gut unterrichtet

Un|ter|richts|aus|fall; Un|ter|richts|be|ginn, der; -[e]s; un|ter|richts|frei *vgl.* hitzefrei; Un|ter|richts|stun|de

Un|ter|rich|tung

Un|ter|rock *vgl.* ¹Rock

un|ters (*ugs. für* unter das); unters Bett

un|ter|sa|gen; das Rauchen ist untersagt

Un|ter|satz; fahrbarer Untersatz (*ugs.
scherzh. für* Auto)

un|ter|schät|zen; unterschätzt

un|ter|schei|den; die Bedeutungen müssen unterschieden werden; Un|ter|schei|dung

Un|ter|schen|kel

Un|ter|schicht

¹un|ter|schie|ben (darunter schieben); er hat
ihr ein Kissen untergeschoben

²un|ter|schie|ben [*auch* ...ˈʃiː...]; er hat ihm
eine schlechte Absicht untergeschoben,
auch unterschoben; ein untergeschobenes
Kind

Un|ter|schied, der; -[e]s, -e; zum Unterschied von; im Unterschied zu; un|ter|schied|lich

un|ter|schla|gen; mit untergeschlagenen
Beinen

un|ter|schla|gen (veruntreuen); sie hat [Gelder] unterschlagen; Un|ter|schla|gung

Un|ter|schlupf *Plur. selten*

un|ter|schrei|ben

un|ter|schrei|ten; die Einnahmen haben den
Voranschlag unterschritten

Un|ter|schrift; Un|ter|schrif|ten|ak|ti|on;
Un|ter|schrif|ten|samm|lung

un|ter|schwel|lig (unterhalb der Bewusstseinsschwelle)

Un|ter|sei|te

un|ter|set|zen; ich habe den Eimer untergesetzt; Un|ter|set|zer (Schale für Blumentöpfe u. a.)

un|ter|setzt (von gedrungener Gestalt)

un|ter|ste|hen (unter einem schützenden
Dach stehen); sie hat beim Regen untergestanden; un|ter|ste|hen; er unterstand
einem strengen Lehrmeister; es hat keinem Zweifel unterstanden (es gab keinen
Zweifel); du hast dich unterstanden
(gewagt); untersteh dich [nicht][,] uns zu
verraten!

un|ter|stel|len; ich habe den Wagen untergestellt; ich habe mich während des
Regens untergestellt

un|ter|stel|len; er ist meinem Befehl unterstellt; man hat ihr etwas unterstellt ([Falsches] über sie behauptet, [Unbewiesenes]
als wahr angenommen); Un|ter|stel|lung

(befehlsmäßige Unterordnung; [falsche] Behauptung)

un|ter|strei|chen; etwas durch Unterstreichen hervorheben

Un|ter|stu|fe

un|ter|stüt|zen; ich habe ihn mit Geld unterstützt; die zu Unterstützende; **un|ter|stüt|zen**; er hat den Arm untergestützt

Un|ter|stüt|zer; Un|ter|stüt|ze|rin; Un|ter|stüt|zung

un|ter|su|chen

Un|ter|su|chung; Un|ter|su|chungs|ausschuss; Un|ter|su|chungs|be|richt; Un|ter|su|chungs|er|geb|nis; Un|ter|su|chungs|haft, die (*kurz* U-Haft); Un|ter|su|chungs|kom|mis|si|on; Un|ter|su|chungs|rich|ter; Un|ter|su|chungs|rich|te|rin

Un|ter|ta|ge|bau *Plur.* ...baue

un|ter|tan (*veraltend für* untergeben); **Un|ter|tan**, der; *Gen.* -s, *älter* -en, *Plur.* -en; un|ter|tä|nig (ergeben); Ihr untertänigster Diener (*veraltet*); Un|ter|ta|nin

Un|ter|tas|se; fliegende Untertasse

un|ter|tau|chen; die Robbe hat das Schleppnetz untertaucht; un|ter|tau|chen; der Schwimmer ist untergetaucht; der Verbrecher war schnell untergetaucht (verschwunden)

un|ter|tei|len; die Skala ist in 10 Teile unterteilt

Un|ter|ti|tel; **Un|ter|ton** *Plur.* ...töne

un|ter|wan|dern; die Partei wurde unterwandert

Un|ter|wä|sche, die; -

un|ter|wegs (auf dem Wege)

Un|ter|welt

un|ter|wer|fen; Un|ter|wer|fung

un|ter|wür|fig [*auch* 'ʊ...]

Un|ter|zahl, die; - (*bes. Sport*)

un|ter|zeich|nen; Un|ter|zeich|ner; Un|ter|zeich|ne|rin; Un|ter|zeich|nung; un|ter|zie|hen; du hast dich diesem Verhör unterzogen

un|ter|zie|hen; ich habe eine wollene Jacke untergezogen

un|ter|zu|ckert (*Med.* an zu niedrigem Blut-

zuckerspiegel leidend); **Un|ter|zu|cke|rung**

un|tief (seicht); **Un|tie|fe** (große Tiefe; *auch für* seichte Stelle)

Un|tier (Ungeheuer)

un|trag|bar [*auch* 'ʊ...]

un|trenn|bar [*auch* 'ʊ...]

un|treu; **Un|treue**

un|tröst|lich [*auch* 'ʊ...]

un|trüg|lich [*auch* 'ʊ...]; ein untrügliches Zeichen

un|ty|pisch

un|über|brück|bar [*auch* 'ʊ...]; un|über|hör|bar [*auch* 'ʊ...]; un|über|legt; un|über|schau|bar [*auch* 'ʊ...]; un|über|seh|bar [*auch* 'ʊ...]

un|über|sicht|lich; **Un|über|sicht|lich|keit**

un|über|trof|fen [*auch* 'ʊ...]

un|über|wind|bar [*auch* 'ʊ...]; un|über|wind|lich [*auch* 'ʊ...]

un|üb|lich

un|um|gäng|lich [*auch* 'ʊ...]

un|um|kehr|bar [*auch* 'ʊ...]

un|um|stöß|lich [*auch* 'ʊ...]

un|um|strit|ten [*auch* 'ʊ...]

un|um|wun|den [*auch* ...'vʊ...] (freiheraus)

un|un|ter|bro|chen [*auch* ...'brɔ...]

un|ver|än|dert [*auch* ...'ɛ...]

un|ver|ant|wort|lich [*auch* 'ʊ...]

un|ver|bes|ser|lich [*auch* 'ʊ...]

un|ver|bind|lich [*auch* ...'bɪ...]

un|ver|blümt [*auch* 'ʊ...]

un|ver|braucht

un|ver|däch|tig [*auch* ...'dɛ...]

un|ver|dient [*auch* ...'di:...]

un|ver|dros|sen [*auch* ...'drɔ...]

un|ver|ein|bar [*auch* 'ʊ...]; **Un|ver|ein|bar|keit**

un|ver|fälscht [*auch* ...'fɛ...]

un|ver|fro|ren [*auch* ...'fro:...] (keck; frech); **Un|ver|fro|ren|heit**

un|ver|ges|sen; un|ver|gess|lich [*auch* 'ʊ...]

un|ver|gleich|lich [*auch* 'ʊ...]

un|ver|hält|nis|mä|ßig [*auch* ...'hɛ...]; un|ver|hei|ra|tet

un|ver|hofft [*auch* …'hɔ…]
un|ver|hoh|len [*auch* …'ho:…]
un|ver|käuf|lich [*auch* …'kɔy…]
un|ver|kenn|bar [*auch* 'ʊ…]
un|ver|krampft
un|ver|langt; unverlangt eingesandte Manuskripte
un|ver|letzt
un|ver|meid|bar [*auch* 'ʊ…]; un|ver|meid|lich [*auch* 'ʊ…]
un|ver|min|dert
un|ver|mit|telt
Un|ver|mö|gen, das; -s (Mangel an Kraft, Fähigkeit)
un|ver|mu|tet
un|ver|nünf|tig
un|ver|öf|fent|licht
un|ver|rück|bar [*auch* 'ʊ…]
un|ver|schämt; Un|ver|schämt|heit
un|ver|schlüs|selt
un|ver|schul|det [*auch* …'ʃu…]
un|ver|se|hens [*auch* …'ze:…]
un|ver|sehrt; Un|ver|sehrt|heit, die; -
un|ver|söhn|lich [*auch* …'zø:…]
un|ver|ständ|lich (undeutlich; unbegreiflich); Un|ver|ständ|nis
un|ver|wech|sel|bar [*auch* 'ʊ…]
un|ver|wüst|lich [*auch* 'ʊ…]
un|ver|zagt
un|ver|zeih|lich [*auch* 'ʊ…]
un|ver|zicht|bar [*auch* 'ʊ…]
un|ver|züg|lich [*auch* 'ʊ…]
un|voll|en|det […'ɛ…]
un|voll|kom|men [*auch* …'kɔ…]
un|voll|stän|dig [*auch* …'ʃtɛ…]
un|vor|be|rei|tet
un|vor|ein|ge|nom|men
un|vor|her|ge|se|hen; un|vor|her|seh|bar
un|vor|sich|tig
un|vor|stell|bar [*auch* 'ʊ…]
Un|wäg|bar|keit, die; -, -en
un|wahr; Un|wahr|heit
un|wahr|schein|lich
un|weg|sam; unwegsames Gebiet
un|wei|ger|lich [*auch* 'ʊ…]

un|weit; *als Präposition mit Gen.:* unweit des Flusses
Un|we|sen, das; -s; er trieb sein Unwesen
un|we|sent|lich
Un|wet|ter
un|wich|tig
un|wi|der|ruf|lich [*auch* 'ʊ…]; zum unwiderruflich letzten Mal
un|wi|der|spro|chen [*auch* 'ʊ…]
un|wi|der|steh|lich [*auch* 'ʊ…]
un|wie|der|bring|lich [*auch* 'ʊ…]
un|wil|lig
un|will|kür|lich [*auch* …'ky:ɐ̯…]
un|wirk|lich
un|wirk|sam; ein unwirksames Mittel; Un|wirk|sam|keit, die; -
un|wirsch (unfreundlich)
un|wirt|lich (unbewohnt, einsam; unfruchtbar); eine unwirtliche Gegend
un|wirt|schaft|lich
un|wis|send; Un|wis|sen|heit; un|wis|sent|lich
un|wohl; mir ist unwohl; unwohl sein; Un|wohl|sein, das; -s; wegen Unwohlseins
Un|wort *Plur.* …wörter *u.* …worte (unschönes, unerwünschtes Wort)
un|wür|dig
Un|zahl, die; - (sehr große Zahl)
un|zäh|lig; unzählige Kranke; unzählige Male hatte sie ihm geholfen; ich habe es unzählige Mal versucht; *aber* es haben sich Unzählige beteiligt
Un|ze, die; -, -n (Gewicht)
un|zeit|ge|mäß
un|zer|trenn|lich ['ʊ…]
Un|zucht, die; -; un|züch|tig
un|zu|frie|den; Un|zu|frie|den|heit
un|zu|gäng|lich
un|zu|läng|lich; Un|zu|läng|lich|keit
un|zu|läs|sig
un|zu|mut|bar
un|zu|rei|chend
un|zu|tref|fend; Unzutreffendes bitte streichen!
un|zu|ver|läs|sig; Un|zu|ver|läs|sig|keit
un|zwei|fel|haft [*auch* …'tsvai…]

Up|date ['apde:t], das; -s, -s (*EDV* Aktualisierung; aktualisierte [u. verbesserte] Version eines Programms o. Ä.); up|da|ten (aktualisieren); er updatet, sie hat upgedatet; upzudaten

Up|grade ['apgre:t], das; -s, -s (*svw.* Update; *Touristik* verbesserte Leistung); up|gra|den (ein Upgrade vornehmen); sie upgradet, er hat upgegradet; upzugraden

üp|pig; Üp|pig|keit, die; -

up to date [ap tu 'de:t] (zeitgemäß, auf der Höhe)

Ur, der; -[e]s, -e (Auerochse)

Ur|ab|stim|mung (Abstimmung aller Mitglieder, bes. einer Gewerkschaft über die Ausrufung eines Streiks)

Ur|ahn; Ur|ah|ne, die *u.* der (Urgroßmutter, Urgroßvater)

ur|alt

Uran, das; -s (radioaktives chem. Element, Metall; *Zeichen* U); Uran|an|rei|che|rung

ur|auf|füh|ren; die Oper wurde uraufgeführt; Ur|auf|füh|rung

ur|ban (städtisch; gebildet; weltmännisch)

Ur|ba|ni|tät, die; - (Bildung, weltmännische Art; städtische Atmosphäre)

ur|bar; urbar machen; urbares Land

Ur|be|völ|ke|rung

ur|ei|gen; ein ureigenes Interesse

Ur|ein|woh|ner; Ur|ein|woh|ne|rin

Ur|en|kel; Ur|en|ke|lin

Ur|ge|mein|de (urchristliche Gemeinde)

ur|ge|müt|lich

Ur|ge|stein

Ur|groß|el|tern *Plur.*; Ur|groß|mut|ter; Ur|groß|va|ter

Ur|he|ber; Ur|he|be|rin; Ur|he|ber|recht; ur|he|ber|recht|lich

urig (urtümlich; originell)

Urin der; -s, -e *Plur. selten* (Harn); uri|nie|ren

Ur|knall, der; -[e]s (Explodieren der Materie bei der Entstehung des Weltalls)

Ur|kun|de, die; -, -n; Ur|kun|den|fäl|schung; ur|kund|lich

URL, die; -, -s, *selten* der; -s, -s = Uniform Resource Locator (Internetadresse)

Ur|laub, der; -[e]s, -e; in *od.* im Urlaub sein; Ur|lau|ber; Ur|lau|be|rin; Ur|laubs|fo|to; Ur|laubs|geld; Ur|laubs|ort, der; -[e]s, ...orte; Ur|laubs|rei|se; Ur|laubs|tag; Ur|laubs|zeit

Ur|ne, die; -, -n; Ur|nen|gang, der

Uro|lo|ge, der; -n, -n (Arzt für Krankheiten der Harnorgane); Uro|lo|gie, die; -; Uro|lo|gin

ur|plötz|lich

Ur|sa|che; Ur|sa|chen|for|schung

ur|säch|lich

Ur|schrift; ur|schrift|lich

Ur|sprung *Plur.* ...sprünge

ur|sprüng|lich (*Abk.* urspr.)

Ur|teil, das; -s, -e; ur|tei|len

Ur|teils|be|grün|dung; Ur|teils|spruch; Ur|teils|ver|kün|dung

Ur|tier|chen *meist Plur.* (einzelliges tierisches Lebewesen)

ur|tüm|lich

Ur|ver|trau|en

Ur|wald

ur|wüch|sig; eine urwüchsige Landschaft

Ur|zeit; seit Urzeiten

US-ame|ri|ka|nisch [u:'lɛs...]

USB, der; -[s], -s (universeller Anschluss beim PC)

US-Dol|lar [u:'lɛs...] *vgl.* Dollar

User ['ju:...], der; -s, - (*EDV* Benutzer, Anwender; *Jargon* Drogenkonsument); Use|rin

Usur|pa|ti|on, die; -, -en (widerrechtliche Besitz-, Machtergreifung); usur|pie|ren

Usus, der; - (Brauch, Gewohnheit, Sitte)

Uten|sil das; -s, -ien *meist Plur.* ([notwendiges] Gerät, Gebrauchsgegenstand)

Ute|rus, der; -, ...ri (Gebärmutter)

Uto|pie, die; -, ...ien (als unausführbar geltender Plan; Zukunftstraum); uto|pisch (unerfüllbar)

UV-Strah|len *Plur.* (*Abk.* für ultraviolette Strahlen)

uzen (*ugs. für* necken); du uzt

U

V v

vag, va|ge (unbestimmt)

Va|ga|bund, der; -en, -en (Landstreicher); Va|ga|bun|din

va|ge, vag (unbestimmt)

Va|gi|na [*auch* 'va:...], die; -, ...nen (*Med. w.* Scheide)

va|kant [v...] (leer; unbesetzt; frei)

Va|ku|um, das; -s, *Plur.* ...kua *od.* ...kuen (luftleerer Raum)

Vak|zi|ne, die; -, -n (Impfstoff aus Krankheitserregern)

Va|len|tins|tag (14. Febr.)

Va|lu|ta, die; -, ...ten (Geld in ausländischer Währung; [Gegen]wert; *nur Plur.:* Zinsscheine ausländ. Wertpapiere)

Vamp [vɛ...], der; -s, -s (verführerische, kalt berechnende Frau)

Vam|pir [*auch* 'vam...], der; -s, -e (eine Fledermausart; *Volksglauben* Blut saugendes Nachtgespenst)

Van [vɛn], der; -s, -s (geräumiges Auto, Transporter)

Van|da|lis|mus, Wan|da|lis|mus, der; - (Zerstörungswut)

Va|nil|le [...'nil(j)ə, 'vanil], die; - (eine trop. Orchidee; Gewürz); Va|nil|le|eis

va|ri|a|bel (veränderlich, [ab]wandelbar; ...a|b|le Kosten; Va|ri|a|b|le, die; -n, *Plur.* -n, *ohne Artikel fachspr. auch* - (*Math.* veränderliche Größe; *Ggs.* Konstante); zwei Variable[n])

Va|ri|an|te, die; -, -n (Abwandlung; verschiedene Lesart; Spielart)

Va|ri|a|ti|on, die; -, -en (Abwechslung; Abänderung; Abwandlung)

Va|ri|e|te, Va|ri|e|tee (Theater mit wechselndem, unterhaltsamem Programm)

va|ri|ie|ren (verschieden sein; abweichen; [ab]wandeln)

Va|sall, der; -en, -en (Lehnsmann im MA.)

Va|se, die; -, -n

Va|se|li|ne, die; -

Va|ter, der; -s, Väter; Va|ter|haus

Va|ter|land *Plur.* ...länder; va|ter|län|disch

vä|ter|lich; Vä|ter|mo|nat *meist Plur.* (Monat, in dem ein Vater Elternzeit in Anspruch nimmt)

Va|ter|schaft, die; -, -en

Va|ter|un|ser, das; -s, -; *aber im Gebet:* Vater unser im Himmel

Va|ti, der; -s, -s (Koseform von Vater)

Va|ti|kan [v...], der; -s (Residenz des Papstes in Rom; oberste Behörde der kath. Kirche); va|ti|ka|nisch; *aber* die Vatikanische Bibliothek, das Vatikanische Konzil

ve|gan; vegan leben; Ve|ga|ner; Ve|ga|ne|rin

Ve|ge|ta|ri|er (jmd., der sich vorwiegend von pflanzl. Kost ernährt); Ve|ge|ta|ri|e|rin; ve|ge|ta|risch (pflanzlich; Pflanzen...)

Ve|ge|ta|ti|on, die; -, -en (Pflanzenwelt, -wuchs); Ve|ge|ta|ti|ons|zo|ne

ve|ge|ta|tiv (zur Vegetation gehörend, pflanzlich; *Biol.* ungeschlechtlich; *Med.* unbewusst); vegetatives Nervensystem (dem Einfluss des Bewusstseins entzogenes Nervensystem)

ve|ge|tie|ren (kümmerlich [dahin]leben)

ve|he|ment (heftig); Ve|he|menz, die; -

Ve|hi|kel, das; -s, - (schlechtes, altmodisches Fahrzeug; Hilfsmittel)

Veil|chen

Vek|tor, der; -s, ...oren (physikal. od. math. Größe, die durch Pfeil dargestellt wird u. durch Richtung u. Betrag festgelegt ist)

Ve|lo [*auch* 've...], das; -s, -s (schweiz. für Fahrrad); Velo fahren (Rad fahren)

Vel|vet, der *od.* das; -s, -s (Baumwollsamt)

Ven|det|ta, die; -, ...tten ([Blut]rache)

Ve|ne, die; -, -n (Blutgefäß, das zum Herzen führt); Ve|nen|ent|zün|dung

Ven|til, das; -s, -e

Ven|ti|la|ti|on, die; -, -en ([Be]lüftung, Luftwechsel); Ven|ti|la|tor, der; -s, ...oren

Ve|nus, die; - (ein Planet)

ver|ab|re|den; Ver|ab|re|dung

ver|ab|rei|chen; Ver|ab|rei|chung

ver|ab|scheu|en

ver|ab|schie|den; sich verabschieden; **Ver-
ab|schie|dung**

ver|ach|ten; das ist nicht zu verachten (*ugs.
für* das ist gut, schön); **ver|ächt|lich; Ver-
ach|tung,** die; -

ver|all|ge|mei|nern; ich verallgemeinere;
Ver|all|ge|mei|ne|rung

ver|al|ten; veraltend; veraltet

Ve|ran|da, die; -, ...den, *ugs. auch:* ...das

ver|än|der|lich; das Barometer steht auf
»veränderlich«; **ver|än|dern;** sich verän-
dern; unter veränderten Bedingungen;
Ver|än|de|rung

ver|ängs|ti|gen; ver|ängs|tigt

ver|an|kern; Ver|an|ke|rung

ver|an|la|gen (die Steuerschuld festsetzen)

ver|an|lagt; künstlerisch veranlagt sein;
Ver|an|la|gung

ver|an|las|sen; du veranlasst, er/sie veran-
lasst; du veranlasstest; veranlasst; veran-
lasse!; sich veranlasst sehen; **Ver|an|las-
sung;** zur weiteren Veranlassung
(*Amtsspr.; Abk.* z. w. V.)

ver|an|schau|li|chen

ver|an|schla|gen (ansetzen); du veran-
schlagtest; er hat die Kosten viel zu niedrig
veranschlagt

ver|an|stal|ten; Ver|an|stal|ter; Ver|an|
stal|te|rin; Ver|an|stal|tung; Ver|an|stal|
tungs|ka|len|der; Ver|an|stal|tungs|ort;
Ver|an|stal|tungs|rei|he

ver|ant|wor|ten

ver|ant|wort|lich; Ver|ant|wort|lich|
keit

Ver|ant|wor|tung; Ver|ant|wor|tungs|
be|reich; ver|ant|wor|tungs|be|wusst;
Ver|ant|wor|tungs|be|wusst|sein; ver|
ant|wor|tungs|los; ver|ant|wor|tungs|
voll

ver|ar|bei|ten; Ver|ar|bei|tung

ver|är|gern; Kunden verärgern; verärgert
sein; Ver|är|ge|rung

ver|ar|men; Ver|ar|mung

ver|ar|schen (*derb für* zum Narren halten)

ver|äu|ßern (verkaufen); Ver|äu|ße|rung

Verb, das; -s, -en (*Sprachwiss.* Zeitwort,
Tätigkeitswort, z. B. »laufen, bauen«); **ver-
bal** (als Verb gebraucht; mündlich)

Ver|band, der; -[e]s, ...bände; **Ver|band-
kas|ten,** Ver|bands|kas|ten; Ver|bands-
li|ga *(Sport);* Ver|bands|prä|si|dent

ver|ban|nen; Ver|ban|nung

ver|bar|ri|ka|die|ren

ver|bau|en

ver|bei|ßen; die Hunde hatten sich ineinan-
der verbissen; sich den Schmerz verbeißen
(nicht anmerken lassen); sich in eine Sache
verbeißen (*ugs. für* hartnäckig daran fest-
halten)

ver|ber|gen; *vgl. auch* verborgen

ver|bes|sern; Ver|bes|se|rung, Ver|bess-
rung; Ver|bes|se|rungs|vor|schlag; Ver-
bess|rung *vgl.* Verbesserung

ver|beu|gen, sich; Ver|beu|gung

ver|beu|len

ver|bie|gen

ver|bie|ten; Betreten verboten!

ver|bil|li|gen

ver|bin|den

ver|bind|lich (höflich, zuvorkommend; bin-
dend, verpflichtend); eine verbindliche
Zusage; **Ver|bind|lich|keit**

Ver|bin|dung; in Verbindung setzen

ver|bis|sen; ein verbissener Gegner; ein ver-
bissenes Gesicht

ver|bit|ten; ich habe mir eine solche Ant-
wort verbeten

ver|bit|tern; ich verbittere; **ver|bit|tert;
Ver|bit|te|rung**

ver|blas|sen; die Farbe verblasst; verblasste
Kindheitserinnerungen

ver|bläu|en (*ugs. für* verprügeln)

Ver|bleib, der; -[e]s; **ver|blei|ben**

Ver|blei|ben, das; -s; dabei muss es sein
Verbleiben haben *(Amtsspr.)*

ver|bli|chen; verblichenes Bild

ver|blüf|fen; verblüfft sein; **ver|blüf|fend;
Ver|blüf|fung**

ver|blü|hen

ver|blu|ten

¹ver|bor|gen (ausleihen)

V

²**verborgen;** ein verborgenes Talent; im Verborgenen bleiben

Ver|bot, das; -[e]s, -e; **ver|bo|ten**

Ver|bots|schild, das

Ver|brauch, der; -[e]s, *Plur. (fachspr.)* ...bräuche; **ver|brau|chen**

Ver|brau|cher; Ver|brau|che|rin; Ver|braucher|markt; Ver|brau|cher|preis; Ver|brau|cher|schutz, der; -es; **Ver|brau|cher|zen|t|ra|le®**

ver|bre|chen; Ver|bre|chen, das; -s, -; **Ver|bre|chens|be|kämp|fung; Ver|bre|cher; Ver|bre|che|rin; ver|bre|che|risch**

ver|brei|ten; er hat diese Nachricht verbreitet; sich verbreiten (etwas ausführlich darstellen); die verbreitets|te Meinung *(ugs.)*

ver|brei|tern (breiter machen); ich verbreitere; **Ver|brei|te|rung**

Ver|brei|tung, die; -

ver|bren|nen; das Holz ist verbrannt; du hast dir den Mund verbrannt *(ugs. für dir durch Reden geschadet)*

Ver|bren|nung; Ver|bren|nungs|mo|tor

ver|brin|gen *(Amtsspr. auch für irgendwohin schaffen);* jmdn. in Sicherheitsverwahrung verbringen

ver|brü|hen; Ver|brü|hung

ver|bu|chen; Ver|bu|chung

Ver|bund, der; -[e]s, *Plur.* -e u. Verbünde (Verbindung)

ver|bun|den; jmdm. sehr verbunden *(geh. für dankbar)* sein

ver|bün|den, sich; die [mit uns, miteinander] verbündeten Staaten

Ver|bun|den|heit, die; -

Ver|bün|de|te, der u. die; -n, -n

ver|bür|gen; sich verbürgen

ver|bü|ßen; eine Strafe verbüßen

Ver|dacht, der; -[e]s, *Plur.* -e u. Verdächte; **ver|däch|tig; ver|däch|ti|gen; Ver|däch|ti|gung; Ver|dachts|mo|ment,** das

ver|dam|men; Ver|damm|nis die; -, -se *Plur. selten (Rel.);* **ver|dammt** *(ugs. auch für sehr)*

ver|damp|fen

ver|dan|ken *(schweiz. auch für für etwas Dank abstatten)*

ver|dat|tert *(ugs. für verwirrt)*

ver|dau|en; ver|dau|lich; leicht verdauliche od. leichtverdauliche Nahrungsmittel; ein schwer verdauliches od. schwerverdauliches Essen; **Ver|dau|ung**

Ver|deck, das; -[e]s, -e

ver|de|cken; verdeckte Ermittler

ver|den|ken; jmdm. etwas verdenken

Ver|derb, der; -[e]s; auf Gedeih und Verderb

ver|der|ben; du verdirbst; du verdarbst; du verdürbest; verdorben; verdirb!; das Fleisch ist verdorben; er hat mir den Ausflug verdorben; **Ver|der|ben,** das; -s

ver|derb|lich; verderbliche Esswaren

ver|deut|li|chen; Ver|deut|li|chung

ver|dich|ten; Ver|dich|tung

ver|die|nen; das Verdienen (der Gelderwerb) wird schwerer

¹**Ver|dienst,** der; -[e]s, -e (Lohn, Gewinn)

²**Ver|dienst,** das; -[e]s, -e (Anspruch auf Anerkennung); **ver|dienst|voll**

ver|dient; ein verdienter Sieg

Ver|dikt, das; -[e]s, -e (Urteil)

ver|din|gen; du verdingst; du verdingtest; verdungen, *auch* verdingt; verding[e]!; sich als Gehilfe verdingen

ver|don|nern *(ugs. für verurteilen)*

ver|dop|peln; Ver|dop|pe|lung, Ver|dopp|lung

ver|dor|ben *vgl.* verderben

ver|dor|ren; verdorrt

ver|drän|gen; Ver|drän|gung; Ver|drängungs|wett|be|werb

ver|dre|hen; ver|dreht *(ugs. für verwirrt; verschroben)*

ver|drei|fa|chen; Ver|drei|fa|chung

ver|drie|ßen (missmutig machen); du verdrießt, er verdrießt; du verdrossest, er verdross; du verdrössest; verdrossen; verdrieß[e]!; es verdrießt mich; ich lasse es mich nicht verdrießen; **ver|drieß|lich**

ver|drü|cken *(ugs. auch für essen);* sich verdrücken *(ugs. für sich heimlich entfernen)*

Ver|druss, der; -es, -e

ver|dun|keln; ich verdunk[e]le

ver|dün|nen; Ver|dün|nung

ver|duns|ten (langsam verdampfen); Ver-
  duns|tung; Ver|duns|tungs|käl|te *(Phy-
  sik)*
ver|durs|ten
ver|dutzt (verwirrt)
ver|edeln; ich vered[e]le
ver|eh|ren; Ver|eh|rer; Ver|eh|re|rin; Ver-
  eh|rung
ver|ei|di|gen; vereidigte Sachverständige;
  Ver|ei|di|gung
Ver|ein, der; -[e]s, -e; im Verein mit ...; ein-
  getragener Verein *(Abk. e. V.)*
ver|ein|bar; ver|ein|ba|ren; die vereinbar-
  ten Ziele; Ver|ein|bar|keit; Ver|ein|ba-
  rung; ver|ei|nen; vereint *(vgl. d.)*
ver|ein|fa|chen; Ver|ein|fa|chung
ver|ein|heit|li|chen; Ver|ein|heit|li|chung
ver|ei|ni|gen; Ver|ei|ni|gung; Ver|ei|ni-
  gungs|men|ge
ver|ein|nah|men (einnehmen); Ver|ein|nah-
  mung
Ver|eins|ge|schich|te; Ver|eins|haus; Ver-
  eins|heim; Ver|eins|lo|kal; Ver|eins|mit-
  glied; Ver|eins|recht
ver|eint; mit vereinten Kräften, *aber* die
  Vereinten Nationen *(Abk.* UN, VN)
ver|ein|zeln; ich vereinz[e]le; ver|ein|zelt;
  vereinzelte Niederschläge; Vereinzelte
  saßen im Freien
ver|ei|sen (von Eis bedeckt werden); die
  Tragflächen ver|eis|ten; ver|eist
ver|ei|teln; ich vereit[e]le; Ver|ei|te|lung,
  Ver|eit|lung
ver|en|den
ver|en|gen; Ver|en|gung
ver|er|ben; Ver|er|bung
ver|ewi|gen
¹ver|fah|ren (vorgehen, handeln); ich bin so
  verfahren, dass ...; so darfst du nicht mit
  ihr verfahren (umgehen); ich habe mich
  verfahren (bin einen falschen Weg gefah-
  ren)
²ver|fah|ren (ausweglos scheinend); verfah-
  rene Situation
Ver|fah|ren, das; -s, -; ein neues Verfahren;
  Ver|fah|rens|wei|se

Ver|fall, der; -[e]s; in Verfall geraten; ver-
  fal|len; das Haus ist verfallen; er ist dem
  Alkohol verfallen; Ver|fall[s]|da|tum
ver|fäl|schen
ver|fan|gen; sich verfangen; du hast dich in
  Widersprüchen verfangen
ver|fäng|lich; eine verfängliche Situation
ver|fär|ben; Ver|fär|bung
ver|fas|sen; sie hat den Brief verfasst; Ver-
  fas|ser; Ver|fas|se|rin
Ver|fas|sung; ver|fas|sung|ge|bend, *nicht
  amtlich auch* ver|fas|sungs|ge|bend; Ver-
  fas|sungs|än|de|rung; Ver|fas|sungs|be-
  schwer|de; ver|fas|sungs|feind|lich; ver-
  fas|sungs|ge|mäß; Ver|fas|sungs|ge-
  richt; Ver|fas|sungs|ge|richts|hof; Ver-
  fas|sungs|kla|ge; ver|fas|sungs|kon-
  form; Ver|fas|sungs|mä|ßig|keit, die; -;
  Ver|fas|sungs|recht; ver|fas|sungs|recht-
  lich; Ver|fas|sungs|rich|ter; Ver|fas-
  sungs|rich|te|rin; Ver|fas|sungs|schutz,
  der; -es; ver|fas|sungs|wid|rig
ver|fech|ten (verteidigen); er hat sein Recht
  tatkräftig verfochten; Ver|fech|ter; Ver-
  fech|te|rin
ver|feh|len (nicht erreichen, nicht treffen);
  sich verfehlen *(veraltend für eine Verfeh-
  lung begehen)*; ver|fehlt; Ver|feh|lung
ver|fei|nern; ich verfeinere; Ver|fei|ne|rung
ver|fes|ti|gen; Ver|fes|ti|gung
ver|fil|men; Ver|fil|mung
ver|fins|tern; ich verfinstere
ver|flech|ten; Ver|flech|tung
ver|flie|gen (verschwinden); der Zorn ist
  verflogen; sich verfliegen (mit dem Flugzeug vom Kurs abkommen)
ver|flixt *(ugs. für verflucht; auch für unan-
  genehm, ärgerlich)*
ver|flos|sen; verflossene *od.* verflossne
  Tage
ver|flu|chen; ver|flucht (verdammt; sehr);
  so ein verfluchter Idiot; es ist verflucht
  heiß; verflucht u. zugenäht!
ver|flüch|ti|gen; sich verflüchtigen *(auch
  ugs. scherzh. für sich heimlich entfernen)*
ver|flüs|si|gen

V

ver|fol|gen; die lange verfolgten (angestrebten) Ziele; Ver|fol|ger; Ver|fol|ge|rin; Ver|folg|te, der u. die; -n, -n
Ver|fol|gung; Ver|fol|gungs|jagd
ver|frach|ten
ver|frem|den; Ver|frem|dung
ver|frü|hen, sich; ver|früht; sein Dank kam verfrüht
ver|füg|bar; verfügbares Kapital; Ver|füg|bar|keit; ver|fü|gen (bestimmen, anordnen; besitzen)
Ver|fü|gung; zur Verfügung u. bereithalten, aber bereit- u. zur Verfügung halten
ver|füh|ren; Ver|füh|rer; Ver|füh|re|rin; ver|füh|re|risch; Ver|füh|rung
ver|füt|tern (als ¹Futter geben)
Ver|ga|be, die; -, -n; Vergabe von Arbeiten
ver|gäl|len (verbittern; Chemie ungenießbar machen); er hat ihm die Freude vergällt; vergällter Alkohol
ver|gam|meln (ugs. für verderben; verwahrlosen); die Zeit vergammeln (ugs. für vertrödeln)
ver|gan|gen vgl. vergehen; Ver|gan|gen|heit; Ver|gan|gen|heits|be|wäl|ti|gung; Ver|gan|gen|heits|form (Sprachwiss.)
ver|gäng|lich; Ver|gäng|lich|keit
Ver|ga|ser (Vorrichtung zur Erzeugung des Luft-Kraftstoff-Gemisches für Verbrennungskraftmaschinen)
ver|ge|ben; eine Chance vergeben; er hat diesen Auftrag vergeben; seine Sünden sind ihm vergeben worden; ich vergebe mir nichts, wenn …
ver|ge|bens; ver|geb|lich
Ver|ge|bung (geh.)
ver|ge|gen|wär|ti|gen [auch …'vɛ…], sich
ver|ge|hen; die Jahre sind vergangen; vergangene Zeiten; sich vergehen; er hat sich an ihr vergangen; Ver|ge|hen, das; -s, -
ver|gel|ten; sie hat immer Böses mit Gutem vergolten; vergilt!; jmdm. ein »Vergelts Gott!« zurufen; Ver|gel|tung
ver|ges|sen; du vergisst, er vergisst; du vergaßest; du vergäßest; vergessen; vergiss!; etwas vergessen; die Arbeit über dem Ver-

gnügen vergessen; Ver|ges|sen|heit, die; -; ver|gess|lich; Ver|gess|lich|keit
ver|geu|den; Ver|geu|dung
ver|ge|wal|ti|gen; Ver|ge|wal|ti|ger; Ver|ge|wal|ti|gung
ver|ge|wis|sern, sich; ich vergewissere mich ihrer Sympathie; Ver|ge|wis|se|rung
ver|gie|ßen
ver|gif|ten; Ver|gif|tung
Ver|giss|mein|nicht, das; -[e]s, -[e] (eine Blume)
Ver|gleich, der; -[e]s, -e; im Vergleich mit, zu …; ein gütlicher Vergleich
ver|gleich|bar; Ver|gleich|bar|keit
ver|glei|chen; sie hat beide Bilder verglichen; sich vergleichen; die Parteien haben sich verglichen; vergleich[e]! (Abk. vgl.)
Ver|gleichs|form (Steigerungsform des Adjektivs); Ver|gleichs|test; ver|gleichs|wei|se; Ver|gleichs|wert (bes. Statistik); Ver|gleichs|zeit|raum
ver|glü|hen
ver|gnü|gen; sich vergnügen; Ver|gnü|gen, das; -s, -; viel Vergnügen!; ver|gnüg|lich; ver|gnügt; Ver|gnü|gungs|park
ver|gol|den
ver|gön|nen ([aus Gunst] gewähren); es ist mir vergönnt
ver|gra|ben
ver|grau|len (ugs. für verärgern [u. dadurch vertreiben])
ver|grei|fen; sich an jmdm., an einer Sache vergreifen; du hast dich im Ton vergriffen
ver|grif|fen; das Buch ist vergriffen (nicht mehr lieferbar)
ver|grö|ßern; ich vergrößere; Ver|grö|ße|rung
ver|güns|ti|gen; Ver|güns|ti|gung
ver|gü|ten (auch für veredeln); Ver|gü|tung
ver|haf|ten; ver|haf|tet (auch für eng verbunden); einer Sache verhaftet sein; Ver|haf|tung
ver|ha|geln; ich verhag[e]le
ver|hal|len; sein Ruf verhallte
Ver|halt, der; -[e]s, -e (veraltet für Verhalten; Sachverhalt)

¹**ver|hal|ten** (stehen bleiben; zurückhalten; *österr. u. schweiz. Amtsspr.* zu etwas verpflichten); sie verhielt auf der Treppe; er verhält den Harn; ich habe mich abwartend verhalten; *(österr., schweiz.:)* die Behörde verhielt ihn zur Zahlung einer Geldbuße

²**ver|hal|ten;** verhaltener (gedämpfter, unterdrückter) Zorn; verhaltene (verzögerte) Schritte; verhaltener (gezügelter) Trab

Ver|hal|ten, das; -s; ver|hal|tens|auf|fäl|lig *(Psychol.);* **Ver|hal|tens|for|schung; Ver|hal|tens|ko|dex**, Ver|hal|tens|co|dex; **Ver|hal|tens|mus|ter** *(Psychol.);* **Ver|hal|tens|re|gel; Ver|hal|tens|the|ra|pie; Ver|hal|tens|wei|se**

Ver|hält|nis, das; -ses, -se; geordnete Verhältnisse; **ver|hält|nis|mä|ßig; Ver|hält|nis|mä|ßig|keit** *Plur. selten;* **Ver|hält|nis|wort** *Plur.* ...wörter *(für Präposition)*

ver|han|del|bar; ver|han|deln; über, *selten* um etwas verhandeln; **Ver|hand|ler; Ver|hand|le|rin; Ver|hand|lung**

Ver|hand|lungs|er|geb|nis; Ver|hand|lungs|füh|rer; Ver|hand|lungs|füh|re|rin; Ver|hand|lungs|part|ner; Ver|hand|lungs|part|ne|rin; Ver|hand|lungs|tag *(bes. Rechtsspr.);* **Ver|hand|lungs|tisch;** sich an den Verhandlungstisch setzen

ver|hän|gen; mit verhängten (locker gelassenen) Zügeln; *vgl.* ²hängen

Ver|häng|nis, das; -ses, -se; ver|häng|nis|voll

Ver|hän|gung; die Verhängung einer Strafe

ver|harm|lo|sen; du verharmlost; er verharmlos|te; **Ver|harm|lo|sung**

ver|härmt

ver|har|ren *(geh.)*

ver|här|ten

ver|hasst

ver|hät|scheln *(ugs. für verzärteln)*

ver|hed|dern *(ugs. für verwirren);* ich verheddere [mich]

ver|hee|rend; das ist verheerend (furchtbar); verheerende Folgen haben

ver|heh|len *(geh.);* er hat uns die Wahrheit verhehlt

ver|hei|len

ver|heim|li|chen

ver|hei|ra|ten; sich verheiraten; **ver|hei|ra|tet** *(Abk. verh.;* Zeichen ∞)

ver|hei|ßen; sie hat mir das verheißen; *vgl.* heißen; **Ver|hei|ßung; ver|hei|ßungs|voll**

ver|hei|zen; jmdn. verheizen *(ugs. für jmdn. rücksichtslos einsetzen)*

ver|hel|fen; sie hat mir dazu verholfen

ver|herr|li|chen

ver|he|xen; das ist wie verhext!

ver|hin|dern; Ver|hin|de|rung

ver|höh|nen; Ver|höh|nung

ver|hö|kern *(ugs. für [billig] verkaufen)*

ver|hol|zen

Ver|hör, das; -[e]s, -e; ver|hö|ren

ver|hül|len; ver|hüllt; verhüllte Drohungen

ver|hun|gern; vor dem Verhungern retten

ver|hü|ten *(verhindern)*

Ver|hü|tung; Ver|hü|tungs|mit|tel

ve|ri|fi|zie|ren *(durch Überprüfen die Richtigkeit bestätigen)*

ver|in|ner|li|chen

ver|ir|ren, sich; Ver|ir|rung

ve|ri|ta|bel *(wahrhaft; echt);* ...a|b|le Größe

ver|ja|gen

ver|jäh|ren; Ver|jäh|rung; Ver|jäh|rungs|frist

ver|jün|gen; Ver|jün|gung

Ver|ka|beln (mit Kabeln anschließen); **Ver|ka|be|lung**

ver|kal|ken *(ugs. auch für alt werden, die geistige Frische verlieren);* **Ver|kal|kung**

ver|kannt; ein verkanntes Genie

ver|kappt; ein verkappter Spion, Betrüger

Ver|kauf, der; -[e]s, ...käufe; der Verkauf von Textilien, *in der Kaufmannsspr. gelegtl. auch* der Verkauf in Textilien; An- und Verkauf; **ver|kau|fen;** du verkaufst; er verkauft, verkaufte, hat verkauft *(nicht:* du verkäufst; er verkäuft); viele verkaufte Exemplare

Ver|käu|fer; Ver|käu|fe|rin; ver|käuf|lich

Ver|kaufs|er|folg; Ver|kaufs|er|lös; Ver|kaufs|flä|che; ver|kaufs|of|fen; verkaufsoffener Sonntag; **Ver|kaufs|preis; Ver-**

ka̱ufs|raum; Ver|ka̱ufs|schla̱|ger; Ver-
ka̱ufs|stand; Ver|ka̱ufs|stel|le
Ver|ke̱hr, der; Gen. -s, seltener -es, Plur.
(fachspr.) -e; ver|ke̱h|ren; Ver|ke̱hrs|am-
pel; Ver|ke̱hrs|an|bin|dung; Ver|ke̱hrs-
auf|kom|men; Ver|ke̱hrs|be|hin|de|rung;
ver|ke̱hrs|be|ru̱|higt; Ver|ke̱hrs|cha̱os;
Ver|ke̱hrs|kon|t|rol|le; Ver|ke̱hrs|mi|nis-
ter; Ver|ke̱hrs|mi|nis|te|rin; Ver|ke̱hrs-
mi|nis|te|ri|um; Ver|ke̱hrs|mit|tel; Ver-
ke̱hrs|po|li|zist; Ver|ke̱hrs|po|li|zis|tin;
Ver|ke̱hrs|re|gel meist Plur.; Ver|ke̱hrs-
schild, das; Ver|ke̱hrs|si̱|cher|heit, die; -;
Ver|ke̱hrs|teil|neh|mer; Ver|ke̱hrs|teil-
neh|me|rin; Ver|ke̱hrs|un|fall; Ver|ke̱hrs-
ver|bund; Ver|ke̱hrs|ver|ein; Ver|ke̱hrs-
weg; Ver|ke̱hrs|wert (Wirtsch.); Ver-
ke̱hrs|zei|chen
ver|ke̱hrt; verkehrt herum
ver|ke̱n|nen; er wurde von allen verkannt
ver|ke̱t|ten; Ver|ke̱t|tung
ver|kla̱|gen
ver|klä̱|ren (ins Überirdische erhöhen); Ver-
klä̱|rung
ver|kle̱|ben
ver|kle̱i|den; Ver|kle̱i|dung
ver|kle̱i|nern; ich verkleinere
Ver|kle̱i|ne|rung; Ver|kle̱i|ne|rungs|form
ver|kli̱n|gen
ver|kna̱l|len (ugs. für [sinnlos] verschießen);
sich verknallen (ugs. für sich heftig verlie-
ben); du hast dich, bist in sie verknallt
ver|kna̱p|pen; Ver|kna̱p|pung
ver|kne̱i|fen; das Lachen verkneifen; sich
etwas verkneifen (auf etwas verzichten)
ver|kne̱|ten (durch Kneten vermischen)
ver|kni̱f|fen (verbittert)
ver|knü̱p|fen; Ver|knü̱p|fung
ver|knu̱|sen; jmdn. nicht verknusen (ugs. für
nicht ausstehen) können
ver|ko̱m|men; er verkam im Schmutz; ein
verkommener Mensch
ver|kö̱r|pern; ich verkörpere; Ver|kö̱r|pe-
rung
ver|kra̱f|ten (ertragen [können])
ver|kra̱mp|fen, sich; ver|kra̱mpft

ver|kri̱e|chen, sich
ver|kü̱m|mern
ver|kü̱n|den (geh.)
ver|kü̱n|di|gen (geh.); Ver|kü̱n|di|gung; das
kath. Fest Mariä Verkündigung, ugs. Maria
Verkündigung; Ver|kü̱n|dung
ver|kü̱r|zen; verkürzte Arbeitszeit; Ver|kü̱r-
zung
ver|la̱|den vgl. ¹laden
Ver|la̱g, der; -[e]s, -e
ver|la̱|gern; Ver|la̱|ge|rung
Ver|la̱gs|haus; Ver|la̱gs|lei|ter, der; Ver-
la̱gs|lei|te|rin
ver|la̱n|gen; Ver|la̱n|gen, das; -s, -; auf Ver-
langen
ver|lä̱n|gern; ich verlängere; ver|lä̱n|gert;
verlängerter Rücken (ugs. scherzh. für
Gesäß); Ver|lä̱n|ge|rung
ver|la̱ng|sa̱|men; Ver|la̱ng|sa̱|mung
Ver|la̱ss, der; -es; es ist kein Verlass auf ihn
¹ver|la̱s|sen; sich auf eine Sache, einen Men-
schen verlassen; sie verließ das Lokal
²ver|la̱s|sen (vereinsamt); das Dorf lag ver-
lassen da
ver|lä̱ss|lich (zuverlässig); Ver|lä̱ss|lich-
keit, die; -
Ver|la̱uf, der; -[e]s, Verläufe; im Verlauf;
ver|la̱u|fen; die Sache ist gut verlaufen;
sich verlaufen; er hat sich verlaufen
Ver|la̱ut|ba|rung; ver|la̱u|ten; wie verlautet
¹ver|le̱|gen (an einen anderen Platz legen;
auf einen anderen Zeitpunkt festlegen; im
Verlag herausgeben; Technik [Rohre u. a.]
legen; [das] Verlegen von Rohren)
²ver|le̱|gen (befangen, unsicher); sie war ver-
legen; Ver|le̱|gen|heit
Ver|le̱|ger; Ver|le̱|ge|rin; ver|le̱|ge|risch
Ver|le̱|gung
ver|le̱i|den; es ist mir alles verleidet
Ver|le̱ih, der; -[e]s, -e; ver|le̱i|hen; sie hat
das Buch verliehen; [das] Verleihen von
Geld; Ver|le̱i|her; Ver|le̱i|he|rin; Ver|le̱i-
hung
ver|le̱i|ten (verführen)
ver|le̱r|nen
ver|le̱|sen

ver|let|zen; er ist verletzt; ver|let|zend; ver|letz|lich; Ver|letz|lich|keit; ver|letzt; Ver|letz|te, der u. die; -n, -n

Ver|let|zung; ver|let|zungs|be|dingt; Ver|let|zungs|ge|fahr; Ver|let|zungs|pau|se

ver|leug|nen; Ver|leug|nung

ver|leum|den; Ver|leum|der; Ver|leum|de|rin; Ver|leum|dung

ver|lie|ben, sich; ver|liebt; ein verliebtes Paar; Ver|liebt|heit

ver|lie|ren; du verlorst; du verlörest; verloren (vgl. d.); verlier[e]!; sich verlieren; Ver|lie|rer; Ver|lie|re|rin

Ver|lies, das; -es, -e (Kerker)

ver|lo|ben; sich verloben; Ver|lob|te, der u. die; -n, -n; Ver|lo|bung

ver|lo|cken; ein verlockendes Angebot; Ver|lo|ckung

ver|lo|gen; Ver|lo|gen|heit

ver|lo|ren; der verlorene Sohn; **ver|lo|ren ge|hen**, ver|lo|ren|ge|hen; der Ring ist verloren gegangen oder verlorengegangen

ver|lo|sen vgl. ¹losen; Ver|lo|sung

Ver|lust, der; -[e]s, -e; Ver|lust|angst; ver|lust|reich; Ver|lust|zo|ne (Wirtsch.)

ver|ma|chen (vererben; ugs. für überlassen)

Ver|mächt|nis, das; -ses, -se

ver|mäh|len; sich vermählen; Ver|mäh|lung

ver|mark|ten (Wirtsch. auf den Markt bringen); Ver|mark|tung

ver|mas|seln (ugs. für zunichtemachen); ich vermass[e]le

ver|meh|ren; vermehrte Anstrengungen; Ver|meh|rung

ver|meid|bar; ver|mei|den; sie hat diesen Fehler vermieden; Ver|mei|dung

ver|meint|lich

ver|mel|den (mitteilen)

ver|men|gen

Ver|merk, der; -[e]s, -e; ver|mer|ken; am Rande vermerken

¹ver|mes|sen; Land vermessen; er hat sich vermessen, alles zu verraten (geh.)

²ver|mes|sen; ein vermessenes (tollkühnes) Unternehmen

Ver|mes|sung

ver|mie|sen (ugs. für verleiden); du vermiest; er vermies|te

ver|mie|ten; Ver|mie|ter; Ver|mie|te|rin; Ver|mie|tung

ver|min|dern; Ver|min|de|rung

ver|mi|schen; Ver|mi|schung

ver|mis|sen; als vermisst gemeldet; die vermissten (fehlenden) Dokumente; jegliches Taktgefühl **vermissen lassen** od. vermissenlassen; Ver|miss|te, der u. die; -n, -n

ver|mit|tel|bar; ver|mit|teln; ich vermitt[e]le; Ver|mitt|ler; Ver|mitt|le|rin

Ver|mitt|lung; Ver|mitt|lungs|aus|schuss

ver|mö|gen

Ver|mö|gen, das; -s, -; ver|mö|gend

Ver|mö|gens|steu|er, Ver|mö|gen|steu|er, die; Ver|mö|gens|ver|wal|ter; Ver|mö|gens|ver|wal|te|rin; Ver|mö|gens|ver|wal|tung; Ver|mö|gens|wert

ver|mum|men (fest einhüllen); sich vermummen; Ver|mum|mungs|ver|bot

ver|mu|ten; ver|mut|lich; Ver|mu|tung

ver|nach|läs|si|gen; Ver|nach|läs|si|gung

ver|ne|beln; ich verneb[e]le

ver|neh|men; er hat das Geräusch vernommen; der Angeklagte wurde vernommen; Ver|neh|men, das; -s; dem Vernehmen nach; Ver|nehm|las|sung (schweiz. für [Verfahren der] Stellungnahme zu einer öffentlichen Frage)

Ver|neh|mung ([gerichtl.] Befragung)

ver|nei|gen, sich

ver|nei|nen; Ver|nei|nung

ver|net|zen; Ver|net|zung

ver|nich|ten; eine vernichtende Kritik; Ver|nich|tung; Ver|nich|tungs|krieg; Ver|nich|tungs|la|ger

Ver|nis|sa|ge [...ʒə], die; -, -n (Ausstellungseröffnung [in kleinerem Rahmen])

Ver|nunft, die; -; ver|nünf|tig

ver|öf|fent|li|chen; Ver|öf|fent|li|chung

ver|ord|nen; Ver|ord|nung

ver|or|ten (einen festen Platz in einem Bezugssystem zuweisen)

ver|pach|ten; Ver|pach|tung

ver|pa|cken; Ver|pa|ckung

¹ver|pas|sen (versäumen); sie hat den Zug verpasst

²ver|pas|sen (ugs. für geben; schlagen); die Uniform wurde ihm verpasst; jmdm. eins verpassen

ver|pet|zen (ugs. für verraten)

ver|pflan|zen; Ver|pflan|zung

ver|pfle|gen; Ver|pfle|gung

ver|pflich|ten, sich verpflichten; sie ist mir verpflichtet; Ver|pflich|tung

ver|pla|nen

ver|pö|nen (veraltend für missbilligen; [bei Strafe] verbieten); ver|pönt (unerwünscht)

ver|prel|len (verwirren, verärgern)

ver|prü|geln

ver|puf|fen ([schwach] explodieren; auch für ohne Wirkung bleiben)

ver|pup|pen, sich

ver|put|zen; [schnell] aufessen; das Verputzen der Wände

ver|quer; eine verquere Welt

ver|qui|cken (vermischen); Ver|qui|ckung

ver|ram|meln

Ver|rat, der; -[e]s; ver|ra|ten; Ver|rä|ter; Ver|rä|te|rin; ver|rä|te|risch

ver|rech|nen (österr. auch für in Rechnung stellen); sich verrechnen (auch für sich täuschen); Ver|rech|nung

ver|re|cken (derb für verenden; elend umkommen)

ver|rei|sen; sie ist verreist

ver|ren|ken; sich verrenken; ich habe mir den Fuß verrenkt; Ver|ren|kung

ver|rich|ten; Ver|rich|tung

ver|rie|geln; ich verrieg[e]le

ver|rin|gern; ich verringere; Ver|rin|ge|rung; ver|rin|nen

Ver|riss, der; -es, -e (vernichtende Kritik); vgl. verreißen

ver|ros|ten

ver|rot|ten (verfaulen, modern; zerfallen)

ver|rucht; ein verruchter Kerl

ver|rü|cken

ver|rückt; verrückt werden; sich verrückt stellen; sich nicht verrückt machen lassen (ugs.); Ver|rück|te, der u. die; -n, -n;

Ver|rückt|heit; Ver|rückt|wer|den, das; -s; das ist zum Verrücktwerden (ugs.)

Ver|ruf, der (schlechter Ruf); in Verruf bringen, geraten, kommen; ver|ru|fen (übel beleumdet); die Gegend ist verrufen

ver|rüh|ren; zwei Eier verrühren

Vers [österr. auch v...], der; -es, -e (Zeile, Strophe eines Gedichtes; Abk. V.)

ver|sa|gen; er hat ihr keinen Wunsch versagt; ich versagte mir diesen Genuss; das Unglück ist auf menschliches Versagen zurückzuführen; Ver|sa|ger; Ver|sa|ge|rin

ver|sal|zen (fachspr. für von Salzen durchsetzt werden, sich mit Salzen bedecken; ugs. auch für verderben, die Freude an etwas nehmen); versalzt u. (übertr. nur:) versalzen; die Suppe versalzen

ver|sam|meln; Ver|samm|lung; Ver|samm|lungs|recht

Ver|sand, der; -[e]s (Versendung); Ver|sand|han|del; Ver|sand|haus; Ver|sand|kos|ten Plur.

Ver|satz|stück (bewegliche Bühnendekoration; österr. auch für Pfandstück)

ver|sau|en (derb)

ver|sau|ern (sauer werden; ugs. auch für geistig verkümmern); ich versau[e]re

ver|säu|men; Ver|säum|nis, das; -ses, -se, veraltet die; -, -se; Ver|säum|nis|ur|teil (Rechtsspr.)

ver|schach|telt

ver|schaf|fen; du hast dir Genugtuung verschafft

ver|schan|zen; das Lager wurde verschanzt; sich hinter Ausreden verschanzen

ver|schär|fen; Ver|schär|fung

ver|schar|ren

ver|schei|den (geh. für sterben); er ist verschieden

ver|schen|ken

ver|scher|beln (ugs. für [billig] verkaufen)

ver|scheu|chen

ver|schi|cken

ver|schie|ben; Ver|schie|bung

¹ver|schie|den (geh. für gestorben)

²ver|schie|den; verschieden lang; verschie-

dene Mal *od.* Male; Verschiedenes blieb unklar; **ver|schie|den|ar|tig**; **Ver|schie|den|heit**; **ver|schie|dent|lich**

ver|schie|ßen (*auch für* ausbleichen); *vgl.* verschossen

ver|schif|fen

¹**ver|schla|fen**; ich habe [mich] verschlafen

²**ver|schla|fen**; er sieht verschlafen aus

Ver|schlag, der; -[e]s, Verschläge

¹**ver|schla|gen**; es verschlägt mir die Sprache

²**ver|schla|gen** ([hinter]listig); **Ver|schla|gen|heit**

ver|schlech|tern; ich verschlechtere; **Ver|schlech|te|rung**

ver|schlei|ern; ich verschleiere; **Ver|schlei|e|rung**

Ver|schleiß, der; -es, -e (Abnutzung; *österr. Amtsspr. auch für* Kleinverkauf, Vertrieb)

ver|schlei|ßen; etwas verschleißen (etwas [stark] abnutzen); du verschlisst, *österr. auch* verschleißtest; verschlissen, *österr. auch* verschleißt

ver|schlep|pen; einen Prozess verschleppen; **Ver|schlep|pung**

ver|schleu|dern

ver|schlie|ßen *vgl.* verschlossen

ver|schlimm|bes|sern

ver|schlim|mern; ich verschlimmere; **Ver|schlim|me|rung**

ver|schlin|gen

ver|schlos|sen

ver|schlu|cken; sich verschlucken

Ver|schluss

ver|schlüs|seln; **Ver|schlüs|se|lung**

ver|schmä|hen

¹**ver|schmel|zen** *vgl.* ¹schmelzen

²**ver|schmel|zen** (zusammenfließen lassen; ineinander übergehen lassen); *vgl.* ²schmelzen; **Ver|schmel|zung**

ver|schmer|zen

ver|schmitzt (schlau, verschlagen)

ver|schmut|zen; verschmutzt; **Ver|schmut|zung**

ver|schnau|fen; **Ver|schnauf|pau|se**

ver|schneit; verschneite Wälder

ver|schol|len

ver|scho|nen; jmdn. verschonen

ver|schö|nern; ich verschönere; **Ver|schö|ne|rung**

ver|schrän|ken; mit verschränkten Armen

ver|schre|cken (ängstigen, verstört machen); *vgl.* schrecken

ver|schrei|ben; **ver|schrei|bungs|pflich|tig**

ver|schrei|en (*veraltend für* verleumden, beschimpfen); *vgl.* verschrien

ver|schro|ben (seltsam; wunderlich)

ver|schul|den; **Ver|schul|den**, das; -s; ohne [sein] Verschulden; **ver|schul|det**; **Ver|schul|dung**

ver|schüt|ten

ver|schwei|gen

ver|schwen|den; **Ver|schwen|der**; **Ver|schwen|de|rin**; **ver|schwen|de|risch**; **Ver|schwen|dung**

ver|schwie|gen; **Ver|schwie|gen|heit**

ver|schwim|men; es verschwimmt [mir] vor den Augen

ver|schwin|den; du verschwandst; du verschwändest; verschwunden; verschwind[e]!; **Ver|schwin|den**, das; -s; niemand bemerkte sein Verschwinden

ver|schwit|zen (*ugs. auch für* vergessen); **ver|schwitzt**

ver|schwom|men; verschwommene Vorstellungen

Ver|schwö|rer; **Ver|schwö|re|rin**; **Ver|schwö|rung**; **Ver|schwö|rungs|the|o|rie**

ver|schwun|den *vgl.* verschwinden

ver|se|hen; er hat seinen Posten treu versehen; ich habe mich mit Nahrungsmitteln versehen; ich habe mich versehen (geirrt); ehe man sichs versieht (*veraltend für* schneller, als man erwartet)

Ver|se|hen, das; -s, - (Irrtum); aus Versehen; **ver|se|hent|lich** (aus Versehen)

Ver|sehr|te, der *u.* die; -n, -n

ver|selbst|stän|di|gen, **ver|selb|stän|di|gen**, sich

ver|sen|den; versandt *u.* versendet; *vgl.* senden; **Ver|sen|dung**

ver|sen|gen; die Hitze hat den Rasen versengt

ver|sen|ken (zum Sinken bringen); sich in ein Buch versenken (vertiefen); Ver|sen|kung

ver|ses|sen (begierig, erpicht); auf etwas versessen sein; Ver|ses|sen|heit, die; -

ver|set|zen; der Schüler wurde versetzt; sich in jmds. Lage versetzen; sie hat ihn versetzt (ugs. für vergeblich warten lassen); Ver|set|zung

ver|seu|chen; ver|seucht

Ver|si|che|rer; Ver|si|che|rin

ver|si|chern; die Versicherung versichert dich gegen Unfall; ich versichere dich meines Vertrauens (geh.), auch ich versichere dir mein Vertrauen; ich versichere dir, dass ...; Ver|si|cher|te, der u. die; -n, -n

Ver|si|cher|ten|kar|te (von den Krankenkassen); Ver|si|che|rung; Ver|si|che|rungs|fall, der; Ver|si|che|rungs|ge|sell|schaft; Ver|si|che|rungs|kon|zern; Ver|si|che|rungs|leis|tung; Ver|si|che|rungs|neh|mer; Ver|si|che|rungs|neh|me|rin; Ver|si|che|rungs|pflicht, die; -; Ver|si|che|rungs|schutz, der; -es; Ver|si|che|rungs|sum|me; Ver|si|che|rungs|ver|trag

ver|si|ckern

ver|sie|geln; ich versieg[e]le

ver|sie|gen (austrocknen)

ver|siert; in etwas versiert (erfahren, bewandert) sein

ver|sifft (ugs. für verschmutzt)

ver|sil|bern (ugs. auch für verkaufen); ich versilbere

ver|sin|ken; versunken

Ver|si|on, die; -, -en (Fassung; Lesart)

ver|söh|nen; sich versöhnen; ver|söhn|lich; Ver|söh|nung

ver|sor|gen; Ver|sor|ger; Ver|sor|ge|rin; Ver|sor|gung, die; -; Ver|sor|gungs|aus|gleich; Ver|sor|gungs|si|cher|heit; Ver|sor|gungs|un|ter|neh|men

ver|spach|teln (ugs. auch für aufessen)

ver|spä|ten, sich; ver|spä|tet; Ver|spä|tung

ver|spei|sen (geh.)

ver|sper|ren

ver|spie|len; ver|spielt; ein verspielter Junge; bei jmdm. verspielt haben

ver|spot|ten; Ver|spot|tung

ver|spre|chen; die versprochene Belohnung; Ver|spre|chen, das; -s, -; Ver|spre|chung

ver|spro|chen vgl. versprechen

ver|sprü|hen (zerstäuben)

ver|spü|ren

ver|staat|li|chen; Ver|staat|li|chung

Ver|stand, der; -[e]s

ver|stän|dig (besonnen)

ver|stän|di|gen, sich mit jmdm. verständigen; Ver|stän|di|gung

ver|ständ|lich; ver|ständ|li|cher|wei|se

Ver|ständ|nis das; -ses, -se Plur. selten; ver|ständ|nis|los; ver|ständ|nis|voll

ver|stär|ken; in verstärktem Maße; Ver|stär|ker; Ver|stär|kung

ver|stau|ben; ver|staubt (auch für altmodisch, überholt)

ver|stau|chen; ich habe mir den Fuß verstaucht; Ver|stau|chung

ver|stau|en ([auf relativ engem Raum] unterbringen)

Ver|steck, das; -[e]s, -e; Versteck spielen

ver|ste|cken; sie hatte die Ostereier gut versteckt; sich verstecken; vgl. ²stecken; Ver|ste|cken, das; -s; er will Verstecken spielen; Ver|steck|spiel

ver|ste|hen; verstanden; jmdm. etwas zu verstehen geben; Ver|ste|hen, das; -s

ver|stei|gen, sich; er hatte sich in den Bergen verstiegen; du verstiegst dich zu übertriebenen Forderungen (geh.)

ver|stei|gern; ich versteigere; Ver|stei|ge|rung

ver|stei|nern (zu Stein machen, werden); ich versteinere; Ver|stei|ne|rung

ver|stell|bar; ver|stel|len

ver|ster|ben; meist im Präteritum u. im Partizip II gebr.: verstarb, verstorben (vgl. d.)

ver|steu|ern

ver|stim|men (auch für verärgern); ver|stimmt; Ver|stim|mung

ver|stockt (uneinsichtig, störrisch)

ver|stoh|len (heimlich)

ver|stop|fen; Ver|stop|fung

ver|stor|ben (*Zeichen* †); Ver|stor|be|ne, der u. die; -n, -n
ver|stö|ren (verwirren); es verstört mich, dass ...; ver|stört
Ver|stoß, der; -es, ...stöße; ver|sto|ßen
ver|strah|len (ausstrahlen; durch Radioaktivität verseuchen); Ver|strah|lung
ver|strei|chen (*auch für* vorübergehen; vergehen); verstrichen
ver|streu|en; verstreut
ver|stri|cken; sich [in Widersprüche] verstricken; Ver|stri|ckung
ver|strö|men; einen Duft verströmen
ver|stüm|meln; verstümmelt
ver|stum|men
Ver|such, der; -[e]s, -e; ver|su|chen; Ver|suchs|an|ord|nung; Ver|suchs|per|son (Vp., VP); ver|suchs|wei|se; Ver|su|chung
ver|sun|ken; in etwas versunken sein
ver|sus Präp. mit Akk. (gegen; *Abk.* vs.)
ver|sü|ßen
ver|ta|gen; Ver|ta|gung
ver|tau|schen
ver|tei|di|gen (*auch Sport*); Ver|tei|di|ger; Ver|tei|di|ge|rin; Ver|tei|di|gung; Ver|tei|di|gungs|mi|nis|ter; Ver|tei|di|gungs|mi|nis|te|ri|um; Ver|tei|di|gungs|po|li|tik; ver|tei|di|gungs|po|li|tisch
ver|tei|len; Ver|tei|ler; Ver|tei|lung; Ver|tei|lungs|kampf
ver|teu|ern; sich verteuern; ich verteu[e]re; Ver|teu|e|rung
ver|teu|feln (als böse, schlecht hinstellen); ich verteuf[e]le
ver|ti|cken (*ugs. für* verkaufen)
ver|tie|fen; sich in eine Sache vertiefen; Ver|tie|fung
ver|ti|kal (senkrecht, lotrecht); Ver|ti|ka|le, die; -, -n; vier -[n]
ver|to|nen; das Gedicht wurde vertont
Ver|to|nung (das Vertonen)
ver|trackt (*ugs. für* verwickelt; ärgerlich)
Ver|trag, der; -[e]s, ...träge
ver|tra|gen; sich vertragen; die Kinder haben sich vertragen
ver|trag|lich (durch Vertrag)

ver|träg|lich; die Speise ist gut verträglich; Ver|träg|lich|keit
Ver|trags|ab|schluss; ver|trags|ge|mäß; Ver|trags|par|tei; Ver|trags|part|ner; Ver|trags|part|ne|rin; Ver|trags|schluss; Ver|trags|stra|fe; Ver|trags|werk
ver|trau|en; Ver|trau|en, das; -s
ver|trau|en|er|we|ckend, Ver|trau|en er|we|ckend; ein vertrauenerweckender *od.* Vertrauen erweckender Verkäufer; *aber nur* ein großes Vertrauen erweckender Verkäufer; ein noch vertrauenerweckenderer Verkäufer
Ver|trau|ens|be|weis; ver|trau|ens|bil|dend; vertrauensbildende Maßnahmen; Ver|trau|ens|fra|ge; Ver|trau|ens|leh|rer; Ver|trau|ens|leh|re|rin; Ver|trau|ens|schü|ler; Ver|trau|ens|schü|le|rin; Ver|trau|ens|ver|hält|nis; Ver|trau|ens|ver|lust; ver|trau|ens|voll; ver|trau|ens|wür|dig
ver|trau|lich; Ver|trau|lich|keit
ver|träu|men; ver|träumt
ver|traut; jmdn., sich mit etwas vertraut machen; Ver|traut|heit
ver|trei|ben; Ver|trei|bung
ver|tret|bar; vertretbare Sache (*BGB*)
ver|tre|ten; Ver|tre|ter; Ver|tre|te|rin; Ver|tre|tung; in Vertretung (*Abk.* i. V., I. V. [*vgl. d.*])
Ver|trieb, der; -[e]s, -e (Verkauf)
Ver|trie|be|ne, der u. die; -n, -n
Ver|triebs|ge|sell|schaft; Ver|triebs|ka|nal; Ver|triebs|lei|ter, der; Ver|triebs|lei|te|rin; Ver|triebs|netz; Ver|triebs|weg
ver|trock|nen
ver|trö|deln (*ugs. für* [seine Zeit] unnütz hinbringen)
ver|trös|ten
ver|tun (verschwenden); vertan; sich vertun (*ugs. für* sich irren)
ver|tu|schen (*ugs.*); du vertuschst; Ver|tu|schung
ver|übeln (übel nehmen); ich verüb[e]le; jmdm. etwas verübeln
ver|üben; ein Verbrechen verüben

V

ver|un|glimp|fen (schmähen, beleidigen);
Ver|un|glimp|fung
ver|un|glü|cken
ver|un|mög|li|chen (*bes. schweiz. für ver-*
hindern, vereiteln)
ver|un|rei|ni|gen; Ver|un|rei|ni|gung
ver|un|si|chern; ich verunsichere; Ver|un|si-
che|rung
ver|un|stal|ten (entstellen); Ver|un|stal-
tung
ver|un|treu|en (unterschlagen); Ver|un-
treu|ung
ver|ur|sa|chen; Ver|ur|sa|cher; Ver|ur|sa-
che|rin
ver|ur|tei|len; Ver|ur|teil|te, der *u.* die; -n,
-n; Ver|ur|tei|lung
Ver|ve, die; - (Schwung)
ver|viel|fa|chen; Ver|viel|fa|chung
ver|viel|fäl|ti|gen; Ver|viel|fäl|ti|gung
ver|voll|stän|di|gen
¹ver|wach|sen; die Narbe ist verwachsen; mit
etwas verwachsen (innig verbunden) sein;
sich verwachsen ([beim Wachsen] verschwinden)
²ver|wach|sen (schief gewachsen)
ver|wah|ren (*veraltet auch für* in Haft neh-
men, unterbringen); es ist alles gut ver-
wahrt (aufbewahrt); sich gegen etwas ver-
wahren (etwas energisch zurückweisen)
ver|wahr|lo|sen; du verwahrlost; Ver|wahr-
lo|sung
Ver|wah|rung
ver|wai|sen (elternlos werden; einsam wer-
den); du verwaist; er/sie verwais|te; ver-
waist; ein verwais|tes Haus
ver|wal|ten; Ver|wal|ter; Ver|wal|te|rin;
Ver|wal|tung
Ver|wal|tungs|akt; Ver|wal|tungs|auf-
wand; Ver|wal|tungs|be|hör|de; Ver-
wal|tungs|chef *(ugs.)*; Ver|wal|tungs-
che|fin *(ugs.)*; Ver|wal|tungs|di|rek|tor;
Ver|wal|tungs|di|rek|to|rin; Ver|wal-
tungs|ge|bäu|de; Ver|wal|tungs|ge-
bühr; Ver|wal|tungs|ge|richt; Ver|wal-
tungs|kos|ten *Plur.*; Ver|wal|tungs|rat
Plur. ...räte; Ver|wal|tungs|re|form

ver|wan|deln; ich verwand[e]le; Ver|wand-
lung
ver|wandt (zur gleichen Familie, Art gehö-
rend); Ver|wand|te, der *u.* die; -n, -n
Ver|wandt|schaft; ver|wandt|schaft|lich
ver|war|nen; Ver|war|nung
ver|wa|schen
ver|wäs|sern; ich verwässere
ver|we|ben; bei dieser Matte wurden Garne
unterschiedlicher Stärke verwebt; *aber bei*
übertragener Bedeutung meist stark
gebeugt: zwei Melodien sind miteinander
verwoben
ver|wech|seln; zum Verwechseln ähnlich;
Ver|wech|se|lung, Ver|wechs|lung
ver|we|gen
ver|we|hen; vom Winde verweht
ver|weh|ren; jmdm. etwas verwehren
ver|wei|gern; Ver|wei|ge|rung
Ver|weil|dau|er *(Fachspr.)*
ver|wei|len; sich verweilen
Ver|weis, der; -es, -e (ernste Zurechtwei-
sung; Hinweis); ver|wei|sen; der Verbre-
cher wurde des Landes verwiesen;
Ver|wei|sung
ver|wel|ken
ver|wend|bar
ver|wen|den; ich verwandte *od.* verwen-
dete, habe verwandt *od.* verwendet
Ver|wen|dung; zur besonderen Verwendung
(*Abk.* z. b. V.); Ver|wen|dungs|zweck
ver|wer|fen; der Plan wurde verworfen; die
Arme verwerfen (*schweiz.* heftig gestikulie-
ren); ver|werf|lich; Ver|wer|fung (*auch*
für geol. Schichtenstörung)
ver|wert|bar; ver|wer|ten; Ver|wer|tung
ver|we|sen (sich zersetzen, in Fäulnis über-
gehen); Ver|we|sung
ver|wi|ckeln; ver|wi|ckelt
Ver|wi|cke|lung, Ver|wick|lung
ver|win|den (über etwas hinwegkommen)
ver|win|kelt (winklig)
ver|wirk|li|chen; sich [selbst] verwirklichen;
Ver|wirk|li|chung
ver|wir|ren; ein verwirrendes Durcheinan-
der; *vgl.* verworren; Ver|wirr|spiel; ver-

wirrt (*auch für* geistig verwirrt); Ver|wir|rung

ver|wi|schen

ver|wit|tern; das Gestein ist verwittert; ich verwittere; Ver|wit|te|rung

ver|wöh|nen; ver|wöhnt

ver|wor|ren; das hört sich ziemlich verworren an; *vgl.* verwirren

ver|wund|bar; Ver|wund|bar|keit

¹ver|wun|den (verletzen)

²ver|wun|den *vgl.* verwinden

ver|wun|der|lich; ver|wun|dern; ich verwundere mich; Ver|wun|de|rung, die; -

ver|wun|det; Ver|wun|de|te, der *u.* die; -n, -n; Ver|wun|dung

ver|wun|schen (verzaubert); ein verwunschenes Schloss

ver|wün|schen (verfluchen; verzaubern); sie hat ihr Schicksal oft verwünscht

ver|wur|zeln

ver|wüs|ten; Ver|wüs|tung

ver|za|gen (mutlos werden); ver|zagt

ver|zah|nen (an-, ineinanderfügen); Ver-zah|nung

ver|zau|bern; ich verzaubere

ver|zehn|fa|chen

Ver|zehr, der; -[e]s; ver|zeh|ren

ver|zeich|nen; Ver|zeich|nis, das; -ses, -se (*Abk.* Verz.)

ver|zei|hen; sie hat ihm verziehen

ver|zeih|lich; Ver|zei|hung, die; -

ver|zer|ren; Ver|zer|rung

¹ver|zet|teln (für eine Kartei auf Zettel schreiben); ich verzett[e]le

²ver|zet|teln (vergeuden); sich verzetteln (sich mit zu vielen Dingen beschäftigen)

Ver|zicht, der; -[e]s, -e; Verzicht leisten; ver|zicht|bar; ver|zich|ten

¹ver|zie|hen; sie verzog das Gesicht; die Eltern verziehen ihr Kind; er ist nach Frankfurt verzogen; sich verziehen (*ugs. für* verschwinden)

²ver|zie|hen *vgl.* verzeihen

ver|zie|ren; Ver|zie|rung

ver|zin|sen; Ver|zin|sung

ver|zo|cken (*ugs. für* verspielen)

ver|zö|gern; Ver|zö|ge|rung

ver|zol|len

ver|zü|cken

Ver|zug, der; -[e]s, *Plur. (fachspr.)* ...züge; Gefahr ist im Verzug (Gefahr droht); im Verzug sein (im Rückstand sein); in Verzug geraten, kommen

ver|zwei|feln; ich verzweif[e]le; es ist zum Verzweifeln; ver|zwei|felt; Ver|zweif-lung; Ver|zweif|lungs|tat

ver|zwickt (*ugs. für* verwickelt, schwierig); eine verzwickte Geschichte

¹Ves|per [f...], die; -, -n (Zeit gegen Abend; Abendandacht; Stundengebet)

²Ves|per [f...], die; -, -n, *südd. auch* das; -s, - (*bes. südd. für* Zwischenmahlzeit [am Nachmittag]); ves|pern (*bes. südd. für* einen [Nachmittags]imbiss einnehmen); ich vespere

Ve|te|ran, der; -en, -en (altgedienter Soldat; ehem. langjähriger Mitarbeiter; altes [Auto]modell); Ve|te|ra|nin

ve|te|ri|när (tierärztlich); Ve|te|ri|när, der; -s, -e (Tierarzt); Ve|te|ri|nä|rin

Ve|to, das; -s, -s (Einspruch[srecht]); Ve|to-recht

Vet|tel [f...], die; -, -n (*veraltend für* unordentliche, ungepflegte [alte] Frau)

Vet|ter, der; -s, -n; Vet|tern|wirt|schaft, die; - (*abwertend*)

via ([auf dem Wege] über); via Köln

Via|dukt, der, *auch* das; -[e]s, -e (Talbrücke, Überführung)

Vi|a|g|ra®, das; -[s] (Medikament zur Behandlung von Potenzstörungen)

Vi|b|ra|ti|on, die; -, -en (Schwingung, Beben)

vi|b|rie|ren (schwingen; beben, zittern)

Vi|deo, das; -s, -s (*ugs.; kurz für* Videoband, -clip, -film; *nur Sing.:* Videotechnik)

Vi|deo|band *vgl.* ¹Band; Vi|deo|clip, der; -s, -s (kurzer Videofilm zu einem Popmusikstück); Vi|deo|film; Vi|deo|ka|me|ra; Vi-deo|kas|set|te; Vi|deo|kon|fe|renz; Vi-deo|re|kor|der, Vi|deo|re|cor|der (Speichergerät für Fernsehsendungen); Vi|deo-spiel (elektronisches Spiel, das auf einem

viel

I. Kleinschreibung

a) Im Allgemeinen wird »viel« kleingeschrieben:

– *die vielen; viele sagen ...*
– *in vielem, mit vielem, um vieles*
– *ich habe viel[es] erlebt*
– *es gab noch vieles, was (nicht das od. welches) besprochen werden sollte*

b) Bei Betonung des substantivischen Gebrauchs ist auch Großschreibung möglich:

– *die vielen od. Vielen*
– *viele od. Viele sagen ...*
– *in vielem od. Vielem, mit vielem od. Vielem*
– *um vieles od. Vieles usw.*

II. Beugung:

– *viel[e] Menschen; die vielen Menschen*
– *vieler schöner Schnee; mit vielem kalten Wasser; trotz vielen Schlafes*
– *viel[e] gute Nachbildungen*
– *die Preise vieler guter, seltener guten Nachbildungen*
– *viele Begabte; die Ausbildung vieler Begabter, seltener Begabten*
– *viel Gutes od. vieles Gute; mit viel Gutem od. mit vielem Guten*

III. Getrennt- oder Zusammenschreibung

a) Zusammenschreibung bei »viel« als Konjunktion:

– *soviel ich weiß, steht noch nichts fest*

b) Getrenntschreibung:

– *ich muss so viel arbeiten, dass ...*
– *iss nicht so viel!*
– *zu viel, zu viele Menschen; viel zu viel; allzu viel*
– *viel zu wenig; viel zu gering; zu spät usw.*
– *soundso viel; am soundsovielten Mai*
– *wir haben gleich viel; aber gleichviel[,] ob du kommst oder nicht*

c) In Verbindung mit einem adjektivisch gebrauchten Partizip kann getrennt oder zusammengeschrieben werden:

– *eine viel befahrene od. vielbefahrene Straße*
– *ein viel gefragtes, viel gekauftes od. vielgefragtes, vielgekauftes Produkt*
– *eine viel gereiste od. vielgereiste Frau*
– *eine viel zitierte od. vielzitierte Äußerung*
– *ein vielsagender od. viel sagender Blick, aber nur ein noch vielsagenderer Blick*
– *ein vielversprechendes od. viel versprechendes Projekt, aber nur ein noch vielversprechenderes Projekt*

Vgl. auch *vielmals, vielmehr*

Fernsehbildschirm od. Monitor abläuft); **Video|text** ([geschriebene] Informationen, die über den Fernsehbildschirm abgerufen werden); **Vi|deo|thek,** die; -, -en (Sammlung von Videofilmen od. Fernsehaufzeichnungen); **Vi|deo|über|wa|chung**

Viech, das; -[e]s, -er (*ugs. für* Tier; *abwertend für* roher Mensch)

Vieh, das; -[e]s; **vie|hisch; Vieh|zucht,** die; -

viel s. Kasten

Viel, das; -s; viele Wenig machen ein Viel

viel|deu|tig

viel dis|ku|tiert, viel|dis|ku|tiert

vie|ler|lei; vie|ler|orts

viel|fach; um ein Vielfaches klüger; **Viel|fache,** das; -n; das kleinste gemeinsame Vielfache (*Abk.* k. g. V., kgV)

Viel|falt, die; -; **viel|fäl|tig**

viel|ge|stal|tig

viel|leicht

viel|mals

viel|mehr [*auch* ...'me:ɐ̯]; er ist nicht dumm, weiß vielmehr gut Bescheid, *aber* sie weiß viel mehr als du

viel|sa|gend, viel sa|gend *vgl.* viel

viel|schich|tig; viel|sei|tig; Viel|sei|tig-
keit, die; -; viel|stim|mig
viel|ver|spre|chend, viel ver|spre|chend
vgl. viel
Viel|zahl, die; -
vier; die vier Jahreszeiten; unter vier Augen;
das Mädchen wird bald vier; alle viere sich
strecken; wir sind zu vieren oder zu
viert; Vier, die; -, -en (Zahl); eine Vier würfeln; sie hat in Latein eine Vier geschrieben; vgl. ¹Acht u. Eins
Vier|bei|ner; vier|bei|nig; Vier|eck; vier-
eckig; vier|ein|halb
Vie|rer vgl. Achter; Vie|rer|ket|te (Sport aus
vier Personen bestehende Abwehr)
vier|fach; Vier|fa|che vgl. Achtfache
vier|hun|dert; vier|jäh|rig vgl. achtjährig;
vier|köp|fig vgl. achtköpfig
vier|mal vgl. achtmal; vier|ma|lig
Vier|schan|zen|tour|nee (Skispringen)
vier|spu|rig; vier|stel|lig; vier|stün|dig
(vier Stunden dauernd)
viert vgl. vier
vier|tä|gig
vier|te; vierte Dimension; der vierte Stand
(früher für Arbeiterschaft); vgl. achte
vier|tei|lig
vier|tel ['fı...]; eine viertel Million; vgl. ach-
tel; um viertel acht (Viertel nach sieben); in
drei viertel Stunden (od. drei Viertelstun-
den); vgl. Viertel; Vier|tel, das, schweiz.
meist: der; -s, -; drei Viertel der Bevölkerung; [ein] Viertel vor eins;
Vier|tel|fi|na|le (Sport)
Vier|tel|jahr; Vier|tel|jahr|hun|dert
vier|tel|jäh|rig ['fı...] (ein Vierteljahr alt,
dauernd); vierteljährige Kündigung (mit
einer ein Vierteljahr dauernden Frist)
vier|tel|jähr|lich (alle Vierteljahre wieder-
kehrend); vierteljährliche Kündigung (alle
Vierteljahre mögliche Kündigung)
Vier|tel|li|ter vgl. achtel
vier|teln; ich viert[e]le
Vier|tel|no|te
Vier|tel|stun|de; eine Viertelstunde, auch
eine viertel Stunde; vgl. drei u. achtel

vier|tens
vier|und|zwan|zig vgl. acht; vier|wö|chig;
vier|zehn ['fı...] vgl. acht
vier|zig ['fı...] vgl. achtzig; vier|zi|ger vgl.
achtziger; Vier|zi|ger vgl. Achtziger; vier-
zig|jäh|rig vgl. achtjährig
Vi|et|nam|krieg
Vi|g|net|te [vın'je...], die; -, -n (Gebühren-
marke für die Autobahnbenutzung)
Vi|kar, der; -s, -e (kath. Kirche Amtsvertre-
ter; ev. Kirche Theologe nach dem ersten
Examen; schweiz. auch für Stellvertreter
eines Lehrers); Vi|ka|rin (ev. w. Vikar)
Vik|to|ria (Sieg [als Ausruf]); Viktoria rufen
vik|to|ri|a|nisch; viktorianische Sitten, aber
die Viktorianische Zeit (der engl. Königin
Viktoria)
Vik|tu|a|li|en|markt
Vil|la, die; -, ...llen (vornehmes Wohnhaus)
Vi|n|ai|g|ret|te [...nɛ'grɛt(ə)], die; -, -n (mit
Essig bereitete Soße)
Vi|nyl, das; -s (ein Kunststoff)
¹Vi|o|la, die; -, Violen (Bot. Veilchen)
²Vi|o|la, die; -, ...len (Bratsche)
vi|o|lett [v..., schweiz. auch f...] (veilchen-
farbig); einen Stoff violett färben; vgl.
blau; Vi|o|lett, das; -[s], -[s] (violette
Farbe); vgl. Blau
Vi|o|li|ne, die; -, -n (Geige); Vi|o|lin|kon-
zert; Vi|o|lin|schlüs|sel; Vi|o|lon|cel|lo,
das; -s, Plur. -s u. ...celli (Kniegeige)
VIP [vıp], V. I. P. [vi:|aı̯'pi:], der; -[s], -s u.
die; -, -s = very important person (sehr
wichtige Person, Persönlichkeit)
Vi|per [v..., schweiz. auch f...], die; -, -n
(Giftschlange)
vi|ral (Med. durch einen Virus verursacht)
Vi|ren (Plur. von Virus)
vir|tu|ell (der Möglichkeit nach vorhanden,
scheinbar); virtuelle Realität (vom Computer simulierte Wirklichkeit)
vir|tu|os (meisterhaft, technisch vollkom-
men); Vir|tu|o|se, der; -n, -n (hervorragen-
der Meister, bes. Musiker); Vir|tu|o|sin
Vir|tu|o|si|tät, die; - (Kunstfertigkeit; Meis-
terschaft, bes. als Musiker)

vi|ru|lent (ansteckend [von Krankheitserregern])

Vi|rus, das, *außerhalb der Fachspr. auch* der; -, ...ren (kleinster Krankheitserreger; zerstörendes, unbemerkt eingeschleustes Computerprogramm); Vi|rus|in|fek|ti|on

Vi|sa|ge [...ʒə, *österr.* ...ʃ], die; -, -n (*ugs. abwertend für* Gesicht)

Vi|sier, das; -s, -e (beweglicher, das Gesicht deckender Teil des Helmes; Zielvorrichtung)

Vi|si|on, die; -, -en (Erscheinung; Traumbild; Zukunftsentwurf); vi|si|o|när (traumhaft; seherisch); Vi|si|o|när, der; -s, -e (visionär begabter Mensch); Vi|si|o|nä|rin

Vi|si|te, die; -, -n (Krankenbesuch des Arztes im Krankenhaus; *veraltet, noch scherzh. für* Besuch); Vi|si|ten|kar|te

Vis|ko|se, die; - (*Chemie* Zelluloseverbindung)

Vis|ta, die; - (*Bankw.* Sicht, Vorzeigen eines Wechsels)

vi|su|a|li|sie|ren (optisch darstellen); Vi|su|a|li|sie|rung; vi|su|ell (das Sehen betreffend); visueller Typ (jmd., der Gesehenes besonders leicht in Erinnerung behält)

Vi|sum, das; -s, *Plur.* ...sa u. ...sen; Ein- od. Ausreiseerlaubnis; Sichtvermerk im Pass; *schweiz. auch für* Abzeichnung

vi|tal (lebenskräftig, -wichtig; frisch, munter); Vi|ta|li|tät, die; - (Lebendigkeit, Lebensfülle, -kraft)

Vi|t|a|min, das; -s, -e; Vitamin C; des Vitamin[s] C; Vitamin B₁₂; Vi|t|a|min-B-hal|tig [...'be:...]; Vi|t|a|min-B-Man|gel, der; -s; vi|t|a|min|reich

Vi|t|ri|ne, die; -, -n (gläserner Schaukasten, Schauschrank)

Vi|ze [f..., v...], der; -[s], -s (*ugs. für* Stellvertreter); Vi|ze|bür|ger|meis|ter; Vi|ze|bürger|meis|te|rin; Vi|ze|kanz|ler; Vi|ze-kanz|le|rin; Vi|ze|meis|ter *(Sport);* Vi|ze-meis|te|rin; Vi|ze|prä|si|dent; Vi|ze|prä-si|den|tin

Vo|gel, der; -s, Vögel; Vo|gel|art; vo|gel-frei (rechtlos); Vo|gel|grip|pe, die; - (eine Infektionskrankheit); Vo|gel|häus|chen

vö|geln (*derb für* Geschlechtsverkehr ausüben); ich vög[e]le

Vo|gel|nest; Vo|gel|scheu|che; Vo|gel-schutz, der; -es; Vo|gel|schutz|ge|biet

Vogt, der; -[e]s, Vögte (*früher für* Schirmherr; Richter; Verwalter)

Vo|ka|bel, die; -, -n, *österr. auch* das; -s, - ([einzelnes] Wort einer Fremdsprache); Vo-ka|bu|lar, das; -s, -e (Wortschatz)

vo|kal (*Musik* die Singstimme betreffend)

Vo|kal, der; -s, -e (*Sprachwiss.* Selbstlaut, z. B. a, e)

Volk, das; -[e]s, Völker

Völ|ker|ball, der; -[e]s (Ballspiel); Völ|ker-kun|de, die; -; Völ|ker|kun|de|mu|se|um; Völ|ker|mord; Völ|ker|recht; völ|ker-recht|lich; völ|ker|rechts|wid|rig; Völ-ker|ver|stän|di|gung; Völ|ker|wan|de-rung

völ|kisch (*bes. nationalsoz.*)

Volks|ab|stim|mung; Volks|ar|mee, die; - (*DDR*); Volks|auf|stand; Volks|bank *Plur.* ...banken; Volks|be|fra|gung; Volks|be|geh|ren; Volks|ent|scheid; Volks|fest; Volks|held; Volks|hel|din; Volks|hoch|schu|le (*Abk.* VHS); Volks-ini|ti|a|ti|ve (*schweiz. für* Volksbegehren); Volks|kon|gress (Parlament in China u. Libyen); Volks|krank|heit; Volks|lied; Volks|mund, der; -[e]s; Volks|mu|sik; Volks|par|tei; Volks|re|pu|b|lik (*Abk.* VR); Volks|schu|le; Volks|sport, der; -[e]s; Volks|tanz; Volks|the|a|ter; volks|tüm|lich; Volks|ver|het|zung; Volks|ver|tre|ter; Volks|ver|tre|te|rin; Volks|wirt; Volks|wir|tin; Volks|wirt-schaft; volks|wirt|schaft|lich; Volks-zäh|lung

voll s. Kasten Seite 469

voll|auf [*auch* ...'lauf]; vollauf genug

voll|au|to|ma|tisch; **voll au|to|ma|ti|siert**, voll|au|to|ma|ti|siert *vgl.* voll

Voll|bad

Voll|bart

---

voll

I. Beugung:
– *voll Wein[es], voll [des] süßen Weines*
– *voll heiligem Ernst; voll[er] Angst*
– *der Saal war voll[er] Menschen, voll von Menschen*

II. Klein- od. Großschreibung
a) Kleinschreibung:
– *mit vollem Einsatz*
– *voll verantwortlich sein*
– *zehn Minuten nach voll (ugs. für nach der vollen Stunde)*

b) Großschreibung:
– *aus dem Vollen schöpfen; ins Volle greifen*
– *ein Wurf in die Vollen (auf 9 Kegel)*

III. Getrennt- od. Zusammenschreibung
a) In Verbindung mit Verben:
– *voll sein, werden*
– *etwas voll (ganz) begreifen*
– *sich voll einbringen (ugs.)*

– *jmdn. nicht für voll nehmen (ugs.)*
– *die Nase voll [von etwas] haben (ugs.)*
– *den Mund recht voll nehmen (ugs. für prahlen)*
– *vollfüllen, vollgießen, vollladen, vollaufen, vollmachen, vollpacken, volltanken usw.,* aber *zu voll füllen, gießen usw.*
– *sich vollessen, vollfressen, vollsaufen; sich den Bauch vollschlagen*
– *jmdm. die Hucke vollhauen, volllügen (ugs. für jmdn. verprügeln, belügen)*
– Vgl. auch *vollbringen, vollenden, vollstrecken, vollziehen*

b) In Verbindung mit Partizipien:
– *ein voll besetzter* od. *vollbesetzter Bus*
– *voll entwickelte* od. *vollentwickelte Muskulatur*
– *voll klimatisierte* od. *vollklimatisierte Räume*
– *vollgefüllt, vollgeladen, vollgelaufen, vollgetankt usw.*

Voll|be|schäf|ti|gung, die; -
voll be|setzt, voll|be|setzt *vgl.* voll
Voll|brem|sung
voll|brin|gen; ich vollbringe; vollbracht
voll|en|den; ich vollende; vollendet; zu vollenden; **voll|ends; Voll|en|dung**
vol|ley […li]; einen Ball volley (aus der Luft) nehmen; **Vol|ley,** der; -s, -s (*Tennis* Flugball); **Vol|ley|ball,** der; -[e]s (ein Ballspiel); **Vol|ley|bal|ler; Vol|ley|bal|le|rin**
voll|füh|ren; ich vollführe; vollführt
Voll|gas, das; -es; Vollgas geben
Voll|idi|ot (*ugs.*)
völ|lig
voll|jäh|rig; Voll|jäh|rig|keit, die; -
voll|kom|men [*auch* 'fɔ…]
Voll|korn|brot; Voll|korn|keks
voll|la|den
voll|lau|fen; der Eimer ist vollgelaufen
voll|ma|chen; das Glas vollmachen

Voll|macht, die; -, -en
Voll|milch
Voll|mond
voll|mun|dig (voll im Geschmack; *auch* für großsprecherisch)
voll|stän|dig; Voll|stän|dig|keit, die; -
voll|stop|fen (*ugs.*)
voll|streck|bar (*Rechtsswiss.*); **voll|stre|cken;** ich vollstrecke; vollstreckt; zu vollstrecken; **Voll|stre|cker; Voll|stre|cke|rin; Voll|stre|ckung**
Voll|tref|fer
voll|um|fäng|lich (*bes. schweiz.* für in vollem Umfang)
Voll|verb (*Sprachwiss.*)
Voll|ver|samm|lung
Voll|ver|si|on (*EDV* Programmversion ohne Funktionsbeschränkungen)
voll|wer|tig; Voll|wert|kost, die; -
voll|zäh|lig

Voll|zeit, die; -; [in] Vollzeit arbeiten; ich
  arbeite Vollzeit; Voll|zeit|stel|le
voll|zie|hen; ich vollziehe; vollzogen; zu
  vollziehen; Voll|zie|hung
¹Voll|zug, der; -[e]s (Vollziehung)
²Voll|zug (bes. Eisenbahn)
Vo|lon|tär [...lõ...], der; -s, -e (ohne od.
  gegen geringe Vergütung zur berufl. Aus-
  bildung Arbeitender); Vo|lon|tä|rin
Volt, das; Gen. - u. -[e]s, Plur. - (Einheit der
  elektr. Spannung; Zeichen V); 220 Volt
Vo|lu|men, das; -s, Plur. - u. ...mina (Raum-
  inhalt [Zeichen V]; Band [eines Werkes; nur
  in der Abk. vol.]; Gesamtmenge von etwas)
vo|lu|mi|nös (umfangreich, massig)
vom (von dem; Abk. v.)
von; Präp. mit Dat.: von ganzem Herzen;
  von wegen! (ugs. für: auf keinen Fall!);
  von Grund auf; von Neuem od. neuem;
  von Weitem od. weitem
von|ei|n|an|der; etwas voneinander haben,
  lernen, wissen; sich voneinander wegbe-
  wegen; aber voneinandergehen; vgl. aneinander; aufeinander
von|nö|ten ([dringend] nötig); vonnöten sein
von|sei|ten, von Sei|ten; vonseiten od.
  von Seiten seines Vaters
von|stat|ten|ge|hen; es ging gut vonstatten;
  vonstattengegangen; vonstattenzugehen
vor (Abk. v.); Präp. mit Dat. u. Akk.: vor dem
  Zaun stehen, aber sich vor den Zaun stellen; vor allem; vor diesem; vor alters; vor
  Kurzem od. kurzem; vor der Zeit; vor Ort;
  Gnade vor Recht ergehen lassen; vor sich
  gehen; vor sich hin brummen usw.; vor
  Christo od. Christus (Abk. v. Chr.)
vor|ab (zunächst, zuerst)
Vor|abend; Vor|abend|mes|se (kath. Kirche)
Vor|ah|nung
vo|r|an; der Sohn voran, der Vater hinter-
  drein; vo|r|an|brin|gen; vo|r|an|ge|hen;
  vo|r|an|ge|hend; vo|r|an|kom|men
Vor|an|mel|dung
Vor|an|schlag (Wirtsch. Kalkulation)
vo|r|an|schrei|ten; vo|r|an|stel|len; vo-
  r|an|trei|ben

Vor|ar|beit; vor|ar|bei|ten; Vor|ar|bei|ter;
  Vor|ar|bei|te|rin
Vor|auf|füh|rung (Aufführung eines Films
  vor dem eigentlichen Kinostart)
vo|r|aus; sie war allen voraus; aber im
  (landsch. zum) Voraus ['fo:..., auch
  ...'raus]
Vo|r|aus, der; - (Rechtsspr. besonderer
  Erbanspruch eines überlebenden Ehegat-
  ten)
vo|r|aus|ge|hen; vo|r|aus|ge|hend; im vor-
  ausgehenden Kapitel; aber im Vorausge-
  henden (weiter oben)
Vo|r|aus|sa|ge; vo|r|aus|sa|gen
vo|r|aus|se|hen
vo|r|aus|set|zen; Vo|r|aus|set|zung
Vo|r|aus|sicht, die; -; aller Voraussicht nach;
  vo|r|aus|sicht|lich
Vor|aus|wahl (vorläufige Auswahl)
Vo|r|aus|zah|lung
Vor|be|din|gung
Vor|be|halt, der; -[e]s, -e; mit, unter, ohne
  Vorbehalt; vor|be|hal|ten; ich behalte es
  mir vor; ich habe es mir vorbehalten; vor-
  zubehalten; vor|be|halt|lich (Amtsspr.);
  Präp. mit Gen.: vorbehaltlich, schweiz. vor-
  behältlich unserer Rechte; vor|be|halt|los
vor|bei; vorbei (vorüber) sein; als sie kam,
  war bereits alles vorbei
vor|bei|fah|ren; vor|bei|füh|ren; vor|bei-
  ge|hen; vor|bei|kom|men; bei jmdm. vor-
  beikommen (ugs. für jmdn. kurz besuchen);
  vor|bei|re|den; am Thema vorbeireden;
  vor|bei|schau|en; vor|bei|zie|hen
vor|be|rei|ten; Vor|be|rei|tung; Vor|be|rei-
  tungs|spiel (Sport); Vor|be|rei|tungs|zeit
vor|be|straft
vor|beu|gen; Vorbeugen od. vorbeugen ist
  besser als Heilen od. heilen
Vor|beu|gung
Vor|bild; Vor|bild|funk|ti|on; vor|bild|lich
Vor|bo|te
vor|brin|gen
Vor|den|ker (bes. Politik); Vor|den|ke|rin
vor|de|re; der vordere Eingang; aber der
  Vordere Orient

Vor|der|grund; vor|der|grün|dig
vor|der|hand [*auch* ...'hant] (einstweilen);
  Vor|der|hand, die; -
Vor|der|mann *Plur.* ...männer, *auch* ...leute
Vor|der|rad; Vor|der|sei|te; Vor|der|teil,
  das *od.* der
vor|drän|gen; sich vordrängen
vor|drin|gen; die Feuerwehr drang vor
vor|dring|lich (besonders dringlich)
vor|ei|lig
vor|ei|n|an|der; sich voreinander hinstellen;
  vgl. aneinander
vor|ent|hal|ten; ich enthalte vor; ich habe
  vorenthalten; vorzuenthalten
Vor|ent|schei|dung
vor|erst
Vor|fahr, der; -en, -en, Vor|fah|re, der; -n, -n
vor|fah|ren
Vor|fah|rin
Vor|fahrt; [die] Vorfahrt haben, beachten
Vor|fall, der
Vor|feld; im Vorfeld der Wahlen
vor|fin|den
Vor|freu|de
vor|füh|ren; Vor|füh|rung
Vor|ga|be (Richtlinie; *Sport* Vergünstigung
  für Schwächere)
Vor|gang; Vor|gän|ger; Vor|gän|ge|rin;
  Vor|gän|ger|mo|dell
Vor|gangs|wei|se, die (*österr. für* Vorge-
  hensweise)
Vor|gar|ten
vor|gau|keln; ich gauk[e]le vor
vor|ge|ben; vorgegeben; vor|geb|lich
  (angeblich)
vor|ge|fer|tigt
vor|ge|hen; Vor|ge|hen, das; -s; Vor|ge-
  hens|wei|se, die
vor|ge|la|gert; vorgelagerte Inseln
vor|ge|nannt (*Amtsspr.*)
Vor|ge|schich|te
Vor|ge|schmack, der; -[e]s
vor|ge|schrie|ben *vgl.* vorschreiben
vor|ge|se|hen *vgl.* vorsehen
Vor|ge|setz|te, der *u.* die; -n, -n
Vor|ge|spräch

vor|ges|tern; vorgestern Abend; *vgl.* ges-
  tern
vor|ge|zo|gen *vgl.* vorziehen
vor|grei|fen; Vor|griff
vor|ha|ben; Vor|ha|ben, das; -s, -
vor|hal|ten; Vor|hal|tung *meist Plur.* (ernste
  Ermahnung)
Vor|hand, die; - (*bes. Tennis, Tischtennis*
  bestimmter Schlag)
vor|han|den; vorhanden sein; Vor|han|den-
  sein, das; -s
Vor|hang, der; -[e]s, ...hänge
vor|her; vorher (früher) gehen; etwas vorher
  tun
vor|her|ge|hen (voraus-, vorangehen); es
  geht vorher; vorhergegangen; vorherzuge-
  hen; *vgl. aber* vorher; vor|her|ge|hend;
  die vorhergehenden Ereignisse; *aber* Vor-
  hergehendes; im Vorhergehenden (weiter
  oben); der, die, das Vorhergehende
vor|he|rig [*auch* 'fo:ɐ...]
Vor|herr|schaft; vor|herr|schen
Vor|her|sa|ge, die; -, -n; vor|her|sa|gen
  (voraussagen); ich sage vorher; vorherge-
  sagt; vorherzusagen; das Vorhergesagte,
  aber das vorher Gesagte; *vgl.* vorher
vor|her|seh|bar; vor|her|se|hen (im Voraus
  erkennen); ich sehe vorher; vorhergesehen;
  vorherzusehen
vor|hin [*auch* ...'hin]; Vor|hi|n|ein; *nur in
  der Fügung* im Vorhinein (im Voraus)
Vor|hut, die; -, -en
vo|ri|ge; vorigen Jahres (*Abk.* v. J.); vorigen
  Monats (*Abk.* v. M.); der, die, das Vorige;
  im Vorigen; die Vorigen; *vgl.* folgend
Vor|in|s|tanz (*Rechtsspr.*)
Vor|jahr; Vor|jah|res|er|geb|nis; Vor|jah-
  res|mo|nat; Vor|jah|res|ni|veau; Vor|jah-
  res|sie|ger; Vor|jah|res|zeit|raum; vor|
  jäh|rig
Vor|kämp|fer; Vor|kämp|fe|rin
Vor|kaufs|recht
Vor|keh|rung; Vorkehrungen treffen
Vor|kennt|nis *meist Plur.*
vor|kom|men; Vor|kom|men, das; -s, -;
  Vor|komm|nis, das; -ses, -se

V

vor|la|den vgl. ²laden; Vor|la|dung
Vor|la|ge
Vor|lauf (zeitl. Vorsprung; *Chemie* erstes
Destillat; *Sport* Ausscheidungslauf)
Vor|läu|fer; Vor|läu|fe|rin
vor|läu|fig; vorläufige Regelungen
vor|laut
vor|le|ben; der Jugend Toleranz vorleben
Vor|le|ben, das; -s (früheres Leben)
vor|le|gen
Vor|leis|tung
vor|le|sen; Vor|le|ser; Vor|le|se|rin; Vor-
le|sung
vor|letzt; zu vorletzt; der vorletzte Mann,
aber er ist der Vorletzte [der Klasse]
Vor|lie|be, die; -, -n
vor|lieb|neh|men; ich nehme vorlieb; vor-
liebgenommen; vorliebzunehmen
vor|lie|gen; das Dokument hat (*südd.,
österr., schweiz.* ist) vorgelegen
vor|lie|gend; vorliegender Fall; Vorliegen-
des; im Vorliegenden (*Amtsspr.*); das Vorliegende; vgl. folgend
vorm (ugs. für vor dem); vorm Haus[e]
vor|ma|chen (*ugs.*); jmdm. etwas vormachen
(jmdn. täuschen)
Vor|macht|stel|lung
vor|ma|lig (ehemalig); der vormalige Besit-
zer; vor|mals (einst, früher; *Abk.* vorm.);
vormals war hier ein Park
Vor|marsch, der
vor|mer|ken
Vor|mit|tag, der; -[e]s, -e; heute Vormittag;
des Vormittags, *aber* vormittags; vor|mit-
tags vgl. mittags
Vor|mo|nat
Vor|mund, der; -[e]s, *Plur.* -e u. ...münder;
Vor|mun|din; Vor|mund|schaft
¹vorn, vor|ne; noch einmal von vorn, *ugs.*
vorne beginnen; vorn, *ugs.* vorne sitzen,
stehen, liegen
²vorn (ugs. für vor den)
Vor|na|me
vor|ne vgl. ¹vorn
vor|nehm; vornehm tun
vor|neh|men

vor|nehm|lich (geh. für vor allem, besonders)
vor|ne|weg [auch ...ə'vɛk], vorn|weg
vorn|he|r|ein [auch ...'raɪn]; von vornherein
vorn|weg vgl. vorneweg
Vor|ort, der; -[e]s, Vororte; vgl. aber vor Ort
vor Ort (am Ort des Geschehens); vor Ort
sein; Vor-Ort-Ser|vice, der
Vor|platz
Vor|pre|mi|e|re (Voraufführung)
vor|pre|schen
Vor|pro|gramm
vor|pro|gram|mie|ren
Vor|quar|tal (bes. Wirtsch.)
Vor|rang, der; -[e]s (österr. auch für Vor-
fahrt); vor|ran|gig
Vor|rat, der; -[e]s, ...räte; vor|rä|tig; etwas
vorrätig haben; Vor|rats|da|ten|spei|che-
rung
Vor|raum
vor|rech|nen
Vor|recht (besonderes Recht, Privileg)
Vor|rei|ter; Vor|rei|ter|rol|le
Vor|rich|tung
vor|rü|cken (österr. Amtsspr. auch für in die
nächste Gehaltsstufe kommen)
Vor|ru|he|stand (freiwilliger vorzeitiger
Ruhestand)
Vor|run|de (Sport); Vor|run|den|spiel
Vor|sai|son
Vor|satz, der, *Druckw.* das; -es, Vorsätze;
vor|sätz|lich
Vor|schau
Vor|schein; nur noch in zum Vorschein kom-
men, bringen
vor|schie|ben
Vor|schlag; auf Vorschlag von ...; vor-
schla|gen
vor|schnell; vorschnell urteilen
vor|schrei|ben; sich an das vorgeschriebene
Verfahren halten; Vor|schrift; Dienst nach
Vorschrift; vor|schrifts|mä|ßig
Vor|schub (*Technik* Vorwärtsbewegung
eines Werkzeugs; *veraltet für* Begünsti-
gung, Förderung); jmdm. od. einer Sache
Vorschub leisten
Vor|schul|al|ter; Vor|schu|le

Vor|schuss; Vor|schuss|lor|beer *meist Plur.* (im Vorhinein erteiltes Lob)

vor|schwe|ben (im Sinn haben); mir schwebt etwas Neues vor

vor|se|hen; sieh dich vor!; die vorgesehene Menge abwiegen

vor|set|zen

Vor|sicht, die; -; vor|sich|tig; vor|sichts|hal|ber; Vor|sichts|maß|nah|me

Vor|sil|be

Vor|sitz, der; -es, -e; Vor|sit|zen|de, der u. die; -n, -n (*Abk.* Vors.)

Vor|sor|ge, die; -; Vorsorge treffen; vor|sor|gen; Vor|sor|ge|un|ter|su|chung; vor|sorg|lich

Vor|spann, der; -[e]s, -e u. Vorspänne; *vgl.* Nachspann

Vor|spei|se

Vor|spiel; vor|spie|len

vor|spre|chen

Vor|sprung

Vor|stadt; vor|städ|tisch

Vor|stand, der; -[e]s, Vorstände (*österr. auch svw.* Vorsteher); Vor|stän|din

Vor|stands|chef; Vor|stands|che|fin; Vor|stands|eta|ge; Vor|stands|mit|glied; Vor|stands|sit|zung; Vor|stands|spre|cher; Vor|stands|spre|che|rin

vor|ste|hen; vor|ste|hend; Vorstehendes; im Vorstehenden (*Amtsspr.*); das Vorstehende; *vgl.* folgend

Vor|ste|her; Vor|ste|he|rin

vor|stell|bar; vor|stel|len; sich etwas vorstellen

vor|stel|lig; vorstellig werden

Vor|stel|lung; Vor|stel|lungs|ge|spräch

Vor|stel|lungs|kraft

Vor|stoß; vor|sto|ßen

Vor|stra|fe

Vor|stu|fe

Vor|tag

vor|täu|schen

Vor|teil, der; -[e]s, -e; von Vorteil; im Vorteil sein; vor|teil|haft

Vor|trag, der; -[e]s, ...träge; vor|tra|gen; Vor|trags|rei|he; Vor|trags|saal

vor|treff|lich; Vor|treff|lich|keit

Vor|tritt, der; -[e]s (*schweiz. auch für* Vorfahrt); jmdm. den Vortritt lassen

vo|r|ü|ber; es ist alles vorüber

vo|r|ü|ber|ge|hen; ich gehe vorüber; vorübergegangen; vorüberzugehen; im Vorübergehen; vo|r|ü|ber|ge|hend

Vor|ur|teil; vor|ur|teils|los; Vor|ur|teils|lo|sig|keit, die; -

vor|ver|gan|gen; Vor|ver|gan|gen|heit, die; - (Plusquamperfekt)

Vor|ver|kauf; Vor|ver|kaufs|stel|le

vor|ver|le|gen

Vor|ver|trag

Vor|ver|ur|tei|lung

Vor|wahl

Vor|wand, der; -[e]s, ...wände

vor|war|nen; Vor|war|nung

vor|wärts; vor- und rückwärts; vorwärtskommen, vorwärtsgehen; *aber* vorwärts einparken, vorwärts hineingehen

vor|wärts|ge|hen *vgl.* vorwärts

vor|weg; etwas vorweg (zuvor) klären

Vor|weg, der; *nur in der Fügung* im Vorweg[e] (vorsorglich)

vor|weg|neh|men; ich nehme vorweg; vorweggenommen; vorwegzunehmen

vor|weih|nacht|lich

Vor|weih|nachts|zeit, die; -

vor|wei|sen

vor|wer|fen

vor|wie|gend (vor allem, meist)

vor|wit|zig

¹Vor|wort, das; -[e]s, -e (Vorrede in einem Buch)

²Vor|wort, das; *Plur.* ...wörter (*österr. für* Verhältniswort)

Vor|wurf; vor|wurfs|voll

Vor|zei|chen

vor|zeich|nen

vor|zeig|bar; vor|zei|gen

Vor|zeit; vor|zei|tig; vor|zeit|lich (der Vorzeit angehörend)

vor|zie|hen; vorgezogene Neuwahlen

Vor|zim|mer (*österr. auch für* Hausflur)

Vor|zug

vor|züg|lich [*auch* 'foːɐ̯...] (ausgezeichnet)
Vor|zugs|ak|tie; vor|zugs|wei|se
vo|ten ['voːtn̩] (*ugs. für* abstimmen); gevotet
vo|tie|ren (stimmen für)
Vo|ting ['voːtɪŋ], das; -s, -s (Abstimmung)
Vo|tum, das; -s, *Plur.* ...ten u. ...ta
(Gelübde; Urteil; Stimme; Entscheid[ung])
Vo|yeur [vo̯a'jøːɐ̯], der; -s, -e (jmd., der als
Zuschauer bei sexuellen Betätigungen
anderer Befriedigung erfährt); Vo|yeu|ris-
mus, der; -; vo|yeu|ris|tisch
vul|gär (gewöhnlich; gemein; niedrig)
vul|go (gemeinhin [so genannt])
Vul|kan, der; -s, -e (Feuer speiender Berg);
Vul|kan|aus|bruch; vul|ka|nisch (von Vul-
kanen herrührend); vul|ka|ni|sie|ren (Roh-
kautschuk zu Gummi verarbeiten)

W w

W (Buchstabe); das W; des W, die W, *aber*
das w in Löwe; der Buchstabe W, w
Waa|ge, die; -, -n
waa|ge|recht, waag|recht; Waa|ge|rech-
te, Waag|rech|te, die; -n, -n; vier Waage-
rechte[n]; Waag|scha|le
wab|be|lig, wabb|lig (*ugs. für* gallertartig
wackelnd; unangenehm weich)
Wa|be, die; -, -n
wa|bern (*landsch. für* sich hin u. her bewe-
gen, flackern)
wach; die ganze Nacht wach sein, wach bleiben; morgens schon früh wach werden;
aber wenn alte Gefühle wach werden *od.*
wachwerden *(wieder auftreten)*; jmdn.
wach machen *od.* wachmachen (aufwe-
cken); jmdn. wach rütteln *od.* wachrütteln
(wecken); *vgl. aber* wachhalten, wachru-
fen, wachrütteln
Wa|che, die; -, -n; Wache halten, ste-
hen; ein Wache stehender *od.* wache-

stehender Soldat; wa|chen; über
jmdn. wachen
wach|hal|ten; die Erinnerungen an etwas
wachhalten; *vgl. aber* wach
Wach|hund; Wach|mann Plur. ...männer u.
...leute
Wa|chol|der, der; -s, -
Wach|pos|ten, Wacht|pos|ten
wach|ru|fen (hervorrufen; wecken)
wach|rüt|teln (aufrütteln); diese Nachricht
hat ihn wachgerüttelt; *vgl. aber* wach
Wachs, das; -es, -e
wach|sam; Wach|sam|keit, die; -
¹wach|sen (größer werden); du wächst, er
wächst; du wuchsest, du wuchs; du wüch-
sest; gewachsen; wachs[e]!
²wach|sen (mit Wachs glätten); du wachst, er
wachst; du wachstest; gewachst; wachs[e]!
Wachs|tum, das; -s; Wachs|tums|bran|che
(Wirtsch.); wachs|tums|för|dernd;
Wachs|tums|hor|mon; Wachs|tums|po-
ten|zi|al, Wachs|tums|po|ten|ti|al
(Wirtsch.); Wachs|tums|ra|te *(Wirtsch.)*;
Wachs|tums|schub *(bes. Med.)*
Wäch|ter; Wäch|te|rin
Wacht|meis|ter; Wacht|meis|te|rin;
Wacht|pos|ten vgl. Wachposten; Wacht-
turm, Wacht|turm
wach wer|den, wach|wer|den vgl. wach
wa|cke|lig, wack|lig
Wa|ckel|kon|takt; wa|ckeln; ich wack[e]le
wa|cker (*veraltend für* redlich; tapfer)
Wa|de, die; -, -n; Wa|den|bein
Wa|fer ['veː...], der; -s, -[s] (dünne Scheibe
aus Halbleitermaterial für die Herstellung
von Mikrochips)
Waf|fe, die; -, -n; atomare, biologische, che-
mische Waffen
Waf|fel, die; -, -n (ein Gebäck)
Waf|fen|be|sitz, der; -es; Waf|fen|em|bar-
go; Waf|fen|ge|setz; Waf|fen|ge|walt,
die; -; Waf|fen|han|del vgl. Handel; Waf-
fen|la|ger; Waf|fen|ru|he, die; -, -n; Waf-
fen|still|stand; Waf|fen|sys|tem
wa|ge|hal|sig vgl. waghalsig; wa|ge|mu|tig
wa|gen; du wagtest; gewagt; sich wagen

Wa|gen, der; -s, Plur. -, südd. auch Wägen; Wa|gen|he|ber

Wag|gon [...'gõ:, auch, bes. südd., österr. ...'go:n], der; -s, Plur. -s, südd., österr. auch -e, Walgon [...'gõ:, österr. ...'go:n], der; -s, Plur. -s, österr. auch -e ([Eisenbahn]wagen)

wag|hal|sig, wa|ge|hal|sig

Wag|nis, das; -ses, -se

Wahl, die; -, -en; Wahl|abend; Wahl|al|ter; Wahl|aus|gang; wähl|bar; wahl|be|rech|tigt; Wahl|be|tei|li|gung; Wahl|be|zirk; Wahl|bünd|nis

wäh|len

wahl|ent|schei|dend; Wäh|ler; Wahl|er|folg; Wahl|er|geb|nis; Wäh|ler|gunst; Wäh|le|rin; wäh|le|risch; Wahl|fach; Wahl|frei|heit; Wahl|gang, der; Wahl|ge|heim|nis; Wahl|ge|setz; Wahl|hei|mat; Wahl|hel|fer; Wahl|hel|fe|rin; Wahl|jahr; Wahl|kam|pa|gne; Wahl|kampf; Wahl|kampf|the|ma; Wahl|kreis; Wahl|lo|kal; wahl|los; Wahl|mög|lich|keit; Wahl|nacht; Wahl|nie|der|la|ge; Wahl|pro|gramm; Wahl|recht; Wahl|sieg; Wahl|sie|ger; Wahl|sie|ge|rin; Wahl|sys|tem; Wahl|tag; wahl|tak|tisch; Wahl|ur|ne; Wahl|ver|spre|chen; wahl|wei|se; Wahl|zet|tel

Wahn, der; -[e]s

wäh|nen (fälschlich glauben)

Wahn|sinn, der; -[e]s; wahn|sin|nig

Wahn|sinns|ar|beit (ugs.); wahn|wit|zig

wahr; nicht wahr?; sein wahres Gesicht zeigen; wahr sein, bleiben, werden; etwas für wahr halten; seine Drohungen wahr machen od. wahrmachen; vgl. wahrhaben, wahrnehmen, wahrsagen

wah|ren; den Anschein wahren

wäh|ren (geh. für dauern)

wäh|rend; wäh|rend|des|sen (unterdessen); er kochte sich währenddessen einen Tee

wahr|ha|ben; nur in: etwas nicht wahrhaben wollen; sie will es nicht wahrhaben

wahr|haft (wirklich); wahr|haf|tig; Wahr|haf|tig|keit, die; -

Wahr|heit

wahr|lich (veraltend für wirklich)

wahr ma|chen, wahr|ma|chen vgl. wahr

wahr|nehm|bar; wahr|neh|men; ich nehme wahr; wahrgenommen; wahrzunehmen; Wahr|neh|mung

wahr|sa|gen (prophezeien); du sagtest wahr od. du wahrsagtest; sie hat wahrgesagt od. gewahrsagt; Wahr|sa|ger; Wahr|sa|ge|rin

wahr|schein|lich [auch 'va:ẹ...]; Wahr|schein|lich|keit

Wäh|rung, die; - (Aufrechterhaltung)

Wäh|rung (gesetzl. Zahlungsmittel); Wäh|rungs|ein|heit; Wäh|rungs|fonds [...fõ:] (svw. Währungsausgleichsfonds); Wäh|rungs|re|form; Wäh|rungs|sys|tem; Europäisches Währungssystem (Abk. EWS); Wäh|rungs|uni|on; Währungs-, Wirtschafts- und Sozialunion

Wahr|zei|chen

waid|män|nisch

Wai|se, die; -, -n; Wai|sen|haus

Wal, der; -[e]s, -e (ein Meeressäugetier)

Wald, der; -[e]s, Wälder; Wald|brand; Wald|ge|biet; Wald|lauf; Wald|meis|ter, der; -s (eine Pflanze)

Wal|dorf|schu|le (Privatschule, in der nach den Prinzipien anthroposophischer Pädagogik unterrichtet wird)

Wald|rand; Wald|ster|ben, das; -s; Wald|stück; Wald|weg

Wal|fang; die Walfang treibenden od. walfangtreibenden Nationen

¹wal|ken (Textiltechnik verfilzen; ugs. für kneten; prügeln)

²wal|ken ['wɔ:kn̩] (Walking betreiben); gewalkt; Wal|ker ['wɔ:kɐ]; Wal|ke|rin

Wal|kie-Tal|kie ['wɔ:ki'tɔ:ki], das; -[s], -s (tragbares Funksprechgerät)

Walk|man® ['wɔ:kmən], der; -s, Plur. -s u. ...men [...mən] (kleiner Kassettenrekorder mit Kopfhörern)

Wal|kü|re [auch 'val...], die; -, -n (germ. Mythol. eine der Botinnen Odins, die die Gefallenen nach Walhall geleiten)

W

Wạll, der; -[e]s, Wälle (Erdaufschüttung, Mauerwerk usw.)

Wạll|lach, der; -[e]s, -e (kastrierter Hengst)

wạl|len (sprudeln, bewegt fließen; sich [wogend] bewegen)

wạll|fah|ren; du wallfahrst; du wallfahrtest; gewallfahrt; zu wallfahren; *vgl.* wallfahrten; Wạll|fah|rer; Wạll|fah|re|rin; Wạll|fahrt; Wạll|fahrts|kir|che

Wạl|lung; in Wallung geraten

Wạl|nuss

Wạl|ross, das; -es, -e

wạl|ten *(geh.);* Gnade walten lassen; das Walten der Naturgesetze

Wạl|ze, die; -, -n (veraltet auch für Wanderschaft eines Handwerksburschen); wạl|zen; du walzt

wạl|zen; du wälzt; sich wälzen

Wạl|zer; Walzer tanzen; sie schwebten Walzer tanzend *od.* walzertanzend durch den Raum

Wạms, das; -es, Wämser (früher für Jacke)

wạnd *vgl.* ¹winden

Wạnd, die; -, Wände

Wạn|del, der; -s; demografischer Wandel

Wạn|del|an|lei|he *(Bankw.);* wạn|deln; ich wand[e]le; Wạn|de|lung, Wạnd|lung

Wạn|der|aus|stel|lung; Wạn|der|dü|ne

Wạn|de|rer, Wạnd|rer; Wạn|de|rin, Wạnd|re|rin

wạn|dern; ich wandere; das Wandern ist des Müllers Lust; Wạn|der|schaft

Wạn|de|rung; Wạn|der|weg

Wạnd|ler *(Technik);* Wạnd|lung *vgl.* Wandelung

Wạnd|ma|le|rei

Wạnd|rer usw. *vgl.* Wanderer usw.

Wạnd|ta|fel; Wạnd|tep|pich; Wạnd|zei|tung

Wạn|ge, die; -, -n

Wạn|kel|mut; wạn|kel|mü|tig

wạn|ken; ins Wanken geraten

wạnn; dann und wann

Wạn|ne, die; -, -n; Wạn|nen|bad

Wạnst, der; -[e]s, Wänste (Tierbauch; ugs. für dicker Bauch)

Wạn|ze, die; -, -n (auch übertr. für Abhörgerät)

WẠP [auch wɔp], das; - meist ohne Artikel = **W**ireless **A**pplication **P**rotocol (Verfahren zur Verbindung von Handy u. Internet); WAP-Han|dy; wạp|pen [auch 'wɔpn̩]

Wạp|pen, das; -s, -; Wạp|pen|schild, der od. das

wạpp|nen *(geh.);* ich wappne mich

wạr *vgl.* ²sein

Wạ|re, die; -, -n; Wạ|ren|haus; Wạ|ren|test; Wạ|ren|ver|kehr; Wạ|ren|zei|chen

War|lord ['wɔːlɔːd], der; -s, -s (militär. Machthaber in bürgerkriegsähnlichen Konflikten)

warm

wär|mer, wärms|te

– das Zimmer kostet warm (einschließlich Heizkosten) 200 Euro [Miete]
– auf kalt und warm reagieren

Schreibung in Verbindung mit Verben:

– den Tee warm halten
– sich warm anziehen
– im Zimmer ist es (zu) warm geworden
– den Motor warm laufen lassen (auf günstige Betriebstemperatur bringen)
– das Essen warm machen od. warmmachen, warm stellen od. warmstellen
– mit dem neuen Nachbarn warm werden od. warmwerden (vertraut werden)
– sich einen Freund warmhalten (ugs. für die guten Beziehungen zu ihm erhalten)
– die Diskussionsteilnehmer hatten sich allmählich warmgelaufen (die Diskussion war lebhaft geworden)

Wär|me, die; -; Wär|me|däm|mung; Wär|me|ener|gie; Wär|me|leh|re; wär|men; sich wärmen; Wärm|fla|sche

warm|hal|ten (sich jmds. Gunst erhalten)

warm|her|zig

warm stel|len, warm|stel|len *vgl.* warm

Warm-up ['wɔːmʌp], das; -s, -s (das Sichaufwärmen; das Einstimmen von Zuschauern, Zuhörern auf ein Thema)

warm wer|den, warm|wer|den *vgl.* warm

Warn|drei|eck; war|nen; War|ner; War|nerin; Warn|hin|weis; Warn|schild, das; **Warn|schuss; Warn|si|gnal; Warnstreik; War|nung**

War|rant [*auch* 'vɔrənt], der; -s, -s (*Wirtsch.* Lagerschein)

wart (*2. Pers. Plur. Indikativ Prät. von* ²sein); ihr wart

Wart, der; -[e]s, -e (*meist in Zusammensetzungen, z. B.* Platzwart)

Wart|burg, die; -

War|te, die; -, -n (Beobachtungsort); von meiner Warte (meinem Standpunkt) aus

War|te|lis|te; war|ten; auf sich warten lassen; das Warten auf ihn hat ein Ende

Wär|ter; Wär|te|rin

War|te|saal; War|te|schlan|ge; War|teschlei|fe (*auch übertr.);* **War|te|zeit; War|te|zim|mer**

War|tung; die Wartung des Autos

wa|r|um; nach dem Warum fragen

War|ze, die; -, -n

was; was für ein Mittel; was für einer; das ist das Schönste, was ich erlebt habe; *aber* das Werkzeug, das ich in der Hand habe

Wasch|bär; Wasch|be|cken

Wä|sche, die; -, -n

wasch|echt; waschechte Farben

wa|schen; du wäschst, sie wäscht; du wuschest; du wüschest; gewaschen; wasch[e]!; sich waschen

Wä|sche|rei

Wasch|lap|pen (*ugs. auch für* Feigling, Schwächling); **Wasch|ma|schi|ne; Waschmit|tel,** das; **Wasch|pul|ver**

Was|ser, das; -s, *Plur.* - u. (*für* Mineral-, Spül-, Abwasser u. a. meist:) Wässer; zu Wasser und zu Land[e]; ein Wasser abstoßendes, Wasser abweisendes *od.* wasserabstoßendes, wasserabweisendes Material, *aber nur* dieses Gewebe ist besonders wasserabweisend, dieser Stoff ist noch wasserabweisender als jener

Was|ser|ball (*vgl.* ¹Ball); **Was|ser|burg; Was|ser|dampf; was|ser|dicht;** wasserdichte Uhren; **Was|ser|fall,** der; **Was|ser|far|be; Was|ser|flä|che; Was|ser|glas** *Plur.* ...gläser (Trinkglas); **Was|ser|hahn**

wäs|se|rig *vgl.* wässrig

Was|ser|klo|sett (*Abk.* WC); **Was|ser|kraft,** die; **Was|ser|kraft|werk; Was|ser|leitung; was|ser|lös|lich;** wasserlösliche Farbe

wäs|sern (in Wasser legen; mit Wasser versorgen; Wasser absondern); ich wässere

Was|ser|ober|flä|che; Was|ser|qua|li|tät; Was|ser|schei|de *(Geogr.);* **was|serscheu; Was|ser|schutz|ge|biet; Wasser|ski, Was|ser|schi,** der; -[s], *Plur.* -er *od.* -, *als Sportart* das; -[s]; **Was|serspie|gel; Was|ser|stoff,** der; -[e]s (chemisches Element, Gas; *Zeichen* H); **Wasser|stoff|bom|be** (H-Bombe); **Was|server|schmut|zung; Was|ser|ver|sorgung; Was|ser|waa|ge; Was|ser|werfer; Was|ser|werk**

wäss|rig, wäs|se|rig

Watch|list ['vɔtʃ...], die; -, -s (Liste von zu beobachtenden Personen, Firmen o. Ä.)

wa|ten; gewatet

Wa|ter|loo (Ort in Belgien)

wat|scheln [*auch* 'vat...]; ich watsch[e]le

¹**Watt,** das; -s, - (Einheit der physikal. Leistung; *Zeichen* W); 40 Watt

²**Watt,** das; -[e]s, -en (seichter Streifen der Nordsee zwischen Küste u. Inseln)

Wat|te, die; -, -n

Wat|ten|meer

wat|tie|ren (mit Watte füttern)

WC [ve:'tse:], das; -[s], -[s] = water closet (Wasserklosett, Toilette)

Web, das; -[s] (*kurz für* World Wide Web); **web|ba|siert** *(EDV);* eine webbasierte Lösung; **Web|brow|ser; Web|cam** [...kɛm], die; -, -s *(EDV* Kamera, deren Aufnahmen ins Internet eingespeist werden); **Web|de|sign** [...dizaɪn], das; -s, -s

we|ben; du webtest, *schweiz., sonst geh. u. übertr.* wobst; du webtest, *geh. u. übertr.*

wöbest; gewebt, *schweiz., sonst geh. u.
übertr.* gewoben; web[e]!; **We|be|rei**
Web|log, das, *auch* der; -s, -s (tagebuchar-
tig geführte, öffentlich zugängliche Web-
seite); **Web|mas|ter,** der; -s, - (Betreuer
von Websites); **Web|mas|te|rin; Web|site**
['vɛpsait], die; -, -s (sämtliche hinter einer
Internetadresse stehenden Seiten)
Web|stuhl
Web 2.0, das; des Web[s] 2.0 (*EDV* durch
die Mitwirkung der Benutzer[innen]
geprägte Internetangebote)
Wech|sel, der; -s, -; **Wech|sel|bad; wech-**
sel|haft; Wech|sel|kurs
wech|seln; ich wechs[e]le; wechselnde
Mehrheiten *(Politik);* Wäsche zum Wechseln
wech|sel|sei|tig; Wech|sel|spiel; Wech-
sel|strom; wech|sel|voll; Wech|sel|wir-
kung
Weck, der; -[e]s, -e, **We|cke,** die; -, -n,
¹**We|cken,** der; -s, - (*südd., österr. für* Wei-
zenbrötchen; Brot in länglicher Form)
we|cken; ²**We|cken,** das; -s; Urlaub bis zum
Wecken *(Militär);* **We|cker**
We|del, der; -s, -; **we|deln;** ich wed[e]le
we|der; weder er noch sie haben *od.* hat
davon gewusst; das Weder-noch
weg; weg da! (fort!); sie ist ganz weg (*ugs.
für* begeistert, verliebt); frisch von der
Leber weg (*ugs. für* ganz offen) reden; sie
ist längst darüber weg (hinweg); sie wird
schon weg sein, wenn …
Weg, der; -[e]s, -e; **Weg|be|rei|ter; Weg-**
be|rei|te|rin
weg|blei|ben *(ugs.);* sie ist auf einmal weg-
geblieben
weg|bre|chen
weg|den|ken; etw. ist nicht wegzudenken
we|gen (*Abk.* wg.); *Präp. mit Gen.:* wegen
des Kindes; *ugs. auch mit Dat.:* wegen dem
Kind; *bei allein stehenden Substantiven im
Singular auch standardspr. mit Dat.:*
wegen Umbau geschlossen; von Berufs
wegen, meinetwegen, deswegen, von
wegen!

weg|fah|ren
Weg|fall, der; -[e]s; in Wegfall kommen
(*dafür besser:* wegfallen); **weg|fal|len**
Weg|ga|be|lung, Weg|gab|lung
Weg|gang, der; -[e]s; **weg|ge|hen; weg-**
kom|men *(ugs.);* gut dabei wegkommen;
weg|las|sen; weg|lau|fen; er ist wegge-
laufen; **weg|neh|men;** weggenommen;
weg|räu|men; weg|schau|en; weg|ste-
cken (*ugs. auch für* verkraften)
Weg|stre|cke; weg|wei|send; Weg|wei|ser
weg|wer|fen; Weg|werf|ge|sell|schaft
weg|zie|hen; Weg|zug
¹**weh;** sie hat einen wehen Finger; es war ihm
weh ums Herz; das hat **wehgetan** *od.* weh
getan; **Weh,** das; -[e]s, -e; mit Ach und
Weh; Ach und Weh schreien
we|he, ²**weh;** weh[e] dir!; o weh!
¹**We|he** die; -, -n *meist Plur.* (das Zusammen-
ziehen der Gebärmutter bei der Geburt)
²**We|he,** das; -s (*selten für* Weh)
³**We|he,** die; -, -n (zusammengewehte Anhäu-
fung von Schnee *od.* Sand); **we|hen**
weh|lei|dig; Weh|mut, die; -; **weh|mü|tig**
¹**Wehr,** die; -, -en (Befestigung, Verteidi-
gung; *kurz für* Feuerwehr); sich zur Wehr
setzen
²**Wehr,** das; -[e]s, -e (Stauwerk)
Wehr|dienst; Wehr|dienst|ver|wei|ge|rer
weh|ren; sich wehren; **wehr|haft; wehr|los**
Wehr|macht, die; - (*früher für* Gesamtheit
der [deutschen] Streitkräfte)
Wehr|pflicht, die; -; **Wehr|pflich|ti|ge,** der;
-n, -n
weh|tun, weh tun; ich habe mir **wehgetan**
od. weh getan; das braucht nicht **wehzu-**
tun *od.* weh zu tun
Weib, das; -[e]s, -er; **Weib|chen**
weib|lich; Weib|lich|keit, die; -
weich; wei|cher; am weichs|ten; weich sein;
die Butter ist weich geworden; die Kinder
bettelten, bis die Mutter weich wurde *od.*
weichwurde (*ugs. für* nachgab); ein Steak
weich klopfen *od.* weichklopfen; jmdn.
weichklopfen (*ugs. für* zum Nachgeben
bewegen)

Wei|che, die; -, -n (Umstellvorrichtung bei Gleisen)

¹wei|chen (einweichen, weich machen, weich werden); du weichtest; geweicht; weich[e]!

²wei|chen (zurückgehen; nachgeben); du wichst; du wichest; gewichen; weich[e]!

Wei|chen|stel|lung (Maßnahme, die eine zukünftige Entwicklung vorbereitet)

weich ge|kocht, weich|ge|kocht vgl. weich; weich|her|zig; Weich|kä|se; weich|klop|fen (ugs. für zum Nachgeben bewegen); vgl. aber weich; weich|lich; weich|ma|chen (ugs. für zum Nachgeben bewegen); vgl. aber weich; Weich|macher (Chemie); Weich|tei|le Plur.

¹Wei|de, die; -, -n (ein Baum)

²Wei|de, die; -, -n (Grasland)

wei|den; sich an etwas weiden

weid|lich (gehörig, tüchtig)

Weid|mann, bes. fachspr. Waid|mann Plur. ...männer

wei|gern, sich; ich weigere mich; Wei|ge|rung

Weih|bi|schof

Wei|he, die; -, -n (Rel. Weihung; nur Sing.: geh. für feierl. Stimmung); wei|hen

Wei|her, der; -s, - (Teich)

Weih|nacht, die; -; weih|nach|ten; geweihnachtet; Weih|nach|ten, das; -, - (Weihnachtsfest); zu Weihnachten (bes. nordd. u. österr.); an Weihnachten (bes. südd.); Weihnachten war sehr kalt; fröhliche Weihnachten!; weih|nacht|lich; Weih|nachtsabend; Weih|nachts|baum; Weih|nachts|fei|er; Weih|nachts|fei|er|tag; der erste, zweite Weihnachtsfeiertag; Weih|nachts|fe|ri|en Plur.; Weih|nachtsge|schenk; Weih|nachts|ge|schich|te; Weih|nachts|lied; Weih|nachts|mann Plur. ...männer; Weih|nachts|markt

Weih|rauch, der; -[e]s, -e (duftendes Harz)

Weih|was|ser Plur. ...wasser

weil; sie tut es, weil sie es will

wei|land (veraltet für vormals)

Weil|chen, das; -s; warte ein Weilchen!

Wei|le, die; -; es dauerte eine gute Weile; aus langer Weile; vgl. Langeweile

wei|len (geh. für sich aufhalten)

Wei|ler, der; -s, - (mehrere beieinanderliegende Gehöfte; kleine Gemeinde)

Wein, der; -[e]s, -e; Wein|bau, der; -[e]s

Wein|berg; Wein|berg|schne|cke; Wein|brand, der; -s, ...brände (ein Branntwein)

wei|nen; in Weinen ausbrechen; ihr war das Weinen näher als das Lachen; das ist zum Weinen!; wei|ner|lich

Wein|gar|ten (landsch. für Weinberg); Wein|gut; Wein|kel|ler; Wein|pro|be; Wein|stock Plur. ...stöcke; Wein|straße; die Deutsche Weinstraße; Weintrau|be

wei|se (klug)

¹Wei|se, der u. die; -n, -n (kluger Mensch)

²Wei|se, die; -, -n (Art; Melodie [eines Liedes]); auf diese Weise

wei|sen (zeigen; anordnen); du weist, er weist; du wiesest, er wies; gewiesen; weis[e]!

Weis|heit

weis|ma|chen (ugs. für vormachen, einreden usw.); ich mache weis; weisgemacht; weiszumachen;

weiß s. Kasten Seite 480

Weiß, das; -[es], - (weiße Farbe); in Weiß [gekleidet]; mit Weiß [bemalt]; Stoffe in Weiß

weis|sa|gen; ich weissage; geweissagt; zu weissagen; Weis|sa|ger; Weis|sa|ge|rin; Weis|sa|gung

Weiß|bier; Weiß|blech; Weiß|brot; Weißbuch (Dokumentensammlung der dt. Regierung zu einer bestimmten Frage)

wei|ßen (weiß färben; tünchen); du weißt, er weißt; du weißtest; geweißt; weiß[e]!

weiß ge|klei|det, weiß|ge|klei|det vgl. weiß; **weiß glü|hend**, weiß|glü|hend vgl. weiß; weiß|haa|rig

Weiß|kohl, der; -[e]s

weiß|nä|hen (Wäsche nähen); ich nähe weiß; weißgenäht; weißzunähen

W

weiß

(Farbe); vgl. auch *blau, Weiß*

I. Kleinschreibung:

– die weiße Fahne hissen *(als Zeichen des Sichergebens)*
– ein weißer Fleck auf der Landkarte *(unerforschtes Gebiet)*
– eine weiße Weste haben *(ugs. für unschuldig sein)*
– weiße Mäuse sehen *(ugs. für [im Rausch] Wahnvorstellungen haben)*
– weiße od. Weiße Nächte *(Nächte, in denen die Sonne nur kurzzeitig untergeht)*

II. Großschreibung
a) der Substantivierung:

– die Weißen *(hellhäutige Menschen)*
– eine Weiße *(Berliner Bier)*
– das Weiße
– etwas Weißes
– die Farbe Weiß, aus Schwarz Weiß, aus Weiß Schwarz machen

b) in Namen und bestimmten namensähnlichen Fügungen:

– das Weiße Haus *(Amtssitz des Präsidenten der USA in Washington)*
– die Weiße Rose *(Name einer Widerstandsgruppe während der Zeit des Nationalsozialismus)*
– der Weiße od. weiße Tod *(Erfrieren)*

III. Schreibung in Verbindung mit Verben und Partizipien:

– weiß werden; sich weiß kleiden
– weiß einfärben, weiß übertünchen
– weiß färben od. weißfärben
– weiß machen od. weißmachen; vgl. aber *weismachen*
– die Wäsche weiß waschen od. *weißwaschen; die weiß glühende* od. *weißglühende Sonne*
– weiß gekleidete od. weißgekleidete Kinder *(aber in Weiß gekleidete Kinder)*
Vgl. aber *weißnähen*

Weiß|wein; Weiß|wurst
Wei|sung (Auftrag, Befehl);
weit s. Kasten Seite 481
Weit, das; -[e]s, -e *(fachspr. für größte Weite [eines Schiffes])*
weit|ab
weit|aus; weitaus größer
Weit|blick, der; -[e]s
Wei|te, die; -, -n; **wei|ten** (erweitern);
wei|ter s. Kasten Seite 482
wei|ter|ar|bei|ten vgl. weiter; **wei|ter|bil|den** (fortbilden); **Wei|ter|bil|dung; wei|ter|brin|gen;** der Streit wird uns nicht weiterbringen; **wei|ter|ent|wi|ckeln; Wei|ter|ent|wick|lung; wei|ter|fah|ren; Wei|ter|fahrt; wei|ter|füh|ren; wei|ter|füh|rend;** die weiterführenden Schulen; weiterführende Literatur; **Wei|ter|füh|rung** *Plur. selten;* **Wei|ter|ga|be; wei|ter|ge|ben; wei|ter|ge|hen** (vorange-

hen); die Arbeiten sind gut weitergegangen; bitte weitergehen!; *aber* ich kann weiter gehen als du; *vgl.* weiter; *vgl. auch* weit; **wei|ter|hel|fen**
wei|ter|hin
wei|ter|kom|men; wei|ter|lau|fen vgl. weitergehen; **wei|ter|le|ben;** ich kann so nicht weiterleben; **wei|ter|lei|ten;** weiterzuleiten; **Wei|ter|lei|tung; wei|ter|ma|chen** *(schweiz. militär. auch für* sich zur Beförderung weiter ausbilden lassen); immer so weitermachen; *aber* er lässt seine Schuhe weiter machen
wei|tern *(selten für* erweitern); ich weitere
wei|ter|rei|chen; den Kelch, die Frage weiterreichen; *aber* Waffen, die weiter reichen als 150 km; *vgl.* weiter; *vgl. auch* weit; **wei|ter|sa|gen;** er hat es weitergesagt; *aber* ich werde weiter (weiterhin) sagen, was ich denke; **wei|ter|spie|len** *vgl.* wei-

weit

Vgl. auch *weiter*
I. Groß- und Kleinschreibung:

– am weitesten
– weit und breit; so weit, so gut
– das Weite suchen (sich [rasch] fortbegeben); sich ins Weite verlieren
– bei Weitem od. weitem
– von Weitem od. weitem

II. Getrennt- und Zusammenschreibung
a) in Verbindung mit Verben:

– weit bringen; sie hat es weit gebracht
– weit gehen; zu weit gehen; ..., was entschieden zu weit geht
– weit springen; er kann sehr weit springen; vgl. aber weitspringen

b) in Verbindung mit Partizipien:

– das ist weit hergeholt
– eine weit gereiste od. weitgereiste Forscherin

– weit öffnende od. weitöffnende Türen
– weitblickend, weitblickender, am weitblickendsten od. weit blickend, weiter blickend, am weitesten blickend
– er stellte weitgehende, weitgehendere od. weit gehende, weiter gehende Forderungen; aber nur zusammen: weitestgehend; der Fall ist weitgehend gelöst
– weitreichende, weitreichendere od. weit reichende, weiter reichende Vollmachten
– ein weitverzweigtes, weitverzweigteres od. weit verzweigtes, weiter verzweigtes Unternehmen

III. Zusammensetzungen:

– insoweit; inwieweit
– meilenweit
– soweit
– weither; weithin

---

ter; wei|ter|ver|ar|bei|ten; Wei|ter|ver|ar|bei|tung; wei|ter|ver|fol|gen; sein Ziel unbeirrt weiterverfolgen; wei|ter|ver|kau|fen; wei|ter|zie|hen
wei|test|ge|hend
weit|ge|gehend, weit ge|hend; eine weitgehende od. weit gehende Forderung; *aber nur* [viel] weiter gehende Forderungen; ein weitgehend geklärter Fall; *vgl.* weit
weit ge|reist, weit|ge|reist *vgl.* weit
weit|her (aus großer Ferne); *aber* von weit her; damit ist es nicht weit her (das ist unbedeutend)
weit|hin; within zu hören sein
weit|läu|fig; **weit|räu|mig**
weit|rei|chend, weit rei|chend; weitreichende od. weit reichende Konsequenzen; *aber nur* [viel] weiter reichende Konsequenzen; *vgl.* weit
weit|schwei|fig
Weit|sicht, die; -; **weit|sich|tig**

weit|sprin|gen nur im Infinitiv gebr. (Sport); *vgl.* weit; **Weit|sprung** (Sport)
weit|ver|brei|tet, weit ver|brei|tet *vgl.* weit
Wei|zen, der; -s, *Plur. (Sorten:)* -; **Wei|zen|mehl**
welch; welcher, welche, welches; welch ein Kind; welch Wunder; welch reizendes Kerlchen, welches reizende Kerlchen; die politischen Verhältnisse welchen, *seltener* welches Staates?
wel|cher|art; wir wissen nicht, welcherart (was für ein) Interesse sie veranlasst ...; *aber* wir wissen nicht, welcher Art (Sorte) diese Bücher sind
wel|cher|ge|stalt; **wel|cher|lei**
welk; welke Blätter; **wel|ken**
Well|blech; **Wel|le**, die; -, -n; grüne Welle
wel|len; gewelltes Blech, Haar; **Wel|len|bad**; **Wel|len|gang**, der; -[e]s; **Wel|len|län|ge**; **Wel|len|sit|tich** (ein Vogel)

wei|ter

– *weitere neue Bücher, weiteres Wichtiges*

I. Groß- und Kleinschreibung
a) Groß- oder Kleinschreibung:

– *bis auf* Weiteres *od.* weiteres
– *ohne* Weiteres *od.* weiteres *(österr. auch* ohneweiters)

b) Großschreibung:

– *das Weitere hierüber folgt alsbald*
– *[ein] Weiteres findet sich im nächsten Abschnitt; als Weiteres erhalten Sie ...*
– *des Weiteren wurde berichtet ...*
– *alles, einiges Weitere demnächst*
– *wie im Weiteren dargestellt ...*

II. Schreibung in Verbindung mit Verben
a) Getrenntschreibung, wenn »weiter« im Sinne von »weiter als« gebraucht wird:

– *weiter gehen, er kann weiter gehen als ich*

b) Zusammenschreibung, wenn »weiter« in der Bedeutung von »vorwärts«, »voran« (auch im übertragenen Sinne) gebraucht wird:

– *weiterbefördern; weiterhelfen usw.*

c) Wird die Fortdauer eines Geschehens ausgedrückt, schreibt man im Allgemeinen zusammen, wenn »weiter« die Hauptbetonung trägt, und getrennt, wenn das Verb gleich stark betont wird:

– *weitermachen; weiterspielen usw.*
– *sie hat dir weiter (weiterhin) geholfen*
– *die Probleme werden weiter bestehen od. weiterbestehen*

Wel|ler, der; -s, - (mit Stroh vermischter Lehm zur Ausfüllung von Fachwerk)
wel|lig; welliges Haar
Well|ness, die; - (Wohlbefinden)
Wel|pe, der; -n, -n (das Junge von Hund, Fuchs, Wolf)
Wels, der; -es, -e (ein Fisch)
welsch (*urspr. für* keltisch, *später für* romanisch, französisch, italienisch; *veraltet für* fremdländisch; *schweiz. svw.* welschschweizerisch)
Welt, die; -, -en; die Dritte Welt (die Entwicklungsländer); die Vierte Welt (die ärmsten Entwicklungsländer)
Welt|all; **Welt|an|schau|ung**; **Welt|aus|stel|lung**; **Welt|bank**, die; -; **welt|be|kannt**; **welt|be|rühmt**; **Welt|be|völ|ke|rung**, die; -; **Welt|bild**; **Welt|cup** (*Sport*); **welt|fremd**; **Welt|ge|schich|te**
Welt|ge|sund|heits|or|ga|ni|sa|ti|on, die; -; **Welt|han|del**; **Welt|han|dels|or|ga|ni|sa|ti|on**, die; - (*vgl.* WTO)
Welt|kar|te; **Welt|kon|zern**; **Welt|krieg**;

der Erste Weltkrieg (1914–1918); der Zweite Weltkrieg (1939–1945)
Welt|kul|tur (weltweit verbreitete Kultur); **Welt|kul|tur|er|be**, das; -s; **welt|lich**; **Welt|macht**; **Welt|markt**; **Welt|meer**
Welt|meis|ter; **Welt|meis|te|rin**; **welt|meis|ter|lich**; **Welt|meis|ter|schaft** (*Abk.* WM); **Welt|meis|ter|ti|tel**; **Welt|mu|sik**
welt|of|fen; **Welt|of|fen|heit**, die; -; **Welt|ord|nung**; **Welt|po|li|tik**; **Welt|pre|mie|re**; **Welt|rang|lis|te** (*Sport*)
Welt|raum, der; -[e]s; **Welt|raum|fahrt**; **Welt|raum|for|schung**; **Welt|rei|se**; **Welt|re|kord**; **Welt|re|li|gi|on**; **Welt|ruhm**; **Welt|si|cher|heits|rat**, der; -[e]s; **Welt|sicht**; **Welt|stadt**; **Welt|star** *vgl.* [2]Star; **Welt|un|ter|gang**; **Welt|ver|band** (*bes. Sport*); **welt|weit**; **Welt|wirt|schaft**; **Welt|wirt|schafts|gip|fel**
wem; **Wem|fall**, der (*für* Dativ)
wen
Wen|de, die; -, -n (einschneidende Veränderung; Drehung, Wendung; eine Turnübung)

W

Wen|de|kreis

Wen|del, die; -, -n (schraubenförmige Wick-
lung); **Wen|del|trep|pe**

wen|den; ich wandte *od.* wendete; gewandt
od. gewendet; wend[e]!; sie wendete mit
dem Auto; er wandte sich ihr zu

Wen|de|punkt

wen|dig; ein wendiges Auto

Wen|dung

Wen|fall, der (*für* Akkusativ)

we|nig; ein [klein] wenig; ein weniges; zu
wenig Geld; die wenigen; am wenigsten;
eine wenig befahrene *od.* wenigbefahrene
Straße

we|nigs|tens

wenn; wenn auch; wenngleich (doch; *auch
durch ein Wort getrennt,* z. B. wenn ich
gleich Hans heiße); wennschon; wennschon – dennschon; *aber* wenn schon das
nicht geht; wenns *od.* wenn's weiter
nichts ist; komm doch[,] wenn möglich[,]
schon um 17 Uhr; **Wenn**, das; -s, -; ohne
Wenn und Aber; **wenn|gleich** *vgl.* wenn;
wenn|schon *vgl.* wenn

wer *fragendes, bezügliches u. (ugs.) unbe-
stimmtes Pronomen;* Halt! Wer da?; wer
(derjenige, welcher) das tut, [der] ...; ist
wer (*ugs. für* jemand) gekommen?; wer
alles; irgendwer (*vgl.* irgend)

**Wer|be|agen|tur; Wer|be|ak|ti|on; Wer|be-
block** *Plur.* ...blöcke; **Wer|be|bran|che;
Wer|be|film; Wer|be|flä|che; Wer|be-
kam|pa|g|ne; Wer|be|mit|tel,** das

wer|ben; du wirbst; du warbst; du würbest;
geworben; wirb!

Wer|be|pla|kat; Wer|ber (*österr. auch für*
Bewerber); **Wer|be|rin; Wer|be|slo|gan;
Wer|be|spot; Wer|be|trä|ger; Wer|be-
trom|mel;** die Werbetrommel rühren;
Wer|be|ver|trag; wer|be|wirk|sam

Wer|bung; Wer|bungs|kos|ten *Plur.*

Wer|de|gang, der

wer|den; du wirst, er wird; du wurdest, *geh.
noch* wardst; er wurde, *geh. noch* ward;
wir wurden; du würdest; ich werd verrückt! (*ugs.*); *als Vollverb:* geworden; er ist

groß geworden; *als Hilfsverb:* worden; er
ist gelobt worden; werd[e]!

wer|dend; eine werdende Mutter

wer|fen (*von Tieren auch für* gebären);
du wirfst; du warfst; du würfest;
geworfen; wirf!; sich werfen; **Wer|fer;
Wer|fe|rin**

Werft, die; -, -en (Anlage zum Bauen u. Ausbessern von Schiffen)

Werk, das; -[e]s, -e; ans Werk!; ans Werk,
zu Werke gehen; ins Werk setzen

Werk|bank *Plur.* ...bänke

wer|keln (*landsch. für* werken); ich werk[e]le

wer|ken (tätig sein; [be]arbeiten)

Werk|ge|län|de; Werk|schau (Kunstwiss.);
Werks|ge|län|de; Werk|statt, die; -,
...stätten; **Werk|stät|te,** die; -, ...stätten
(*österr., schweiz., sonst geh. für* Werk-
statt); **Werk|stoff; Werk|tag** (Arbeitstag);
des Werktags, *aber* werktags; **werk|tags**
vgl. Werktag; **werk|tä|tig; Werk|un|ter-
richt; Werk|zeug**

Wer|mut, der; -[e]s, -s (eine Pflanze; Wer-
mutwein)

wert; wert sein; Berlin ist eine Reise wert;
das ist nicht der Rede wert; *vgl.* wertschät-
zen; **Wert,** der; -[e]s, -e; auf etwas Wert
legen; von Wert sein; **Wert|be|rich|ti-
gung** (Wirtsch.)

wer|ten; Wer|te|sys|tem

**Wert|ge|gen|stand; wert|los; wert|mä-
ßig; Wert|min|de|rung; Wert|pa|pier;
Wert|pa|pier|bör|se; Wert|pa|pier|ge-
schäft; Wert|sa|chen** *Plur.*

wert|schät|zen (veraltend); du schätzt wert
od. wertschätzt; wertgeschätzt; wertzu-
schätzen; **Wert|schät|zung**

Wert|schöp|fung (Wirtsch.); **Wert|schöp-
fungs|ket|te; Wert|stei|ge|rung; Wert-
stoff; Wert|stoff|hof; Wert|stoff|ton|ne**

Wer|tung

**Wert|ver|lust; wert|voll; Wert|vor|stel-
lung** *meist Plur.;* **Wert|zu|wachs**

wes (*ältere Form von* wessen); wes das Herz
voll ist, des geht der Mund über

we|sen (*veraltet für* als lebende Kraft vor-

handen sein); We|sen, das; -s, -; viel
Wesen[s] machen; sein Wesen treiben

we|sent|lich; das Wesentliche; etwas, nichts
Wesentliches; im Wesentlichen

wes|halb [*auch* 'vɛs...]

Wes|pe, die; -, -n; Wes|pen|nest

wes|sen

¹Wes|si, der; -s, -s (*ugs. für* Einwohner der
alten Bundesländer; Westdeutscher);
²Wes|si, die; -, -s (*ugs.*)

West (Himmelsrichtung; *Abk.* W); Ost und
West; *fachspr.* der Wind kommt aus West

west|af|ri|ka|nisch; west|deutsch

Wes|te, die; -, -n

Wes|ten, der; -s (Himmelsrichtung; *Abk.* W);
gen Westen; *vgl.* West; Wilder Westen

Wes|tern, der; -[s], - (Film, der im Wilden
Westen spielt)

west|eu|ro|pä|isch; westeuropäische Zeit
(*Abk.* WEZ); *aber* die Westeuropäische
Union (*Abk.* WEU); West|küs|te

West|ler (*in der DDR ugs. für* Bewohner der
Bundesrepublik); West|le|rin

west|lich; westlicher Länge; (*Abk.* w[est].
L.); westlich des Waldes oder westlich vom
Walde; westlich von Berlin, *seltener* west-
lich Berlins; West|teil, der; west|wärts

wes|we|gen

wett (*selten für* quitt); wett sein; *vgl. aber*
wetteifern, wettlaufen, wettmachen, wett-
rennen, wettstreiten

Wett|be|werb, der; -[e]s, -e; Wett|be-
wer|ber; Wett|be|wer|be|rin; Wett|be-
werbs|be|din|gung *meist Plur.*; wett-
be|werbs|fä|hig; Wett|be|werbs|nach-
teil; Wett|be|werbs|ver|zer|rung;
Wett|be|werbs|vor|teil; wett|be-
werbs|wid|rig

Wett|bü|ro

Wet|te, die; -, -n; um die Wette laufen

Wett|ei|fer; wett|ei|fern; ich wetteifere;
gewetteifert; zu wetteifern

wet|ten; wetten, dass sie gewinnt?

Wet|ter, das; -s, -; kaltes, regnerisches Wet-
ter; Wet|ter|be|richt; Wet|ter|dienst;
wet|ter|emp|find|lich; wet|ter|fest;

Wet|ter|kar|te; Wet|ter|la|ge; Wet|ter-
leuch|ten, das; -s

wet|tern (*veraltend für* gewittern; *ugs. für*
laut schelten); ich wettere; es wettert

Wet|ter|sta|ti|on; Wet|ter|vor|her|sa|ge

Wett|kampf; Wett|kämp|fer; Wett|kämp-
fe|rin; wett|lau|fen

wett|ma|chen; ich mache wett; wettge-
macht; wettzumachen

wett|ren|nen *vgl.* wettlaufen; Wett|ren-
nen, das; -s, -; Wett|streit

wet|zen; du wetzt; Wetz|stein

WG, die; -, *Plur.* -s, *selten* - = Wohngemein-
schaft

Whirl|pool® ['vøːɐlpuːl], der; -s, -s (Bassin
mit sprudelndem Wasser)

Whis|key ['vɪskɪ], der; -s, -s (amerikanischer
od. irischer Whisky); Whis|ky ['vɪskɪ], der;
-s, -s ([schottischer] Branntwein aus
Getreide od. Mais); Whisky pur

Wich|se, die; -, -n (Schuhwichse; *nur Sing.*:
Prügel); wich|sen (*auch derb für* onanie-
ren); du wichst

Wicht, der; -[e]s, -e ([kleines] Kind; Kobold)

Wich|tel|männ|chen

wich|ten (*seltener für* gewichten)

wich|tig; am wich|tigs|ten; alles Wichtige,
etwas, nichts Wichtiges, Wichtigeres; das
Wichtigste sagen; etwas, sich wichtig neh-
men; Wich|tig|keit

wich|tig|ma|chen, sich

Wich|tig|tu|er; Wich|tig|tu|e|rin; wich|tig-
tun, sich (sich wichtigmachen)

Wi|cke, die; -, -n (eine Pflanze)

Wi|ckel, der; -s, -; wi|ckeln; ich wick[e]le

Wid|der, der; -s, - (m. Zuchtschaf)

wi|der (*meist geh. für* [ent]gegen); *Präp. mit
Akk.*: das war wider meinen ausdrücklichen
Wunsch; wider [alles] Erwarten; wider alle
Vernunft; wider besseres Wissen; wider Wil-
len; *vgl. aber* wieder; das Für und [das] Wider

wi|der|fah|ren; mir ist ein großes Unglück
widerfahren

Wi|der|ha|ken

Wi|der|hall, der; -[e]s, -e

wi|der|le|gen; diese These ist widerlegt

wie|der

(nochmals, erneut; zurück)
– um, für nichts und wieder nichts; hin und wieder (zuweilen); wieder einmal
Vgl. aber *wider*

I. Zusammenschreibung in Verbindung mit Verben und Adjektiven vor allem dann, wenn »wieder« im Sinne von »zurück« verstanden wird:
– ich kann dir das Geld erst morgen wiedergeben
– der Restbetrag wurde ihr wiedererstattet

II. Zusammenschreibung auch in folgenden Fällen:
– wiederkäuen ([von bestimmten Tieren:] nochmals kauen; auch übertr. für ständig wiederholen); sie hat den Text wörtlich wiedergegeben (wiederholt)
– er wollte den Vorfall wahrheitsgetreu wiedergeben (schildern, darstellen)
– würden Sie den Satz bitte wiederholen
– die Kranke ist noch nicht ganz wiederhergestellt (gesundet)
– das Material ist wiederverwertbar

III. Getrenntschreibung vor allem dann, wenn »wieder« im Sinne von »nochmals, erneut« verstanden wird:
– wieder abdrucken, wieder anfangen, das Spiel wieder anpfeifen
– dieses Modell wird jetzt wieder hergestellt (erneut produziert)
– ich werde das nicht wieder tun

IV. In vielen Fällen ist Getrennt- oder Zusammenschreibung möglich, vor allem dann, wenn der gemeinsame Hauptakzent entweder nur auf »wieder« [oder nur auf dem Verb] oder sowohl auf »wieder« als auch auf dem Verb [oder Adjektiv] liegen kann:
– ein Theaterstück wie̲der auffü̲hren od. wie̲derauffü̲hren
– wir haben uns auf dem Kongress wie̲dergesehen (haben ein Wiedersehen gefeiert) od. wie̲der gese̲hen (sind uns erneut begegnet)
aber nur der Blinde konnte nach der Operation wie̲der se̲hen

---

wi|der|lich
wi|der|recht|lich; Wi|der|re|de; keine Widerrede!; Wi|der|ruf; bis auf Widerruf; wi|der|ru|fen (zurücknehmen); er hat sein Geständnis widerrufen, **Wi|der|sa|cher, der; -s, -; Wi|der|sa|che|rin; Wi|der|schein** (Gegenschein); **wi|der|set|zen,** sich; ich habe mich dem Plan widersetzt; **wi|der|setz|lich; wi|der|sin|nig; wi|der|spens|tig; wi|der|spie|geln;** der Mond hat sich im Wasser widergespiegelt; **wi|der|spre|chen;** sich widersprechen; du widersprichst dir; **Wi|der|spruch; wi|der|sprüch|lich; wi|der|spruchs|los** **Wi|der|stand; wi|der|stands|fä|hig; Wi|der|stands|kämp|fer; Wi|der|stands|kämp|fe|rin; Wi|der|stands|kraft; wi|der|stands|los**

wi|der|ste|hen; sie hat der Versuchung widerstanden
wi|der|stre|ben (entgegenwirken); es hat ihm widerstrebt; **wi|der|stre|bend**
wi|der|wär|tig
Wi|der|wil|le, Wi|der|wil|len; wi|der|wil|lig
wid|men; sie hat ihm ihr letztes Buch gewidmet; **Wid|mung**
wid|rig; widrige Umstände; **Wid|rig|keit**
wie; wie geht es dir?; sie ist so schön wie ihre Freundin, *aber (bei Ungleichheit):* sie ist schöner als ihre Freundin; so schnell wie, *älter* als möglich; wie [auch] immer; es kommt auf das Wie an; wieso; wiewohl; wie sehr; wie lange; wie oft; wie viel;
wie|der s. Kasten
Wie|der|auf|bau, der; -[e]s

Wie|der|auf|be|rei|tungs|an|la|ge
Wie|der|auf|er|ste|hung
Wie|der|auf|nah|me; wie|der auf|neh-
men, wie|der|auf|neh|men
wie|der|auf|tau|chen (sich wiederfinden);
aber das U-Boot ist wieder aufgetaucht
wie|der|be|le|ben; einen Verunglückten
wiederbeleben; *aber* die Wirtschaft durch
Konsumanreize wieder beleben
wie|der|brin|gen (zurückbringen); sie hat
das Buch wiedergebracht; *aber* wenn er
das Argument schon wieder bringt ...
Wie|der|ein|füh|rung [*auch* 'vi:...]; Wie-
der|ein|glie|de|rung; Wie|der|ein|stieg
wie|der|ent|de|cken
wie|der|er|ken|nen; hast du sie gleich wie-
dererkannt?; *aber* ich musste wieder
erkennen, dass ich mich geirrt hatte
wie|der|er|öff|nen; Wie|der|er|öff|nung
wie|der|fin|den
Wie|der|ga|be; die Wiedergabe eines Kon-
zertes auf DVD
Wie|der|gän|ger (Geist eines Toten)
wie|der|ge|ben (zurückgeben; darbieten);
ich gebe wieder; die Freiheit wurde ihm
wiedergegeben; sie hat das Gedicht vollen-
det wiedergegeben; *aber* sie hat ihm die
Schlüssel schon wieder (nochmals) gegeben
Wie|der|ge|burt
wie|der|ge|win|nen (zurückgewinnen); er hat
sein verlorenes Geld wiedergewonnen; *aber*
wieder gewinnen (nochmals gewinnen)
wie|der|gut|ma|chen (einen Schaden aus-
gleichen); Wie|der|gut|ma|chung
wie|der|her|stel|len (in den alten Zustand
bringen; gesund machen); *aber* solche Pro-
dukte werden neuerdings auch bei uns
wieder hergestellt; Wie|der|her|stel|lung
wie|der|ho|len (zurückholen); ich hole wie-
der; er hat seine Bücher wiedergeholt;
aber wieder holen (nochmals holen)
wie|der|ho|len; ich wiederhole; sie hat ihre
Forderungen wiederholt; wie|der|holt
(mehrmals); Wie|der|ho|lung; Wie|der-
ho|lungs|tä|ter *(Rechtsswiss.)*; Wie|der|ho-
lungs|tä|te|rin

Wie|der|käu|er
Wie|der|kehr, die; -; wie|der|keh|ren
(zurückkehren; sich wiederholen)
wie|der|kom|men (zurückkommen); ich
komme wieder; sie ist heute wiedergekom-
men; *aber* wieder kommen (nochmals
kommen)
wie|der|se|hen; *aber* der Blinde konnte nach
der Operation wieder sehen; *vgl.* wieder;
Wie|der|se|hen, das; -s, -; auf Wiederse-
hen!; Auf *od.* auf Wiedersehen sagen
wie|de|r|um
Wie|der|wahl; wie|der|wäh|len (im Amt
bestätigen); *aber* wieder (erneut) wählen
Wie|ge, die; -, -n; wie|geln (*landsch. für*
leise wiegen); ich wieg[e]le
¹wie|gen (das Gewicht feststellen; *fachspr.*
nur für Gewicht haben); du wiegst; du
wogst; du wögest; gewogen; wieg[e]le!; ich
wiege das Brot; das Brot wiegt (hat ein
Gewicht von) zwei Kilo; *vgl.* wägen
²wie|gen (schaukeln; zerkleinern); du wiegst;
du wiegtest; gewiegt; sich wiegen
wie|hern; ich wiehere
wie|nern (*ugs. für* blank putzen); ich wie-
nere
Wie|se, die; -, -n
Wie|sel, das; -s, -; wie|sel|flink
wie|so
wie viel; wie viel[e] Personen; *vgl.* wie-
vielmal, *aber* wie viele Male (*vgl.* Mal);
ich weiß nicht, wie viel er hat; wenn du
wüsstest, wie viel ich verloren habe;
[um] wie viel mehr; wie|viel|mal [*auch*
'vi:...]; *aber* wie viel[e] Mal[e]; *vgl.* Mal
u. wie viel; wie|viel|te [*auch* 'vi:...];
zum wievielten Male ich das schon
gesagt habe; der Wievielte ist heute?
wie|weit (inwieweit); ich bin im Zweifel,
wiewiet ich mich darauf verlassen kann,
aber wie weit ist es von hier bis ...?
wie|wohl; die einzige, wiewohl wertvolle
Belohnung
Wi|ki, das; -s, -s (*EDV* von Internetnutzern
zusammengetragene Informationen zu
einem bestimmten Thema)

Wi|kin|ger; Wi|kin|ge|rin

wild; wilde Ehe; Wilder Kaiser (österr. Skige-
biet); sich wie ein Wilder gebären *(ugs.)* ;
wild wachsen; wild leben; jmdn. wild
machen *od.* wildmachen (in Wut versetzen); wild wachsende *od.* wildwachsende
Pflanzen

Wild, das; -[e]s; Wild|bret, das; -s (Fleisch des
erlegten Wildes); Wild|dieb; Wild|die|bin

Wil|de, der *u.* die; -n, -n; Wil|de|rer (Wild-
dieb); Wil|de|rin; wil|dern; ich wildere

wild|fremd *(ugs. für völlig fremd)*; Wild-
gans; Wild|kat|ze; wild le|bend, wild-
le|bend *vgl.* wild; Wild|nis, die; -, -se;
Wild|park; Wild|schwein; Wild|tier
wild wach|send, wild|wach|send *vgl.* wild
Wild|wech|sel; Wild|west|film; Wild-
wuchs

wil|hel|mi|nisch; *aber* das Wilhelminische
Zeitalter (Kaiser Wilhelms II.)

Wil|le der; -ns, -n *Plur. selten;* der Letzte *od.*
letzte Wille (Testament) wider Willen; *vgl.*
willens; wil|len; um … willen, um Gottes
willen, um seiner selbst willen, um mei-
net-, deinet-, dessent-, derent-, seinet-,
ihret-, unsert-, euretwillen

Wil|len, der; -s, - *(selten für Wille)*

wil|lens; willens sein (beabsichtigen[,]
etwas zu tun); Wil|lens|bil|dung; wil-
lens|schwach; wil|lens|stark

will|fäh|rig

wil|lig (bereit, folgsam); wil|li|gen *(geh.)*;
sie willigte in die Heirat

will|kom|men; Will|kom|men, das; -s, -

willkommen
In Fügungen wie *Herzlich willkommen!* oder
Seien Sie willkommen! schreibt man *willkommen* klein, da es hier als Adjektiv verwendet wird. Großgeschrieben wird *willkommen* nur, wenn es als Substantiv gebraucht
wird: *Sie hatten ihm ein herzliches Willkommen bereitet.*

Will|kür, die; -; will|kür|lich

wim|meln; sie sagt, es wimm[e]le von Amei-
sen

wim|mern

Wim|pel, der; -s, - ([kleine] dreieckige
Flagge)

Wim|per, die; -, -n

wind *(veraltet)*; nur noch in wind u. weh
*(südwestd. u. schweiz. für höchst unbehag-
lich, elend)*; Wind, der; -[e]s, -e; von etwas
Wind bekommen *(ugs. für etwas heimlich,
zufällig erfahren)*

Win|de, die; -, -n (eine Hebevorrichtung)

Win|del, die; -, -n

¹win|den (drehen); du wandest; du wändest;
gewunden; wind[e]!; sich winden

²win|den (windig sein; *Jägerspr.* wittern); es
windet; das Wild windet

Wind|ener|gie; Wind|fang; Wind|ge-
schwin|dig|keit; win|dig *(auch für nicht
solide)*; Wind|ja|cke; Wind|kraft; Wind-
kraft|an|la|ge; Wind|müh|le

Win|dows®, das; -; *meist ohne Art.* (EDV
Betriebssystem der Softwarefirma Microsoft)

Wind|park

Wind|po|cken *Plur.* (eine Kinderkrankheit)

Wind|rad; Wind|schat|ten, der; -s (windge-
schützte Seite); wind|schief *(ugs. für
krumm)*; Wind|schutz|schei|be; Wind-
stär|ke; Wind|stil|le; Wind|sur|fing, das;
-s (Segeln auf einem Surfbrett)

Win|dung

Wink, der; -[e]s, -e

Win|kel, der; -s, -; im toten Winkel; win|ke-
lig *vgl.* winklig; Win|kel|mes|ser; Win-
kel|zug *meist Plur.*

win|ken; gewinkt *(häufig auch* gewun-
ken)

wink|lig, win|ke|lig

win|seln; ich wins[e]le

Win|ter, der; -s, -; Sommer wie Winter; win-
ters *(vgl. d.)*; wintersüber *(vgl. d.)*

Win|ter|ein|bruch; Win|ter|gar|ten; win-
ter|hart; winterharte Pflanzen; win|ter-
lich; Win|ter|pau|se; Win|ter|rei|se; Win-
ter|sai|son; Win|ter|schlaf *(Zool.)*; Win-
ter|se|mes|ter; Win|ter|sport; Win|ter-
sport|ler; Win|ter|sport|le|rin; Win|ter-
sport|ort

Win|zer, der; -s, -; Win|zer|ge|nos|sen-
schaft; Win|ze|rin

win|zig; winzig klein; Win|z|ling

Wip|fel, der; -s, -

Wip|pe, die; -, -n (Schaukel); wip|pen

wir (früher von Herrschern: Wir); wir alle,
wir beide; wir bescheidenen Leute; wir
Armen; wir Deutschen od. wir Deutsche

Wir|bel, der; -s, -; wir|beln; ich wirb[e]le

Wir|bel|säu|le

Wir|bel|sturm vgl. Sturm

Wir|bel|tier (Zool.)

wir|ken; schnell wirkende Mittel; sein
segensreiches Wirken

wirk|lich; Wirk|lich|keit

wirk|sam; Wirk|sam|keit, die; -

Wirk|stoff

Wir|kung; wir|kungs|los; Wir|kungs|stät-
te; wir|kungs|voll

wirr; Wir|ren Plur.; Wir|rung; Irrungen u.
Wirrungen; Wirr|warr, der od. das; -s

Wir|sing, der; -s, Wir|sing|kohl, der; -[e]s

Wirt, der; -[e]s, -e; Wir|tin

Wirt|schaft; wirt|schaf|ten; gewirtschaftet

wirt|schaft|lich; Wirt|schaft|lich|keit,
die; -; Wirt|schafts|auf|schwung; Wirt-
schafts|aus|schuss; Wirt|schafts|da|ten
Plur.; Wirt|schafts|fak|tor; Wirt|schafts-
för|de|rung; Wirt|schafts|ge|schich|te;
Wirt|schafts|in|for|ma|tik, die; -; Wirt-
schafts|jour|na|list; Wirt|schafts|journa-
lis|tin; Wirt|schafts|kri|mi|na|li|tät;
Wirt|schafts|kri|se; Wirt|schafts|la|ge;
wirt|schafts|li|be|ral; Wirt|schafts|mi-
nis|ter; Wirt|schafts|mi|nis|te|rin; Wirt-
schafts|po|li|tik; wirt|schafts|po|li|tisch;
Wirt|schafts|prü|fung; Wirt|schafts-
stand|ort; Wirt|schafts|teil (der Zeitung);
Wirt|schafts|wachs|tum; Wirt|schafts-
wei|se, der u. die (Mitglied des Sachver-
ständigenrats zur Begutachtung der
gesamtwirtschaftlichen Entwicklung)

Wirt|schafts|wis|sen|schaft; Wirt|schafts-
wis|sen|schaft|ler; Wirt|schafts|wis|sen-
schaft|le|rin; Wirt|schafts|wun|der
(ugs.); Wirt|schafts|zei|tung

Wirts|haus

Wisch, der; -[e]s, -e; wi|schen; du wischst;
Wi|scher (ugs. auch für Tadel)

Wi|sent, der; -s, -e (ein Wildrind)

wis|pern (flüstern); ich wispere

Wiss|be|gier, Wiss|be|gier|de, die; -; wiss-
be|gie|rig

wis|sen; du weißt, er weiß, ihr wisst; du
wusstest; du wüsstest; gewusst; wisse!;
wer weiß!; weißt du, was? (Einleitung zu
einem Vorschlag); aber weißt du was? (=
weißt du etwas?); jmdn. etwas wissen lassen od. wissenlassen (in Kenntnis setzen)

Wis|sen, das; -s; meines Wissens (Abk.
m. W.) ist es so; wider besseres Wissen

Wis|sen|schaft; Wis|sen|schaf|ter
(schweiz., österr. auch für Wissenschaftler);
Wis|sen|schaf|te|rin; Wis|sen|schaft|ler;
Wis|sen|schaft|le|rin; wis|sen|schaft-
lich; Wissenschaftlicher Rat (Titel);

Wis|sens|ge|biet; Wis|sens|ge|sell|schaft;
Wis|sens|stand; Wis|sens|ver|mitt|lung;
wis|sens|wert; wis|sent|lich

wit|schen (ugs. für schlüpfen, huschen); du
witschst

wit|tern; ich wittere

Wit|te|rung (auch Jägerspr. das Wittern u.
der vom Wild wahrzunehmende Geruch)

Wit|we, die; -, -n (Abk. Wwe.); Wit|wer
(Abk. Wwr.)

Witz, der; -es, -e; Witz|bold, der; -[e]s, -e;
wit|zeln; ich witz[e]le; wit|zig; witz|los

WLAN ['ve:la:n], das; -[s], -s (Computernetz-
werk mit Funktechnik)

wo; wo ist sie?; wo immer sie auch sein
mag; er geht wieder hin, wo er hergekom-
men ist; der Moment, wo (in dem) er sie
das erste Mal sah; das Wo spielt keine
Rolle; vgl. woanders, woher, wohin

wo|an|ders; ich werde ihn woanders suchen,
aber wo anders (wo sonst) als hier sollte
ich ihn suchen?; wo|bei

Wo|che, die; -, -n; Wo|chen|ar|beits|zeit;
Wo|chen|be|ginn; Wo|chen|bett; Wo-
chen|blatt; Wo|chen|en|de; Wo|chen-
end|haus; Wo|chen|end|ti|cket; Wo-

chen|kar|te; wo|chen|lang; *aber* drei Wochen lang; Wo|chen|markt; Wo|chen-stun|de; Wo|chen|tag; wo|chen|tags; wochentags geht sie arbeiten; *aber* das ist eine Frage des Wochentags; wö|chent|lich (jede Woche); Wo|chen|zei|tung

Wöch|ne|rin

Wod|ka, der; -s, -s (ein Branntwein)

wo|durch

wo|für

Wo|ge, die; -, -n

wo|ge|gen

wo|gen

wo|her; woher es kommt, weiß ich nicht; er geht wieder hin, woher er gekommen ist, *aber* er geht wieder hin, wo er hergekommen ist

wo|hin; ich weiß nicht, wohin sie geht; sieh, wohin sie geht, *aber* sieh, wo sie hingeht; wo|hin|aus; ich weiß nicht, wohinaus du willst, *aber* ich weiß nicht, wo du hinaus-willst; wo|hin|ge|gen

wohl; besser, bes|te *u.* wohler, am wohs|ten; wohl ihm! wohl oder übel; wohl sein; lass es dir wohl sein; du sollst dich bei uns wohlfühlen *od.* wohl fühlen; wohlerzo-gene *od.* wohl erzogene Kinder, *aber nur* noch wohlerzogenere Kinder; *vgl. aber* wohlbehalten; wohltuend

Wohl, das; -[e]s; zum Wohl!; wohl|auf (*geh.*); wohlauf sein; Wohl|be|fin|den

wohl|be|hal|ten; er kam wohlbehalten an

wohl|be|hü|tet, wohl be|hü|tet

wohl|be|kannt, wohl be|kannt

wohl|er|ge|hen, wohl er|ge|hen

Wohl|er|ge|hen, das; -s

wohl|er|zo|gen, wohl er|zo|gen; *aber nur* noch wohlerzogenere Kinder; *vgl.* wohl

Wohl|fahrt, die; -; Wohl|fahrts|staat; Wohl|fahrts|ver|band; die freien Wohl-fahrtsverbände; [Deutscher] Paritätischer Wohlfahrtsverband

wohl|feil (*veraltend*); wohl|fei|ler, wohl|feils-te; wohlfeile Ware

wohl|füh|len, wohl füh|len, sich; *vgl.* wohl

Wohl|ge|fal|len, das; -s; wohl|ge|merkt; wohl|ha|bend; wohlhabendere Bürger

wohl|lig

wohl|klin|gend, wohl klin|gend; *aber nur* wohlklingendere Töne

wohl|mei|nend; die wohlmeinenden, wohl-meinenderen Freunde

Wohl|stand, der; -[e]s; im Wohlstand leben; Wohl|stands|ge|sell|schaft

Wohl|tat; Wohl|tä|ter; Wohl|tä|te|rin; wohl|tä|tig; wohl|tä|ti|ger, wohl|tä|tigs|te

wohl|tu|end (angenehm); die Ruhe ist wohl-tuend, noch wohltuender; wohl|tun

wohl|ver|dient; ein wohlverdienter Urlaub

wohl|weis|lich; sie hat sich wohlweislich gehütet

wohl|wol|len *vgl.* wohl; Wohl|wol|len, das; -s; wohl|wol|lend; ein wohlwollenderes Urteil

Wohn|an|la|ge; Wohn|bau *Plur.* ...bauten (*nur Sing.* österr. *auch für* Wohnungsbau); Wohn|block *vgl.* Block; Wohn|ei|gen-tum; Wohn|ein|heit

woh|nen

Wohn|flä|che; Wohn|ge|bäu|de; Wohn|ge-biet; Wohn|geld; Wohn|ge|mein|schaft (*Abk.* WG); wohn|haft (*Amtsspr.* woh-nend); Wohn|haus; Wohn|heim; wohn-lich; Wohn|mo|bil; Wohn|ort *Plur.* ...orte; Wohn|raum; Wohn|sied|lung; Wohn|sitz

Woh|nung; Woh|nungs|bau *Plur.* -ten; Woh|nungs|bau|ge|sell|schaft; Woh-nungs|markt; Woh|nungs|not; Woh-nungs|tür; Wohn|vier|tel; Wohn|wa|gen; Wohn|zim|mer

Wok, der; -, -s (halbrunder Kochtopf)

wöl|ben; sich wölben; Wöl|bung

Wolf, der; -[e]s, Wölfe (ein Raubtier); Wöl-fin; Wolfs|milch (eine Pflanze)

Wol|ke, die; -, -n; Wol|ken|bruch; Wol|ken-krat|zer (Hochhaus); wol|ken|los; wol|kig

Woll|de|cke; Wol|le, die; -, *Plur. (Arten:)* -n

¹wol|len (aus Wolle)

²wol|len; ich will, du willst; du wolltest (*Indi-kativ*); du wolltest (*Konjunktiv*); gewollt;

wolle!; ich habe das nicht gewollt, *aber ich habe helfen wollen*

wọl|lig; **Wọll|lap|pen**, **Wọll-Lap|pen**

Wọll|lust, die; -, Wollüste; **wọl|lüs|tig**

wo|mịt

wo|mọg|lich; womöglich (vielleicht) kommt sie; *aber* wir sollten uns, wo möglich (*kurz für* wenn es möglich ist), selbst darum kümmern

wo|nạch; **wo|nẹ|ben** *(selten)*

Wọn|ne, die; -, -n; **wọn|nig**

wo|r|ạn; **wo|r|ạuf**; **wo|r|ạuf|hin**; **wo|r|ạus**; **wo|r|ịn**

Wor|k|a|ho|lic [vøːˈɛkəˈhɔlɪk], der; -s, -s *(Psychol.* jmd., der zwanghaft ständig arbeitet)

Work|flow [ˈvøːɛkfloː], der; -s, -s (Ablauf arbeitsteiliger Prozesse in Unternehmen; Arbeitsablauf bei Computerprogrammen)

Work-out, **Work|out** [ˈvøːɛk|aʊt], das *od.* der; -s, -s (Fitnesstraining)

Work|shop [ˈvøːɛk...] (Seminar)

Work|sta|tion [ˈvøːɛksteˈʃn], die; -, -s (Arbeitsplatzrechner)

World|cup [ˈvøːɛltkap], der; -s, -s (Weltmeisterschaft [in verschiedenen Sportarten]; Siegestrophäe bei einer Weltmeisterschaft)

World Wide Web [ˈvøːɛlt ˈvaɪt ˈvɛp], das; - - -[s] *(EDV* weltweites Informationssystem im Internet; *Abk.* WWW)

Wọrt, das; -[e]s, Wörter u. Worte; Wort für Wort; Wort halten; jmdn. beim Wort nehmen; sie ließ mich nicht zu Wort oder Worte kommen; mit anderen Worten; sag mir drei Wörter, die mit »ex-« anfangen; **Wọrt|art** *(Sprachwiss.)*

Wọrt|bil|dung *(Sprachwiss.)*; **Wọrt|bruch**; **Wört|chen**; **Wọr|ter|buch**; **Wọrt|fa|mi|lie** *(Sprachwiss.)*; **Wọrt|füh|rer**; **Wọrt|füh|re|rin**; **Wọrt|ge|fecht**; **wọrt|ge|wal|tig**; **wọrt|ge|wandt**; **wọrt|karg**; **Wọrt|laut**, der; -[e]s, -e; **wört|lich**; wörtliche Rede; **wọrt|los**; **Wọrt|mel|dung**; **wọrt|reich**; **Wọrt|schatz** *Plur.* ...schätze; **Wọrt|sinn**; **Wọrt|spiel**; **Wọrt|wahl**, die; -; **Wort-wech|sel**; **wọrt|wört|lich**

wo|r|ü̈|ber; **wo|r|ụm**; ich weiß nicht, worum es geht; **wo|r|ụn|ter**

wo|vọn; **wo|vọr**

wow! [vaʊ] (Ausruf des Erstaunens)

wo|zụ

wrạck *(Seemannsspr.* völlig defekt)

Wrạck, das; -[e]s, Plur. -s, *selten* -e (stark beschädigtes Fahrzeug)

wrịn|gen (nasse Wäsche auswinden); du wrangst; du wrängest; gewrungen; wring[e]!

WTO = World Trade Organization (Welthandelsorganisation)

Wụ|cher, der; -s; **wụ|chern**; ich wuchere; **Wụ|cher|preis**; **Wụ|che|rung**

Wụchs, der; -es, Plur. *(fachspr.)* Wüchse

Wụcht, die; - **wụch|ten** *(ugs.)*; **wụch|tig**

wü̈h|len; **Wü̈hl|maus**

Wụlst, der; -[e]s, Plur. Wülste, *fachspr. auch* -e *od.* die; -, Wülste; **wụls|tig**

wụnd; wund sein, werden; sich den Mund wund reden *od.* wundreden; sich die Finger wund schreiben *od.* wundschreiben

Wụn|de, die; -, -n

Wụn|der, das; -s, -; Wunder tun, wirken; er glaubt, Wunder *oder* wunders wie geschickt er sei *(ugs.)*; **wụn|der|bar**; **Wụn|der|ker|ze**; **Wụn|der|kind**; **Wụn|der|land**; **wụn|der|lich** (eigenartig); **Wụn|der|mit|tel**, das

wụn|dern; es wundert mich, dass ...; mich wundert, dass ...; ich wundere mich

wụn|der|neh|men; es nimmt mich wunder *(schweiz. auch für* ich möchte wissen*)*; es braucht dich nicht wunderzunehmen

wụn|der|sam *(geh.)*; **wụn|der|schön**

wụn|der|voll; **Wụn|der|waf|fe**; **Wụn|der-welt**; die Wunderwelt der Technik

wụnd lau|fen, **wụnd|lau|fen**

wụnd lie|gen, **wụnd|lie|gen**

Wụnd|sal|be; **Wụnd|starr|krampf**, der; -[e]s *(für* Tetanus)

Wụnsch, der; -[e]s, Wünsche; **Wụnsch|den|ken**, das; -s; **Wü̈n|schel|ru|te**; **wü̈n|schen**; du wünschst; **wü̈n|schens|wert**; **Wụnsch|kan|di|dat**; **Wụnsch|kan|di|da-**

tin; **Wunsch|lis|te**; **wunsch|los**; wunsch-
los glücklich; **Wunsch|traum**; **Wunsch-
zet|tel**
Wür|de, die; -, -n; **wür|de|los**; **Wür|den-
trä|ger**; **Wür|den|trä|ge|rin**; **wür|de|voll**
wür|dig; **wür|di|gen**; **Wür|di|gung**
Wurf, der; -[e]s, Würfe
Wür|fel, der; -s, -; **wür|feln**; ich würf[e]le
Wurf|speer; **Wurf|spieß**
Wür|ge|griff; **wür|gen**; mit Hängen und
Würgen (*ugs. für* mit großer Mühe)
Wür|ger (Würgender; ein Vogel)
Wurm, der (*für* »hilfloses Kind« *ugs. auch*
das); -[e]s, Würmer
wur|men (*ugs.*); es wurmt (ärgert) mich
Wurm|fort|satz (am Blinddarm)
wurm|sti|chig
wurscht *vgl.* Wurst
Wurst, die; -, Würste; *aber* das ist mir wurst
od. wurscht (*ugs.* ganz gleichgültig); es
geht um die Wurst (*ugs.* um die Entschei-
dung); **Würst|chen**
wurs|teln (*ugs. für* ohne Überlegung u. Ziel
arbeiten); ich wurst[e]le
Wurs|ter (*landsch. für* Fleischer, der bes.
Wurst herstellt); **Wurs|te|rin**; **wurs|tig**
(*ugs. für* gleichgültig); **Wurs|tig|keit** (*ugs.*)
Wür|ze, die; -, -n
Wur|zel, die; -, -n (*Math. auch* Grundzahl
einer Potenz); **wur|zeln**; ich wurz[e]le
Wur|zel|werk, das; -[e]s
wür|zen; du würzt; **wür|zig**
Wu|schel|haar (*ugs. für* lockiges od. unor-
dentliches Haar); **wu|sche|lig** (*ugs.*)
wu|seln (*landsch. für* sich schnell bewegen;
geschäftig hin u. her eilen; wimmeln); ich
wus[e]le
Wust, der; -[e]s (Durcheinander)
wüst; **Wüs|te**, die; -, -n
Wüst|ling (zügelloser Mensch)
Wut, die; -; **Wut|an|fall**; **Wut|aus|bruch**
wü|ten
wü|tend; **wut|ent|brannt**
Wü|te|rich, der; -s, -e
wut|schäu|mend; *aber* vor Wut schäumend
WWW, das; -[s] = World Wide Web

X [ɪks] (Buchstabe); das X; des X, die X, *aber*
das x in Fax; der Buchstabe X, x; jmdm. ein
X für ein U vormachen
x-Ach|se [ˈɪ...] (*Math.* Abszissenachse im
[rechtwinkligen] Koordinatensystem)
Xan|thip|pe, die; -, -n (*ugs. für* zanksüchtige
Frau)
X-Bei|ne [ˈɪ...] *Plur.*; **x-bei|nig**, **X-bei|nig**
x-be|lie|big [ˈɪ...]; jeder x-Beliebige; *vgl.*
beliebig
X-Chro|mo|som [ˈɪ...] (*Biol.* eines der beiden
Geschlechtschromosomen)
Xe|t|ra®, das; -[s] (*Börsenw.* elektronisches
Handelssystem für Wertpapiere)
x-fach [ˈɪ...] (*Math.* x-mal so viel); **x-Fa|che**,
das; -n; *vgl.* Achtfache
x-för|mig, **X-för|mig** [ˈɪ...]
Xi, das; -[s], -s (griech. Buchstabe: Ξ, ξ)
x-mal [ˈɪ...]
XML, die *od.* das; - *meist ohne Artikel*
= Extensible Markup Language (*EDV* Sprache, mit der die Struktur von Dokumenten
beschrieben wird)
x-te [ˈɪ...]; die x-te Potenz; zum x-ten Mal;
zum x-ten Male
Xy|lo|fon, **Xy|lo|phon**, das; -s, -e (ein
Musikinstrument)

Y [ˈʏpsɪlɔn, *österr. oft* ʏˈpsi...] (Buchstabe);
das Y; des Y, die Y, *aber* das y in Doyen;
der Buchstabe Y, y
y-Ach|se [ˈʏpsɪlɔn...] (*Math.* Ordinatenachse
im [rechtwinkligen] Koordinatensystem)
Yacht [j...] *vgl.* Jacht; **Yacht|ha|fen**, **Jacht-
ha|fen**

Yang [j...], das; -[s] (männliches Prinzip in der chinesischen Philosophie)

Yan|kee ['jɛŋki], der; -s, -s (Spitzname für den US-Amerikaner)

Yard [j...], das; -s, -s (angelsächsisches Längenmaß; *Abk.* yd, *Plur.* yds); 5 Yard[s]

Y-Chro|mo|som ['ʏpsilɔn...] (*Biol.* eines der beiden Geschlechtschromosomen)

Yen [j...], der; -[s], -[s], Jen (Währungseinheit in Japan; *Währungscode* JPY, *Zeichen* ¥); 5 Yen

Ye|ti [j...], der; -[s], -s (legendärer Schneemensch im Himalajagebiet)

Yin [j...], das; -[s] (weibliches Prinzip in der chinesischen Philosophie)

Yo|ga [j...], Jo|ga, das, *auch* der; -[s] (indisches philos. System [mit körperlichen u. geistigen Übungen]); **Yo|gi**, Jo|gi, **Yo-gin**, Jo|gin, der; -[s], -s (Anhänger des Yoga)

Youngs|ter ['jaŋ...], der; -s, -[s] (junger Sportler)

Yo-Yo [jo:jo:, *auch* 'jo:jo] *vgl.* Jo-Jo

Yo-Yo-Ef|fekt *vgl.* Jo-Jo-Effekt

Yp|si|lon, das; -[s], -s (griechischer Buchstabe: ϒ, υ)

Yuc|ca [j...], die; -, -s (Palmlilie)

Yup|pie ['jʊpi, *auch* 'ja...], der; -s, -s (junger karrierebewusster, großstädtischer Mensch)

Zz

Z (Buchstabe); das Z; des Z, die Z, *aber* das z in Gazelle; der Buchstabe Z, z; von A bis Z

zach (*landsch. für* geizig; zäh)

Zack, der; auf Zack sein (*ugs.*)

Za|cke, die; -, -n (Spitze); **Za|cken**, der; -s, - (*bes. südd., österr.* Nebenform von Zacke)

za|ckig (*ugs. auch für* schneidig)

za|gen (*geh.*); **zag|haft**

zäh; zäher, am zäh[e]s|ten

zäh|flüs|sig; Zäh|flüs|sig|keit, die; -

Zäh|heit, die; -; **Zä|hig|keit**

Zahl, die; -, -en (*Abk.* Z.); natürliche Zahlen (*Math.*); **Zahl|ad|jek|tiv** (*Sprachwiss.*)

zahl|bar (zu [be]zahlen)

zähl|bar (sich zählen lassend)

zah|len; er hat pünktlich gezahlt

zäh|len

Zah|len|lot|to; zah|len|mä|ßig

Zäh|ler

zahl|los; sie gehört zu den Zahllosen, die nichts sahen; **zahl|reich** *vgl.* zahllos

Zahl|tag

Zah|lung; Zahlung leisten

Zäh|lung

zah|lungs|kräf|tig (*ugs.*); **Zah|lungs|mit-tel; Zah|lungs|mo|ral; zah|lungs|un|fä-hig; Zah|lungs|un|fä|hig|keit; Zah|lungs-ver|kehr; Zah|lungs|ver|pflich|tung**

Zahl|wort *Plur.* ...wörter

zahm; ein zahmes Tier; **zäh|men; Zäh|mung**

Zahn, der; -[e]s, Zähne; sich die Zähne putzen, *aber* das Zähneputzen nicht vergessen!

Zahn|arzt; Zahn|ärz|tin; zahn|ärzt|lich; Zahn|bürs|te; Zahn|creme, Zahn|crème; zäh|ne|knir|schend; Zahn|er|satz; Zahn-fleisch; zahn|los; Zahn|lü|cke; Zahn|pas-ta, Zahn|pas|te; Zahn|schmerz; Zahn-sto|cher; Zahn|weh, das; -s

Zan|der, der; -s, - (ein Fisch)

Zan|ge, die; -, -n

Zank, der; -[e]s; **Zank|ap|fel** (Streitgegenstand); **zan|ken**; sich zanken; **zän|kisch**

Zapf, der; -[e]s, Zäpfe (*selten für* Zapfen; Ausschank); **Zäpf|chen**

zap|fen

Zap|fen, der; -s, -; **Zap|fen|streich** (*Militär* Abendsignal zur Rückkehr in die Unterkunft); der Große Zapfenstreich

Zapf|säu|le (bei Tankstellen)

zap|pe|lig, zapp|lig; **zap|peln**; ich zapp[e]le

zap|pen [*auch* 'zɛ...] (*ugs. für* mit der Fernbedienung in rascher Folge von einem Programm ins andere schalten)

zapp|lig *vgl.* zappelig

Z**ar**, der; -en, -en (ehemaliger Herrschertitel bei Russen, Serben, Bulgaren)

Z**ar**|ge, die; -, -n (*fachspr. für* Einfassung; Seitenwand)

Za|rin; *zu* Zar

z**art**; zart streichen, lächeln; eine Salbe, die die Hände zart macht *od.* zartmacht

z**art**|be|s**ai**|tet, z**art** be|s**ai**|tet

z**art**|b**it**|ter; zartbittere Schokolade

Z**art**|heit

z**ärt**|lich; Z**ärt**|lich|keit

Z**as**|ter, der; -s (*ugs. für* Geld)

Zä|sur, die; -, -en (Einschnitt)

Z**au**|ber, der; -s, -; Z**au**|be|rei; Z**au**|be|rer

Z**au**|ber|flö|te; Z**au**|ber|for|mel; z**au**|ber|haft; Z**au**|be|rin; Z**au**|ber|künst|ler; Z**au**|ber|künst|le|rin; Z**au**|ber|lehr|ling

z**au**|bern; ich zaubere

Z**au**|ber|stab; Z**au**|ber|wort *Plur.* ...worte; Z**au**|ber|wür|fel

z**au**|dern; ich zaudere

Z**aum**, der; -[e]s, Zäume (über den Kopf und ins Maul von Pferden gelegte Vorrichtung [zum Lenken]); im Zaum halten

zäu|men; Z**aum**|zeug

Z**aun**, der; -[e]s, Zäune; Z**aun**|gast *Plur.* ...gäste; Z**aun**|kö|nig (ein Vogel); Z**aun**pfahl; ein Wink mit dem Zaunpfahl (*ugs. für* deutlicher Hinweis)

z**au**|sen; du zaust; er zaus|te

Z**a**|z**i**|ki, Tsa|t|si|ki, der *u. das*; -s, -s (Joghurt mit Knoblauch u. Gurkenstückchen)

Z**e**|b|ra, das; -s, -s; Z**e**|b|ra|strei|fen (Kennzeichen von Fußgängerüberwegen)

Z**e**|che, die; -, -n (Rechnung für genossene Speisen u. Getränke; Bergwerk); die Zeche prellen; z**e**|chen (viel Alkohol trinken)

Z**e**|cher; Z**e**|che|rin; Z**ech**|prel|ler; Z**ech**prel|le|rei; Z**ech**|prel|le|rin

Z**eck**, der; -[e]s, -e (*südd. u. österr. neben* Zecke); Z**e**|cke, die; -, -n (eine parasitisch lebende Milbe)

Z**e**|der, die; -, -n (immergrüner Nadelbaum)

Z**eh**, der; -s, -en, Z**e**|he, die; -, -n; der kleine, große Zeh; die kleine, große Zehe

Z**e**|hen|spit|ze; auf Zehenspitzen gehen

z**ehn**; wir sind zu zehnen oder zu zehnt; alle zehn Finger; *aber* die Zehn Gebote

Z**ehn**, die; -, -en (Zahl); *vgl.* [1]Acht

Z**ehn**|cent|stück (*mit Ziffern* 10-Cent-Stück)

Z**eh**|ner, der; -s, - (*ugs. auch für* Münze *od.* Schein mit dem Wert 10); *vgl.* Achter

Z**ehn**|eu|ro|schein (*mit Ziffern* 10-Euro-Schein); z**ehn**|fach *vgl.* achtfach; Z**ehn**fa|che, das; -n; *vgl.* Achtfache; Z**ehn**|fin|ger|sys|tem, das; -s; z**ehn**|jäh|rig *vgl.* achtjährig; Z**ehn**|kampf (*Sport*); z**ehn**köp|fig; z**ehn**|mal *vgl.* achtmal; Z**ehn**me|ter|brett (*mit Ziffern* 10-Meter-Brett *od.* 10-m-Brett)

z**ehnt** *vgl.* zehn; Z**ehnt**, Z**ehn**|te, der; ...ten, ...ten (*früher für* [Steuer]abgabe)

z**ehn**|tä|gig (zehn Tage dauernd)

z**ehn**|tau|send; die oberen Zehntausend *od.* zehntausend

z**ehn**|te *vgl.* achte

z**ehn**|tel *vgl.* achtel; Z**ehn**|tel, das, *schweiz. meist* der; -s, -; *vgl.* Achtel; z**ehn**|tens

z**eh**|ren

Z**ei**|chen, das; -s, -; Zeichen setzen; Z**ei**chen|block *vgl.* Block; Z**ei**|chen|set|zung (*für* Interpunktion); Z**ei**|chen|trick|film

z**eich**|nen; für etw. verantwortlich zeichnen; Z**eich**|nen, das; -s; Z**eich**|ner; Z**eich**|ne|rin; z**eich**|ne|risch; Z**eich**|nung

Z**ei**|ge|fin|ger, Z**eig**|fin|ger; z**ei**|gen; etwas zeigen; sich [großzügig] zeigen; Z**ei**|ger; Z**ei**|ge|stock *Plur.* ...stöcke; Z**eig**|fin|ger *vgl.* Zeigefinger

z**ei**|hen (*geh. für* bezichtigen); sie zieh ihn der Lüge, hat ihn der Lüge geziehen

Z**ei**|le, die; -, -n (*Abk.* Z.); z**ei**|len|wei|se

z**eit**; *Präp. mit Gen.:* zeit meines Lebens

Z**eit**, die; -, -en; zu aller Zeit; *aber* all[e]zeit

Z**eit**|al|ter; Z**eit**|ar|beit; Z**eit**|ar|beits|fir|ma; Z**eit**|auf|wand; z**eit**|auf|wen|dig, z**eit**|auf|wän|dig; Z**eit**|bom|be; Z**eit**druck, der; -[e]s; Z**eit**|en|wen|de; Z**eit**fah|ren, das; -s (*Radsport*); Z**eit**|fens|ter (eingeschobener Zeitraum); Z**eit**|form (*für* Tempus); Z**eit**|geist, der; -[e]s; z**eit**|ge|mäß; zeitgemäße Technik; Z**eit**|ge|nos|se;

Zeit|ge|nos|sin; zeit|ge|nös|sisch; Zeit-
ge|schich|te; zeit|ge|schicht|lich; zeit-
gleich; zeitgleich ankommen; zei|tig; zei-
ti|gen (hervorbringen); Erfolge zeitigen;
Zeit|kar|te
Zeit lang, Zeit|lang; eine Zeit lang od.
Zeitlang warten; aber nur eine kurze Zeit
lang; zeit|le|bens; aber zeit seines
Lebens; zeit|lich; das Zeitliche segnen
(veraltend für sterben); zeit|los
Zeit|lu|pe, die; Zeit|ma|schi|ne; zeit|nah,
zeit|na|he; Zeit|plan; Zeit|punkt; Zeit-
raf|fer (Film); Zeit|rah|men
zeit|rau|bend, Zeit rau|bend; aber nur viel
Zeit raubend; noch zeitraubender, sehr
zeitraubend; das zeitraubends|te Verfah-
ren; Zeit|raum; Zeit|rech|nung; Zeit|rei-
se; Zeit|schrift (Abk. Zs., Zschr.); Zeit-
span|ne
zeit|spa|rend, Zeit spa|rend; aber nur viel
Zeit sparende Verfahren, [noch] zeitsparen-
dere Verfahren, sehr zeitsparende Verfah-
ren, das zeitsparends|te Verfahren
Zei|tung; Zei|tungs|an|zei|ge; Zei|tungs-
ar|ti|kel; Zei|tungs|be|richt; Zei|tungs-
re|dak|ti|on; Zei|tungs|ver|lag; zeit|ver-
setzt; eine zeitversetzte Fernsehübertra-
gung; Zeit|ver|treib, der; -[e]s, -e; Zeit-
ver|zö|ge|rung; zeit|wei|lig; zeit|wei|se;
Zeit|wort Plur. ...wörter; Zeit|zeu|ge;
Zeit|zeu|gin; Zeit|zo|ne
ze|le|b|rie|ren (feierlich begehen; die Messe
lesen)
Zel|le, die; -, -n
Zel|ler, der; -s (österr. ugs. für Sellerie)
Zell|kern
Zel|lo|phan, das; -s (glasklare Folie); vgl.
Cellophan
Zell|stoff (Produkt aus Zellulose); Zell|tei-
lung
Zel|lu|li|tis vgl. Cellulitis; Zel|lu|lo|id, das;
-[e]s, Cel|lu|lo|id (Kunststoff, Zellhorn)
Zelt, das; -[e]s, -e; zel|ten; gezeltet
Zelt|la|ger Plur. ...lager; Zelt|pla|ne
Ze|ment, der, (für Zahnbestandteil:) das;
-[e]s, -e (Baustoff; Bestandteil der Zähne)

ze|men|tie|ren (mit Zement ausfüllen, ver-
putzen; übertr. auch für [einen Zustand,
Standpunkt] unverrückbar festlegen)
Zen [z..., auch ts...], das; -[s] (japanische
Richtung des Buddhismus)
Ze|nit, der; -[e]s (Scheitelpunkt)
zen|sie|ren (benoten; [auf unerlaubte
Inhalte] prüfen); Zen|sur, die; -, -en (nur
Sing.: behördl. Prüfung [u. Verbot] von
Druckschriften u. a.; [Schul]note)
Zen|taur, Ken|taur, der; -en, -en (Wesen der
griechischen Sage mit menschlichem Ober-
körper u. Pferdeleib)
Zen|ti|me|ter [auch 'tsen...], der; -s, -
($^1/_{100}$ m; Zeichen cm); zen|ti|me|ter|dick;
Zen|ti|me|ter|maß, das
Zent|ner, der; -s, - (100 Pfund od. 50 kg;
Abk. Ztr.; Österreich u. Schweiz 100 kg
[Meterzentner], Zeichen q); zent|ner-
wei|se
zen|t|ral (in der Mitte; im Mittelpunkt
befindlich, von ihm ausgehend; Mittel...,
Haupt...); Zen|t|ral|ab|i|tur (Schule)
zen|t|ral|af|ri|ka|nisch; aber die Zentralafri-
kanische Republik; zen|t|ral|asi|a|tisch
Zen|t|ral|bank Plur. ...banken; Zen|t|ral-
bank|chef; Zen|t|ral|bank|che|fin
Zen|t|ra|le, die; -, -n (auch Geom. Mittel-
punktslinie)
Zen|t|ra|li|sie|rung; Zen|t|ra|lis|mus, der; -
(Streben nach Zusammenziehung [der Ver-
waltung u. a.]); zen|t|ra|lis|tisch
Zen|t|ral|ner|ven|sys|tem; Zen|t|ral|rat;
Zen|t|ral|stel|le; Zen|t|ral|ver|band
zen|t|rie|ren (auf die Mitte einstellen)
Zen|t|ri|fu|gal|kraft; Zen|t|ri|fu|ge, die; -,
-n (Schleudergerät zur Trennung von Flüs-
sigkeiten)
Zen|t|ri|pe|tal|kraft
Zen|t|rum, das; -s, ...tren (Mittelpunkt)
Zep|pe|lin, der; -s, -e (Luftschiff)
Zep|ter, das, seltener der; -s, - (Herrscherstab)
Zer|be|rus, Cer|be|rus, der; -, -se (griech.
Sage der den Eingang der Unterwelt bewa-
chende Hund)
zer|bre|chen; zer|brech|lich

zer|brö|seln (zerbröckeln)

Ze|re|mo|nie [*auch, österr. nur*, ...'mo:niə], die; -, ...ien [*auch* ...'mo:niən] (feierliche Handlung); ze|re|mo|ni|ell (feierlich; förmlich; steif); Ze|re|mo|ni|ell, das; -s, -e ([Regeln für] feierliche Handlungen)

zer|fah|ren (verwirrt, gedankenlos)

Zer|fall, der; -[e]s, ...fälle (Zusammenbruch, Zerstörung); zer|fal|len

zer|fet|zen

zer|flei|schen (zerreißen); du zerfleischst

zer|fres|sen; mottenzerfressen

zer|klei|nern; ich zerkleinere

zer|klüf|tet

zer|knirscht (schuldbewusst)

zer|knit|tern

zer|knül|len

zer|krat|zen

zer|le|gen

zer|lumpt (*ugs.*)

zer|mal|men

zer|mür|ben (mürbe machen)

Ze|ro [z...], die; -, -s *od.* das; -s, -s (Null, Nichts; *im Roulett* Gewinnfeld des Bankhalters)

zer|plat|zen

zer|quet|schen

Zerr|bild

zer|rei|ben

zer|rei|ßen; sich zerreißen; Zer|reiß|pro|be

zer|ren

zer|rin|nen

zer|ris|sen; Zer|ris|sen|heit

Zer|rung

zer|rüt|ten (zerstören); zer|rüt|tet; zerrüttete Ehen

zer|schel|len; zerschellt

zer|schla|gen; Zer|schla|gung

zer|schmet|tern; zerschmetterte Glieder

zer|schnei|den

zer|set|zen; Zer|set|zung

zer|split|tern; Zer|split|te|rung

zer|stäu|ben

zer|stö|ren; Zer|stö|rer; zer|stö|re|risch; Zer|stö|rung

zer|strei|ten, sich

zer|streu|en; zer|streut; Zer|streut|heit, die; -; Zer|streu|ung

zer|stü|ckeln

zer|tei|len

Zer|ti|fi|kat, das; -[e]s, -e ([amtl.] Bescheinigung, Zeugnis); zer|ti|fi|zie|ren; zertifiziert; Zer|ti|fi|zie|rung

zer|trüm|mern; ich zertrümmere

Zer|ve|lat|wurst [z..., *auch* ts...], Ser|ve|lat|wurst (eine Dauerwurst)

Zer|würf|nis, das; -ses, -se

zer|zau|sen; zerzauste Haare

ze|tern (*ugs.*); ich zetere

Zet|tel, der; -s, - (kleines Blatt Papier)

Zeug, das; -[e]s, -e; jmdm. etwas am Zeug flicken (*ugs. für* an jmdm. kleinliche Kritik üben)

Zeu|ge, der; -n, -n

¹zeu|gen (erzeugen)

²zeu|gen (bezeugen); es zeugt von Fleiß; Zeu|gen|aus|sa|ge; Zeu|gen|schutz, der; -[e]s; Zeu|gen|stand, der; -[e]s

Zeug|haus (*Militär früher für* Lager für Waffen u. Vorräte)

Zeu|gin; Zeug|nis, das; -ses, -se

Zeu|gung; zeu|gungs|fä|hig

Zi|cke, die; -, -n (weibliche Ziege); *vgl.* Zicken; zi|cken (*ugs. für* überspannt, launisch sein); Zi|cken *Plur.* (*ugs. für* Dummheiten); mach keine Zicken!; zi|ckig (*ugs. für* überspannt, eigensinnig)

Zick|zack, der; -[e]s, -e; im Zickzack laufen

Zie|ge, die; -, -n

Zie|gel, der; -s, -; Zie|ge|lei

zie|gel|rot; Zie|gel|stein

Zie|gen|bock; Zie|gen|pe|ter, der; -s, - (*ugs. für* Mumps)

Zieg|ler (*veraltet für* Ziegelbrenner); Zieg-le|rin

zie|hen; du zogst; du zögest; gezogen; zieh[e]!; nach sich ziehen; Tee ziehen lassen; Zieh|har|mo|ni|ka; Zie|hung; Zieh-va|ter (*landsch.*)

Ziel, das; -[e]s, -e; ziel|be|wusst; zie|len

ziel|füh|rend; ziel|ge|nau; Ziel|ge|ra|de (*Sport* letztes gerades Bahnstück vor dem

Ziel); ziel|ge|rich|tet; Ziel|grup|pe; Ziel-
li|nie; ziel|los; Ziel|schei|be; Ziel|set-
zung; ziel|si|cher; ziel|stre|big; Ziel|vor-
ga|be
zie|men (geh. veraltend); es ziemt sich, es
ziemt mir; ziem|lich (fast, annähernd)
Zier, die; -; Zier|de, die; -, -n
zie|ren; sich zieren
zier|lich; Zier|rat, der; -[e]s, -e
Zif|fer, die; -, -n (Zahlzeichen; Abk. Ziff.);
arabische, römische Ziffern; Zif|fer|blatt,
Zif|fern|blatt
zig (ugs.); zig Euro; er fuhr mit zig Sachen in
die Kurve; zigfach; zigmal; das Zigfache;
Zighundert od. zighundert Menschen
Zi|ga|ret|te, die; -, -n; Zi|ga|ret|ten|kip|pe
Zi|ga|ril|lo [selten auch ...'rıljo], der, auch
das; -s, -s, ugs. auch die; -, -s (kleine
Zigarre); Zi|gar|re, die; -, -n
Zi|geu|ner, der; -s, -; Zi|geu|ne|rin

zig|fach, zig|hun|dert, zig|mal, zigste,
zig|tau|send vgl. zig
Zi|ka|de, die; -, -n (ein Insekt)
Zim|mer, das; -s, -; Zim|me|rer; Zim|me|rin
(westösterr. auch für Zimmermädchen);
Zim|mer|mann Plur. ...leute; zim|mern;
ich zimmere; Zim|mer|the|a|ter
zim|per|lich; Zim|per|lie|se, die; -, -n (ugs.
für zimperliches Mädchen)
Zimt, der; -[e]s, Plur. (Sorten:) -e (ein
Gewürz)
Zink, das; -[e]s (chemisches Element, Metall;
Zeichen Zn); Zink|blech
Zin|ke, die; -, -n (Zacke); zin|ken (mit Zinken
versehen); Zin|ken, der; -s, - ([Gauner]zei-
chen; ugs. für große Nase)
Zinn, das; -[e]s (chemisches Element, Metall;
Zeichen Sn); Zinn|be|cher

Zin|ne, die; -, -n (zahnartiger Mauerab-
schluss)
Zin|no|ber; zin|no|ber|rot
Zins, der; -es, -en (Ertrag); Zins|er|hö-
hung; Zins|er|trag; Zin|ses|zins Plur.
...zinsen; Zins|fuß Plur. ...füße; zins-
güns|tig; zins|los; Zins|ni|veau
(Wirtsch.); zins|po|li|tik; Zins|rech-
nung; Zins|satz; Zins|sen|kung
Zi|o|nis|mus, der; - (Bewegung zur Grün-
dung u. Sicherung eines nationalen jüdi-
schen Staates); Zi|o|nist, der; -en, -en; Zi-
o|nis|tin; zi|o|nis|tisch
Zip|fel, der; -s, -; Zip|fel|müt|ze
zir|ka vgl. circa
Zir|kel, der; -s, -; zir|keln (Kreis ziehen;
[ab]messen); ich zirk[e]le
Zir|ku|la|ti|on, die; -, -en (Kreislauf); zir|ku-
lie|ren
Zir|kus, Cir|cus, der; -[ses], -se (großes Zelt
od. Gebäude, in dem Artistik, Tierdressu-
ren u. a. gezeigt werden); Zir|kus|pferd,
Cir|cus|pferd
zir|pen
Zir|rho|se, die; -, -n (Med. chron. Wuche-
rung von Bindegewebe mit nachfolgender
Verhärtung u. Schrumpfung)
Zir|rus|wol|ke (Federwolke)
zi|schen; du zischst; Zisch|laut
Zis|ter|ne, die; -, -n (Behälter für Regenwas-
ser)
Zi|ta|del|le, die; -, -n (Befestigungsanlage
innerhalb einer Stadt od. einer Festung)
Zi|tat, das; -[e]s, -e
Zi|ther, die; -, -n (ein Saiteninstrument)
zi|tie|ren ([eine Textstelle] wörtlich anfüh-
ren; vorladen)
Zi|t|ro|nat, das; -[e]s, -e (kandierte Frucht-
schale einer Zitronenart)
Zi|t|ro|ne, die; -, -n; Zi|t|ro|nen|saft; Zi-
t|ro|nen|säu|re, die; -
Zi|t|rus|frucht (Zitrone, Apfelsine u. a.)
zit|te|rig, zitt|rig; zit|tern; ich zittere; sie
hat das Zittern (ugs.); Zit|ter|par|tie
(Spiel, bei dem eine Mannschaft bis zuletzt
um den Sieg fürchten muss)

Zit|ze, die; -, -n (Organ zum Säugen bei w. Säugetieren)

Zi|vi, der; -s, -s u. die; -, -s (kurz für Zivildienstleistende[r])

zi|vil (bürgerlich); zivile (niedrige) Preise; ziviler Bevölkerungsschutz, Ersatzdienst

Zi|vil, das; -s (bürgerl. Kleidung)

Zi|vil|be|völ|ke|rung; Zi|vil|cou|ra|ge; Zi|vil|dienst, der; -[e]s; **Zi|vil|ge|sell|schaft** (Politik, Soziol.); **Zi|vi|li|sa|ti|on**, die; -, -en (durch Fortschritt von Wissenschaft u. Technik verbesserte Lebensbedingungen)

zi|vi|li|sa|to|risch; zi|vi|li|siert; Zi|vi|list, der; -en, -en (Nichtsoldat); **Zi|vi|lis|tin**

Zi|vil|pro|zess (Gerichtsverfahren, dem die Bestimmungen des Privatrechts zugrunde liegen); **Zi|vil|recht; zi|vil|recht|lich; Zi|vil|schutz**, der; -es

Zlo|ty ['zɫɔti], **Złoty** ['zʊɔ...], der; -[s], -s (polnische Währungseinheit; Währungscode PLN); 5 Zloty

Zo|bel, der; -s, - (Marder; Pelz)

zo|cken (ugs. für Glücksspiele machen; Jugendspr. auch für ein [Computer]spiel spielen); **Zo|cker**, der; -s, -; **Zo|cke|rin**

Zo|fe, die; -, -n

Zoff, der; -s (ugs. für Ärger, Streit, Unfrieden); **zof|fen**, sich (ugs. für sich streiten)

zö|ger|lich (zögernd); **zö|gern**; ich zögere; nach anfänglichem Zögern; ohne Zögern einspringen

Zög|ling

Zö|li|bat, das, Theol. der; -[e]s (pflichtmäßige Ehelosigkeit aus religiösen Gründen, bes. bei kath. Geistlichen)

¹Zoll, der; -[e]s, Zölle (Abgabe)

²Zoll, der; -[e]s, - (altes Längenmaß; Zeichen ''); 3 Zoll breit

Zoll|be|am|te; Zoll|be|am|tin

zol|len; jmdm. Respekt zollen

zoll|frei; Zoll|kon|t|rol|le

Zöll|ner (früher für Zoll-, Steuereinnehmer; veraltend Zollbeamter); **Zöll|ne|rin**

Zoll|stock Plur. ...stöcke

Zom|bie [...bi], der; -[s], -s (wiedererweckter Toter)

Zo|ne, die; -, -n (abgegrenztes Gebiet)

Zo|nen|gren|ze (nach dem 2. Weltkrieg für Grenze zwischen den Besatzungszonen)

Zoo, der; -s, -s; **Zoo|lo|gie** [tsoo...], die; - (Tierkunde); **zoo|lo|gisch**

Zoom [zu:m], das u. der; -s, -s (Objektiv mit veränderlicher Brennweite); **zoo|men**; gezoomt

Zopf, der; -[e]s, Zöpfe; ein alter Zopf (ugs. für überlebter Brauch)

Zorn, der; -[e]s; **zor|nig**

Zo|te, die; -, -n (unanständiger Witz); **zo|tig**

zot|te|lig, zott|lig; zot|tig

zu; zu zweien, zu zweit; zu viel, zu wenig, zu weit, zu spät; zu sein (ugs. für geschlossen sein); zuletzt, aber zu guter Letzt; zu Ende gehen; **zu|al|ler|erst; zu|al|ler|letzt; zu|al|ler|meist; zu|äu|ßerst**

Zu|be|hör, das, seltener der; -[e]s, Plur. -e, schweiz. auch -den

Zu|ber, der; -s, - (landsch. für [Holz]bottich)

zu|be|rei|ten; Zu|be|rei|tung

zu|be|we|gen; sich aufeinander zubewegen; aber sie war nicht dazu zu bewegen

zu|bil|li|gen

Zu|brin|ger; Zu|brin|ger|stra|ße

Zuc|chi|ni [...'ki:ni], die; -, -, bes. fachspr. **Zuc|chi|no** der; -s, ...ni meist Plur. (ein gurkenähnliches Gemüse)

Zucht, die; -, -en; **züch|ten**

Züch|ter; Züch|te|rin; Zucht|haus

züch|ti|gen (geh.); Züch|ti|gung (geh.)

Zucht|tier; Züch|tung

zu|ckeln (ugs. für gemächlich gehen, fahren); ich zuck[e]le

zu|cken; der Blitz zuckt

zü|cken; den Geldbeutel zücken

Zu|cker, der; -s, Plur. (Sorten:) -; **zu|cker|frei**; zuckerfreie Bonbons; **Zu|cker|gla|sur; zu|cker|krank; zu|ckern**; ich zuckere; **Zu|cker|rü|be; zu|cker|süß**

zu|de|cken

zu|dem (außerdem)

zu|dre|hen

zu|dring|lich; Zu|dring|lich|keit

Z

zu|drü|cken

zu ei|gen; sich etwas zu eigen machen

zu|ei|n|an|der; er fragte, wie wir uns zuei-nander verhalten würden

zu|ei|n|an|der|fin|den, zu|ei|n|an|der fin-den; zu|ei|n|an|der|hal|ten, zu|ei|n|an-der hal|ten; zu|ei|n|an|der|pas|sen, zu-ei|n|an|der pas|sen

zu|er|ken|nen

zu|erst; der zuerst genannte Verfasser ist nicht mit dem zuletzt genannten zu ver-wechseln; zuerst einmal; *aber* zu zweit

Zu|fahrt; Zu|fahrts|stra|ße

Zu|fall, der

zu|fal|len; die Tür fiel zu

zu|fäl|lig

zu|fas|sen

zu|flie|ßen

Zu|flucht, die; -; Zu|fluchts|ort, der; -[e]s, -e

Zu|fluss

zu|fol|ge; *Präp., bei Nachstellung mit Dat.:* dem Gerücht zufolge, demzufolge *(vgl. d.); bei Voranstellung mit Gen.:* zufolge des Gerüchtes

zu|frie|den; zufrieden mit dem Ergebnis; zufrieden machen, sein, werden; zu|frie-den|ge|ben, sich; Zu|frie|den|heit; zu-frie|den|las|sen

zu|frie|den|stel|len, zu|frie|den stel|len zu|frie|den|stel|lend, zu|frie|den stel-lend; ein zufriedenstellendes *od.* zufrie-den stellendes Ende; *aber nur* ein [noch] zufriedenstellenderes Ende

zu|fü|gen; er fügte ihm Schaden zu

Zug, der; -[e]s, Züge; Zug um Zug; Dreiuhr-zug *(mit Ziffer* 3-Uhr-Zug); im Zuge (in Ver-bindung mit) dieser Entwicklung

Zu|ga|be

Zu|gang; zu|gäng|lich

zu|ge|ben

zu|ge|ge|ben; zugegeben, dass dein Freund recht hat; zu|ge|ge|be|ner|ma|ßen

zu|ge|gen (*geh. für* anwesend, dabei)

zu|ge|hen; auf jmdn. zugehen; auf dem Fest ist es lustig zugegangen; die Tür geht nicht zu (*ugs.*)

zu|ge|hö|rig; Zu|ge|hö|rig|keit

Zü|gel, der; -s, -; zü|gel|los; zü|geln (*schweiz. auch für* umziehen); ich züg[e]le

Zu|ge|ständ|nis; zu|ge|ste|hen

Zu|ge|winn

Zug|fahrt; Zug|füh|rer; *vgl. auch* Zugsfüh-rer; Zug|füh|re|rin

zu|gig (windig)

zü|gig (in einem Zuge; *schweiz. auch für* zugkräftig)

Zug|kraft, die; zug|kräf|tig

zu|gleich

Zug|pferd

zu|grei|fen; greifen Sie zu!

Zu|griff, der; -[e]s, -e; Zu|griffs|recht

zu|grun|de, zu Grun|de; zugrunde *od.* zu Grunde gehen, legen, liegen, richten; es scheint etwas anderes zugrunde *od.* zu Grunde zu liegen; zugrunde liegend *od.* zu Grunde liegend; zugrundeliegend *od.* zu. zugrundeliegend

Zugs|füh|rer (*österr.*)

Zug|spit|ze, die; - (höchster Berg Deutsch-lands); Zug|un|glück

zu|guns|ten, zu Guns|ten; *bei Voranstel-lung mit Gen.:* zugunsten *od.* zu Gunsten bedürftiger Kinder, *bei Nachstellung mit Dat. (seltener):* dem Freund zugunsten *od.* zu Gunsten

zu|gu|te|hal|ten; zu|gu|te|kom|men

Zug|ver|kehr; Zug|vo|gel; Zug|zwang; unter Zugzwang stehen

Zu|häl|ter

zu|hauf (*geh. für* in großer Anzahl); es gab Kartoffeln zuhauf; kommet zuhauf!

zu Hau|se, zu|hau|se

– *ich bin in Berlin* zu Haus[e] *od.* zuhaus[e]

– *sich wie* zu Haus[e] *od.* zuhaus[e] *fühlen*

– *etwas für* zu Haus[e] *od.* zuhaus[e] *mitneh-men*

– *ich freue mich auf* zu Haus[e] *od.* zuhaus[e]

Vgl. auch Haus

Zu|hau|se, das; -[s]; sie hat kein Zuhause

zu|hin|terst

zu|hö|ren
Zu|hö|rer; Zu|hö|re|rin; Zu|hö|rer|schaft
Zu|kauf (*bes. Finanzw.);* zu|kau|fen
zu|knöp|fen
zu|kom|men; er ist auf mich zugekommen;
  sie hat ihm das Geschenk zukommen lassen, *seltener* gelassen
Zu|kunft, die; -, Zukünfte; zu|künf|tig
Zu|kunfts|angst; Zu|kunfts|aus|sich-
  ten *Plur.;* zu|kunfts|fä|hig; Zu-
  kunfts|fä|hig|keit, die; -; zu|kunfts-
  ge|rich|tet; Zu|kunfts|mu|sik (*ugs.*);
  zu|kunfts|ori|en|tiert; Zu|kunfts-
  tech|no|lo|gie; zu|kunfts|träch|tig;
  Zu|kunfts|vi|si|on
Zu|la|ge
zu|lan|gen; zu|läng|lich (hinreichend)
zu|las|sen; sofern die Regel es zulässt
zu|läs|sig (erlaubt); Zu|läs|sig|keit
Zu|las|sung; Zu|las|sungs|ver|fah|ren
zu|las|ten, zu Las|ten; zulasten *od.* zu
  Lasten des ... *od.* von ...
Zu|lauf; zu|lau|fen
zu|le|gen; zugelegt
zu|leid, zu|lei|de, zu Leid, zu Lei|de;
  nur in jmdm. etwas zuleid[e] *od.* zu
  Leid[e] tun
zu|lei|ten; Zu|lei|tung
zu|letzt; *aber* zu guter Letzt
zu|lie|be; *Präp. mit vorangestelltem Dat.:*
  mir, dir usw. zuliebe
Zu|lie|fe|rer (*Wirtsch.*)
zum (zu dem); zum einen ...,
  zum anderen ...; zum Ersten, zum Zweiten; zum Höchsten, Mindesten; zum
  ersten Mal[e]; zum Teil (*Abk.* z. T.); zum
  Beispiel (*Abk.* z. B.)
zu|ma|chen (*ugs.*); zugemacht; auf- und
  zumachen
zu|mal (besonders); zumal [da, wenn]
zu|meist
zu|min|dest; *aber* zum Mindesten
zu|mut|bar; im Rahmen des Zumutbaren
zu|mu|te, zu Mu|te; mir ist gut, schlecht
  zumute *od.* zu Mute
zu|mu|ten; Zu|mu|tung

zu|nächst; zunächst ging er nach Hause;
  zunächst dem Hause *od.* dem Hause
  zunächst
Zu|nah|me, die; -, -n (Vermehrung)
Zu|na|me, der; -ns, -n (Familienname)
zün|deln (*bes. südd., österr. für* mit Feuer
  spielen); ich zünd[e]le
zün|den; zün|dend; zündende Ideen
Zün|der ([Gas-, Feuer]anzünder; Zündvor-
  richtung in Sprengkörpern; *österr. auch
  svw.* Zündhölzer); Zünd|ker|ze; Zünd-
  schlüs|sel; Zünd|stoff; Zün|dung
zu|neh|men; zu|neh|mend
zu|nei|gen; Zu|nei|gung
Zunft, die; -, Zünfte
zünf|tig (*ugs. auch für* ordentlich)
Zun|ge, die; -, -n; zün|geln; ich züng[e]le
zu|nich|te; zunichte sein; zu|nich|te|ma-
  chen (zerstören); zu|nich|te|wer|den
zu|nut|ze, zu Nut|ze; sich etwas zunutze
  od. zu Nutze machen
zu|oberst; die Hemden lagen im Koffer
  zuoberst
zu|ord|nen; Zu|ord|nung
zu|pa|cken
zup|fen; Zupf|in|s|t|ru|ment
zur (zu der); zur Folge haben; zur Zeit
  (*Abk.* z. Z., z. Zt.) Karls des Großen, *aber*
  sie ist zurzeit krank; »Zur alten Post«
zu|ran|de, zu Ran|de; mit etwas zurande
  od. zu Rande kommen; *vgl.* ¹Rand
zu|ra|te, zu Ra|te; jmdn. zurate *od.* zu
  Rate ziehen
zu|rech|nungs|fä|hig
zu|recht|fin|den, sich; zu|recht|kom-
  men; zu|recht|le|gen; zu|recht|ma-
  chen (*ugs.*); zu|recht|rü|cken; zu|recht-
  wei|sen; Zu|recht|wei|sung
zu|re|den; jmdm. gut zureden
zür|nen (*geh.*)
zu|rück; zurück sein; einen Blick auf den
  Weg zurück (auf den Rückweg) werfen,
  aber einen Blick auf den [hinter einem
  liegenden] Weg zurückwerfen; es gibt
  kein Zurück mehr
zu|rück|be|kom|men; zu|rück|blei|ben;

Z

zu|rück|bli|cken; zu|rück|brin|gen; zurückzubringen; zu|rück|den|ken; zu|rück|drän|gen; zu|rück|er|hal|ten; zu|rück|fah|ren; zu|rück|fal|len; zu|rück|fin|den; zu|rück|flie|ßen; zu|rück|for|dern; zu|rück|füh|ren; zu|rück|ge|ben zu|rück|ge|blie|ben *(oft abwertend)*

zu|rück|ge|hen; zurückzugehen; zu|rück|grei|fen; zu|rück|hal|ten; sich zurückhalten

zu|rück|hal|tend; die zurückhaltends|te Äußerung; Zu|rück|hal|tung

zu|rück|ho|len; zu|rück|keh|ren; zu|rück|kom|men; zu|rück|las|sen; zu|rück|le|gen *(österr. auch für [ein Amt] niederlegen)*; zu|rück|leh|nen, sich; zu|rück|lie|gen; zu|rück|mel|den; zu|rück|neh|men; zu|rück|rei|chen; bis in vergangene Jahrhunderte zurückreichend

zu|rück|ru|fen; zu|rück|schi|cken; zu|rück|schla|gen; zu|rück|schrau|ben; du musst deine Ansprüche zurückschrauben

[1]zu|rück|schre|cken; er schrak zurück; sie ist zurückgeschreckt, *selten* sie ist zurückgeschrocken; *vgl.* [1]*schrecken; aber übertr.* vor etwas zurückschrecken (etwas nicht wagen); sie schreckten davor zurück, sind davor zurückgeschreckt

[2]zu|rück|schre|cken; das schreckte ihn zurück; *vgl.* schrecken

zu|rück|set|zen; sich zurückgesetzt fühlen; zu|rück|ste|hen; zurückzustehen; zu|rück|stel|len *(österr. auch für* zurücksenden*)*; zu|rück|stu|fen; zu|rück|tre|ten; zu|rück|ver|fol|gen; zu|rück|ver|set|zen; sich zurückversetzen; zu|rück|ver|wei|sen; zu|rück|wei|chen; zu|rück|wei|sen; Zu|rück|wei|sung; zu|rück|wer|fen; zu|rück|zah|len; zu|rück|zie|hen; zurückgezogen leben; sich zurückziehen

Zu|ruf; auf Zuruf; zu|ru|fen

zur|zeit *(Abk.* zz., zzt.*)*; sie ist zurzeit

krank, *aber* sie lebte zur Zeit Karls des Großen

Zu|sa|ge, die; -, -n; zu|sa|gen

zu|sam|men

– *zusammen mit ihr*
– *zusammenarbeiten, zusammenballen, zusammenbinden: ich binde zusammen, habe zusammengebunden, um zusammenzubinden*

Von einem folgenden Verb oder Partizip wird getrennt geschrieben, wenn »zusammen« svw. »gemeinsam, gleichzeitig« bedeutet (das Verb wird in diesen Fällen meist deutlich stärker betont):

– *sie können nicht zusammen [in einem Raum] arbeiten*
– *wir sind zusammen angekommen*
– *jetzt sollen alle zusammen singen*

Nur getrennt:

– *zusammen sein, aber das Zusammensein*

Zu|sam|men|ar|beit, die; -; zu|sam|men|ar|bei|ten (Tätigkeiten auf ein Ziel hin vereinigen); die beiden Firmen haben beschlossen[,] zusammenzuarbeiten

zu|sam|men|bau|en; er hat das Modellschiff zusammengebaut; *aber* sie wollen zusammen (gemeinsam) bauen

zu|sam|men|bre|chen

Zu|sam|men|bruch, der; -[e]s, ...brüche

zu|sam|men|fah|ren; die Radfahrer sind zusammengefahren; sie ist bei dem Knall zusammengefahren; *aber* sie sind zusammen (gemeinsam) gefahren

zu|sam|men|fal|len (einstürzen; gleichzeitig erfolgen); das Haus ist zusammengefallen; Sonn- und Feiertag sind zusammengefallen

zu|sam|men|fas|sen; er hat den Inhalt der Rede zusammengefasst; Zu|sam|men|fas|sung; zu|sam|men|fin|den, sich (sich treffen, sich zusammentun); zu|sam|men|füh|ren (zueinander hinführen); die Flüchtlinge wurden zusammengeführt; *aber* wir werden den Blinden zusammen (gemeinsam) führen; **Zu|sam|men|füh|rung**

zu|sam|men|ge|hen *vgl.* zusammen

zu|sam|men|ge|hö|ren (eng verbunden sein); wir haben immer zusammengehört; *aber* das Auto wird uns zusammen (gemeinsam) gehören; **zu|sam|men|ge|setzt**; zusammengesetztes Wort (Kompositum); **zu|sam|men|ge|wür|felt**

Zu|sam|men|halt, der; -[e]s; **zu|sam|men|hal|ten**; die beiden haben immer zusammengehalten; sie hat die beiden Stoffe [vergleichend] zusammengehalten

Zu|sam|men|hang; im *od.* in Zusammenhang stehen; **¹zu|sam|men|hän|gen**; sie weiß, dass Ursache und Wirkung zusammenhängen; *vgl.* ¹hängen

²zu|sam|men|hän|gen; er wollte die beiden Bilder zusammenhängen; *vgl.* ²hängen

zu|sam|men|hän|gend

zu|sam|men|hang|los

zu|sam|men|kom|men (sich begegnen); alle Teams sind zusammengekommen; *aber* wenn möglich, wollen wir zusammen (gemeinsam) kommen; **Zu|sam|men|kunft,** die; -, ...künfte; **zu|sam|men|lau|fen** (sich treffen; ineinanderfließen); um zusammenzulaufen; die Farben sind zusammengelaufen; *aber* wir wollen ein Stück zusammen (gemeinsam) laufen

zu|sam|men|le|ben; sie haben lange zusammengelebt (einen gemeinsamen Haushalt geführt); **Zu|sam|men|le|ben,** das; -s

zu|sam|men|le|gen (vereinigen; falten); **Zu|sam|men|le|gung**

zu|sam|men|neh|men (sich beherrschen); sich zusammennehmen; **zu|sam|men|pas|sen**; das hat gut zusammengepasst

zu|sam|men|pral|len; zwei Autos sind auf der Kreuzung zusammengeprallt

zu|sam|men|rech|nen; er hat die Kosten zusammengerechnet; **zu|sam|men|rü|cken** *vgl.* zusammen; **zu|sam|men|schla|gen** (*ugs. für* schwer verprügeln)

zu|sam|men|schlie|ßen, sich (sich vereinigen); um sich zusammenzuschließen

Zu|sam|men|schluss

zu|sam|men|schrei|ben; die beiden Wörter werden zusammengeschrieben; dieses Buch ist aus anderen Büchern zusammengeschrieben; *aber* wir wollen dieses Buch zusammen (gemeinsam) schreiben

zu|sam|men|schwei|ßen (durch Schweißen verbinden; eng vereinigen)

Zu|sam|men|sein, das; -s

zu|sam|men|set|zen (nebeneinandersetzen, zueinanderfügen); **Zu|sam|men|set|zung** (*auch für* Kompositum); **zu|sam|men|sit|zen**; sie haben den ganzen Tag zusammengesessen; **Zu|sam|men|spiel,** das; -[e]s; **zu|sam|men|spie|len**; die Elf hat gut zusammengespielt; *aber* die Kinder haben schön zusammen (gemeinsam) gespielt

zu|sam|men|ste|cken *vgl.* zusammen

zu|sam|men|stel|len (nebeneinanderstellen; zueinanderfügen); die Kinder haben sich zusammengestellt

Zu|sam|men|stoß; **zu|sam|men|sto|ßen**; zwei Autos sind zusammengestoßen

zu|sam|men|tra|gen (sammeln); sie haben das Holz zusammengetragen; *aber* ihr sollt den Sack zusammen (gemeinsam) tragen

zu|sam|men|tref|fen (begegnen); sie sind im Theater zusammengetroffen; **Zu|sam|men|tref|fen,** das; -s, -

zu|sam|men|tre|ten; man hat ihn brutal zusammengetreten; das Parlament ist zusammengetreten (hat sich versammelt)

zu|sam|men|tun (*ugs. für* vereinigen); sie haben sich zusammengetan; *aber* wir wollen das zusammen (gemeinsam) tun

zu|sam|men|wach|sen (in eins wachsen); der Knochen ist wieder zusammengewachsen; **zu|sam|men|zäh|len** (addieren); sie hat die Zahlen zusammengezählt; *aber* lasst uns zusammen (gemeinsam) zählen!

zu|sam|men|zie|hen; die Truppen wurden zusammengezogen; sich zusammenziehen; *aber* sie haben den Wagen zusammen (gemeinsam) gezogen; **zu|sam|men|zu|cken** (eine zuckende Bewegung machen); ich bin bei dem Knall zusammengezuckt

Z

Zu|satz; zu|sätz|lich; Zu|satz|ver|si|che-
rung; Zu|satz|zahl (beim Lotto)
zu|schal|ten; wir haben uns zugeschaltet
zu|schan|den, zu Schan|den; zuschanden
od. zu Schanden machen, werden
zu|schau|en; Zu|schau|er; Zu|schau|e|rin;
Zu|schau|er|raum; Zu|schau|er|zahl
zu|schi|cken
zu|schie|ben (ugs. auch für [heimlich]
zukommen lassen)
zu|schie|ßen (beisteuern); sie hat schon viel
Geld zugeschossen
Zu|schlag; zu|schla|gen
zu|schlie|ßen
zu|schnei|den; Zu|schnitt
zu|schrei|ben; die Schuld an diesem Unglück
wird ihm zugeschrieben; Zu|schrei|bung
Zu|schrift
zu|schul|den, zu Schul|den; du hast dir
etwas zuschulden od. zu Schulden kommen lassen
Zu|schuss
zu|schüt|ten
zu|se|hen; bei genauerem Zusehen
zu|se|hends (rasch; offenkundig)
Zu|se|her (österr. neben Zuschauer)
zu|sen|den vgl. senden
zu|set|zen
zu|si|chern; Zu|si|che|rung
zu|sper|ren (südd., österr. für abschließen)
Zu|spiel, das; -[e]s (Sport); zu|spie|len
zu|spit|zen; Zu|spit|zung
zu|spre|chen; Zu|spruch, der; -[e]s (Trost;
Zulauf); Zuspruch finden
Zu|stand; zu|stan|de, zu Stan|de;
zustande od. zu Stande bringen, kommen
Zu|stan|de|kom|men, das; -s
zu|stän|dig; zuständig sein nach (österr. für
ansässig sein in); Zu|stän|dig|keit
zu|stat|ten|kom|men
zu|ste|cken
zu|ste|hen; dieses Recht stand ihm zu
zu|stei|gen ([als Mitfahrer] einsteigen)
zu|stel|len; Zu|stell|ge|bühr (Postw. frü-
her); Zu|stel|lung
zu|steu|ern

zu|stim|men; Zu|stim|mung
zu|sto|ßen; ihr ist ein Unglück zugestoßen
Zu|strom
zu|ta|ge, zu Ta|ge; zutage od. zu Tage
bringen, fördern, kommen, treten
Zu|tat meist Plur.
zu|tei|len; Zu|tei|lung
zu|teil|wer|den (geh.); ein großes Glück
wurde uns zuteil, ist uns zuteilgeworden
zu|tiefst (völlig; im Innersten)
zu|tra|gen (heimlich berichten); sich zutra-
gen (geschehen)
zu|träg|lich (geh. veraltend)
zu|trau|en; das ist ihm zuzutrauen; Zu|trau-
en, das; -s; zu|trau|lich
zu|tref|fen; zu|tref|fend; die zutreffends|te
Beschreibung; Zu|tref|fen|de, das; -n;
Zutreffendes ankreuzen
Zu|tritt; Zutritt verboten!
zu|tun (ugs. für hinzufügen; schließen); ich
habe kein Auge zugetan; Zu|tun, das; -s
(Hilfe, Unterstützung); ohne mein Zutun
zu|un|guns|ten, zu Un|guns|ten (zum
Nachteil); zuungunsten od. zu Ungunsten
vieler Antragsteller, bei (seltener) Nachstel-
lung mit Dat.: dem Antragsteller zuungunsten od. zu Ungunsten; vgl. Gunst
zu|un|terst; das Oberste zuunterst kehren
zu|ver|läs|sig; Zu|ver|läs|sig|keit
Zu|ver|sicht, die; -; zu|ver|sicht|lich
zu viel; zu viel des Guten; es sind zu viele
Menschen; er weiß [viel] zu viel; besser zu
viel als zu wenig; Zu|viel, das; -[s]; ein
Zuviel ist besser als ein Zuwenig
zu|vor (geh. für vorher); zu|vor|kom|men
(schneller sein); ich komme ihm zuvor;
zuvorgekommen; zuvorzukommen; aber
alles, was zuvor (vorher) gekommen war
zu|vor|kom|mend (liebenswürdig); der
zuvorkommends|te Gastgeber
Zu|wachs, der; -es, Zuwächse (Vermehrung);
Zu|wachs|ra|te
Zu|wan|de|rer, Zuwandrer; Zu|wan|de|rin,
Zuwandrerin; Zu|wan|de|rung; Zu|wan-
de|rungs|ge|setz
zu|war|ten (untätig warten)

zu|we|ge, zu We|ge; *nur in Wendungen wie* **zuwege** *od.* **zu Wege bringen;** [gut] **zuwege** *od.* **zu Wege sein** (*ugs. für* wohlauf sein)

zu|wei|len (manchmal)

zu|wei|sen; Zu|wei|sung

zu|wen|den; ich wandte *od.* wendete mich ihr zu; er hat sich ihr zugewandt *od.* zugewendet; **Zu|wen|dung**

zu we|nig; du weißt [viel] zu wenig; es gab zu wenig[e] Parkplätze; **Zu|we|nig, das;** -[s]; ein Zuviel ist besser als ein Zuwenig

zu|wer|fen

zu|wi|der; zuwider sein, werden; dem Gebot zuwider; das, er ist mir zuwider; **zu|wi|der|han|deln** (Verbotenes tun); ich hand[e]le zuwider; zuwidergehandelt; **Zu|wi|der|hand|lung; zu|wi|der|lau|fen;** sein Verhalten läuft meinen Absichten zuwider; zuwiderzulaufen

zu|zah|len; Zu|zah|lung

zu|zei|ten (bisweilen); *aber* zu Zeiten Karls des Großen

zu|zie|hen; ich habe mir die Grippe zugezogen; **Zu|zug;** der Zuzug der Aussiedler

zu|züg|lich (*Kaufmannsspr.* unter Hinzurechnung); zuzüglich der Versandkosten

zwang *vgl.* zwingen

Zwang, der; -[e]s, Zwänge

zwän|gen (bedrängen; klemmen; einpressen); sich zwängen

zwang|haft; zwang|los

Zwangs|ar|beit; Zwangs|ar|bei|ter; Zwangs|ar|bei|te|rin; zwangs|läu|fig (automatisch, anders nicht möglich); **Zwangs|maß|nah|me; Zwangs|pau|se; Zwangs|ver|stei|ge|rung; Zwangs|voll|stre|ckung; zwangs|wei|se**

zwan|zig *vgl.* achtzig

zwan|zi|ger; die Zwanzigerjahre *od.* zwanziger Jahre; die Goldenen Zwanziger; die Goldenen Zwanzigerjahre; **Zwan|zi|ger, der;** -s, - (*ugs. auch für* Münze *od.* Schein mit dem Wert 20); *vgl.* Achter

zwan|zig|jäh|rig *vgl.* achtjährig

zwan|zigs|te; Zwanzigster Juli (20. Juli

1944, der Tag des Attentats auf Hitler); *vgl.* achte; **Zwan|zigs|tel** *vgl.* Achtel

zwar; er ist zwar alt, aber rüstig; viele Sorten, und zwar ...

Zweck, der; -[e]s, -e; zwecks (*vgl. d.);* zum Zweck[e]; **zweck|dien|lich; zweck|ent|spre|chend; zweck|ge|bun|den; zweck|los; zweck|mä|ßig; Zweck|mä|ßig|keit**

zwecks (*Amtsspr.* zum Zweck von); *Präp. mit Gen.:* zwecks eines Handels

zwei; wir sind zu zweien *oder* zu zweit; zweier guter, *selten* guten Menschen; zweier Liebenden, *seltener* Liebender; *vgl.* acht; **Zwei, die;** -, -en (Zahl); eine Zwei würfeln; er schreibt in Latein nur Zweien; *vgl.* [1]Acht u. Eins

zwei|deu|tig; zwei|di|men|si|o|nal

Zwei|drit|tel|mehr|heit; zwei|ei|ig; zweieiige Zwillinge; **zwei|ein|halb**

Zwei|er *vgl.* Achter; **Zwei|er|bob; zwei|er|lei; Zwei|eu|ro|stück** (*mit Ziffer* 2-Euro-Stück); **zwei|fach** *vgl.* zwiefach

Zwei|fel, der; -s, -; **zwei|fel|haft; zwei|fel|los; zwei|feln;** ich zweif[e]le

Zwei|fels|fall; im Zweifelsfall[e]

zwei|fels|frei; Zweif|ler; Zweif|le|rin

Zweig, der; -[e]s, -e

zwei|ge|schos|sig (*mit Ziffer* 2-geschossig); **zwei|ge|teilt; zwei|glei|sig; zwei|glie|de|rig, zwei|glied|rig**

Zweig|stel|le

zwei|hun|dert; Zwei|hun|dert|eu|ro|schein (*mit Ziffern* 200-Euro-Schein)

zwei|jäh|rig; zwei|jähr|lich

Zwei|kampf; zwei|mal; ein- bis zweimal (1- bis 2-mal); *vgl.* achtmal; **zwei|ma|lig**

zwei|mo|na|tig (zwei Monate dauernd)

Zwei|rad; zwei|rä|de|rig, zwei|räd|rig

zwei|sam; Zwei|sam|keit

zwei|spra|chig; zwei|spu|rig; zwei|stel|lig; zweistellige Zahlen; **zwei|stim|mig; zwei|stö|ckig**

Zwei|strom|land

zwei|stu|fig; zwei|stün|dig (zwei Stunden dauernd); zweistündige Fahrt

zweit *vgl.* zwei

Z

zwei|tä|gig (*mit Ziffer* 2-tägig); **zwei|täg-lich** (*mit Ziffer* 2-täglich)

zwei|tau|send

zweit|bes|te; sie ist die zweitbeste Schülerin; *aber* sie ist die Zweitbeste in der Klasse; **zwei|te**

Zwei|tei|ler; **zwei|tei|lig**

zwei|tens

zweit|klas|sig

Zweit|li|gist, der; -en, -en *(Sport)*

zweit|ran|gig

Zweit|stim|me

zwei|wö|chig (zwei Wochen dauernd)

Zwei|zim|mer|woh|nung (*mit Ziffer* 2-Zimmer-Wohnung)

Zwerch|fell

Zwerg, der; -[e]s, -e; **Zwerg|pla|net** (kleinerer Himmelskörper im Sonnensystem mit eigener Umlaufbahn um die Sonne)

Zwet|sche, die; -, -n; **Zwetsch|ge** (*südd., schweiz. u. fachspr. für* Zwetsche); **Zwetsch|ke** (*bes. österr. für* Zwetsche)

Zwi|ckel, der; -s, - (keilförmiger Einsatz)

zwi|cken; er zwickt ihn, *auch* ihm ins Bein

Zwick|müh|le (Stellung im Mühlespiel); in der Zwickmühle (*ugs. für* in einer misslichen Lage)

Zwie|back, der; -[e]s, Plur. ...bäcke u. -e

Zwie|bel, die; -, -n; **zwie|beln** (*ugs. für* schikanieren); ich zwieb[e]le

Zwie|ge|spräch; **Zwie|licht**, das; -[e]s; **zwie|lich|tig**; eine zwielichtige Gestalt; **Zwie|spalt**, der; -[e]s, Plur. -e u. ...spälte; **zwie|späl|tig**; **Zwie|tracht**, die; - *(geh.)*

Zwil|ling, der; -s, -e; siamesische Zwillinge; **Zwil|lings|bru|der**; **Zwil|lings|paar**; **Zwil|lings|schwes|ter**

Zwin|ge, die; -, -n (ein Werkzeug)

zwin|gen; du zwangst; du zwängest; gezwungen; zwing[e]!; **zwin|gend**

Zwin|ger (fester Turm; Käfig); Dresdener Zwinger (Barockbauwerk in Dresden)

zwin|kern; ich zwinkere

zwir|beln; ich zwirb[e]le

Zwirn, der; -[e]s, Plur. (Sorten:) -e

zwi|schen; *Präp. mit Akk. od. Dat.:* zwischen

den Tischen stehen *aber* etw. zwischen die Tische stellen

zwi|schen|drin (*ugs.; Frage* wo?); zwischendrin liegen; **zwi|schen|durch** *(ugs.);* zwischendurch fallen

Zwi|schen|er|geb|nis; **Zwi|schen|fall**, der; **Zwi|schen|händ|ler**; **Zwi|schen|händ|le-rin**; **Zwi|schen|la|ger**; **zwi|schen-mensch|lich**; zwischenmenschliche Beziehungen; **Zwi|schen|raum**; **Zwi|schen|ruf**; **zwi|schen|staat|lich**; **Zwi|schen|sta|ti-on**; **Zwi|schen|stopp**; **Zwi|schen|ton**; **Zwi|schen|zeit**; **zwi|schen|zeit|lich**

Zwist, der; -[e]s, -e; **Zwis|tig|keit**

zwit|schern; ich zwitschere

Zwit|ter, der; -s, - (Wesen mit männlichen u. weiblichen Geschlechtsmerkmalen)

zwölf; wir sind zu zwöl|fen *oder* zu zwölft; es ist fünf [Minuten] vor zwölf; die zwölf Apostel; *vgl.* acht; zwei

Zwölf, die; -, -en (Zahl); er hat eine Zwölf geschossen; *vgl.* ¹Acht

zwölf|jäh|rig *vgl.* achtjährig; **zwölf|mal** *vgl.* achtmal

zwölft *vgl.* zwölf

zwölf|te *vgl.* achte; **Zwölf|tel**, das, *schweiz. meist* der; -s, -; *vgl.* Achtel; **zwölf|tens**

Zy|an|ka|li, das; -s (stark giftiges Kaliumsalz der Blausäure)

zy|k|lisch, cy|c|lisch (kreisläufig, -förmig; regelmäßig wiederkehrend)

Zy|k|lon, der; -s, -e (Wirbelsturm; *als* ®: Fliehkraftabscheider [für Staub])

Zy|k|lop, der; -en, -en (einäugiger Riese der griech. Sage)

Zy|k|lus, der; -, Zyklen (Kreis[lauf]; Reihe)

Zy|lin|der [tsi..., tsy...], der; -s, -; **Zy|lin-der|hut**; **zy|lin|d|risch** (walzenförmig)

Zy|ni|ker (zynischer Mensch); *vgl. aber* Kyniker; **Zy|ni|ke|rin**; **zy|nisch** (auf grausame Weise spöttisch; mitleidlos)

Zy|nis|mus, der; -, ...men (*nur Sing.:* philosophische Richtung der Kyniker)

Zy|p|res|se, die; -, -n (bes. im Mittelmeerraum wachsender Nadelbaum)

Zys|te, die; -, -n (Geschwulst)

Im Wörterverzeichnis verwendete Abkürzungen

Abkürzungen, bei denen nur -isch zu ergänzen ist, sind nicht aufgeführt, z. B. griech. = griechisch. Das Wortbildungselement -lich wird gelegentlich mit ... l. abgekürzt, z. B. pflanzl. = pflanzlich.

Abk.	Abkürzung		europ.	europäisch
afrik.	afrikanisch		ev.	evangelisch
Akk.	Akkusativ			
allg.	allgemein		fachspr.	fachsprachlich
amerik.	amerikanisch		Fachspr.	Fachsprache
Amtsspr.	Amtssprache		fam.	familiär
Anat.	Anatomie		Finanzw.	Finanzwesen
Archit.	Architektur		Fliegerspr.	Fliegersprache
astron.	astronomisch		Flugw.	Flugwesen
Astron.	Astronomie		Fotogr.	Fotografie
A. T.	Altes Testament		franz.	französisch
Ausspr.	Aussprache			
			Gastron.	Gastronomie
Bankw.	Bankwesen		Gaunerspr.	Gaunersprache
Bauw.	Bauwesen		gebr.	gebräuchlich
Bergmannsspr.	Bergmannssprache		geh.	gehoben
Berufsbez.	Berufsbezeichnung		Gen.	Genitiv
bes.	besonders		Geogr.	Geografie
Bez.	Bezeichnung		Geol.	Geologie
Biol.	Biologie		germ.	germanisch
Börsenw.	Börsenwesen		Ggs.	Gegensatz
Bot.	Botanik			
Buchw.	Buchwesen		hist.	historisch
			hl.	heilig
chin.	chinesisch		Hüttenw.	Hüttenwesen
Dat.	Dativ		ital.	italienisch
Druckw.	Druckwesen			
dt.	deutsch		Jägerspr.	Jägersprache
			jap.	japanisch
EDV	elektronische		Jh.	Jahrhundert
	Datenverarbeitung		jmd., jmdm.,	jemand, jemandem,
	u. -übermittlung		jmdn., jmds.	jemanden, jemandes
ehem.	ehemals, ehemalig		Jugendspr.	Jugendsprache
Eigenn.	Eigenname			
Elektrot.	Elektrotechnik		kath.	katholisch
etw.	etwas		Kaufmannsspr.	Kaufmannssprache